中文版

Photoshop CS5 完全自学教程

李金明 李金荣 编著

人 民 邮 电 出 版 社

北 京

图书在版编目（CIP）数据

中文版Photoshop CS5完全自学教程 / 李金明，李金荣编著. -- 北京 ：人民邮电出版社，2010.6(2014.6重印)
ISBN 978-7-115-23073-7

Ⅰ. ①中… Ⅱ. ①李… ②李… Ⅲ. ①图形软件，Photoshop CS5－教材 Ⅳ. ①TP391.41

中国版本图书馆CIP数据核字(2010)第087634号

内容提要

本书是初学者快速自学Photoshop CS5的经典畅销教程。全书共分22章，从最基础的Photoshop CS5安装和使用方法开始讲起，以循序渐进的方式详细解读图像基本操作、选区、绘画与照片修饰、颜色与色调调整、Camera RAW、路径、文字、滤镜、外挂滤镜和插件、Web、动画、视频、3D等功能，深入剖析图层、蒙版和通道等软件核心功能与应用技巧，内容基本涵盖了Photoshop CS5全部工具和命令。书中精心安排了245个具有针对性的实例（全部提供视频教学录像），不仅可以帮助读者轻松掌握软件使用方法，更能应对数码照片处理、平面设计、特效制作等实际工作需要。读者还可以通过本书索引查询Photoshop各种工具、命令，了解各种门类的实例。

随书光盘中包含所有实例的素材、最终效果文件和视频录像，并附赠海量设计资源和学习资料，包括近千种画笔库、性状库、动作库、渐变库、样式库，以及100多集的Photoshop基础练习录像和《Photoshop外挂滤镜使用手册》电子书。

本书适合广大Photoshop初学者，以及有志于从事平面设计、插画设计、包装设计、网页制作、三维动画设计，影视广告设计等工作的人员使用，同时也适合高等院校相关专业的学生和各类培训班的学员参考阅读。

中文版Photoshop CS5完全自学教程

◆ 编　　著　李金明　李金荣
　责任编辑　孟　飞
◆ 人民邮电出版社出版发行　　北京市丰台区成寿寺路11号
　邮编 100164　　电子邮件 315@ptpress.com.cn
　网址 http://www.ptpress.com.cn
　北京画中画印刷有限公司印刷
◆ 开本：880×1092　1/16
　印张：35.75　　彩插：12
　字数：1327千字　　2010年6月第1版
　印数：168 001 - 174 000册　　2014年6月北京第19次印刷

ISBN 978-7-115-23073-7

定价：99.00元（附光盘）

读者服务热线：(010)81055410　印装质量热线：(010)81055316
反盗版热线：(010)81055315

前 言

本书是初学者快速自学Photoshop CS5的经典畅销教程。全书从实用角度出发，全面、系统地讲解了Photoshop CS5所有应用功能，基本上涵盖了Photoshop CS5全部工具、面板和菜单命令。书中在介绍软件功能的同时，还精心安排了245个具有针对性的实例，帮助读者轻松掌握软件使用技巧和具体应用，以做到学用结合，并且，全部实例都配有视频教学录像，详细演示案例制作过程。此外，还提供了用于查询软件功能和实例的索引。

本书自2007年Photoshop CS3版本以来，一直稳居图形图像类书籍销售排行榜前列。这一版《中文版Photoshop CS5完全自学教程》不仅补充了Photoshop CS5的新增功能，修订了前一版的纰漏，更是大幅度提升了实例的视觉效果和技术含量。同时采纳读者的建议，在实例编排上更加突出针对性和实用性，对于数码照片处理、平面设计、特效设计等均有增强，以期再续经典。

本书的结构与内容

本书共分为22章，从最基础的Photoshop CS5安装方法开始讲起，先介绍Photoshop的应用领域，软件的界面和操作方法，然后讲解软件的功能，包括图像的基本编辑方法、选区、绘画与照片修饰、颜色与色调调整、Camera RAW，再到图层、蒙版、通道等高级功能，以及文字、滤镜、外挂滤镜、插件、Web图形、视频、动画、3D与技术成像等其他功能。内容涉及数字图像处理、抠图、绘画、照片修复与润饰、照片颜色与色调调整、Camera RAW照片处理技术、平面设计、特效设计、3D设计、网页制作、动画制作等众多领域。在介绍软件功能的同时，还对图层、蒙版与通道、通道与色彩等核心功能进行了深入剖析，并通过50个效果精美的综合实例，展现了Photoshop在实际工作中的具体应用。

本书的版面结构说明

为了达到使读者轻松自学，及深入地了解软件功能的目的，本书设计了“实战”、“提示”、“疑问解答”、“技术看板”、“相关链接”等项目，简要介绍如下。

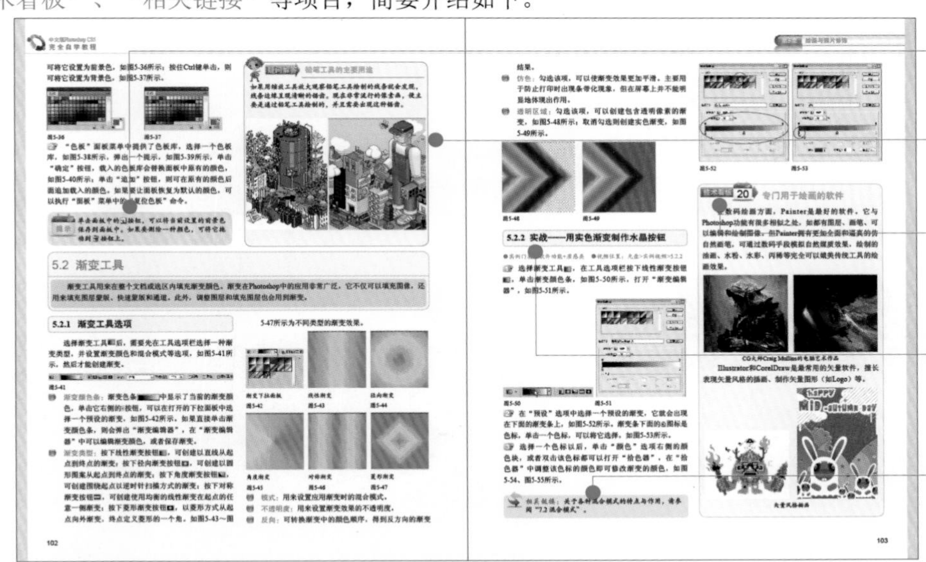

●提示：包含了软件的使用技巧和操作过程中的注意事项。

●疑问解答：对Photoshop初学者最容易困惑的问题做出解答。

●技术看板：汇集了大量技术性提示和相关功能的解释，有利于读者对Photoshop CS5进行更加深入地研究。

●实战：通过实际动手操作学习软件的功能，掌握各种工具、面板和命令的使用方法。

●相关链接：Photoshop CS5体系庞大，许多功能之间都有着密切的联系。“相关链接”标出了与当前介绍的功能相关的其他知识所在的章节。

其他说明

本书主要由李金明、李金荣编写，祁连山老师提供了部分视频教学录像。此外，参与编写工作的还有李锐、徐培育、包娜、陈景峰、李志华、王欣、李哲、贾一、王晓琳、刘军良、贾占学、马波、李慧萍、崔建新、王淑英、季春建、王熹、徐晶、李保安、白雪峰、李宏桐、周亚威、许乃宏、张颖、李萍、王树桐、邹士恩、贾劲松、李宏宇、王淑贤、谭丽丽、刘天鹏、苏国香等。由于水平有限，书中难免有疏漏之处，希望广大读者批评指正。如果您在学习中遇到问题，请随时与我们联系，E-mail：ai_book@126.com。

李金明

2010年5月于北京

22.49 精通图像合成：CG插画 544页
视频位置：光盘/视频/22.49

实例说明：通过蒙版合成多个图像，表现独特的意境，创建超现实主义影像合成效果。

22.4 精通色彩调整：制作当代艺术作品 458页
视频位置：光盘/视频/22.4

22.9 精通路径文字：制作奔跑的人形字 465页
视频位置：光盘/视频/22.9

菠萝城堡
Seasons In The Sun
ANOTHER DAY IN PARADISE A WHOLE NEW WORLD

22.48 精通图像合成：菠萝城堡　541页
视频位置：光盘/视频/22.48

实例说明：将不同色调、光影的图像合成在一起，制作出童话中的梦幻家园。

22.42 精通平面设计：制作运动主题海报　524页
视频位置：光盘/视频/22.42

22.15 精通质感和特效：制作心形云朵　478页
视频位置：光盘/视频/22.15

22.41 精通平面设计：制作唯美插画 521
视频位置：光盘/视频/22.41

实例说明：灵活运用画笔工具、钢笔工具绘制插画元素，将矢量图与绘画艺术完美结合。

5.3.4
实战—用“描边”命令制作线描插画
111页
视频位置：
光盘/视频/5.3.4

22.44
精通平面设计：制作木偶娃娃平面广告
529页
视频位置：
光盘/视频/22.44

22.14 精通特效字：制作建筑物形状立体字 475页
视频位置：光盘/视频/22.14

实例说明：通过复制与变换功能制作立体字。用画笔绘制投影、表现文字的立体结构。

22.46
精通创意设计：
水珠人物 536页
视频位置：
光盘/视频/22.46

22.1
精通变形：
制作超现实主义人像
450页
视频位置：
光盘/视频/22.1

22.3 精通选区：制作 Mix & match 风格插画 455页
视频位置：光盘/视频/22.3

实例说明：用滤镜生成纹理制作出裂痕。基于选区创建蒙版，用画笔修补空缺的内部图像。

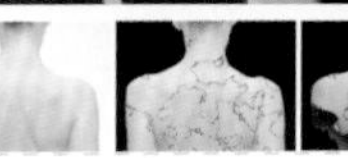
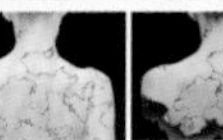

22.10 精通特效字：制作网状字 467页
视频位置：光盘/视频/22.10

22.6 精通图层样式：制作光感气泡 460页
视频位置：光盘/视频/22.6

22.13 精通特效字：制作塑料打孔字 472页
视频位置：光盘/视频/22.13

实例说明：用形状图层组成字母，添加图层样式，表现重叠与镂空的效果。

22.43 精通平面设计：制作心形卡通按钮 526页
视频位置：光盘/视频/22.43

22.2 精通画笔应用：时尚界面设计 453页
视频位置：光盘/视频/22.2

22.11 精通特效字：制作金属字 469页
视频位置：光盘/视频/22.11

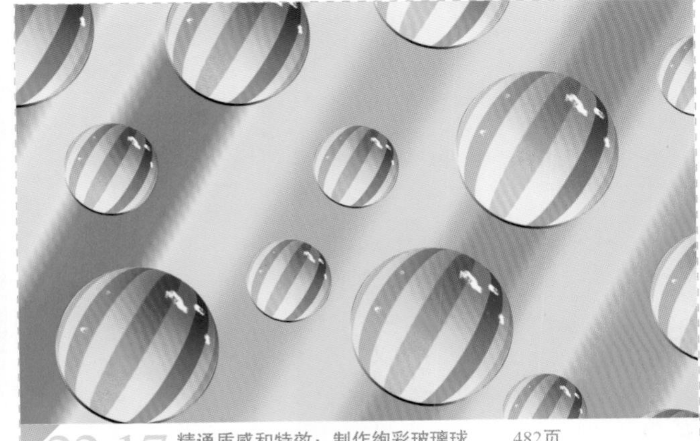

22.17 精通质感和特效：制作绚彩玻璃球 482页
视频位置：光盘/视频/22.17

22.36 精通照片处理：制作淡雅写真 510页
视频位置：光盘/视频/22.36

实例说明：抠出人像，再扩展画布，通过变换功能制作神奇的镜像效果。

8.9
黑白命令：制作CD包装封面 228页
视频位置：光盘/视频/8.9

22.7
精通蒙版：
瓶子里的风景
462页
视频位置：
光盘/视频/22.7

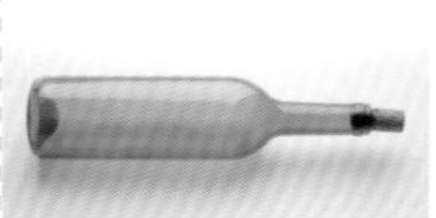

22.16
精通质感和特效：制作水晶花 480页
视频位置：光盘/视频/22.16

22.47
精通图像合成：
突破
539页
视频位置：
光盘/视频/22.47

22.50 精通鼠绘：绘制人物画 549页
视频位置：光盘/视频/22.50

实例说明：学习Photoshop鼠绘技术，用画笔和修饰工具深入刻画五官细节，用钢笔绘制头发，表现清晰的发丝。

6.9.5
实战—使用外部样式创建特效字 181页
视频位置：光盘/视频/6.9.5

22.20
精通质感和特效：
制作冰手
490页
视频位置：
光盘/视频/22.20

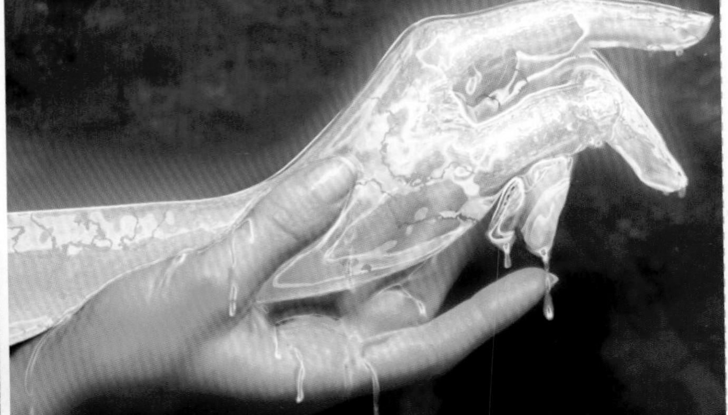

6.8.9
实战—制作霓虹灯字 179页
视频位置：光盘/视频/6.8.9

22.21
精通质感和特效：
制作铜手
494页
视频位置：
光盘/视频/22.21

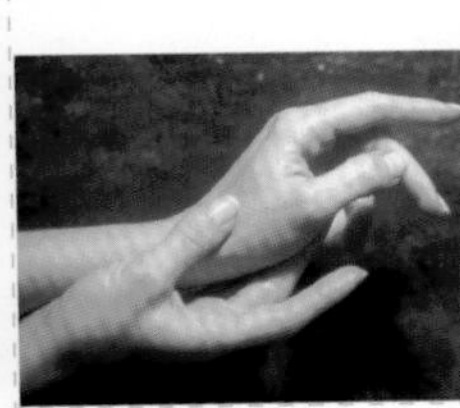

22.30 精通照片处理：用照片制作贺年卡 503页
视频位置：光盘/视频/22.30

实例说明：通过“色调分离”命令，将照片中的人物制作为剪贴画效果，再添加装饰效果图形。

22.12
精通特效字：制作岩石刻字
471页
视频位置：光盘/视频/22.12

22.40
精通照片处理：
制作职场阿凡达

518页
视频位置：
光盘/视频/22.40

3.15.8
实战—通过变换制作飞鸟 63页
视频位置：光盘/视频/3.15.8

22.19
精通质感和特效：
制作纪念币

487页
视频位置：
光盘/视频/22.19

22.22
精通照片处理：
眼睛换色
495页
视频位置：
光盘/视频/22.22

22.23
精通照片处理：
让眼睛更有神
496页
视频位置：
光盘/视频/22.23

22.24
精通照片处理：
挽救闭眼照
497页
视频位置：
光盘/视频/22.24

22.25
精通照片处理：
头发换色
498页
视频位置：
光盘/视频/22.25

22.26
精通照片处理：
增加身高
499页
视频位置：
光盘/视频/22.26

22.27
精通照片处理：
快速美白
500页
视频位置：
光盘/视频/22.27

22.28
精通照片处理：
柯达插件磨皮
501页
视频位置：
光盘/视频/22.28

22.32
精通照片处理：
制作柔光艺术照
505页
视频位置：
光盘/视频/22.32

5.11.7
实战—用液化滤镜修出完美脸形
144页
视频位置：
光盘/视频/5.11.7

5.6.2
用仿制图章去除照片多余人物
127页
视频位置：
光盘/视频/5.6.2

8.5
曝光度命令：调整照片的曝光
220页
视频位置：
光盘/视频/8.5

8.17
阴影/高光命令：调整逆光高反差照片 240页
视频位置：
光盘/视频/8.17

8.22
去色命令：制作高调黑白照片
251页
视频位置：
光盘/视频/8.22

7.5.2
实战—中性色图层校正照片曝光
203页
视频位置：
光盘/视频/7.5.2

9.8.4
实战—用通道调出明快色彩
280页
视频位置：
光盘/视频/9.8.4

22.34

精通照片处理：
制作反转负冲效果
507页
视频位置：
光盘/视频/22.34

8.16

可选颜色命令：
制作时尚冷艳色调
238页
视频位置：
光盘/视频/8.16

8.11

通道混合器命令：
新锐插画设计
233页
视频位置：
光盘/视频/8.11

22.31

精通照片处理：
用Lab调出唯美蓝调
504页
视频位置：
光盘/视频/22.31

22.33

精通照片处理：
制作商业外景片效果
506页
视频位置：
光盘/视频/22.33

8.21

阈值命令：制作
涂鸦效果艺术海报
250页
视频位置：
光盘/视频/8.21

22.37
精通照片处理：
制作极地效果
513页
视频位置：
光盘/视频/22.37

22.35
精通照片处理：
制作梦幻效果
509页
视频位置：
光盘/视频/22.35

8.20
替换颜色命令：
制作风光明信片
248页
视频位置：
光盘/视频/8.20

8.10
照片滤镜命令：
制作怀旧风格照片
231页
视频位置：
光盘/视频/8.10

22.18
精通质感和特效：
制作特色邮票
486页
视频位置：
光盘/视频/22.18

9.6.7
实战—校正白平衡
错误的照片
274页
视频位置：
光盘/视频/9.6.7

5.6.9
实战—用历史记录艺术
画笔制作手绘效果
132页
视频位置：
光盘/视频/5.6.9

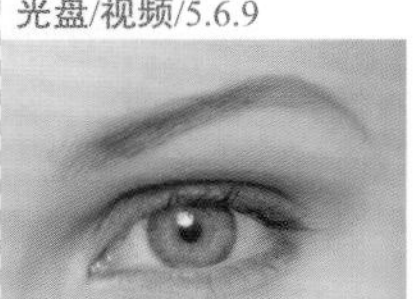

5.8.3
实战—用魔术橡皮擦
工具抠像
136页
视频位置：
光盘/视频/5.8.3

5.3.2
实战—用“填充”命令
填充草坪图案
109页
视频位置：
光盘/视频/5.3.2

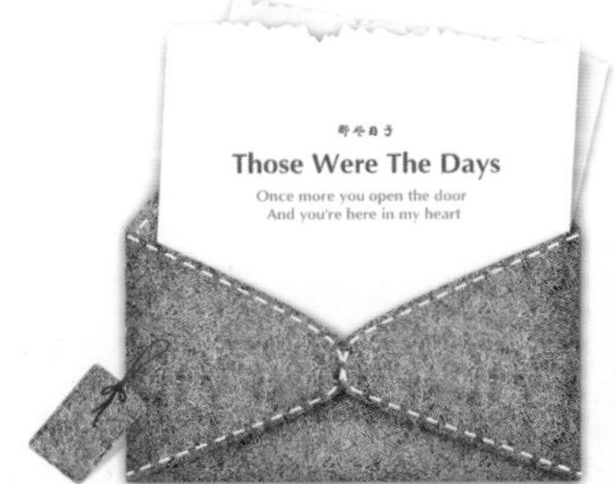

5.3.3
实战—定义图案制作
足球海报
110页
视频位置：
光盘/视频/5.3.3

8.18

变化命令：制作清新淡雅写真片
243页
视频位置：光盘/视频/8.18

10.3.2

实战—调整照片清晰度和饱和度
286页
视频位置：光盘/视频/10.3.2

8.7

色相/饱和度命令：制作宝丽来风格照片
222页
视频位置：光盘/视频/8.7

8.15

渐变映射命令：制作前卫插画
236页
视频位置：光盘/视频/8.15

15.2.3
实战—用滤镜库制作抽丝效果照片
346页
视频位置：
光盘/视频/15.2.3

15.3.2
实战—用智能滤镜制作网点照片
348页
视频位置：
光盘/视频/15.3.2

11.5.4
实战—从图像中生成蒙版
302页
视频位置：
光盘/视频/11.5.4

7.6.5
实战—用智能对象制作旋转特效
209页
视频位置：
光盘/视频/7.6.5

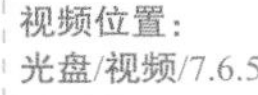

11.5.3
实战—从选区中生成蒙版
301页
视频位置：
光盘/视频/11.5.3

11.3.1
实战—
创建矢量蒙版
295页
视频位置：
光盘/视频/11.3.1

4.8.5
实战—用“调整边缘”命令抠像
93页
视频位置：
光盘/视频/4.8.5

7.5.3
实战—用中性色图层制作灯光效果
204页
视频位置：
光盘/视频/7.5.3

7.3.1
实战—用纯色填充图层制作发黄旧照片
193页
视频位置：
光盘/视频/7.3.1

9.7.4
实战—用通道调出暖暖夕阳
278页
视频位置：
光盘/视频/9.7.4

4.5.3
实战—用快速选择工具抠图
86页

5.2.4
实战—用杂色渐变制作放射线背景
105页

8.6
自然饱和度命令：让人像照片色彩鲜艳
221页

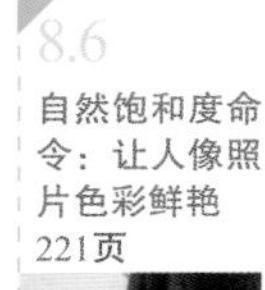

5.8.2
实战—用背景橡皮擦工具擦除背景
136页

5.4.12
实战—创建自定义画笔
121页

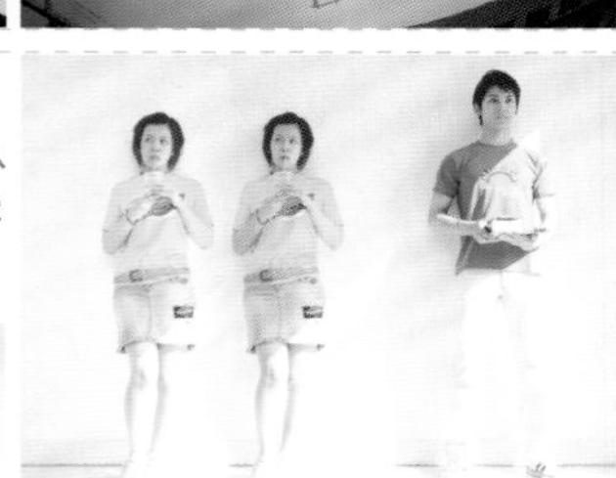

3.15.10
实战—用操控变形修改拳击动作
66页

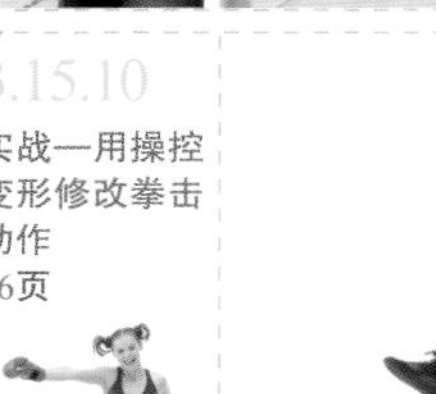

5.6.5
实战—用污点修复画笔去除面部色斑
130页

5.6.6
实战—用修补工具复制人像
130页

5.6.7
实战—用红眼工具去除照片中的红眼
131页

5.6.8
实战—用历史记录画笔恢复局部色彩
132页

5.9.3
实战—校正出现色差的照片
138页

5.9.4
实战—校正出现晕影的照片
138页

5.10.2
实战—在透视状态下复制图像
141页

7.5.4
实战—用中性色图层制作金属按钮
205页

8.8
色彩平衡命令：制作韩国风格写真片
226页

9.5.3
实战—让灰暗的照片变得清晰
262页

9.6.6
实战—调整曝光过度的照片
273页

19.1.11
实战—载入外部动作制作拼贴照片
435页

5.12.1
实战—将多个照片合成为全景图
145页

3.15.9
实战—通过变形为咖啡杯贴图
64页

4.4.5
实战—用多边形套索工具制作选区
83页

4.6.2
实战—用“色彩范围”命令抠像
88页

4.8.2
实战—用细化工具抠毛发
91页

5.5.3
实战—用颜色替换工具表现创意色彩
124页

9.6.8
实战—让照片中的水更绿、花更红
274页

7.3.2
实战—用渐变填充图层制作蔚蓝晴空
194页

8.19
匹配颜色命令：匹配两张照片的颜色
246页

10.3.6
实战—为黑白照片着色
288页

7.3.3
实战—用图案填充图层为衣服贴花
196页

7.4.4
实战—控制调整强度和调整范围
201页

11.4.1
实战—创建剪贴蒙版
298页

11.5.2
实战—创建图层蒙版
300页

12.2.2
实战—烟花抠图
311页

12.2.3
实战—烟雾抠图
311页

15.19.3
实战—制作个性化网络照片画廊
388页

14.3.1
实战—创建变形文字
335页

17.3.2
实战—制作蝴蝶飞舞动画
406页

9.5.4
实战—在阈值模式下调整照片的清晰度
262页

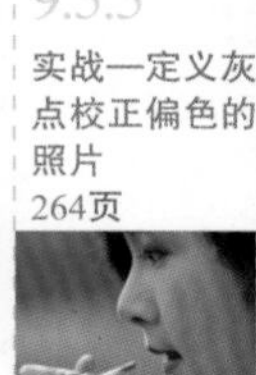

9.5.5
实战—定义灰点校正偏色的照片
264页

9.6.5
实战—调整严重曝光不足的照片
272页

本书海量光盘附赠内容 ------- 高清画笔（光盘/资源库/画笔库）

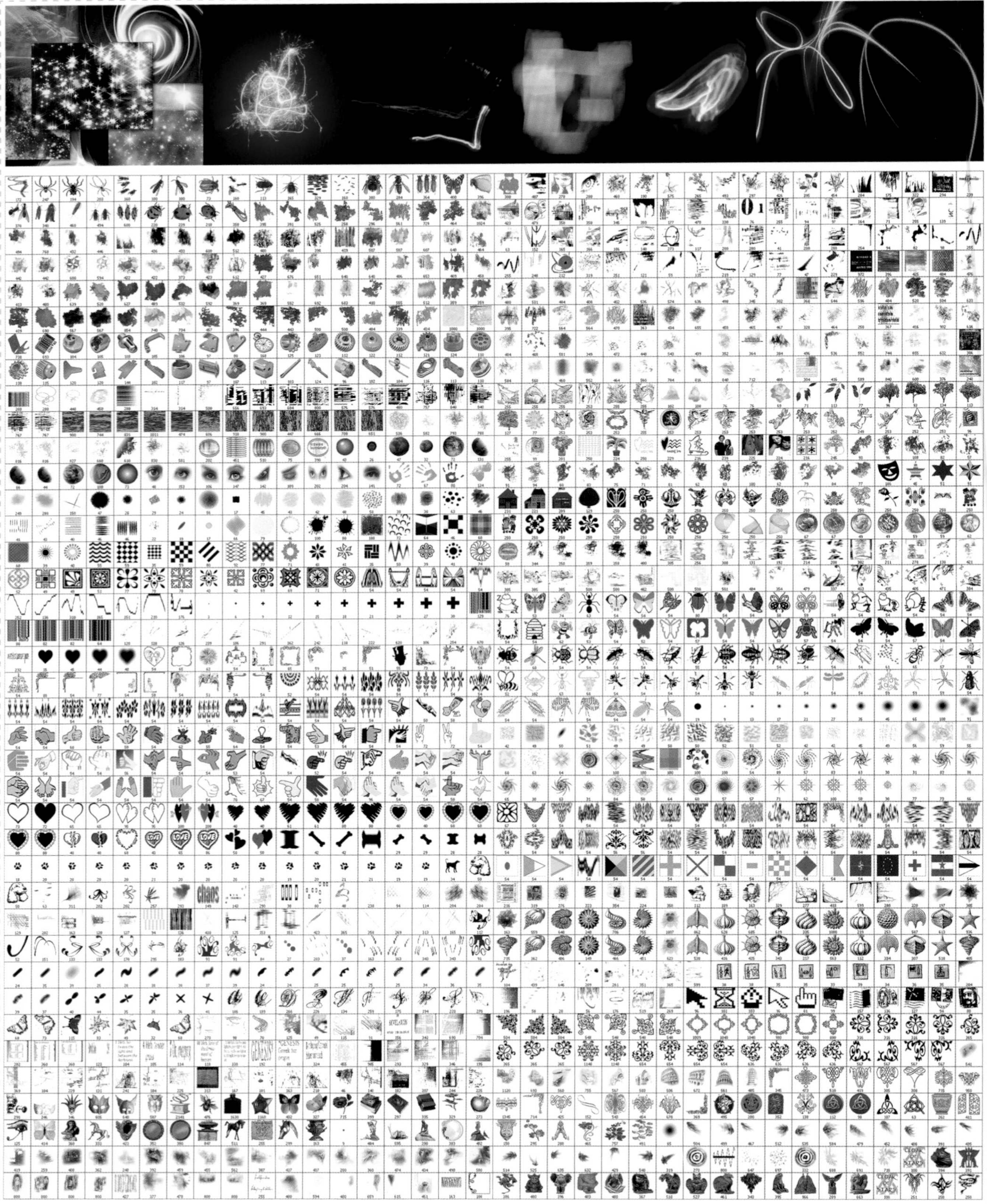

关于画笔库的载入方法，请参阅113页“5.4.1 画笔预设面板与画笔下拉面板”。

照片后期效果动作库（光盘/资源库/照片处理动作库）------ 本书海量光盘附赠内容

“照片处理动作库”文件夹中提供了Lomo风格、宝丽来照片风格、反冲效果等动作，这些动作可以自动将照片处理为影楼后期实现的各种效果。以下是部分动作创建的效果。

Lomo效果

宝丽来照片效果

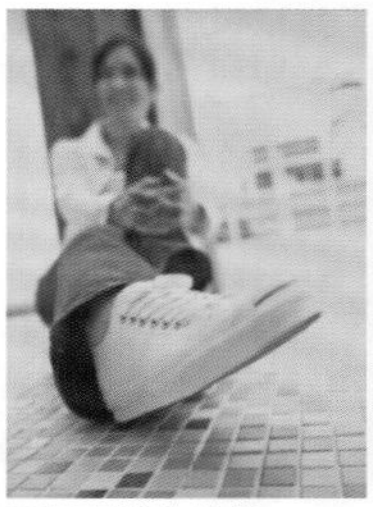

反转负冲效果

复古色彩效果

柔光照效果

灰色淡彩效果

非主流效果

韩国风格灰色淡彩

金色秋天效果

影楼流行调色效果

影视剧效果

雨、雪效果

冰冻效果

素描淡彩效果

丰富多样的形状（光盘/资源库/形状库）

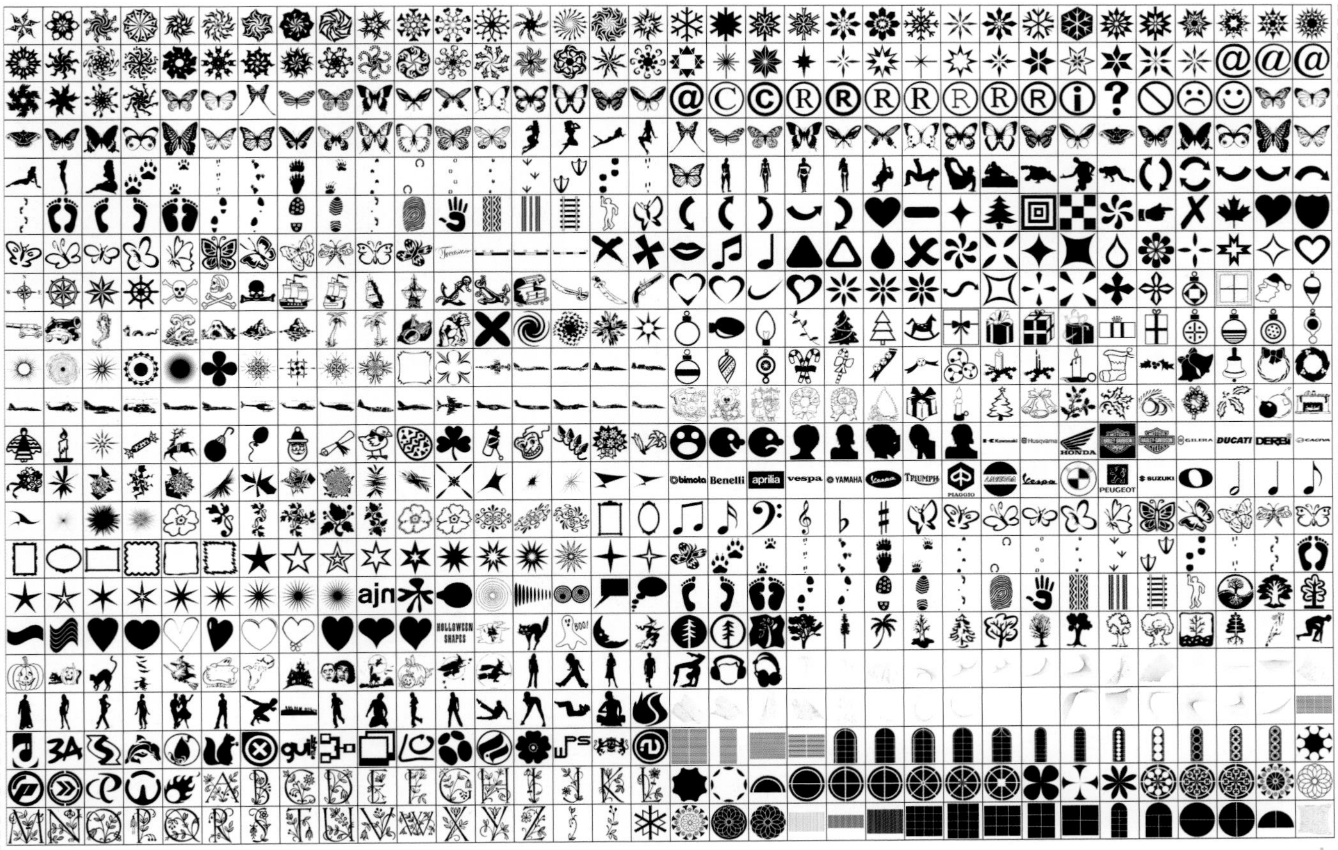

关于形状的载入方法，请参阅329页“13.6.7 实战—载入形状库”。动作的载入方法，请参阅435页“19.1.11 实战—载入外部动作制作拼贴照片”。

本书海量光盘附赠内容------500个超酷渐变（光盘/资源库/渐变库）

一击即现的真实质感和特效（光盘/资源库/样式库）

使用“样式库”文件夹中的各种样式，只需轻点鼠标，就可以为对象添加金属、水晶、纹理、浮雕等特效。

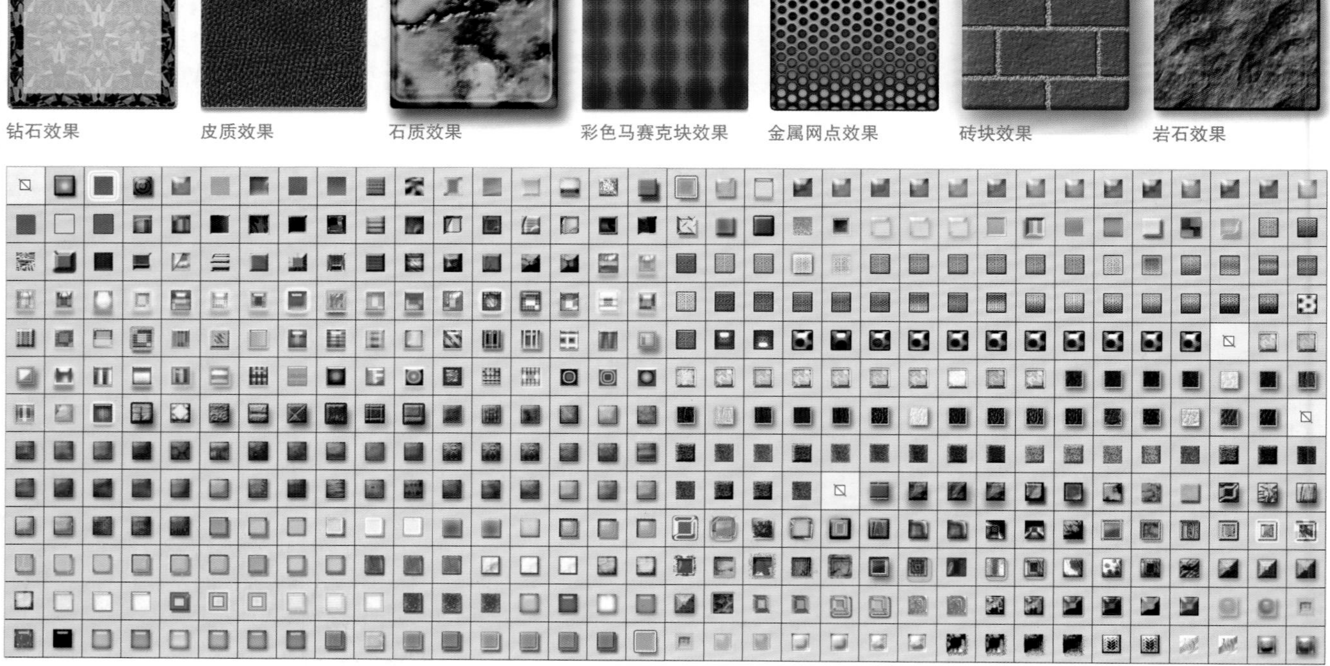

钻石效果　皮质效果　石质效果　彩色马赛克块效果　金属网点效果　砖块效果　岩石效果

关于渐变的载入方法，请参阅107页“5.2.7 载入渐变库”。样式的载入方法，请参阅181页“6.9.5 实战—使用外部样式创建特效字”。

实例视频教学录像，总数高达351个（光盘/实例视频，及光盘/学习资料）------本书海量光盘附赠内容

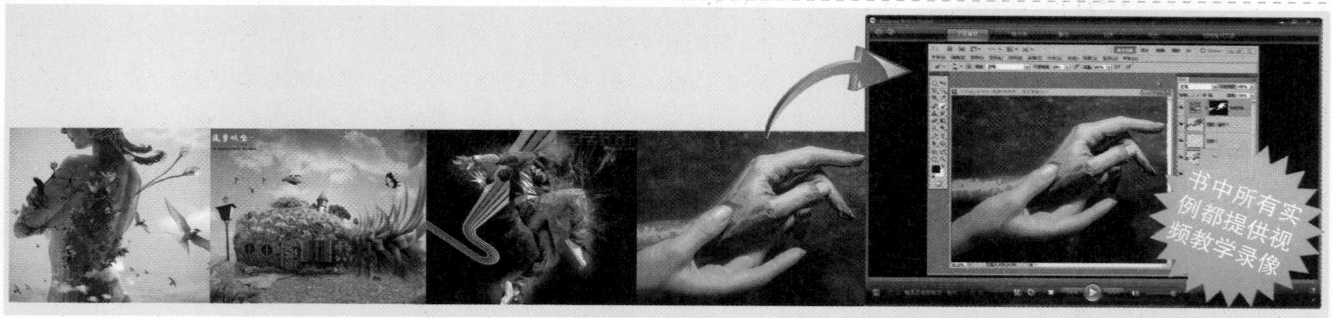

1.3.2 实战—安装Photoshop CS5.avi
1.3.3 实战—卸载Photoshop CS5.avi
2.2.3 实战—用旋转视图工具旋转画布.avi
2.2.4 实战—用缩放工具调整窗口比例.avi
2.2.5 实战—用抓手工具移动画面.avi
2.3.2 实战—创建自定义工作区.avi
2.3.3 实战—自定义彩色菜单命令.avi
2.3.4 实战—自定义工具快捷键.avi
2.4.1 实战—使用标尺.avi
2.4.2 实战—使用参考线.avi
2.4.5 实战—为图像添加注释.avi
3.2.2 实战—创建手机屏保使用的文档.avi
3.4.1 实战—置入EPS格式文件.avi
3.4.2 实战—置入AI格式文件.avi
3.9.7 实战—对文件进行标记和评级.avi
3.9.8 实战—通过关键字快速搜索图片.avi
3.9.9 实战—查看和编辑数码照片的元数据.avi
3.9.10 实战—批量重命名图片.avi
3.11.1 实战—修改图像的尺寸.avi
3.11.2 实战—将照片设置为电脑桌面.avi
3.12.3 实战—用“裁剪”命令裁剪图像.avi
3.12.4 实战—用“裁切”命令裁切图像.avi
3.12.5 实战—裁剪并修齐扫描的照片.avi
3.15.3 实战—旋转与缩放.avi
3.15.4 实战—斜切与扭曲.avi
3.15.5 实战—透视变换.avi
3.15.6 实战—精确变换.avi
3.15.7 实战—变换选区内的图像.avi
3.15.8 实战—通过变换制作飞鸟.avi
3.15.9 实战—通过变形为咖啡杯贴图.avi
3.15.10 实战—用操控变形修改拳击动作.avi
3.16.1 实战—用内容识别比例缩放图像.avi
3.16.2 实战—用Alpha通道保护图像内容.avi
3.18.2 实战—用历史记录面板还原图像.avi
4.4.1 实战—用矩形选框工具制作矩选区.avi
4.4.2 实战—用椭圆选框工具制作圆形选区.avi
4.4.3 实战—使用单行和单列选框工具.avi
4.4.4 实战——用套索工具徒手绘制选区.avi
4.4.5 实战—用多边形套索工具制作选区.avi
4.4.6 实战—用磁性套索工具制作选区.avi
4.5.1 实战—用魔棒工具选取人体.avi
4.5.3 实战—用快速选择工具抠图.avi
4.6.2 实战—用“色彩范围”命令抠像.avi
4.7.1 实战—用快速蒙版编辑选区.avi
4.8.2 实战—用细化工具抠毛发.avi
4.8.5 实战—用“调整边缘”命令抠像.avi
5.1.3 实战—用拾色器设置颜色.avi
5.1.4 实战—用吸管工具拾取颜色.avi
5.1.5 实战—用颜色面板调整颜色.avi
5.1.6 实战—用色板面板设置颜色.avi
5.2.2 实战—用实色渐变制作水晶按钮.avi
5.2.4 实战—用杂色渐变制作放射线背景.avi
5.2.5 实战—创建透明渐变.avi
5.3.1 实战—用油漆桶为卡通人填色.avi
5.3.2 实战—用“填充”命令填充草坪图案.avi
5.3.3 实战—定义图案制作足球海报.avi
5.3.4 实战—用“描边”命令制作线描插画.avi
5.4.12 实战—创建自定义画笔.avi
5.5.3 实战—用颜色替换工具表现创意色彩.avi
5.6.2 实战—用仿制图章去除照片中的多余人物.avi
5.6.2 用仿制图章去除照片中的多余人物.avi
5.6.4 实战—用修复画笔去除鱼尾纹和眼中血丝.avi
5.6.5 实战—用污点修复画笔去除面部色斑.avi
5.6.6 实战—用修补工具复制人像.avi
5.6.7 实战—用红眼工具去除照片中的红眼.avi
5.6.8 实战—用历史记录画笔恢复局部色彩.avi
5.6.9 实战—用历史记录艺术画笔制作手绘效果.avi
5.8.2 实战—用背景橡皮擦工具擦除背景.avi
5.8.3 实战—用魔术橡皮擦工具抠像.avi
5.9.3 实战—校正出现色差的照片.avi
5.9.4 实战—校正出现晕影的照片.avi
5.9.5 实战—校正倾斜的照片.avi
5.10.2 实战—在透视状态下复制图像.avi
5.11.7 实战—用液化滤镜修出完美脸形.avi
5.12.1 实战—将多个照片合成为全景图.avi
5.12.3 实战—将多个照片合并为HDR图像.avi
6.4.2 实战—对齐图层.avi
6.4.3 实战—分布图层.avi
6.8.7 实战—针对图像大小缩放效果.avi
6.8.8 实战—将效果创建为图层.avi
6.8.9 实战—制作霓虹灯字.avi
6.9.5 实战—使用外部样式创建特效字.avi
6.10.3 实战—用图层复合制作设计方案.avi
7.3.1 实战—用纯色填充图层制作泛黄旧照片.avi
7.3.2 实战—用渐变填充图层制作蔚蓝晴空.avi
7.3.3 实战—用图案填充图层为衣服贴花.avi
7.3.4 实战—修改填充图层制作绸缎面料.avi
7.4.3 实战—用调整图层制作摇滚风格图像.avi
7.4.4 实战—控制调整强度和调整范围.avi
7.5.2 实战—用中性色图层校正照片曝光.avi
7.5.3 实战—用中性色图层制作灯光效果.avi
7.5.4 实战—用中性色图层制作金属按钮.avi
7.6.5 实战—用智能对象制作旋转特效.avi
7.6.6 实战—替换智能对象内容.avi
7.6.7 实战—编辑智能对象内容.avi
8.5 曝光度命令：调整照片的曝光.avi
8.6 自然饱和度命令：让人像照片色彩鲜艳.avi
8.7 色相饱和度命令：制作宝丽来风格照片.avi
8.8 色彩平衡命令：制作韩国风格写真片.avi
8.9 黑白命令：制作CD包装封面.avi
8.10 照片滤镜命令：制作怀旧风格照片.avi
8.11 通道混合器命令：新锐插画设计.avi
8.15 渐变映射命令：制作前卫插画.avi
8.16 可选颜色：制作时尚冷艳色调.avi
8.16 可选颜色命令：制作时尚冷艳色调.avi
8.17 阴影高光命令：调整逆光高反差照片.avi
8.18 变化命令：制作清新淡雅写真片.avi
8.19 匹配颜色命令：匹配两张照片的颜色.avi
8.20 替换颜色命令：制作风光明信片.avi
8.21 阈值命令：制作涂鸦效果艺术海报.avi
8.22 去色命令：制作高调黑白人像照片.avi
9.5.3 实战让灰暗的照片变得清晰.avi
9.5.4 实战—在阈值模式下调整照片的清晰度.avi
9.5.5 实战—定义灰点校正偏色的照片.avi
9.6.5 实战—调整严重曝光不足的照片.avi
9.6.6 实战—调整曝光过度的照片.avi
9.6.7 实战—校正白平衡错误的照片.avi
9.6.8 实战—让照片中的水更绿花更红.avi
9.7.4 实战—用通道调出暖暖夕阳.avi
9.8.4 实战—用通道调出明快色彩.avi
10.3.1 实战—调整照片白平衡.avi
10.3.2 实战—调整照片清晰度和饱和度.avi
10.3.6 实战—为黑白照片着色.avi
10.3.7 实战—校正色差.avi
10.3.8 实战—添加特效.avi
10.4.1 实战—修饰照片中的斑点.avi
10.4.2 实战—使用调整画笔修改局部曝光.avi
10.5.1 实战—将调整应用于多张照片.avi
11.3.1 实战—创建矢量蒙版.avi
11.3.2 实战—向矢量蒙版中添加形状.avi
11.3.3 实战—为矢量蒙版添加效果.avi
11.3.4 实战—编辑矢量蒙版中的图形.avi
11.4.1 实战—创建剪贴蒙版.avi
11.5.2 实战—创建图层蒙版.avi
11.5.3 实战—从选区中生成蒙版.avi
11.5.4 实战—从图像中生成蒙版.avi
11.8.3 实战—在图像中定义专色.avi
11.8.7 实战—通过分离通道创建灰度图像.avi
11.8.8 实战—通过合并通道创建彩色图像.avi
11.8.9 实战—将通道中的图像粘贴到图层中.avi
11.8.10 实战—将图层中的图像粘贴到通道中.avi
12.2.2 实战—烟花抠图.avi
12.2.3 实战—烟雾抠图.avi
13.3.1 实战—绘制直线.avi
13.3.2 实战—绘制曲线.avi
13.3.3 实战—绘制转角曲线.avi
13.3.4 实战—创建自定义形状.avi
13.5.6 实战—路径与选区的相互转换.avi
13.5.7 实战—用历史记录填充路径区域.avi
13.5.8 实战—用画笔描边路径.avi
13.6.7 实战—载入形状库.avi
14.2.1 实战—创建点文字.avi
14.2.2 实战—编辑文字内容.avi
14.2.3 实战—创建段落文字.avi
14.2.4 实战—编辑段落文字.avi
14.3.1 实战—创建变形文字.avi
14.4.1 实战—沿路径排列文字.avi
14.4.2 实战—移动与翻转路径文字.avi
14.4.3 实战—编辑文字路径.avi
14.5.2 实战—设置字体样式.avi
15.2.3 实战—用滤镜库制作抽丝效果照片.avi
15.3.2 实战—用智能滤镜制作网点照片.avi
15.3.3 实战—修改智能滤镜.avi
15.3.4 实战—遮盖智能滤镜.avi
15.19.2 实战—制作幻灯片式PDF演示文稿.avi
15.19.3 实战—制作个性化网络照片画廊.avi
16.1.2 实战—创建翻转.avi
16.2.2 实战—使用切片工具创建切片.avi
16.2.3 实战—基于参考线创建切片.avi
16.2.4 实战—基于图层创建切片.avi
16.3.1 实战—选择、移动与调整切片.avi
17.2.2 实战—将视频帧导入图层.avi
17.2.3 实战—修改视频图层的不透明度.avi
17.2.4 实战—为视频图层添加效果.avi
17.3.2 实战—制作蝴蝶飞舞动画.avi
17.3.3 实战—制作图层样式动画.avi
18.4.1 实战—为笔记本屏幕贴图.avi
18.4.4 实战—创建并使用重复的纹理拼贴.avi
18.5.4 实战—在3D汽车模型上涂鸦.avi
18.6.1 实战—制作3D明信片.avi
18.6.2 实战—制作3D易拉罐.avi
18.6.3 实战—制作3D网格.avi
18.6.4 实战—制作3D立体字.avi
18.10.5 实战—使用标尺工具测量距离和角度.avi
18.11.1 实战—对图像中的项目手动计数.avi
18.11.2 实战—使用选区自动计数.avi
19.1.2 实战—录制用于处理照片的动作.avi
19.1.3 实战—在动作中插入命令.avi
19.1.4 实战—在动作中插入菜单项目.avi
19.1.5 实战—在动作中插入停止.avi
19.1.6 实战—在动作中插入路径.avi
19.1.11 实战—载入外部动作制作拼贴照片.avi
19.2.1 实战—处理一批图像文件.avi
19.2.2 实战—创建一个快捷批处理程序.avi
19.4.5 实战—用数据驱动图形创建多版本图像.avi
22.1 精通变形：制作超现实主义人像.avi
22.2 精通画笔应用：时尚界面设计.avi
22.3 精通选区：制作 Mix & match 风格插画.avi
22.4 精通色彩调整：制作当代艺术作品.avi
22.5 精通混合模式：制作设计类主题海报.avi
22.6 精通图层样式：制作光感气泡.avi
22.7 精通蒙版：瓶子里的风景.avi
22.8 精通通道抠图：为婚纱换背景.avi
22.9 精通路径文字：制作奔跑的人形字.avi
22.10 精通特效字：制作网状字.avi
22.11 精通特效字：制作金属字.avi
22.12 精通特效字：制作岩石刻字.avi
22.13 精通特效字：制作塑料打孔字.avi
22.14 精通特效字：制作建筑物形状立体字.avi
22.15 精通质感和特效：制作心形云朵.avi
22.16 精通质感和特效：制作水晶花.avi
22.17 精通质感和特效：制作陶瓷玻璃杯.avi
22.18 精通质感和特效：制作特色邮票.avi
22.19 精通质感和特效：制作纪念币.avi
22.20 精通质感和特效：制作冰手.avi
22.21 精通质感和特效：制作手.avi
22.22 精通照片处理：眼睛换色.avi
22.23 精通照片处理：让眼睛更有神.avi
22.24 精通照片处理：挽救逆光照片.avi
22.25 精通照片处理：头发换色.avi
22.26 精通照片处理：增加高光.avi
22.27 精通照片处理：快速美白.avi
22.28 精通照片处理：网店插件处理.avi
22.29 精通照片处理：用照片制作明信片.avi
22.30 精通照片处理：用照片制作贺年卡.avi
22.31 精通照片处理：用Lab调出唯美复调.avi
22.32 精通照片处理：制作柔光艺术照.avi
22.33 精通照片处理：制作商业外景片效果.avi
22.34 精通照片处理：制作反转负冲效果.avi
22.35 精通照片处理：制作梦幻效果.avi
22.36 精通照片处理：制作淡雅写真.avi
22.37 精通照片处理：制作惊艳效果.avi
22.38 精通照片处理：制作素描.avi
22.39 精通照片处理：制作水彩.avi
22.40 精通照片处理：制作轻柔阿凡达.avi
22.41 精通平面设计：制作唯美插画.avi
22.42 精通平面设计：制作运动主题海报.avi
22.43 精通平面设计：制作心形卡通挂钱.avi
22.44 精通平面设计：制作不倒娃娃平面广告.avi
22.45 精通创意设计：草莓牛仔.avi
22.46 精通创意设计：水蒜人物.avi
22.47 精通图像合成：灵猴.avi
22.48 精通图像合成：渡梦城堡.avi
22.49 精通图像合成：CG插画.avi
22.50 精通鼠绘：绘制人物画.avi

106集Photoshop多媒体教学录像（光盘/学习资料）

PhotoshopCS3专家讲堂.exe
教程播放器R1
双击启动播放器

1photoshop简介.swf
2软件界面概览.swf
3学习前的软件优化.swf
4位图图像像素和矢量图像.swf
5建立新的图像.swf
6图像截取技术.swf
7搜索素材技巧.swf
8初识工具箱.swf
9初识选择区.swf
10规则选择工具组.swf
11不规则选择工具组.swf
12魔棒和快速选择工具.swf
13精细调整选区边缘.swf
14选择区的运算.swf
15移动选择层与变换控件.swf
16多图层的对齐方法.swf
17多图层准确分布.swf
18利用自动对齐图层接片.swf
19裁剪图像.swf
20切片工具参考线切片法.swf
21编辑与划分切片.swf
22导出网页文件.swf
23污点修复画笔.swf
24修复画笔工具.swf
25修补工具.swf
26红眼工具.swf
27图章工具组.swf
28画笔工具.swf
29铅笔工具.swf
30颜色替换工具.swf
31历史记录画笔工具组.swf
32橡皮擦工具.swf
33模糊锐化和涂抹工具.swf
34加深减淡和海绵工具.swf
35渐变基础使用方法.swf
36渐变的五个模式.swf
37渐变编辑器.swf
38油漆桶工具.swf
39路径基础知识.swf
40创建基础形状.swf
41形状图层路径填充像素.swf
42钢笔工具基础用法.swf
43钢笔工具的扩展用法.swf
44基础路径变换改制法.swf
45字符工具基础用法.swf
46字符面板设置.swf
47段落面板设置.swf
48文字沿路径排版.swf
49用注释协同工作.swf
50吸管颜色取样器和标尺.swf
51抓手与放大镜工具.swf
52前景色与背景色.swf
53快速蒙版基础知识.swf
54例说快速蒙版.swf
55四种屏显模式.swf
56图层概述.swf
57图层的复制新建删除.swf
58快速选择复制和链接层.swf
59图层锁定技巧.swf
60图层组.swf
61图层蒙版的使用方法.swf
62投影与内阴影样式.swf
63外发光和内发光样式.swf
64斜面和浮雕样式.swf
65光泽样式.swf
66叠加样式.swf
67例说描边样式.swf
68例说剪贴蒙版.swf
69填充层与扩展思维.swf
70智能对象与智能滤镜.swf
71颜色调整层.swf
72是非观与黑白灰.swf
73颜色通道与Alpha通道.swf
74例说通道-几个重要知识点.swf
75例说通道-制作选区.swf
76例说通道-合成收尾.swf
77颜色模式-灰度与位图.swf
78双色调模式.swf
79索引颜色模式.swf
80颜色模式-多通道.swf
81颜色模式-Lab.swf
82色光与颜料混合.swf
83颜色模式-RGB.swf
84颜色模式-CMYK.swf
85初解直方图.swf
86色阶调整.swf
87自动色阶对比度和颜色.swf
88曲线调整.swf
89色彩平衡.swf
90亮度对比度.swf
91黑白调整.swf
92色相饱和度.swf
93去色与灰度.swf
94匹配图像.swf
95颜色替换.swf
96可选颜色.swf
97通道混合器.swf
98渐变映射.swf
99照片滤镜.swf
100阴影高光.swf
101曝光度.swf
102反相.swf
103色调均化.swf
104阈值.swf
105色调分离.swf
106变化.swf

教程播放界面

播放控制条与控制按钮

课程选择列表

光盘中提供的多媒体教学录像《Photoshop CS3专家讲堂》，由中国教程网的教育专家祁连山老师制作，共106集课程，结合小实例系统而全面地讲解了Photoshop CS3的操作方法和使用技巧。

怎样使用索引查询Photoshop软件功能、查找实例

本书的最后几页是软件的功能索引，涵盖了Photoshop CS5全部的工具、菜单命令和面板。读者在学习和使用Photoshop 时如果遇到问题，可通过索引快速找到所需信息，非常方便和实用。此外，笔者还将本书所有实例按照不同的用途规类、并制作为索引，以便于读者使用。例如，读者如果在处理照片时遇到问题，可通过“数码照片处理类”索引找到各种解决方案；想要学习与平面设计有关的实例，可以到“平面设计类”索引中查找。

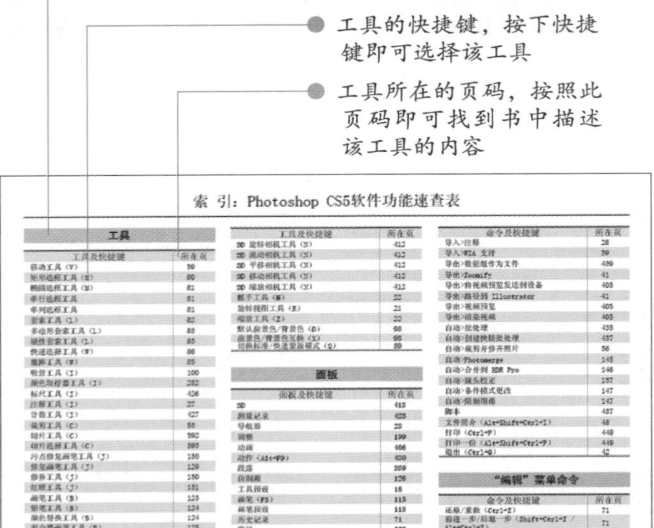

在此项内可查找所有软件学习类实战及实例

实例所在的页码

本书实战及实例速查表

软件功能学习类 | 实例名称 | 所在页

质感与特效类 | 实例名称 | 所在页

怎样使用光盘中的电子书

- 《Photoshop外挂滤镜使用手册》电子书包含KPT7、Eye Candy 4000、Xenofex等经典外挂滤镜的使用方法制和效果图示。该书为PDF格式，需要使用Adobe Reader阅读。读者可以到www.adobe.com上下载免费的Adobe Reader。

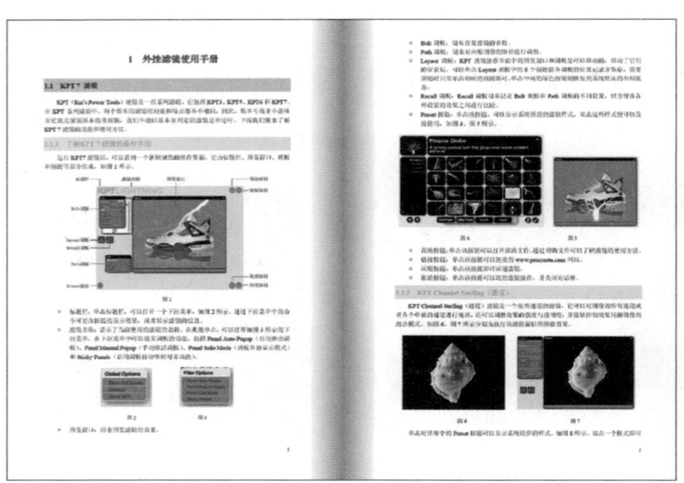

- 《常用颜色色谱表》电子书包含网页设计颜色及其他常用颜色的中、英文名称和颜色值。

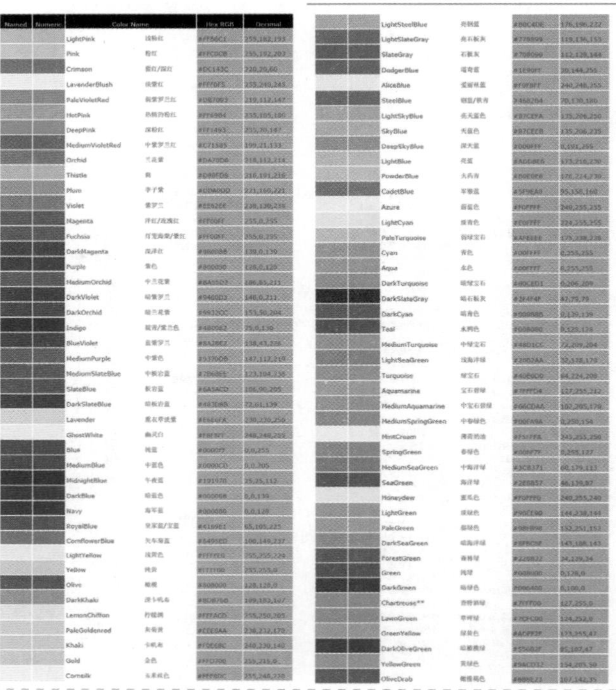

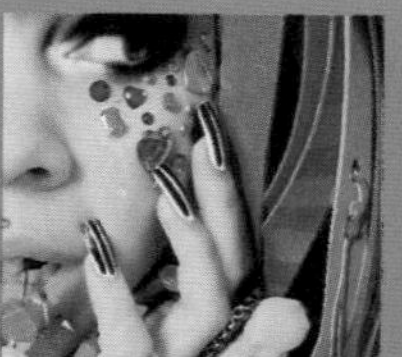

目 录

注：新功能 为Photoshop CS5新增功能　重点 为学习重点　刷有底色的为实战和实例

第5章 绘画与照片修饰 ……98

第6章 图层 …… 148

第22章 综合实例 …… 450

索引 …… 555

中文版
Photoshop CS5
完全自学教程

Point

第1章 初识Photoshop

1.1 Photoshop的诞生与发展历程

1987年秋，美国密歇根大学博士研究生托马斯• 洛尔（Thomes Knoll）编写了一个叫做Display的程序，用来在黑白位图显示器上显示灰阶图像。托马斯的哥哥约翰• 洛尔（John Knoll）在一家影视特效公司工作，他让弟弟帮他编写一个处理数字图像的程序，于是托马斯重新修改了Display的代码，使其具备羽化、色彩调整和颜色校正功能，并可以读取各种格式的文件。这个程序被托马斯改名为Photoshop。

Learning Objectives
学习重点

4页
Photoshop的应用领域

6页
Photoshop安装与卸载

8页
内容识别填充

8页
神奇的操控变形

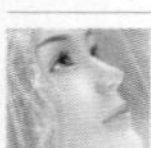
9页
强大的绘图效果

10页
Adobe帮助资源

11页
扩展功能

洛尔兄弟最初把Photoshop交给了一家扫描仪公司，它的首次发布是与Barneyscan XP扫描仪捆绑发行的，版本为0.87。后来Adobe买下了Photoshop的发行权，并于1990年2月推出了Photoshop 1.0。当时的Photoshop只能在苹果机（Mac）上运行，功能上也只有工具箱和少量的滤镜，但它的推出却给计算机图像处理行业带来了巨大的冲击。

1991年2月，Adobe推出了Photoshop 2.0，新版本增加了路径功能，支持栅格化Illustrator文件，支持CMYK，最小分配内存也由原来的2MB增加到了4MB。该版本的发行引发了桌面印刷的革命。此后，Adobe公司开发了一个Windows视窗版本Photoshop 2.5。1995年3.0版本发布，增加了图层。1996年的4.0版本中增加了动作、调整图层、标明版权的水印图像。1998年的5.0版本中增加了历史记录调板、图层样式、撤消功能、垂直书写文字等。从5.02版本开始，Photoshop首次向中国用户提供了中文版。1998年发布的Photoshop 5.5中，首次捆绑了ImageReady，从而填补了Photoshop在Web功能上的欠缺。2000年9月推出的6.0版本中增加了Web工具、矢量绘图工具，并增强了层管理功能。2002年3月Photoshop 7.0发布，增强了数码图像的编辑功能。

2003年9月，Adobe公司将Photoshop与其他几个软件集成为Adobe Creative Suite套装，这一版本称为Photoshop CS，功能上增加了镜头模糊、镜头校正、智能调节不同地区亮度的数码相片修正功能。2005年推出了Photoshop CS2，增加了消失点、Bridge、智能对象、污点修复画笔工具、红眼工具等。2007年推出了Photoshop CS3，增加了智能滤镜、视频编辑功能、3D功能等，此外，软件界面也进行了重新设计。2008年9月发布Photoshop CS4，增加了旋转画布、绘制3D模型、GPU显卡加速等功能。最新版本的Photoshop CS5是在2010年4月发布的。自1990年第一版发布以来，Photoshop到今年整整20岁了。图1-1所示为几个Photoshop早期版本的启动画面和工具箱，算是我们对Photoshop这些年变化的简单回顾，也代表了一种敬意和祝福吧。

技术看板 01 Photoshop CS5的版本区别

Photoshop CS5有两个版本：扩展版Photoshop CS5 Extended和标准版Photoshop CS5。扩展版除了包含标准版的所有功能外，还添加了用于处理3D、动画和高级图像分析等突破性工具。视频专业人士、跨媒体设计人员、Web 设计人员、交互式设计人员适合使用Photoshop CS5Extended，摄影师、印刷设计人员适合使用Photoshop CS5。

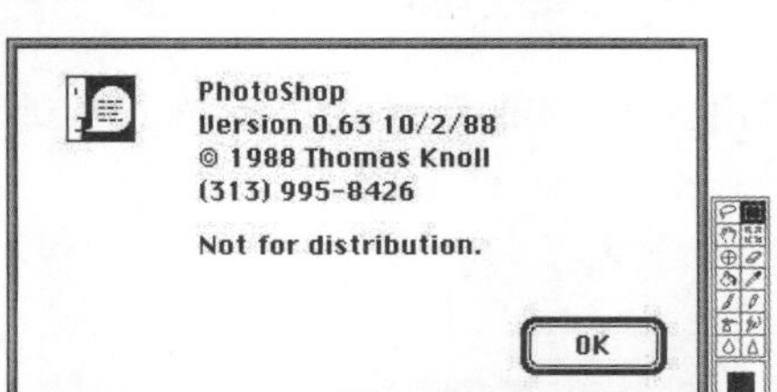

Photoshop 0.63

Photoshop 1.0.7

Photoshop 2.5

Photoshop 3.0

Photoshop 4.0

Photoshop 5.0

Photoshop 6.0

Photoshop 7.0

Photoshop CS（8.0）

图1-1

Adobe公司及其软件产品

Adobe公司成立于1982年，总部位于美国加州的圣何塞市，其产品遍及图形设计、图像制作、数码视频、电子文档和网页制作等领域。除了大名鼎鼎的Photoshop外，我们所熟知的矢量软件Illustrator、动画软件Flash、专业排版软件InDesign、影视编辑及特效制作软件Premiere和After Effects等均出自该公司。

1.2 Photoshop的应用领域

Photoshop是世界上最优秀的图像编辑软件，它的应用领域十分广泛，不论是平面设计、3D动画、数码艺术、网页制作、矢量绘图、多媒体制作还是桌面排版，Photoshop在每一个领域都发挥着不可替代的重要作用。

1.2.1 在平面设计中的应用

Photoshop的出现不仅引发了印刷业的技术革命，也成为图像处理领域的行业标准。在平面设计与制作中，Photoshop已经完全渗透到了平面广告、包装、海报、POP、书籍装帧、印刷、制版等各个环节，如图1-2～图1-4所示。

图1-2

图1-3

图1-4

1.2.2 在界面设计中的应用

从以往的软件界面、游戏界面，到如今的手机操作界面、MP4、智能家电等，界面设计伴随着计算机、网络和智能电子产品的普及而迅猛发展。界面设计与制作主要是用Photoshop来完成的，使用Photoshop的渐变、图层样式和滤镜等功能可以制作出各种真实的质感和特效，如图1-5所示。

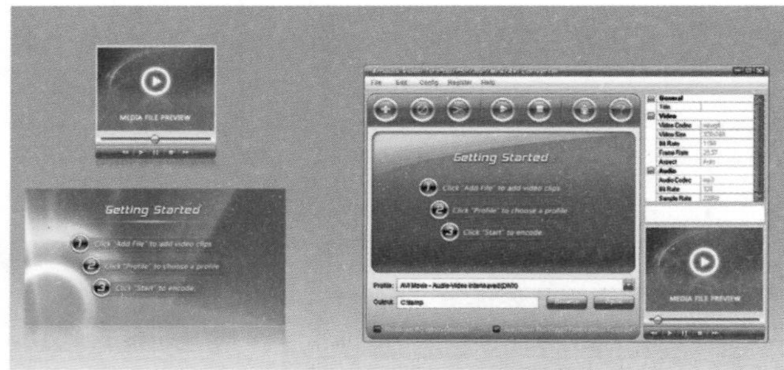

图1-5

1.2.3 在插画设计中的应用

电脑艺术插画作为IT时代的先锋视觉表达艺术之一，其触角延伸到了网络、广告、CD封面甚至T恤，插画已经成为新文化群体表达文化意识形态的利器。使用Photoshop可以绘制风格多样的插图，如图1-6、图1-7所示。

图1-6

图1-7

1.2.4 在网页设计中的应用

Photoshop可用于设计和制作网页页面，如图1-8、图1-9所示。将制作好的页面导入到Dreamweaver中进行处理，再用Flash添加动画内容，便生成互动的网站页面。

图1-8

图1-9

1.2.5 在绘画与数码艺术中的应用

Photoshop强大的图像编辑功能，为数码艺术爱好者和普通用户提供了无限广阔的创作空间。我们可以随心所欲地对图像进行修改、合成与再加工，制作出充满想象力的作品，如图1-10所示。

图1-10

1.2.6 在数码摄影后期处理中的应用

作为最强大的图像处理软件，Photoshop可以完成从照片的扫描与输入，到校色、图像修正，再到分色输出等一系列专业化的工作。不论是色彩与色调的调整，照片的校正、修复与润饰，还是图像创造性的合成，在Photoshop中都可以找到最佳的解决方法，如图1-11、图1-12所示。

图1-11

图1-12

1.2.7 在动画与CG设计中的应用

3ds Max、Maya等三维软件的贴图制作功能都比较弱，模型贴图通常都要用Photoshop制作。使用Photoshop制作人物皮肤贴图、场景贴图和各种质感的材质不仅效果逼真，还可以为动画渲染节省宝贵的时间，如图1-13所示。

图1-13

此外，Photoshop还常用来绘制各种风格的CG艺术作品，如图1-14、图1-15所示。

图1-16所示是韩国CG天后李素雅的作品《Europa》。该作品主要用3ds Max和VRay完成，角色的头发和眉毛是用HairFX制作的，模型效果如图1-17所示。为了图像渲染更加清晰，她将图片分块制作，最后再用Photoshop合成到一起。

图1-14

图1-15

图1-16

图1-17

1.2.8 在效果图后期制作中的应用

制作建筑效果图时，渲染出的图片通常都要在Photoshop中做后期处理。例如，人物、车辆、植物、天空、景观和各种装饰品都可以在Photoshop中添加，这样不仅节省渲染时间，也增强了画面的美感，如图1-18、图1-19所示。

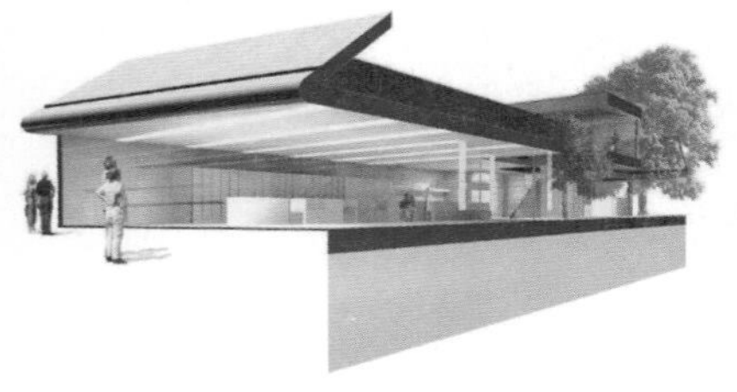

图1-18

图1-19

1.3 Photoshop CS5的安装与卸载方法

安装或卸载Photoshop前应关闭系统中当前正在运行的所有应用程序，包括其他 Adobe 应用程序、Microsoft Office 应用程序和浏览器窗口，然后根据提示信息操作。

1.3.1 安装Photoshop CS5的系统需求

由于Windows操作系统和Mac OS（苹果机）操作系统之间存在差异，Photoshop CS5的安装要求也不同。以下是Adobe推荐的最低系统要求。

Windows

- Intel Pentium 4 或 AMD Athlon 64 处理器
- Microsoft Windows XP（带有 Service Pack 3）；Windows Vista Home Premium、Business、Ultimate 或 Enterprise（带有 Service Pack 1，推荐 Service Pack 2）；或 Windows 7
- 1GB 内存
- 1GB 可用硬盘空间用于安装；安装过程中需要额外的可用空间(无法安装在基于闪存的可移动存储设备上)
- 1024×768 屏幕(推荐 1280×800)，配备符合条件的硬件加速 OpenGL 图形卡、16 位颜色和 256MB VRAM
- 某些 GPU 加速功能需要 Shader Model 3.0 和 OpenGL 2.0 图形支持
- DVD-ROM 驱动器
- 多媒体功能需要 QuickTime 7.6.2 软件
- 在线服务需要宽带 Internet 连接

Mac OS

- Intel 多核处理器
- Mac OS X 10.5.7 或 10.6 版
- 1GB 内存
- 2GB 可用硬盘空间用于安装，安装过程中需要额外的可用空间(无法安装在使用区分大小写的文件系统的卷或基于闪存的可移动存储设备上)
- 1024×768 屏幕(推荐 1280×800)，配备符合条件的硬件加速 OpenGL 图形卡、16 位颜色和 256MB VRAM
- 某些 GPU 加速功能需要 Shader Model 3.0 和 OpenGL 2.0 图形支持
- DVD-ROM 驱动器
- 多媒体功能需要 QuickTime 7.6.2 软件
- 在线服务需要宽带 Internet 连接

1.3.2 实战——安装Photoshop CS5

●实例门类：软件功能类　●视频位置：光盘>实例视频>1.3.2

01 将Photoshop CS5安装光盘放入光驱，在光盘根目录Adobe CS5文件夹中双击Setup.exe文件，运行安装程序，并初始化。初始化完成后，显示“欢迎”窗口，如图1-20所示。单击“接受”按钮，在窗口内输入安装序列号。

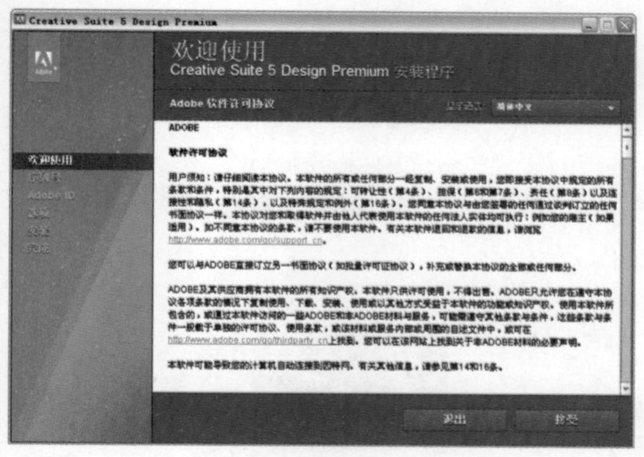

图1-20

2 单击“下一步”按钮，显示“安装选项”，选择Photoshop CS5，如图1-21所示。默认情况下，Photoshop安装在C盘，如果要更改安装位置，可单击“位置”右侧的文件夹状图标，在打开的对话框中进行设定。单击“安装”按钮开始安装。安装过程中会显示安装进度和剩余时间。

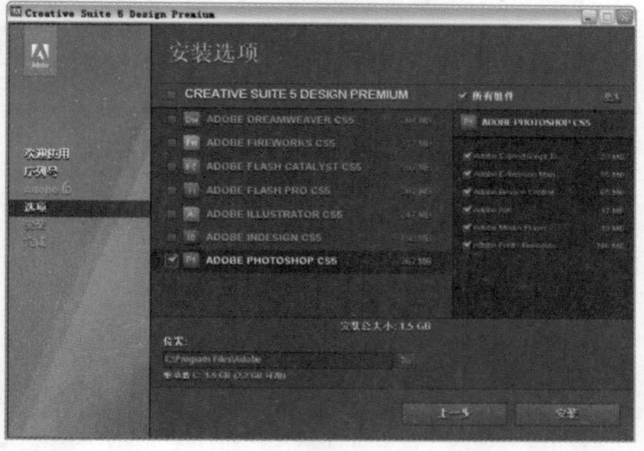

图1-21

3 安装完成后，单击“完成”按钮，会显示注册界面，如图1-22所示。可以单击“创建Adobe ID”按钮，进行在线注册，注册产品后可获取Adobe提供的产品信息支持。也可以单击“跳过此步骤”按钮不进行注册。

图1-22

4 最后单击“下一步”按钮，结束安装。双击桌面的快捷图标Ps，即可运行Photoshop CS5。图1-23所示为全新的Photoshop CS5启动画面。

图1-23

1.3.3 实战——卸载Photoshop CS5

●实例门类：软件功能类 ●视频位置：光盘>实例视频>1.3.3

卸载Photoshop CS5需要使用Windows的卸载程序。

1 打开 Windows 控制面板（执行“开始>设置>控制面板”命令），双击“添加或删除程序”图标，如图1-24所示；在打开的对话框中选择Adobe Creative Suite 5，如图1-25所示。

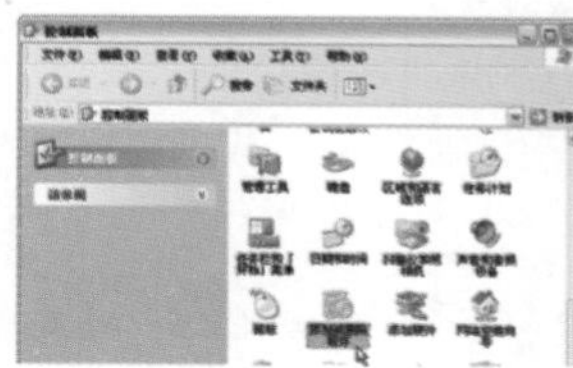

图1-24 图1-25

2 单击“删除”按钮，弹出“卸载选项”对话框，选择Photoshop CS5，如图1-26所示；单击“卸载”按钮开始卸载，窗口中会显示卸载速度。如果要取消卸载，可单击“取消”按钮。

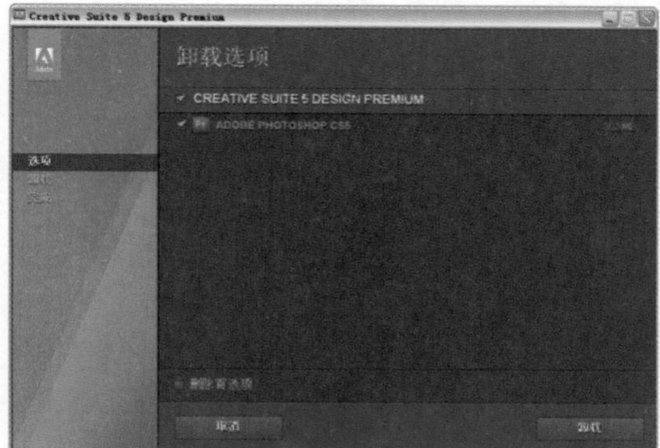

图1-26

1.4 Photoshop CS5新增和改进功能

Photoshop CS5采用了全新的选择技术，可以精确检测和遮盖最容易出错的边沿（例如头发或树叶），让复杂的图像选择变得易如反掌。新增的内容识别填充可以填补丢失的像素，其速度是手动填补的4倍。此外，图像润饰和逼真绘图的突破性功能以及各种工作流程和性能增强，都带给我们全新的震撼效果。

1.4.1 内容识别填充

过去我们去除图像中不想要的部分时，还要借助仿制图章等工具修补背景中出现的空白区域，新增的内容识别填充功能可以自动从选区周围的图像上取样，然后填充选区，像素与亮度、影调、噪点等配合的天衣无缝，没有任何删除内容的痕迹，如图1-27、图1-28所示。

图1-27

图1-28

1.4.2 选择复杂图像易如反掌

轻点鼠标就可以选择一个图像中的特定区域，轻松抠出毛发等细微的图像元素，如图1-29、图1-30所示。使用新增的细化工具还可以改变选区边缘、改进蒙版。选择完成后，可以直接将选取范围输出为蒙版、新图层、新文档等项目。

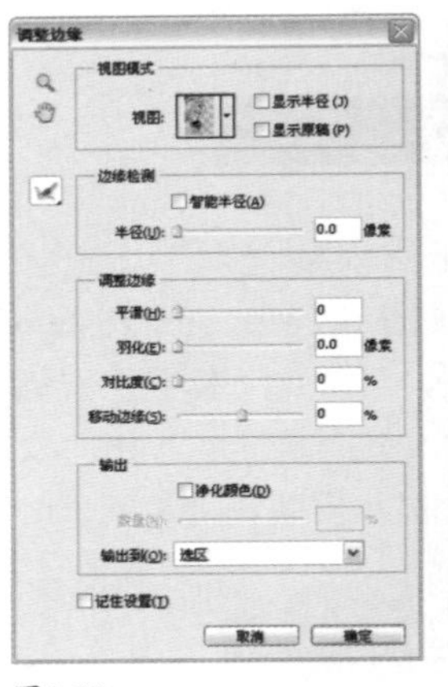

图1-29

图1-30

1.4.3 神奇的操控变形

启用操控变形功能以后，在图像上添加关键节点，就可以对任何图像元素进行变形，例如，可以轻松伸直一个弯曲的手臂，如图1-31、图1-32所示。

图1-31　图1-32

1.4.4 出众的HDR成像

HDR Pro工具可以合成包围曝光的照片，创建写实的或超现实的 HDR 图像，甚至可以让单次曝光的照片获得 HDR 的外观。

1.4.5 自动镜头校正

“镜头校正”滤镜，以及“文件”菜单中新增的“镜头校正”命令可以查找照片的 EXIF 数据，如图1-33所示。

Photoshop会根据我们使用的相机和镜头类型对桶形失真、枕形失真、色差和晕影等自动做出精确调整。

图1-33

1.4.6 强大的绘图效果

借助混合器画笔（提供画布混色）和毛刷笔尖（可以创建逼真、带纹理的笔触），可以将照片轻松转变为绘画效果或创建为独特的艺术效果。在绘画时，我们甚至可以看到笔尖的方向，如图1-34、图1-35所示。

图1-34

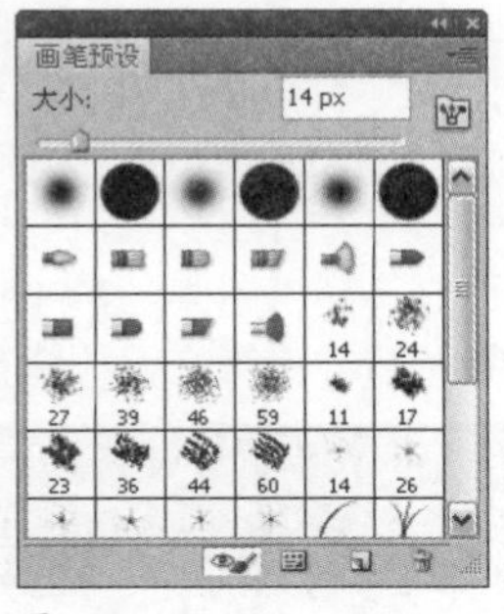

图1-35

1.4.7 最新的原始图像处理

Adobe Camera Raw 升级到了第6版，除增加了支持的相机种类外，我们可以对Raw照片进行无损降噪，同时保留颜色和细节，以及必要的颗粒纹理，使照片看上去更加自然。

1.4.8 增强的3D对象制作功能

使用新增的“3D凸纹”功能，可以将文字、路径，甚至选中的图像制作为3D对象，如图1-36、图1-37所示。

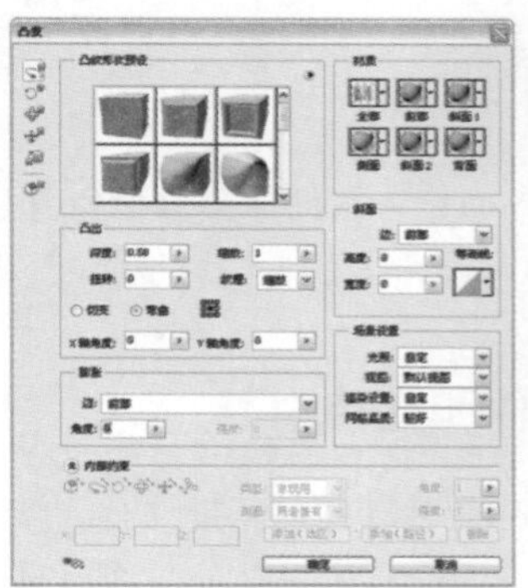

图1-36

图1-37

1.4.9 GPU加速功能

通过GPU加速可以实现工具功能的增强，如使用三分法则网格进行裁剪、鸟瞰缩放、HDR拾色器、吸管工具的取样环、硬毛刷笔尖预览等，如图1-38、图1-39所示。

图1-38

图1-39

1.4.10 更简单的用户界面管理

使用可折叠的工作区切换器，在喜欢的用户界面配置之间实现快速导航和选择。实时工作区会自动记录用户界面更改，如当我们切换到其他程序再切换回来时，面板会保持在原位。

1.4.11 更出色的媒体管理

使用可自定义的“Mini Bridge”面板可以在工作环境中访问资源，如图1-40所示。更可以借助灵活的分批重命名功能轻松管理媒体。

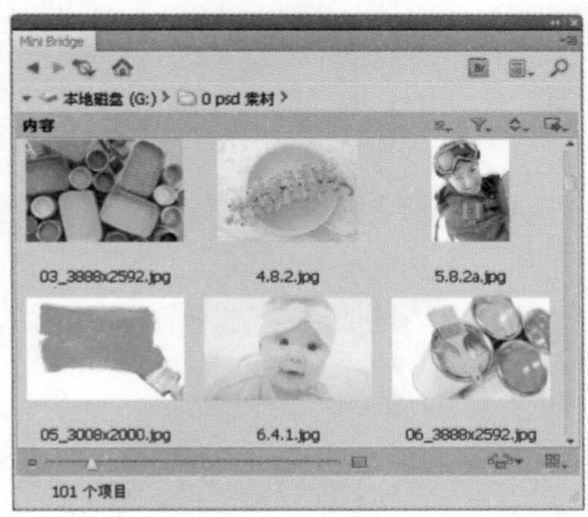

图1-40

1.5 Adobe 帮助资源

运行Photoshop以后，可以通过“帮助”菜单中的命令获得Adobe提供的各种Photoshop帮助资源和技术支持。下面我们就来看一下都有哪些具体内容。

1.5.1 Photoshop帮助文件和支持中心

Adobe提供了描述Photoshop软件功能的帮助文件，我们可以执行“帮助”菜单中的“Photoshop帮助”命令或“Photoshop支持中心”命令，链接到Adobe网站的帮助社区查看帮助文件。Phtoshop帮助文件中提供了大量的视频教程的链接地址，单击链接地址，就可以在线观看由Adobe专家录制的各种Photoshop功能的演示视频。

1.5.2 关于Photoshop、法律声明和系统信息

关于Photoshop

执行“帮助>关于Photoshop”命令，可以弹出Photoshop启动时的画面。画面中显示了Photoshop研发小组的人员名单和其他与Photoshop有关的信息。

法律声明

执行“帮助>法律声明”命令，可以在打开的对话框中查看Photoshop的专利和法律声明。

系统信息

执行“帮助>系统信息”命令，可以打开“系统信息”对话框查看当前操作系统的各种信息，如显卡、内存等，以及Photoshop占用的内存、安装序列号、安装的增效工具等内容。

1.5.3 产品注册、取消激活和更新

产品注册

执行“帮助>产品注册”命令，可在线注册Photoshop。注册产品后可以获取最新的产品信息、培训、简讯、Adobe 活动和研讨会的邀请函，以及获得附赠的安装支持、升级通知和其他服务。

取消激活

Photoshop单用户零售许可只支持两台计算机，如果要在第三台计算机上安装同一个Photoshop，则必须首先在其他两台计算机中的一台上取消激活该软件。可执行“帮助>取消激活”命令取消激活。

更新

执行“帮助>更新”命令，可以从Adobe公司的网站下载最新的Photoshop更新内容。

1.5.4 GPU

Photoshop CS5 利用图形显卡的 GPU，而不是计算机的中央处理器 (CPU) 来加速屏幕重绘。为了使 Photoshop 能够访问 GPU，用户的显卡必须包含支持 OpenGL 的 GPU、必须要有支持 Photoshop 各种功能所需的足够内存，以及支持 OpenGL 2.0 及 Shader Model 3.0 的显示器驱动程序。如果具备上述所有条件, 则 Photoshop 会打开“启用 OpenGL 绘图”选项（在“编辑>首选项>性能”中），以启动 GPU 加速。Photoshop中的像素网格、鸟瞰视图、取样环、硬毛刷笔尖预览等功能都需要GPU加速来支持。如果要了解更多关于GPU的内容，可执行“帮助>GPU”命令，链接到Adobe网站查看相关信息。

1.5.5 Photoshop联机

执行“帮助>Photoshop联机”命令，可以链接到Adobe公司的网站，获得完整的联机帮助，如图1-41所示。

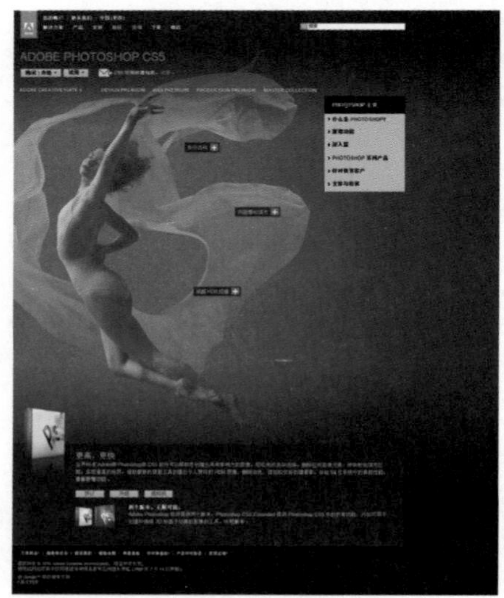

图1-41

1.5.6 Adobe产品改进计划

如果用户对Photoshop今后版本的发展方向有好的想法和建议，可以执行“帮助>Adobe产品改进计划”命令，参与Adobe产品改进计划。

1.6 扩展功能

Adobe推出的扩展功能CS Live是一套在线服务功能，它可以驾驭 Web 连接性并与 Adobe Creative Suite 5 集成以简化创作审阅流程、加快网站兼容性测试。

1.6.1 共享我的屏幕

执行“文件>共享我的屏幕”命令，可借助Acrobat.com的ConnectNow 服务，在联机会议中共享屏幕。ConnectNow 提供了安全的个人在线会议室，使我们可以通过网络实时与其他人会晤和协作。

1.6.2 CS News and Resources

执行“ 窗口>扩展功能>CS News and Resources”命令，可以打开“CS News and Resources”面板，并自动链接到Adobe网站，查找最新的CS新闻和帮助资源。

1.6.3 Adobe CS Review

执行“ 窗口>扩展功能>CS Review”命令，或者执行“文件>创建新审核”命令，可以打开 “CS Review”面板，如图1-42所示，在Creative Suite桌面应用程序中可以在线创建和共享审阅，获得设计项目反馈。

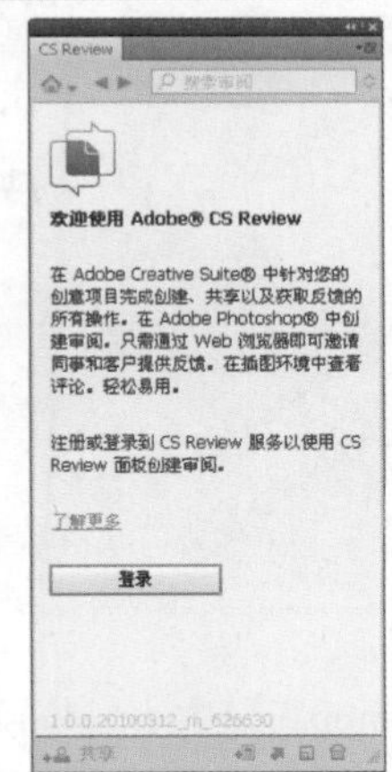

图1-42

1.6.4 Kuler

执行“ 窗口>扩展功能>Kuler”命令，可以打开“Kuler”面板，如图1-43所示。“Kuler”面板用于在线快速创建、共享和浏览颜色主题，如图1-44、图1-45所示。

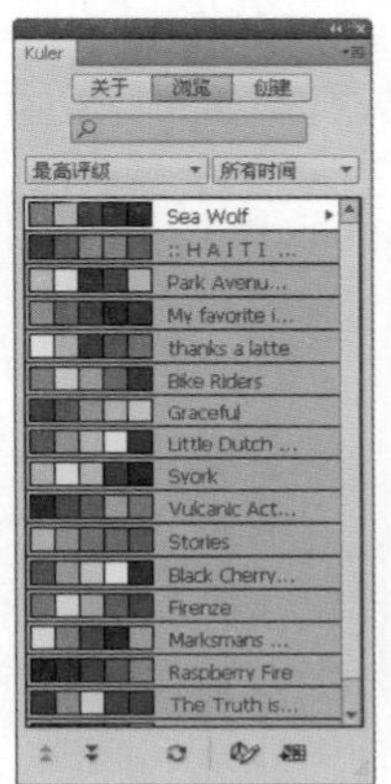

图1-43

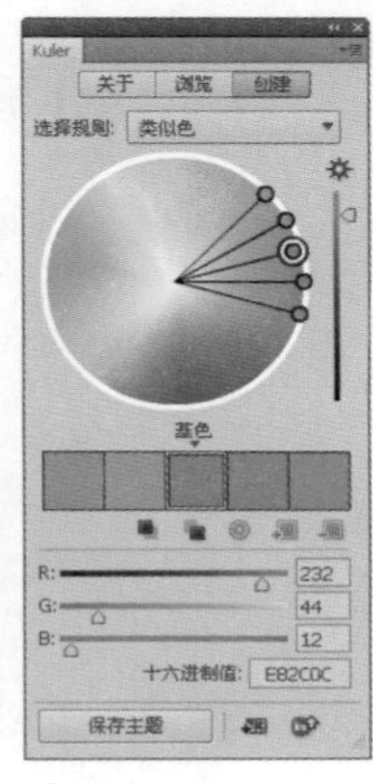

图1-44

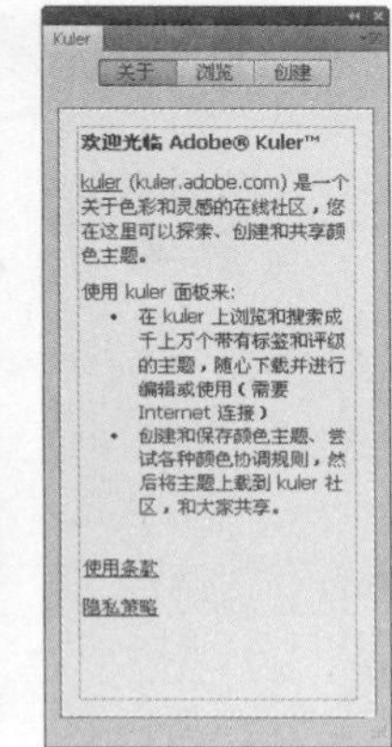

图1-45

1.6.5 访问CS Live

执行“ 窗口>扩展功能>访问CS Live”命令，可以打开“访问CS Live”面板，如图1-46所示。在面板中可以直接访问以上几个扩展功能。

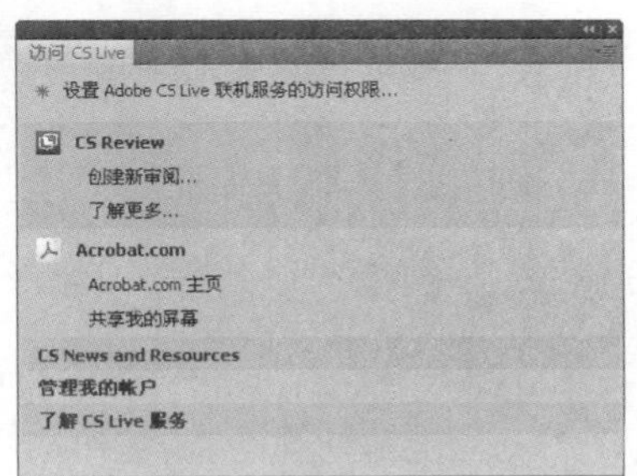

图1- 46

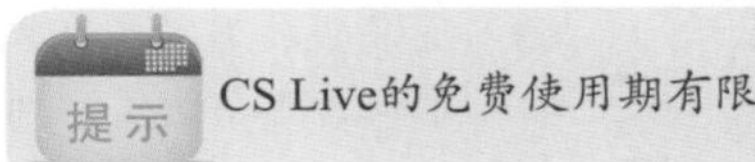

CS Live的免费使用期有限。

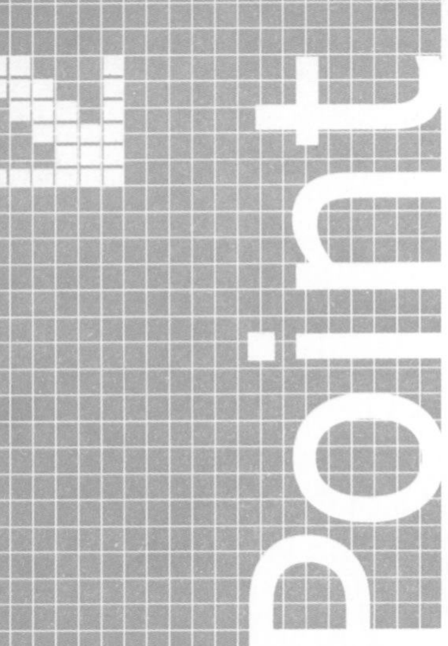

第2章 Photoshop基本操作

2.1 Photoshop CS5工作界面

Adobe对Photoshop CS5的工作界面进行了改进，增加的程序栏使得界面划分更加合理，常用面板的访问、工作区的切换也更加方便。下面我们来详细了解Photoshop CS5工作界面、工具箱、面板和菜单命令的使用方法。

2.1.1 了解工作界面组件

Photoshop CS5的工作界面中包含程序栏、菜单栏、文档窗口、工具箱、工具选项栏，以及面板等组件，如图2-1所示。

程序栏　菜单栏　工具选项栏　标题栏　选项卡　文档窗口　面板

工具箱

状态栏

图2-1

- 程序栏：可以调整Photoshop窗口大小，将窗口最大化、最小化或关闭，还可以直接访问Bridge、切换工作区、显示参考线、网格等。
- 菜单栏：菜单中包含可以执行的各种命令。单击菜单名称即可打开相应的菜单。
- 标题栏：显示了文档名称、文件格式、窗口缩放比例和颜色模式等信息。如果文档中包含多个图层，则标题栏中还会显示当前工作的图层的名称。
- 工具箱：包含用于执行各种操作的工具，如创建选区、移动图像、绘画、绘图等。
- 工具选项栏：用来设置工具的各种选项，它会随着所选工具的不同而变换内容。
- 面板：可以帮助我们编辑图像。有的用来设置编辑内容，有的用来设置颜色属性。

Learning Objectives
学习重点

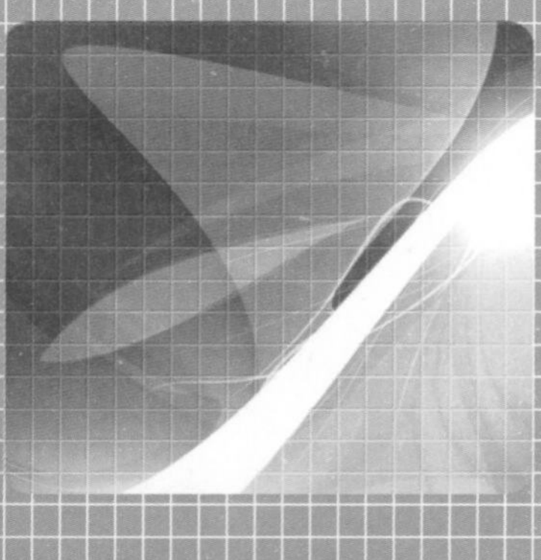

- 状态栏：可以显示文档大小、文档尺寸、当前工具和窗口缩放比例等信息。
- 文档窗口：文档窗口是显示和编辑图像的区域。
- 选项卡：打开多个图像时，它们会最小化到选项卡中，单击各个文件的名称即可显示相应文件。

2.1.2 了解文档窗口

我们在Photoshop中打开一个图像时，便会创建一个文档窗口。如果打开了多个图像，则各个文档窗口会以选项卡的形式显示，如图2-2所示。单击一个文档的名称，即可将其设置为当前操作的窗口，如图2-3所示。按下Ctrl+Tab键，可以按照前后顺序切换窗口，按下Ctrl+Shift+Tab键，可按照相反的顺序切换窗口。

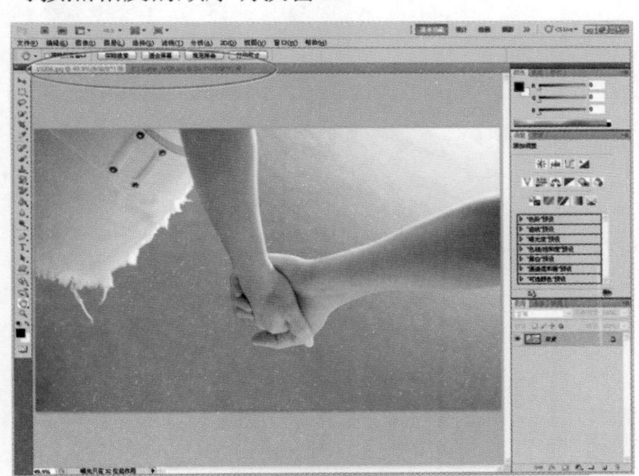

图2-2

图2-3

单击一个窗口的标题栏并将其从选项卡中拖出，它便成为可以任意移动位置的浮动窗口（拖动标题栏可进行移动），如图2-4所示；拖动浮动窗口的一个边角，可以调整窗口的大小，如图2-5所示。将一个浮动窗口的标题栏拖动到选项卡中，当出现蓝色横线时放开鼠标，该窗口就会停放到选项卡中。

图2-4

图2-5

相关链接：使用移动工具可以将一个图像拖入另一个打开的文档中，具体操作方法请参阅“3.15.2 移动图像”。

如果打开的图像数量较多，选项卡中不能显示所有文档，可单击它右侧的双箭头图标，在打开的下拉菜单中选择需要的文档，如图2-6所示。

图2-6

在选项卡中水平拖动各个的文档名称，可以调整它们的排列顺序，如图2-7所示。

图2-7

单击一个窗口右上角的按钮，如图2-8所示，可以关闭该窗口。如果要关闭所有窗口，可以在一个文档的标题栏上单击右键，在弹出的快捷菜单中选择“关闭全部”命令，如图2-9所示。

图2-8

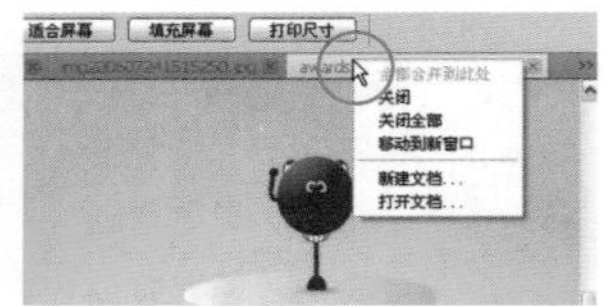

图2-9

技术看板 03 神奇的Photoshop彩蛋

程序设计师为了纪念某款软件的诞生，常在软件中隐藏一些小东西，我们称之为“复活节彩蛋”。运行Photoshop后，按住Ctrl键执行“帮助>关于Photoshop”命令，可以显示隐藏在Photoshop中的彩蛋。

每一个版本的Photoshop都有不同的彩蛋，比较特别的是Photoshop CS3彩蛋。我们将它截图之后，执行“图像>调整>色调均化”命令，就会出现一个人像Bruce Fraser，他对数码色彩管理和Photoshop开发做出过重要贡献。

Photoshop CS5 彩蛋

Photoshop CS3彩蛋

彩蛋中隐藏的人像

2.1.3 了解工具箱

Photoshop CS5的工具箱中包含了用于创建和编辑图像、图稿、页面元素的工具和按钮，如图2-10所示。这些工具分为7组，如图2-11所示。单击工具箱顶部的双箭头，可以将工具箱切换为单排（或双排）显示。单排工具箱可以为文档窗口让出更多的空间。

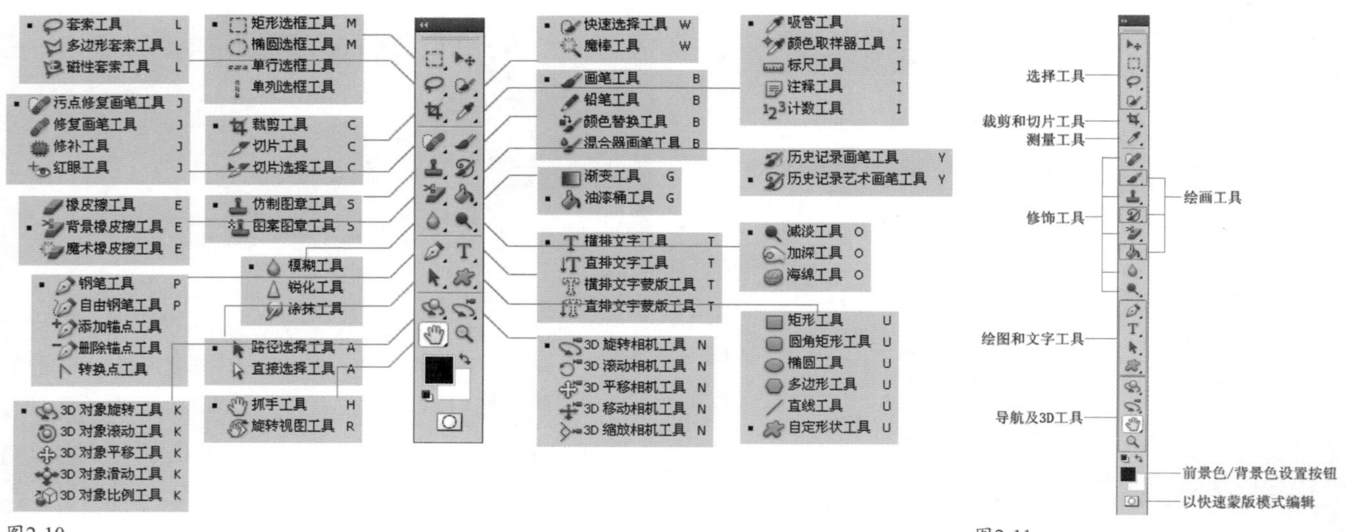

图2-10

图2-11

移动工具箱

默认情况下，工具箱停放在窗口左侧。将光标放在工具箱顶部双箭头右侧，单击并向右侧拖动鼠标，可以将工具箱从停放中拖出，放在窗口的任意位置。

选择工具

单击工具箱中的一个工具即可选择该工具，如图2-12所示。右下角带有三角形图标的工具表示这是一个工具组，在这样的工具上按住鼠标左键可以显示隐藏的工具，如图2-13所示；将光标移动到隐藏的工具上然后放开鼠标，即可选择该工具，如图2-14所示。

图2-12

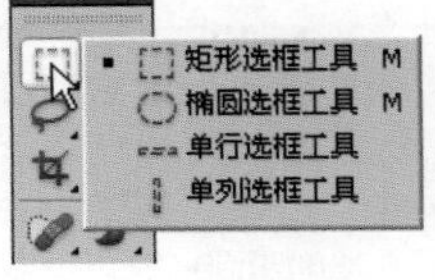

图2-13

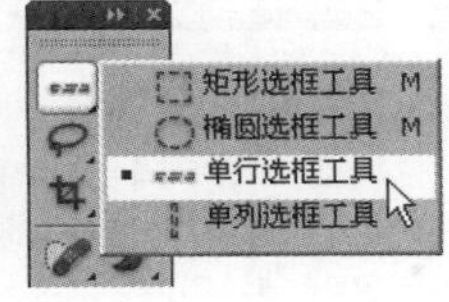

图2-14

疑问解答 怎样通过快捷键选择工具？

将光标放在一个工具上并停留片刻，就会显示提示信息，包括该工具的名称和快捷键。我们可以通过按下快捷键来选择工具。按下Shift+工具快捷键，则可在一组隐藏的工具中循环选择各个工具。

2.1.4 了解工具选项栏

使用工具选项栏

工具选项栏用来设置工具的选项，它会随着所选工具的不同而变换选项内容。图2-15所示为选择画笔工具时显示的选项内容。工具选项栏中的一些设置（如绘画模式和不透明度）对于许多工具都是通用的，但有些设置（如铅笔工具的“自动抹除”）却专用于某个工具。

图2-15

- 菜单箭头：单击该按钮，可以打开一个下拉菜单，如图2-16所示。
- 文本框：在文本框中单击，输入新数值并按下回车键即可调整数值。如果文本框旁边有按钮，则单击该按钮，可以显示一个弹出滑块，拖动滑块也可以调整数值，如图2-17所示。
- 小滑块：在包含文本框的选项中，将光标放在选项名称上，光标会变为如图2-18所示的状态，单击并向左右两侧拖动鼠标，可以调整数值。

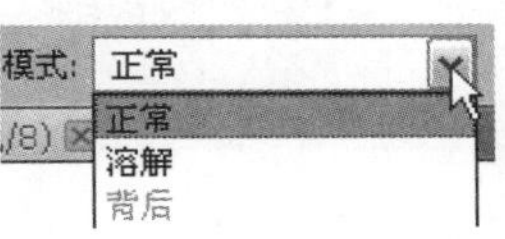

图2-16

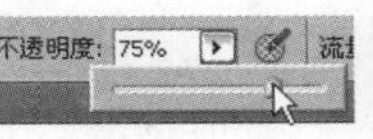

图2-17

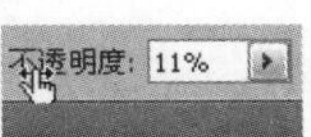

图2-18

隐藏/显示工具选项栏

执行“窗口>选项”命令，可以隐藏或显示工具选项栏。

移动工具选项栏

单击并拖动工具选项栏最左侧的图标，可以将它从停放中拖出，成为浮动的工具选项栏，如图2-19所示。将其拖回菜单栏下面，当出现蓝色条时放开鼠标，可重新停放到原处。

创建和使用工具预设

在工具选项栏中，单击工具图标右侧的按钮，可以打开一个下拉面板，面板中包含了各种工具预设。例如，使用裁剪工具时，选择如图2-20所示的工具预设，可以将图像裁剪为4英寸×6英寸、300ppi的大小。

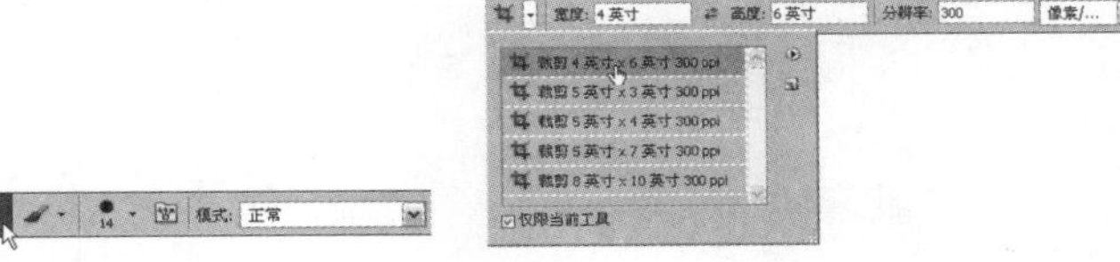
图2-19　图2-20

- 新建工具预设：在工具箱中选择一个工具，然后在工具选项栏中设置工具的选项，单击工具预设下拉面板中的按钮，可以基于当前设置的工具选项创建一个工具预设。
- 仅限当前工具：选择该项时，只显示工具箱中所选工具的各种预设，如图2-21所示；取消选择时，会显示所有工具的预设，如图2-22所示。

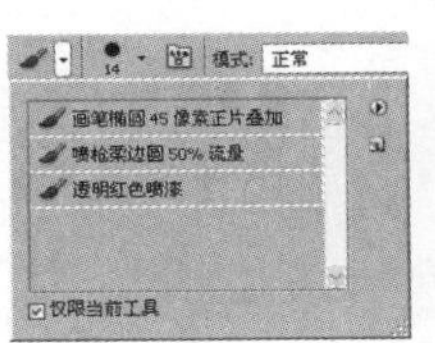
图2-21

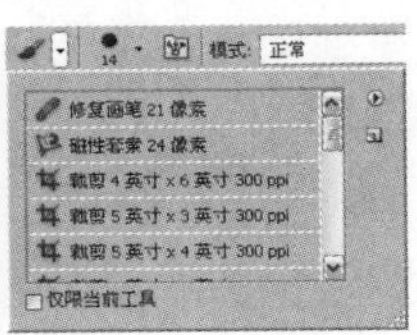
图2-22

- 重命名和删除工具预设：在一个工具预设上单击右键，可以在打开的快捷菜单中选择重命名或删除该工具预设。
- 复位工具预设：当选择一个工具预设后，以后每次择该工具时，都会应用这一预设。如果要清除预设，可单击面板右上角的按钮，选择面板菜单中的“复位工具”命令，如图2-23所示。

使用“工具预设”面板

“工具预设”面板用来存储工具的各项设置、载入、编辑和创建工具预设库，如图2-24所示。它与工具选项栏中的工具预设下拉面板用途基本相同。

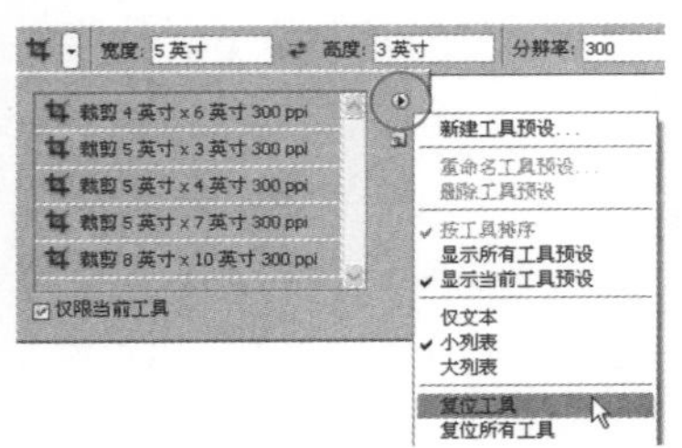
图2-23

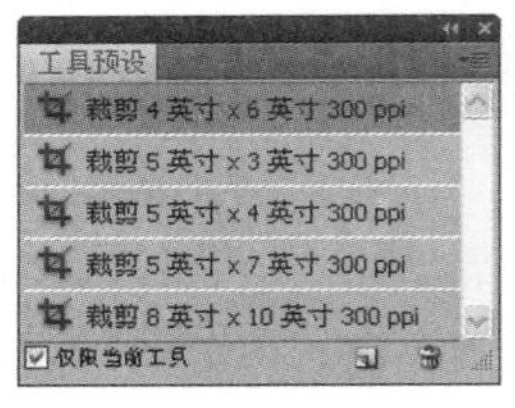
图2-24

单击面板中的一个预设工具即可选择并使用该预设。单击面板中的创建新的工具预设按钮，可以将当前工具的设置状态保存为一个预设。选择一个预设后，单击删除工具预设按钮可将其删除。

相关链接：使用“预设管理器”可以载入各种工具预设，以及画笔库、形状库、渐变库、样式库等外部库文件。相关内容请参阅“2.5 管理工具预设”。

2.1.5 了解菜单

Photoshop CS5 Extended有11个主菜单，如图2-25所示，每个菜单内都包含一系列的命令。例如，“文件”菜单中包含的是用于设置文件的各种命令，“滤镜”菜单中包含的是各种滤镜。

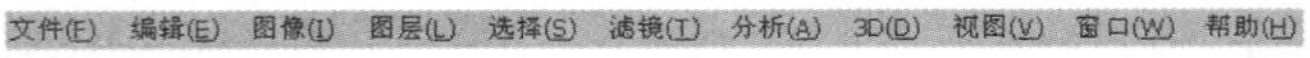

文件(F) 编辑(E) 图像(I) 图层(L) 选择(S) 滤镜(T) 分析(A) 3D(D) 视图(V) 窗口(W) 帮助(H)

图2-25

打开菜单

单击一个菜单即可打开该菜单。在菜单中，不同功能的命令之间采用分隔线隔开。带有黑色三角标记的命令表示还包含下拉菜单，如图2-26所示。

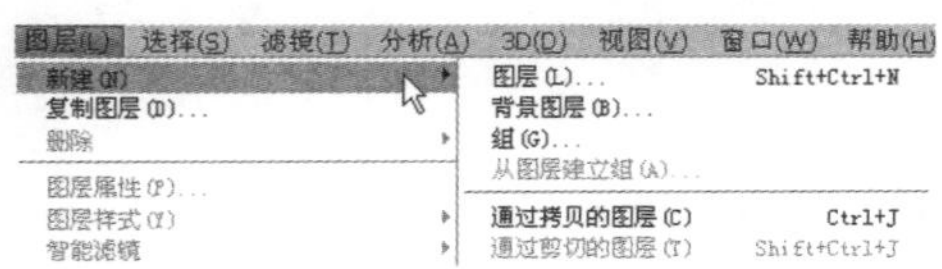

图2-26

执行菜单中的命令

选择菜单中的一个命令即可执行该命令。如果命令后面有快捷键，如图2-27所示，则按下快捷键可快速执行该命令。例如，按下Ctrl+A快捷键可以执行“选择>全部”命令。有些命令只提供了字母，要通过快捷方式执行这样的命令，可以按下Alt键+主菜单的字母，打开主菜单，再按下命令后面的字母，执行该命令。例如，按下Alt+L+D键可执行“图层>复制图层”命令，如图2-28所示。

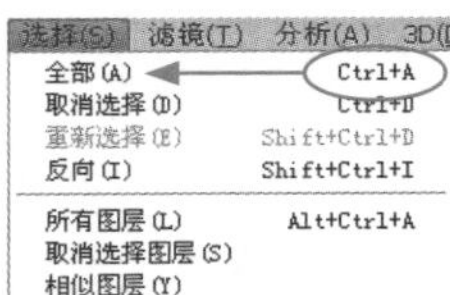

图2-27

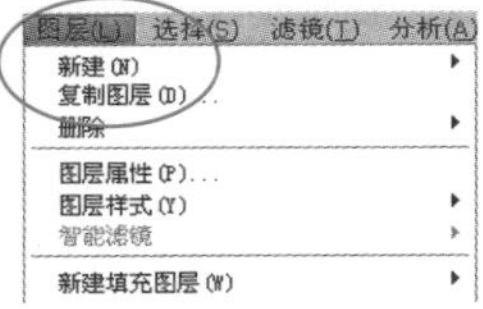

图2-28

疑问解答 为什么有些命令是灰色的？

如果菜单中的某些命令显示为灰色，表示它们在当前状态下不能使用。例如，在没有创建选区的情况下，“选择”菜单中的多数命令都不能使用。此外，如果一个命令的名称右侧有“…”状符号，表示执行该命令时会弹出一个对话框。

打开快捷菜单

在文档窗口的空白处、在一个对象上或在面板上单击右键，可以显示快捷菜单，如图2-29、图2-30所示。

图2-29

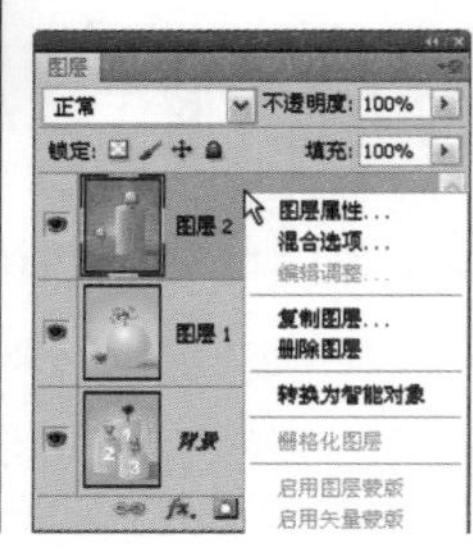
图2-30

2.1.6 了解面板

面板用来设置颜色、工具参数，以及执行编辑命令。Photoshop中包含20多个面板，在“窗口”菜单中可以选择需要的面板将其打开。默认情况下，面板以选项卡的形式成组出现，并停靠在窗口右侧，如图2-31所示，我们可根据需要打开、关闭或是自由组合面板。

选择面板

单击一个面板的名称即可将该面板设置为当前面板，同时显示面板中的选项，如图2-32、图2-33所示。

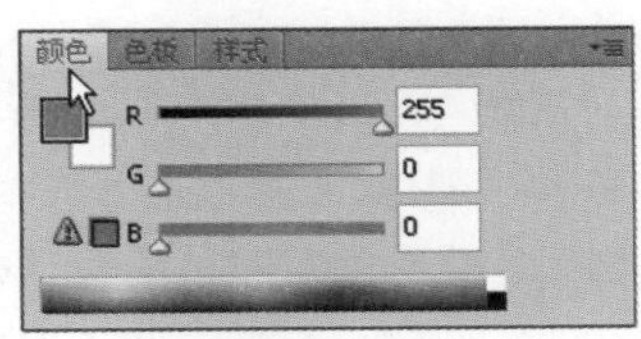

图2-32

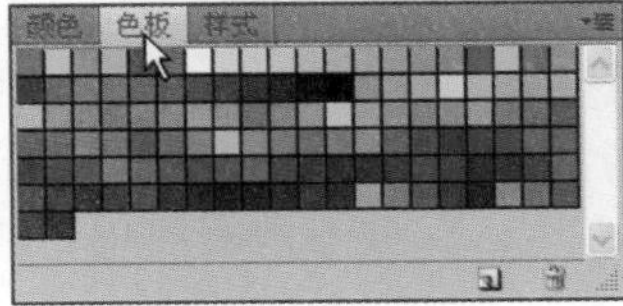

图2-31 图2-33

折叠/展开面板

单击面板组右上角的三角按钮，可以将面板折叠为图标状，如图2-34所示；单击一个图标可以显示相应的面板，如图2-35所示；单击面板右上角的按钮，可重新将其折叠回面板组；拖动面板边界可以调整面板组的宽度，如图2-36所示。

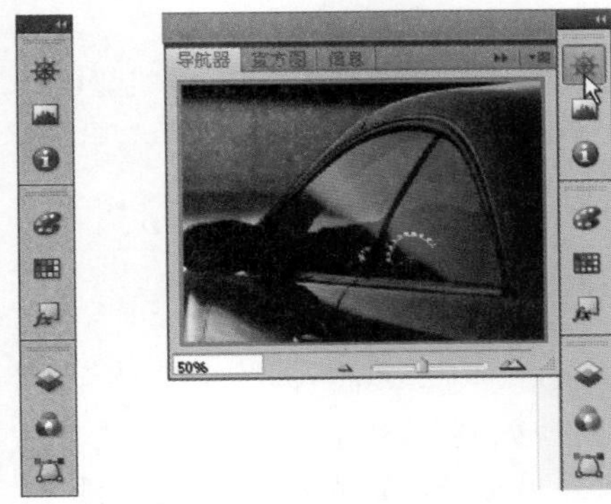

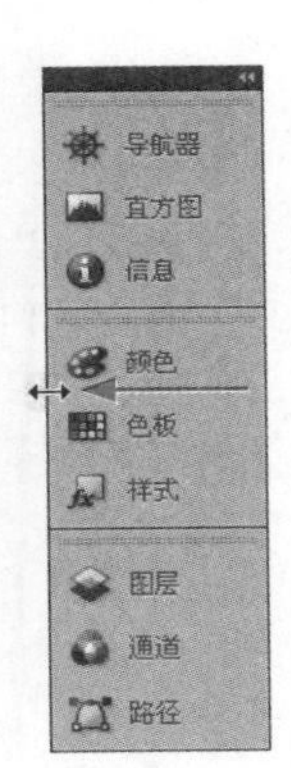

图2-34 图2-35 图2-36

组合面板

将一个面板的名称拖动到另一个面板的标题栏上，当出现蓝色框时放开鼠标，可以将它与目标面板组合，如图2-37、图2-38所示。

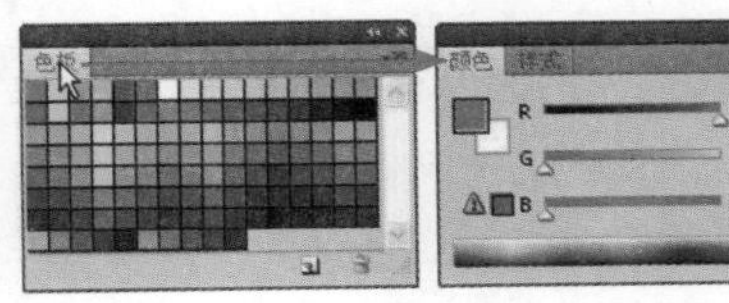

图2-37

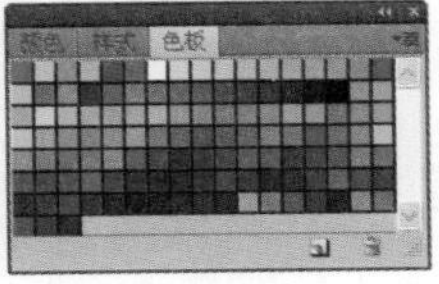

图2-38

提示　过多的面板会占用工作空间。通过组合面板的方法将多个面板合并为一个面板组，或者将一个浮动面板合并到面板组中，可以提供更多的操作空间。

链接面板

将光标放在面板的名称上，单击并将其拖至另一个面板下，当两个面板的连接处显示为蓝色时放开鼠标，可以将两个面板链接，如图2-39～图2-41所示。链接的面板可以同时移动或折叠为图标状。

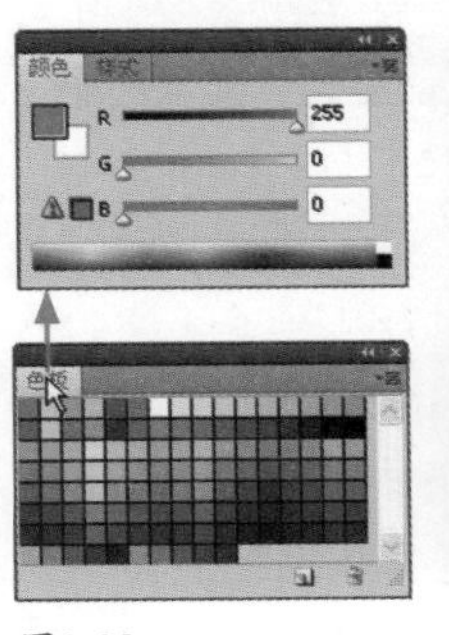

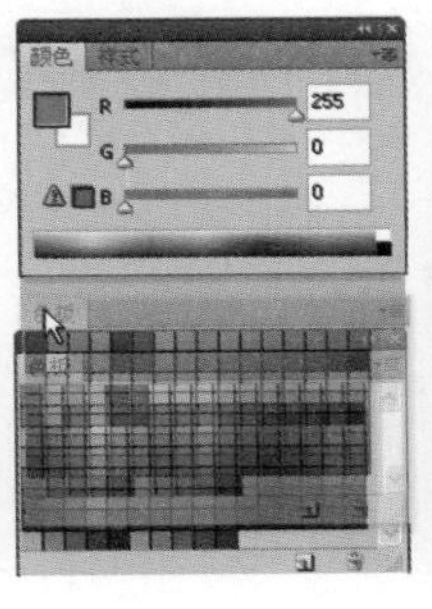

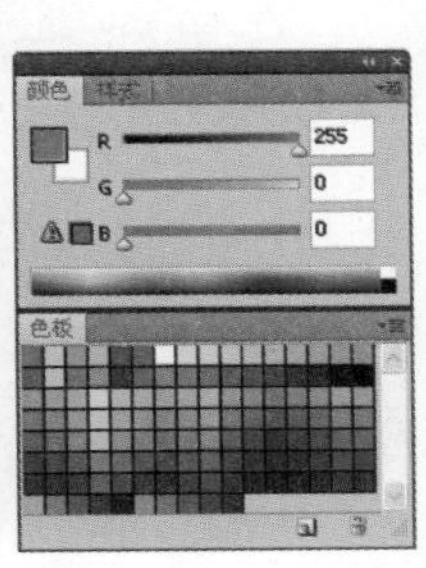

图2-39 图2-40 图2-41

移动面板

将光标放在面板的名称上，单击并向外拖动到窗口的空白处，如图2-42所示，即可将其从面板组、或链接的面板组中分离出来，成为浮动面板，如图2-43所示。拖动浮动面板的名称，可以将它放在窗口中的任意位置。

相关链接：我们可以根据自己的习惯将面板放在方便使用的位置，或关闭一些不需要的面板，然后将面板的位置保存为一个自定义的工作区，详细操作方法请参阅“2.3.2 实战——创建自定义工作区”。

调整面板大小

如果一个面板的右下角有状图标，则拖动该图标可以调整面板大小，如图2-44所示。

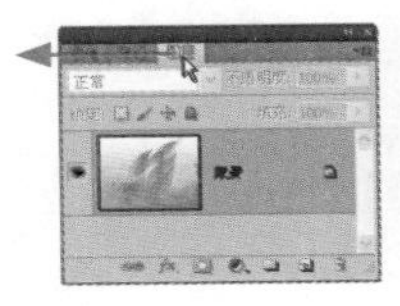

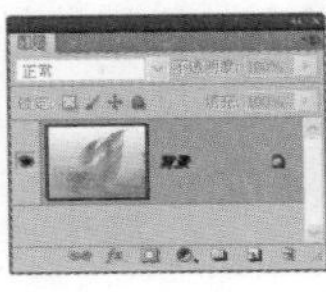

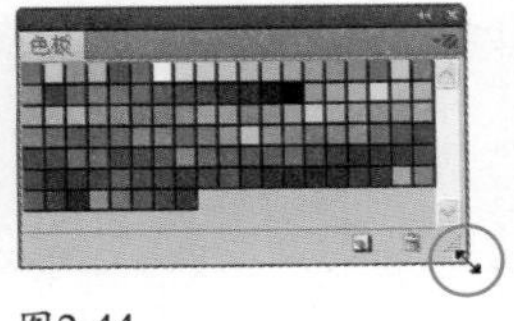

图2-42 图2-43 图2-44

打开面板菜单

单击面板右上角的按钮，可以打开面板菜单，如图2-45所示。菜单中包含了与当前面板有关的各种命令。

关闭面板

在一个面板的标题栏上单击右键，可以显示一个快捷菜单，如图2-46所示。选择“关闭”命令，可以关闭该面板；选择“关闭选项卡组”命令，可以关闭该面板组。对于浮动面板，则可单击它右上角的按钮将其关闭。

图2-45

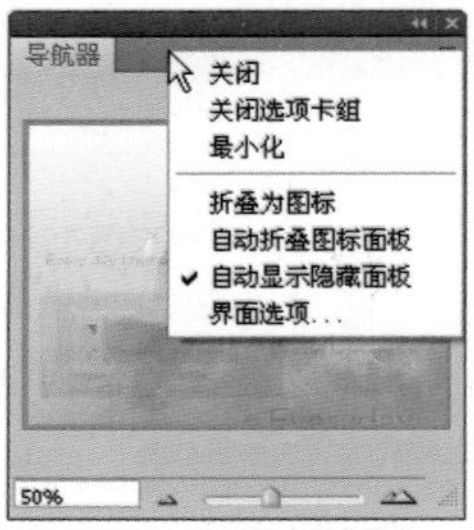

图2-46

2.1.7 了解状态栏

状态栏位于文档窗口底部，它可以显示文档窗口的缩放比例、文档大小、当前使用的工具等信息。单击状态栏中的▶按钮，可在打开的菜单中选择状态栏的显示内容，如图2-47所示。如果单击状态栏，则可以显示图像的宽度、高度、通道等信息，如图2-48所示；按住Ctrl键单击（按住鼠标左键不放），可以显示图像的拼贴宽度等信息，如图2-49所示。

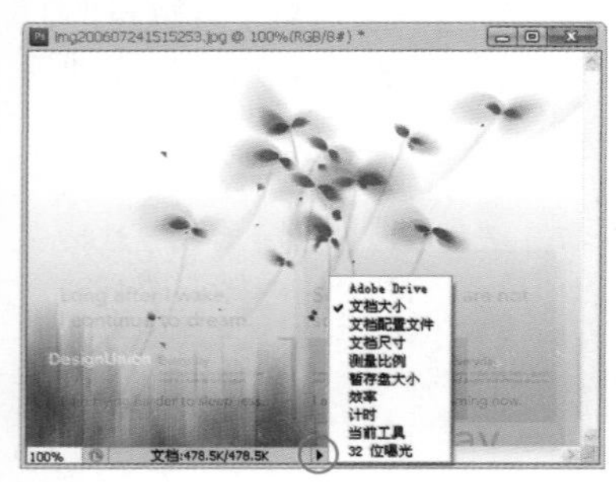

图2-47

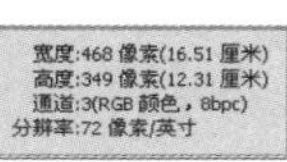

图2-48

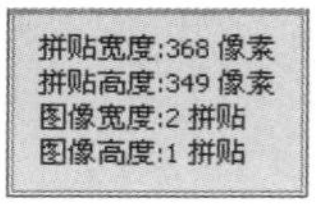

拼贴宽度:368 像素
拼贴高度:349 像素
图像宽度:2 拼贴
图像高度:1 拼贴

图2-49

- Adobe Drive：显示文档的 Version Cue 工作组状态。Adobe Drive 使我们能连接到 Version Cue CS5服务器。连接后，我们可以在 Windows 资源管理器或 Mac OS Finder 中查看服务器的项目文件。
- 文档大小：显示有关图像中的数据量的信息。选择该选项后，状态栏中会出现两组数字，如图2-50所示，左边的数字显示了拼合图层并存储文件后的大小，右边的数字显示了包含图层和通道的近似大小。
- 暂存盘大小：显示有关于处理图像的内存和Photoshop暂存盘的信息。选择该选项后，状态栏中会出现两组数字，如图2-51所示，左边的数字表示程序用来显示所有打开的图像的内存量，右边的数字表示可用于处理图像的总内存量。如果左边的数字大于右边的数字，Photoshop将启用暂存盘作为虚拟内存。

文档:478.5K/3.27M

图2-50

暂存盘: 173.0M/1003.0M

图2-51

- 文档配置文件：显示图像所使用的颜色配置文件的名称。
- 文档尺寸：显示图像的尺寸。
- 测量比例：显示文档的比例。
- 效率：显示执行操作实际花费时间的百分比。当效率为100%时，表示当前处理的图像在内存中生成；如果该值低于 100%，则表示Photoshop 正在使用暂存盘，操作速度也会变慢。
- 计时：显示完成上一次操作所用的时间。
- 当前工具：显示当前使用的工具的名称。
- 32 位曝光：用于调整预览图像，以便在计算机显示器上查看 32 位/通道高动态范围 (HDR) 图像的选项。只有文档窗口显示 HDR 图像时，该选项才可用。

2.1.8 了解程序栏

程序栏位于Photoshop窗口最顶部，如图2-52所示。它提供了一组按钮，左侧的按钮可以打开“Bridge”、“Mini Bridge”、调整窗口显示比例、显示标尺、参考线和网格，以及按照不同的方式排列文档。右侧的按钮可切换工作区、将窗口最大化、最小化或关闭。

图2-52

2.2 查看图像

我们编辑图像时，需要经常放大或缩小窗口的显示比例、移动画面的显示区域，以便更好地观察和处理图像。Photoshop提供了用于切换屏幕模式，以及缩放工具、抓手工具、“导航器”面板和各种缩放窗口的命令，我们下面就来了解这些功能。

2.2.1 在不同的屏幕模式下工作

单击程序栏中的屏幕模式按钮▣，可以显示一组用于切换屏幕模式的命令。

- 标准屏幕模式：默认的屏幕模式，可显示菜单栏、标题栏、滚动条和其他屏幕元素，如图2-53所示。

图2-53

- 带有菜单栏的全屏模式：显示有菜单栏和 50% 灰色背景，无标题栏和滚动条的全屏窗口，如图2-54所示。

图2-54

- 全屏模式：显示只有黑色背景，无标题栏、菜单栏和滚动条的全屏窗口，如图2-55所示。

图2-55

> 提示 按下F键可在各个屏幕模式间切换。按下Tab键可以隐藏/显示工具箱、面板和工具选项栏；按下Shift+Tab键可以隐藏/显示面板。

2.2.2 在多个窗口中查看图像

如果打开了多个图像，可通过“窗口>排列”下拉菜单中的命令控制各个文档窗口的排列方式，如图2-56所示。

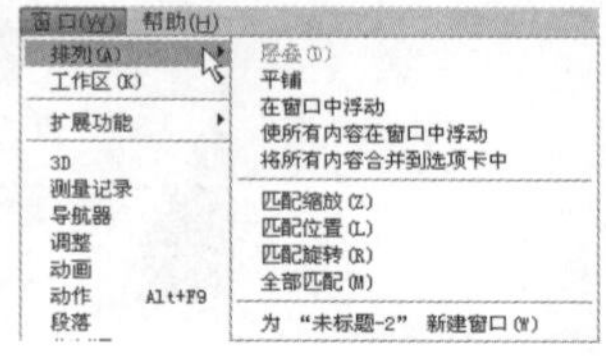

图2-56

- 层叠：从屏幕的左上角到右下角以堆叠和层叠的方式显示未停放的窗口，如图2-57所示。

图2-57

- 平铺：以边靠边的方式显示窗口，如图2-58所示。关闭一个图像时，其他窗口会自动调整大小，以填满可用的空间。

图2-58

- 在窗口中浮动：允许图像自由浮动（可拖动标题栏移动窗口），如图2-59所示。

图2-59

- 使所有内容在窗口中浮动：使所有文档窗口都浮动，如图2-60所示。

图2-60

- 将所有内容合并到选项卡中：全屏显示一个图像，其他图像最小化到选项卡中，如图2-61所示。

图2-61

- 匹配缩放：将所有窗口都匹配到与当前窗口相同的缩放比例。例如，如果当前窗口的缩放比例为100%，另外一个窗口的缩放比例为50%，则执行该命令后，该窗口的显示比例也会调整为100%。
- 匹配位置：将所有窗口中图像的显示位置都匹配到与当前窗口相同，图2-62、图2-63所示分别为匹配前后的效果。

图2-62

图2-63

- 匹配旋转：将所有窗口中画布的旋转角度都匹配到与当前窗口相同，图2-64、图2-65所示分别为匹配前后的效果。

图2-64

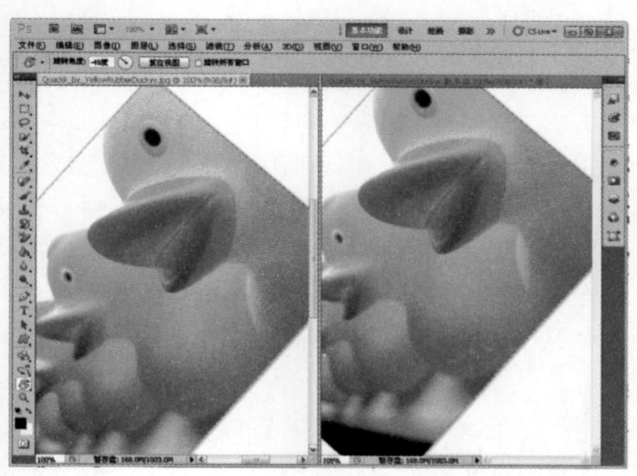

图2-65

- 全部匹配：将所有窗口的缩放比例、图像显示位置、画布旋转角度与当前窗口匹配。
- 为（文件名）新建窗口：为当前文档新建一个窗口，新窗口的名称会显示在“窗口”菜单的底部。

技术看板 04 排列多个文档

打开多个图像文件以后，可单击程序栏中的排列文档按钮，在下拉菜单中选择一种文档排列方式，包括双联、三联、四联、全部网格拼贴等。

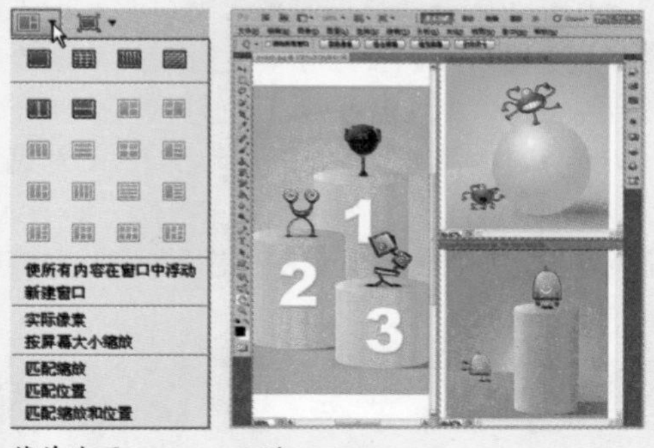

菜单选项　三联

全部水平拼贴　全部垂直拼贴

2.2.3 实战——用旋转视图工具旋转画布

●实例门类：软件功能类　●视频位置：光盘>实例视频>2.2.3

我们进行绘画和修饰图像时，可以使用旋转视图工具旋转画布，就像是在纸上绘画一样方便。

1 按下Ctrl+O快捷键，打开一个文件（光盘>素材>2.2.3）。选择旋转视图工具，在窗口中单击，会出现一个罗盘，红色的指针指向北方，如图2-66所示。

图2-66

2 按住鼠标按键拖动即可旋转画布，如图2-67所示。如果要精确旋转画布，可在工具选项栏的“旋转角度”文本框中输入角度值。如果打开了多个图像，在工具选项栏中勾选“旋转所有窗口”选项，可以同时旋转这些窗口。如果要将画布恢复到原始角度，可以单击“复位视图”按钮，或按下Esc键。

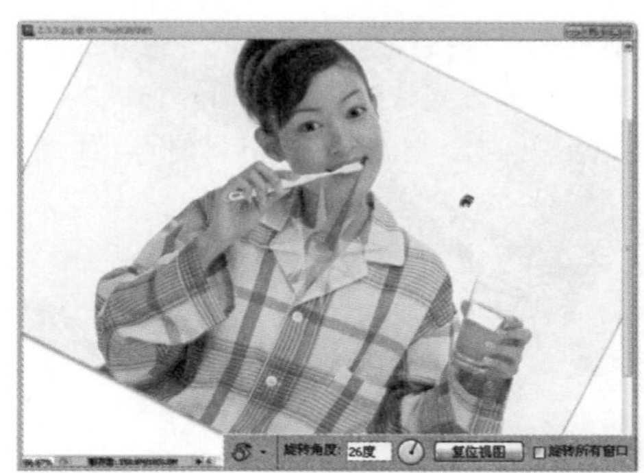

图2-67

相关链接：旋转画布功能需要计算机的显卡支持OpenGL加速。我们可以通过设置首选项启用OpenGL，详细内容请参阅“20.3.4 性能”。

提示 旋转视图工具可以在不破坏图像的情况下按照任意角度旋转画布，而图像本身的角度并未实际旋转。如果要旋转图像，需要使用“图像>图像旋转”菜单中的命令。详细操作方法请参阅“3.15.3 实战——旋转与缩放”。

2.2.4 实战——用缩放工具调整窗口比例

●实例门类：软件功能类　●视频位置：光盘>实例视频>2.2.4

1 按下Ctrl+O快捷键，打开一个文件（光盘>素材>2.2.4），如图2-68所示。

图2-68

2 选择缩放工具，将光标放在画面中（光标会变为状），单击可以放大窗口的显示比例，如图2-69所示。按住Alt键（光标会变为状）单击可缩小窗口的显示比例，如图2-70所示。

图2-69

图2-70

3 在工具选项栏中选择“细微缩放”选项，单击并向右侧拖动鼠标，能够以平滑的方式快速放大窗口，如图2-71所示；向左侧拖动鼠标，则会快速缩小窗口比例，如图2-72所示。

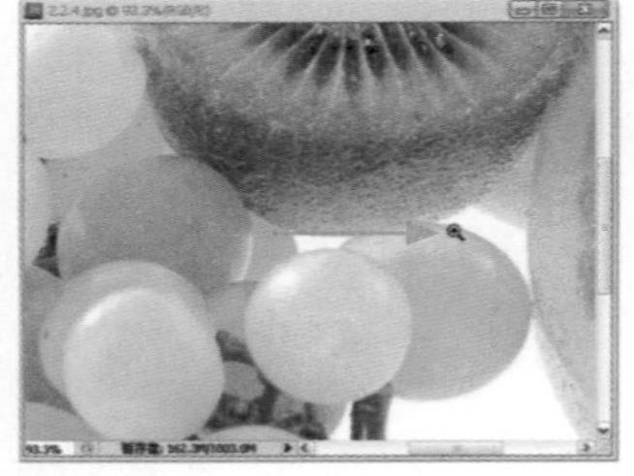

图2-71

图2-72

缩放工具选项栏

图2-73所示为缩放工具的选项栏。

调整窗口大小以满屏显示　缩放所有窗口　细微缩放　实际像素　适合屏幕　填充屏幕　打印尺寸

图2-73

- 放大/缩小：按下按钮后，单击鼠标可以放大窗口。按下按钮后，单击鼠标可以缩小窗口。
- 调整窗口大小以满屏显示：在缩放窗口的同时自动调整窗口的大小。
- 缩放所有窗口：同时缩放所有打开的文档窗口。
- 细微缩放：勾选该项后，在画面中单击并向左侧或右侧拖动鼠标，能够以平滑的方式快速放大或缩小窗口；取消勾选时，在画面中单击并拖动鼠标，可以拖出一个矩形选框，放开鼠标后，矩形框内的图像会放大至整个窗口。按住Alt键操作可以缩小矩形选框内的图像。
- 实际像素：单击该按钮，图像以实际像素即100%的比例显示。也可以双击缩放工具来进行同样的调整。
- 适合屏幕：单击该按钮，可以在窗口中最大化显示完整的图像。也可以双击抓手工具来进行同样的调整。
- 填充屏幕：单击该按钮，可以在整个屏幕范围内最大化显示完整的图像。
- 打印尺寸：单击该按钮，可以按照实际的打印尺寸显示图像。

2.2.5 实战——用抓手工具移动画面

●实例门类：软件功能类　●视频位置：光盘>实例视频>2.2.5

当图像尺寸较大，或者由于放大窗口的显示比例而不能显示全部图像时，可以使用抓手工具移动画面，查看图像的不同区域。该工具也可以缩放窗口。

1 按下Ctrl+O快捷键，打开一个文件（光盘>素材>2.2.5），如图2-74所示。选择抓手工具，按住Alt键单击可以缩小窗口，如图2-75所示；按住Ctrl键单击可以放大窗口，如图2-76所示。

图2-74

图2-75

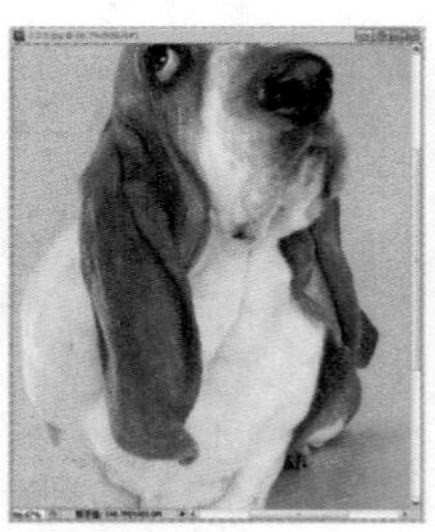

图2-76

提示　可以按住Alt键（或Ctrl键）和鼠标按键不放，以平滑的方式逐渐缩放窗口。

2 放大窗口以后，单击并拖动鼠标即可移动画面，如图2-77所示。如果同时按住鼠标按键和H键，窗口中就会显示全部图像并出现一个矩形框，将矩形框定位在需要查看的区域，如图2-78所示，然后放开鼠标按键和H键，可以快速放大并转到这一图像区域，如图2-79所示。

图2-77

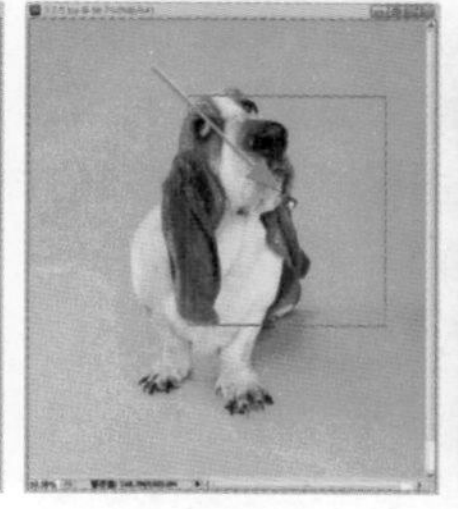
图2-78

图2-79

提示 使用绝大多数工具时，按住键盘中的空格键都可以切换为抓手工具。

抓手工具选项栏

图2-80所示为抓手工具的选项栏。如果同时打开了多个图像文件，勾选“滚动所有窗口”选项，移动画面的操作将用于所有不能完整显示的图像。其他选项与缩放工具相同。

□滚动所有窗口 | 实际像素 | 适合屏幕 | 填充屏幕 | 打印尺寸

图2-80

2.2.6 用导航器面板查看图像

“导航器”面板中包含图像的缩览图和各种窗口缩放工具，如图2-81所示。如果文件尺寸较大，画面中不能显示完整图像，通过该面板定位图像的查看区域更加方便。

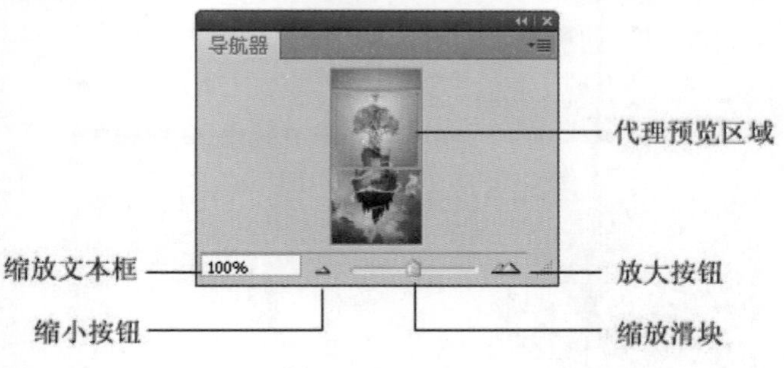

图2-81

- 通过按钮缩放窗口：单击放大按钮可以放大窗口的显示比例，单击缩小按钮可以缩小窗口的显示比例。
- 通过滑块缩放窗口：拖动缩放滑块可放大或缩小窗口。
- 通过数值缩放窗口：缩放文本框中显示了窗口的显示比例，在文本框中输入数值并按下回车键可以缩放窗口，如图2-82所示。
- 移动画面：当窗口中不能显示完整的图像时，将光标移动到代理预览区域，光标会变为手形状，单击并拖动鼠标可以移动画面，代理预览区域内的图像会位于文档窗口的中心，如图2-83所示。

图2-82

图2-83

提示 执行“导航器”面板菜单中的“面板选项”命令，可在打开的对话框中修改代理预览区域矩形框的颜色。

提示 在使用除缩放、抓手以外的其他工具时，按住Alt键并滚动鼠标中间的滚轮也可以缩放窗口。

技术看板 05 调整背景色

在图像以外的灰色暂存区域单击右键，可以显示一个快捷菜单，我们可以选择在灰色、黑色或其他自定颜色背景上显示图像。如果是要调整照片的色调和颜色，或者进行绘画操作，最好使用默认的灰色作为背景色，这样就不会影响我们对色彩的判断。

2.2.7 了解窗口缩放命令

- 放大：执行“视图>放大”命令，或按下Ctrl++快捷键可放大窗口的显示比例。
- 缩小：执行“视图>缩小”命令，或按下Ctrl+-快捷键可缩小窗口显示比例。
- 按屏幕大小缩放：执行“视图>按屏幕大小缩放”命令，或按下Ctrl+0快捷键，可以自动调整图像的比例，使之能够完整地在窗口中显示。
- 实际像素：执行“视图>实际像素”命令，或按下Ctrl+1快捷键，图像将按照实际的像素，即100%的比例显示。
- 打印尺寸：执行“视图>打印尺寸”命令，图像将按照实际的打印尺寸显示。

2.3 设置工作区

在Photoshop的工作界面中，文档窗口、工具箱、菜单栏和面板的排列方式称为工作区。Photoshop提供了适合不同任务的预设工作区，如我们绘画时，选择“绘画”工作区，就会显示与画笔、色彩等有关的各种面板。我们也可以创建适合自己使用习惯的工作区。

2.3.1 使用预设工作区

单击程序栏中的»按钮，在打开的下拉菜单中选择一个命令，如图2-84所示，或者执行“窗口>工作区”下拉菜单中的命令，如图2-85所示，即可切换为Photoshop为我们提供的预设工作区。图2-86所示为“设计”工作区。

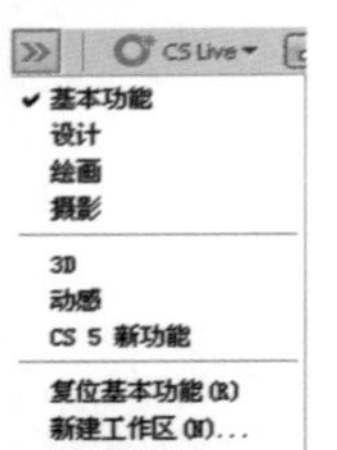

图2-84

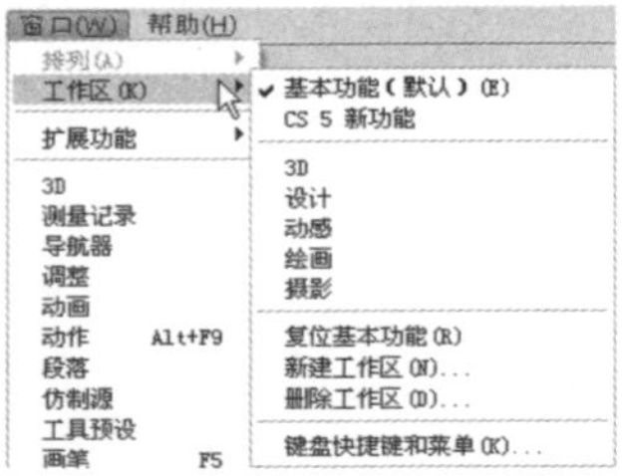

图2-85

图2-86

“3D”、“设计”、“动感”、“绘画”、“摄影”等是Photoshop专为简化某些任务而设计的预设工作区。“基本功能（默认）”是最基本的、没有进行特别设计的工作区，如果修改了工作区（如移动了面板的位置），执行该命令就可以恢复为Photoshop默认的工作区；选择“CS5新增功能”工作区，各个菜单命令中的Photoshop CS5新增功能会显示为彩色，如图2-87所示。

图2-87

2.3.2 实战——创建自定义工作区

●实例门类：软件功能类 ●视频位置：光盘>实例视频>2.3.2

1 首先在“窗口”菜单中将需要的面板打开，将不需要的面板关闭，再将打开的面板分类组合，如图2-88所示。

图2-88

2 执行“窗口>工作区>新建工作区”命令，在打开的对话框中输入工作区的名称，如图2-89所示。默认情况下只存储面板的位置，我们也可以选择将键盘快捷键和菜单的当前状态保存到自定义的工作区中。单击“确定”按钮关闭对话框。

3 我们再来看一下怎样调用该工作区。打开“窗口>工作区”下拉菜单，如图2-90所示，可以看到我们创建的工作区就在菜单中，选择它即可切换为该工作区。

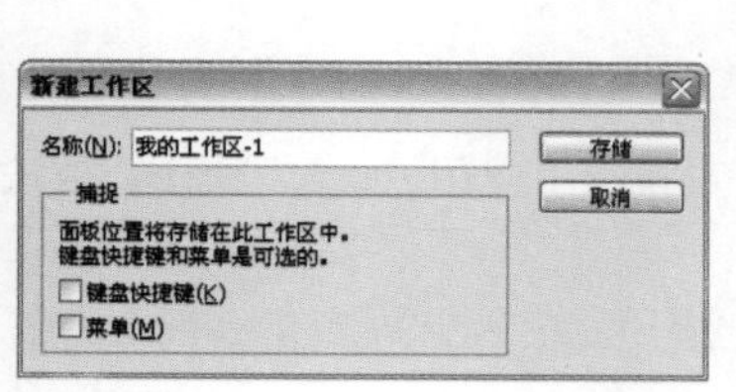

图2-89

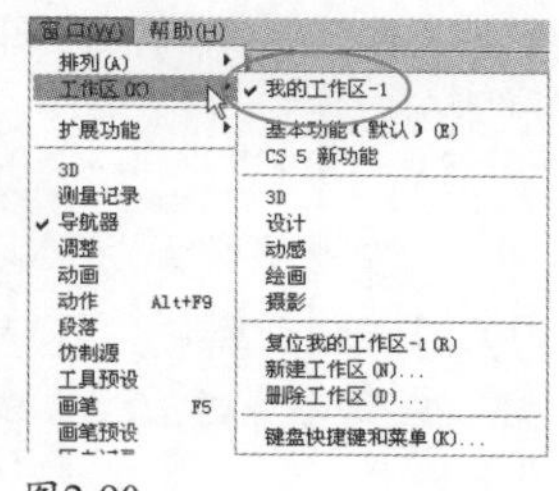

图2-90

提示：如果要删除自定义的工作区，可以选择菜单中的“删除工作区”命令。

2.3.3 实战——自定义彩色菜单命令

●实例门类：软件功能类 ●视频位置：光盘>实例视频>2.3.3

我们如果经常要用到某些菜单命令，不妨将其定义为彩色，以便需要时可以快速找到它们。

1 执行“编辑>菜单”命令，打开“键盘快捷键和菜单”对话框。单击“图像”命令前面的▶按钮，展开该菜单，如图2-91所示；选择“模式”命令，在如图2-92所示的位置单击，在打开的下拉列表中为“模式”命令选择红色。选择“无”表示不为命令设置任何颜色。

2 单击“确定”按钮关闭对话框。打开“图像”菜单可以看到，“模式”命令已经凸显为红色了，如图2-93所示。

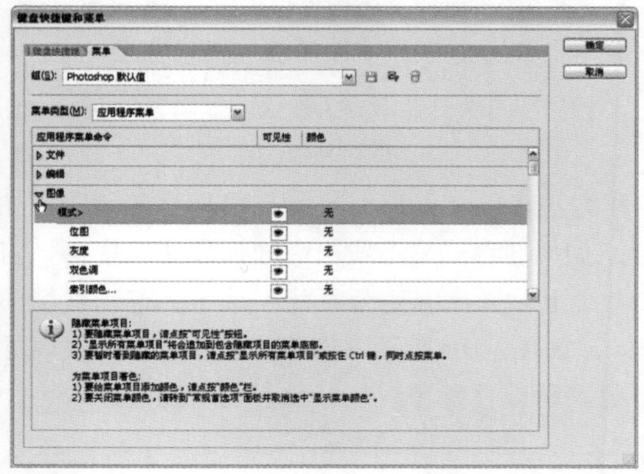
图2-91

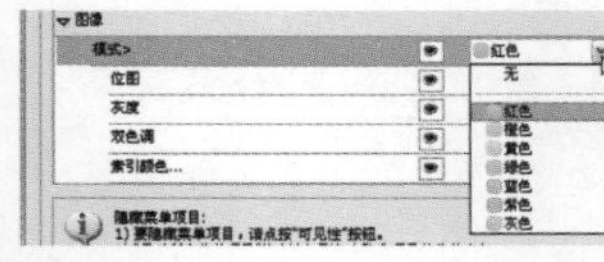
图2-92

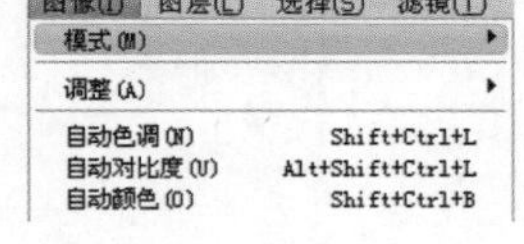

图2-93

2.3.4 实战——自定义工具快捷键

●实例门类：软件功能类 ●视频位置：光盘>实例视频>2.3.4

1 执行“编辑>键盘快捷键”命令，或者在“窗口>工作区”菜单中选择“键盘快捷键和菜单”命令，打开“键盘快捷键和菜单”对话框。在“快捷键用于”下拉列表中选择“工具”，如图2-94所示。如果要修改菜单的快捷键，可以选择“应用程序菜单”命令。

图2-94

2 在“工具面板命令”列表中选择抓手工具，可以看到，它的快捷键是“H”，如图2-95所示。单击右侧的“删除快捷键”按钮，将该工具的快捷删除，如图2-96所示。

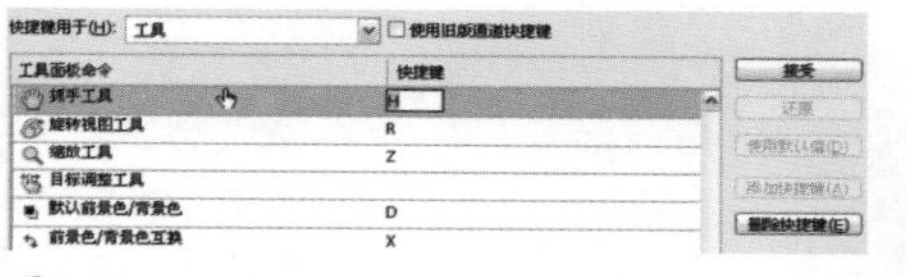
图2-95 图2-96

3 转换点工具没有快捷键，我们可以将抓手工具的快捷键指定给它。选择转换点工具，在显示的文本框中输入“H”，如图2-97所示。单击“确定”按钮关闭对话框。在工具箱中可以看到，快捷键“H”已经分配给了转换点工具，如图2-98所示。

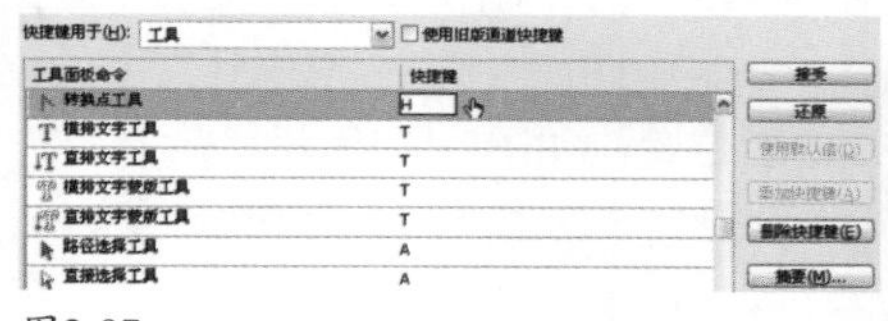

图2-97 图2-98

提示：修改菜单颜色、菜单命令或工具的快捷键之后，如果要恢复为系统默认的快捷键，可在“组”下拉列表中选择“Photoshop默认值”命令。

技术看板 06 导出快捷键内容

单击“键盘快捷键和菜单”对话框中的“摘要”按钮，可以将快捷键内容导出到 Web 浏览器中。

2.4 使用辅助工具

标尺、参考线、网格和注释工具都属于辅助工具，它们不能用来编辑图像，但却可以帮助我们更好地完成选择、定位或编辑图像的操作。下面我们就来详细了解这些辅助工具的使用方法。

2.4.1 实战——使用标尺

●实例门类：软件功能类　●视频位置：光盘>实例视频>2.4.1

1 标尺可以帮助我们确定图像或元素的位置。按下Ctrl+O快捷键，打开一个文件（光盘>素材>2.4.1），如图2-99所示。执行“视图>标尺”命令，或按下Ctrl+R快捷键，标尺会出现在窗口顶部和左侧，如图2-100所示。如果此时移动光标，标尺内的标记会显示光标的精确位置。

图2-99

图2-100

2 默认情况下，标尺的原点位于窗口的左上角（0, 0）标记处，修改原点的位置，可以从图像上的特定点开始进行测量。将光标放在原点上，单击并向右下方拖动，画面中会显示出十字线，如图2-101所示，将它拖放到需要的位置，该处便成为原点的新位置，如图2-102所示。

图2-101

图2-102

提示：在定位原点的过程中，按住Shift键可以使标尺原点与标尺刻度记号对齐。此外，标尺的原点也是网格的原点，因此，调整标尺的原点也就同时调整了网格的原点。

3 如果要将原点恢复为默认的位置，可在窗口的左上角双击，如图2-103所示。如果要修改标尺的测量单位，可以双击标尺，在打开的“首选项”对话框中设定，如图2-104所示。如果要隐藏标尺，可执行“视图>标尺”命令，或按下Ctrl+R快捷键。

图2-103

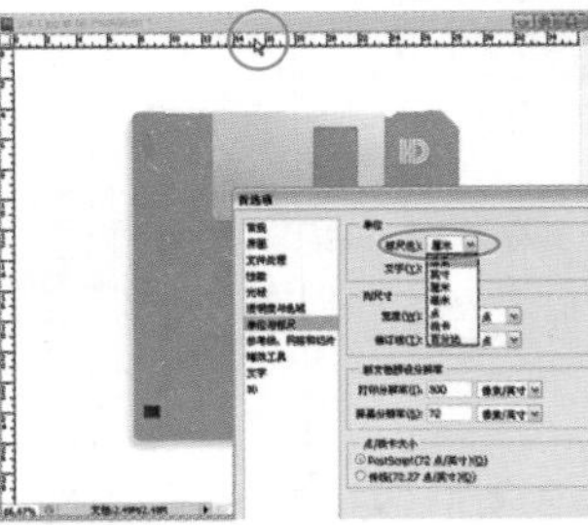
图2-104

2.4.2 实战——使用参考线

●实例门类：软件功能类　●视频位置：光盘>实例视频>2.4.2

1 按下Ctrl+O快捷键，打开一个文件（光盘>素材>2.4.2）。按下Ctrl+R快捷键显示标尺，如图2-105所示。将光标放在水平标尺上，单击并向下拖动鼠标可拖出水平参考线，如图2-106所示。

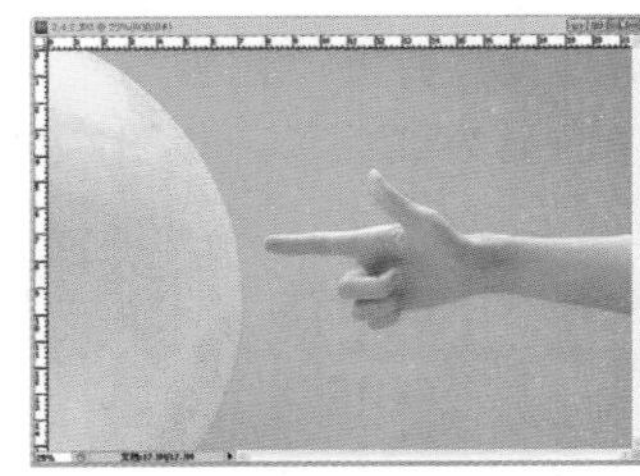
图2-105

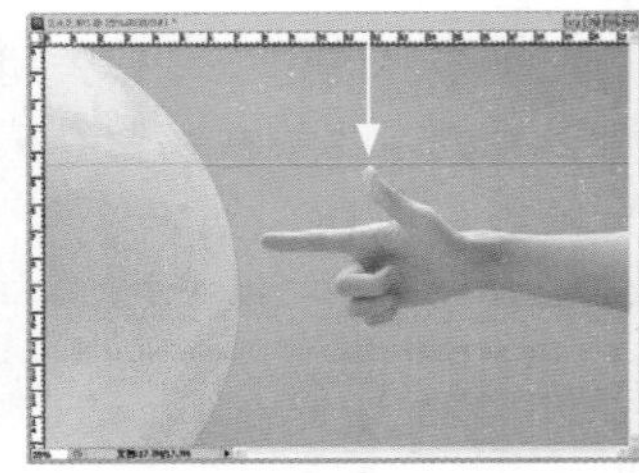
图2-106

2 采用同样方法可以在垂直标尺上拖出垂直参考线，如图2-107所示。如果要移动参考线，可选择移动工具，将光标放在参考线上，光标会变为✣状，单击并拖动鼠标即可移动参考线，如图2-108所示。创建或者移动参考线时如果按住 Shift 键，可以使参考线与标尺上的刻度对齐。

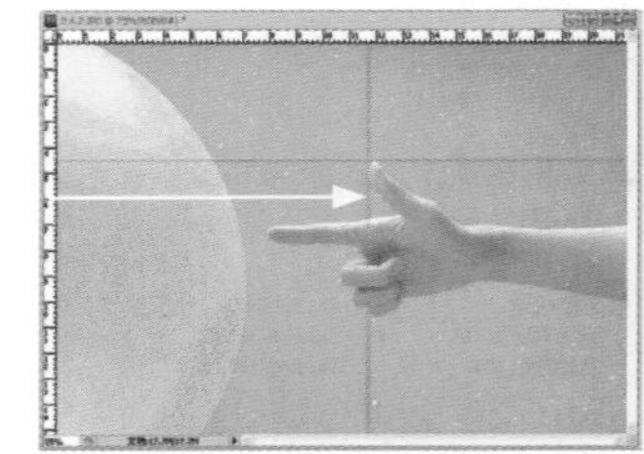
图2-107

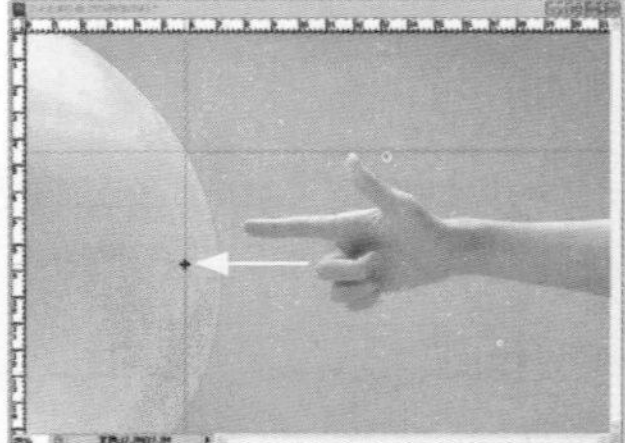
图2-108

提示 执行“视图>锁定参考线”命令可以锁定参考线的位置，以防止参考线被移动。取消该命令前的勾选即可取消锁定。

3 将参考拖回标尺，可将其删除，如图2-109、图2-110所示。如果要删除所有参考线，可执行“视图>清除参考线”命令。

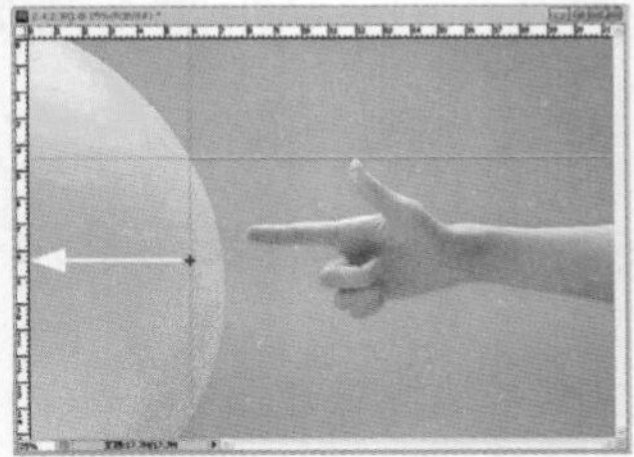

图2-109

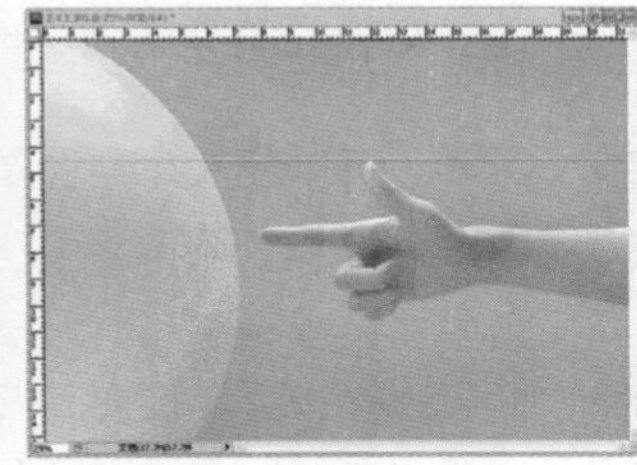

图2-110

疑问解答 怎样在精确的点位上创建参考线？

执行“视图>新建参考线”命令，打开“新建参考线”对话框，在“取向”选项中选择创建水平或垂直参考线，在“位置”选项中输入参考线的精确位置，单击“确定”按钮，即可在指定位置创建参考线。

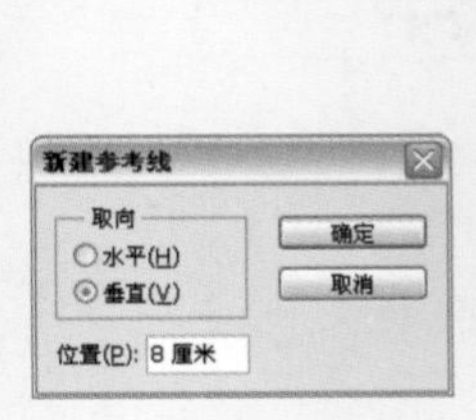

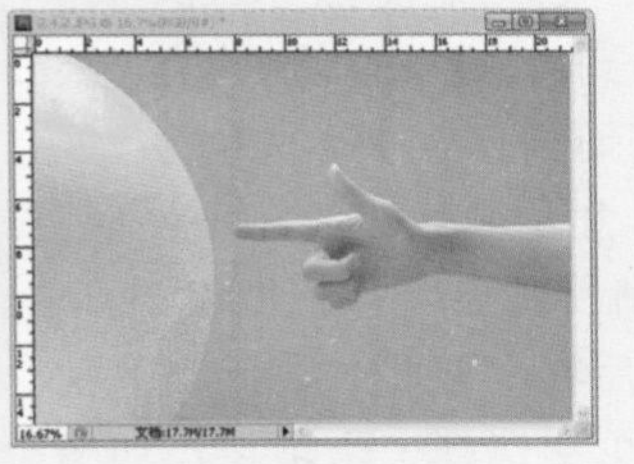

2.4.3 使用智能参考线

智能参考线是一种智能化参考线，它仅在需要时出现。我们使用移动工具进行移动操作时，通过智能参考线可以对齐形状、切片和选区。

执行“视图>显示>智能参考线”命令可以启用智能参考线。图2-111、图2-112所示为移动对象时显示的智能参考线。

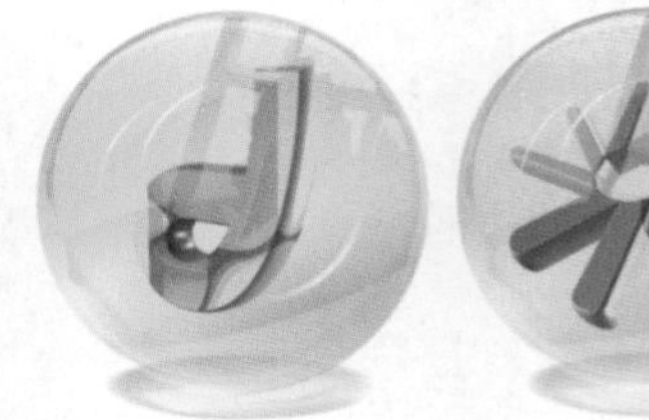

图2-111

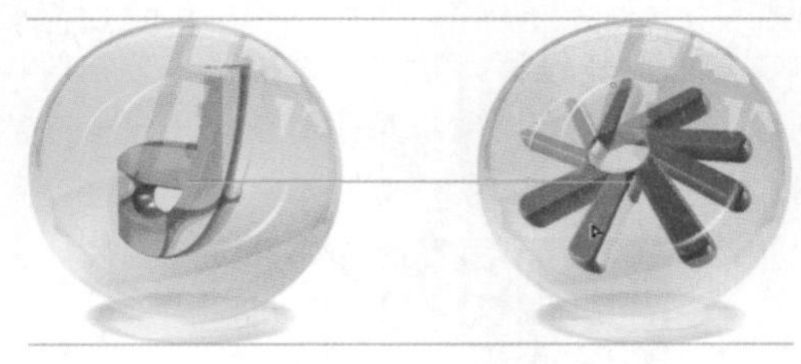

图2-112

2.4.4 使用网格

网格对于对称地布置对象非常有用。打开一个文件，如图2-113所示，执行“视图>显示>网格”命令，可以显示网格，如图2-114所示。显示网格后，可执行“视图>对齐>网格”命令启用对齐功能，此后在进行创建选区和移动图像等操作时，对象会自动对齐到网格上。

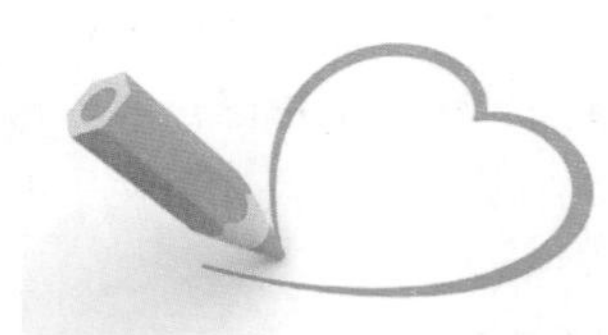

图2-113

图2-114

相关链接：默认情况下网格为线条状，我们也可以让其显示为点状，或者修改它的大小和颜色。详细操作方法请参阅“20.3.8 参考线、网格和切片”。

2.4.5 实战——为图像添加注释

●实例门类：软件功能类 ●视频位置：光盘>实例视频>2.4.5

使用注释工具可以在图像的任何区域添加文字注释，标记制作说明或其他有用信息。

1 按下Ctrl+O快捷键，打开一个文件（光盘>素材>2.4.5），如图2-115所示。选择注释工具，在工具选项栏中输入信息，如图2-116所示。

图2-115

图2-116

2 在画面中单击，弹出“注释”面板，输入注释内容，例如，可输入图像的制作过程、某些特殊的操作方法等，如图2-117所示。创建注释后，鼠标单击处就会出现一个注释图标，如图2-118所示。

图2-117　图2-118

3 拖动该图标可以移动它的位置。如果要查看注释，可双击注释图标，弹出的“注释”面板中会显示注释内容。如果在文档中添加了多个注释，则可按下面板中的◁或▷按钮，循环显示各个注释内容，在画面中，当前显示的注释为☑状，如图2-119、图2-120所示；如果要删除注释，可在注释上单击右键，选择快捷菜单中的“删除注释”命令，选择“删除所有注释”命令，或单击工具选项栏中的“清除全部”按钮，可删除所有注释。

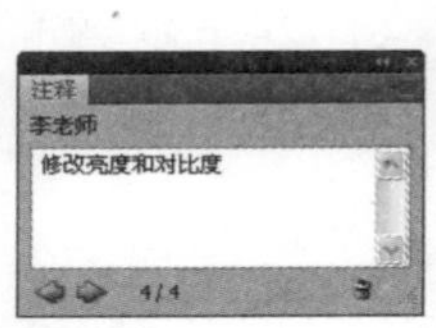

图2-119　图2-120

2.4.6 导入注释

在Photoshop中，我们可以将 PDF 文件中包含的注释导入到图像中。操作方法为：执行“文件>导入>注释”命令，打开“载入”对话框，选择 PDF 文件，单击“载入”按钮即可导入。

2.4.7 启用对齐功能

对齐功能有助于精确地放置选区、裁剪选框、切片、形状和路径。如果要启用对齐功能，需要首先执行“视图>对齐”命令，使该命令处于勾选状态，然后在“视图>对齐到”下拉菜单中选择一个对齐项目，如图2-121所示。带有“√”标记的命令表示启用了该对齐功能。

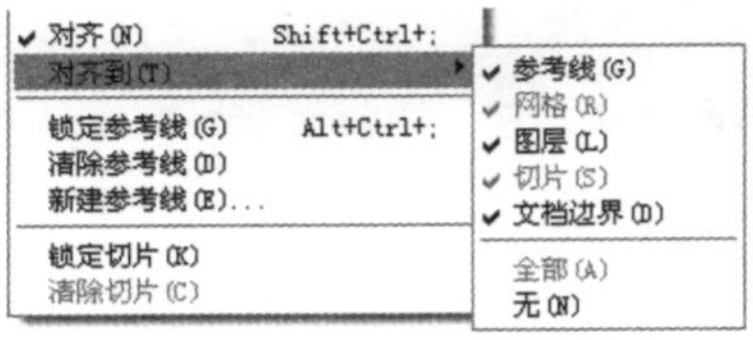

✔ 对齐(N)　Shift+Ctrl+;
对齐到(T) ▸　✔ 参考线(G) / ✔ 网格(R) / ✔ 图层(L) / ✔ 切片(S) / ✔ 文档边界(D) / 全部(A) / 无(N)
锁定参考线(G)　Alt+Ctrl+;
清除参考线(D)
新建参考线(E)...
锁定切片(K)
清除切片(C)

图2-121

- 参考线：可以使对象与参考线对齐。
- 网格：可以使对象与网格对齐。网格被隐藏时不能选择该选项。
- 图层：可以使对象与图层中的内容对齐。
- 切片：可以使对象与切片边界对齐。切片被隐藏时不能选择该选项。
- 文档边界：可以使对象与文档的边缘对齐。
- 全部：选择所有“对齐到”选项。
- 无：取消选择所有“对齐到”选项。

2.4.8 显示或隐藏额外内容

参考线、网格、目标路径、选区边缘、切片、文本边界、文本基线和文本选区都是不会打印出来的额外内容，要显示它们，需要首先执行“视图>显示额外内容”命令（使该命令前出现一个“√”），然后在“视图>显示”下拉菜单中选择一个项目，如图2-122所示。再次选择这一命令则隐藏该项目。

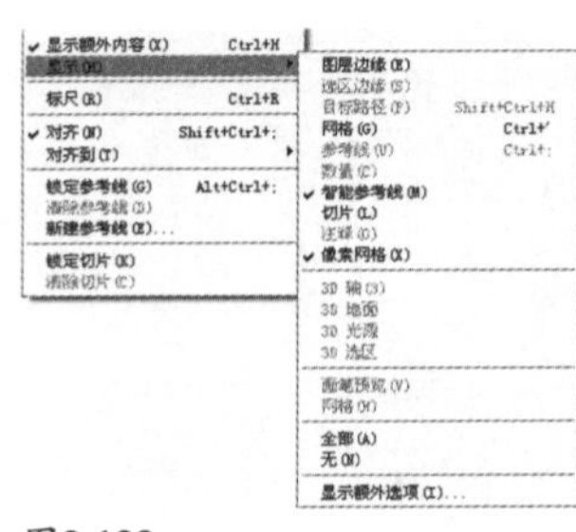

图2-122

- 图层边缘：显示图层内容的边缘，如图2-123、图2-124所示。在编辑图像时，通常不会启用该功能。

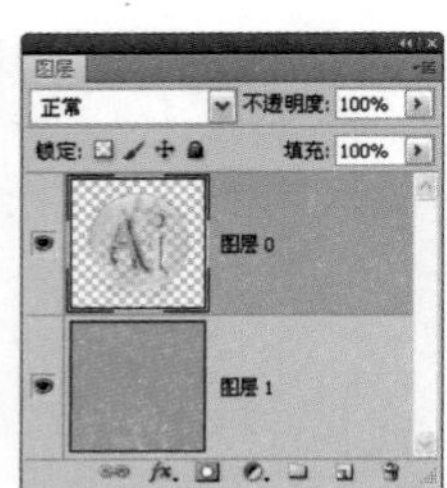

图2-123　图2-124

- 选区边缘：显示或隐藏选区的边框。
- 目标路径：显示或隐藏路径。
- 网格：显示或隐藏网格。
- 参考线：显示或隐藏参考线。
- 数量：显示或隐藏计数数目。

- 智能参考线：显示或隐藏智能参考线。
- 切片：显示或隐藏切片的定界框。
- 注释：显示或隐藏创建的注释。
- 像素网格：当我们将文档窗口放大至最大的缩放级别后，像素之间会用网格进行划分，如图2-125所示；取消该项的选择时，则没有网格，如图2-126所示。
- 3D轴/3D地面/3D光源/3D选区：在处理3D文件时，显示或隐藏3D轴、地面、光源和选区。
- 画笔预览：使用画笔工具时，如果选择的是毛刷笔尖，勾选该项以后，可以在窗口中预览笔尖效果和笔尖方向。
- 全部：可以显示以上所有选项。
- 无：可以隐藏以上所有选项。
- 显示额外选项：执行该命令，可在打开的“显示额外选项”对话框中设置同时显示或隐藏以上多个项目。

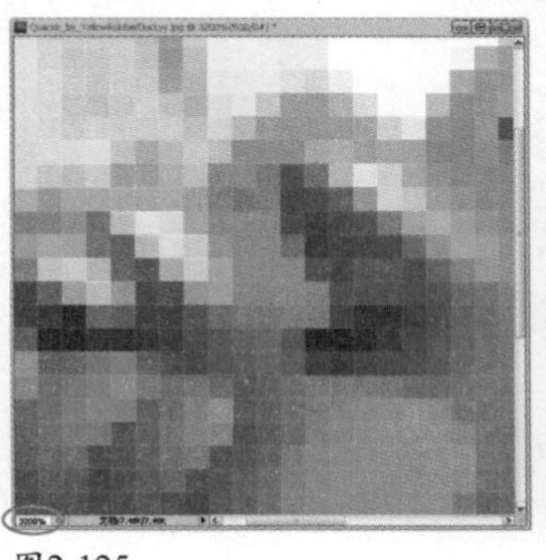
图2-125

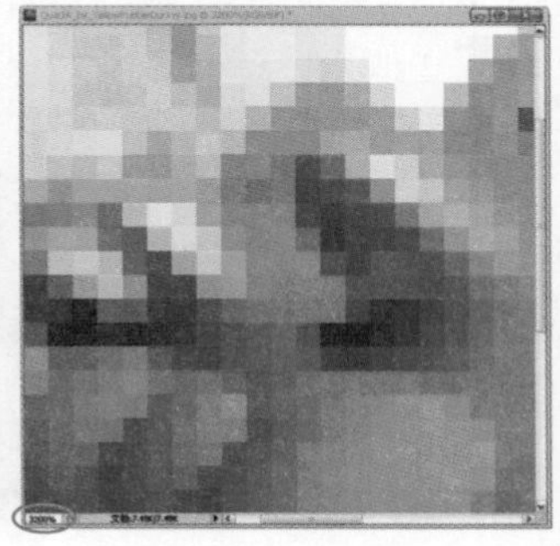
图2-126

2.5 管理工具预设

Photoshop提供了大量的设计资源，如各种形状库、画笔库、渐变库、样式库、图案库等。使用预设管理器可以管理、存储和载入这些资源。此外，我们也可以通过预设管理器载入外部的资源，如本书光盘中附增的各种资源库。

2.5.1 载入Photoshop资源

执行“编辑>预设管理器”命令，打开“预设管理器”，如图2-127所示；在“预设类型”下拉列表中选择要使用的预设项目，如图2-128所示，然后单击对话框右上角的按钮，打开下拉菜单选择Photoshop提供的预设资源库，即可将其载入，如图2-129、图2-130所示。

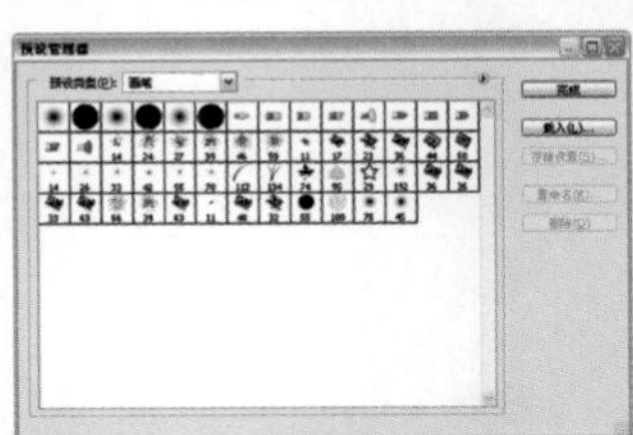
图2-127

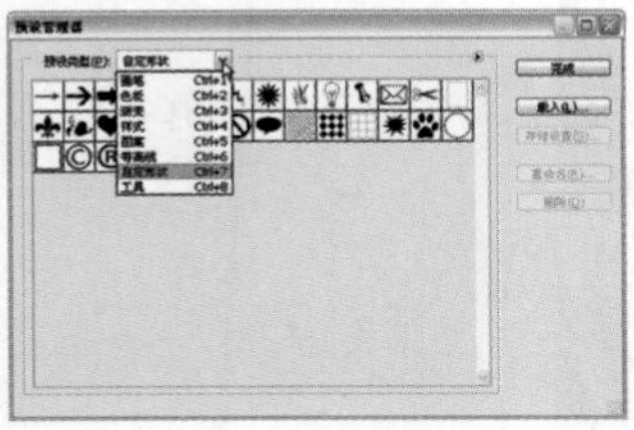

图2-128

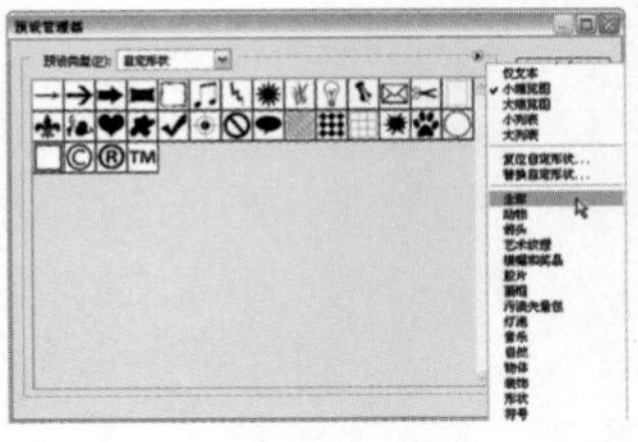
图2-129

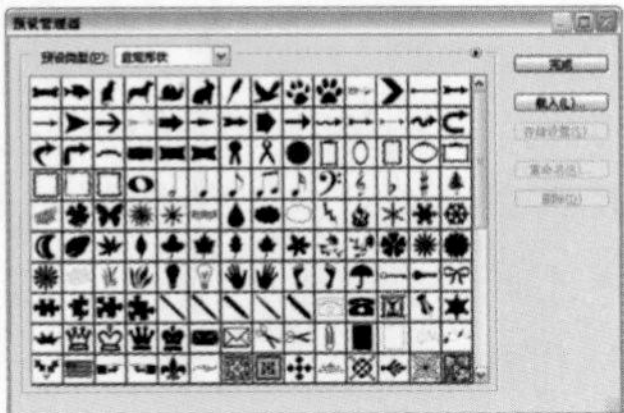
图2-130

提示：如果要删除载入的项目，恢复为Photoshop默认的资源，可单击“资源管理器”对话框中的按钮，选择下拉菜单中的“复位（项目名称）”命令。

2.5.2 载入光盘中提供的各种资源

打开“预设管理器”对话框以后，在“预设类型”下拉列表中选择要使用的预设项目，单击“载入”按钮，在打开的对话框中选择本书光盘中的资源库，可将其载入。图2-131、图2-132所示为载入的渐变库。

图2-131

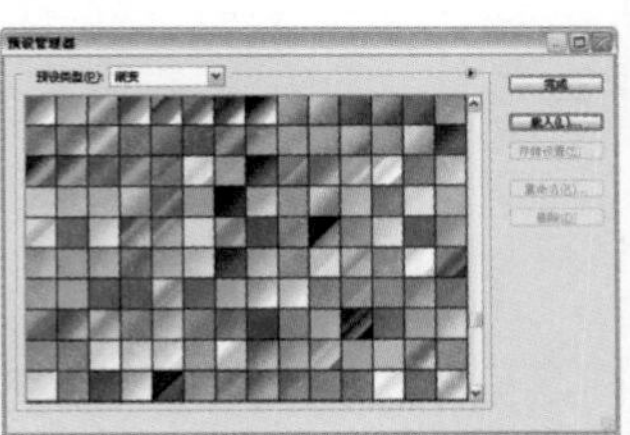
图2-132

载入的库文件会同时出现在相应的面板中，如“渐变编辑器”、“色板”面板、“画笔”面板、形状下拉面板、“样式”面板等。

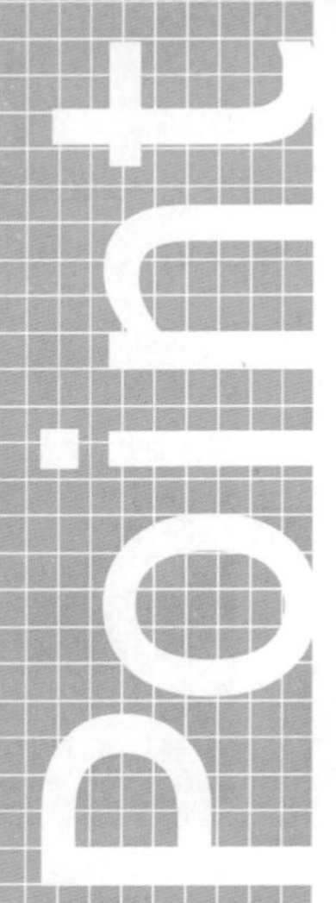

第3章 图像的基本编辑方法

Learning Objectives
学习重点

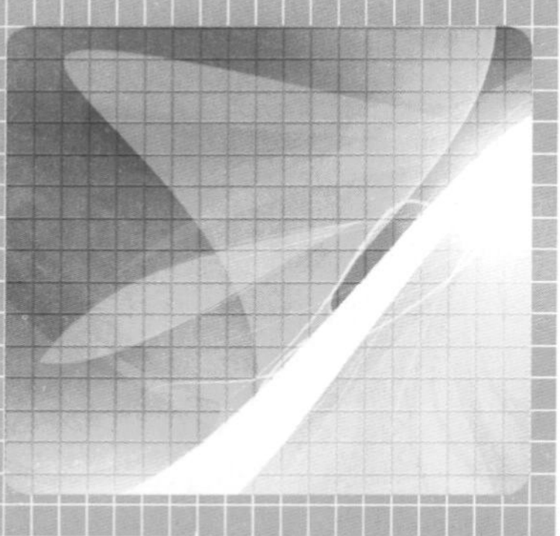

3.1 数字图像基础

计算机图形主要分为两类，一类是位图图像，另外一类是矢量图形。Photoshop是典型的位图软件，但它也包含矢量功能（如文字、钢笔工具）。下面，我们先来了解位图与矢量图的概念，以及像素与分辨率的关系，以便为学习图像处理打下基础。

3.1.1 位图的特征

位图图像在技术上称为栅格图像，它是由像素（Pixel）组成的，我们在Photoshop中处理图像时，编辑的就是像素。打开一个图像文件，如图3-1所示，使用缩放工具在图像上连续单击，直至工具中间的“+”号消失，画面中会出现许许多多彩色的小方块，它们便是像素，如图3-2所示。

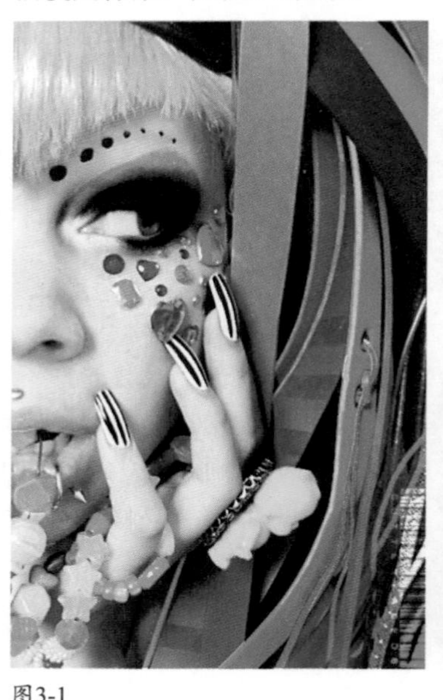

图3-1

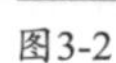

图3-2

我们使用数码相机拍摄的照片、扫描仪扫描的图片，以及在计算机屏幕上抓取的图像等都属于位图。位图的特点是可以表现色彩的变化和颜色的细微过渡，产生逼真的效果，并且很容易在不同的软件之间交换使用。但在保存时，需要记录每一个像素的位置和颜色值，因此，占用的存储空间也较大。

另外，由于受到分辨率的制约，位图包含固定数量的像素，在对其缩放或旋转时，Photoshop无法生成新的像素，它只能将原有的像素变大以填充多出的空间，产生的结果往往会使清晰的图像变得模糊，也就是我们通常所说的图像变虚了。例如，如图3-3所示为原图像，图3-4所示为将其放大600%后的局部图像，我们可以看到，图像已经变得模糊了。

PHOTOSHOP

图3-3

图3-4

提示 在这里我们需要明确两个概念：使用缩放工具时，是对文档窗口进行的缩放，它只影响视图比例；而对图像的缩放则是指对图像文件本身进行的物理缩放，它会使图像内容变大或者变小。

3.1.2 矢量图的特征

矢量图是图形软件通过数学的向量方式进行计算得到的图形，它与分辨率没有直接关系，因此，可以任意缩放和旋转而不会影响图形的清晰度和光滑性。图3-5所示是一幅矢量插画，图3-6所示是将图形放大600％后的局部效果。我们可以看到，图形仍然光滑、清晰。矢量图的这一特点非常适合制作图标、Logo等需要经常缩放，或者按照不同打印尺寸输出的文件内容。

图3-5

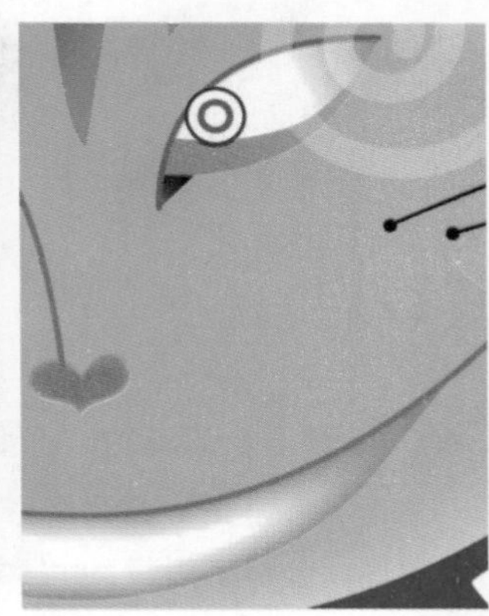

图3-6

矢量图占用的存储空间要比位图小很多。但它不能创建过于复杂的图形，也无法像照片等位图那样表现丰富的颜色变化和细腻的色调过渡。

典型的矢量软件有Illustrator、CorelDRAW、FreeHand、AutoCAD等。

3.1.3 像素与分辨率的关系

像素与分辨率的概念

像素是组成位图图像最基本的元素。每一个像素都有自己的位置，并记载着图像的颜色信息，一个图像包含的像素越多，颜色信息就越丰富，图像效果也会更好，但文件也会随之增大。

分辨率是指单位长度内包含的像素点的数量，它的单位通常为像素/英寸（ppi），如72ppi表示每英寸包含72个像素点，300ppi表示每英寸包含300个像素点。分辨率决定了位图细节的精细程度，通常情况下，分辨率越高，包含的像素就越多，图像就越清晰。图3-7、图3-8、图3-9所示为相同打印尺寸但不同分辨率的三个图像，可以看到，低分辨率的图像有些模糊，高分辨率的图像就非常清晰。

分辨率为72像素/英寸

图3-7

分辨率为100像素/英寸

图3-8

分辨率为300像素/英寸

图3-9

像素与分辨率的关系

像素和分辨率是两个密不可分的重要概念，它们的组合方式决定了图像的数据量。例如，同样是1英寸×1英寸的两个图像，分辨率为72 ppi的图像包含5184个像素（宽度72像素×高度72像素=5184），而分辨率为300ppi的图像则包含多达90000个像素（300×300=90000）。在打印时，高分辨率的图像要比低分辨率的图像包含更多的像素，因此，像素点更小，像素的密度更高，所以可以重现更多细节和更细微的颜色过渡效果。

虽然分辨率越高，图像的质量越好，但也会增加占用的存储空间，只有根据图像的用途设置合适的分辨率才能取得最佳的使用效果。这里我们介绍一个比较通用的分辨率设定规范。如果图像用于屏幕显示或者网络，可以将分辨率设置为72像素/英寸（ppi），这样可以减小文件的大小，提高传输和下载速度；如果图像用于喷墨打印机打印，可以将分辨率设置为100～150像素/英寸（ppi）；如果用于印刷，则应设置为300像素/英寸（ppi）。

相关连接：新建文件时，我们可以设置分辨率，相关内容请参阅“3.2.1 创建空白文件”。对于一个现有的文件，则可以使用“图像大小”命令修改它的分辨率，相关内容请参阅“3.11.1 实战——修改图像的尺寸”。

3.2 新建文件

我们在Photoshop中不仅可以编辑一个现有的图像，也可以创建一个全新的空白文件，在上面进行绘画，或者将其他图像拖入其中，然后对其进行编辑。

3.2.1 创建空白文件

执行“文件>新建”命令，或按下Ctrl+N快捷键，打开“新建”对话框，如图3-10所示，在对话框中输入文件的名称，设置文件尺寸、分辨率、颜色模式和背景内容等选项，单击“确定”按钮，即可创建一个空白文件，如图3-11所示。

- 名称：可输入文件的名称，也可以使用默认的文件名“未标题-1”。创建文件后，文件名会显示在文档窗口的标题栏中。保存文件时，文件名会自动显示在存储文件的对话框内。

图3-10

图3-11

- 预设/大小：提供了各种尺寸的照片、Web、A3、A4打印纸、胶片和视频等常用的文档尺寸预设。例如，要创建一个5×7英寸的照片文档，可以先在“预设”下拉列表中“照片”，如图3-12所示，然后在“大小”下拉列表中选择“横向，5×7”，如图3-13所示。

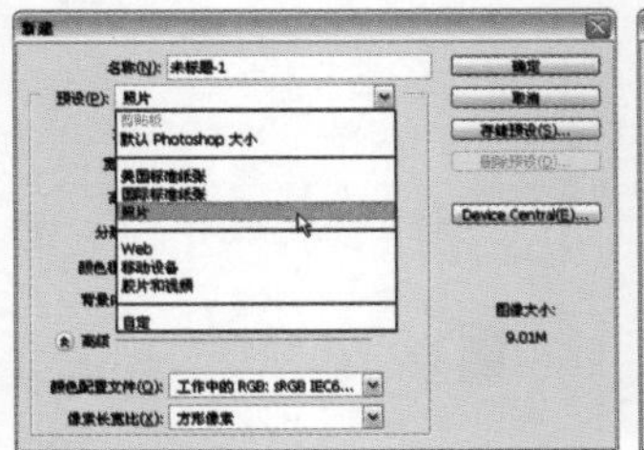
图3-12

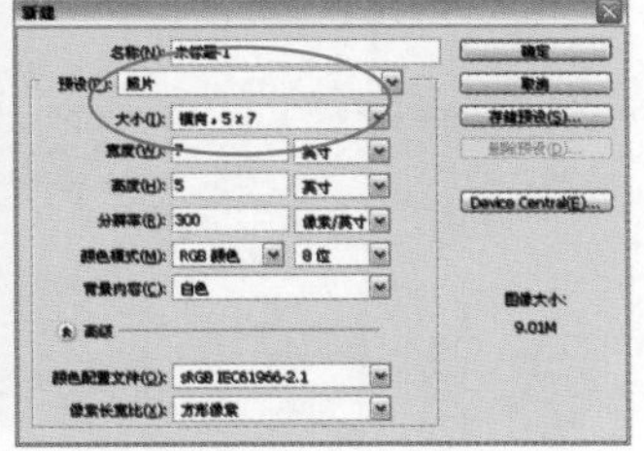
图3-13

- 宽度/高度：可输入文件的宽度和高度。在右侧的选项中可以选择一种单位，包括“像素”、“英寸”、“厘米”、“毫米”、“点”、“派卡”和“列”。
- 分辨率：可输入文件的分辨率。在右侧选项可以选择分辨率的单位，包括“像素/英寸”和“像素/厘米”。
- 颜色模式：可以选择文件的颜色模式，包括位图、灰度、RGB颜色、CMYK颜色和Lab颜色。
- 背景内容：可以选择文件背景的内容，包括“白色”、“背景色”和“透明”。“白色”为默认的颜色，如图3-14所示；“背景色”是指使用工具箱中的背景色作为文档“背景”图层的颜色，如图3-15所示；“透明”是指创建透明背景，如图3-16所示，此时文档中没有“背景”图层。

图3-14

图3-15

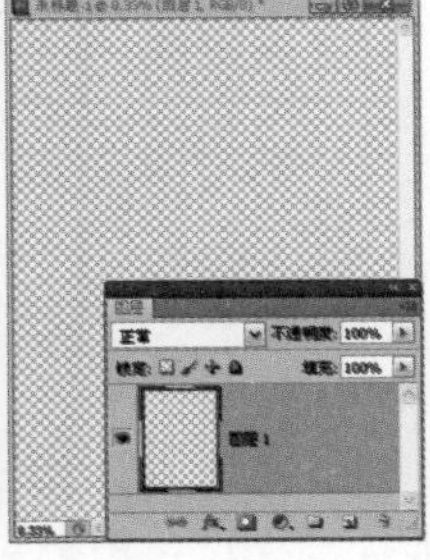
图3-16

- 高级：单击按钮，可以显示出对话框中隐藏的选项：“颜色配置文件”和“像素长宽比”。在“颜色配置文件”下拉列表中可以为文件选择一个颜色配置文件；在“像素长宽比”下拉列表中可以选择像素的长宽比。计算机显示器上的图像是由方形像素组成的，除非使用用于视频的图像，否则都应选择“方形像素”。选择其他选项可使用非方形像素。

相关链接：关于颜色配置文件和像素长宽比的内容，请参阅“20.1 色彩管理”、“17.2.6 进行像素长宽比校正”。

- 存储预设：单击该按钮，打开“新建文档预设”对话框，输入预设的名称并选择相应的选项，可以将当前设置的文件大小、分辨率、颜色模式等创建为一个预设。以后需要创建同样的文件时，只需在“新建”对话框的“预设”下拉列表中选择该预设即可，这样就省去了重复设置选项的麻烦。
- 删除预设：选择自定义的预设文件以后，单击该按钮可将其删除。但系统提供的预设不能删除。
- Device Central：单击该按钮，可运行Device Central，创建特定设备（如手机）使用的文档。
- 图像大小：显示了使用当前设置的尺寸和分辨率新建文件时，文件的大小。

3.2.2 实战——创建手机屏保使用的文档

●实例门类：软件功能类 ●视频位置：光盘>实例视频>3.2.2

许多人都想把自己或者亲人的照片设置为手机壁纸，而又不知道该怎样操作，其实方法非常简单。首先在Photoshop中将照片调整为手机屏幕大小，然后通过数据线将其导入到手机中，手机中会有相应的设置功能将照片定义为手机屏幕壁纸。

1 执行“文件>Device Central”命令，运行Device Central。我们来设定一个现在比较流行的大屏幕手机尺寸，单击如图3-17所示的选项，设定显示屏为320×480像素。

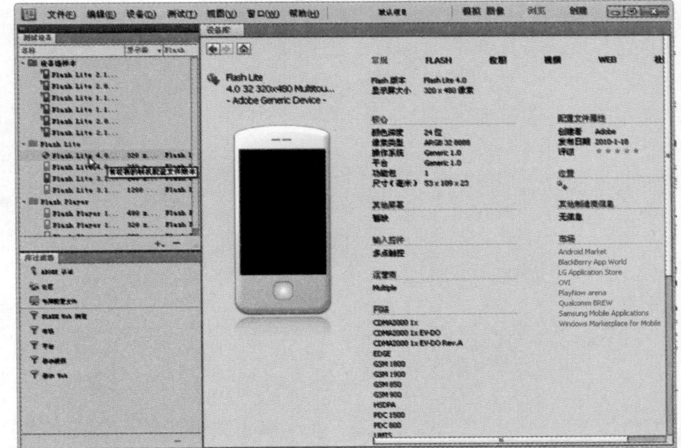
图3-17

2 单击对话框右上角的“创建”选项卡，切换到创建面板。双击手机图标，如图3-18所示，即可在Photoshop中自动创建一个320×480像素的文档。

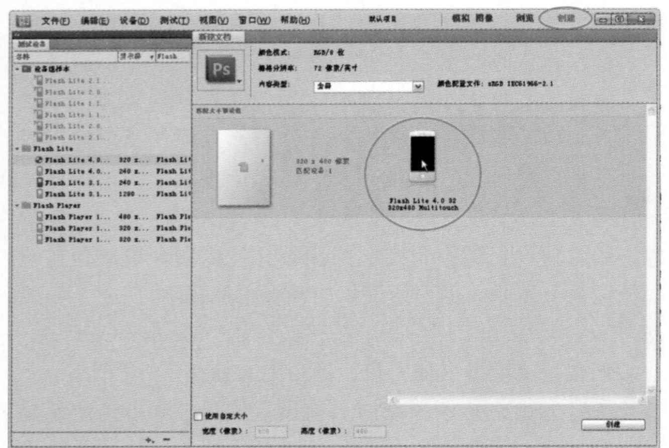

图3-18

3 在Photoshop中按下Ctrl+O快捷键，弹出“打开”对话框，选择一张照片将其打开，如图3-19所示。使用移动工具将它拖入新建的手机壁纸文档中，如图3-20所示。按下Ctrl+E快捷键合并图层，再按下Ctrl+S快捷键，将文件保存为JPEG格式，如图3-21所示。

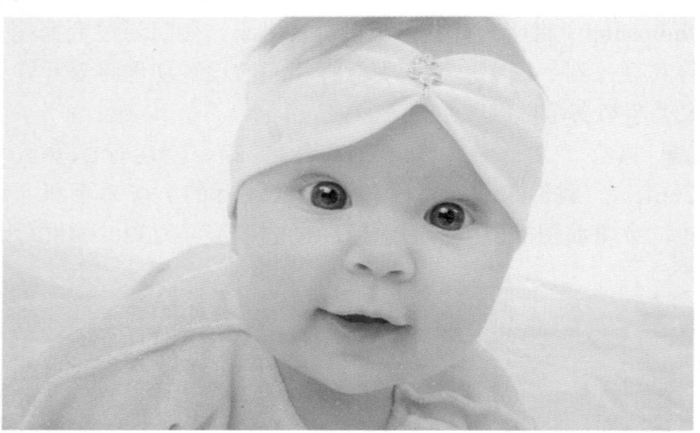

图3-19

图3-20

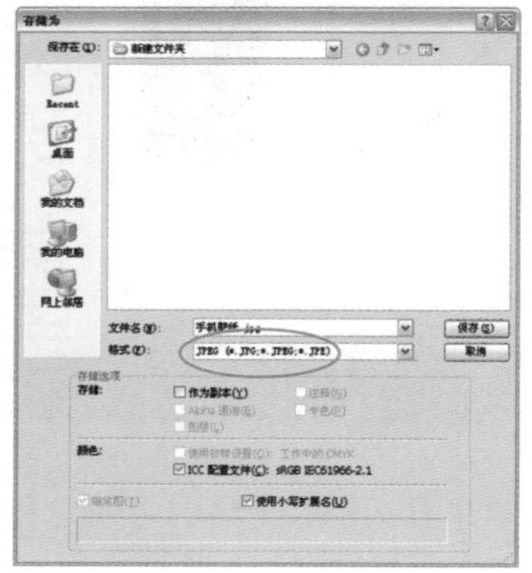

图3-21

4 我们来预览一下照片在手机屏幕上的显示效果。切换到Device Central中。执行“文件>打开文件”命令，在弹出的对话框中选择保存的照片，如图3-22所示，它就会出现在手机屏幕上，如图3-23所示。我们还可以调整“背景光”的明暗，或者在“反射”下拉列表中选择一种环境模式（室内、室外等），来观察当手机处于这些环境时，照片的显示效果。

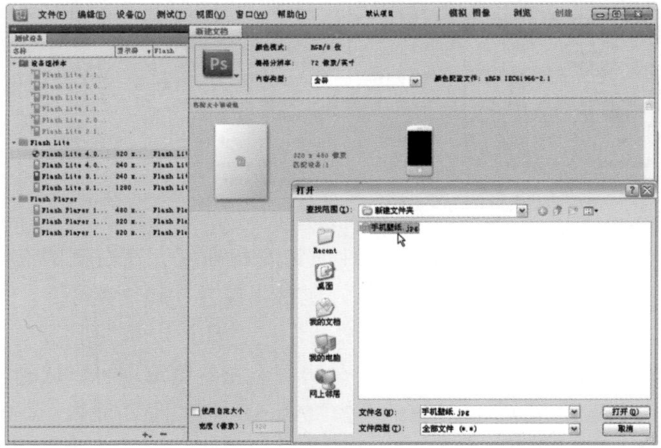

图3-22

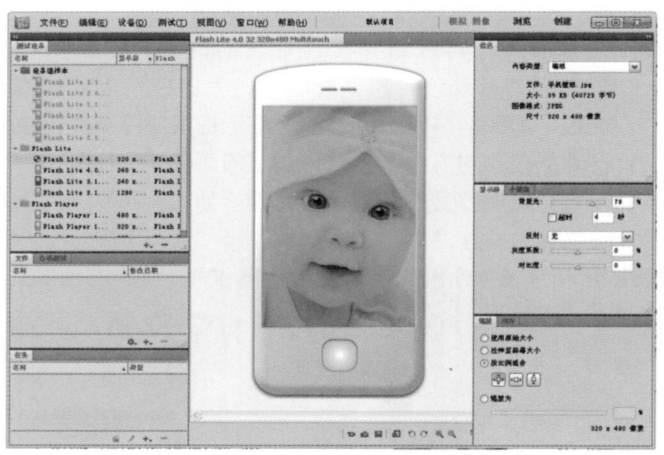

图3-23

如果发现问题，可以在Photoshop中重新调整照片，如提高亮度，增加对比度等。处理完成后，可再次预览效果。没有问题了，就可以将照片导入到手机中使用。

提示

Adobe Device Central 为移动内容开发人员和测试人员提供了一种方式，可以在多种设备上轻松地创建和预览移动内容。它支持Flash 格式、位图格式、视频格式和 Web 格式等多种媒体格式，我们可以使用不同的媒体格式创建不同类型的内容（如屏幕保护程序或墙纸）。

3.3 打开文件

要在Photoshop中编辑一个图像文件，如图片素材、照片等需要先将其打开。文件的打开方法有很多种，可以使用命令打开、通过快捷方式打开，也可以用Adobe Bridge打开。

3.3.1 用“打开”命令打开文件

执行“文件>打开”命令，可以弹出“打开”对话框，选择一个文件（如果要选择多个文件，可按住Ctrl键单击它们），如图3-24所示，单击“打开”按钮，或双击文件即可将其打开，如图3-25所示。

图3-24

图3-25

- 查找范围：在该选项的下拉列表中可以选择图像文件所在的文件夹。
- 文件名：显示了所选文件的文件名。
- 文件类型：默认为“所有格式”，对话框中会显示所有格式的文件。如果文件数量较多，可以在下拉列表中选择一种文件格式，使对话框中只显示该类型的文件，以便于查找。

按下Ctrl+O快捷键或在灰色的Photoshop程序窗口中双击，都可以弹出“打开”对话框。

3.3.2 用“打开为”命令打开文件

在 Mac OS 和 Windows 之间传递文件时可能会导致标错文件格式，此外，如果使用与文件的实际格式不匹配的扩展名存储文件（如用扩展名 .gif 存储 PSD 文件），或者文件没有扩展名，则Photoshop 可能无法确定文件的正确格式。

如果出现这种情况，可以执行“文件>打开为”命令，弹出“打开为”对话框，选择文件并在“打开为”列表中为它指定正确的格式，如图3-26所示，然后单击“打开”按钮将其打开。如果文件不能打开，则选取的格式可能与文件的实际格式不匹配，或者文件已经损坏。

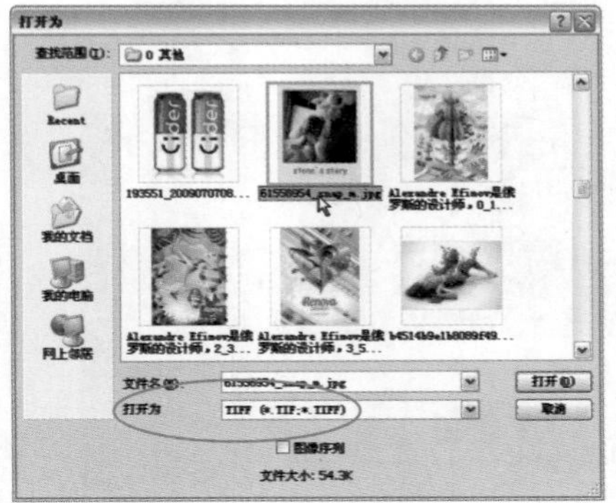

图3-26

3.3.3 用“在Bridge中浏览”命令打开文件

执行“文件>在Bridge中浏览”命令，可以运行Adobe Bridge，在Bridge中选择一个文件，双击即可在Photoshop中将其打开。

执行“文件>在Mini Bridge中浏览”命令，可打开“Mini Bridge”面板，在该面板中可以浏览并打开文档。

3.3.4 通过快捷方式打开文件

在没有运行Photoshop的情况下，只要将一个图像文件拖动到Photoshop应用程序图标上，如图3-27所示，就可以运行Photoshop并打开该文件。如果运行了Photoshop，则可在Windows资源管理器中将文件拖动到Photoshop窗口中打开，如图3-28所示。

图3-27

图3-28

3.3.5 打开最近使用过的文件

"文件>最近打开文件"下拉菜单中保存了我们最近在Photoshop中打开的10个文件，如图3-29所示，选择一个文件即可将其打开。如果要清除目录，可以选择菜单底部的"清除最近"命令。

相关链接：在Photoshop首选项中可以修改菜单中可以保存的最近打开的文件数量，详细内容请参阅"20.3.3 文件处理"。

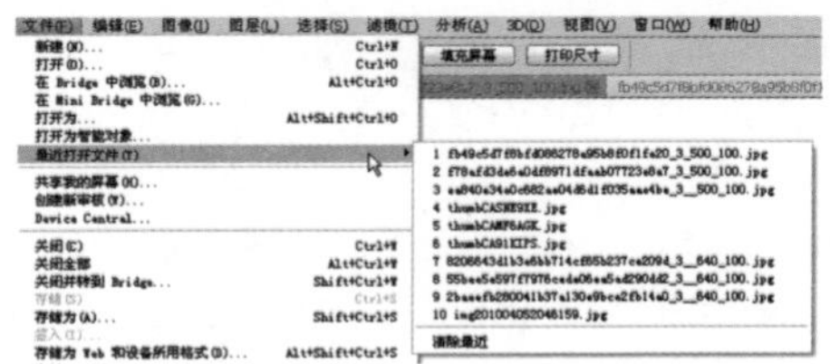

图3-29

3.3.6 作为智能对象打开

执行"文件>打开为智能对象"命令，弹出"打开为智能对象"对话框，选择一个文件将其打开，如图3-30所示，该文件可转换为智能对象（图层缩览图右下角有一个图标），如图3-31所示。

图3-30

图3-31

相关链接：智能对象是一个嵌入到当前文档中的文件，它可以保留文件的原始数据，进行非破坏性编辑。关于智能对象的详细内容，请参阅"7.6 智能对象"。

3.4 置入文件

我们打开或者新建一个文档以后，可以使用“文件”菜单中的“置入”命令将照片、图片等位图，以及EPS、PDF、AI等矢量文件作为智能对象置入 Photoshop 文档中使用。

3.4.1 实战——置入EPS格式文件

●实例门类：软件功能类 ●视频位置：光盘>实例视频>3.4.1

1 按下Ctrl+O快捷键，打开一个文件（光盘>素材>3.4.1a），如图3-32所示。执行“文件>置入”命令，打开“置入”对话框，选择要置入的EPS格式文件（光盘>素材>3.4.1b），如图3-33所示。

图3-32

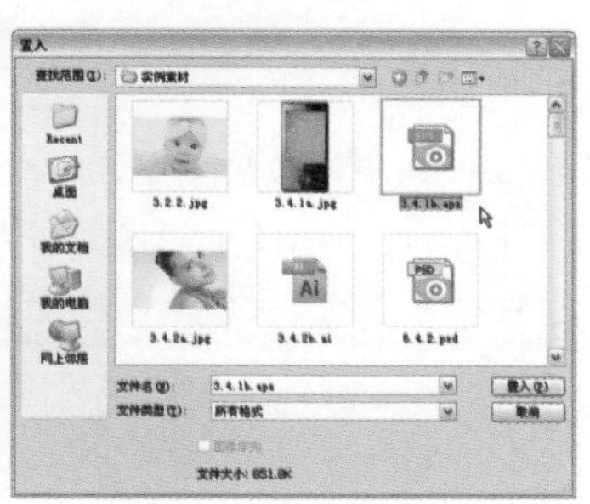

图3-33

2 单击“置入”按钮，将它置入到Photoshop手机文档中，如图3-34所示；将光标放在定界框的控制点上，按住Shift键拖动可进行等比缩放，按下回车键确认，如图3-35所示。打开“图层”面板可以看到，置入的文件被创建为智能对象，如图3-36所示。

图3-34

图3-35

图3-36

3 执行“图层>图层样式>外发光”命令，打开“图层样式”对话框。拖动“扩展”和“大小”滑块定义光晕范围，单击颜色块，如图3-37所示，在弹出的“拾色器”中将发光颜色设置为绿色，如图3-38所示。单击“确定”按钮关闭对话框，为图标添加发光效果，如图3-39、图3-40所示。

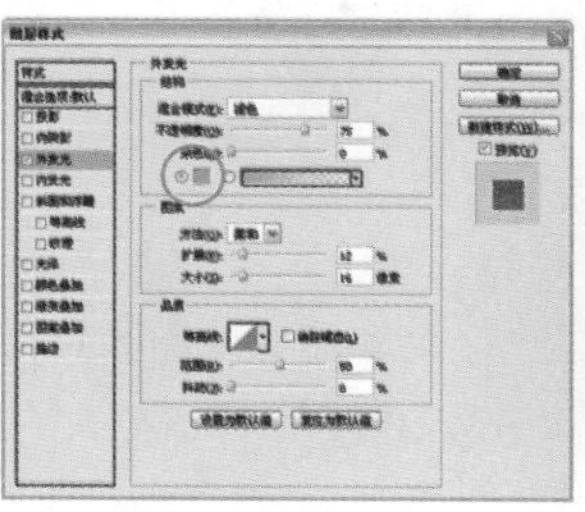

图3-37

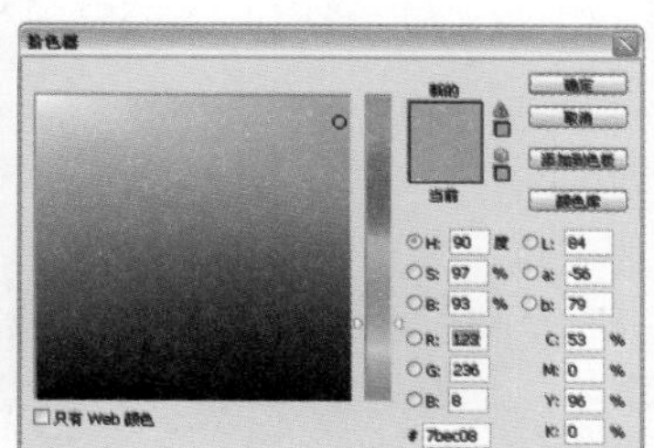

图3-38

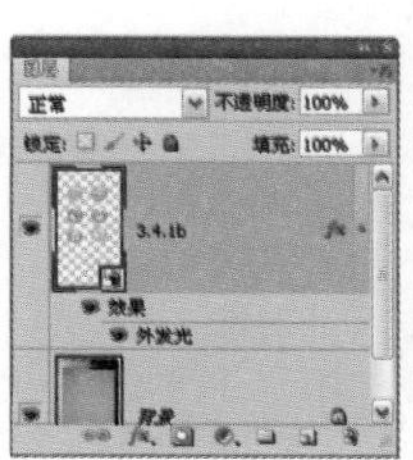

图3-39

图3-40

技术看板 07 置入过程中的无损缩放

置入文件的过程中（即按下回车键确认以前），对矢量对象进行的缩放、定位、斜切或旋转时，不会降低图像品质。关于缩放和旋转等变换操作的方法，请参阅“3.15 图像的变换与变形操作”。

3.4.2 实战——置入AI格式文件

●实例门类：软件功能类 ●视频位置：光盘>实例视频>3.4.2

AI是Adobe Illustrator的矢量文件格式，将 Illustrator 文件置入Photoshop 时，可以保留对象的图层、蒙版、透明度、复合形状、切片等属性。此外，置入以后，如果我们用Illustrator 修改该图形，Photoshop 中的图形就会自动更新到与之相同的状态。

1 按下Ctrl+O快捷键，打开一个文件（光盘>素材>3.4.2a），如图3-41所示。

图3-41

2 执行“文件>置入”命令，打开“置入”对话框，选择一个AI格式的矢量文件（光盘>素材>3.4.2b），如图3-42所示，单击“置入”按钮，打开“置入PDF”对话框，在“裁剪到”下拉列表中选择“边框”，如图3-43所示。

图3-42

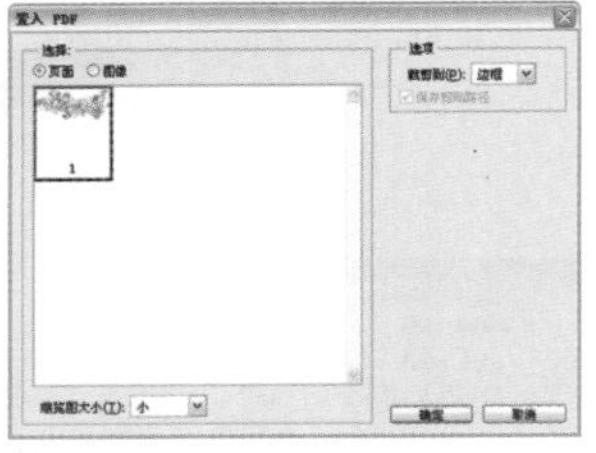
图3-43

提示 在“裁剪到”下拉列表中选择“边框”，可裁剪到包含页面所有文本和图形的最小矩形区域；“媒体框”表示裁剪到页面的原始大小；“裁剪框”表示裁剪到PDF文件的剪切区域；“出血框”表示裁剪到PDF文件中指定的区域；“裁切框”表示裁剪到为得到预期的最终页面尺寸而指定的区域；“作品框”表示裁剪到PDF文件中指定的区域。

3 单击“确定”按钮，将AI文件置入到人像文档中，如图3-44所示。按住Shift键拖动定界框上的控制点，对文件进行等比缩放，然后按下回车键确认，置入的AI文件会成为一个智能对象，如图3-45、图3-46所示。

图3-44

图3-45

图3-46

我们在Illustrator中修改矢量文件时，Photoshop中的矢量文件也会同步更新，如图3-47、图3-48所示。

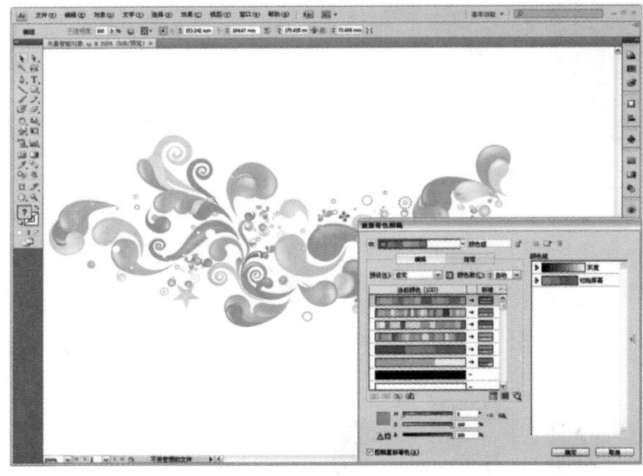
图3-47

图3-48

3.5 导入文件

Photoshop可以编辑视频帧、注释和WIA支持等内容，我们新建或打开图像文件以后，可以通过“文件>导入”下拉菜单中的命令，如图3-49所示，将这些内容导入到图像中。

某些数码相机使用“Windows 图像采集”(WIA) 支持来导入图像，将数码相机连接到计算机，然后执行“文件>导入>WIA支持”命令，可以将照片导入到 Photoshop 中。

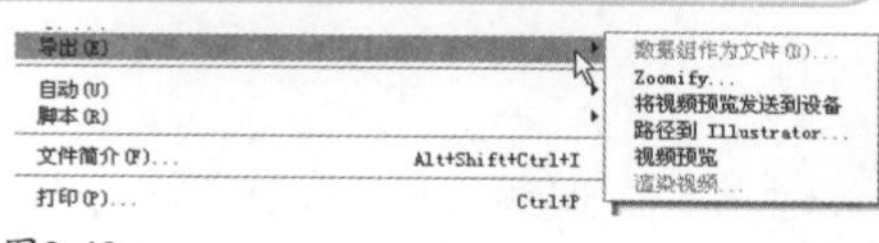

图3-49

如果计算机配置有扫描仪并安装了相关的软件，则可在“导入”下拉菜单中选择扫描仪的名称，使用扫描仪制造商的软件扫描图像，并将其存储为TIFF、PICT、BMP格式，然后在Photoshop中打开。

相关链接：关于如何导入数据组，请参阅“19.4.4 导入与导出数据组”；如何导入视频帧，请参阅“17.2.2 实战—将视频帧导入图层”；如何导入注释，请参阅“2.4.6 导入注释”。

3.6 保存文件

新建文件或者对打开的文件进行了编辑之后，应及时保存处理结果，以免因断电或死机而造成劳动成果付之东流。Photoshop提供了几个用于保存文件的命令，我们还可以选择不同的格式存储文件，以便其他程序使用。

3.6.1 用“存储”命令保存文件

当我们打开一个图像文件并对其进行了编辑之后，可以执行“文件>存储”命令，或按下Ctrl+S快捷键，保存所做的修改，图像会按照原有的格式存储。如果是一个新建的文件，则执行该命令时会打开“存储为”对话框。

3.6.2 用“存储为”命令保存文件

如果要将文件保存为另外的名称和其他格式，或者存储在其他位置，可以执行“文件>存储为”命令，在打开的“存储为”对话框中将文件另存，如图3-50所示。

图3-50

- 保存在：可以选择图像的保存位置。
- 文件名/格式：可输入文件名，在“格式”下拉列表中选择图像的保存格式。
- 作为副本：勾选该项，可另存一个文件副本。副本文件与源文件存储在同一位置。
- Alpha通道/图层/注释/专色：可以选择是否存储Alpha通道、图层、注释和专色。
- 使用校样设置：将文件的保存格式设置为EPS或PDF时，该选项可用，勾选该项可以保存打印用的校样设置。
- ICC配置文件：可保存嵌入在文档中的ICC配置文件。
- 缩览图：为图像创建缩览图。此后在“打开”对话框中选择一个图像时，对话框底部会显示此图像的缩览图。
- 使用小写扩展名：将文件的扩展名设置为小写。

3.6.3 用“签入”命令保存文件

执行“文件>签入”命令保存文件时，允许存储文件的不同版本以及各版本的注释。该命令可用于 Version Cue 工作区管理的图像，如果使用的是来自 Adobe Version Cue 项目的文件，文档标题栏会提供有关文件状态的其他信息。

技术看板 08 Adobe Version Cue

Adobe Version Cue 是 Adobe Creative Suite 5 Design、Web 以及 Master Collection 版本中包含的文件版本管理器，它包含以下两个部分：Version Cue 服务器和 Version Cue 连接。Version Cue 服务器承载 Version Cue 项目和 PDF 审阅，可将其安装在本地，也可以安装在中心计算机上。Version Cue 连接可用来连接到 Version Cue 服务器，它包含在所有支持 Version Cue 的组件（Adobe Acrobat、Adobe Flash、Adobe Illustrator、Adobe InDesign、Adobe InCopy、Adobe Photoshop 以及 Adobe Bridge）中。

3.6.4 选择正确的文件保存格式

文件格式决定了图像数据的存储方式（作为像素还是矢量）、压缩方法、支持什么样的Photoshop功能，以及文件是否与一些应用程序兼容。使用“存储”或“存储为”命令保存图像时，可以在打开的对话框中选择文件的保存格式，如图3-51所示。

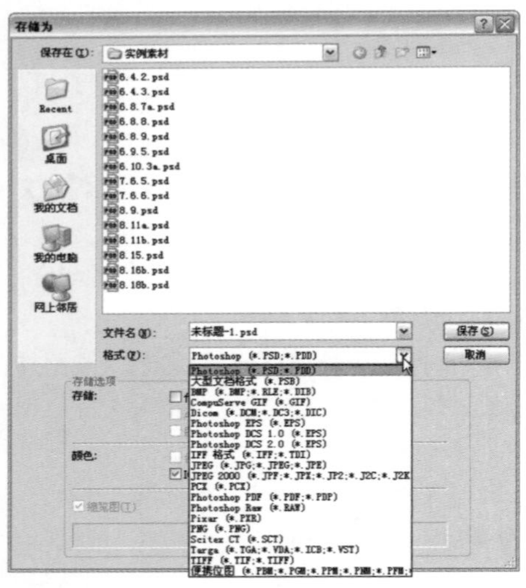

图3-51

PSD格式

PSD是Photoshop默认的文件格式，它可以保留文档中的所有图层、蒙版、通道、路径、未栅格化的文字、图层样式等等。通常情况下，我们都是将文件保存为PSD格式，以后可以随时修改。

PSD是除大型文档格式 (PSB) 之外支持所有 Photoshop 功能的格式。其他Adobe应用程序，如Illustrator、InDesign、Premiere等可以直接置入PSD文件。

PSB格式

PSB格式是Photoshop的大型文档格式，可支持最高达到300 000像素的超大图像文件。它支持Photoshop所有的功能，可以保持图像中的通道、图层样式和滤镜效果不变，但只能在Photoshop中打开。如果要创建一个2GB以上的PSD的文件，可以使用该格式。

BMP格式

BMP是一种用于 Windows 操作系统的图像格式，主要用于保存位图文件。该格式可以处理24位颜色的图像，支持RGB、位图、灰度和索引模式，但不支持Alpha通道。

GIF格式

GIF是基于在网络上传输图像而创建的文件格式，它支持透明背景和动画，被广泛地应用在网络文档中。GIF格式采用LZW无损压缩方式，压缩效果较好。

DICOM格式

DICOM（医学数字成像和通信）格式通常用于传输和存储医学图像，如超声波和扫描图像。DICOM 文件包含图像数据和标头，其中存储了有关病人和医学图像的信息。

EPS格式

EPS是为PostScript打印机上输出图像而开发的文件格式，几乎所有的图形、图表和页面排版程序都支持该格式。EPS格式可以同时包含矢量图形和位图图像，支持RGB、CMYK、位图、双色调、灰度、索引和Lab模式，但不支持Alpha通道。

JPEG格式

JPEG是由联合图像专家组开发的文件格式。它采用有损压缩方式，具有较好的压缩效果，但是将压缩品质数值设置得较大时，会损失掉图像的某些细节。JPEG格式支持RGB、CMYK和灰度模式，不支持Alpha通道。

PCX格式

PCX格式采用RLE无损压缩方式，支持24位、256色的图像，适合保存索引和线画稿模式的图像。该格式支持RGB、索引、灰度和位图模式，以及一个颜色通道。

PDF格式

便携文档格式 (PDF) 是一种通用的文件格式，支持矢量数据和位图数据，具有电子文档搜索和导航功能，是 Adobe Illustrator 和 Adobe Acrobat 的主要格式。PDF格式支持RGB、CMYK、索引、灰度、位图和Lab模式，不支持

Alpha通道。

Raw格式

Photoshop Raw (.raw) 是一种灵活的文件格式，用于在应用程序与计算机平台之间传递图像。该格式支持具有Alpha通道的CMYK、RGB和灰度模式，以及无Alpha通道的多通道、Lab、索引和双色调模式。

Pixar格式

Pixar是专为高端图形应用程序（如用于渲染三维图像和动画的应用程序）设计的文件格式。它支持具有单个Alpha 通道的 RGB 和灰度图像。

PNG格式

PNG是作为GIF的无专利替代产品而开发的，用于无损压缩和在Web上显示图像。与GIF不同，PNG支持24位图像并产生无锯齿状的透背景明度，但某些早期的浏览器不支持该格式。

Scitex格式

Scitex“连续色调”(CT) 格式用于 Scitex 计算机上的高端图像处理。该格式支持 CMYK、RGB 和灰度图像，不支持 Alpha 通道。

TGA格式

TGA格式专用于使用 Truevision 视频板的系统，它支持一个单独Alpha通道的32位RGB文件，以及无Alpha通道的索引、灰度模式，16位和24位RGB文件。

TIFF格式

TIFF是一种通用的文件格式，所有的绘画、图像编辑和排版程序都支持该格式。而且，几乎所有的桌面扫描仪都可以产生 TIFF 图像。该格式支持具有 Alpha 通道的CMYK、RGB、Lab、索引颜色和灰度图像，以及没有Alpha 通道的位图模式图像。 Photoshop 可以在 TIFF 文件中存储图层，但是，如果在另一个应用程序中打开该文件，则只有拼合图像是可见的。

便携位图格式

便携位图 (PBM) 文件格式支持单色位图（1 位/像素），可用于无损数据传输。因为许多应用程序都支持此格式，我们甚至可以在简单的文本编辑器中编辑或创建此类文件。

疑问解答 哪些文件格式最常用？

PSD是最重要的文件格式，它可以保留文档的图层、蒙版、通道等所有内容，我们编辑图像之后，尽量保存为该格式，以便以后可以随时修改。此外，矢量软件Illustrator和排版软件InDesign也支持PSD文件，这意味着一个透明背景的文档置入到这两个程序之后，背景仍然是透明的；JPEG格式是众多数码相机默认的格式，如果要将照片或者图像文件打印输出，或者通过E-mail传送，应采用该格式保存；如果图像用于Web，可以选择JPEG或者GIF格式；如果要为那些没有Photoshop的人选择一种可以阅读的文件格式，不妨使用PDF格式保存文件。借助于免费的Adobe Reader软件即可显示图像，还可以向文件中添加注释。

3.7 导出文件

我们在Photoshop中创建和编辑的图像可以导出到Illustrator或视频设备中，以满足了不同的使用目的。“文件>导出”下拉菜单中包含了用于导出文件的命令，如图3-52所示。

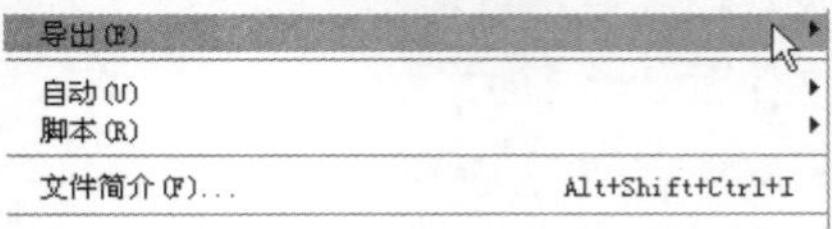

图3-52

导出Zoomify

执行“文件>导出>Zoomify”命令，可以将高分辨率的图像发布到Web上，利用 Viewpoint Media Player，用户可以平移或缩放图像以查看它的不同部分。在导出时，Photoshop会创建JPEG和HTML 文件，用户可以将这些文件上传到Web服务器。

将路径导出到Illustrator

如果在Photoshop中创建了路径，可以执行“文件>导出>路径到Illustrator”命令，将路径导出为AI格式，在Illustrator中可以继续对路径进行编辑。

相关链接：关于如何导出数据组，请参阅“19.4.4 导入与导出数据组”；如何将视频预览发送到设备，以及如何导出视频预览，请参阅“17.2.11 导出视频预览”；如何渲染视频，请参阅“17.2.12 渲染视频”。

3.8 关闭文件

完成图像的编辑之后，我们可以采用下面的方法关闭文件。

- 关闭文件：执行“文件>关闭”命令、按下Ctrl+W快捷键，或者单击文档窗口右上角的 按钮，如图3-53所示，可以关闭当前的图像文件。
- 关闭全部文件：如果在Photoshop中打开了多个文件，可以执行“文件>关闭全部”命令，关闭所有文件。
- 关闭并转到Bridge：执行“文件>关闭并转到Bridge”命令，可以关闭当前的文件，然后打开Bridge。
- 退出程序：执行“文件>退出”命令，或者单击程序窗口右上角的 按钮，如图3-54所示，可关闭文件并退出Photoshop。如果有文件没有保存，会弹出一个对话框，询问用户是否保存文件。

图3-53

图3-54

3.9 用Adobe Bridge管理文件

Adobe Bridge是Adobe Creative Suite 5 附带的组件，它可以组织、浏览和查找文件，创建供印刷、Web、电视、DVD、电影及移动设备使用的内容，并轻松访问原始 Adobe 文件（如 PSD 和 PDF）以及非 Adobe 文件。

3.9.1 Adobe Bridge操作界面

执行“文件>在Bridge中浏览”命令，或按下程序栏中的Br按钮，可以打开Bridge，如图3-55所示。

Bridge的工作区中主要包含以下组件：

- 应用程序栏：提供了基本任务的按钮，如文件夹层次结构导航、切换工作区及搜索文件。
- 路径栏：显示了正在查看的文件夹的路径，允许导航到该目录。
- 收藏夹面板：可以快速访问文件夹以及 Version Cue 和 Bridge Home。
- 文件夹面板：显示文件夹层次结构，使用它可以浏览文件夹。
- 筛选器面板：可以排序和筛选“内容”面板中显示的文件。
- 收藏集面板：允许创建、查找和打开收藏集和智能收藏集。
- 内容面板：显示由导航菜单按钮、路径栏、“收藏夹”面板或“文件夹”面板指定的文件。
- 预览面板：显示所选的一个或多个文件的预览。预览不同于“内容”面板中显示的缩览图，并且通常大于缩览图。可以通过调整面板大小来缩小或扩大预览。
- 元数据面板：包含所选文件的元数据信息。如果选择了多个文件，则会列出共享数据（如关键字、创建日期和曝光度设置）。
- 关键字面板：帮助用户通过附加关键字来组织图像。

优化
从相机获取照片
显示最近使用的文件
转到父文件夹或收藏夹
返回
前进
路径栏
应用程序栏
面板
文件总数
在Camera RAW中打开
输出
按评级筛选项目
缩览图质量和预览生成选项
逆时针旋转90°
顺时针旋转90°
切换到紧凑模式
删除项目
创建新文件夹
打开最近使用的文件
以列表形式查看内容
以详细信息形式查看内容
以缩览图形式查看内容
用于调整缩览图大小的滑块
单击显示缩览图网格

图3-55

3.9.2 Mini Bridge

Mini Bridge是一个简化版的Adobe Bridge。如果我们只需要查找和浏览图片素材，就可以使用Mini Bridge。

执行“文件>在Mini Bridge中浏览”命令，或者执行“窗口>扩展功能>Mini Bridge”命令，都可以打开“Mini Bridge”面板，如图3-56所示。

图3-56

单击“浏览文件”按钮，会出现一个类似于Adobe Bridge的操作界面，我们可以在“导航”选项卡中选择要显示的图像所在的文件夹，面板中就会显示出文件夹中所包含的图像文件，面板底部还提供了预览方式切换按钮，如图3-57所示。

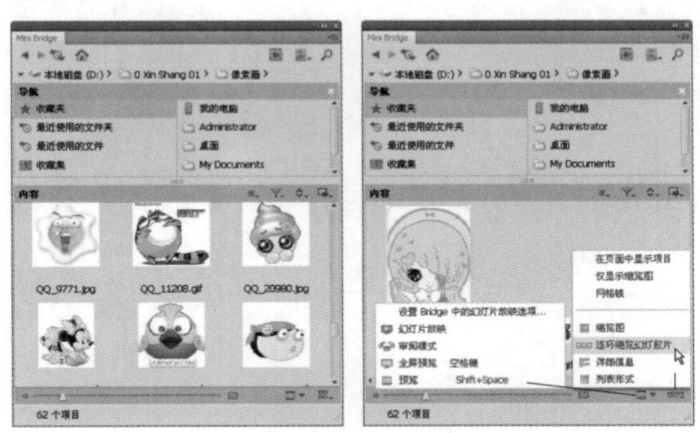

图3-57

如果要在Photoshop中打开一个图像，只需双击它即可。

技术看板 09 调整Mini Bridge面板大小

拖动“Mini Bridge”面板右下角的图标，可以将面板拉宽、拉长。

3.9.3 在Bridge中浏览图像

在全屏模式下浏览图像

运行Adobe Bridge后，单击窗口右上角的倒三角按钮▼，可以选择“胶片”、“元数据”和“输出”等命令，以不同的方式显示图像，如图3-58～图3-60所示。

图3-58

图3-59

图3-60

在任意一种窗口下，拖动窗口底部的三角滑块，可以调整图像的显示比例；单击按钮，可在图像之间添加网格；单击按钮，会以缩览图的形式显示图像；单击按钮，会显示图像的详细信息，如大小、分辨率、照片的光圈、快门等；单击按钮，则会以列表的形式显示图像。

在审阅模式下浏览图像

“审阅模式”是非常酷的一种图像浏览方式，其动画效果类似于iphone手机。

执行“视图>审阅模式”命令，或按下Ctrl+B快捷键，可以切换到审阅模式，如图3-61所示。在该模式下，单击后面的背景图像缩览图，它就会跳转成为前景图像，如图3-62所示；单击前景图像的缩览图，则会弹出一个窗口显示局部图像，如图3-63所示，如果图像的显示比例小于100%，窗口内的图像会显示为100%。我们可以拖动该窗口移动观察图像。单击窗口右下角的“×”按钮可以关闭窗口。按下Esc键或单击屏幕右下角的“×”按钮，则退出审阅模式。

图3-61

图3-62

图3-63

在幻灯片模式下浏览图像

执行“视图>幻灯片放映”命令，或按下Ctrl+L快捷键，可通过幻灯片放映的形式自动播放图像，如图3-64、图3-65所示。如果要退出幻灯片，可按下Esc键。

图3-64

图3-65

相关链接：在Adobe Bridge中可以创建PDF联系表和Web照片画廊，相关内容请参阅“15.19.2 实战——制作幻灯片式PDF演示文稿”、“15.19.3 实战——制作个性化网络照片画廊”。

3.9.4 在Bridge中打开文件

在 Bridge 中选择一个文件，双击即可在其原始应用程序或指定的应用程序中打开。例如，双击一个图像文件，可以在Photoshop中打开它；如果双击一个AI格式的矢量文件，则会在Illustrator中打开它。如果要使用其他程序打开文件，可以在“文件>打开方式”下拉菜单中选择程序，如图3-66所示。

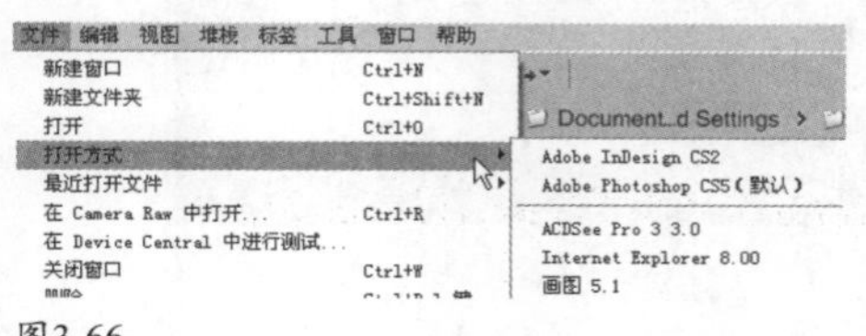

图3-66

3.9.5 预览动态媒体文件

在Bridge 中可以预览大多数视频、音频和 3D 文件，包括计算机上安装的QuickTime 版本支持的大多数文件。

在内容面板中选择要预览的文件，即可在预览面板中播放该文件，如图3-67所示。单击暂停按钮可暂停回放；单击循环按钮可以打开或关闭连续循环；单击音量按钮并拖动滑块可以调节音量。

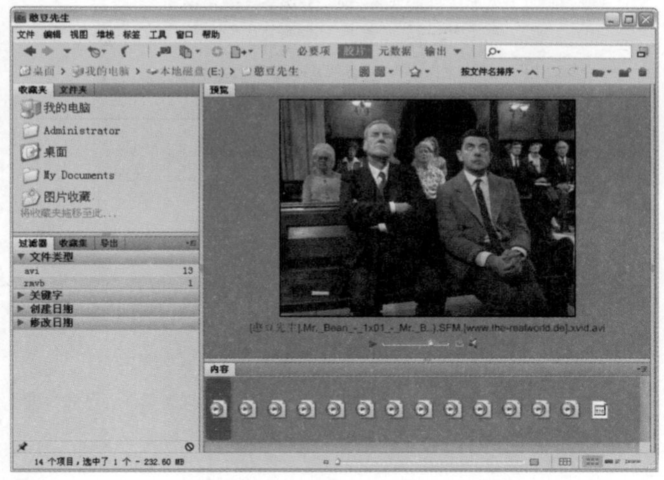

图3-67

3.9.6 对文件进行排序

从“视图>排序”菜单中选择一个选项，可以按照该选项中所定义的规则对所选文件进行排序，如图3-68、图3-69所示。选择“手动”，则可按上次拖移文件的顺序排序。

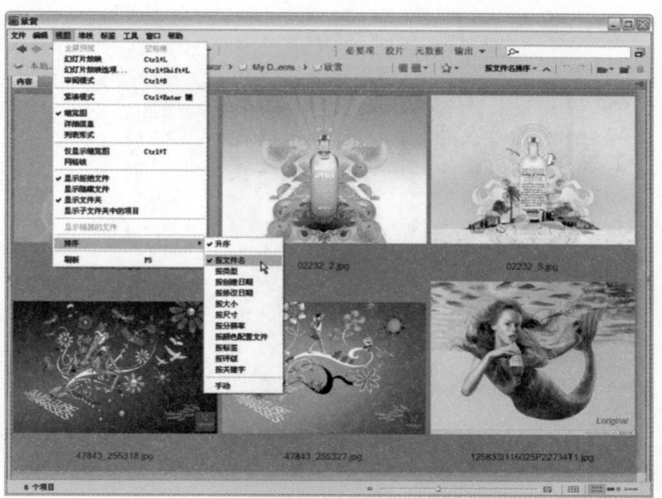

图3-68

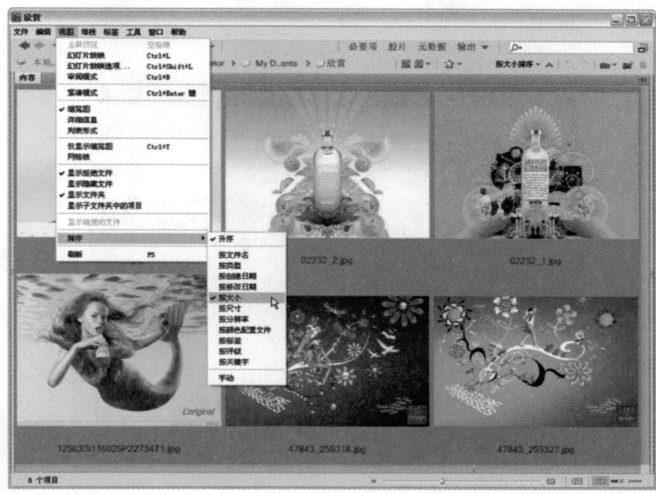

图3-69

3.9.7 实战——对文件进行标记和评级

●实例门类：软件功能类 ●视频位置：光盘>实例视频>3.9.7

当一个文件夹中的文件数量较多时，我们可以用Bridge对重要的文件进行标记和评级。标记之后，从“视图>排序”菜单中选择一个选项，对文件重新排序，就可以在需要它们时快速将其找到。

1 按下程序栏中的Br按钮打开Bridge。导航到“光盘>素材>3.9.7”文件夹，在内容面板中单击并拖动鼠标选择所有文件，如图3-70所示，将它们添加到上面的列表中，如图3-71所示。

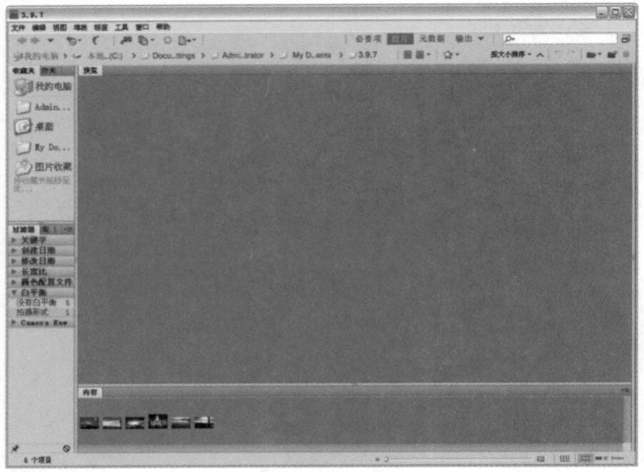

图3-70

图3-71

2 从“标签”菜单中选择一个标签选项，即可为文件添加颜色标记，如图3-72所示。如果要删除文件的标签，可执行“标签>无标签”命令。

图3-72

3 在内容面板中选择一个文件（按住Ctrl键单击其他文件可以选择多个文件），从“标签”菜单中选择评级，即可对文件进行评级，如图3-73所示。如果要增加或减少一个星级，可选择“标签>提升评级”或“标签>降低评级”命令。如果要删除所有星级，可选择“无评级”命令。图3-74所示为执行“视图>排序>按评级”命令之后，图像的排序结果。可以看到，标记了五颗星的文件在最后面。

图3-73

图3-74

3.9.8 实战——通过关键字快速搜索图片

●实例门类：软件功能类 ●视频位置：光盘>实例视频>3.9.8

现在电脑的硬盘越来越大，我们收藏的图片和数码照片等文件也会越来越多。很多时候我们都会为寻找需要的文件而大伤脑筋。下面我们就来介绍一种重要图像的标记和快速查找方法。

1 我们先来为重要文件添加关键字，以后就可以通过关键字来搜索它。在Bridge 中先导航到文件所在的文件夹，单击“输出”选项右侧的▼按钮，在打开的菜单中选择“关键字”，切换到该选项卡，选中一个文件，如图3-75所示。

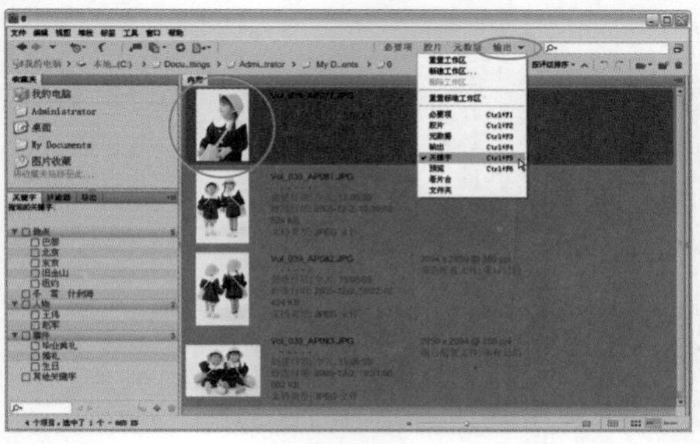

图3-75

2 单击新建关键字按钮，在显示的条目中输入关键字（可以多添加几个关键字），如图3-76所示；勾选关键字条目，如图3-77所示，完成关键字的指定。

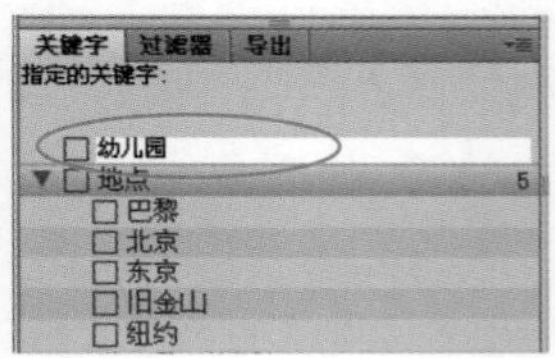

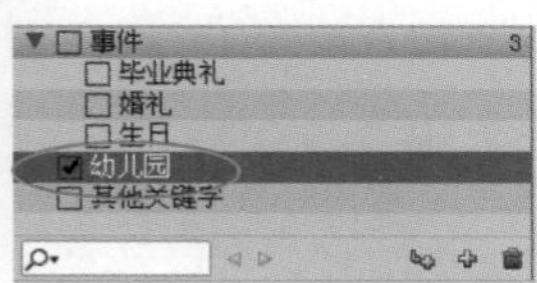

图3-76　图3-77

3 以后我们查找该图像时，在Bridge 窗口右上角输入关键字“幼儿园”，然后按下回车键就可以找到它了，如图3-78所示。

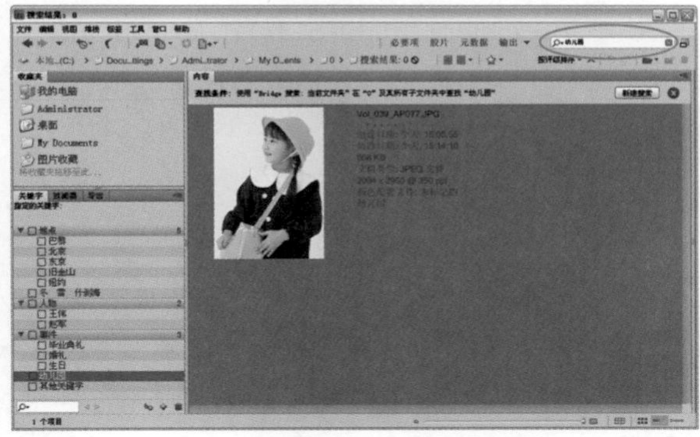

图3-78

3.9.9 实战——查看和编辑数码照片的元数据

●实例门类：软件功能类　●视频位置：光盘>实例视频>3.9.9

使用数码相机拍照时，相机会自动将拍摄信息（如光圈、快门、ISO、测光模式、拍摄时间等）记录到照片中，这些信息称为元数据。

1 如果要查看照片的元数据，可单击Bridge窗口右上角的“元数据”选项卡，切换到该选项卡。单击一张照片，窗口左侧的“元数据”面板中就会显示它的各种原始数据信息，如图3-79所示。

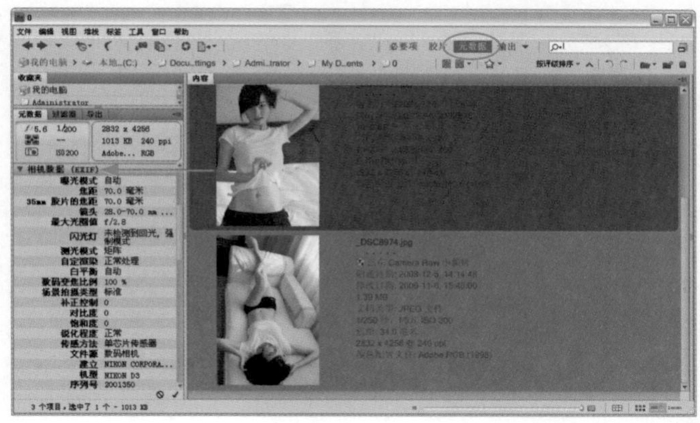

图3-79

2 在“元数据”面板中，我们还可以为照片添加新的信息，如拍摄者的姓名、照片的版权说明等，操作方法也很简单。单击“IPTC Core”选项条右侧的图标，在需要编辑的项目中输入信息，然后按下回车键即可，如图3-80所示。

图3-80

3.9.10 实战——批量重命名图片

●实例门类：软件功能类　●视频位置：光盘>实例视频>3.9.10

在Bridge中可以成组或成批地重命名文件和文件夹。对文件进行批重命名时，可以为选中的所有文件选取相同的设置。

1 在Bridge中导航到需要重命名的文件所在的文件夹（光盘>素材>3.9.10），按下Ctrl+A快捷键选中所有文件，如图3-81所示。

图3-81

2 执行“工具>批重命名”命令，打开“批重命名”对话框，选择“在同一文件夹中重命名”，设置新的文件名为“花卉素材”，并输入序列数字，数字的位数为3位，在对话框底部可以预览文件名称，如图3-82所示；单击“重命名”按钮，即可重命名文件，如图3-83所示。

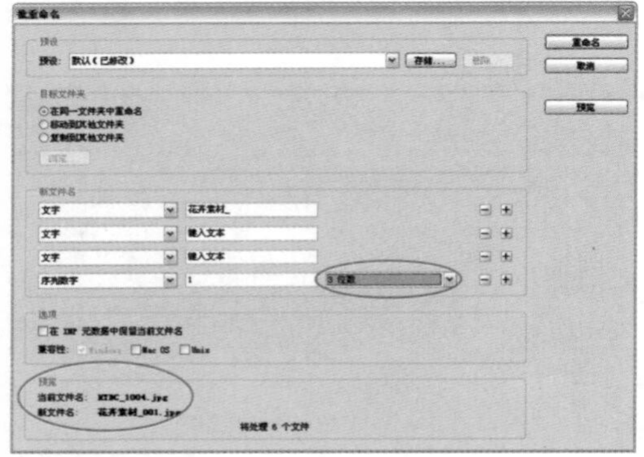

图3-82

图3-83

“批重命名”对话框选项

● 目标文件夹：可以选择将重命名的文件放在同一文件夹中还是放在不同文件夹中、将文件移动到另一个文件夹中或将副本放在另一个文件夹中。如果选择“移动到其他文件夹”或“复制到其他文件夹”，可单击“浏览”按钮来选择文件夹。

● 新文件名：可以从菜单中选择元素或在文本框中输入文本。指定的元素和文本将组合在一起构成新的文件名。可以单击加号按钮 (+) 或减号按钮 (-) 来添加或删除元素。对话框底部会显示新文件名的预览。

● 选项：如果要在元数据中保留原始文件名，可选择“在 XMP 元数据中保留当前文件名”。对于“兼容性”，可选择希望与重命名的文件兼容的操作系统。默认的选择是当前的操作系统，而且用户无法取消这一选择。

3.10 在文件中添加版权信息

打开一个文件，执行“文件>文件简介”命令，打开如图3-84所示的对话框。单击对话框顶部的“相机数据”等标签，可以查看相机原始数据、视频数据、音频数据、查看和编辑 DICOM 文件的元数据等。

如果要为图像添加版权信息，可以在“版权状态”下拉列表中选择“版权所有”，在“版权公告”选项内输入个人版权信息，如图3-85所示。如果想要留下个人的邮箱，可在“版权信息URL”选项中输入。以后使用该图片的人在Photoshop中打开它时，可通过单击该链接转到版权人的邮箱。

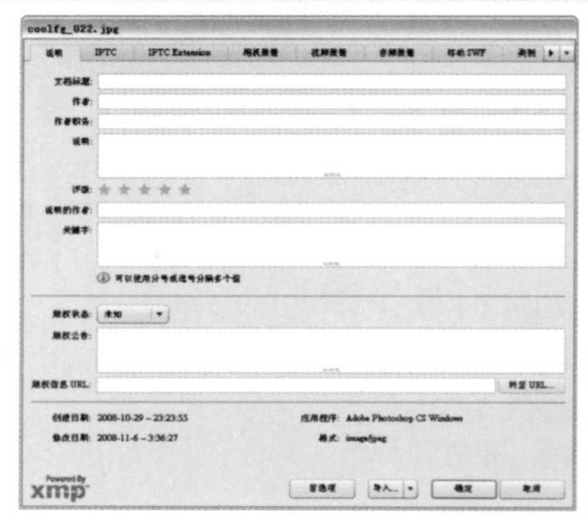

图3-84

图3-85

3.11 修改像素尺寸和画布大小

我们编辑图像时可能有很多目的，如想要将图像制作成为电脑桌面、制作为个性化的QQ头像、制作成手机壁纸、传输到网络上、用于打印等等。然而，图像的尺寸或分辨率并完全不适合以上用途，我们还要根据实际情况对图像的大小和分辨率进行调整，才能令其符合使用需要。

3.11.1 实战——修改图像的尺寸

●实例门类：软件功能类 ●视频位置：光盘>实例视频>3.11.1

使用“图像大小”命令可以调整图像的像素大小、打印尺寸和分辨率。修改像素大小不仅会影响图像在屏幕上的视觉大小，还会影响图像的质量及其打印特性，同时也决定了其占用的存储空间。

1 按下Ctrl+O快捷键，打开一个文件（光盘>素材>3.11.1），如图3-86所示。

图3-86

2 执行“图像>图像大小”命令，打开“图像大小”对话框，如图3-87所示。我们先来看一下“像素大小”选项组，它显示了图像当前的像素尺寸，当我们修改像素大小后，新文件的大小会出现在对话框的顶部，旧的文件大小在括号内显示，如图3-88所示。

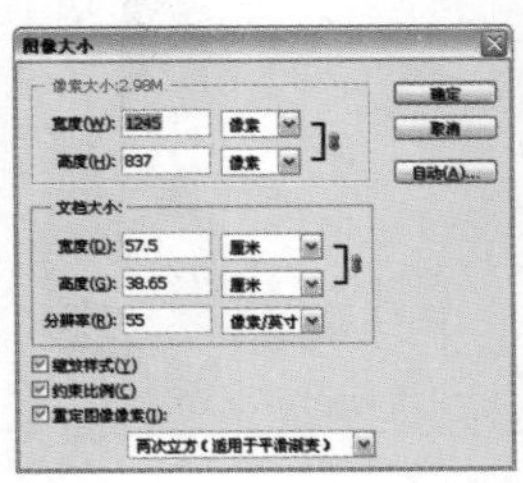

图3-87

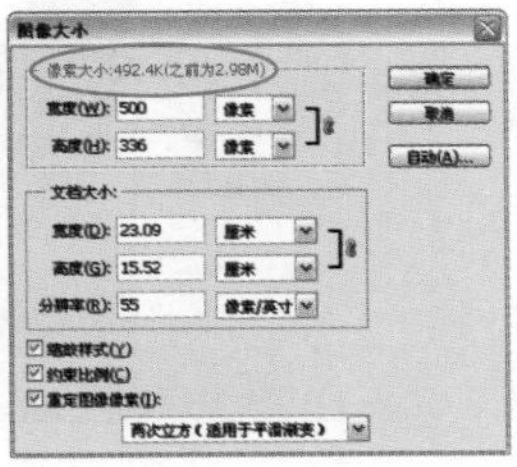

图3-88

3 “文档大小选项组”用来设置图像的打印尺寸（“宽度”和“高度”选项）和分辨率（“分辨率”选项），我们可以通过两种方法来操作。第一种方法是先选择“重定图像像素”选项，然后修改图像的宽度或高度。这可以改变图像中的像素数量。例如，减小图像的大小时，就会减少像素数量，此时图像虽然变小了，但画面质量不变，如图3-89所示；而增加图像的大小或提高分辨率，则会增加新的像素，这时图像尺寸虽然变大了，但画面质量会下降，如图3-90所示。

图3-89

图3-90

疑问解答 增加分辨率能让小图像变清晰吗？

如果一个图像的分辨率较低且模糊，我们即便增加它的分辨率也不会使它变得清晰。这是因为，Photoshop只能在原始数据的基础上进行调整，无法生成新的原始数据。

4 我们再来看第二种方法怎样操作。先取消“重定图像像素”选项的勾选，再来修改图像的宽度或高度。这时图像的像素总量不会变化，也就是说，减少宽度和高度时，会自动增加分辨率，如图3-91所示；而增加宽度和高度时就会自动减少分辨率，如图3-92所示。图像的视觉大小看起来不会有任何改变，画面质量也没有变化。

图3-91

图3-92

“图像大小”对话框选项

● 缩放样式：如果文档中的图层添加了图层样式，选择该选项以后，可在调整图像的大小时自动缩放样式效果。只有选择了“约束比例”，才能使用该选项。

● 约束比例：修改图像的宽度或高度时，可保持宽度和高度的比例不变。

● 自动：单击该按钮可以打开“自动分辨率”对话框，输入挂网的线数，Photoshop 可以根据输出设备的网频来确定建议使用的图像分辨率。

● 差值方法：修改图像的像素大小在Photoshop中称为“重新取样”。当减少像素的数量时，就会从图像中删除一些信息；当增加像素的数量或增加像素取样时，则会添加新的像素。在“图像大小”对话框最下面的列表中可以选择一种插值方法来确定添加或删除像素的方式，包括“邻近”、“两次线性”等，默认为“两次立方”。

3.11.2 实战——将照片设置为电脑桌面

●实例门类：软件功能类 ●视频位置：光盘>实例视频>3.11.2

许多人在将照片或者自己喜爱的图片设置为电脑桌面时总是会遇到一个难题，照片要么太大，桌面显示不下；要么又太小，不能铺满桌面，或者是铺满桌面但出现变形。下面我们来学习一种方法，彻底解决这个难题。

1 在电脑桌面上单击右键，在打开的下拉菜单中选择“属性”命令，如图3-93所示，弹出“显示 属性”对话框。单击“设置”选项卡，我们先来看一下自己电脑屏幕的像素尺寸，如图3-94所示。

图3-93

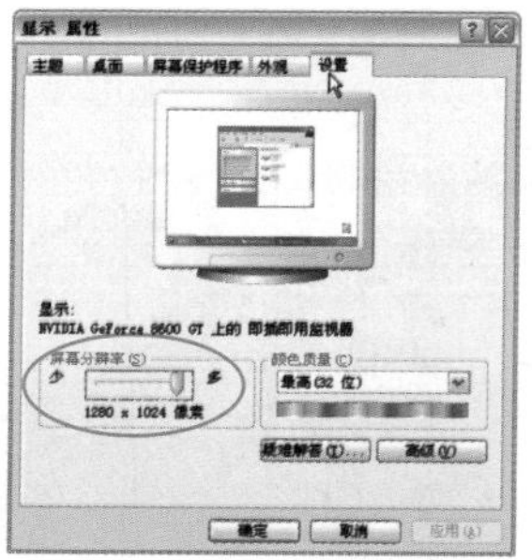

图3-94

2 按下Ctrl+N快捷键，打开“新建”对话框，在“宽度”和“高度”选项内输入前面看到的分辨率尺寸，文档的分辨率设置为72像素/英寸，如图3-95所示，我们就创建了一个与桌面大小相同的文档。按下Ctrl+O快捷键，打开一张照片（光盘>素材>3.11.2），使用移动工具将它拖入新建的文档中，如图3-96所示。按下Ctrl+E快捷键合并图层，再按下Ctrl+S快捷键，将文件存储为JPEG格式。

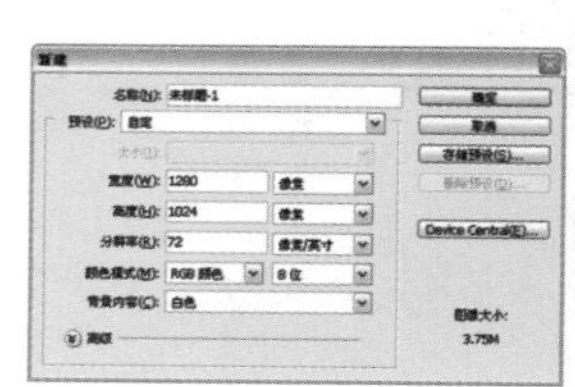

图3-95

图3-96

提示 按下Ctrl+T快捷键显示定界框，按住Shift键拖动控制点可以调整照片大小。

3 在电脑桌面上单击右键，选择“属性”命令，弹出“显示 属性”对话框。这次我们单击“桌面”选项卡，如图3-97所示；单击“浏览”按钮，在弹出的对话框中选择我们保存的照片，单击“打开”按钮，返回到“显示 属性”对话框；在“位置”下拉列表中选择“居中”，如图3-98所示，使照片位于屏幕的中央。

图3-97

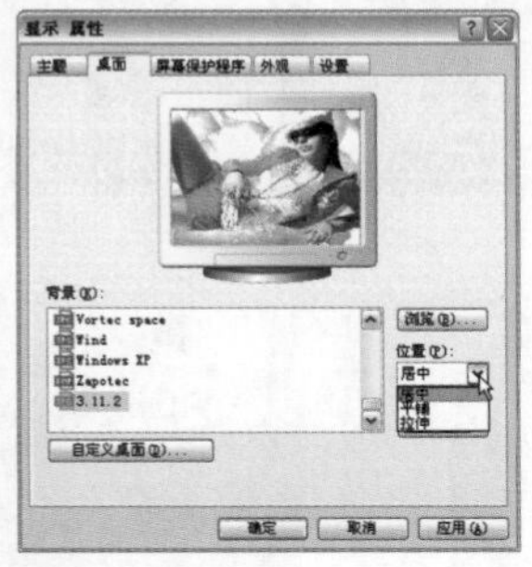

图3-98

4 单击“应用”按钮，即可将其设置为桌面，如图3-99所示。由于我们是将照片拖放到与自己电脑屏幕大小完全相同的文档中，然后再将其设置为桌面的，所以桌面上的照片是不会出现变形的。

图3-99

3.11.3 修改画布大小

画布是指整个文档的工作区域，如图3-100所示。执行“图像>画布大小”命令，可以在打开的“画布大小”对话框中修改画布尺寸，如图3-101所示。

- 当前大小：显示了图像宽度和高度的实际尺寸和文档的实际大小。
- 新建大小：可以在“宽度”和“高度”框中输入画布的尺寸。当输入的数值大于原来尺寸时会增加画布，反之则减小画布。减小画布会裁剪图像。输入尺寸后，该选项右侧会显示修改画布后的文档大小。

图3-100

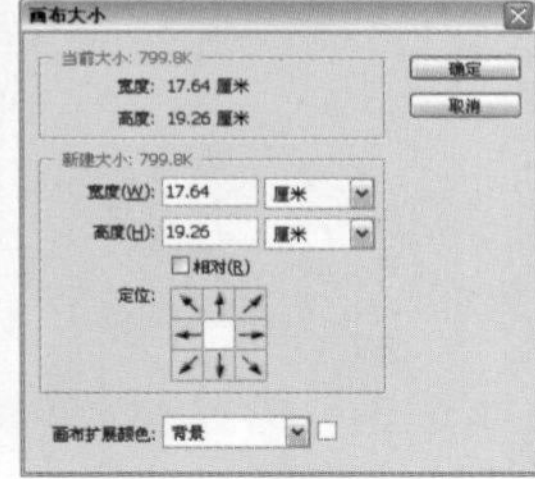

图3-101

- 相对：勾选该项，“宽度”和“高度”选项中的数值将代表实际增加或者减少的区域的大小，而不再代表整个文档的大小，此时输入正值表示增加画布，输入负值则减小画布。
- 定位：单击不同的方格，可以指示当前图像在新画布上的位置，如图3-102～图3-104所示是设置不同的定位方向再增加画布后的图像效果（画布的扩展颜色为黄色）。

图3-102

图3-103

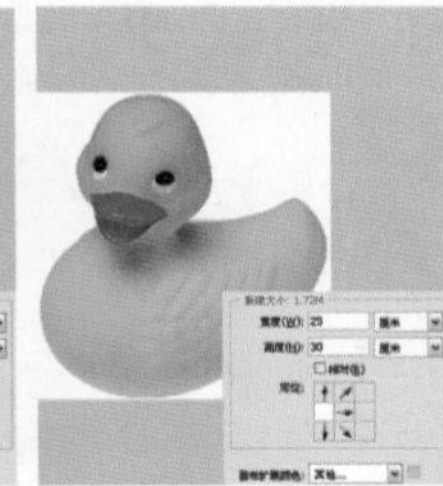

图3-104

- 画布扩展颜色：在该下拉列表中可以选择填充新画布的颜色。如果图像的背景是透明的，则“画布扩展颜色”选项将不可用，添加的画布也是透明的。

3.11.4 旋转画布

“图像>图像旋转”下拉菜单中包含用于旋转画布的命令，如图3-105所示。执行这些命令可以旋转或翻转整个图像。图3-106所示为原图像，图3-107所示是执行“垂直翻转画布”命令后的图像状态。

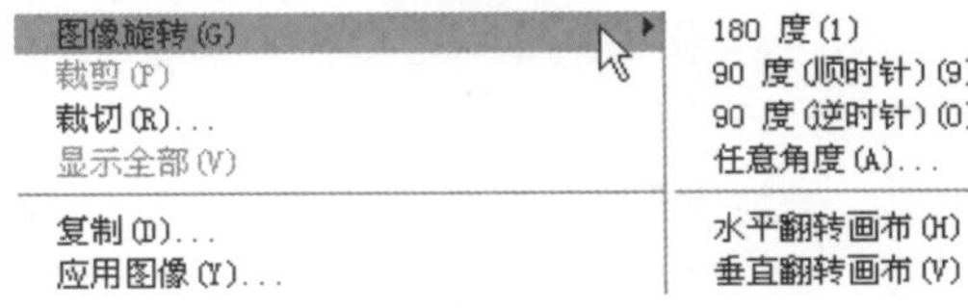

图3-105

图3-106

图3-107

技术看板 10 按照设定的角度旋转画布

执行“图像>图像旋转>任意角度”命令，打开“旋转画布”对话框，输入画布的旋转角度即可按照设定的角度和方向精确旋转画布。

疑问解答 “图像旋转”命令与“变换”命令的区别？

“图像旋转”命令只能用于旋转整个图像。如果要旋转单个图层中的图像，则需要使用“编辑>变换”菜单中的命令；如果要旋转选区，需要使用“选择>变换选区”命令。

3.11.5 显示隐藏在画布之外的图像

当我们在文档中置入一个较大的图像文件，或者使用移动工具将一个较大的图像拖入一个稍小文档时，图像中一些内容就会位于画布之外，不会显示出来，如图3-108所示。执行“图像>显示全部”命令，Photoshop会通过判断图像中像素的位置，自动扩大画布，显示全部图像，如图3-109所示。

图3-108

图3-109

技术看板 11 用渐隐命令修改编辑结果

当我们使用画笔、滤镜编辑图像，或者进行了填充、颜色调整、添加了图层效果等操作以后，“编辑”菜单中的“渐隐”命令可以使用，执行该命令可修改操作结果的不透明度和混合模式。

原图

使用“去色”命令处理效果

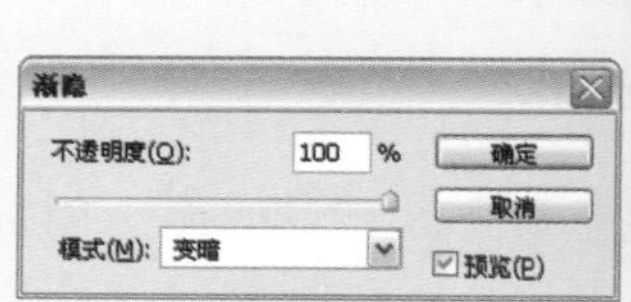
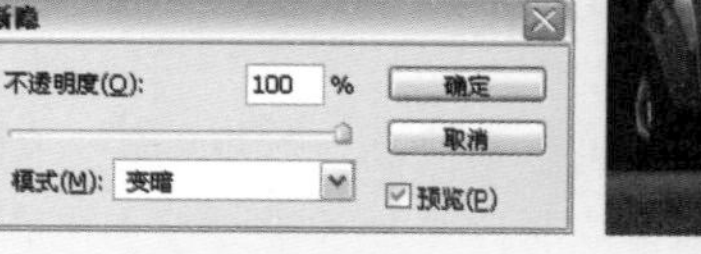

“渐隐”命令对话框

修改混合模式后的效果

3.12 裁剪图像

在对数码照片或者扫描的图像进行处理时，经常需要裁剪图像，以便删除多余的内容，使画面的构图更加完美。使用裁剪工具、“裁剪”命令和“裁切”命令都可以裁剪图像，我们来看一下这些操作方法都有哪些特点。

3.12.1 裁剪工具

裁剪工具可以对图像进行裁剪，重新定义画布的大小。选择该工具以后，在画面中单击并拖出一个矩形定界框，按下回车键，就可以将定界框之外的图像裁掉。

创建裁剪区域前的工具选项栏

选择裁剪工具以后，它的工具选项栏会显示如图3-110所示的选项。

宽度: 高度: 分辨率: 像素/... 前面的图像 清除

图3-110

- 宽度/高度/分辨率：可以输入图像的宽度、高度和分辨率值，裁剪后图像的尺寸由输入的数值决定，与裁剪区域的大小没有关系。例如，输入宽度10厘米、高度15厘米、分辨率100像素/英寸，在进行裁剪时，虽然创建的裁剪区域的大小不同，但裁剪后图像的尺寸和分辨率也会与设定的尺寸一致，如图3-111～图3-114所示。

定义的裁剪范围

图3-111

裁剪后的图像

图3-112

定义的裁剪范围

图3-113

裁剪后的图像

图3-114

- 前面的图像：单击该按钮，即可在“宽度”、“高度”和“分辨率”文本框中显示当前图像的尺寸和分辨率。如果同时打开了两个文件，则单击该按钮以后，会显示另一个图像的尺寸和分辨率。
- 清除：单击该按钮，可以清空“宽度”、“高度”和“分辨率”文本框中的数值。

> 提示　在“宽度”、“高度”和“分辨率”选项中输入数值后，Photoshop会将其保留下来。下次使用裁剪工具时，就会显示这些参数。

创建裁剪区域后的工具选项栏

当我们使用裁剪工具在画面中单击并拖出一个矩形裁剪框时，工具选项栏中会显示如图3-115所示的选项。

裁剪区域: 删除 隐藏 裁剪参考线叠加: 三等分 屏蔽 颜色: 不透明度: 75% 透视

图3-115

- 裁剪区域：图像中包含多个图层，或者没有“背景”图层时，则该选项可用。如果选择“删除”，表示删除被裁剪的图像；选择“隐藏”，则可调整画布大小，但不会删除图像。执行“图像>显示全部”命令可以将隐藏的内容重新显示出来。另外，使用移动工具拖动图像，也可以显示出隐藏的部分。

- 裁剪参考线叠加：在该选项下拉列表中可以选择是否显示裁剪参考线，如图3-116所示。裁剪参考线可以帮助我们进行合理构图，使画面更加艺术、美观。

无

三等分

网格

图3-116

- 屏蔽/颜色/不透明度：勾选“屏蔽”选项以后，将要被裁剪的区域就会被“颜色”选项内设置的颜色屏蔽（默认的颜色为黑色、不透明度为75%），如图3-117所示；取消勾选，则显示全部图像，如图3-118所示。我们可以单击“颜色”选项内的颜色块，打开“拾色器”调整屏蔽颜色，如图3-119所示（蓝色）。还可以在“不透明度”选项内调整屏蔽颜色的不透明度。

图3-117

图3-118

图3-119

- 透视：勾选该项后，可以旋转或者扭曲裁剪定界框，裁剪以后，可对图像应用透视变换，如图3-120、图3-121所示。

图3-120

图3-121

技术看板 12 三分法则

在“裁剪参考线叠加”选项中，“三等分”基于三分法则。三分法则是摄影师构图时使用的一种技巧。简单来说，就是把画面按水平方向在1/3，2/3位置画两条水平线，按垂直方向在1/3，2/3位置画两条垂直线，然后把景物尽量放在交点的位置上。

3.12.2 实战——用裁剪工具裁剪图像

●实例门类：软件功能类　●视频位置：光盘>实例视频>3.12.2

1 按下Ctrl+O快捷键，打开一个文件（光盘>素材>3.12.2），如图3-122所示。选择裁剪工具，在图像上单击并拖出一个矩形裁剪框，放开鼠标后，可创建裁剪区域，如图3-123所示。

图3-122

图3-123

2 将光标放在定界框内，拖动鼠标还可以移动定界框，如图3-124所示；拖动定界框上的控制点可以调整定界框的大小，如图3-125所示。

图3-124

图3-125

3 单击工具选项栏中的✔按钮或按下回车键确认，即可裁剪图像，如图3-126所示。

图3-126

技术看板 13 将图像裁剪到指定的尺寸

如果要将图像或者照片裁剪到指定的尺寸，而不改变其清晰度，可输入需要的宽度和高度值，“分辨率”一项保持空白，然后再裁剪图像就可以了。

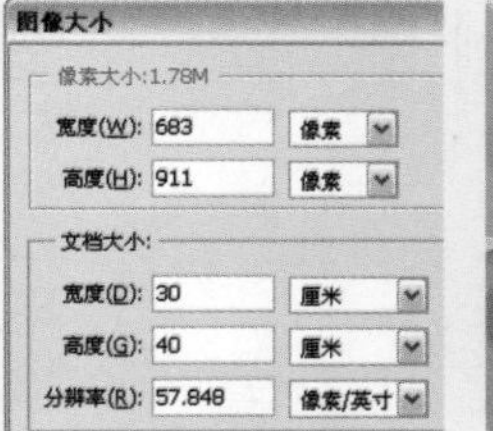

3.12.3 实战——用“裁剪”命令裁剪图像

●实例门类：软件功能类 ●视频位置：光盘>实例视频>3.12.3

1 按下Ctrl+O快捷键，打开一个文件（光盘>素材>3.12.3），如图3-127所示。

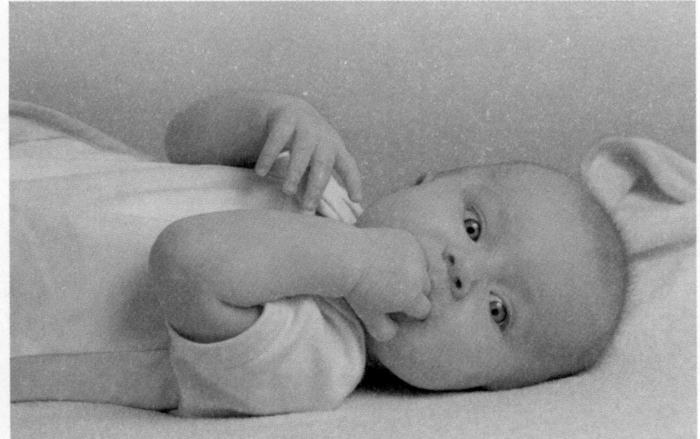

图3-127

2 选择矩形选框工具，在画面中单击并拖动鼠标创建一个矩形选区，选中要保留的图像，如图3-128所示。

3 执行“图像>裁剪”命令，可以将选区以外的图像裁剪掉，只保留选区内的图像。按下Ctrl+D快捷键取消选择，图像效果如图3-129所示。

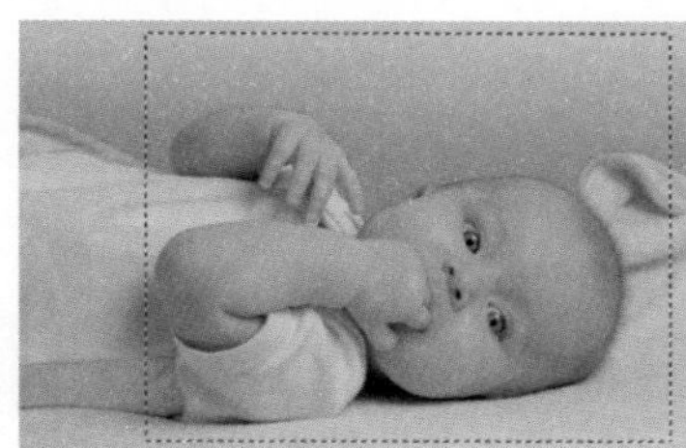

图3-128

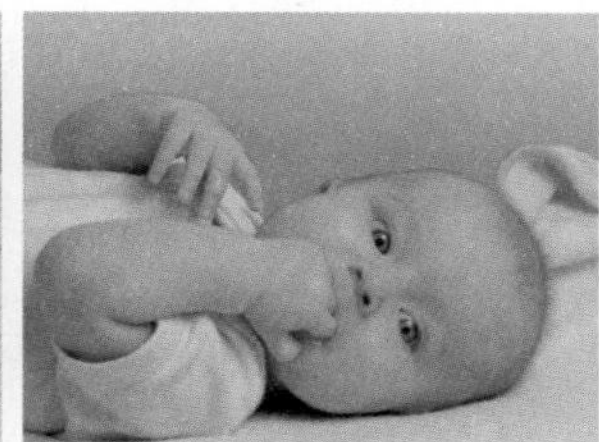

图3-129

提示 如果在图像上创建的是圆形选区或多边形选区，则裁剪后的图像仍为矩形。

3.12.4 实战——用“裁切”命令裁切图像

●实例门类：软件功能类 ●视频位置：光盘>实例视频>3.12.4

1 打开一个文件（光盘>素材>3.12.4），如图3-130所示。我们来通过“裁切”命令将图像两侧的颜色条裁掉。

图3-130

2 执行“图像>裁切”命令，打开“裁切”对话框，选择“左上角像素颜色”选项，并勾选“裁切”内的全部选项，如图3-131所示，单击“确定”按钮即可将图像两侧的粉色条裁掉，如图3-132所示。

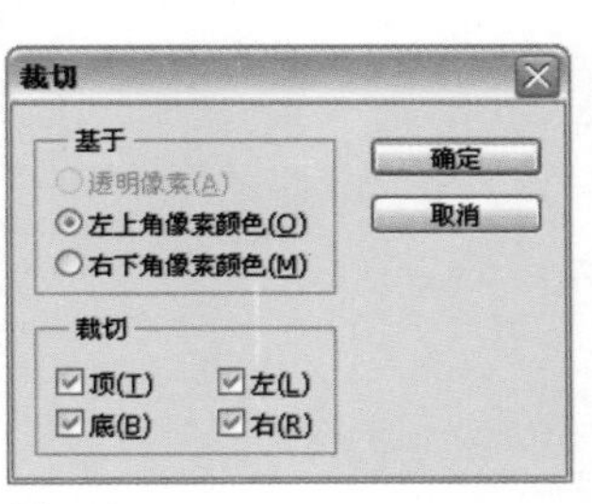

图3-131

图3-132

"裁切"对话框选项

- 透明像素：可以删除图像边缘的透明区域，留下包含非透明像素的最小图像。
- 左上角像素颜色：从图像中删除左上角像素颜色的区域。
- 右下角像素颜色：从图像中删除右下角像素颜色的区域。
- 裁切：用来设置要修整的图像区域。

3.12.5 实战——裁剪并修齐扫描的照片

●实例门类：数码照片处理类 ●视频位置：光盘>实例视频>3.12.5

我们每个家庭都有一些过去的老照片，要用Photoshop处理这些照片，需要先通过扫描仪将它们扫描到电脑中。如果将多张照片扫描在一个文件中，我们可以用"裁剪并修齐照片"命令自动将各个图像裁剪为单独的文件，快速而且方便。

1 按下Ctrl+O快捷键，打开一个文件（光盘>素材>3.12.5），如图3-133所示。

2 执行"文件>自动>裁剪并修齐照片"命令，如图3-134所示，Photoshop就会将各个照片分离为单独的文件，如图3-135、图3-136所示。最后，执行"文件>存储为"命令，它们分别保存。

图3-133

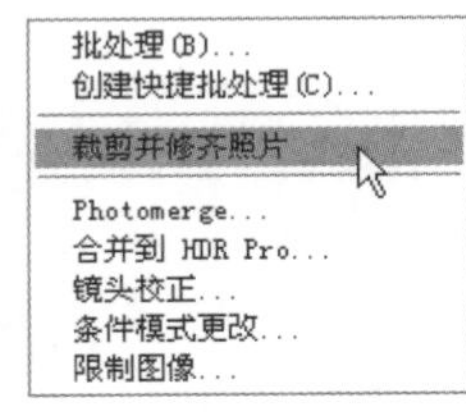

图3-134

图3-135

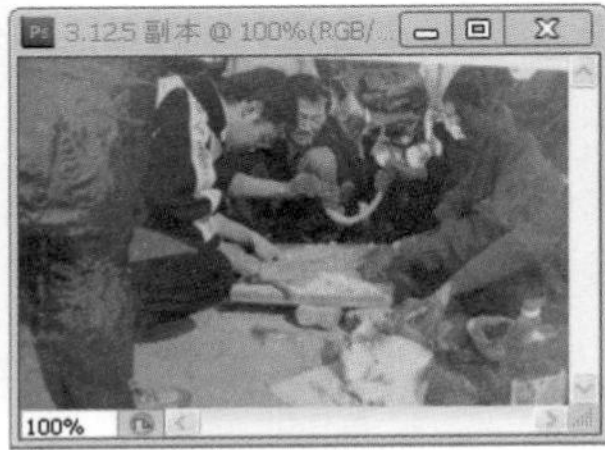

图3-136

3.13 拷贝与粘贴

"拷贝"、"剪切"和"粘贴"等都是应用程序中最普通的命令，它们用来完成复制与粘贴任务。与其他程序不同的是，在Photoshop中还可以对选区内的图像进行特殊的复制与粘贴操作，例如，在选区内粘贴图像，或者清除选区内的图像。

3.13.1 拷贝、合并拷贝与剪切

拷贝

在图像中创建选区以后，如图3-137所示，执行"编辑>拷贝"命令，或按下Ctrl+C快捷键，可以将选中的图像复制到剪贴板，此时，画面中的内容保持不变。

图3-137

合并拷贝

如果文档包含多个图层，如图3-138所示，可以执行"编辑>合并拷贝"命令，将所有可见图层中的内容复制到剪贴板中，图3-139所示为将复制的图像粘贴到另一个文档中的效果。

图3-138

图3-139

剪切

执行“编辑>剪切”命令，可以将选中的图像从画面中剪切到剪贴板中，如图3-140所示。图3-141所示为将剪切的图像粘贴到另一文件中的效果。

图3-140

图3-141

3.13.2 粘贴与选择性粘贴

粘贴

将图像复制（或剪切）到剪贴板以后，执行“编辑>粘贴”命令，或按下Ctrl+V快捷键，可以将剪贴板中的图像粘贴到当前文档中，如图3-142所示。

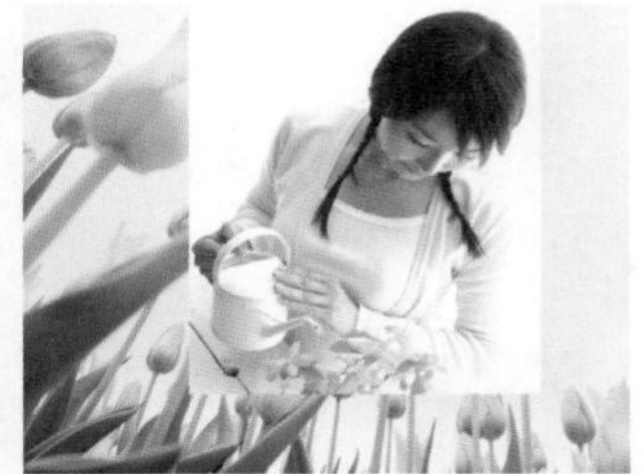
图3-142

选择性粘贴

复制或者剪切图像以后，可以使用“编辑>选择性粘贴”下拉菜单中的命令粘贴图像，如图3-143所示。

图3-143

- 原位粘贴：执行该命令，可以将图像按照其原位粘贴到文档中，
- 贴入：如果在文档中创建了选区，如图3-144所示，执行该命令，可以将图像粘贴到选区内，并自动添加蒙版，将选区之外的图像隐藏，如图3-145所示。
- 外部粘贴：如果创建了选区，执行该命令，可粘贴图像，并自动创建蒙版，将选中的图像隐藏，如图3-146所示。

图3-144

图3-145

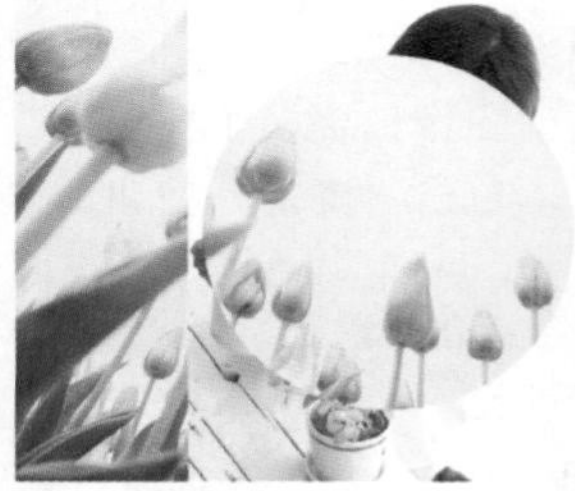

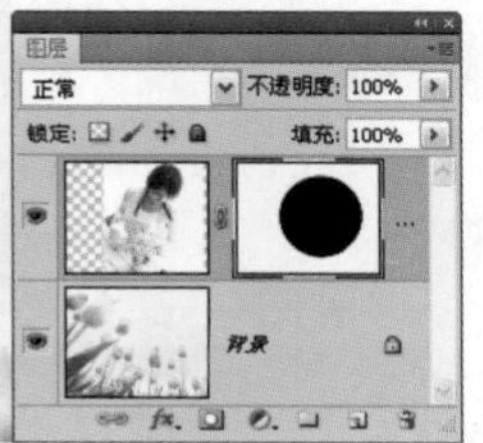

图3-146

3.13.3 清除图像

在图像中创建选区以后，如图3-147所示，执行“编辑>清除”命令，可以清除选区内的图像。

如果清除的是“背景”图层上的图像，被清除的区域将填充背景色，如图3-148所示；如果清除的是其他的图层上的图像，则会删除选中的图像，如图3-149所示。

图3-147

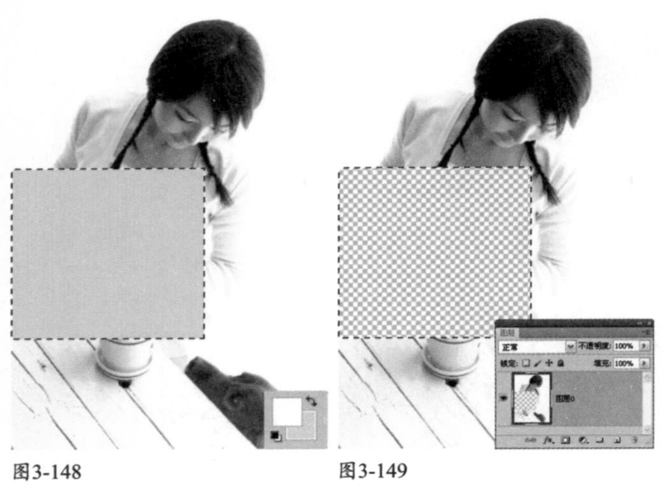

图3-148　　图3-149

技术看板 14　删除图层中的全部图像

如果要删除一个或者多个图层中的所有图像内容，可以选择这些图层，然后按下Delete键。

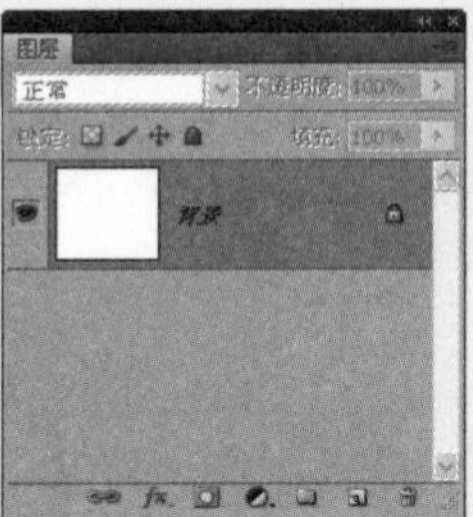

3.14 复制文档

如果要复制当前的图像，可以执行“图像>复制”命令，打开“复制图像”对话框，如图3-150所示。在“为”选项内输入新图像的名称，如果当前图像包含多个图层，“仅复制合并的图层”选项可用，勾选该项，复制后的图像将自动合并图层。选项设置完成后，单击“确定”按钮即可复制图像。此外，在窗口顶部单击右键，在打开的菜单值选择“复制”命令，也可以复制图像，如图3-151所示，新图像的名称为原图像名+副本二字。

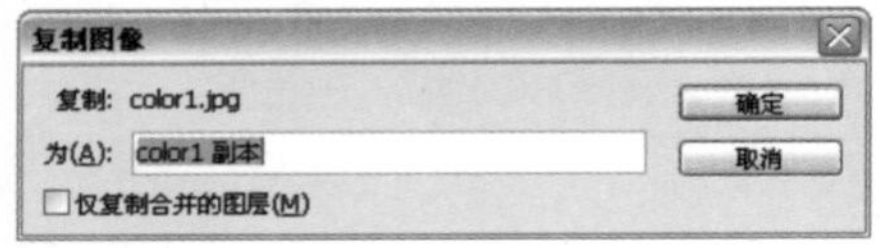

图3-150

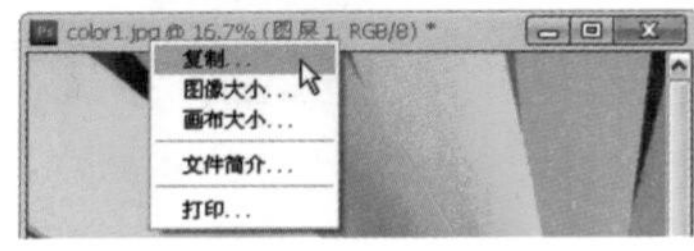

图3-151

3.15 图像的变换与变形操作

移动、旋转、缩放、扭曲等是图像处理的基本方法，其中，移动、旋转和缩放称为变换操作；扭曲和斜切称为变形操作。下面我们来了解怎样进行变换和变形操作。

3.15.1 定界框、中心点和控制点

“编辑>变换”下拉菜单中包含了各种变换命令，如图3-152所示，它们可以对图层、路径、矢量形状，以及选中的图像进行变换操作。

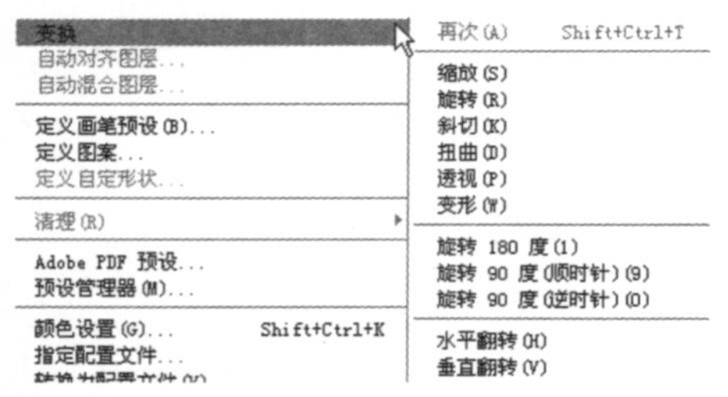

图3-152

执行这些命令时，当前对象周围会出现一个定界框，定界框中央有一个中心点，四周有控制点，如图3-153所示。默认情况下，中心点位于对象的中心，它用于定义对象的变换中心，拖动它可以移动它的位置。拖动控制点则可以进行变换操作。图3-154～图3-156所示为中心点在不同位置时图像的旋转效果。

提示　执行“编辑>变换”下拉菜单中的“旋转180度”、“旋转90度（顺时针）”、“旋转90度（逆时针）”、“水平翻转”和“垂直翻转”命令时，可直接对图像进行以上变换，而不会显示定界框。

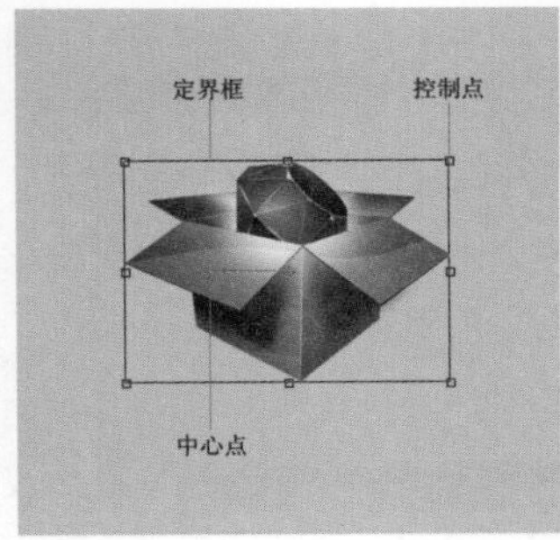

图3-153

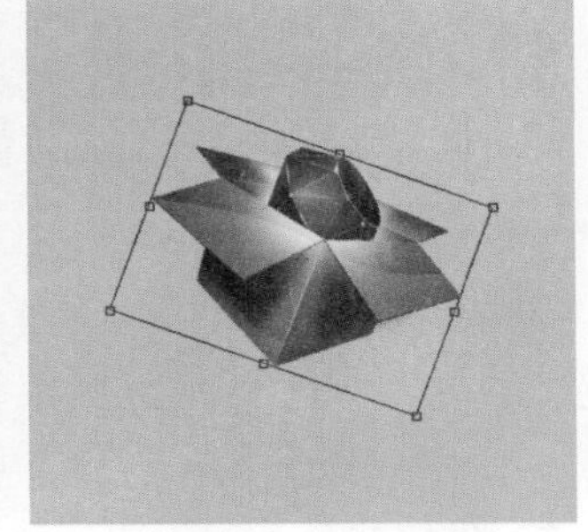
图3-154

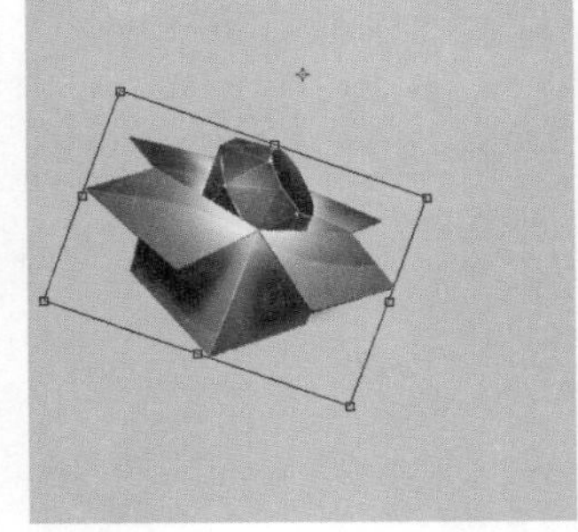
图3-155

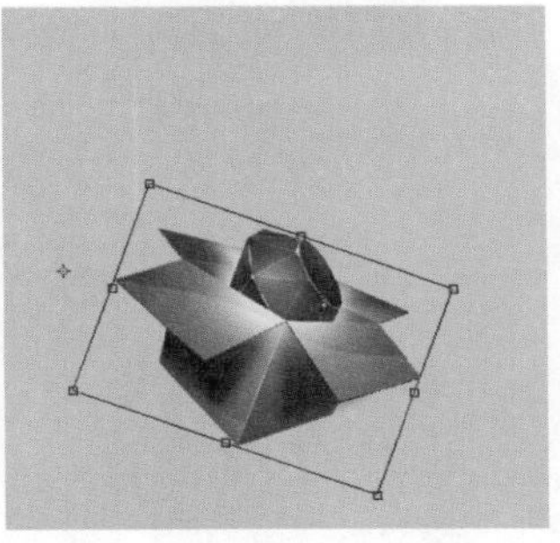
图3-156

相关链接：执行“编辑>自由变换”命令，或按下Ctrl+T快捷键可以显示定界框，按下一些按键并拖动控制点即可对图像进行缩放、旋转、斜切、扭曲、透视等操作，详细操作方法请参阅3.15.3～3.15.5中的内容。

3.15.2 移动图像

移动工具是最常用的工具之一，不论是文档中移动图层、选区内的图像，还是将其他文档中的图像拖入当前文档，都需要使用移动工具。

在同一文档中移动图像

在“图层”面板中单击要移动的对象所在的图层，如图3-157所示，使用移动工具在画面中单击并拖动鼠标即可移动该图层中的图像内容，如图3-158所示。

图3-157

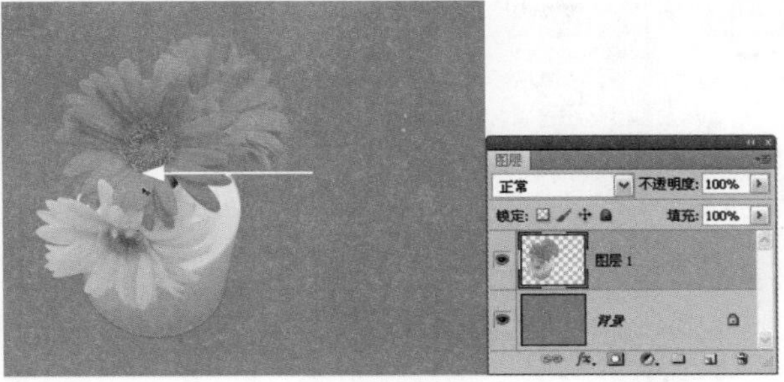
图3-158

如果创建了选区，如图3-159所示，则将光标放在选区内，拖动鼠标可以移动选中的图像，如图3-160所示。

图3-159

图3-160

使用移动工具时，按住Alt键拖动图像可以复制图像，同时生成一个新的图层。

在不同的文档间移动图像

打开两个或多个文档，选择移动工具，将光标放在画面中，单击并拖动鼠标至另一个文档的标题栏，如图3-161所示，停留片刻切换到该文档，如图3-162所示，移动到画面中放开鼠标可将图像拖入该文档，如图3-163所示。

图3-161

图3-162

图3-163

提示 将一个图像拖入另一个文档时，按住Shift键操作，可以使拖入的图像位于当前文档的中心。如果这两个文档的大小相同，则拖入的图像就会与当前文档的边界对齐。

移动工具选项栏

图3-164所示为移动工具的工具选项栏。

图3-164

- 自动选择：如果文档中包含多个图层或组，可勾选该项并在下拉列表中选择要移动的内容。选择“图层”，使用移动工具在画面单击时，可以自动选择工具下面包含像素的最顶层的图层，如图3-165所示；选择“组”，则在画面单击时，可以自动选择工具下包含像素的最顶层的图层所在的图层组。
- 显示变换控件：勾选该项以后，选择一个图层时，就会在图层内容的周围显示定界框，如图3-166、图3-167所示，我们可以拖动控制点来对图像进行变换操作，如图3-168所示。如果文档中的图层数量较多，并且需要经常进行缩放、旋转等变换操作时，该选项比较实用。

图3-165

图3-166

图3-167

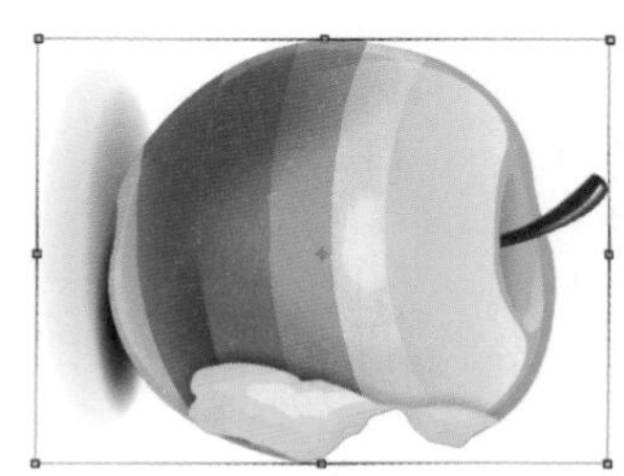

图3-168

- 对齐图层：选择了两个或两个以上的图层，可单击相应的按钮将所选图层对齐。这些按钮包括顶对齐、垂直居中对齐、底对齐、左对齐、水平居中对齐和右对齐。
- 分布图层：如果选择了3个或3个以上的图层，可单击相应的按钮使所选图层按照一定的规则均匀分布。包括按顶分布、垂直居中分布、按底分布、按左分布、水平居中分布和按右分布。

相关链接：关于对齐图层的具体操作方法，请参阅“6.4.2 实战—对齐图层”；关于分布图层的具体操作方法，请参阅“6.4.3 实战——分布图层”。

疑问解答 怎样对图像进行小幅度的移动？

使用移动工具时，每按一下键盘中的→、←、↑、↓键，便可以将对象移动一个像素的距离；如果按住Shift键，再按方向键，则图像每次可以移动10个像素的距离。

3.15.3 实战——旋转与缩放

●实例门类：软件功能类 ●视频位置：光盘>实例视频>3.15.3

1 按下Ctrl+O快捷键，打开一个文件（光盘>素材>3.15.3），如图3-169所示。单击要旋转的对象所在的图层，如图3-170所示，执行"编辑>自由变换"命令，或按下Ctrl+T快捷键显示定界框，如图3-171所示。

图3-169

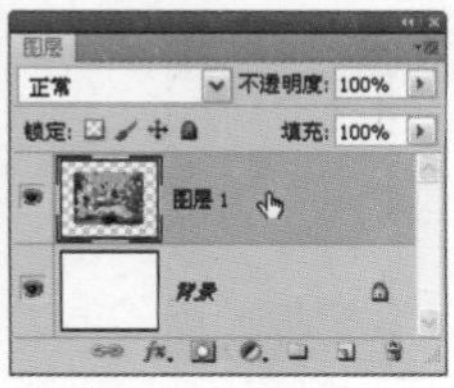

图3-170

图3-171

2 将光标放在定界框外靠近中间位置的控制点处，当光标变为↻状时，单击并拖动鼠标可以旋转对象，如图3-172、图3-173所示。操作完成后，可按下回车键确认。如果对变换结果不满意，则按下Esc键取消操作。

图3-172

图3-173

3 下面我们来缩放图像。将光标放在定界框四周的控制点上，当光标变为↖↘状时，单击并拖动鼠标可缩放对象，如图3-174、图3-175所示。如果要进行等比缩放，可在缩放的同时按住Shift键，如图3-176所示。

图3-174

图3-175

图3-176

3.15.4 实战——斜切与扭曲

●实例门类：软件功能类 ●视频位置：光盘>实例视频>3.15.4

我们还是采用前面的图像文件进行斜切与扭曲的练习。如果没有保存该图像，可执行"文件>恢复"命令恢复文件，然后进行下面的操作；如果将修改结果保存了，则可以打开原图像来进行练习。

1 按下Ctrl+T快捷键显示定界框，将光标放在定界框外侧位于中间位置的控制点上，按住Shift+Ctrl键，光标会变为▸↔状，单击并拖动鼠标可以沿水平方向斜切对象，如图3-177所示。将光标放在定界框四周的控制点上，光标会变为▸↕状，单击并拖动鼠标可以沿垂直方向斜切对象，如图3-178所示。

图3-177

图3-178

2 按下Esc键取消操作，我们来进行扭曲练习。按下Ctrl+T快捷键显示定界框，将光标放在定界框四周的控制点上，按住Ctrl键，光标会变为▸状，单击并拖动鼠标可以扭曲对象，如图3-179、图3-180所示。

图3-179

图3-180

3.15.5 实战——透视变换

●实例门类：软件功能类 ●视频位置：光盘>实例视频>3.15.5

1 我们继续使用前面的文件练习。按下Esc键取消操作，按下Ctrl+T快捷键显示定界框。

2 将光标放在定界框四周的控制点上，按住Shift+Ctrl+Alt键，光标会变为▶状，单击并拖动鼠标可进行透视变换，如图3-181、图3-182所示。操作完成后，按下回车键确认。

图3-181

图3-182

3.15.6 实战——精确变换

●实例门类：软件功能类 ●视频位置：光盘>实例视频>3.15.6

1 执行"编辑>自由变换"命令，或按下Ctrl+T快捷键显示定界框时，工具选项栏中会显示各种变换选项，如图3-183所示。

X: 431.00 px Y: 355.00 px W: 100.00% H: 100.00% 0.00 度 H: 0.00 度 V: 0.00 度

图3-183

2 在X: 431.0 px文本框内输入数值，可以水平移动图像，如图3-184所示；在Y: 355.0 px文本框内输入数值，可以垂直移动图像，如图3-185所示。

3 在W: 100.0%文本框内输入数值，可以水平拉伸图像，如图3-186所示；在H: 100.0%文本框内输入数值，可以垂直拉伸图像，如图3-187所示。如果按下这两个选项中间的保持长宽比按钮，则可进行等比缩放，如图3-188所示。

图3-184

图3-185

图3-186

图3-187

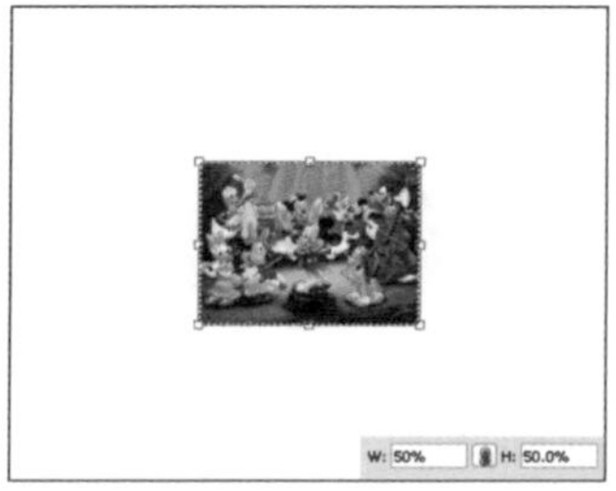

图3-188

4 在 0.0 度文本框内输入数值，可以旋转图像，如图3-189、图3-190所示。

图3-189

图3-190

5 在H: 0.0 度选项内输入数值，可以水平斜切图像，如图3-191所示；在V: 0.0 度选项内输入数值，可以垂直斜切图像，如图3-192所示。

图3-191

图3-192

3.15.7 实战——变换选区内的图像

●实例门类：软件功能类 ●视频位置：光盘>实例视频>3.15.7

1 选择矩形选框工具，在画面中单击并拖动鼠标创建一个矩形选区，如图3-193所示。

2 按下Ctrl+T快捷键显示定界框，按住相应的按键，然后拖动定界框上的控制点可以对选区内的图像进行旋转、缩放、斜切等变换操作，如图3-194、图3-195所示。

图3-193

图3-194

图3-195

3.15.8 实战——通过变换制作飞鸟

●实例门类：特效类 ●视频位置：光盘>实例视频>3.15.8

对图像进行变换操作后，可以通过“编辑>变换>再次”命令再一次对它应用相同的变换。如果按下Alt+Shift+Ctrl+T键，则不仅会变换图像，还会复制出新的图像内容。

1 按下Ctrl+O快捷键，打开一个文件（光盘>素材>3.15.8a），如图3-196所示。按下Ctrl+J快捷键复制“图层1”，如图3-197所示。

图3-196　图3-197

2 按下Ctrl+T快捷键显示定界框，按住Shift键拖动控制点将图像缩小，然后再适当旋转，如图3-198所示；将中心点移动到如图3-199所示的位置，按下回车键确认。

图3-198

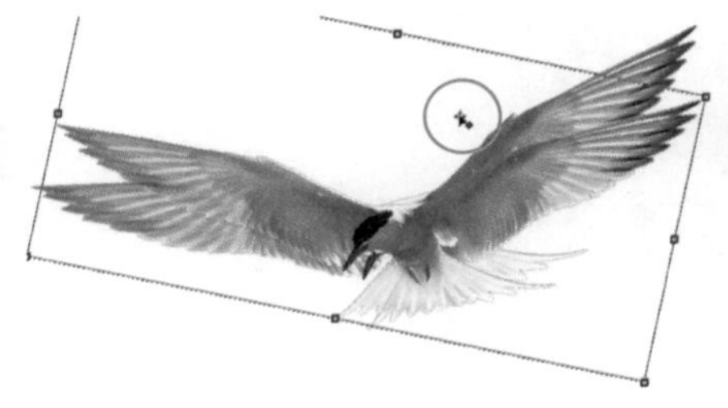
图3-199

3 连续按下Alt+Shift+Ctrl+T快捷键18次，再次应用变换，每按一次，就会复制出一个海鸥，效果如图3-200所示。

图3-200

4 现在“图层”面板中包含如图3-201所示的18个副本图层，按住Shift键单击“图层1副本”，将所有复制的图层都选中，如图3-202所示；按下Ctrl+E快捷键合并，如图3-203所示。

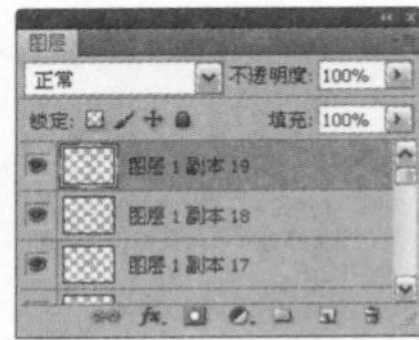
图3-201

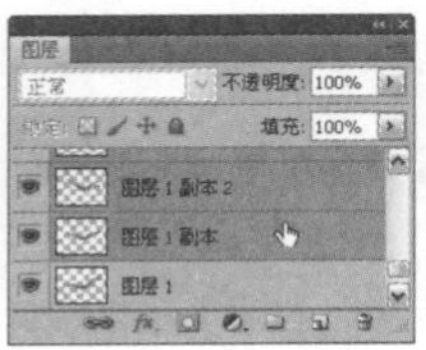
图3-202

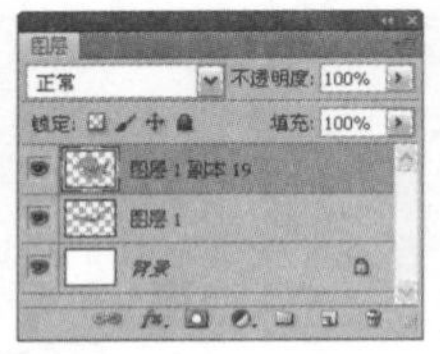
图3-203

5 单击“图层”面板底部的按钮，为该图层添加蒙版，如图3-204所示。按下D键将前景色设置为黑色，使用渐变工具在画面中单击并拖动鼠标，填充线性渐变，渐变颜色会应用到蒙版中，从而遮盖图像，如图3-205、图3-206所示。

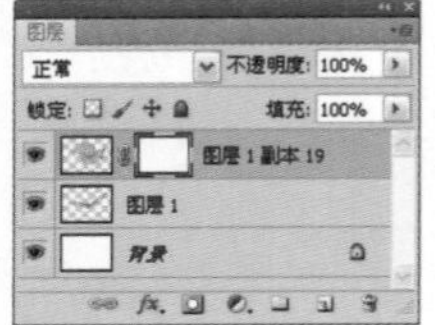
图3-204

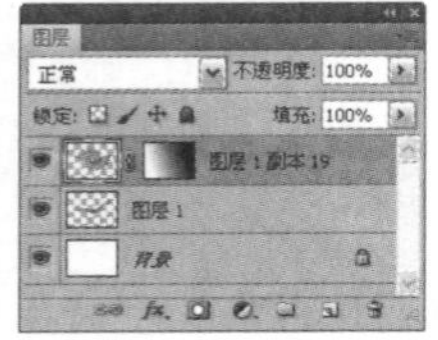
图3-205

图3-206

6 在“图层”面板中，将“图层1”拖动到最上面，如图3-207、图3-208所示。

图3-207

图3-208

7 打开一个文件（光盘>素材>3.15.8b），如图3-209所示。使用移动工具将它拖入海鸥文档，生成“图层2”。按下Shift+Ctrl+[键，将该图层移动到底层，作为背景使用，如图3-210、图3-211所示。

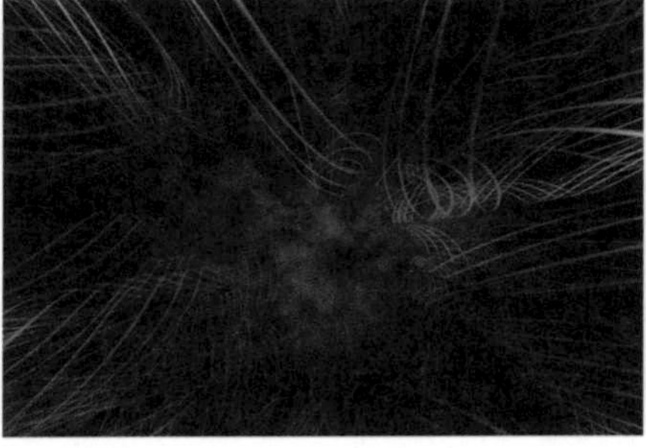
图3-209

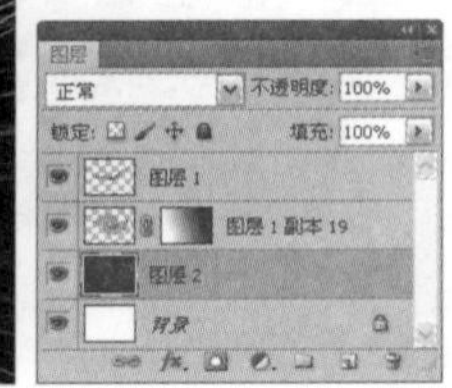
图3-210

图3-211

3.15.9 实战——通过变形为咖啡杯贴图

●实例门类：软件功能类　●视频位置：光盘>实例视频>3.15.9

如果要对图像的局部内容进行扭曲，可以使用“编辑>变换”菜单中的“变形”命令操作。执行该命令时，图像上就会出现变形网格和锚点，我们拖动锚点或调整锚点的方向线可以对图像进行更加自由和灵活的变形处理。下面我们就通过变形功能在一个咖啡杯上制作贴图。

1 按下Ctrl+O快捷键，打开两个文件（光盘>素材>3.15.9a、3.15.9b），如图3-212、图3-213所示。

图3-212

图3-213

2 使用移动工具将卡通图像拖动到咖啡杯文档中。按下Ctrl+T快捷键显示定界框，在图像上单击右键，在打开的快捷菜单中选择“变形”命令，如图3-214所示，显示变形网格，如图3-215所示。

图3-214

图3-215

3 将4个角上的锚点拖动到杯体边缘，使之与边缘对齐，如图3-216、图3-217所示。

图3-216

图3-217

4 拖动左侧两个锚点上的方向点，使图片向内收缩，如图3-218所示；拖动右侧两个锚点的方向点，使右侧图片也向内收缩，如图3-219所示。需要注意的是，要让图片覆盖住杯子，不要留空隙。

图3-218

图3-219

5 再调整图片上面和底部的控制点，使图片依照杯子的结构扭曲，并覆盖住杯子，如图3-220、图3-221所示。

图3-220

图3-221

6 按下回车键确认变形操作。打开“图层”面板，将“图层1”的混合模式设置为“柔光”，使贴图效果更加真实，如图3-222、图3-223所示。

图3-222

图3-223

7 单击“图层”面板底部的按钮，为图层添加蒙版。使用柔角画笔工具在超出杯子边缘的贴图上涂抹黑色，用蒙版将其遮盖。按下Ctrl+J快捷键复制图层，使贴图更加清晰。按下数字键5，将图层的不透明度调整为50%，如图3-224所示，图像效果如图3-225所示。

图3-224

图3-225

相关链接：变形网格中的锚点与路径中的锚点的控制方法相同，关于路径锚点和方向线的调整方法，请参阅“13.4.4 调整路径形状”。

3.15.10 实战——用操控变形修改拳击动作

●实例门类：软件功能类 ●视频位置：光盘>实例视频>3.15.10

操控变形是Photoshop CS5新增的图像变形功能，它比变形网格还要强大，也更吸引人。使用该功能时，我们可以在图像的关键点上放置图钉，然后通过拖动图钉来对图像进行变形操作。例如，可以轻松地让人的手臂弯曲、身体摆出不同的姿态等等。

1 按下Ctrl+O快捷键，打开一个文件（光盘>素材>3.15.10），如图3-226所示。按下Ctrl+J快捷键复制“人物1”图层，如图3-227所示。

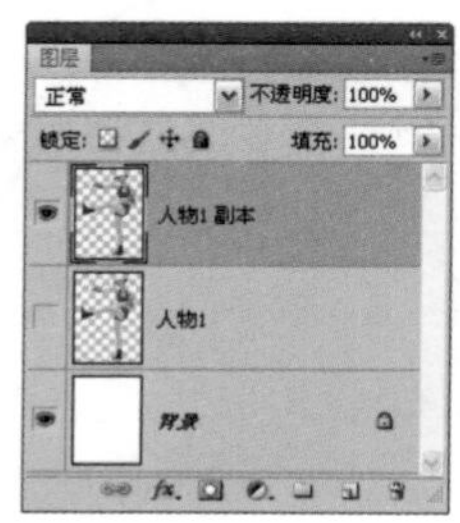

图3-226 图3-227

2 执行“编辑>操控变形”命令，在人物图像上显示变形网格，如图3-228所示。在工具选项栏中将“模式”和“浓度”都设置为“正常”，如图3-229所示。

图3-228 图3-229

3 在人物关节处的网格点上单击，添加图钉，如图3-230所示。在调整前可以取消“显示网格”选项的勾选，这样能够更清楚地观察到图像的变化。单击图钉并拖动鼠标即可改变人物的动作姿态，如图3-231所示。

图3-230 图3-231

4 拖动腿部图钉时，由于移动范围稍大，会有一些变形。可以在变形位置单击，用新图钉固定几个关键点，然后再进行调整，如图3-232、图3-233所示。

图3-232 图3-233

5 单击一个图钉后，在工具选项栏中会显示其旋转角度，如图3-234所示。我们可以直接输入数值来进行调整，如图3-235所示。

图3-234 图3-235

6 继续在腿部添加图钉，调整位置，使腿跟离开地面，如图3-236所示。单击工具选项栏中的✔按钮，结束操作，效果如图3-237所示。

图3-236　　图3-237

单击一个图钉以后，按下Delete键可将其删除。此外，按住Alt键单击图钉也可以将其删除。如果要删除所有图钉，可在变形网格上单击右键，打开快捷菜单，选择“移去所有图钉”命令。

操控变形选项栏

打开一个文件，如图3-238所示。执行“编辑>操控变形”命令，图像上会出现变形网格，在网格上单击即可添加图钉，如图3-239所示。如图3-240所示为工具选项栏中出现的选项。

图3-238 　　图3-239

图3-240

- 模式：选择“刚性”，变形效果精确，但缺少柔和的过渡，如图3-241所示；选择“正常”，变形效果准确，过渡柔和，如图3-242所示；选择“扭曲”，可在变形的同时创建透视效果，如图3-243所示。

图3-241　　图3-242

图3-243

- 浓度：选择“较少点”，网格点较少，如图3-244所示，相应地可放置的图钉数量也较少，并且图钉之间需要保持较大的间距；选择“正常”，网格数量适中，如图3-245所示；选择“较多点”，网格最细密，如图3-246所示，可以添加更多的图钉。

图3-244　　图3-245

图3-246

- 扩展：用来设置变形效果的衰减范围。设置较大的像素值以后，变形网格的范围也会相应地向外扩展，变形之后，对象的边缘会更加平滑，如图3-247所示；反之，数值越小，则图像边缘变化效果越生硬，如图3-248所示。

扩展40px

图3-247

扩展-20px

图3-248

- 显示网格：勾选该项，可以显示变形网格；取消勾选，则隐藏网格。
- 图钉深度：选择一个图钉，单击按钮，可以将它向上层移动一个堆叠顺序；单击按钮，则将它向下层移动一个堆叠顺序。
- 旋转：选择“自动”，在拖动图钉扭曲图像时，Photoshop会自动对图像内容进行旋转处理；如果要设定准确的旋转角度，可以选择“固定”选项，然后在其右侧的文本框中输入旋转角度值。此外，选择一个图钉以后，按住Alt键，会出现如图3-249所示的变换框，此时拖动鼠标即可旋转图钉，如图3-250所示。

图3-249

图3-250

- 复位/撤销/应用：单击按钮，可删除所有图钉，将网格恢复到变形前的状态；单击按钮或者按下Esc键，可以撤销变形操作，退出操控变形；单击按钮或者按下回车键，可以确认变形操作。

疑问解答 “操控变形”命令为何无法使用？

如果我们打开的是一个JPEG格式的文件，则“操控变形”命令无法使用。这是因为，JPEG文件只有个“背景”图层，而“操控变形”命令不能用于“背景”图层。我们可以按住Alt键双击“背景”图层，将它转换为普通图层，然后再进行变形处理。

3.16 内容识别比例

内容识别缩放是Photoshop CS4版本中出现的一项非常实用的缩放功能。我们前面介绍的普通缩放，在调整图像大小时会统一影响所有像素，而内容识别缩放则主要影响没有重要可视内容的区域中的像素。例如，当我们缩放图像时，画面中的人物、建筑、动物等不会变形。

3.16.1 实战——用内容识别比例缩放图像

●实例门类：软件功能类 ●视频位置：光盘>实例视频>3.16.1

1 按下Ctrl+O快捷键，打开一个文件（光盘>素材>3.16.1），如图3-251所示。由于内容识别缩放不能处理“背景”图层，我们先要按住Alt键双击“背景”图层，如图3-252所示，将它转换为普通图层，如图3-253所示。

图3-251

图3-252

图3-253

2 执行“编辑>内容识别比例”命令，显示定界框，工具选项栏中会显示变换选项，我们可以输入缩放值，或者向左侧拖动控制点，来对图像进行手动缩放，如图3-254所示。如果要进行等比缩放，可按住Shift键拖动控制点。

图3-254

3 从缩放结果中可以看到，人物变形非常严重。按下工具选项栏中的保护肤色按钮，让Photoshop分析图像，尽量避免包含皮肤颜色的区域变形，如图3-255所示。此时画面虽然变窄了，但人物比例和结构没有明显的变化。

图3-255

4 按下回车键确认操作。如果要取消变形，可以按下Esc键。如图3-256所示为原图像，图3-257所示分别为用普通方式用内容识别比例缩放的效果，通过两种结果的对比可以看到，内容识别比例功能非常强大。

图3-256

普通缩放

内容识别比例缩放

图3-257

内容识别比例选项栏

如图3-258所示为内容识别比例工具选项栏。

X: 960.00 px　Y: 600.00 px　W: 100.00%　H: 100.00%　数量 100%　保护: 无

图3-258

- 参考点定位符：单击参考点定位符上的方块，可以指定缩放图像时要围绕的固定点。默认情况下，参考点位于图像的中心。
- 使用参考点相对定位：单击该按钮，可以指定相对于当前参考点位置的新参考点位置。
- 参考点位置：可输入 x 轴和 y 轴像素大小，将参考点放置于特定位置。
- 缩放比例：输入宽度 (W) 和高度 (H) 的百分比，可以指定图像按原始大小的百分之多少进行缩放。单击保持长宽比按钮，可进行等比缩放。
- 数量：指定内容识别缩放与常规缩放的比例。可在文本框中输入数值或单击箭头和移动滑块来指定内容识别缩放的百分比。
- 保护：可以选择一个 Alpha 通道。通道中白色对应的图像不会变形。
- 保护肤色：按下该按钮，可以保护包含肤色的图像区域，使之避免变形。

3.16.2 实战——用Alpha通道保护图像内容

●实例门类：软件功能类 ●视频位置：光盘>实例视频>3.16.2

我们使用内容识别比例缩放图像时，如果Photoshop不能识别重要的对象，并且，即使按下保护肤色按钮也无法改善变形效果，则可以通过Alpha 通道来指定哪些重要内容需要保护。

1 按下Ctrl+O快捷键，打开一个文件（光盘>素材>3.16.2），如图3-259所示。我们先来看一下直接使用内容识别缩放会产生怎样的结果。

图3-259

2 按住Alt键双击“背景”图层，将它转换为普通图层。执行“编辑>内容识别比例”命令，显示定界框，向左侧拖动控制点，使画面变窄，如图3-260所示。可以看到，人物发生了变形。按下工具选项栏中的保护肤色按钮，效果如图3-261所示。这一次人物变形更加严重，并且，后面的建筑也扭曲了。

图3-260

图3-261

3 按下Esc键取消变形。选择快速选择工具，在人物上单击并拖动鼠标将其选中，如图3-262所示。单击“通道”面板中的按钮，将选区保存为Alpha通道，如图3-263所示。按下Ctrl+D快捷键取消选择。

4 执行“编辑>内容识别比例”命令，向左侧拖动控制点，使画面变窄，如图3-264所示；再单击一下保护肤色按钮，使该按钮弹起，先将后面的建筑恢复为正常状态。

图3-262

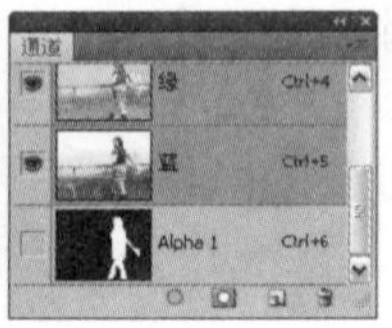

图3-263

图3-264

5 在工具选项栏的“保护”下拉列表中选择我们创建的通道，用Alpha通道来限定变形区域，通道中的白色区域所对应的图像（人物）受到保护，没有变形，如图3-265所示为最终效果。

图3-265

内容识别缩放可用于处理图层和选区。图像可以是 RGB、CMYK、Lab 和灰度颜色模式以及所有位深度。它不适用于处理调整图层、图层蒙版、各个通道、智能对象、3D 图层、视频图层、图层组，或者同时处理多个图层。

3.17 从错误中恢复

我们编辑图像的过程中，如果操作出现了失误或对创建的效果不满意，可以撤销操作或者将图像恢复为最近保存过的状态。Photoshop提供了很多帮助用户恢复操作的功能，有了它们，我们就可以放心大胆地创作。

3.17.1 还原与重做

执行“编辑>还原”命令，或按下Ctrl+Z快捷键，可以撤销对图像所作的最后一次修改，将其还原到上一步编辑状态中。如果想要取消还原操作，可以执行“编辑>重做”命令，或按下Shift+Ctrl+Z快捷键。

3.17.2 前进一步与后退一步

“还原”命令只能还原一步操作，如果要连续还原，可以连续执行“编辑>后退一步”命令，或者连续按下Alt+Ctrl+Z快捷键，来逐步撤销操作。

如果要取消还原，可以连续执行“编辑>前进一步”命令，或连续按下Shift+Ctrl+Z快捷键，逐步恢复被撤销的操作。

3.17.3 恢复文件

执行“文件>恢复”命令，可以直接将文件恢复到最后一次保存时的状态。

技术看板 15 复位对话框中的参数

我们使用“图像>调整”菜单中的调整命令、使用“滤镜”菜单中的滤镜时，都会打开相应的对话框，当我们修改参数以后，可以按住Alt键，对话框中的“取消”按钮就会变为“复位”按钮，单击它可将参数恢复到初始状态。

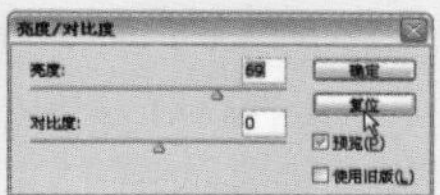

3.18 用历史记录面板还原操作

在编辑图像时，我们每进行一步操作，Photoshop都会将其记录在“历史记录”面板中。通过该面板可以将图像恢复到操作过程中的某一步状态，也可以再次回到当前的操作状态，或者将处理结果创建为快照或是新的文件。

3.18.1 历史记录面板

执行“窗口>历史记录”命令，可以打开“历史记录”面板，如图3-266所示，图3-267所示为面板菜单。

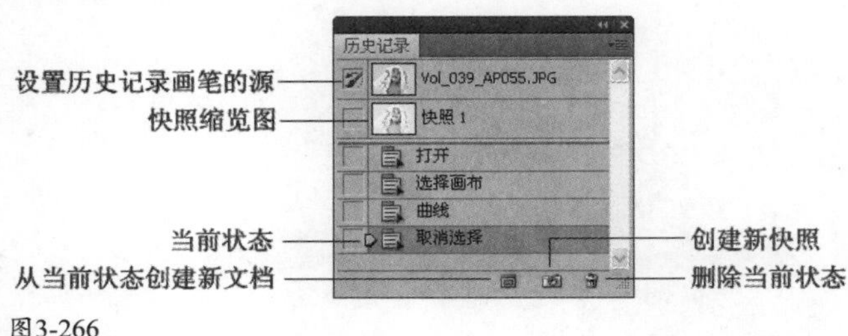

图3-266

图3-267

- 设置历史记录画笔的源：使用历史记录画笔时，该图标所在的位置将作为历史画笔的源图像。关于历史记录画笔工具的使用方法，请参阅“5.6.8 实战——用历史记录画笔恢复局部色彩”。
- 快照缩览图：被记录为快照的图像状态。
- 当前状态：将图像恢复到该命令的编辑状态。
- 从当前状态创建新文档：基于当前操作步骤中图像的状态创建一个新的文件。
- 创建新快照：基于当前的图像状态创建快照。
- 删除当前状态：选择一个操作步骤后，单击该按钮可将该步骤及后面的操作删除。

3.18.2 实战——用历史记录面板还原图像

●实例门类：软件功能类　●视频位置：光盘>实例视频>3.18.2

1 打开一个文件（光盘>素材>3.18.2），如图3-268所示，当前“历史记录”面板状态如图3-269所示。

图3-268

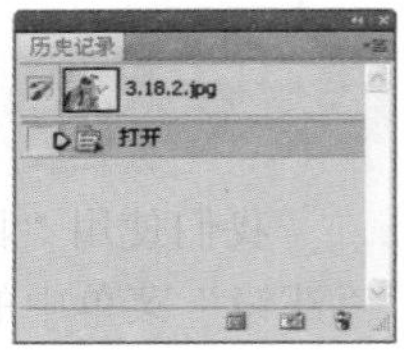
图3-269

2 执行“滤镜>模糊>径向模糊”命令，打开“径向模糊”对话框，将“模糊方法”设置为“旋转”，参数设置为15；在“中心模糊”缩览图中单击，将模糊中心定位在如图3-270所示的位置；单击“确定”按钮关闭对话框，图像效果如图3-271所示。

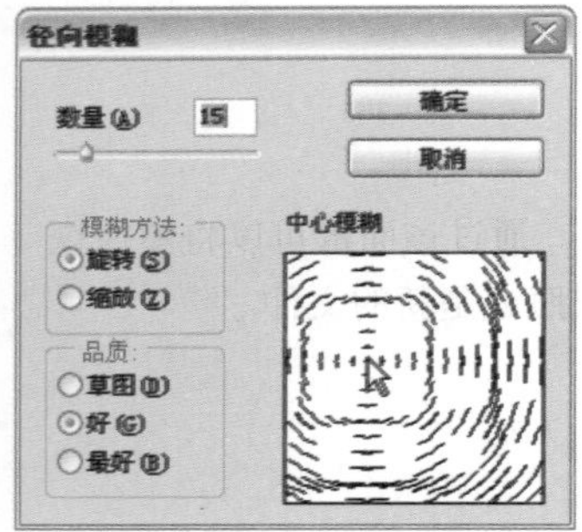
图3-270

图3-271

3 按下Ctrl+M快捷键，打开“曲线”对话框。在“预设”下拉列表中选择“反冲”，如图3-272所示，创建反转负冲效果，如图3-273所示。

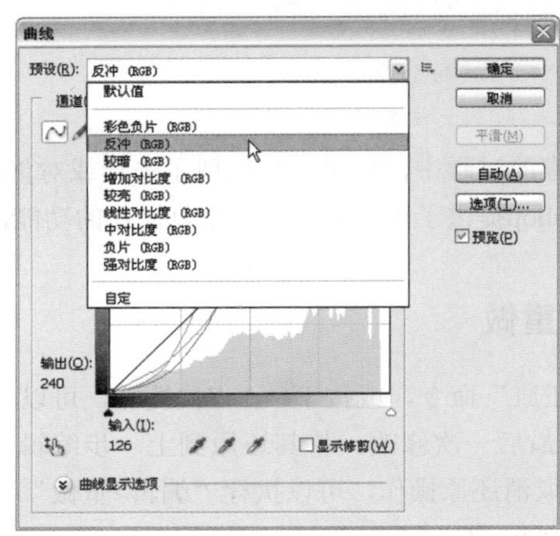
图3-272

图3-273

4 下面我们来通过“历史记录”面板进行还原操作。如图3-274所示为当前“历史记录”面板中记录的操作步骤。单击“径向模糊”，如图3-275所示，就可以将图像恢复为该步骤时的编辑状态，如图3-276所示。

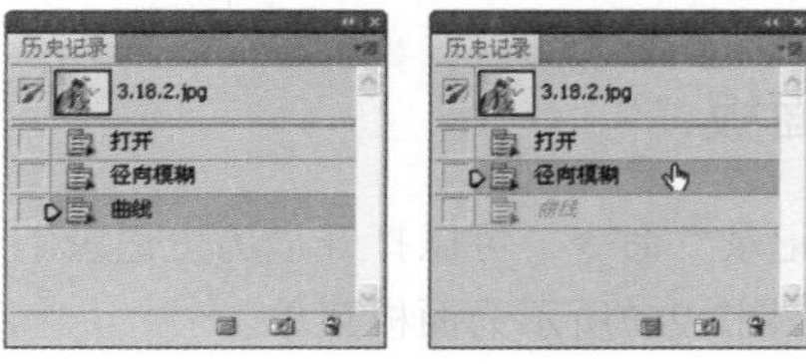
图3-274　图3-275

图3-276

5 我们打开文件时，图像的初始状态会自动登录到快照区，单击快照区，就可以撤消所有操作，即使中途保存过文件，也可以将其恢复到最初的打开状态，如图3-277所示。如果要还原所有被撤销的操作，只需单击最后一步操作即可，如图3-278所示。

图3-277

图3-278

> 提示
> 我们在Photoshop中对面板、颜色设置、动作和首选项做出的修改不是对某个特定图像的更改，因此，不会记录在“历史记录”面板中。

3.18.3 用快照还原图像

“历史记录”面板只能保存20步操作，而我们使用画笔、涂抹等绘画工具时，每单击一下鼠标都会记录为一个操作步骤。例如，绘制在如图3-279所示的奔马时，面板中记录的全是画笔点击状态，进行还原操作时，我们根本没法分辩哪一步是自己需要的状态，这就使得“历史记录”面板的还原能力非常有限。

我们可以通过两种方法解决这个问题。第一种方法是执行“编辑>首选项>性能”命令，打开“首选项”对话框，在“历史记录状态”选项中增加历史记录的保存数量，如图3-280所示。但这又有一个问题，就是数量越多，占用的内存就越多。

图3-279

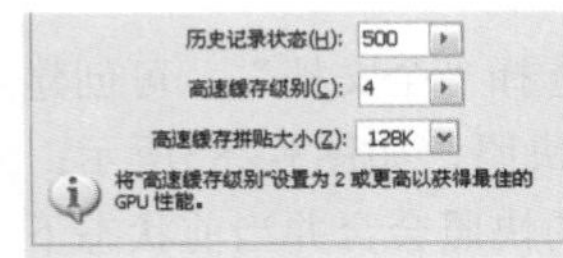

图3-280

第二种方法则比较实用。每当我绘制完重要的效果以后，就单击“历史记录”面板中的创建新快照按钮，将画面的当前状态保存为一个快照，如图3-281所示。以后不论绘制了多少步，即使面板中新的步骤已经将其覆盖了，我们都可以通过单击快照将图像恢复为快照所记录的效果，如图3-282所示。

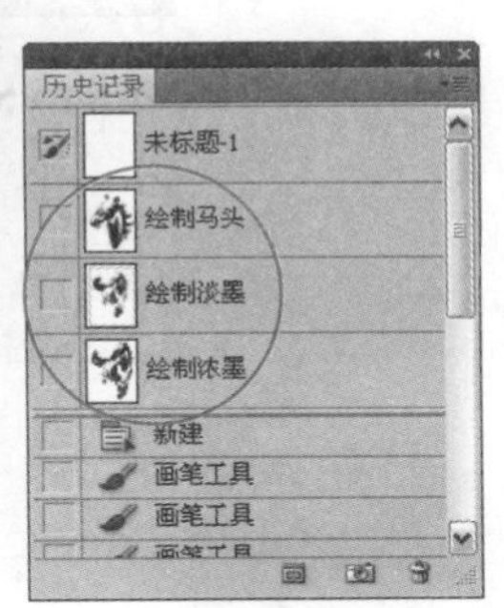

图3-281

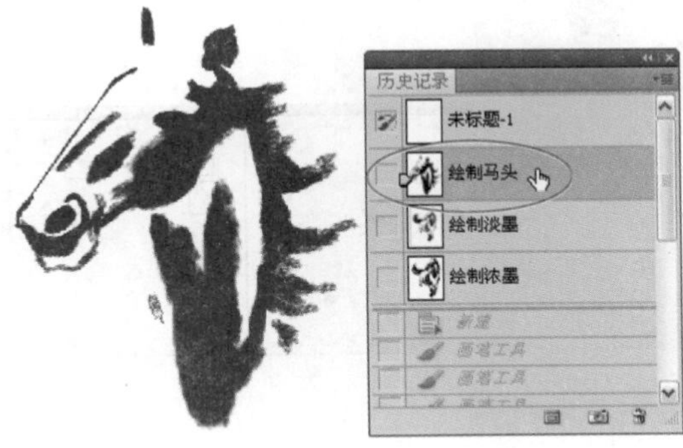

图3-282

快照选项

在“历史记录”面板中单击要创建为快照的状态，如图3-283所示，按住Alt键单击创建新快照按钮，或执行面板菜单中的“新建快照”命令，可以在打开的“新建快照”对话框中通过设置选项可创建快照，如图3-284所示。

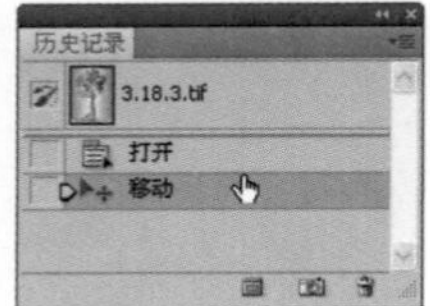

图3-283

新建快照
名称(N): 快照 1
自(E): 全文档
全文档
合并的图层
当前图层
确定
取消

图3-284

- 名称：可输入快照的名称。
- 自：可以创建的快照内容。选择“全文档”，可创建图像当前状态下所有图层的快照，如图3-285所示；选择“合并的图层”，建立的快照会合并当前状态下图像中的所有图层，如图3-286所示；选择“当前图层”，只创建当前状态下所选图层的快照，如图3-287所示。

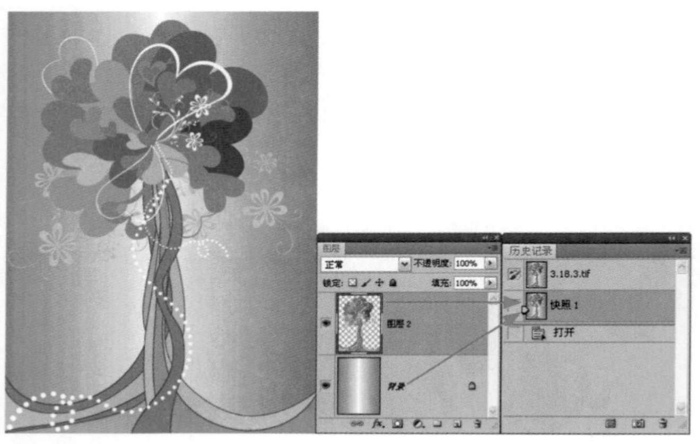

图3-285

图3-286

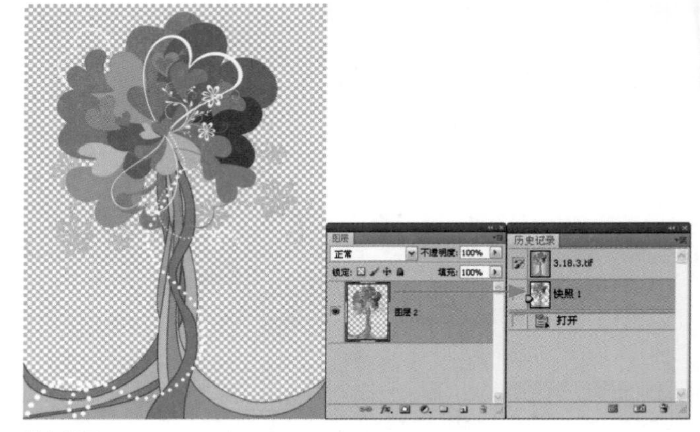

图3-287

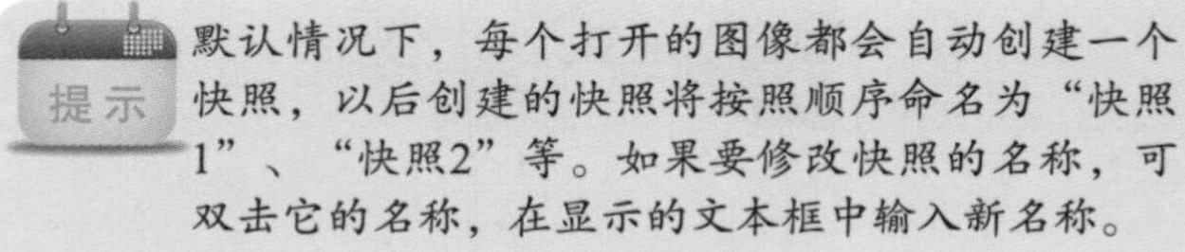
提示

默认情况下，每个打开的图像都会自动创建一个快照，以后创建的快照将按照顺序命名为“快照1”、“快照2”等。如果要修改快照的名称，可双击它的名称，在显示的文本框中输入新名称。

3.18.4 删除快照

在“历史记录”面板中，将一个快照拖动到删除当前状态按钮上，即可将其删除，如图3-288、图3-289所示。

图3-288

图3-289

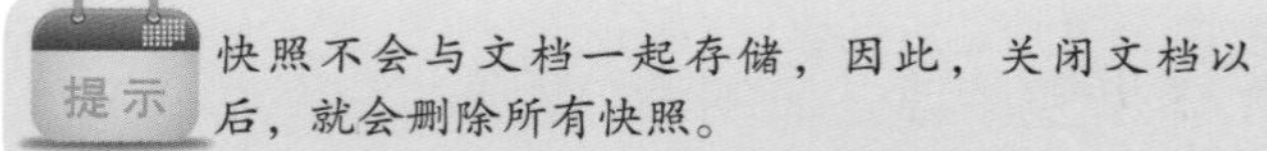
提示

快照不会与文档一起存储，因此，关闭文档以后，就会删除所有快照。

3.18.5 创建非线性历史记录

当我们单击“历史记录”面板中的一个操作步骤来还原图像时，该步骤以下的操作全部变暗，如图3-290所示，如果此时进行其他操作，则该步骤后面的记录都会被新的操作替代，如图3-291所示。非线性历史记录允许我们在更改选择的状态时保留后面的操作，如图3-292所示。

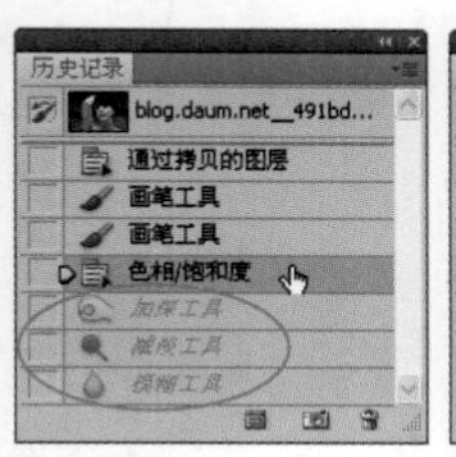
图3-290

图3-291

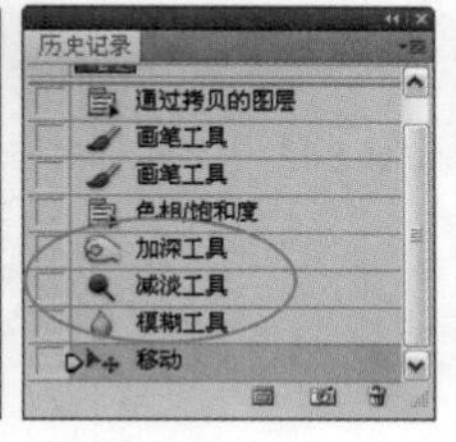
图3-292

执行“历史记录”面板菜单中的“历史记录选项”命令，打开“历史记录选项”对话框，选择“允许非线性历史记录”选项，即可将历史记录设置为非线性状态，如图3-293所示。

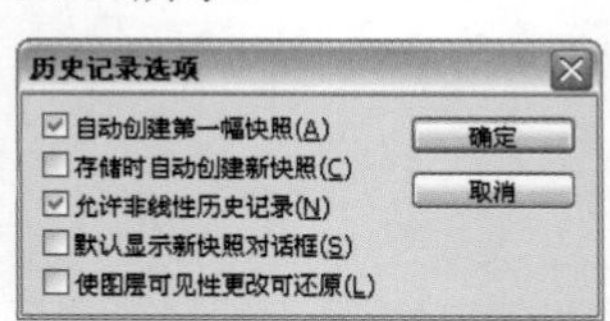

图3-293

- 自动创建第一幅快照：打开图像文件时，图像的初始状态自动创建为快照。
- 存储时自动创建新快照：在编辑的过程中，每保存一次文件，都会自动创建一个快照。
- 默认显示新快照对话框：强制 Photoshop 提示操作者输入快照名称，即使使用面板上的按钮时也是如此。
- 使图层可见性更改可还原：保存对图层可见性的更改。

3.19 清理内存

在处理图像时，Photoshop需要保存大量的中间数据，这会造成计算机的速度变慢，执行“编辑>清理”下拉菜单中的命令，可以释放由“还原”命令、“历史记录”面板或剪贴板占用的内存，以加快系统的处理速度，如图3-294所示。清理后，项目的名称会显示为灰色。选择“全部”命令，可清理上面所有内容。

图3-294

“编辑>清理”菜单中的“历史纪录”和“全部”命令不仅会清理当前文档的历史记录，它还会作用于其他在Photoshop打开的文档。如果只想清理当前文档，可以使用“历史记录”面板菜单中的“清除历史记录”命令来操作。

技术看板 16 增加暂存盘

我们处理较大的文档时，如果内存不够，Photoshop就会使用硬盘来扩展内存，这是一种虚拟内存技术（也称为暂存盘）。暂存盘与内存的总容量至少为运行文件的5倍Photoshop才能流畅运行。关于暂存盘的设定方法，请参阅“20.3.4 性能”。

在文档窗口底部的状态栏中，“暂存盘”大小显示了Photoshop可用内存的大概值（左侧数值），以及当前所有打开的文件与剪贴板、快照等占用的内存的大小（右侧数值）。如果左侧数值大于右侧数值，表示Photoshop正在使用虚拟内存。

此外，在状态栏中显示“效率”，观察该值，如果接近100%，表示仅使用少量暂存盘；低于75%，则需要释放内存，或者添加新的内存来提高性能。

技术看板 17 降低内存占用量的复制方法

使用“编辑”菜单中的“拷贝”和“粘贴”命令时，会占用剪贴板和内存空间。如果内存有限，可以采用以下介绍的方法来进行复制和粘贴。

- 可以将需要复制的对象所在的图层拖动到“图层”面板底部的按钮上，复制出一个包含该对象的新图层。
- 可以使用移动工具将另外一个图像中需要的对象直接拖入正在编辑的文档。
- 执行“图像>复制”命令，复制整幅图像。

Point

第4章 选区

Learning Objectives
学习重点

4.1 认识选区

我们在Photoshop中处理局部图像时，首先要指定编辑操作的有效区域，即创建选区。例如，如图4-1所示为一张荷花照片，如果我们想要修改荷花的颜色，就要先通过选区将荷花选中，再进行颜色调整。选区可以将编辑限定在一定的区域内，这样我们就可以处理局部图像而不会影响其他内容了，如图4-2所示。如果没有创建选区，则会修改整张照片的颜色，如图4-3所示。

图4-1

图4-2

图4-3

选区还有一种用途，就是可以分离图像。例如，如果要为换荷花换一个背景，就要用选区将它选中，如图4-4所示，再将其从背景中分离出来，然后置入新的背景，如图4-5、图4-6所示。

图4-4

图4-5

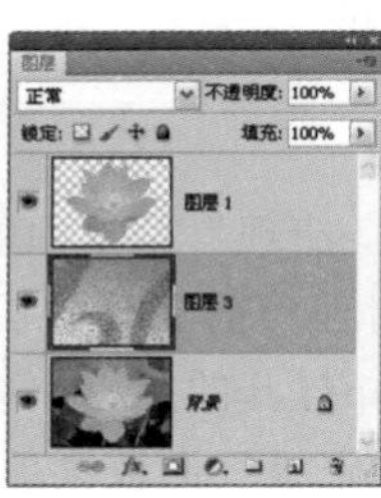

图4-6

Photoshop中可以创建两种类型的选区：普通选区和羽化的选区。普通选区具有明确的边界，使用它选出的图像边界清晰、准确，如图4-7所示；而使用羽化的选区选出的图像，其边界会呈现逐渐透明的效果，如图4-8所示。在将选出的对象与其他图像合成时，适当设置羽化，可以使合成效果更加自然。

图4-7

图4-8

PHOTOSHOP

4.2 选择方法概览

Photoshop提供了大量的选择工具和选择命令，它们都有各自的特点，适合选择不同类型的对象。我们下面就来对这些工具和选择方法做一个大致的疏理。

4.2.1 基本形状选择法

边缘为圆形、椭圆形和矩形的对象，可以用选框工具来选择，如图4-9所示为使用椭圆选框工具选择的篮球。边缘为直线的对象，可以用多边形套索工具来选择，如图4-10所示。如果对选区的形状和准确度要求不高，可以用套索工具徒手快速绘制选区。

图4-9

图4-10

4.2.2 钢笔工具选择法

Photoshop中的钢笔是矢量工具，它可以绘制光滑的曲线路径。如果对象边缘光滑，并且呈现不规则状，可以用钢笔工具描摹对象的轮廓，再将轮廓转换为选区，从而选中对象，如图4-11、图4-12所示。

图4-11

图4-12

4.2.3 色调差异选择法

快速选择工具、魔棒工具、“色彩范围”命令、混合颜色带和磁性套索工具都可以基于色调之间的差异建立选区。如果需要选择的对象与背景之间色调差异明显，可以使用以上工具来选取。如图4-13、图4-14所示为使用“色彩范围”命令抠出的人像。

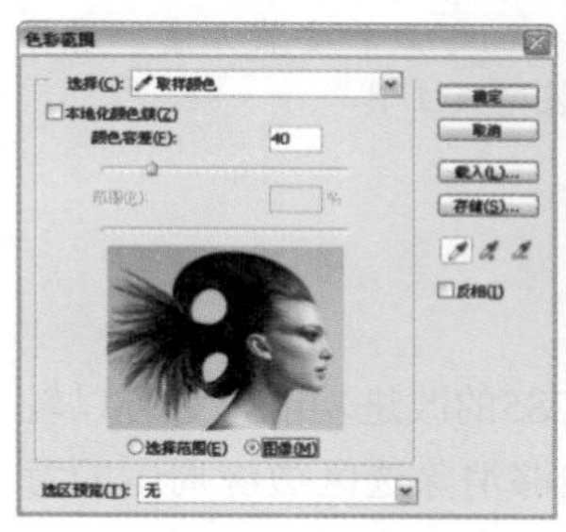

图4-13

图4-14

4.2.4 快速蒙版选择法

创建选区之后，按下工具箱中的按钮，进入快速蒙版状态，就可以使用各种绘画工具和滤镜对选区进行细致的加工，就像是处理图像一样。如图4-15、图4-16所示为使用快速蒙版抠出的儿童并更换背景后的效果。

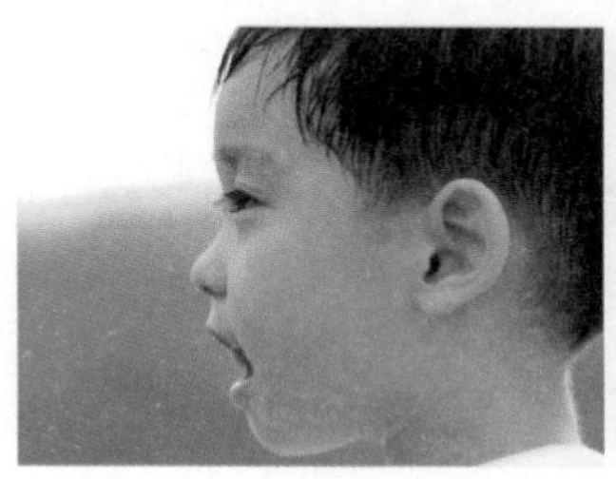

图4-15

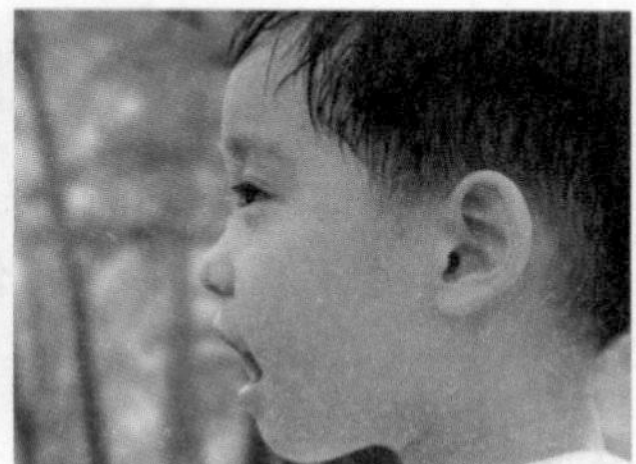

图4-16

4.2.5 抽出滤镜选择法

"抽出"滤镜是Photoshop的一个抠图插件，它常用来抠选人像、建筑等复杂对象。如图4-17所示为原图，图4-18所示为使用该滤镜抠像之后创建的图像合成效果。

图4-17

图4-18

提示 抠图是指将对象选取出来，然后再将其与背景图像分离。它是创建多个图像合成效果的一个重要技术。关于Photoshop插件的下载和安装方法，请参阅"15.19.1 下载与安装增效工具"。

4.2.6 简单选区细化法

"调整边缘"是Photoshop CS5的改进功能，它可以轻松选择毛发等细微的图像，还能够消除选区边缘周围的背景色。例如，如图4-19所示是使用快速选择工具创建的大致选区，图4-20所示是用"调整边缘"命令修改选区之后抠出的人像。

4.2.7 通道选择法

在选择像毛发等细节丰富的对象，玻璃、烟雾、婚纱等透明的对象，以及被风吹动的旗帜、高速行驶的汽车等边缘模糊的对象时，如果前面介绍的各种方法不能奏效，就可以考虑用通道制作选区。在通道中，我们可以使用画笔、滤镜、选区工具、混合模式等功能编辑选区。例如，如图4-21、图4-22所示的狗狗便是使用通道抠出的。

图4-19

图4-20

图4-21

图4-22

提示 除了以上的选择工具和选择命令外，Photoshop还提供了一些更有针对性的选择命令。例如，执行"选择>所有图层"命令，可以选择文档中的所有图层；执行"选择>取消选择图层"命令，可以取消选择任何图层；执行"选择>相似图层"命令，可以选择与当前图层类型相同的其他图层。例如，当前选择的是文字图层，执行该命令以后，可以选择所有文字图层。

4.3 选区的基本操作

在学习选择工具和选择命令之前，我们先来了解一些选区的基本操作方法，包括创建选区前需要设定的内容，以及创建选区后进行的简单操作。

4.3.1 全选与反选

执行"选择>全部"命令，或按下Ctrl+A快捷键，可以选择当前文档边界内的全部图像，如图4-23所示。如果需要复制整个图像，可执行该命令，再按下Ctrl+C快捷键复制。

创建了选区后，执行"选择>反向"命令，或按下Shift+Ctrl+I快捷键可以反转选区，即选择图像中未选中的部分。如果需要选择的对象的背景色比较简单，可以先使用魔棒等工具选择背景，如图4-24所示，然后再执行“反向”命令选择对象，如图4-25所示。

图4-23

图4-24

图4-25

4.3.2 取消选择与重新选择

创建选区以后，执行“选择>取消选择”命令，或按下Ctrl+D快捷键，可以取消选择。如果要恢复被取消的选区，可以执行“选择>重新选择”命令。

4.3.3 选区的运算

如果图像中包含选区，如图4-26所示，则使用选框工具、套索工具和魔棒工具创建选区时，需要在工具选项栏中按下一个按钮，如图4-27所示，使当前选区与新创建的选区运算，生成我们需要的选区。

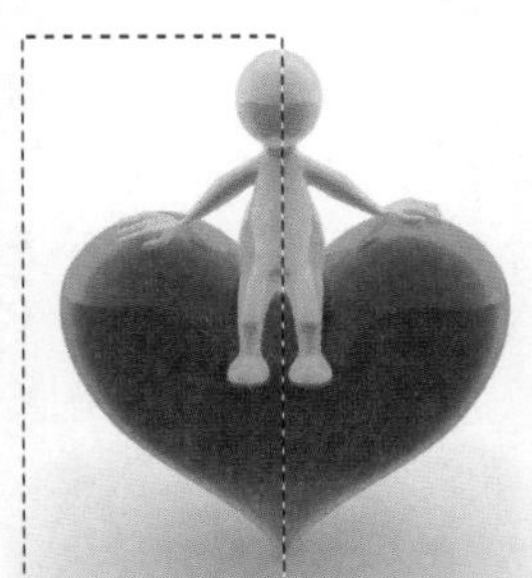

图4-26

图4-27

- 新选区：按下按钮后，新创建的选区会替换掉原有的选区。如图4-28所示为新创建的圆形选区替换了原有的矩形选区。
- 添加到选区：按下该按钮后，可在原有选区的基础上添加新的选区，如图4-29所示。

图4-28

图4-29

- 从选区减去：按下该按钮后，可在原有选区中减去新创建的选区，如图4-30所示。
- 与选区交叉：按下该按钮后，新建选区时只保留原有选区与新创建的选区相交的部分，如图4-31所示。

图4-30

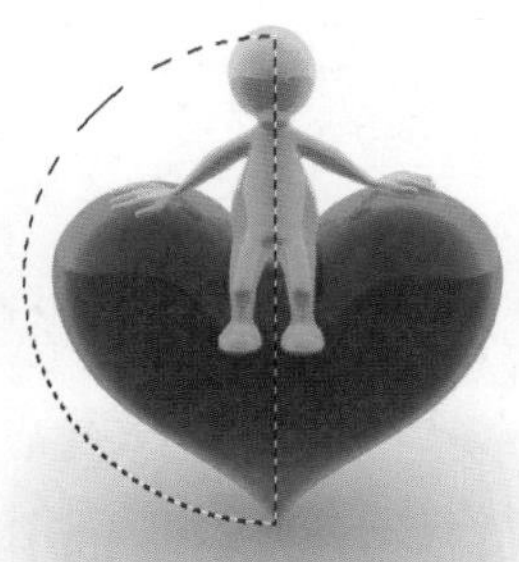

图4-31

技术看板 18 选区运算的快捷键

如果当前图像中包含选区，则使用选框、套索和魔棒工具继续创建选区时，按住Shift键可以在当前选区上添加选区，相当于按下添加到选区按钮；按住Alt键可以在当前选区中减去绘制的选区，相当于按下从选区减去按钮；按住Shift+Alt键可以得到与当前选区相交的选区，相当于按下与选区交叉按钮。

4.3.4 移动选区

创建选区时移动选区

使用矩形选框、椭圆选框工具创建选区时，在放开鼠标按键前，按住空格键拖动鼠标，即可移动选区。

创建选区后移动选区

创建了选区以后，如果新选区按钮为按下状态，则使用选框、套索和魔棒工具时，只要将光标放在选区内，单击并拖动鼠标便可以移动选区，如图4-32、图4-33所示。如果要轻微移动选区，可以按下键盘中的→、←、↑、↓键来操作。

图4-32　　图4-33

相关链接：使用移动工具可以移动选区内的图像，详细操作方法请参阅“3.15.2 移动图像”。

4.3.5 显示与隐藏选区

创建选区以后，执行“视图>显示>选区边缘”命令，或按下Ctrl+H快捷键，可以隐藏选区。如果要用画笔绘制选区边缘的图像，或者对选中的图像应用滤镜，将选区隐藏之后，可以更加清楚地看到选区边缘图像的变化情况。但在操作时应注意，选区虽然看不见了，但它仍然存在，并限定我们操作的有效区域。需要重新显示选区，可按下Ctrl+H快捷键。

4.4 基本选择工具

Photoshop中的各种选框工具，包括矩形选框、椭圆选框、单行选框和单列选框工具用于创建规则形状的选区，各种套索工具，包括套索工具、多边形套索工具、磁性套索工具用于创建不规则选区。

4.4.1 实战——用矩形选框工具制作矩形选区

●实例门类：软件功能类　●视频位置：光盘>实例视频>4.4.1

矩形选框工具用于创建矩形和正方形选区。

1 按下Ctrl+O快捷键，打开一个文件（光盘>素材>4.4.1）。选择矩形选框工具，在画面中单击并向右下角拖动鼠标创建矩形选区，如图4-34所示。

图4-34

提示　使用矩形选框工具时，按住Shift键拖动鼠标可创建正方形选区；按住Alt键拖动鼠标，会以单击点为中心向外创建选区；按住Alt+Shift键，则会从中心向外创建正方形选区。

2 按下Shift+Ctrl+I快捷键反选，如图4-35所示。执行“图像>调整>反相”命令，反转所选图像的颜色，创建负片效果。按下Ctrl+D快捷键取消选择，如图4-36所示。

图4-35 　　图4-36

矩形选框工具选项栏

如图4-37所示为矩形选框工具的选项栏。

图4-37

- 羽化：用来设置选区的羽化范围。
- 样式：用来设置选区的创建方法。选择“正常”，可通过拖动鼠标创建任意大小的选区；选择“固定比例”，可在右侧的“宽度”和“高度”文本框中输入数值，创建固定比例的选区。例如，如果要创建一个宽度是高度两倍的选区，可输入宽度2、高度1；选择“固定大小”，可在“宽度”和“高度”文本框中输入选区的宽度与高度值，使用矩形选框工具时，只需在画面中单击便可以创建固定大小的选区。单击按钮，可以切换“宽度”与“高度”值。
- 调整边缘：单击该按钮，可以打开“调整边缘”对话框，对选区进行平滑、羽化等处理。

4.4.2 实战——用椭圆选框工具制作圆形选区

●实例门类：软件功能类 ●视频位置：光盘>实例视频>4.4.2

1 按下Ctrl+O快捷键，打开一个文件（光盘>素材>4.4.2a）。选择椭圆选框工具，按住Shift键在画面中单击并拖动鼠标创建一个圆形选区，选中唱片（可同时按住空格键移动选区，使选区与唱片对齐），如图4-38所示。

2 在工具选项栏中按下从选区减去按钮，选中唱片中心的白色背景，将其排除到选区之外，如图4-39所示。按下Ctrl+C快捷键复制选中的图像。

图4-38

图4-39

3 打开一个文件（光盘>素材>4.4.2b），按下Ctrl+V快捷键，将唱片粘贴到该文档中，如图4-40所示。

4 执行“图层>图层样式>投影”命令，打开“图层样式”对话框，为唱片添加投影效果，如图4-41、图4-42所示。选择移动工具，按住Alt键拖动唱片，再复制出一个，如图4-43所示。

图4-40

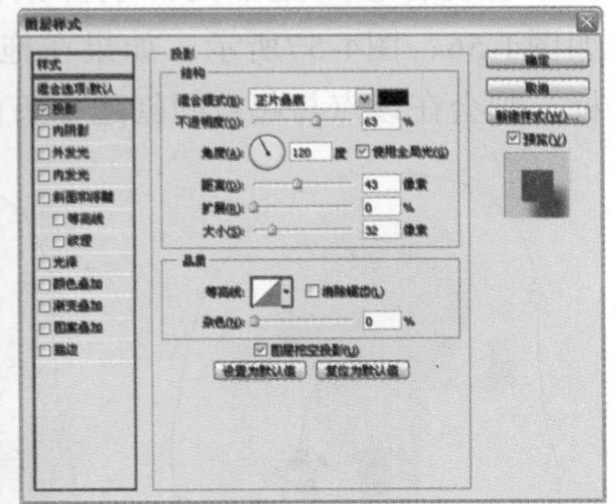
图4-41

图4-42

图4-43

使用椭圆工具单击并拖动鼠标，可以创建椭圆选区；按住Alt键，会以单击点为中心向外创建选区；按住Shift+Alt键，会以单击点为中心向外创建圆形选区。

椭圆选框工具选项栏

椭圆选框工具与矩形选框工具的选项完全相同，只是该工具可以使用“消除锯齿”功能。

- 消除锯齿：像素是组成图像的最小元素，由于它们都是正方形的，因此，在创建圆形、多边形等不规则选区时便容易产生锯齿，如图4-44所示为选出的对象。勾选该项后，Photoshop会在选区边缘1个像素宽的范围内添加与周围图像相近的颜色，使选区看上去光滑，如图4-45所示为选出的对象。由于只有边缘像素发生变化，消除锯齿便不会丢失细节。这项功能在剪切、拷贝和粘贴选区以创建复合图像时非常有用。

图4-44

图4-45

4.4.3 实战——使用单行和单列选框工具

●实例门类：软件功能类 ●视频位置：光盘>实例视频>4.4.3

单行选框工具和单列选框工具只能创建高度为1像素的行或宽度为1像素的列，常用来制作网格。

1 打开一个文件（光盘>素材>4.4.3），如图4-46所示。

图4-46

2 执行“编辑>首选项>参考线、网格和切片”命令，打开“首选项”对话框，调整网格间距，如图4-47所示、

图4-47

3 执行“视图>显示>网格”命令，在画面中显示网格，如图4-48所示。选择单列选框工具，在工具选项栏中按下按钮，在网格线上单击，创建宽度为1像素的选区（在放开按键前拖动可以移动选区），如图4-49所示。

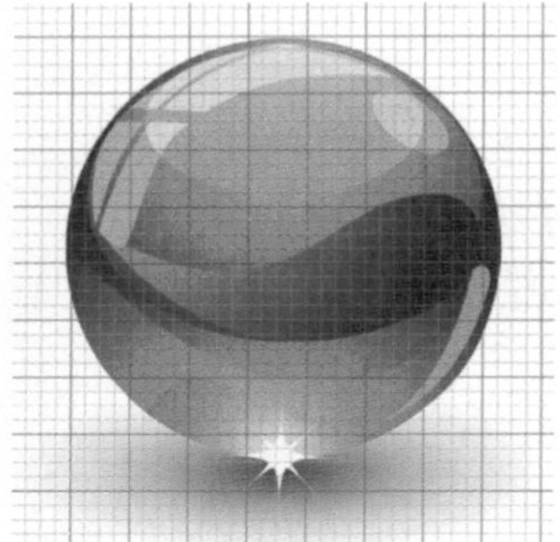
图4-48

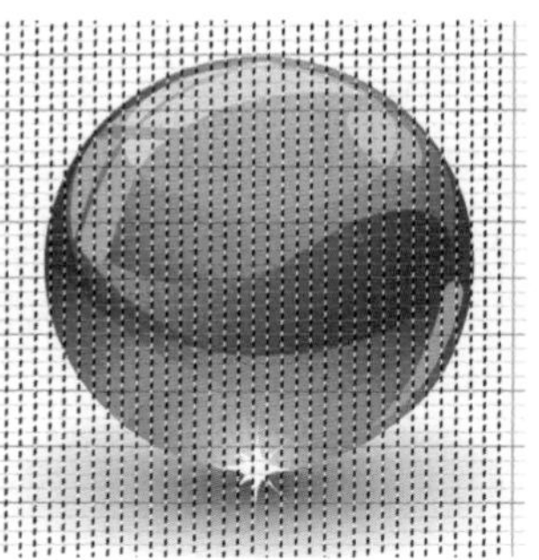
图4-49

4 单击“图层”面板底部的按钮，在“图层1”上面新建一个图层，如图4-50所示。按下Ctrl+Delete键，在选区内填充背景色（白色）。按下Ctrl+D快捷键取消选择，执行“视图>显示>网格”命令，将网格隐藏，如图4-51所示。

图4-50

图4-51

5 按下Ctrl+T快捷键显示定界框，在工具选项栏中输入旋转角度为45度，按下回车键旋转网格线条，如图4-52所示。按下Alt+Ctrl+G快捷键创建剪贴蒙版，用下面图层中的水晶按钮限定网格的显示范围，将超出按钮以外的网格隐藏，如图4-53所示。

图4-52

图4-53

6 选择移动工具，按住Alt键拖动网格，将它复制到右侧的两个按钮上，如图4-54所示。

图4-54

4.4.4 实战——用套索工具徒手绘制选区

●实例门类：软件功能类　●视频位置：光盘>实例视频>4.4.4

1 打开一个文件（光盘>素材>4.4.4），如图4-55所示。

图4-55

2 选择套索工具，在画面中单击并拖动鼠标绘制选区，将光标移至起点处，放开鼠标按键可以封闭选区，如图4-56、图4-57所示。如果在拖动鼠标的过程中放开鼠标，则会在该点与起点间创建一条直线来封闭选区。

图4-56

图4-57

3 按下Ctrl+D快捷键取消选择。我们重新绘制一个选区，在绘制的过程中，按住Alt键，然后放开鼠标左键，可以切换为多边形套索工具，此时在画面单击可以绘制直线，如图4-58所示；放开Alt键可恢复为套索工具，此时拖动鼠标可继续徒手绘制选区，如图4-59所示。

图4-58

图4-59

4.4.5 实战——用多边形套索工具制作选区

●实例门类：软件功能类 ●视频位置：光盘>实例视频>4.4.5

1 打开一个文件（光盘>素材>4.4.5a），如图4-60所示。选择多边形套索工具，在工具选项栏中按下按钮，在左侧窗口内的一个边角上单击，然后沿着它边缘的转折处继续单击鼠标，定义选区范围，将光标移至起点处，光标会变为状，单击可封闭选区，如图4-61所示。

图4-60

图4-61

提示 在创建选区时，按住Shift键操作，可以锁定水平、垂直或以45°角为增量进行绘制。如果双击，则会在双击点与起点间连接一条直线来闭合选区。

2 采用同样方法，将中间窗口和右侧窗口内的图像都选中，如图4-62、图4-63所示。

图4-62

图4-63

3 按下Ctrl+J快捷键，将选中的图像复制到一个新的图层中，如图4-64所示。打开一个文件（光盘>素材>4.4.5b），使用移动工具将它拖入窗口文档中，如图4-65所示。

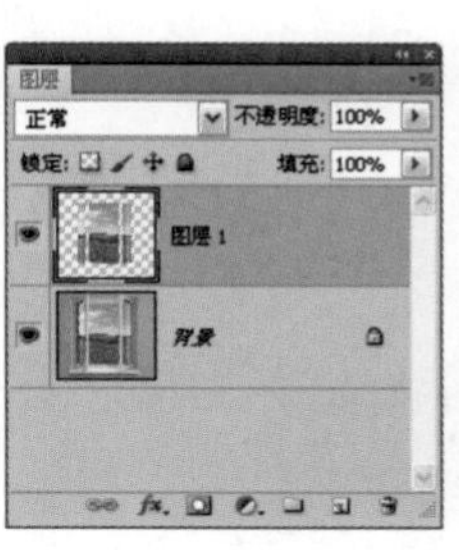

图4-64

图4-65

4 按下Alt+Ctrl+G快捷键创建剪贴蒙版，我们就可以在窗口内看到另外一种景色，如图4-66、图4-67所示。

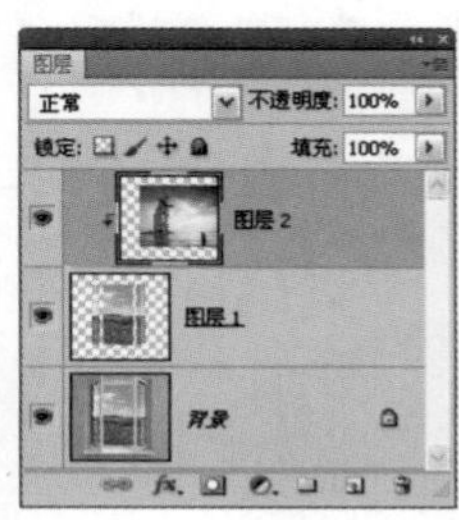

图4-66

图4-67

提示 在使用多边形套索工具创建选区时，按住Alt键单击并拖动鼠标，可以切换为套索工具，此时拖动鼠标可徒手绘制选区；放开Alt键可恢复为多边形套索工具。

4.4.6 实战——用磁性套索工具制作选区

●实例门类：软件功能类 ●视频位置：光盘>实例视频>4.4.6

磁性套索工具可以自动识别对象的边界。如果对象边缘较为清晰，并且与背景对比明显，可以使用该工具快速选择对象。

1 打开一个文件（光盘>素材>4.4.6）。选择磁性套索工具，在水果的边缘单击，如图4-68所示，放开鼠标按键后，沿着它的边缘移动光标，Photoshop会在光标经过处会放置一定数量的锚点来连接选区，如图4-69所示。如果想要在某一位置放置一个锚点，可在该处单击；如果锚点的位置不准确，则可按下Delete键将其删除，连续按下Delete键可依次删除前面的锚点，如图4-70所示；按下Esc键可以清除所有选区。

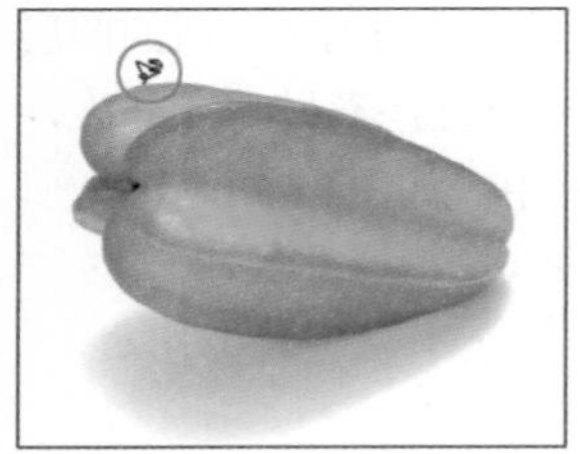

图4-68

图4-69

图4-70

2 将光标移至起点处，如图4-71所示，单击可以封闭选区，如图4-72所示。如果在绘制选区的过程中双击，则会在双击点与起点间连接一条直线来封闭选区。

图4-71

图4-72

提示 使用磁性套索工具绘制选区的过程中，按住Alt键在其他区域单击，可切换为多边形套索工具创建直线选区；按住Alt键单击并拖动鼠标，可切换为套索工具。

4.4.7 磁性套索工具选项栏

磁性套索工具选项栏中包含影响该工具性能的几个重要选项，如图4-73所示。其中，“羽化”用来控制选区的羽化范围，“消除锯齿”与椭圆工具选项的功能相同，我们来介绍后面的几个选项。

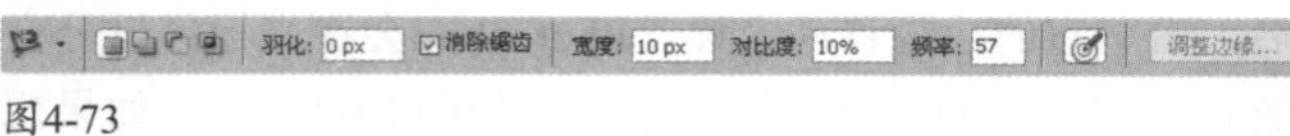

图4-73

- 宽度：该值决定了以光标中心为基准，其周围有多少个像素能够被工具检测到，如果对象的边界清晰，可使用一个较大的宽度值；如果边界不是特别清晰，则需要使用一个较小的宽度值。如图4-74、图4-75所示分别设置该值为10和50检测到的边缘。

图4-74

图4-75

在使用磁性套索工具时，按下键盘中的Caps Lock键，光标会变为⊕状，圆形的大小便是工具能够检测到的边缘的宽度。按下↑键和↓键，可调整检测宽度。

- 对比度：用来设置工具感应图像边缘的灵敏度。较高的数值只检测与它们的环境对比鲜明的边缘；较低的数值则检测低对比度边缘。如果图像的边缘清晰，可将该值设置得高一些；如果边缘不是特别清晰，则设置得低一些。如图4-76、图4-77所示分别设置该值为5%和50%创建的选区。

图4-76

图4-77

- 频率：在使用磁性套索工具创建选区的过程中会生成许多锚点，“频率”决定了锚点的数量。该值越高，生成的锚点越多，捕捉到的边界越准确，但是过多的锚点会造成选区的边缘不够光滑。如图4-78、图4-79所示分别设置该值为10和50生成的锚点。

图4-78

图4-79

- 钢笔压力：如果计算机配置有数位板和压感笔，可以按下该按钮，Photoshop会根据压感笔的压力自动调整工具的检测范围，增大压力将导致边缘宽度减小。

4.5 魔棒与快速选择工具

魔棒工具和快速选择工具可以快速选择色彩变化不大，且色调相近的区域。前者通过单击来创建选区，后者则需要像绘画一样绘制选区。

4.5.1 实战——用魔棒工具选取人体

●实例门类：软件功能类 ●视频位置：光盘>实例视频>4.5.1

1 打开一个文件（光盘>素材>4.5.1a），如图4-80所示。选择魔棒工具，在工具选项栏中将“容差”设置为10，在人体左侧的背景上单击，选中背景，如图4-81所示。

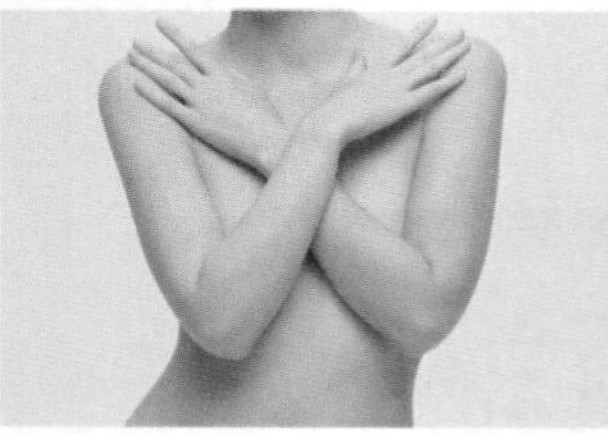

图4-80

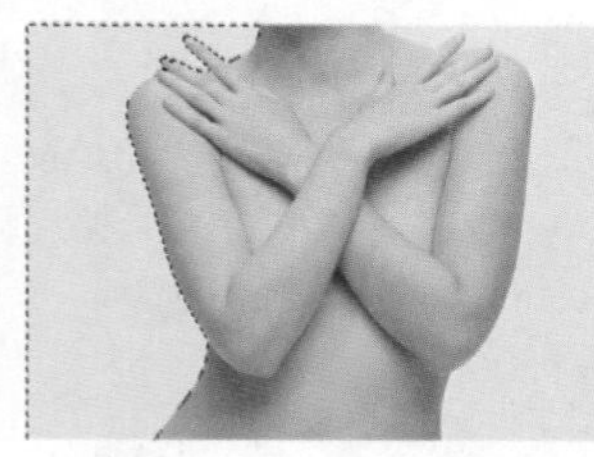

图4-81

2 按住Shift键在右侧背景上单击，将这部分背景内容添加到选区中，如图4-82所示。执行“选择>反向”命令反转选区，选中人体，如图4-83所示。

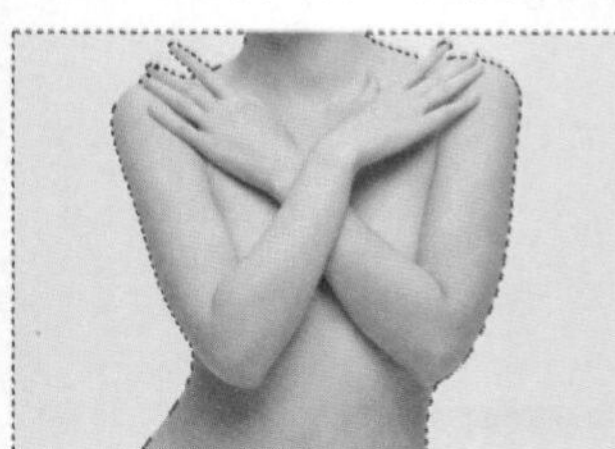

图4-82

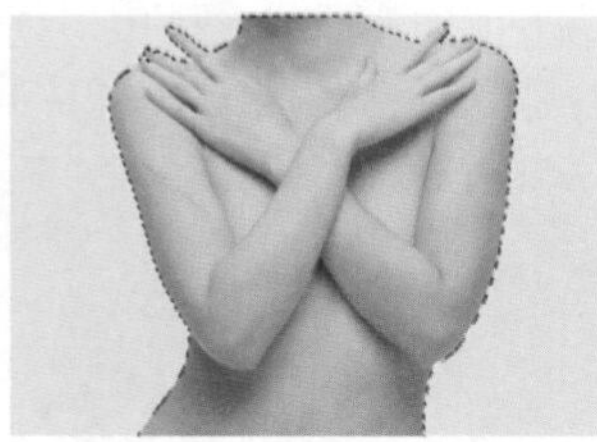

图4-83

3 打开一个文件（光盘>素材>4.5.1b）。使用移动工具将人体拖动到该文档中，生成“图层1”，设置它的混合模式为“正片叠底”，如图4-84、图4-85所示。

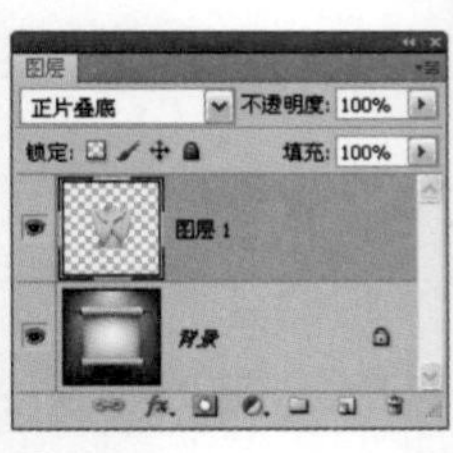

图4-84

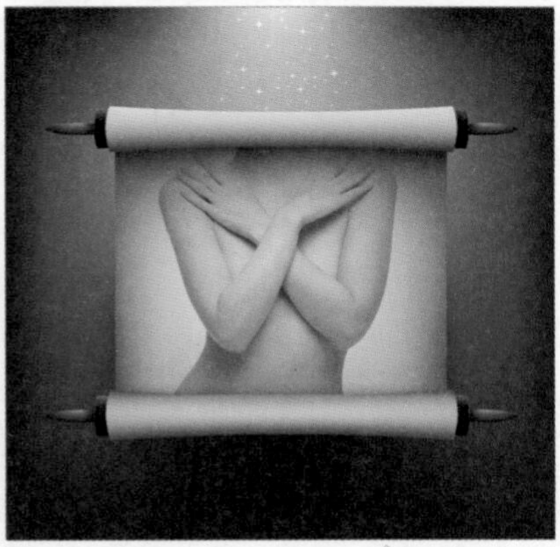

图4-85

使用魔棒工具时，按住Shift键单击可添加选区；按住Alt键单击可在当前选区中减去选区；按住Shift+Alt键单击可得到与当前选区相交的选区。

4.5.2 魔棒工具选项栏

魔棒工具的工具选项栏中包含如图4-86所示的选项。其中，“容差”最为重要，只有将容差值设置得恰到好处，才能充分发挥魔棒的作用。

图4-86

- 容差：决定了什么样的像素能够与鼠标单击点的色调相似。当该值较低时，只选择与单击点像素非常相似的少数颜色；该值越高，对像素相似程度的要求就越低，因此，选择的颜色范围就越广。即使在图像的同一位置单击，设置不同的容差值所选择的区域也不一样，如图4-87、图4-88所示分别设置该值为5和15创建的选区；而在容差值不变的情况下，鼠标单击点的位置不同，选择的区域也会不同。

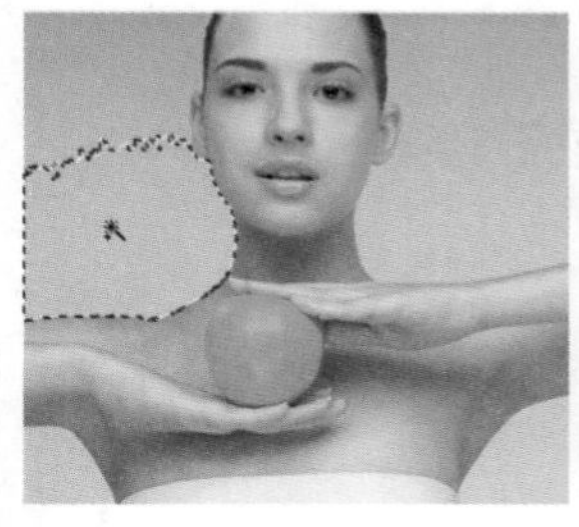

图4-87

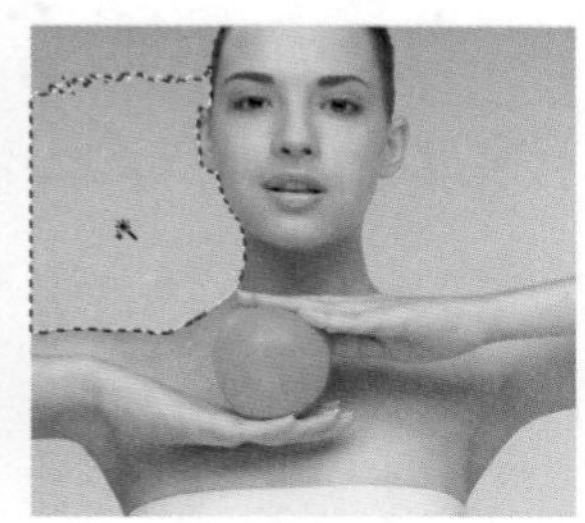

图4-88

- 连续：勾选该项时，只选择颜色连接的区域，如图4-89所示；取消勾选时，可选择与鼠标单击点颜色相近的所有区域，包括没有连接的区域，如图4-90所示。
- 对所有图层取样：如果文档中包含多个图层，如图4-91所示，勾选该项时，可选择所有可见图层上颜色相近的区域，如图4-92所示；取消勾选，则仅选择当前图层上颜色相近的区域，如图4-93、图4-94所示。

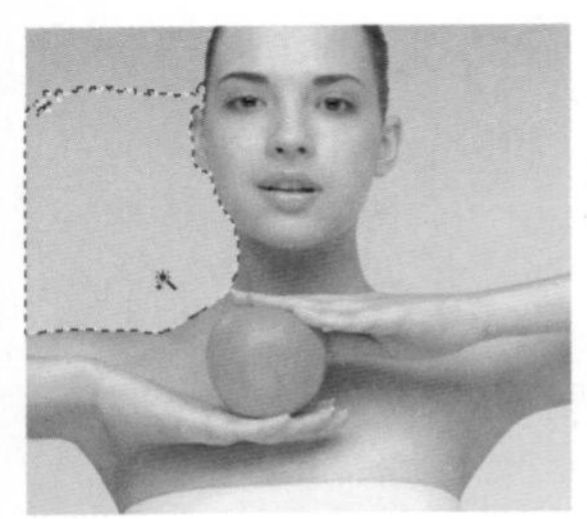
勾选“连续”
图4-89

未勾选“连续”
图4-90

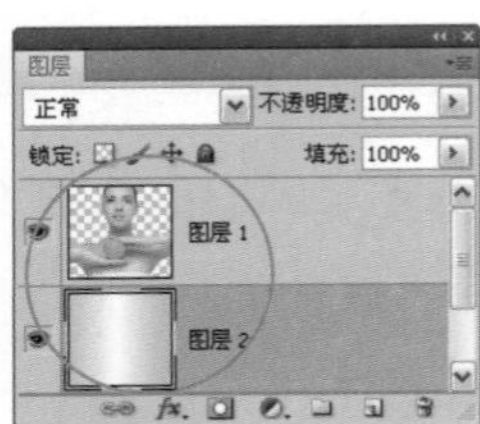
文档中有多个图层
图4-91

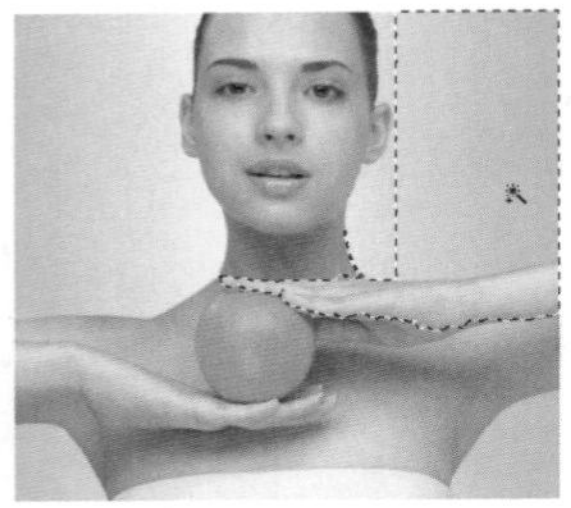
勾选“对所有图层取样”
图4-92

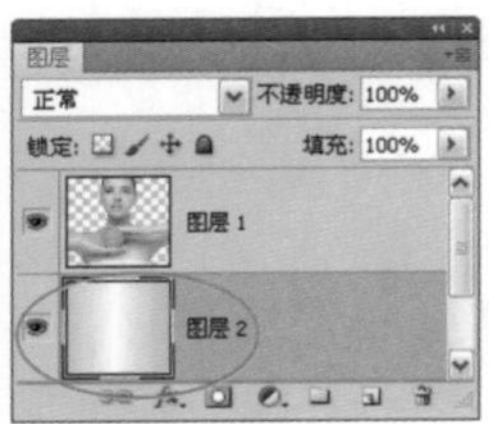
当前选择的是“图层2”
图4-93

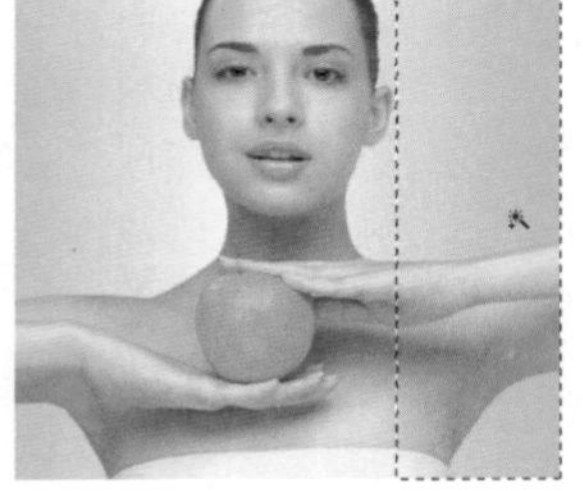
未勾选“对所有图层取样”
图4-94

4.5.3 实战——用快速选择工具抠图

●实例门类：软件功能+抠图类 ●视频位置：光盘>实例视频>4.5.3

快速选择工具能够利用可调整的圆形画笔笔尖快速绘制选区。在拖动鼠标时，选区会向外扩展并自动查找和跟随图像中定义的边缘。

1 打开一个文件（光盘>素材>4.5.3a），如图4-95所示。选择快速选择工具，在工具选项栏中设置笔尖大小，如图4-96所示。

图4-95

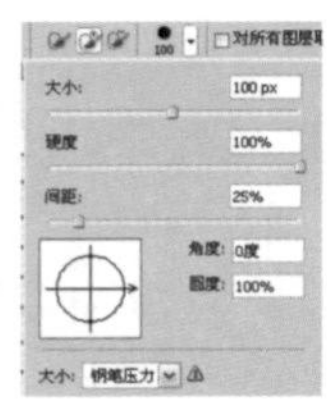
图4-96

2 在小孩帽子上单击并沿身体拖动鼠标，将小孩选中，如图4-97所示。现在有些背景也被选中了。按住Alt键在选中的背景上（鞋子下面、手臂空隙）单击并拖动鼠标，将其从选区中排除掉，如图4-98所示。

图4-97

图4-98

3 打开一个文件（光盘>素材>4.5.3b），使用移动工具将小孩拖动到该文档中，如图4-99、图4-100所示。

图4-99

图4-100

4 按住Ctrl键单击“图层”面板底部的按钮，在“图层1”下面新建一个图层。选择画笔工具，在地面上涂抹一些灰色，作为投影，如图4-101、图4-102所示。

图4-101

图4-102

快速选择工具选项栏

如图4-103所示为快速选择工具的选项栏。

100 □对所有图层取样 □自动增强 调整边缘...

图4-103

- 选区运算按钮：按下新选区按钮，可创建一个新的选区；按下添加到选区按钮，可在原选区的基础上添加绘制的选区；按下从选区减去按钮，可在原选区的基础上减去当前绘制的选区。
- 笔尖下拉面板：单击按钮，可在打开的下拉面板中选择笔尖，设置大小、硬度和间距。我们也可以在绘制选区的过程中，按下右方括号键“]”增加笔尖的大小；按下左方括号键“[”，减小笔尖的大小。

- 对所有图层取样：可基于所有图层（而不是仅基于当前选择的图层）创建选区。
- 自动增强：可减少选区边界的粗糙度和块效应。“自动增强”会自动将选区向图像边缘进一步流动并应用一些边缘调整，也可以通过在“调整边缘”对话框中手动应用这些边缘调整。

4.6 “色彩范围”命令

“色彩范围”命令可根据图像的颜色范围创建选区，在这一点上与魔棒工具有着很大的相似之处，但该命令提供了更多的控制选项，因此，具有更高的选择精度。

4.6.1 “色彩范围”对话框

打开一个文件，如图4-104所示，执行“选择>色彩范围”命令，打开“色彩范围”对话框，如图4-105所示。

图4-104

图4-105

- 选区预览图：对话框中有一个选区预览图，它下面包含两个选项，勾选“选择范围”时，预览区域的图像中，白色代表了被选择的区域，黑色代表了未选择的区域，灰色代表了被部分选择的区域（带有羽化效果的区域）；如果勾选“图像”，则预览区内会显示彩色图像。
- 选择：用来设置选区的创建方式。选择“取样颜色”时，可将光标（光标为状）放在文档窗口中的图像上，或“色彩范围”对话框中的预览图像上单击，对颜色进行取样，如图4-106所示；如果要添加颜色，可按下添加到取样按钮，然后在预览区或图像上单击，如图4-107所示；如果要减去颜色，可按下从取样中减去按钮，然后在预览区或图像上单击，如图4-108所示。此外，选择下拉列表中的“红色”、“黄色”和“绿色”等选项时，可选择图像中的特定颜色，如图4-109所示；选择“高光”、“中间调”和“阴影”等选项时，可选择图像中的特定色调，如图4-110所示；选择“溢色”选项时，可选择图像中出现的溢色，如图4-111所示。

单击进行颜色取样

图4-106

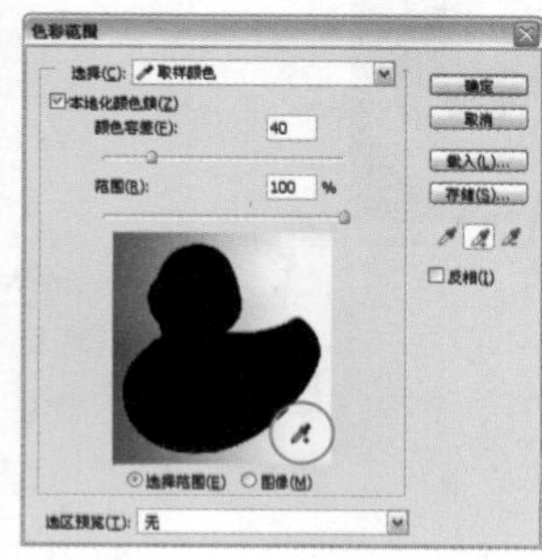

添加颜色

图4-107

减少颜色

图4-108

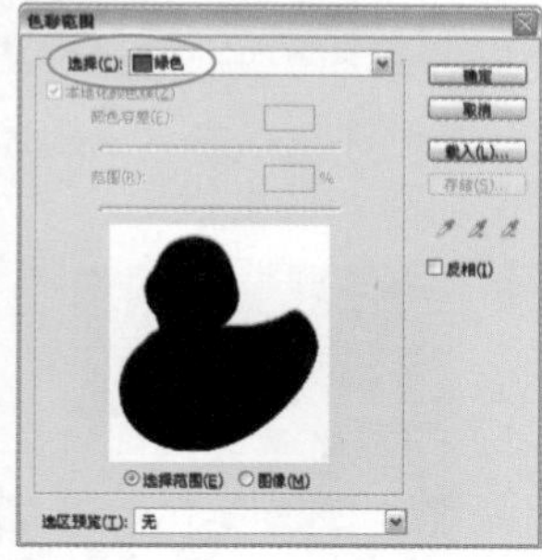

选择绿色

图4-109

选择高光

图4-110

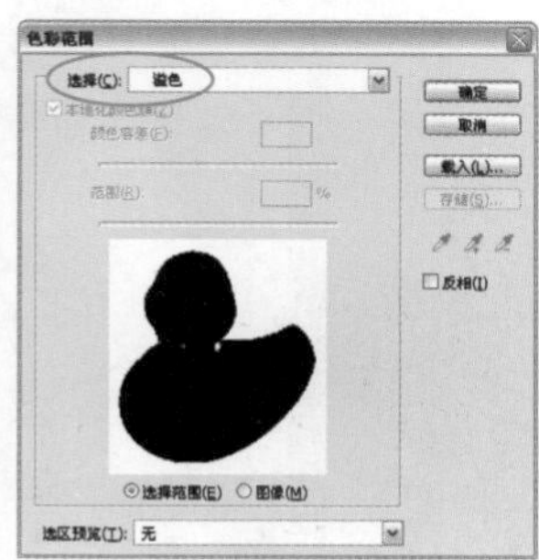

选择溢色

图4-111

- **本地化颜色簇/范围**：勾选“本地化颜色簇”后，拖动“范围”滑块可以控制要包含在蒙版中的颜色与取样点的最大和最小距离。例如，图像在前景和背景中都包含一束黄色的花，但我们只想选择前景中的花，可对前景中的花进行颜色取样，并缩小范围，以避免选中背景中有相似颜色的花。
- **颜色容差**：用来控制颜色的选择范围，该值越高，包含的颜色越广。如图4-112、图4-113所示分别设置该值为75和200所包含的颜色范围。

图4-112

图4-113

- **选区预览**：用来设置文档窗口中选区的预览方式。选择“无”，表示不在窗口显示选区；选择“灰度”，可以按照选区在灰度通道中的外观来显示选区；选择“黑色杂边”，可在未选择的区域上覆盖一层黑色；选择“白色杂边”，可在未选择的区域上覆盖一层白色；选择“快速蒙版”，可显示选区在快速蒙版状态下的效果，此时，未选择的区域会覆盖一层宝石红色。如图4-114所示。

无

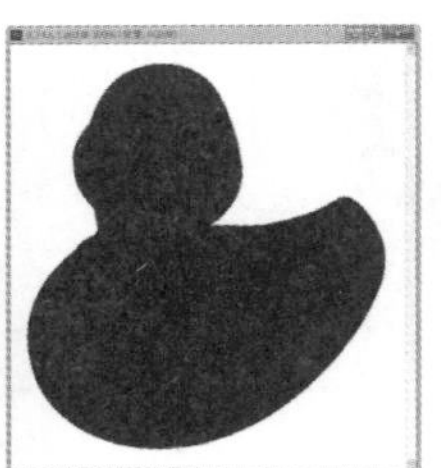

灰度

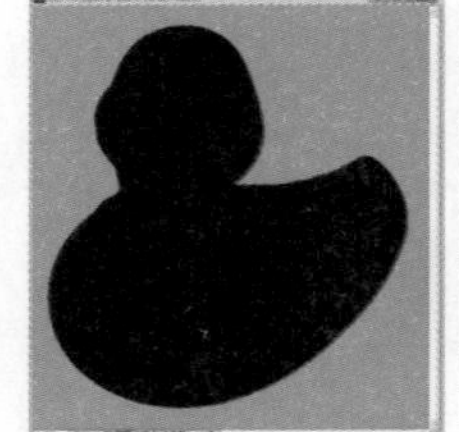

黑色杂边

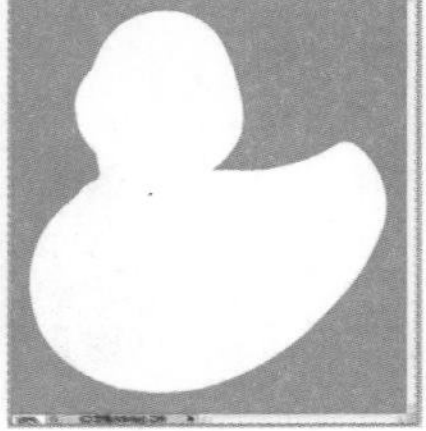

白色杂边

快速蒙板

图4-114

- **存储/载入**：单击“存储”按钮，可以将当前的设置状态保存为选区预设；单击“载入”按钮，可以载入存储的选区预设文件。
- **反相**：可以反转选区，相当于创建了选区后，执行“选择>反向”命令。

提示

如果在图像中创建了选区，则“色彩范围”命令只分析选区内的图像。如果要细调选区，可以重复使用该命令。

4.6.2 实战——用“色彩范围”命令抠像

●实例门类：软件功能+抠图类　●视频位置：光盘>实例视频>4.6.2

1 打开一个文件（光盘>素材>4.6.2a）。执行“选择>色彩范围”命令，打开“色彩范围”对话框。勾选“本地化颜色簇”选项，然后在文档窗口中的人物背景上单击，进行颜色取样，如图4-115、图4-116所示。

图4-115

图4-116

2 按下添加到取样按钮，在右上角的背景区域内单击并向下移动鼠标，如图4-117所示，将该区域的背景全部添加到选区中，如图4-118所示。从“色彩范围”对话框的预览区域中我们可以看，该处全部变成了白色。

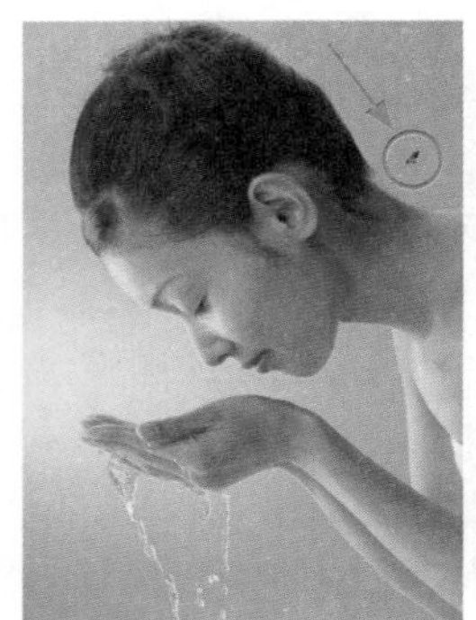

图4-117

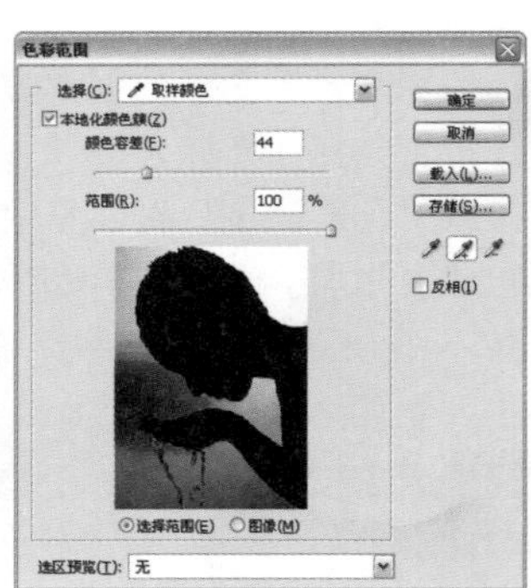

图4-118

3 采用同样的方法，向下移动光标，将其他区域的背景图像也添加到选区中，如图4-119、图4-120所示。

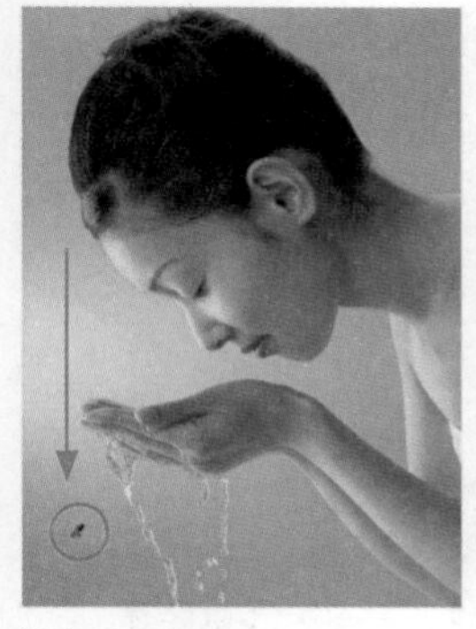

图4-119

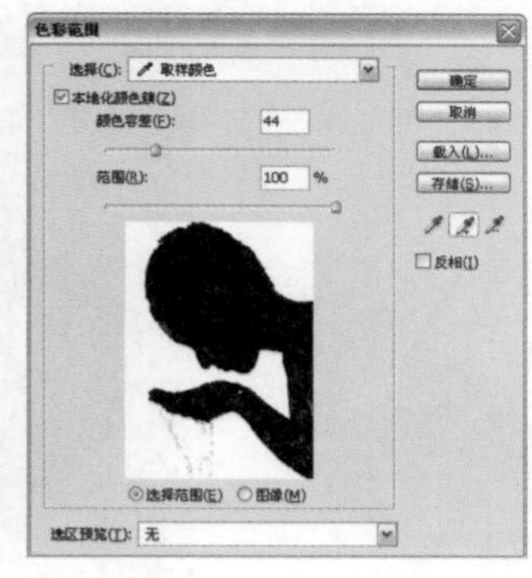

图4-120

4 观察如图4-121所示的图像可以发现，在图像的最右侧，人物的身体区域还有一些白色，说明选择到了该区域，我们来进行处理。按下从取样中减去按钮，在此处单击，将它从选区中排除，如图4-122所示。单击“确定”按钮关闭对话框，选中背景，如图4-123所示。

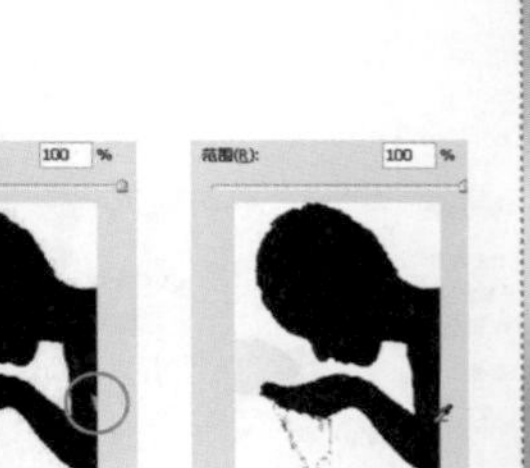

图4-121　图4-122　图4-123

5 执行“选择>反向”命令即可选择人像。打开一个文件（光盘>素材>4.6.2b），如图4-124所示。使用移动工具将人像拖动到该文档中，如图4-125所示。

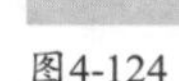

图4-124

图4-125

疑问解答 色彩范围命令有什么特点？

“色彩范围”命令、魔棒和快速选择工具的相同之处是，都基于色调差异创建选区。而“色彩范围”命令可以创建带有羽化的选区，也就是说，选出的图像会呈现透明效果。魔棒和快速选择工具则不能。

原图

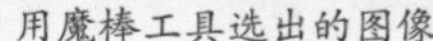

用魔棒工具选出的图像

用“色彩范围”命令选出的图像

4.7 快速蒙版

快速蒙版是一种用于创建和编辑选区的功能。在快速蒙版状态下，我们几乎可以使用任何Photoshop工具或滤镜来修改蒙版，它是最为灵活的选区编辑功能之一。

4.7.1 实战——用快速蒙版编辑选区

●实例门类：软件功能+抠图类　●视频位置：光盘>实例视频>4.7.1

1 按下Ctrl+O快捷键，打开一个文件（光盘>素材>4.7.1a）。先用快速选择工具选择小孩，如图4-126所示。

2 我们再来选择投影。投影不能完全选中，否则为图像添加新背景时，投影效果太过生硬、不真实。我们来通过快速蒙版选出呈现透明效果的投影。执行“选择>在快速蒙版模式下编辑”命令，或按下工具箱底部的按钮，进入快速蒙版编辑状态，未选中的区域会覆盖一层半透明的颜色，被选择的区域还是显示为原状，如图4-127所示。

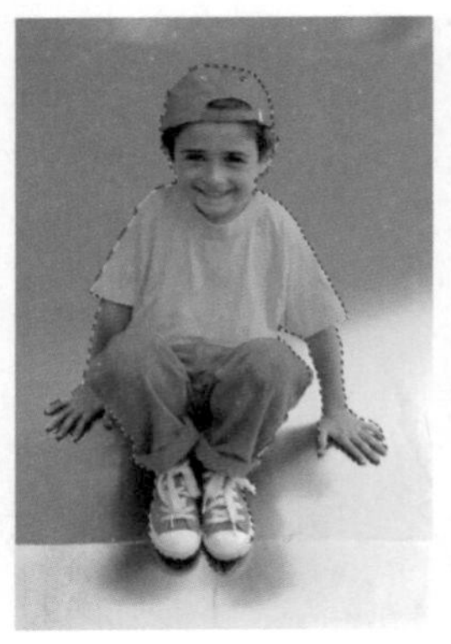
图4-126

图4-127

按下Q键可以进入或退出快速蒙版编辑模式。

3 现在工具箱中的前景色会自动变为白色。选择画笔工具，在工具选项栏中将不透明度设置为30%，如图4-128所示，在投影上涂抹，将投影添加到选区中，如图4-129所示。如果涂抹到背景区域也不要紧，可以按下X键，将前景色切换为黑色，用黑色涂抹就可以将它排除到选区之外。

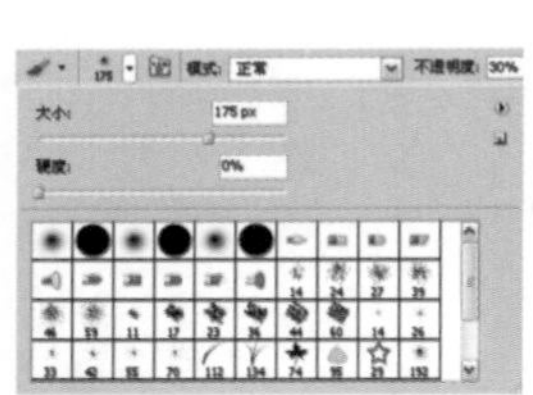
图4-128

图4-129

提示 用白色涂抹快速蒙版时，被涂抹的区域会显示出图像，这样可以扩展选区；用黑色涂抹的区域会覆盖一层半透明的宝石红色，这样可以收缩选区；用灰色涂抹的区域可以得到羽化的选区。

4 按下工具箱底部的按钮，退出快速蒙版，切换回正常模式，如图4-130所示为创建的选区。打开一个文件（光盘>素材>4.7.1b），使用移动工具将小孩拖动到该文档中，如图4-131所示。

图4-130

图4-131

4.7.2 设置快速蒙版选项

创建选区以后，如图4-132所示，双击工具箱中的以快速蒙版模式编辑按钮，可以打开“快速蒙版选项”对话框，如图4-133所示。

图4-132

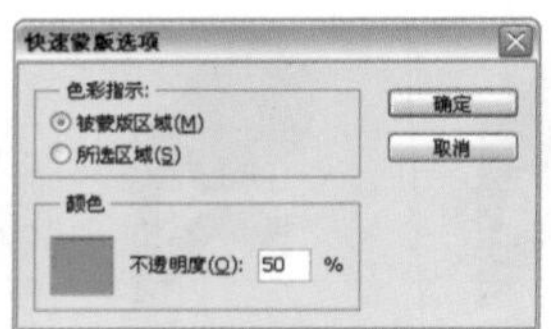

图4-133

- 色彩指示：选择“被蒙版区域”，选中的区域显示为原图像，未选择的区域会覆盖蒙版颜色，如图4-134所示；选择“所选区域”，则选中的区域会覆盖蒙版颜色，如图4-135所示。

图4-134

图4-135

- 颜色/不透明度：单击颜色块，可在打开的“拾色器”中设置蒙版的颜色。如果对象与蒙版的颜色非常接近，可以对蒙版颜色做出调整。“不透明度”用来设置蒙版颜色的不透明度。“颜色”和“不透明度”都只是影响蒙版的外观，不会对选区产生任何影响。

4.8 细化选区

选择毛发等细微的图像时，我们可以先用魔棒、快速选择或“色彩范围”等工具创建一个大致的选区，再使用“调整边缘”命令对选区进行细化，从而选中对象。“调整边缘”命令还可以消除选区边缘周围的背景色、改进蒙版，以及对选区进行扩展、收缩、羽化等处理。

4.8.1 选择视图模式

在图像中创建选区以后，如图4-136所示，执行“选择>调整边缘”命令，可以打开“调整边缘”对话框。我们需要先在“视图”下拉列表中选择一种视图模式，以便更好地观察选区的调整结果，如图4-137所示。

图4-136

图4-137

- 闪烁虚线：可查看具有闪烁边界的标准选区，如图4-138所示。在羽化的边缘选区上，边界将会围绕被选中50%以上的像素。
- 叠加：可在快速蒙版状态下查看选区，如图4-139所示。

图4-138

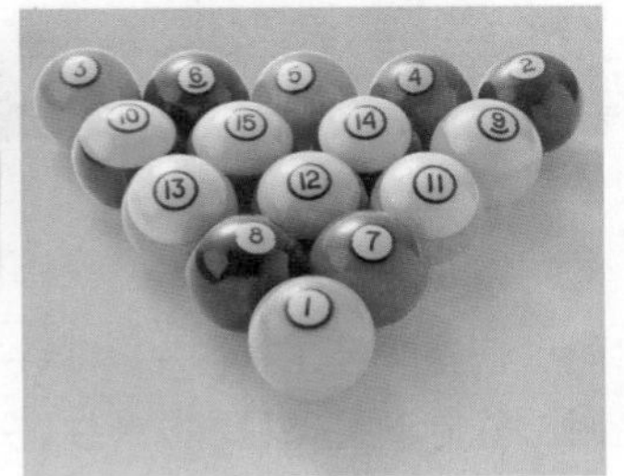

图4-139

- 黑底：在黑色背景上查看选区，如图4-140所示。
- 白底：在白色背景上查看选区，如图4-141所示。

提示 按下F键可以循环显示各个视图；按下X键可暂时停用所有视图。

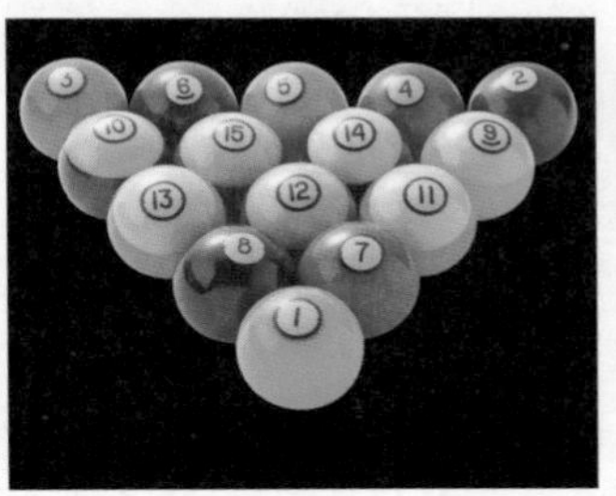

图4-140

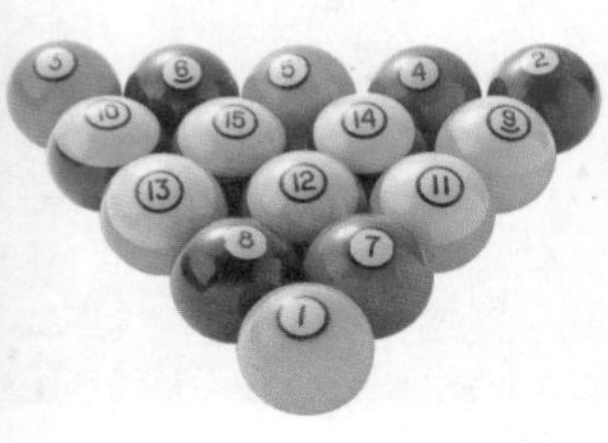

图4-141

- 黑白：可预览用于定义选区的通道蒙版，如图4-142所示。
- 背景图层：可查看被选区蒙版的图层，如图4-143所示。

图4-142

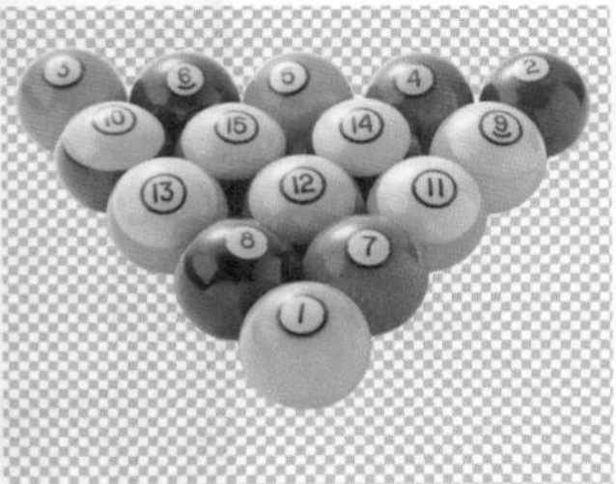

图4-143

- 显示图层：可在未使用蒙版的情况下查看整个图层，如图4-144所示。

图4-144

- 显示半径：显示按半径定义的调整区域。
- 显示原稿：可查看原始选区。

4.8.2 实战——用细化工具抠毛发

●实例门类：软件功能+抠图类 ●视频位置：光盘>实例视频>4.8.2

“调整边缘”对话框中包含两个选区细化工具和“边

缘检测”选项，通过这些工具可以轻松抠出毛发。

1 按下Ctrl+O快捷键，打开一个文件（光盘>素材>4.8.2a），如图4-145所示。用套索工具创建一个选区，将小猫选中，如图4-146所示。

图4-145

图4-146

2 单击工具选项栏中的“调整边缘”按钮，打开“调整边缘”对话框。选择“黑底”视图模式，勾选“智能半径”和“净化颜色”选项，将“半径”设置为40像素，如图4-147、图4-148所示。

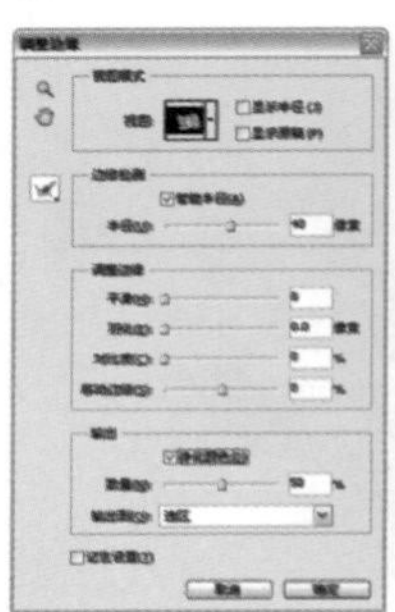

图4-147

图4-148

3 使用调整半径工具在小猫的身体周围涂抹，如图4-149、图4-150所示。可以看到小猫的胡须已经被选中了。

图4-149

图4-150

4 在“视图”列表中选择“黑白”，我们在该模式下观察选区，如图4-151所示。可以看到，小猫的爪不完整，另外在黑白图像上能够看到小猫的眼睛，说明眼睛没有完全选中。单击调整半径工具，在打开的下拉列表中选择抹除调整工具，在小猫的爪子、眼睛等处涂抹，将其选中，如图4-152所示。

图4-151

图4-152

5 按下 [键将笔尖调小（按下] 键可以调大），将小猫爪子下面的背景图像擦掉，如图4-153所示。单击“确定”按钮，抠出图像，如图4-154所示。如图4-155所示是将抠出的小猫放在新背景上的效果。

图4-153

图4-154

图4-155

细化工具和边缘检测选项

- 调整半径工具：可以扩展检测区域。
- 抹除调整工具：可以恢复原始边缘。
- 智能半径：使半径自动适合图像边缘。
- 半径：控制调整区域的大小。

提示 修改选区时，可以用对话框中的缩放工具在图像上单击放大视图比例，以便观察图像细节；用抓手工具移动画面，调整图像的显示位置。

4.8.3 调整选区边缘

在“调整边缘”对话框中，“调整边缘”选项组可以对选区进行平滑、羽化、扩展等处理，如图4-156所示。图4-157所示为在“背景图层”模式下的选区效果。

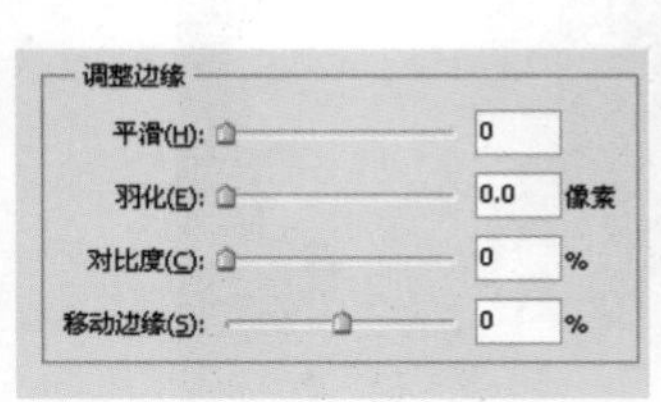

图4-156

图4-157

- 平滑：用于减少选区边界中的不规则区域，创建更加平滑的轮廓。
- 羽化：可为选区设置羽化，范围为0～250 像素。如图4-158所示为羽化后的选区。
- 对比度：可以锐化选区边缘并去除模糊的不自然感。如图4-159所示为添加羽化效果以后，增加对比度的效果。

图4-158

图4-159

- 移动边缘：负值收缩选区边界，如图4-160所示；正值扩展选区边界，如图4-161所示。

图4-160

图4-161

4.8.4 指定输出方式

“调整边缘”对话框中的“输出”选项组用于消除选区边缘的杂色、设定选区的输出方式，如图4-162所示。

- 净化颜色：勾选该项以后，拖动“数量”滑块可以去除图像的彩色杂边。“数量”值越高，清除范围越广。
- 输出到：在该选项的下拉列表中可以选择选区的输出方式，如图4-163所示。图4-164所示为各种选项的输出结果。

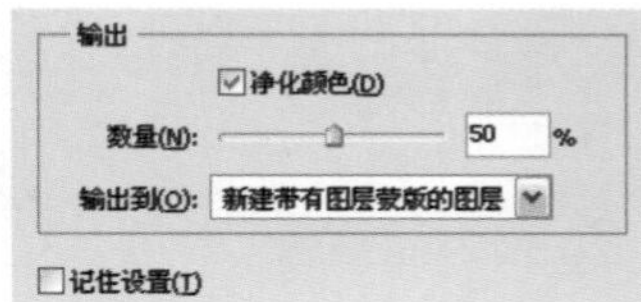

图4-162

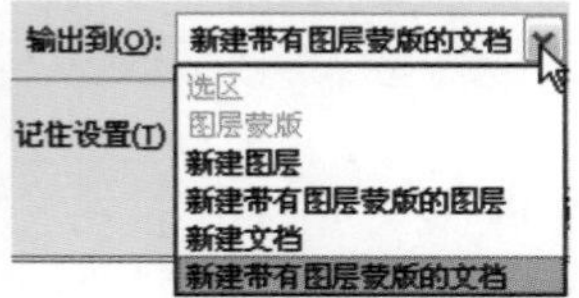

图4-163

选区

图层蒙版

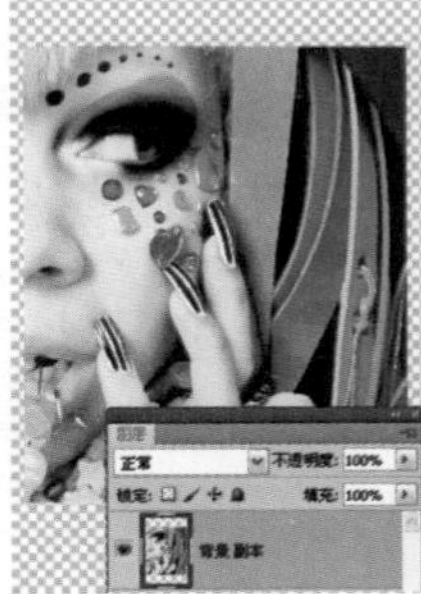
新建图层

新建带有图层蒙版的图层

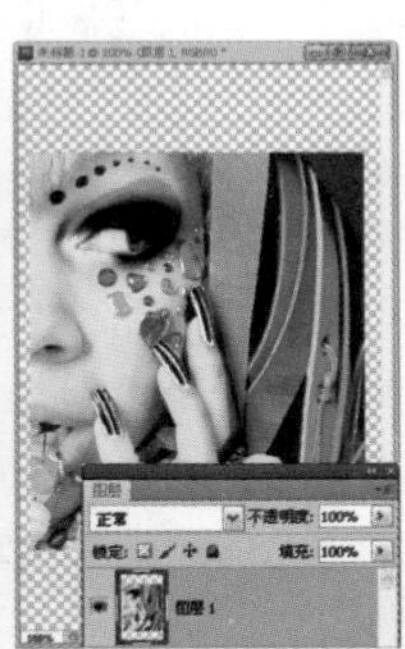
新建文档

图4-164

4.8.5 实战——用“调整边缘”命令抠像

●实例门类：软件功能+抠图类 ●视频位置：光盘>实例视频>4.8.5

1 按下Ctrl+O快捷键，打开一个文件（光盘>素材>4.8.5a），如图4-165所示。这张图像的选择难点是头发的发梢，抠出的发梢需要保留一定的透明度，人像与新背景合成时效果才能够完美。

图4-165

2 我们先使用快速选择工具选中头像，如图4-166所示。先不要考虑头发。

图4-166

3 单击工具选项栏中的“调整边缘”按钮，打开“调整边缘”对话框。在“视图”下拉列表中选择“黑底”，勾选“智能半径”选项，并调整“半径”参数，如图4-167、图4-168所示。

图4-167

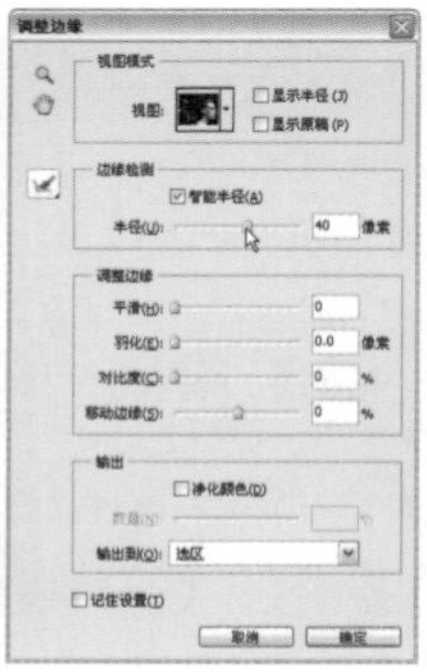

图4-168

4 使用调整半径工具涂抹头发，如图4-169、图4-170所示。

图4-169

图4-170

5 选择抹除调整工具，在人物脸部轮廓边缘涂抹，对缺失的图像进行修补，如图4-171所示。将羽化设置为2像素，勾选“净化颜色”选项，如图4-172所示。单击“确定”按钮，抠出图像，如图4-173、图4-174所示。

图4-171

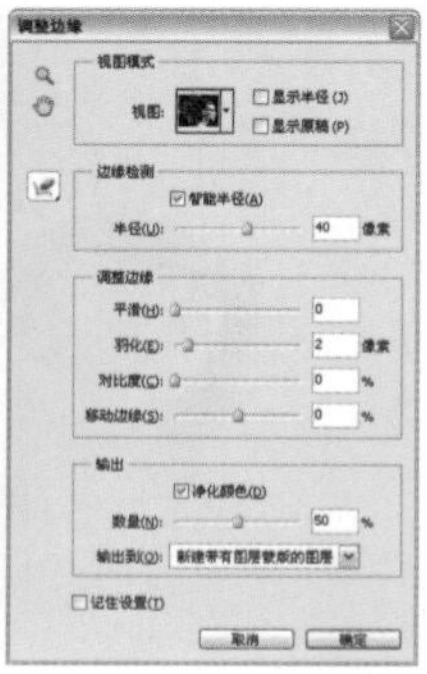

图4-172

图4-173

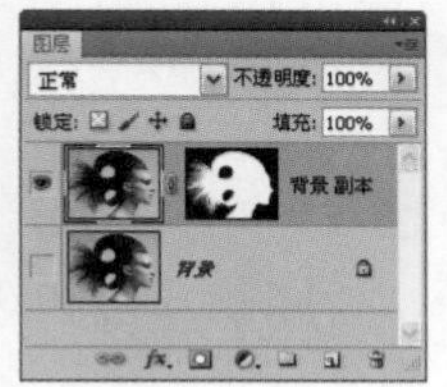

图4-174

6 打开一个文件（光盘>素材>4.8.5b），用移动工具将人像拖入该文档，如图4-175所示。

图4-175

4.9 选区的编辑操作

创建选区以后，我们往往要对其进行更加深入的编辑，才能使选区符合要求。“选择”菜单中包含用于编辑选区的各种命令。下面我们就来了解怎样使用这些命令。

4.9.1 创建边界选区

在图像中创建选区，如图4-176所示，执行“选择>修改>边界”命令，可以将选区的边界向内部和外部扩展，扩展后的边界与原来的边界形成新的选区。在“边界选区”对话框中，“宽度”用于设置选区扩展的像素值，例如，将该设置为30像素时，原选区会分别向外和向内扩展15像素，如图4-177所示。

图4-176

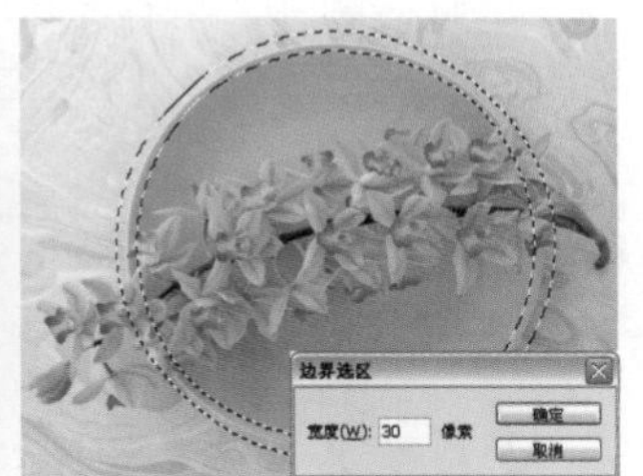

图4-177

4.9.2 平滑选区

使用魔棒工具或“色彩范围”命令创建的选区边缘往往较为生硬，使用“平滑”命令可以对选区边缘进行平滑处理。如图4-178所示为创建的选区，执行“选择>修改>平滑”命令，打开“平滑选区”对话框。“取样半径”用来设置选区的平滑范围，如图4-179所示为平滑结果。

图4-178

图4-179

4.9.3 扩展与收缩选区

创建选区以后，如图4-180所示，执行“选择>修改>扩展”命令，可以扩展选区范围，如图4-181所示，图4-182所示。

图4-180

图4-181

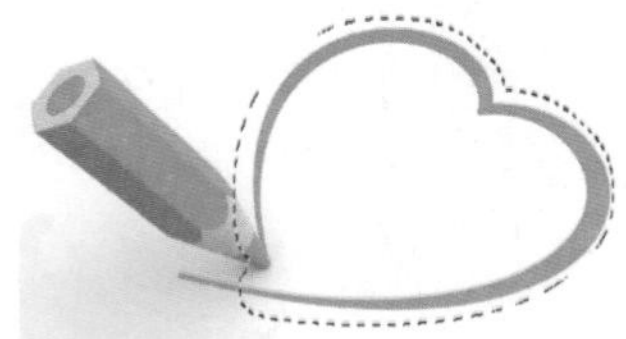
图4-182

执行“选择>修改>收缩”命令，则可以收缩选区范围，如图4-183、图4-184所示。

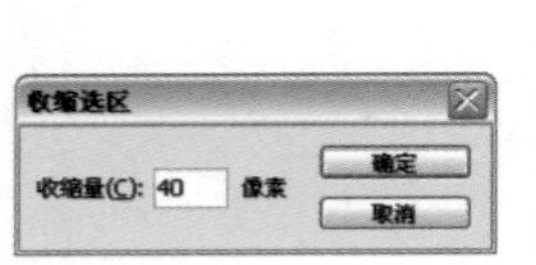

图4-183

图4-184

4.9.4 对选区进行羽化

“羽化”命令用于对选区进行羽化。羽化是通过建立选区和选区周围像素之间的转换边界来模糊边缘的，这种模糊方式将丢失选区边缘的一些图像细节。

如图4-185所示为创建的选区，执行“选择>修改>羽化”命令，打开“羽化”对话框，通过“羽化半径”可以控制羽化范围的大小。如图4-186所示为使用羽化的选区选取的对象。

图4-185

图4-186

疑问解答 为什么羽化时会弹出一个提示？

如果选区较小而羽化半径设置得较大，就会弹出一个羽化警告。单击“确定”按钮，表示确认当前设置的羽化半径，这时选区可能变得非常模糊，以至于在画面中看不到，但选区仍然存在。如果不想出现该警告，应减少羽化半径或增大选区的范围。

4.9.5 扩大选取与选取相似

“扩大选取”与“选取相似”都是用来扩展现有选区的命令，执行这两个命令时，Photoshop会基于魔棒工具选项栏中的“容差”值来决定选区的扩展范围，“容差”值越高，选区扩展的范围就越大。

执行“选择>扩大选取”命令时，Photoshop会查找并选择那些与当前选区中的像素色调相近的像素，从而扩大选择区域。但该命令只扩大到与原选区相连接的区域。

执行“选择>选取相似”命令时，Photoshop同样会查找并选择那些与当前选区中的像素色调相近的像素，从而扩大选择区域。但该命令可以查找整个文档，包括与原选区没有相邻的像素。

例如，如图4-187所示为创建的选区，图4-188所示为执行“扩大选取”命令的扩展结果，图4-189所示为执行“选取相似”命令的扩展结果。

图4-187

图4-188

图4-189

提示 多次执行“扩大选取”或“选取相似”命令，可以按照一定的增量扩大选区。

4.9.6 对选区应用变换

执行“选择>变换选区”命令，可以在选区上显示定界框，如图4-190所示，拖动控制点即可单独对选区进行旋转、缩放等变换操作，选区内的图像不会受到影响，如图4-191所示。

图4-190

图4-191

如果使用“编辑”菜单中的“变换”命令操作，则会对选区及选中的图像同时应用变换，如图4-192所示。

相关链接：选区的变换操作与图像的变换操作方法相同，可参阅“3.15 图像的变换与变形操作”。

图4-192

4.9.7 存储选区

创建选区以后，如图4-193所示，为了防止操作失误而造成选区丢失，或者以后要使用该选区，可以将选区保存。

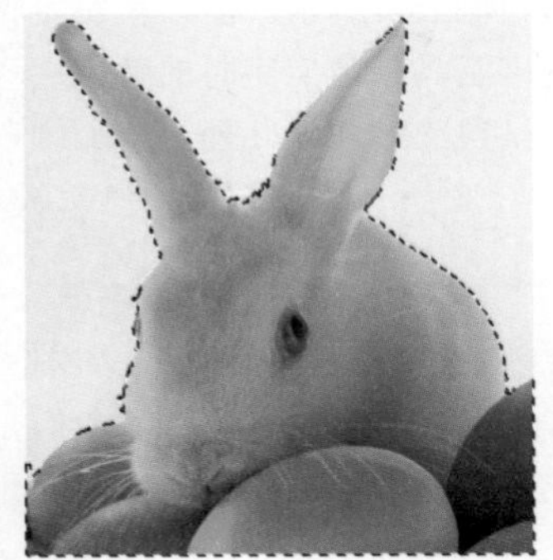

图4-193

执行“选择>存储选区”命令，打开“存储选区”对话框，如图4-194所示，设置选区的名称等选项，可将其保存到Alpha通道中，如图4-195所示。

图4-194

图4-195

- 文档：在下拉列表中可以选择保存选区的目标文件。默认情况下选区保存在当前文档中，也可以选择将其保存在一个新建的文档中。
- 通道：可以选择将选区保存到一个新建的通道，或保存到其他Alpha通道中。
- 名称：用来设置选区的名称。
- 操作：如果保存选区的目标文件包含有选区，则可以选择如何在通道中合并选区。选择“新建通道”，可以将当前选区存储在新通道中；选择“添加到通道”，可以将选区添加到目标通道的现有选区中；选择“从通道中减去”，可以从目标通道内的现有选区中减去当前的选区；选择“与通道交叉”，可以从与当前选区和目标通道中的现有选区交叉的区域中存储一个选区。

将文件保存为PSB、PSD、PDF、TIFF格式，可存储多个选区。

4.9.8 载入选区

存储选区后，可执行“选择>载入选区”命令，将选区载入到图像中。执行该命令时可以打开“载入选区”对话框，如图4-196所示。

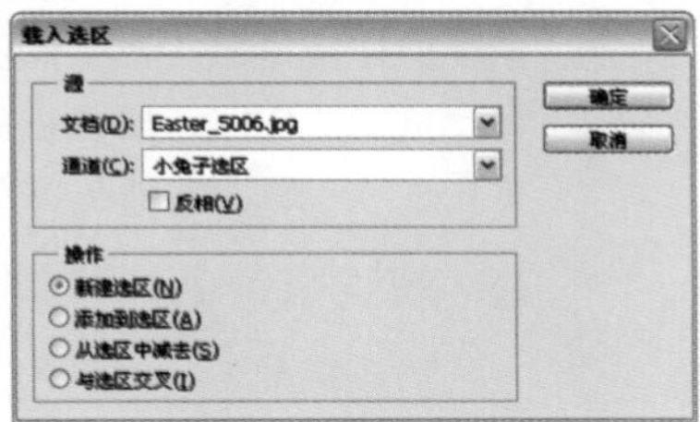

图4-196

- 文档：用来选择包含选区的目标文件。
- 通道：用来选择包含选区的通道。
- 反相：可以反转选区，相当于载入选区后执行“反向”命令。
- 操作：如果当前文档中包含选区，可以通过该选项设置如何合并载入的选区。选择“新建选区”，可用载入的选区替换当前选区；选择“添加到选区”，可将载入的选区添加到当前选区中；选择“从选区中减去”，可以从当选区中减去载入的选区；选择“与选区交叉”，可以得到载入的选区与当前选区交叉的区域。

相关链接：使用“通道”面板也可以保存和载入选区，相关内容请参阅“11.8.2 Alpha通道与选区的互相转换”。

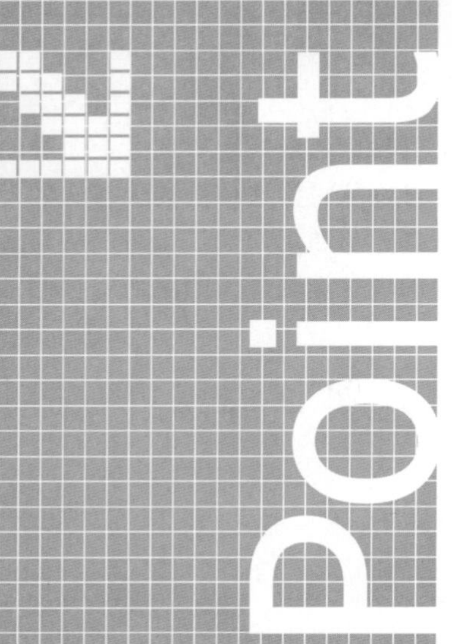

第5章 绘画与照片修饰

Learning Objectives
学习重点

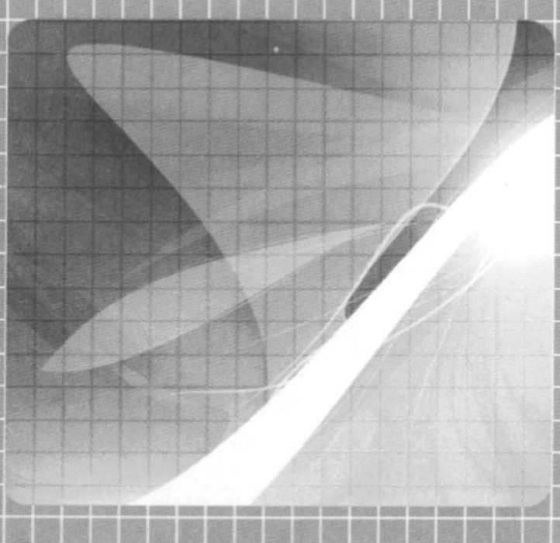

PHOTOSHOP

5.1 设置颜色

我们使用画笔、渐变和文字等工具，以及进行填充、描边选区、修改蒙版、修饰图像等操作时，都需要指定颜色。Photoshop提供了非常出色的颜色选择工具，可以帮助我们找到需要的任何色彩。

5.1.1 前景色与背景色

Photoshop工具箱底部有一组前景色和背景色设置图标，如图5-1所示。前景色决定了我们使用绘画工具（画笔和铅笔）绘制线条，以及使用文字工具创建文字时的颜色；背景色则决定了使用橡皮擦工具擦除图像时，被擦除区域所呈现的颜色。此外，增加画布大小时，新增的画布也以背景色填充。

修改前景色和背景色

默认情况下，前景色为黑色，背景色为白色。单击设置前景色或背景色图标，如图5-2、图5-3所示，可以打开"拾色器"，在对话框中即可修改它们的颜色。此外，我们也可以在"颜色"和"色板"面板中设置，或者使用吸管工具拾取图像中的颜色来作为前景色或者背景色。

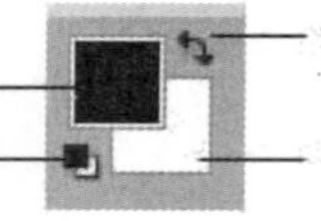

图5-1

图5-2

图5-3

切换前景色和背景色

单击切换前景色和背景色图标，或按下X键，可以切换前景色和背景色的颜色，如图5-4所示。

恢复为默认的前景色和背景色

修改了前景色和背景色以后，如图5-5所示，单击默认前景色和背景色图标，或按下D键，可以将它们恢复为系统默认的颜色，如图5-6所示。

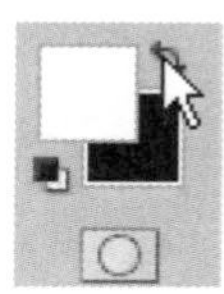
图5-4

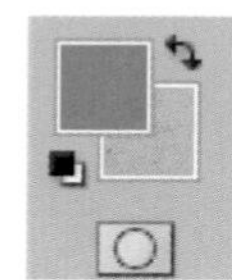
图5-5

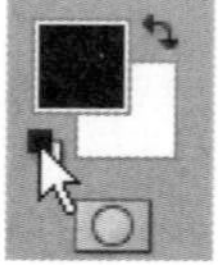
图5-6

5.1.2 了解拾色器

单击工具箱中的前景色或背景色图标，打开“拾色器”，如图5-7所示。在“拾色器”中，我们可以选择基于 HSB（色相、饱和度、亮度）、RGB（红色、绿色、蓝色）、Lab 、CMYK（青色、洋红、黄色、黑色）等颜色模型来指定颜色。

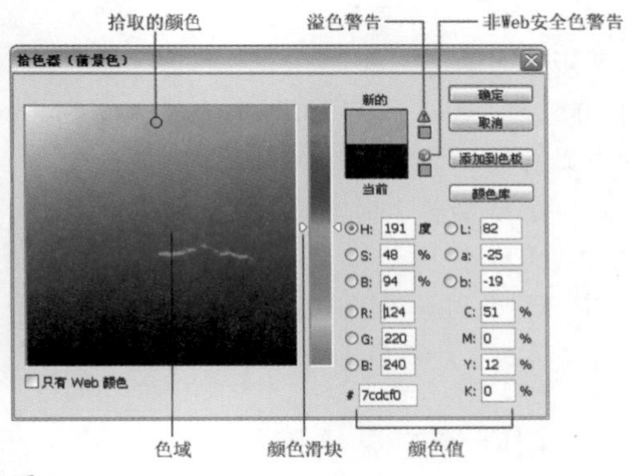

图5-7

- 色域/拾取的颜色：在“色域”中拖动鼠标可以该变当前拾取的颜色。
- 新的/当前：“新的”颜色块中显示的是当前设置的颜色，“当前”颜色块中显示的是上一次使用的颜色。
- 颜色滑块：拖动颜色滑块可以调整颜色范围。
- 颜色值：显示了当前设置的颜色的颜色值。我们也可以输入颜色值来精确定义颜色。在“CMYK”颜色模型内，可以用青色、洋红、黄色和黑色的百分比来指定每个分量的值；在“RGB”颜色模型内，可以指定 0 到 255 之间的分量值（0 是黑色，255 是白色）；在“HSB”颜色模型内，可通过百分比来指定饱和度和亮度，以 0 度到 360 度的角度（对应于色轮上的位置）指定色相；在“Lab”模型内，可以输入 0 到 100 之间的亮度值 (L) 以及 -128 到 +127 之间的 A 值（绿色到洋红色）和 B 值（蓝色到黄色）；在“#”文本框中，可以输入一个十六进制值，例如，000000 是黑色，ffffff 是白色，ff0000 是红色，该选项主要用于指定网页色彩。
- 溢色警告：由于 RGB、HSB 和 Lab 颜色模型中的一些颜色（如霓虹色）在 CMYK 模型中没有等同的颜色，因此无法准确打印出来，这些颜色就是我们所说的“溢色”。出现该警告以后，可单击它下面的小方块，将颜色替换为CMYK 色域（打印机颜色）中与其最为接近的颜色，如图5-8、图5-9所示。
- 非Web安全色警告：表示当前设置的颜色不能在网上准确显示，单击警告下面的小方块，可以将颜色替换为与其最为接近的 Web 安全颜色，如图5-10、图5-11所示。

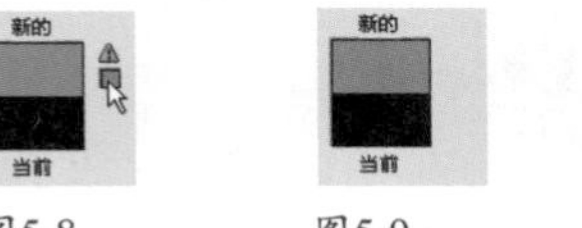

图5-8　图5-9

图5-10　图5-11

- 只有Web颜色：表示只在色域中显示Web安全色。
- 添加到色板：单击该按钮，可以将当前设置的颜色添加到“色板”面板。
- 颜色库：单击该按钮，可以切换到“颜色库”中。

5.1.3 实战——用拾色器设置颜色

●实例门类：软件功能类　●视频位置：光盘>实例视频>5.1.3

1 单击工具箱中的前景色图标（如果要设置背景色，则单击背景色图标），打开“拾色器”。在竖直的渐变条上单击，可以定义颜色范围，如图5-12所示；在色域中单击可以调整颜色深浅，如图5-13所示。

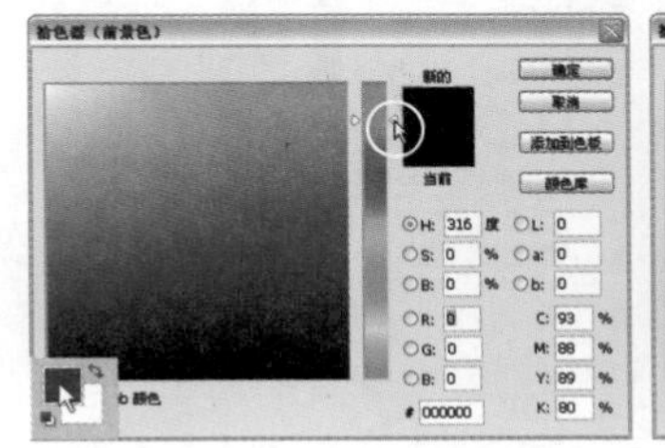

定义颜色范围

图5-12

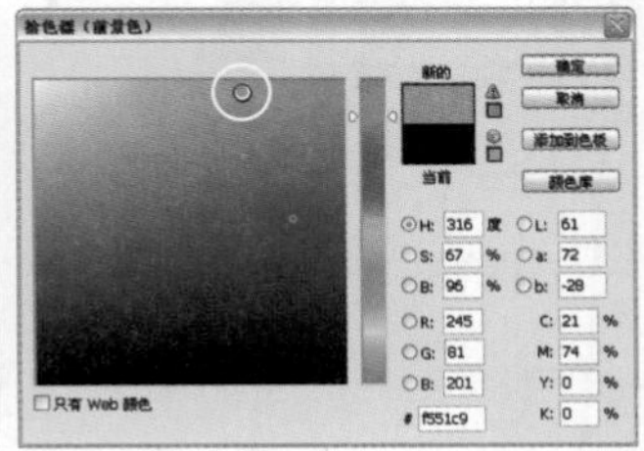

调整色相

图5-13

2 下面我们来调整颜色的饱和度。勾选S单选钮，如图5-14所示，拖动渐变条即可调整饱和度，如图5-15所示。

3 如果要调整颜色的亮度，可以勾选B单选钮，如图5-16所示，然后拖动颜色条进行调整，如图5-17所示。调整完成后，单击“确定”按钮关闭对话框，即可将其设置为前景色。

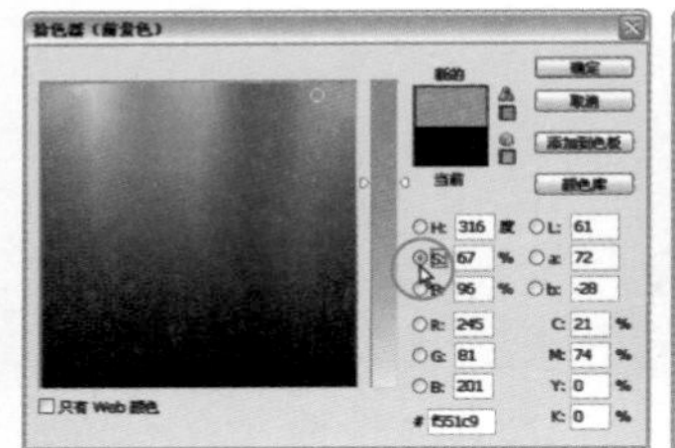
勾选S单选钮
图5-14

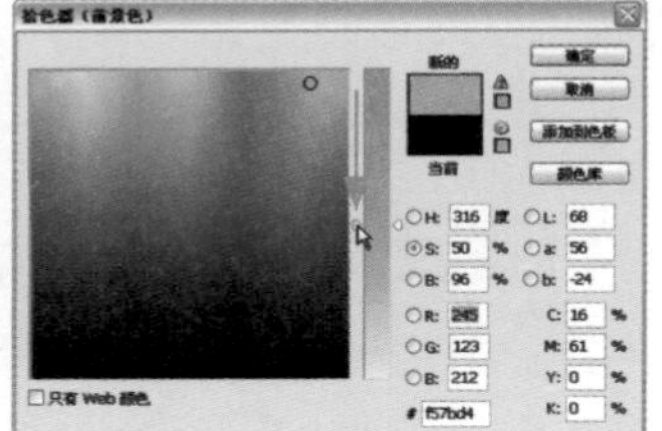
调整颜色的饱和度
图5-15

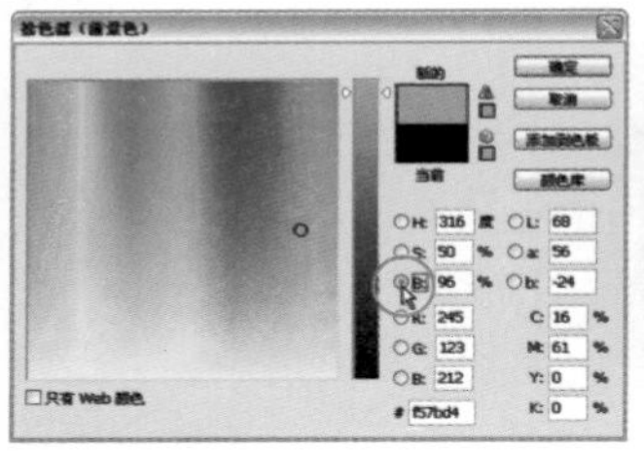
勾选B单选钮
图5-16

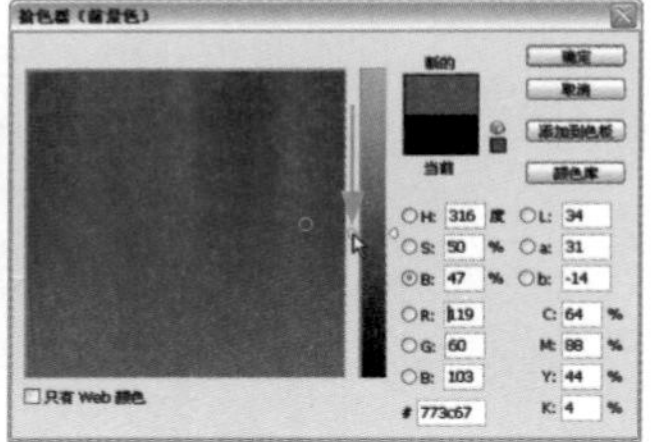
调整颜色的明度
图5-17

提示 如果知道所需颜色的色值，可在颜色模型右侧的文本框中输入数值来精确定义颜色，例如，可以指定R（红）、G（绿）和B（蓝）的颜色值来确定显示颜色，可以指定C（青）、M（品红）、Y（黄）和K（黑）的百分比来设置印刷色。

4 “拾色器”中有一个“颜色库”按钮，单击该按钮可以切换到“颜色库”对话框中，如图5-18所示。

5 在“色库”下拉列表中选择一个颜色系统，如图5-19所示；然后在光谱上选择颜色范围，如图5-20所示；最后在颜色列表中单击需要的颜色，可将其设置为当前颜色，如图5-21所示。

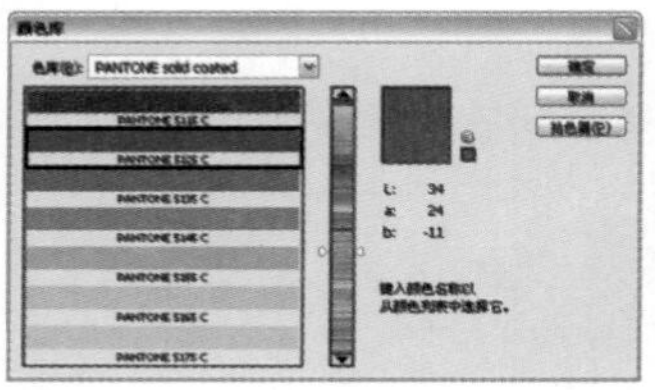
图5-18

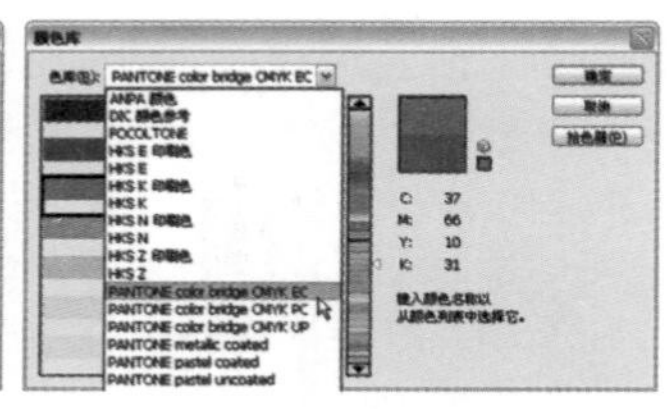
图5-19

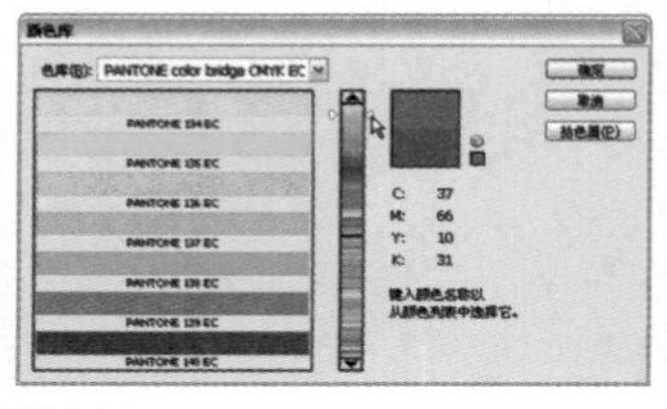
图5-20

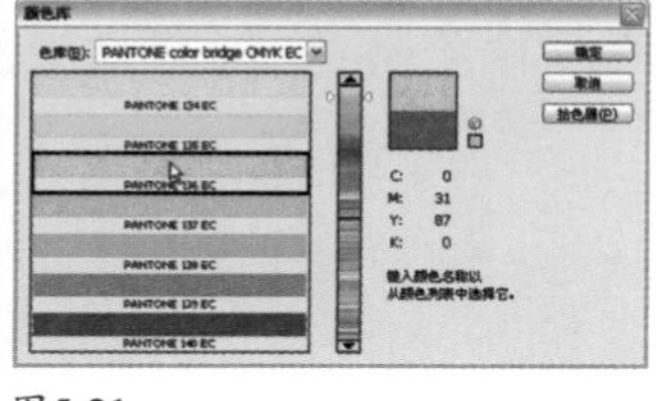
图5-21

提示 如果要切换回“拾色器”，可单击“颜色库”对话框中的“拾色器”按钮。

技术看板 19 常用的颜色系统简介

颜色系统没有一个统一的标准，许多国家都定制了符合自己规范的颜色系统。

- PANTONE用于专色重现。PANTONE 颜色参考和芯片色标簿会印在涂层、无涂层和哑面纸样上，以确保精确显示印刷结果并更好地进行印刷控制，另外，还可以在 CMYK下印刷 PANTONE 纯色。
- DIC颜色参考通常在日本用于印刷项目。
- FOCOLTONE由763种CMYK 颜色组成，通过显示补偿颜色的压印，可避免印前陷印和对齐问题。
- HKS在欧洲用于印刷项目。每种颜色都有指定的CMYK 颜色，可以从 HKS E（适用于连续静物）、HKS K（适用于光面艺术纸）、HKS N（适用于天然纸）和 HKS Z（适用于新闻纸）中选择，有不同缩放比例的颜色样本。
- TOYO Color Finder由基于日本最常用的印刷油墨的1000 多种颜色组成。
- TRUMATCH提供了可预测的 CMYK 颜色，它们与两千多种可实现的、计算机生成的颜色相匹配。

5.1.4 实战——用吸管工具拾取颜色

●实例门类：软件功能类 ●视频位置：光盘>实例视频>5.1.4

1 按下Ctrl+O快捷键，打开一个文件（光盘>素材>5.1.4），如图5-22所示。

图5-22

2 选择吸管工具，将光标放在图像上，单击鼠标可以显示一个取样环，并拾取单击点的颜色并将其设置为前景色，如图5-23所示；按住鼠标按键移动，取样环中会出现两种颜色，上面的是前一次拾取的颜色，下面的则是当前拾取的颜色，如图5-24所示。

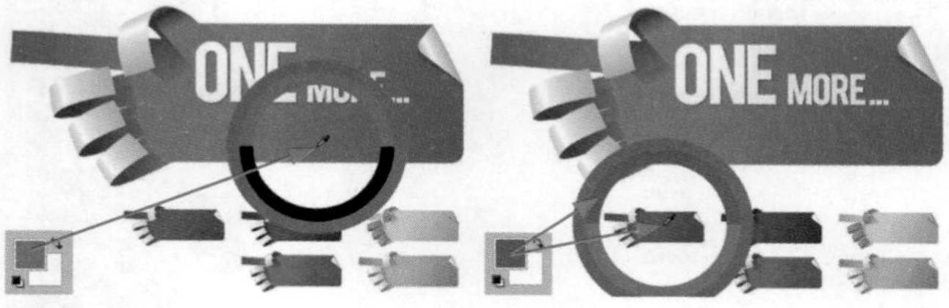

图5-23　　图5-24

3 按住Alt键单击，可拾取单击点的颜色并将其设置为背景色，如图5-25所示。如果将光标放在图像上，然后按住鼠标按键在屏幕上拖动，则可以拾取窗口、菜单栏和面板的颜色，如图5-26所示。

图5-25　　图5-26

吸管工具选项栏

如图5-27所示为吸管工具的选项栏。

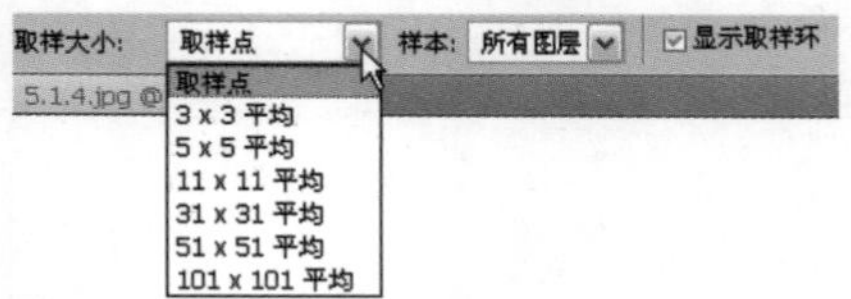

图5-27

- 取样大小：用来设置吸管工具的取样范围。选择“取样点”，可拾取光标所在位置像素的精确颜色；选择“3×3平均”，可拾取光标所在位置3个像素区域内的平均颜色；选择“5×5平均”，可拾取光标所在位置5个像素区域内的平均颜色，如图5-28所示。其他选项则依此类推。

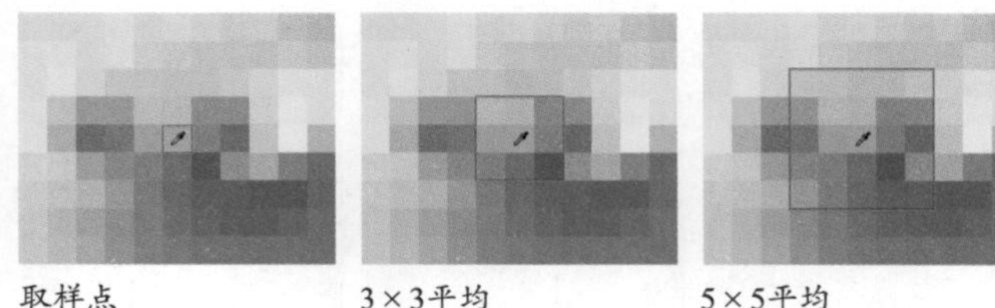

取样点　　3×3平均　　5×5平均

图5-28

- 样本：选择“当前图层”表示只在当前图层上取样；选择“所有图层”表示在所有图层上取样。
- 显示取样环：勾选该项，可在拾取颜色时显示取样环。

5.1.5 实战——用颜色面板调整颜色

●实例门类：软件功能类　●视频位置：光盘>实例视频>5.1.5

1 执行“窗口>颜色”命令，打开“颜色”面板。“颜色”面板采用类似于美术调色的方式来混合颜色，如果要编辑前景色，可单击前景色块，如图5-29所示；如果要编辑背景色，则单击背景色块，如图5-30所示。

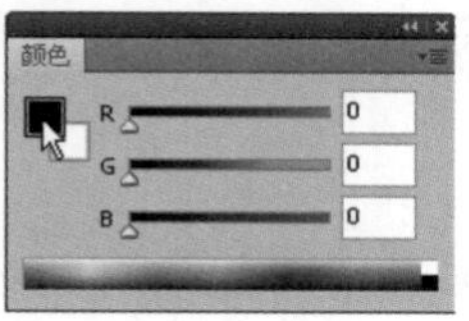

图5-29

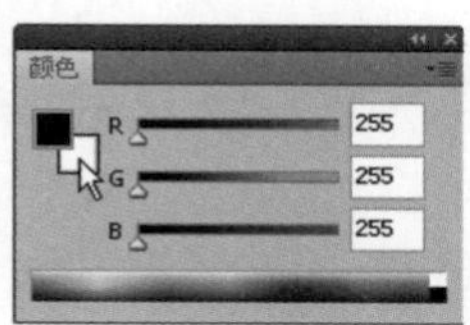

图5-30

2 在R、G、B文本框中输入数值，或者拖动滑块可调整颜色，如图5-31、图5-32所示。

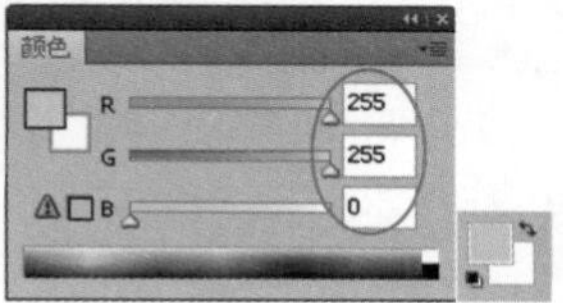

图5-31

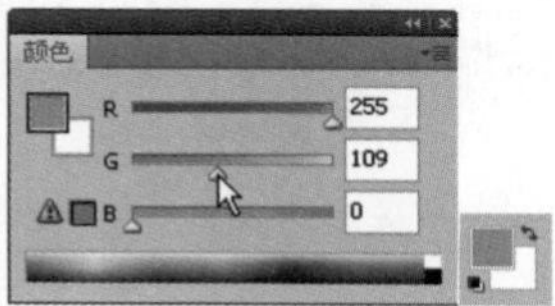

图5-32

3 将光标放在面板下面的四色曲线图上，光标会变为吸管状，单击可采集色样，如图5-33、图5-34所示。打开面板菜单，选择不同的命令可以修改四色曲线图的模式，如图5-35所示。

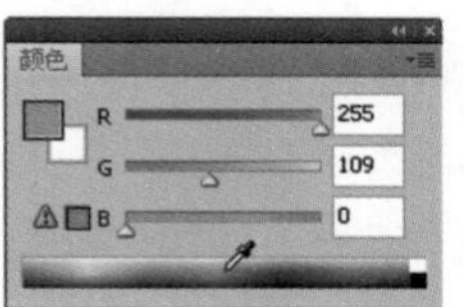

图5-33

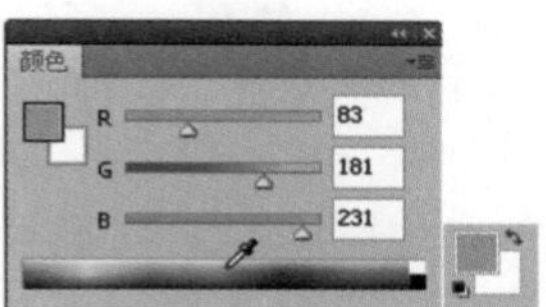

图5-34

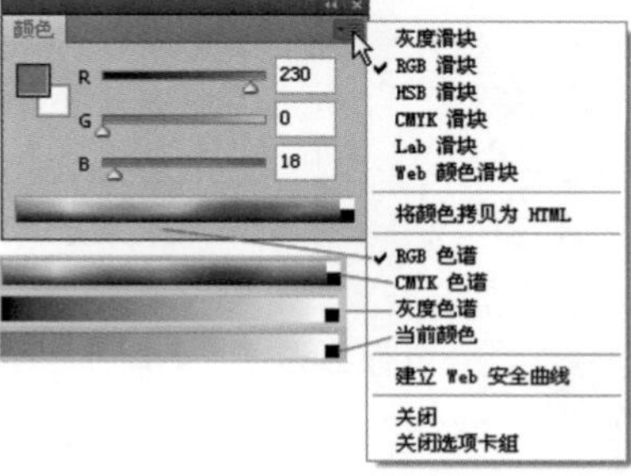

图5-35

5.1.6 实战——用色板面板设置颜色

●实例门类：软件功能类　●视频位置：光盘>实例视频>5.1.6

1 执行“窗口>色板”命令，打开“色板”面板。“色板”中的颜色都是预先设置好的，单击一个颜色样本，即可将它设置为前景色，如图5-36所示；按住Ctrl键单击，则可将它设置为背景色，如图5-37所示。

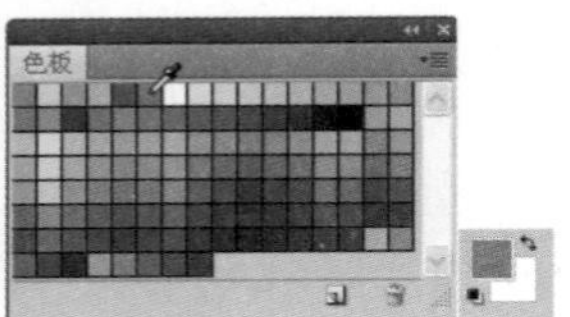
图5-36

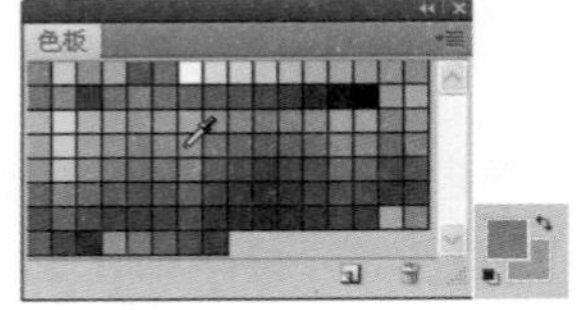
图5-37

"色板"面板菜单中提供了色板库，选择一个色板库，如图5-38所示，弹出一个提示，如图5-39所示，单击"确定"按钮，载入的色板库会替换面板中原有的颜色，如图5-40所示；单击"追加"按钮，则可在原有的颜色后面追加载入的颜色。如果要让面板恢复为默认的颜色，可以执行"面板"菜单中的"复位色板"命令。

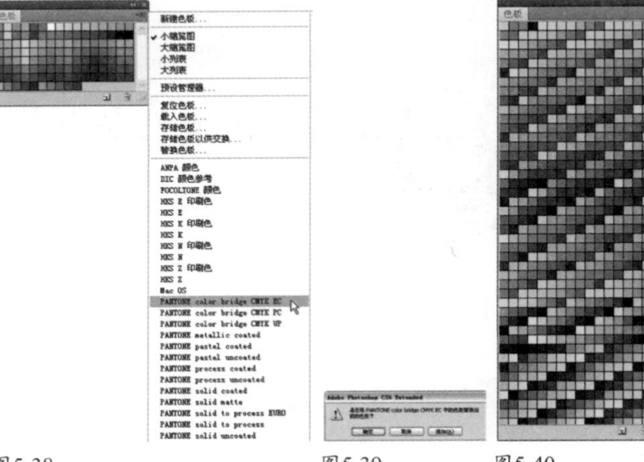
图5-38　图5-39　图5-40

提示　单击面板中的按钮，可以将当前设置的前景色保存到面板中。如果要删除一种颜色，可将它拖动到按钮上。

5.2 渐变工具

渐变工具用来在整个文档或选区内填充渐变颜色。渐变在Photoshop中的应用非常广泛，它不仅可以填充图像，还用来填充图层蒙版、快速蒙版和通道。此外，调整图层和填充图层也会用到渐变。

5.2.1 渐变工具选项

选择渐变工具后，需要先在工具选项栏选择一种渐变类型，并设置渐变颜色和混合模式等选项，如图5-41所示，然后才能创建渐变。

图5-41

- 渐变颜色条：渐变色条中显示了当前的渐变颜色，单击它右侧的按钮，可以在打开的下拉面板中选择一个预设的渐变，如图5-42所示。如果直接单击渐变颜色条，则会弹出"渐变编辑器"，在"渐变编辑器"中可以编辑渐变颜色，或者保存渐变。
- 渐变类型：按下线性渐变按钮，可创建以直线从起点到终点的渐变；按下径向渐变按钮，可创建以圆形图案从起点到终点的渐变；按下角度渐变按钮，可创建围绕起点以逆时针扫描方式的渐变；按下对称渐变按钮，可创建使用均衡的线性渐变在起点的任意一侧渐变；按下菱形渐变按钮，以菱形方式从起点向外渐变，终点定义菱形的一个角。如图5-43～图5-47所示为不同类型的渐变效果。

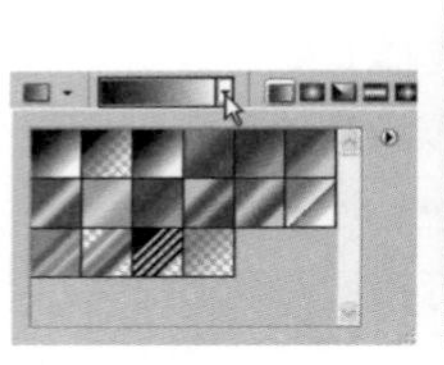

渐变下拉面板
图5-42

线性渐变
图5-43

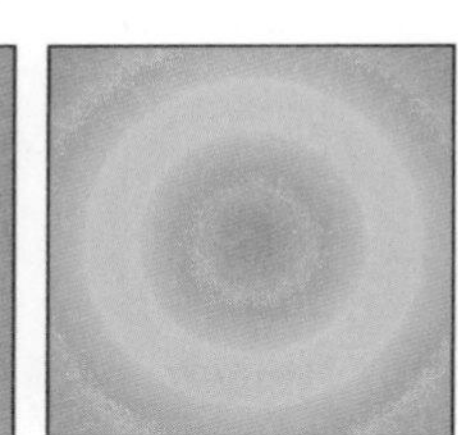
径向渐变
图5-44

角度渐变
图5-45

对称渐变
图5-46

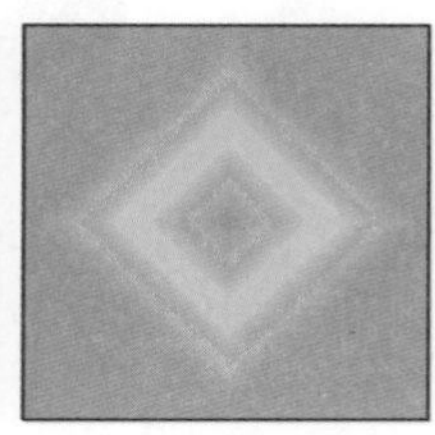
菱形渐变
图5-47

- 模式：用来设置应用渐变时的混合模式。
- 不透明度：用来设置渐变效果的不透明度。
- 反向：可转换渐变中的颜色顺序，得到反方向的渐变结果。

- 仿色：勾选该项，可以使渐变效果更加平滑。主要用于防止打印时出现条带化现象，但在屏幕上并不能明显地体现出作用。
- 透明区域：勾选该项，可以创建包含透明像素的渐变，如图5-48所示；取消勾选则创建实色渐变，如图5-49所示。

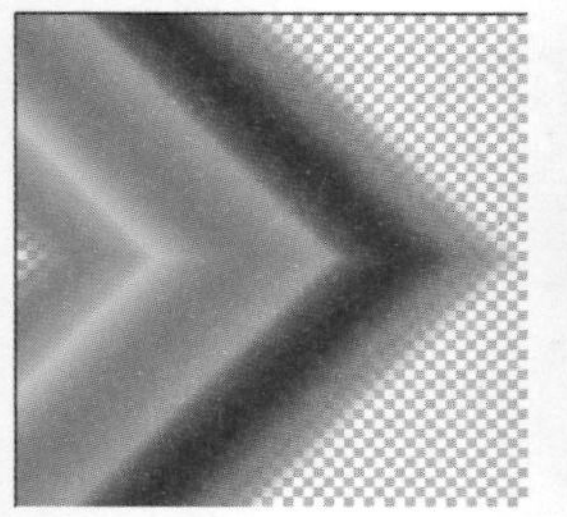
图5-48

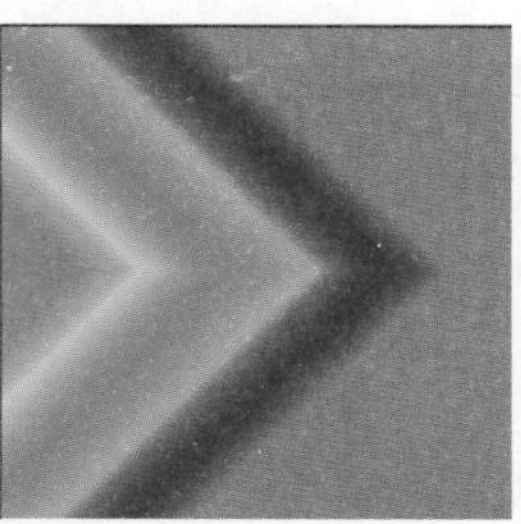
图5-49

5.2.2 实战——用实色渐变制作水晶按钮

●实例门类：软件功能+质感类 ●视频位置：光盘>实例视频>5.2.2

1 选择渐变工具，在工具选项栏按下线性渐变按钮，单击渐变颜色条，如图5-50所示，打开“渐变编辑器”，如图5-51所示。

图5-50

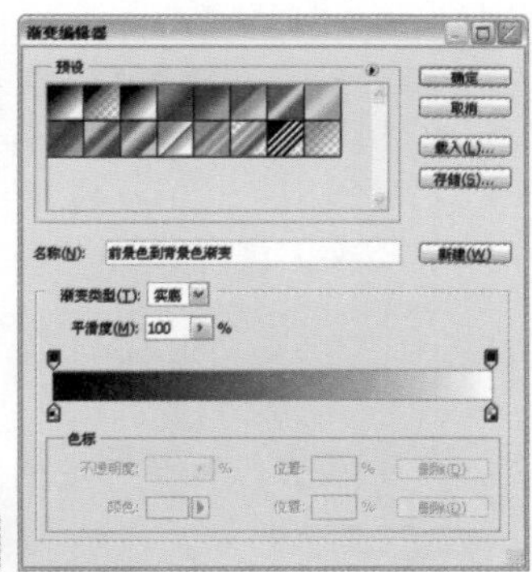
图5-51

2 在“预设”选项中选择一个预设的渐变，它就会出现在下面的渐变条上，如图5-52所示。渐变条下面的图标是色标，单击一个色标，可以将它选择，如图5-53所示。

3 选择一个色标以后，单击“颜色”选项右侧的颜色块，或者双击该色标都可以打开“拾色器”，在“拾色器”中调整该色标的颜色即可修改渐变的颜色，如图5-54、图5-55所示。

提示 渐变条中最左侧的色标代表了渐变的起点颜色，最右侧的色标代表了渐变的终点颜色。

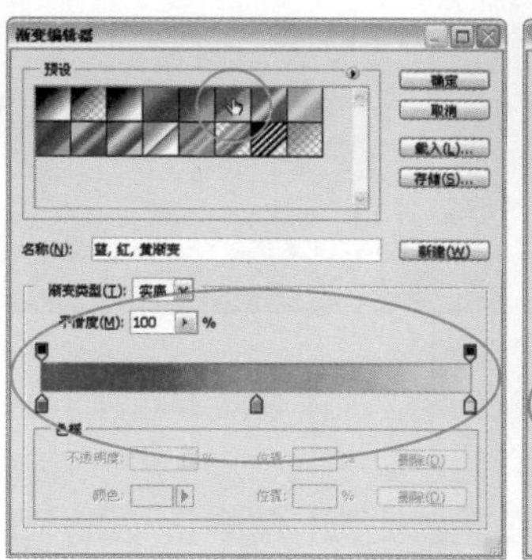
图5-52

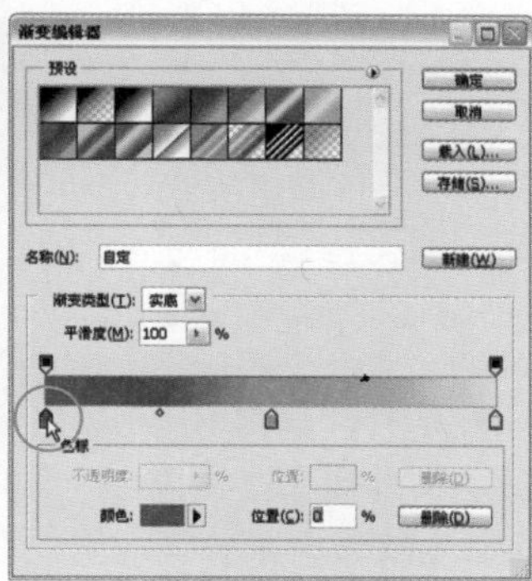
图5-53

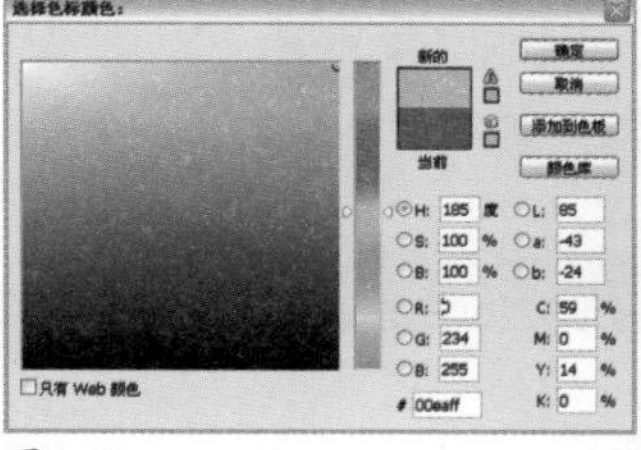
图5-54

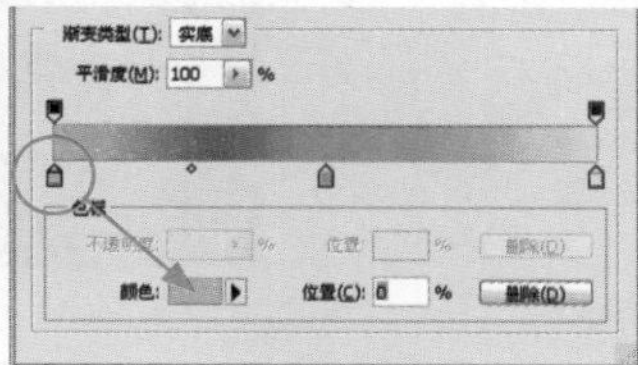
图5-55

4 选择一个色标并拖动它，或者在“位置”文本框输入数值，可以改变渐变色的混合位置，如图5-56所示。拖动两个渐变色标之间的菱形图标（中点），可以调整该点两侧颜色的混合位置，如图5-57所示。

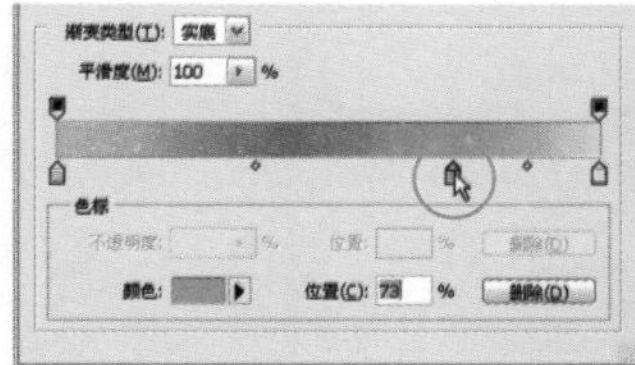
图5-56

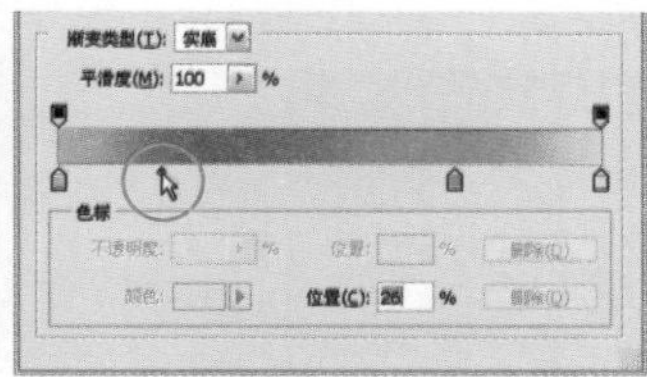
图5-57

5 在渐变条下方单击可以添加新色标，如图5-58所示。选择一个色标后，单击“删除”按钮，或直接将它拖到渐变颜色条外，可以删除该色标，如图5-59所示。

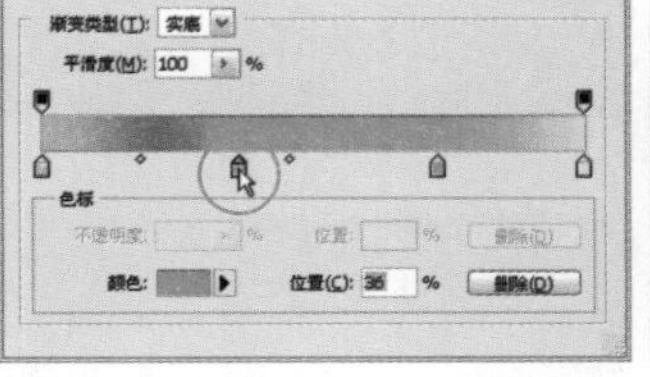
图5-58

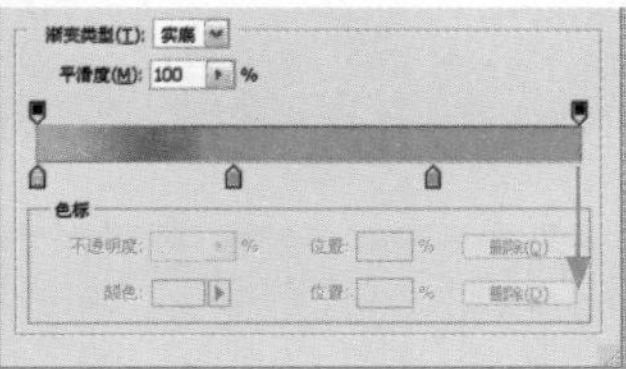
图5-59

6 采用前面介绍的方法调出如图5-60所示的渐变颜色。单击“确定”按钮关闭对话框。按下Ctrl+O快捷键，打开一个文件（光盘>素材>5.2.2），如图5-61所示。

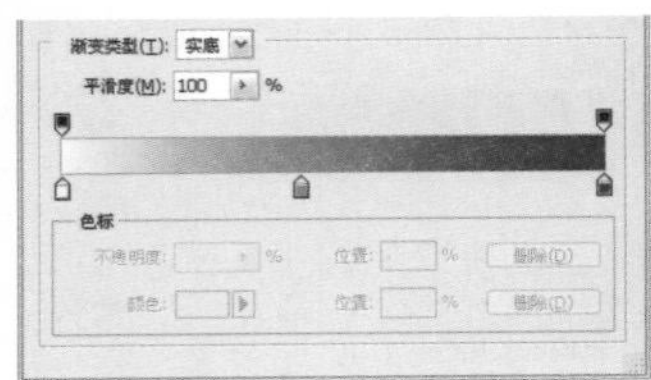
图5-60

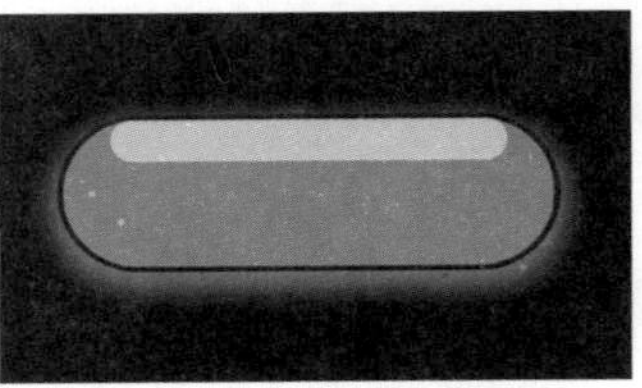
图5-61

7 选择“图层1”，如图5-62所示，在画面中按住Shift键单击并拖动鼠标拉出一条直线，放开鼠标后，可创建渐变，如图5-63所示。起点（按下鼠标处）和终点（松开鼠标处）的位置不同，渐变的外观也会随之变化。

图5-62

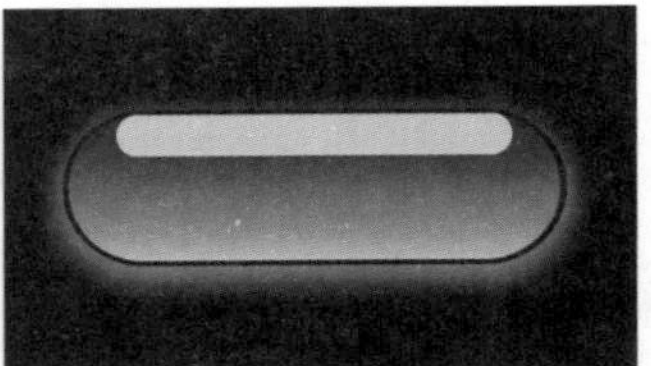
图5-63

8 选择“图层2”，如图5-64所示。打开“渐变编辑器”重新设置渐变颜色，如图5-65所示，按住Shif在画面中填充渐变，我们就制作出一个水晶质感的Web按钮，效果如图5-66所示。我们还可以设置不同的渐变颜色，制作出更加丰富的按钮，如图5-67～图5-69所示。

图5-64

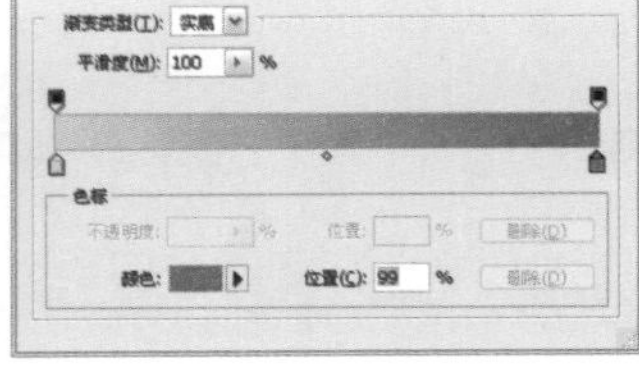
图5-65

图5-66

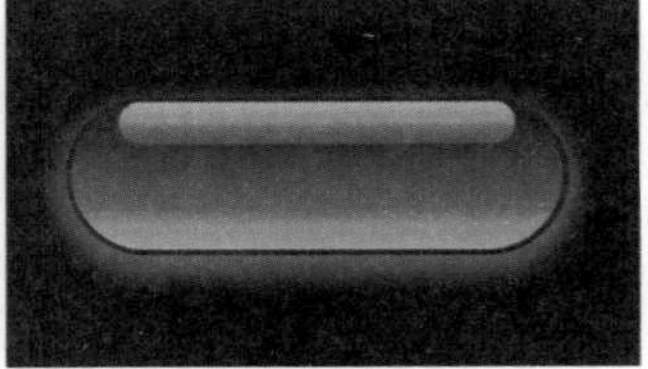
图5-67

图5-68

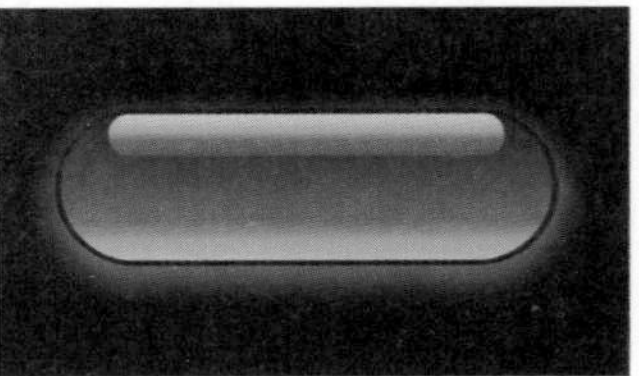
图5-69

提示 在填充渐变颜色时，按住Shift键拖动鼠标，可创建水平、垂直或以45°角为增量的渐变。

5.2.3 设置杂色渐变

杂色渐变包含了在指定范围内随机分布的颜色，它的颜色变化效果更加丰富。在“渐变编辑器”的“渐变类型”下拉列表中选择“杂色”，对话框中就会显示杂色渐变选项，如图5-70所示。

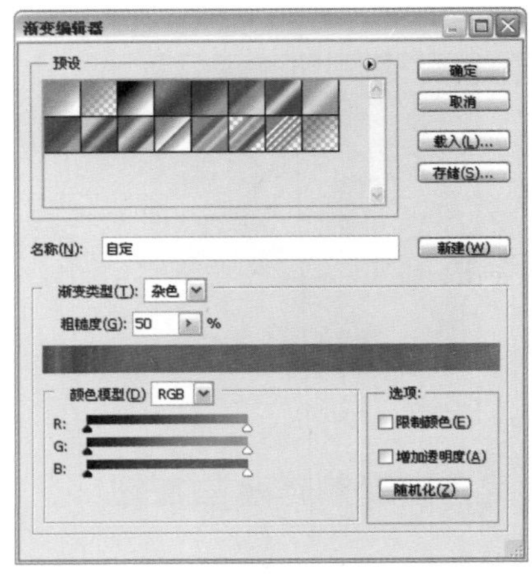
图5-70

- 粗糙度：用来设置渐变的粗糙度，该值越高，颜色的层次越丰富，但颜色间的过渡越粗糙，如图5-71、图5-72所示。

图5-71　图5-72

- 颜色模型：在下拉列表中可以选择一种颜色模型来设置渐变，包括RGB、HSB和LAB。每一种颜色模型都有对应的颜色滑块，拖动滑块即可调整渐变颜色，如图5-73所示。

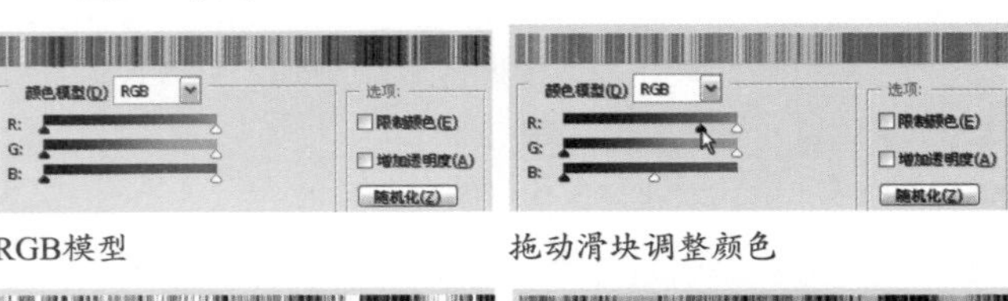
RGB模型　拖动滑块调整颜色

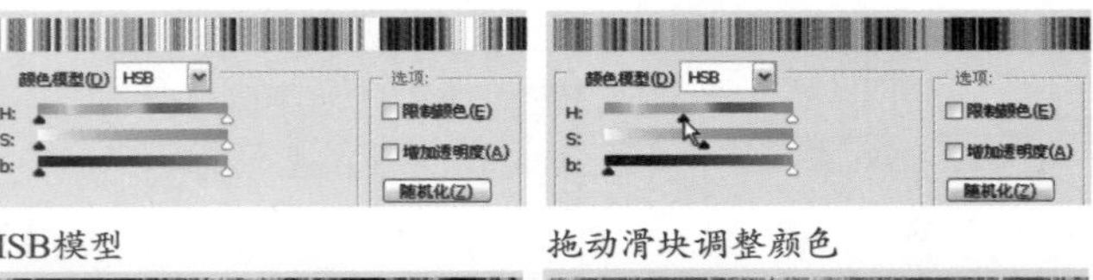
HSB模型　拖动滑块调整颜色

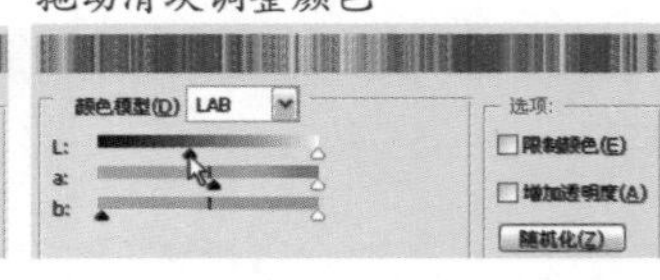
LAB模型　拖动滑块调整颜色

图5-73

- 限制颜色：将颜色限制在可以打印的范围内，防止颜色过于饱和。
- 增加透明度：可以向渐变中添加透明像素，如图5-74所示。
- 随机化：每单击一次该按钮，就会随机生成一个新的渐变颜色，如图5-75所示。

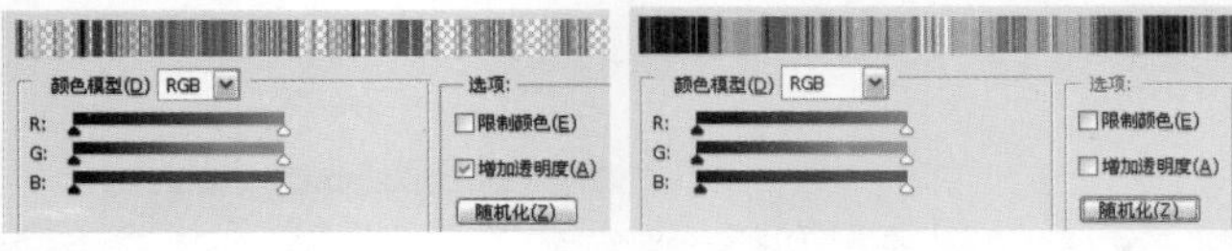

图5-74　　图5-75

5.2.4 实战——用杂色渐变制作放射线背景

●实例门类：软件功能+特效类　●视频位置：光盘>实例视频>5.2.4

1 按下Ctrl+N快捷键，创建一个36×27厘米，72像素/英寸的文档。按下D键，将前景色设置为黑色。

2 选择渐变工具，按下角度渐变按钮。单击渐变色条打开“渐变编辑器”，在“渐变类型”中选择“杂色”，设置“粗糙度”为100%，在“颜色模型”列表中选择“LAB”，如图5-76所示，在画面中填充渐变，如图5-77所示。

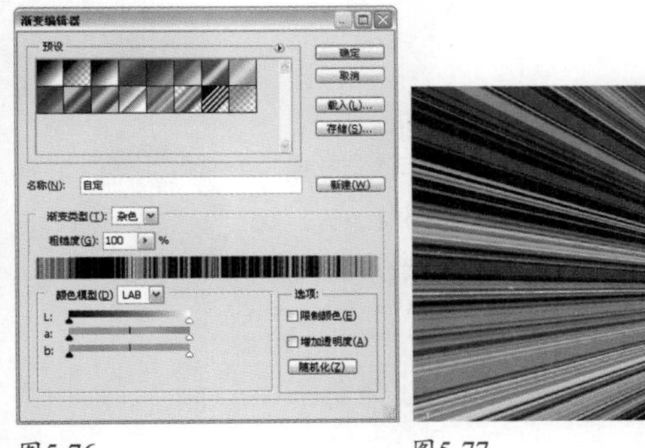

图5-76　　图5-77

3 按下Ctrl+U快捷键，打开“色相/饱和度”对话框，拖动“色相”和“饱和度”滑块，调整渐变颜色，如图5-78、图5-79所示。

图5-78

图5-79

4 按下Ctrl+O快捷键，打开一个汽车素材（光盘>素材>5.2.4），使用移动工具将它拖入到渐变文档中，效果如图5-80所示。

图5-80

5.2.5 实战——创建透明渐变

●实例门类：软件功能+特效类　●视频位置：光盘>实例视频>5.2.5

1 透明渐变是指包含透明像素的渐变。按下Ctrl+O快捷键，打开一个文件（光盘>素材>5.2.5），如图5-81所示。使用椭圆选框工具创建一个选区，如图5-82所示。

图5-81　　图5-82

2 单击“图层”面板底部的按钮，新建一个图层，如图5-83所示。单击工具箱中的前景色图标，打开“拾色器”调整前景色，如图5-84所示。

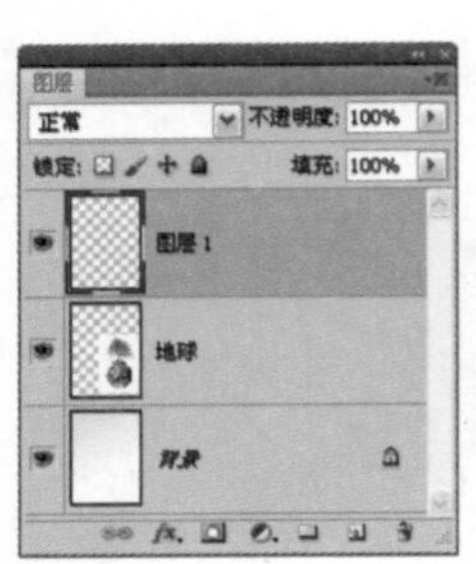

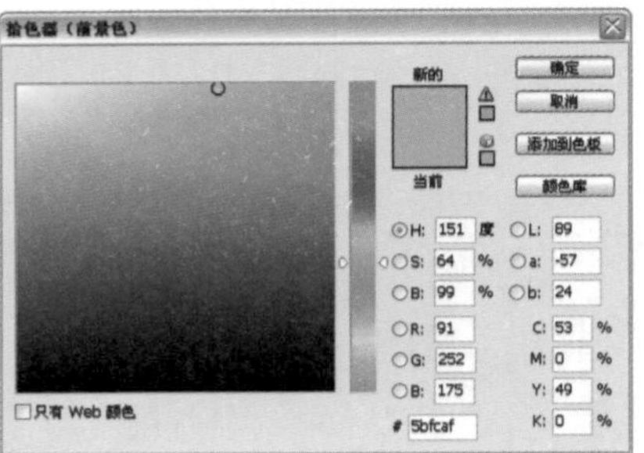

图5-83　图5-84

3 选择渐变工具，按下径向渐变按钮，打开渐变下拉面板，选择前景色-透明渐变，如图5-85所示。在选区内填充渐变，如图5-86所示。按下Ctrl+D快捷键取消选择。

图5-85　图5-86

4 单击“图层”面板底部的按钮，新建一个图层，如图5-87所示。用椭圆选框工具创建一个选区，将前景色设置为白色，用渐变工具填充径向渐变，如图5-88所示。

图5-87　图5-88

5 按下Ctrl+D快捷键取消选择。按下Ctrl+T快捷键显示定界框，拖动控制点旋转图像，如图5-89所示。按下回车键确认。再新建几个图层，用椭圆选框工具创建选区，然后分别填充渐变，如图5-90所示，渐变效果如图5-91所示（暂时隐藏了地球图层）。最后使用横排文字工具 T 输入一些文字，如图5-92所示。

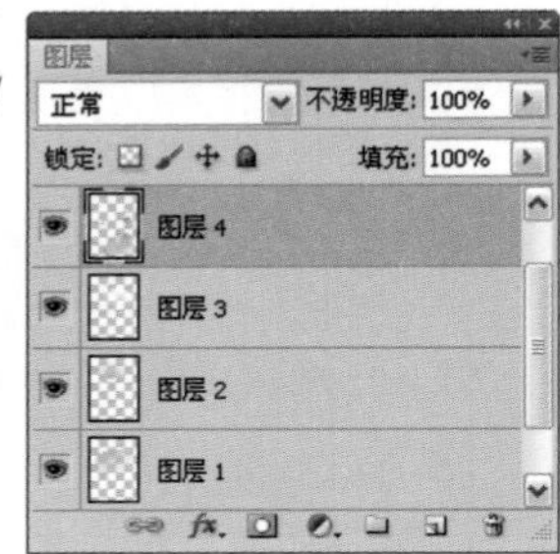

图5-89　图5-90

图5-91　图5-92

编辑透明渐变

打开“渐变编辑器”，选择一个预设的实色渐变。选择渐变条上方的不透明度色标，如图5-93所示，调整它的“不透明度”值，即可使色标所在位置的渐变颜色呈现透明效果，如图5-94所示。

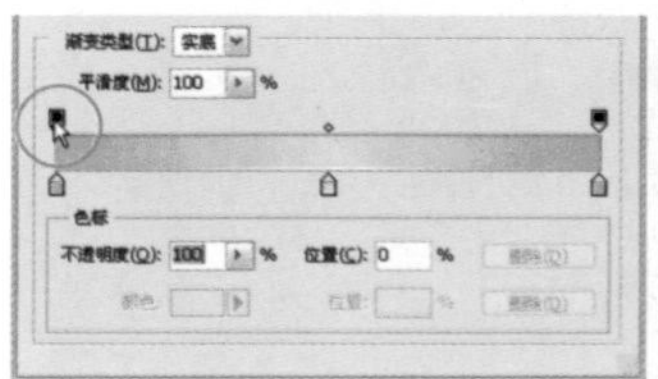

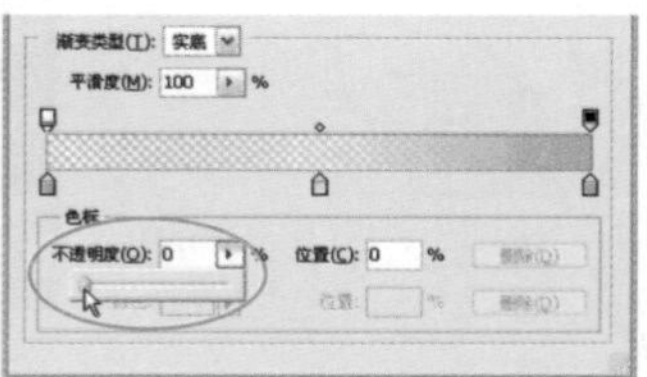

图5-93　图5-94

拖动不透明度色标，或者在“位置”文本框中输入数值，可以调整色标的位置，如图5-95所示。拖动中点（菱形图标），则可以调整该图标一侧颜色与另一侧透明色的混合位置，如图5-96所示。

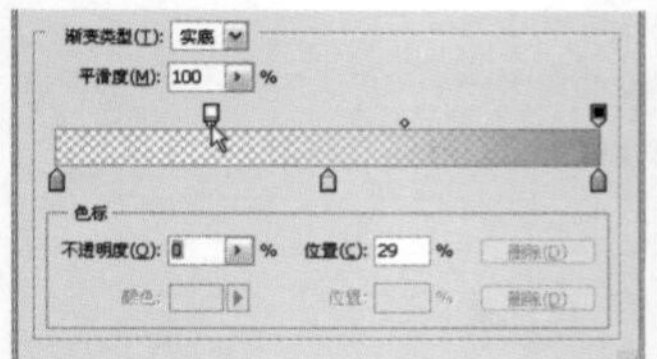
图5-95

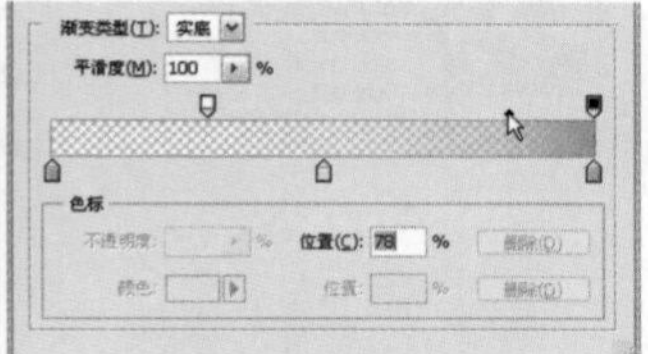
图5-96

在渐变条上方单击，可以添加不透明度色标；将色标拖出对话框外，可删除色标。

5.2.6 存储渐变

在“渐变编辑器”中调整好一个渐变以后，在“名称”选项中输入渐变的名称，如图5-97所示，单击“新建”按钮，可将其保存到渐变列表中，如图5-98所示。

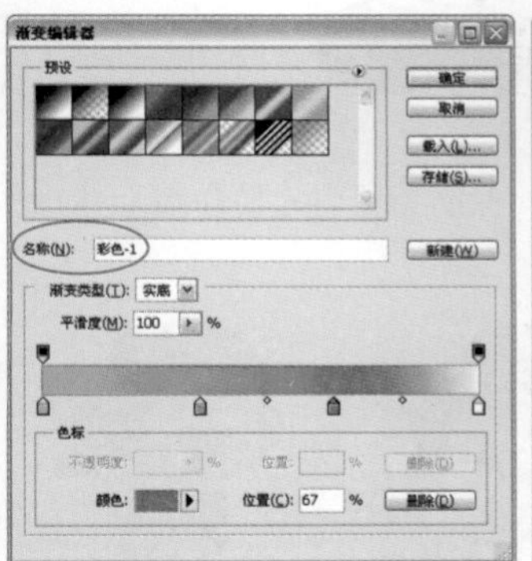
图5-97

图5-98

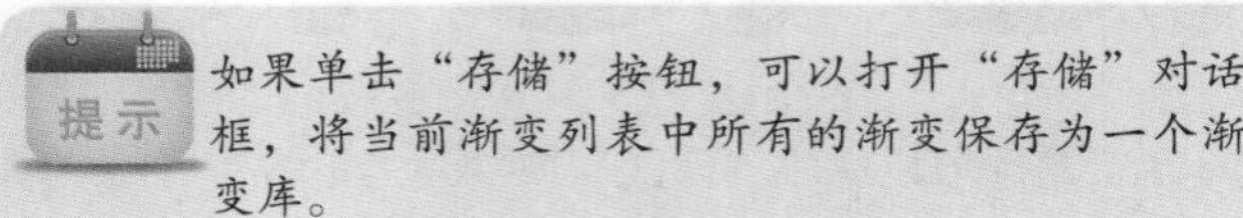
如果单击“存储”按钮，可以打开“存储”对话框，将当前渐变列表中所有的渐变保存为一个渐变库。

5.2.7 载入渐变库

载入渐变

在“渐变编辑器”中，单击渐变列表右上角的▶按钮，可以打开一个下拉菜单，如图5-99所示，菜单底部包含了Photoshop提供的预设渐变库。选择一个渐变库，会弹出一个提示对话框，单击“确定”按钮，可载入渐变并替换列表中原有的渐变，如图5-100所示；单击“追加”按钮，可在原有渐变的基础上添加载入的渐变；单击“取消”按钮，则取消操作。

图5-99

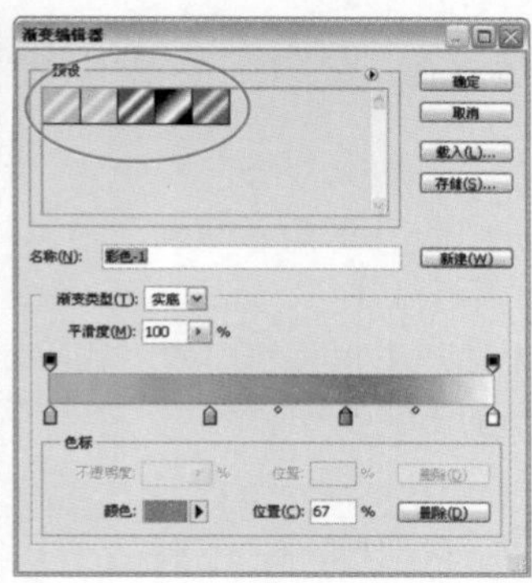
图5-100

载入外部渐变库

单击“渐变编辑器”中的“载入”按钮，可以打开“载入”对话框，选择光盘中的渐变库，如图5-101所示，单击“载入”按钮可将其载入使用，如图5-102所示。

图5-101

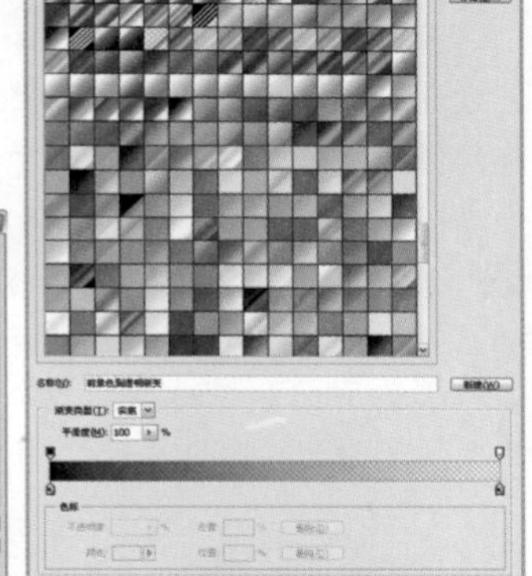
图5-102

复位渐变

在“渐变编辑器”中载入渐变或删除渐变以后，如果想要恢复为默认的渐变，可以选择对话框菜单中的“复位渐变”命令，如图5-103所示，弹出一个提示，如图5-104所示，单击“确定”按钮，即可恢复为默认的渐变；单击“追加”按钮，可以将默认的渐变添加到当前列表中。

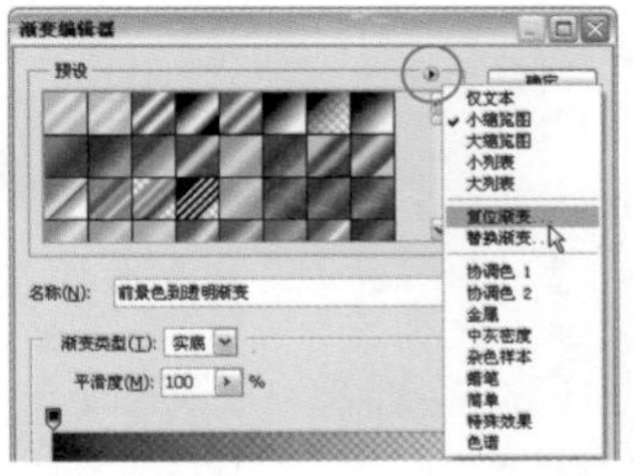

图5-103

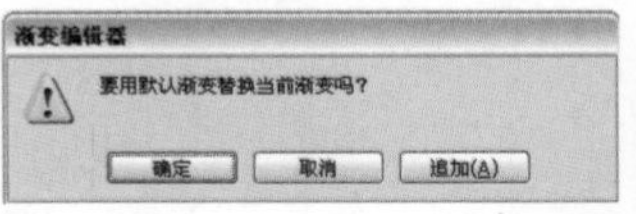

图5-104

5.2.8 重命名与删除渐变

在渐变列表中选择一个渐变，单击右键，选择下拉菜单中的“重命名渐变”命令，如图5-105所示，可以打开“渐变名称”对话框修改渐变的名称，如图5-106所示。如果选择下拉菜单中的“删除渐变”命令，则可删除当前选择的渐变。

图5-105

图5-106

5.3 填充与描边

填充是指在图像或选区内填充颜色，描边则是指为选区描绘可见的边缘。进行填充和描边操作时，可以使用油漆桶工具、“填充”和“描边”命令。下面我们就来了解怎样使用这几个工具。

5.3.1 实战——用油漆桶为卡通人填色

●实例门类：软件功能类　●视频位置：光盘>实例视频>5.3.1

油漆桶工具可以在图像中填充前景色或图案。如果创建了选区，填充的区域为所选区域；如果没有创建选区，则填充与鼠标单击点颜色相近的区域。我们下面就用油漆桶工具为一幅黑白画填色。

1 按下Ctrl+O快捷键，打开一个文件（光盘>素材>5.3.1），如图5-107所示。选择油漆桶工具，在工具选项栏中将“填充”设置为“前景”，“模式”设置为“颜色”，“容差”设置为60，如图5-108所示。

图5-107

前景		模式: 颜色	不透明度: 100%	容差: 60

图5-108

提示　将“模式”设置为“颜色”，填充颜色时不会破坏图像中原有的阴影和细节。

2 打开“色板”面板，选择如图5-109所示的颜色。在女孩的面部单击，填充前景色，如图5-110所示。

图5-109

图5-110

3 采用同样的方法填充耳朵、手、衣服和鞋，如图5-111～图5-113所示。

图5-111

图5-112

图5-113

4 在工具选项栏中将“模式”恢复为“正常”，将“填充”设置为“图案”，然后选择如图5-114所示的图案，在背景上单击填充图案，如图5-115所示。

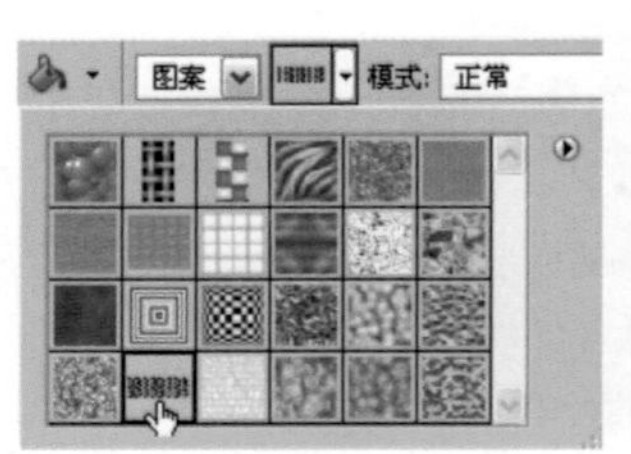

图5-114

图5-115

油漆桶工具选项栏

如图5-116所示为油漆桶工具的选项栏。

图5-116

- 填充内容：单击油漆桶右侧的按钮，可以在下拉列表中选择填充内容，包括“前景色”和“图案”。
- 模式/不透明度：用来设置填充内容的混合模式和不透明度。
- 容差：用来定义必须填充的像素的颜色相似程度。低容差会填充颜色值范围内与单击点像素非常相似的像素，高容差则填充更大范围内的像素。
- 消除锯齿：可以平滑填充选区的边缘。
- 连续的：只填充与鼠标单击点相邻的像素；取消勾选时可填充图像中的所有相似像素。
- 所有图层：选择该项，表示基于所有可见图层中的合并颜色数据填充像素；取消勾选则仅填充当前图层。

5.3.2 实战——用“填充”命令填充草坪图案

●实例门类：软件功能+特效类 ●视频位置：光盘>实例视频>5.3.2

使用“填充”命令可以在当前图层或选区内填充颜色或图案，在填充时还可以设置不透明度和混合模式。文本层和被隐藏的图层不能进行填充。

1 按下Ctrl+O快捷键，打开一个文件（光盘>素材>5.3.2），如图5-117所示。

图5-117

2 选择“图层1”，如图5-118所示。单击“图层”面板底部的按钮，在它上面新建一个图层，如图5-119所示。打开“路径”面板，按住Ctrl键单击“路径1”，载入选区，如图5-120、图5-121所示。

图5-118

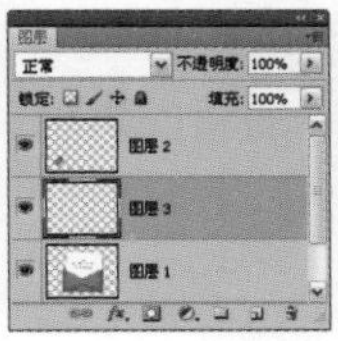

图5-119

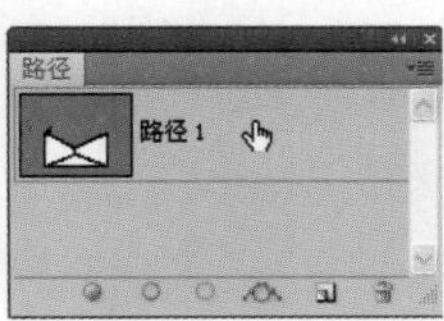

图5-120

图5-121

3 执行“编辑>填充”命令，打开“填充”对话框，在“使用”下拉列表中选择“图案”，打开图案下拉面板，执行面板菜单中的“自然图案”命令，如图5-122所示，载入该图案库。选择如图5-123所示的草地图案。

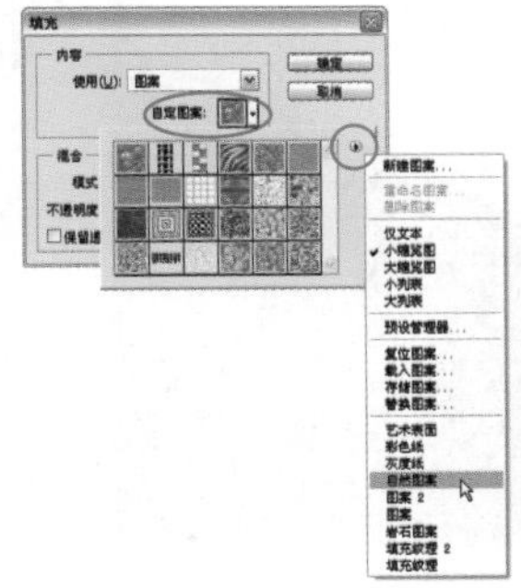

图5-122

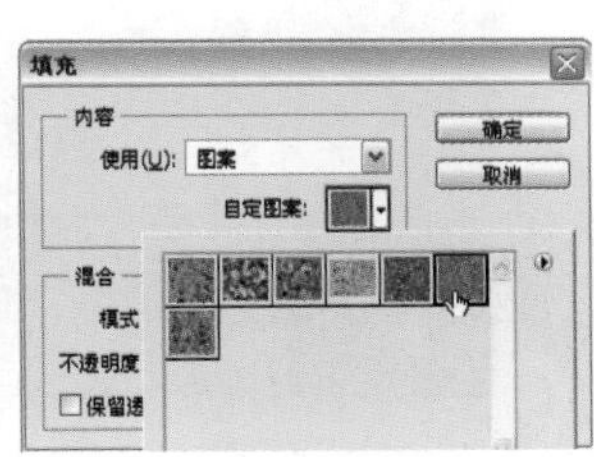

图5-123

4 单击“确定”按钮，在选区内填充图案，按下Ctrl+D快捷键取消选择，如图5-124所示。

图5-124

5 将该图层的混合模式设置为“叠加”，如图5-125、图5-126所示。采用同样方法，将标签也填充为草坪图案，效果如图5-127所示。

图5-125　图5-126

图5-127

提示 按下Alt+Delete键可快速填充前景色；按下Ctrl+Delete键可快速填充背景色。

“填充”对话框

- 内容：用来设置填充内容。可以在“使用”选项下拉列表中选择“前景色”、“背景色”或“图案”等作为填充内容。这其中有一项新增功能，就是“内容识别”。当我们创建选区以后，如图5-128所示，在“填充”对话框中选择该项作为填充内容，Photoshop会用选区附近的图像填充选区，并对光影、色调等进行融和，使填充区域的图像就像是原本就不存在一样，如图5-129所示。
- 模式/不透明度：用来设置填充内容的混合模式和不透明度。
- 保留透明区域：勾选该项后，只对图层中包含像素的区域进行填充，不会影响透明区域。

图5-128　图5-129

5.3.3 实战——定义图案制作足球海报

●实例门类：软件功能+特效类　●视频位置：光盘>实例视频>5.3.3

使用“定义图案”命令可以将图层或选区中的图像定义为图案。定义图案以后，用“填充”命令可将图案内容填充到整个图层区域或选区中。

1 按下Ctrl+O快捷键，打开一个文件（光盘>素材>5.5.3a），如图5-130所示。

2 选择“图层1”，在“背景”图层前面的眼睛图标上单击，隐藏该图层，如图5-131、图5-132所示。使用矩形选框工具选中球星，如图5-133所示。

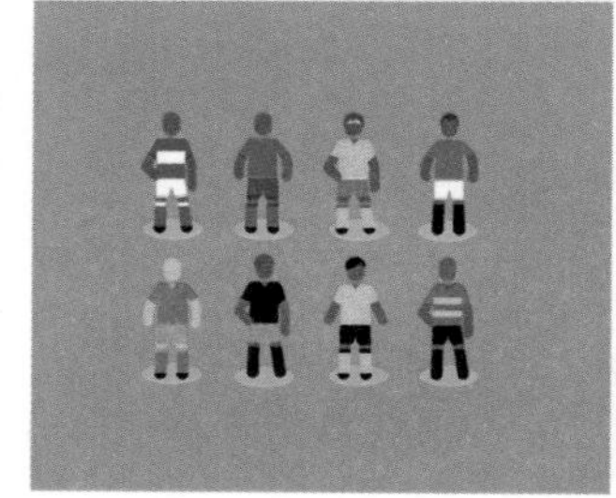

图5-130

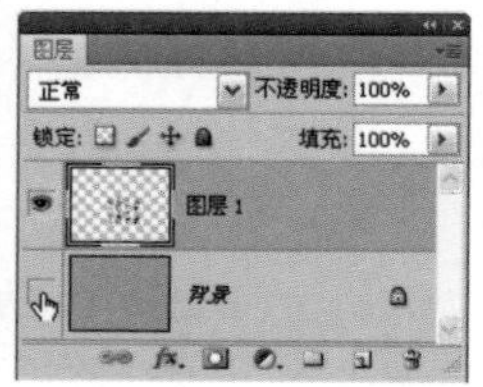

图5-131

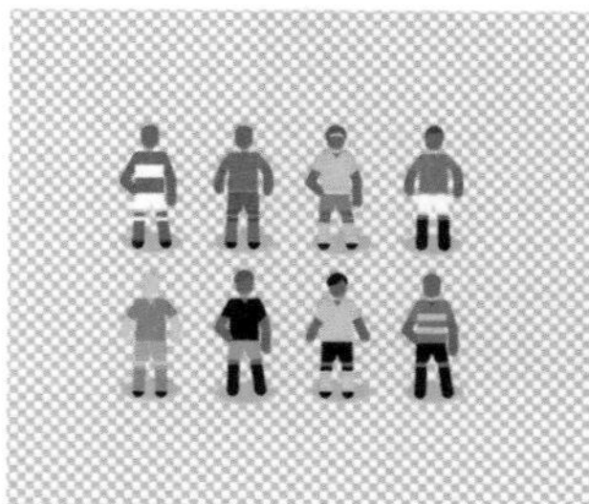

图5-132

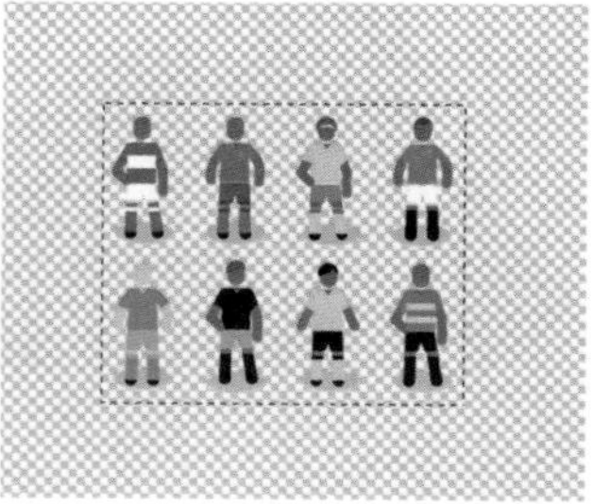

图5-133

3 执行“编辑>定义图案”命令，打开“图案名称”对话框输入图案的名称，如图5-134所示，单击“确定”按钮，将选中的几个球星创建为自定义的图案。

图5-134

4 按下Delete键，将“图层1”中的图像删除，使该图层成为透明图层，如图5-135所示。按下Ctrl+D快捷键取消选择。在“背景”图层前面的原眼睛图标处单击，重新显示该图层，如图5-136所示。

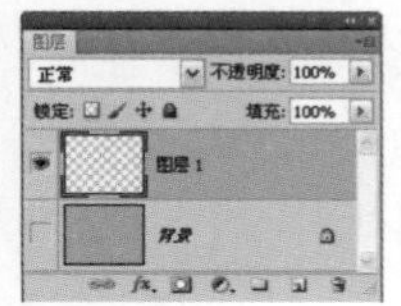

图5-135

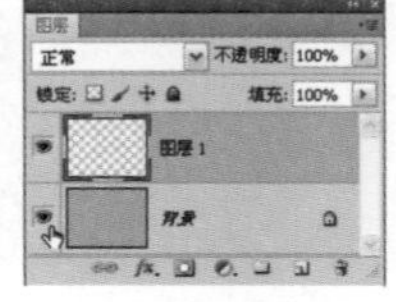

图5-136

5 执行“编辑>填充”命令，打开“填充”对话框，在“使用”选项下拉列表中选择“图案”，然后在“自定图案”下拉列表中选择我们新建的图案，如图5-137所示，单击“确定”按钮填充图案，如图5-138所示。

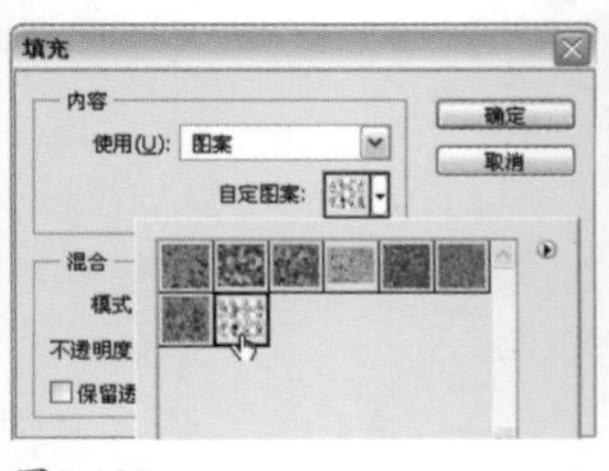

图5-137

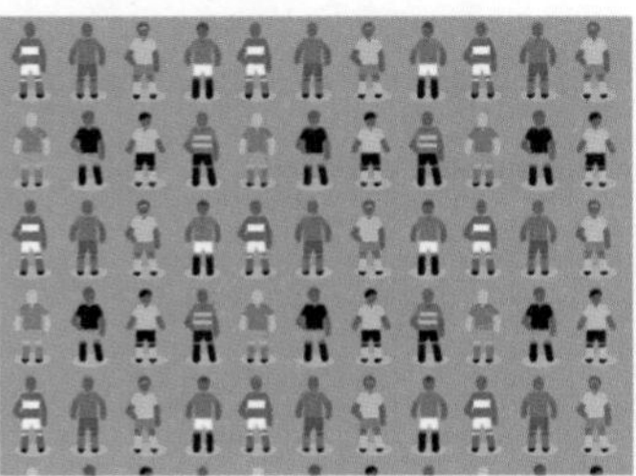

图5-138

6 打开一个文件（光盘>素材>5.3.3b），使用移动工具将足球和文字拖入图案文档，效果如图5-139所示。我们还可以将图案应用到其他地方，如可以作为外包装贴图，如图5-140所示。

图5-139

图5-140

5.3.4 实战——用“描边”命令制作线描插画

●实例门类：软件功能+特效类 ●视频位置：光盘>实例视频>5.3.4

1 按下Ctrl+O快捷键，打开一个文件（光盘>素材>5.3.4a），如图5-141所示。使用魔棒工具选择背景，如图5-142所示。

图5-141

图5-142

2 按下Shift+Ctrl+I键反选，选中人物，如图5-143所示。单击“图层”面板底部的按钮，新建一个图层，如图5-144所示。

图5-143

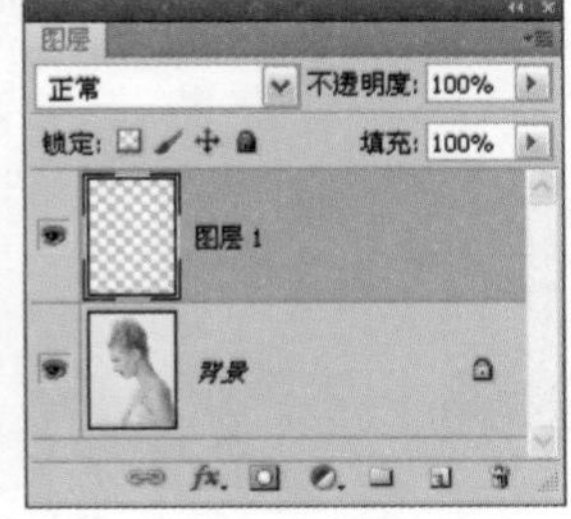

图5-144

3 执行“编辑>描边”命令，打开“描边”对话框，设置描边“宽度”为3px，“位置”为“居中”。单击“颜色”选项右侧的颜色块，在打开的“拾色器”中设置描边颜色为黑色，如图5-145所示。单击“确定”按钮关闭对话框，按下Ctrl+D快捷键取消选择，描边效果如图5-146所示。

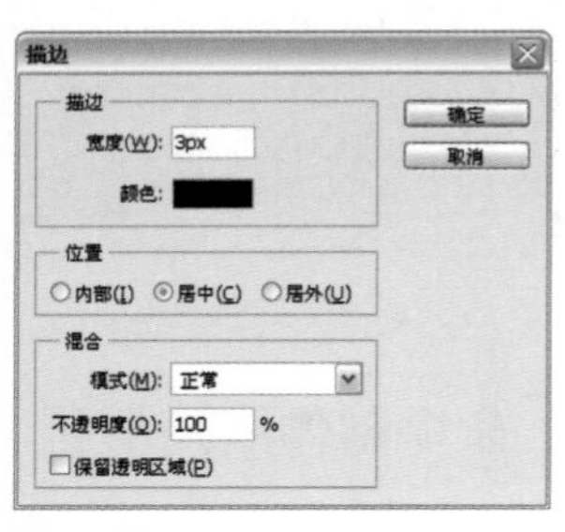

图5-145

图5-146

4 选择魔棒工具，在工具选项栏中设置“容差”为30，勾选“对所有图层取样”，在人物眼睛上、身体上单击，创建选区，如图5-147、图5-148所示。

图5-147

图5-148

5 单击“图层”面板底部的按钮，新建一个图层。调整前景色，如图5-149所示，按下Alt+Delete键，在选区内填充前景色，如图5-150所示。

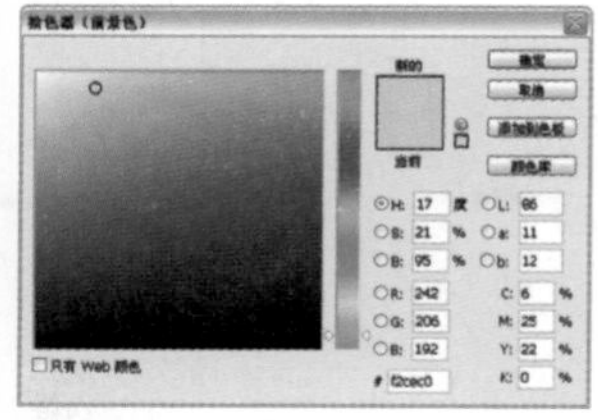

图5-149

图5-150

6 将前景色调整为洋红色（R250、G65、B146），执行“编辑>描边”命令，设置参数如图5-151所示，用前景色描边选区，取消选择，效果如图5-152所示。

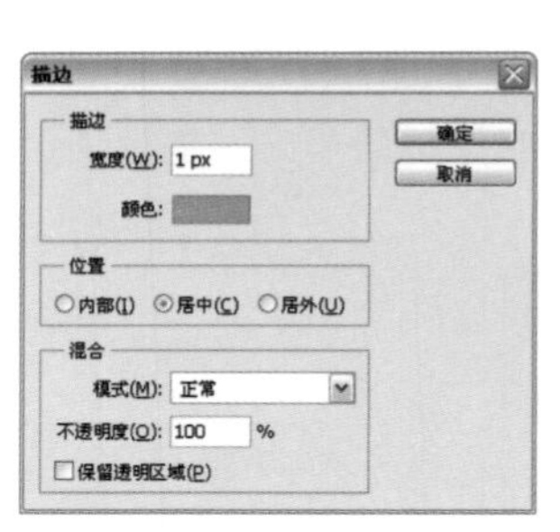

图5-151

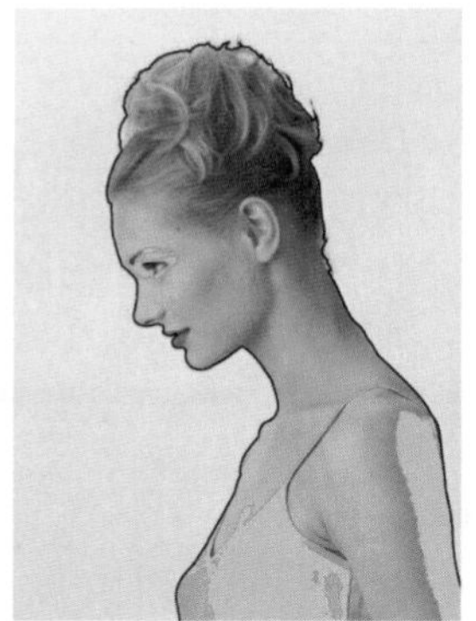

图5-152

7 单击“图层”面板底部的按钮，在“背景”图层上面新建“图层3”，将前景色设置为白色，按下Alt+Delete键填充白色，如图5-153所示。用该图层隐藏人像，只显示描边内容，如图5-154所示。

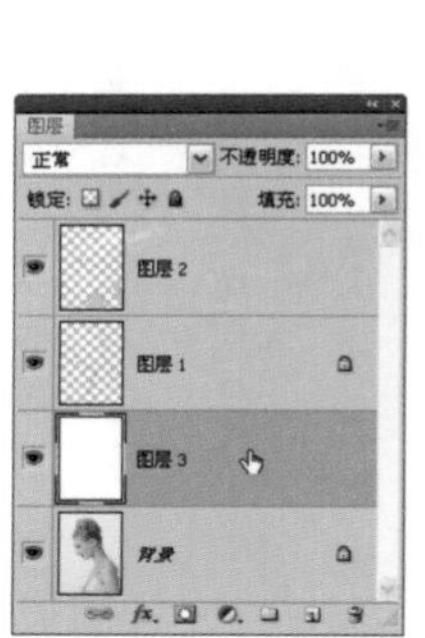

图5-153

图5-154

8 选择“图层1”，按下按钮锁定该图层的透明区域，如图5-155所示。将前景色调整为粉色（R242、G206、B192），用画笔工具将人物头顶的黑线涂为粉色，如图5-156所示。

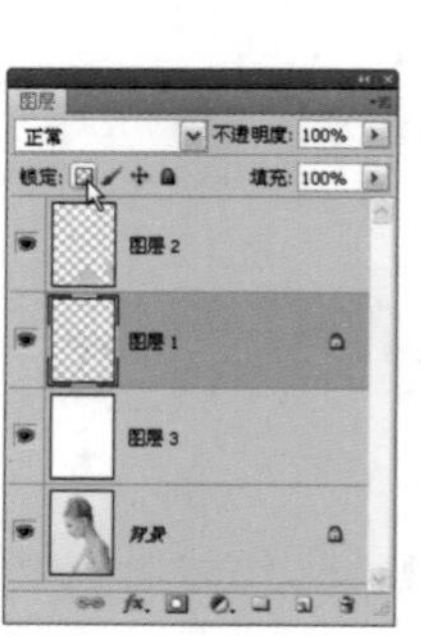

图5-155

图5-156

9 打开一个文字和图形素材（光盘>素材>5.3.4b），如图5-157所示，用移动工具将它拖入人物文档，作为装饰，我们就完成了一幅时尚线描插画的制作，如图5-158所示。

图5-157

图5-158

“描边”对话框

- 描边：在“宽度”选项中可以设置描边宽度；单击“颜色”选项右侧的颜色块，可以在打开的“拾色器”中设置描边颜色。
- 位置：设置描边相对于选区的位置，包括“内部”、“居中”和“居外”，如图5-159所示。

内部

居中

居外

图5-159

- 混合：设置描边颜色的混合模式和不透明度。勾选“保留透明区域”，表示只对包含像素的区域描边。

5.4 画笔面板

“画笔”面板是最重要的面板之一，它可以设置绘画工具（画笔、铅笔、历史记录画笔等），以及修饰工具（涂抹、加深、减淡、模糊、锐化等）的笔尖种类、画笔大小和硬度，并且，我们还可以创建自己需要的特殊画笔。我们下面就来详细了解“画笔”面板的功能和各项选项的作用。

5.4.1 画笔预设面板与画笔下拉面板

“画笔预设”面板

“画笔预设”面板中提供了各种预设的画笔。预设画笔带有诸如大小、形状和硬度等定义的特性。我们使用绘画或修饰工具时，如果要选择一个预设的笔尖，并只需要调整画笔的大小，可执行“窗口>画笔预设”命令，打开“画笔预设”面板进行设置，如图5-160所示。

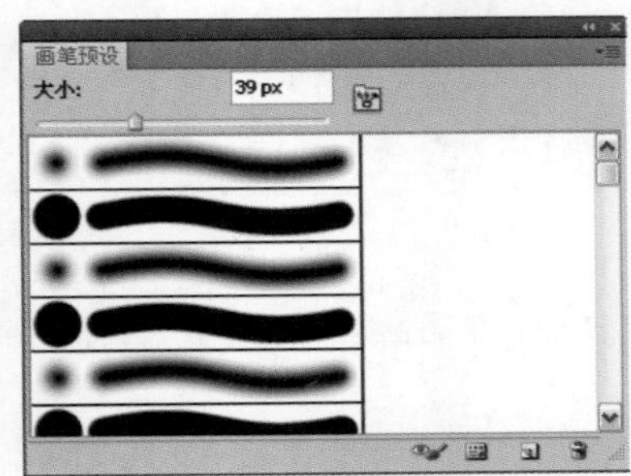

图5-160

单击面板中的一个笔尖将其选择，拖动“大小”滑块可以调整笔尖大小。如果选择的是毛刷笔尖，如图5-161所示，则可以创建逼真的、带有纹理的笔触效果，并且，按下面板中的按钮，画面中还会出现一个窗口，显示该画笔的具体样式，如图5-162所示；在它上面单击可以显示如图5-163所示的状态；我们绘制时该笔刷还可以显示笔尖运行方向，如图5-164所示。

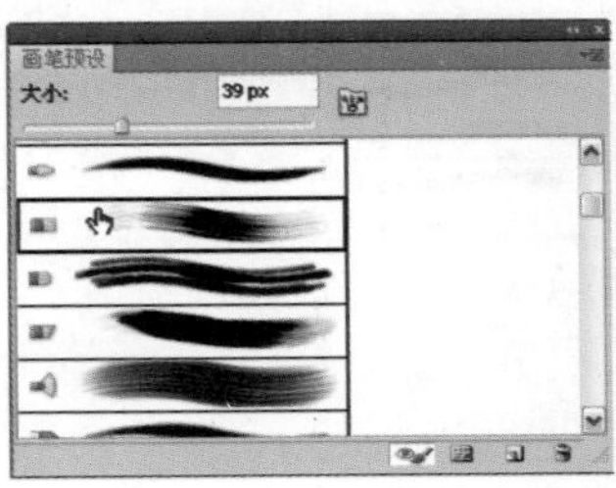

图5-161

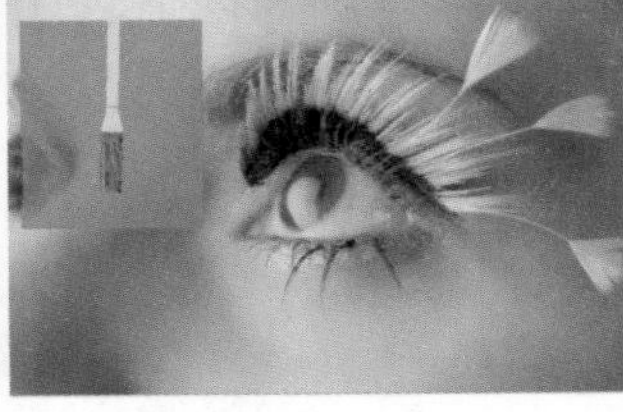

图5-162

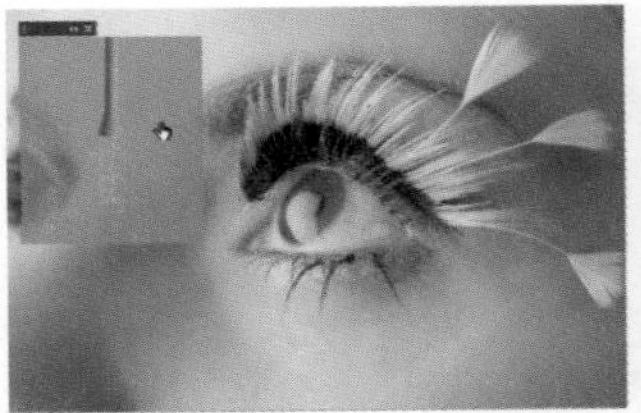

图5-163

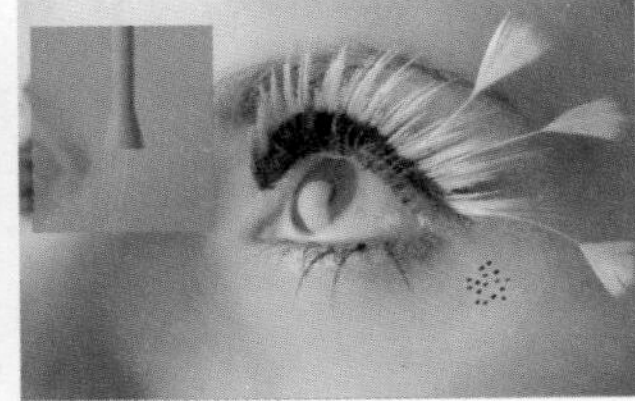

图5-164

提示　单击“画笔预设”面板中的按钮，可以弹出“画笔”面板；单击按钮，可以打开“预设管理器”。

画笔下拉面板

单击工具选项栏中的按钮，可以打开画笔下拉面板。在面板中不仅可以选择笔尖，调整画笔大小，还可以调整笔尖的硬度，如图5-165所示。

- 大小：拖动滑块或在文本框中输入数值可以调整画笔的大小。
- 硬度：用来设置画笔笔尖的硬度。
- 创建新的预设：单击该按钮，可以打开“画笔名称”对话框，输入画笔的名称后，单击“确定”按钮，可以将当前画笔保存为一个预设的画笔。

面板菜单

单击画笔下拉面板右上角的按钮，或者单击“画笔预设”面板右上角的按钮，可以打开完全相同的面板菜单，如图5-166所示。在菜单中可以选择面板的显示方式，以及载入预设的画笔库等。

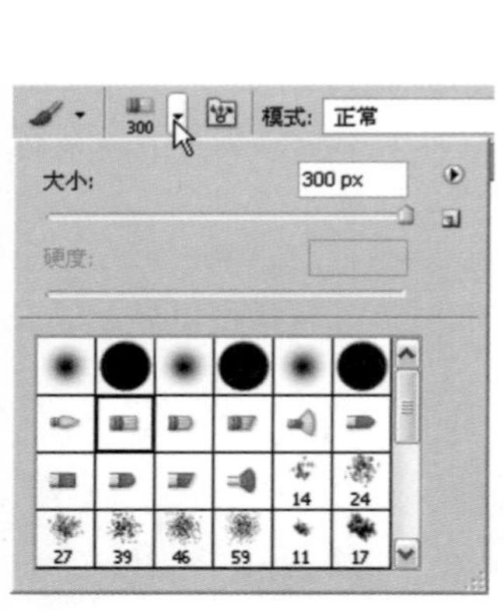

图5-165

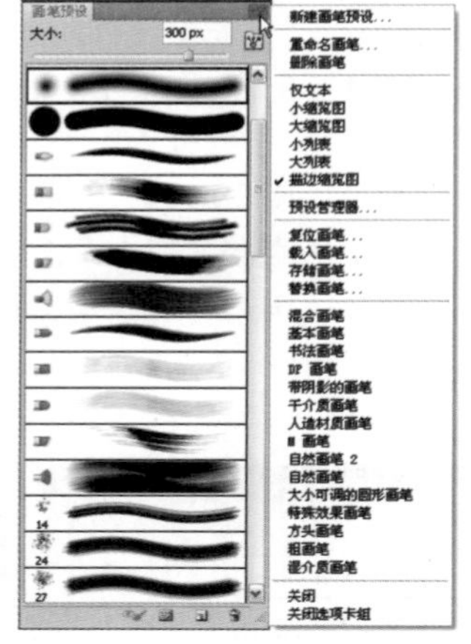

图5-166

- 新建画笔预设：用来创建新的画笔预设，它与画笔下拉面板中的按钮的作用相同。
- 重命名画笔：选择一个画笔后，可执行该命令重命名画笔。
- 删除画笔：选择一个画笔后，执行该命令可将其删除。
- 仅文本/小缩览图/大缩览图/小列表/大列表/描边缩览图：可以设置画笔在面板中的显示方式。选择“仅文本”，只显示画笔的名称；选择“小缩览图”和“大缩览图”，只显示画笔的缩览图和画笔大小；选择“小列表”和“大列表”，则以列表的形式显示画笔的名称和缩览图；选择“描边缩览图”，可以显示画笔的缩览图和使用时的预览效果，如图5-167所示。

仅文本

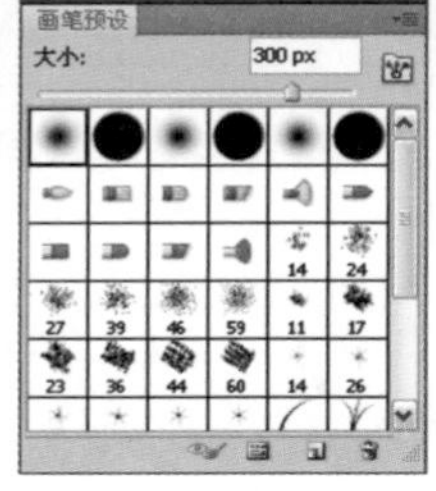

小缩览图

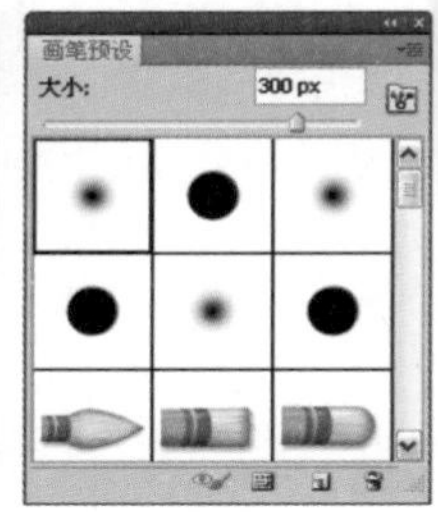

大缩览图

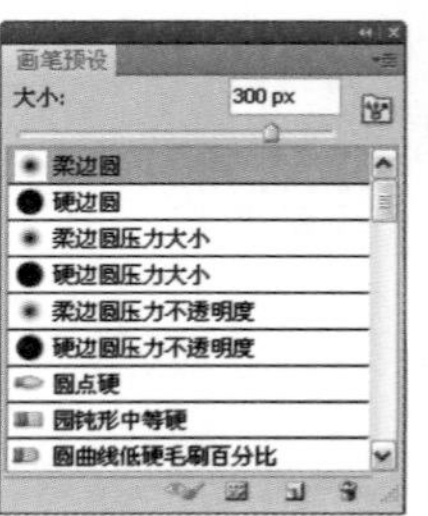

小列表

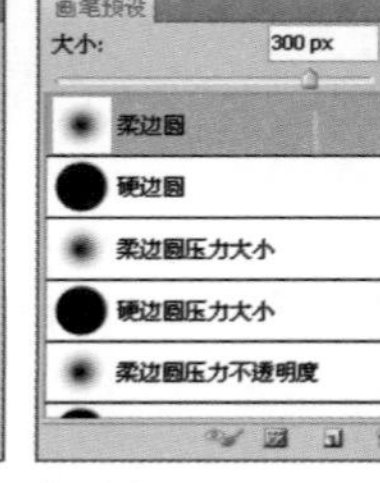

大列表

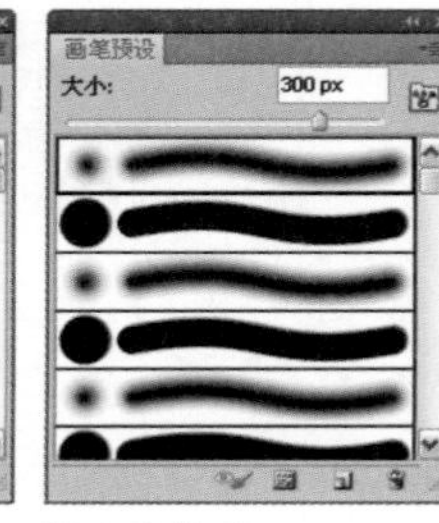

描边缩览图

图5-167

- 预设管理器：执行该命令可以打开“预设管理器”。
- 复位画笔：当进行了添加或者删除画笔的操作以后，如果想要让面板恢复为显示默认的画笔状态，可执行该命令。
- 载入画笔：执行该命令可以打开“载入”对话框，选择一个外部的画笔库可将其载入下拉面板、“画笔预设”面板中，如图5-168、图5-169所示。

图5-168

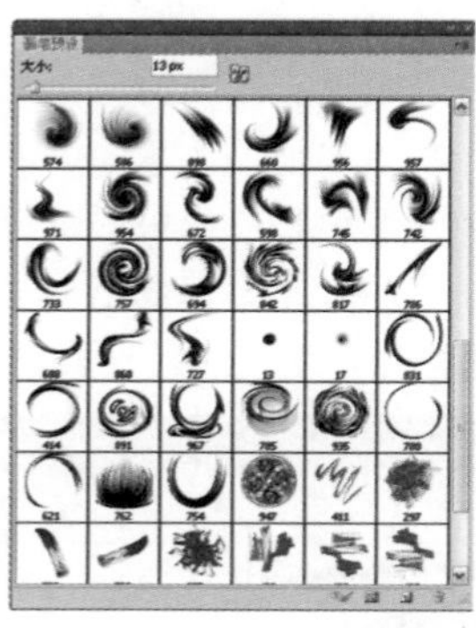

图5-169

提示　读者可以使用光盘中提供的画笔库进行载入画笔的练习。

- 存储画笔：可以将面板中的画笔保存为一个画笔库。
- 替换画笔：执行该命令可以打开“载入”对话框，在对话框中可以选择一个画笔库来替换面板中的画笔。

- 画笔库：面板菜单底部是Photoshop提供的各种预设的画笔库。选择一个画笔库，如图5-170所示，可以弹出提示信息，单击“确定”按钮，可以载入画笔并替换面板中原有的画笔，如图5-171所示；单击“追加”按钮，可以将载入的画笔添加到原有的画笔后面；单击“取消”按钮则取消载入操作。

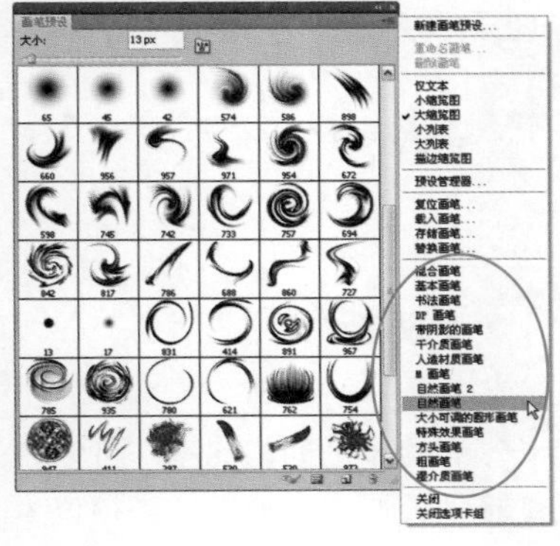

图5-170

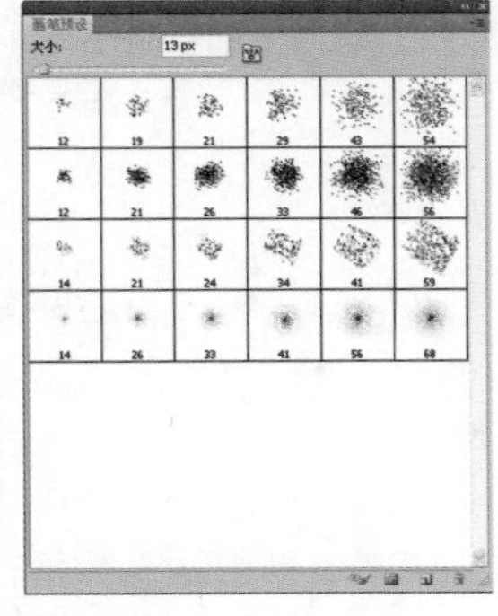

图5-171

5.4.2 画笔面板

执行“窗口>画笔”命令，或单击工具选项栏中的按钮，可以打开“画笔”面板，如图5-172所示。

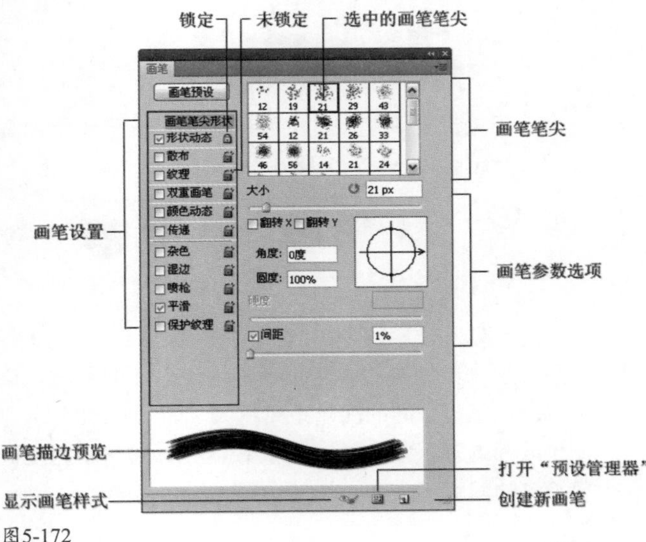

图5-172

- 画笔预设：单击该按钮，可以打开“画笔预设”面板。
- 画笔设置：单击“画笔设置”中的选项，面板中会显示该选项的详细设置内容，它们用来改变画笔的角度、圆度，以及为其添加纹理、颜色动态等变量。
- 锁定/未锁定：显示锁定图标时，表示当前画笔的笔尖形状属性（形状动态、散布、纹理等）为锁定状态。单击该图标即可取消锁定。
- 选中的画笔笔尖：当前选择的画笔笔尖。
- 画笔笔尖/画笔描边预览：显示了Photoshop提供的预设画笔笔尖。选择一个笔尖后，可在“画笔描边预览”选项中预览该笔尖的形状。
- 画笔参数选项：用来调整画笔的参数。
- 显示画笔样式：使用毛刷笔尖时，在窗口中显示笔尖样式。
- 打开“预设管理器”：单击该按钮，可以打开“预设管理器”。
- 创建新画笔：如果对一个预设的画笔进行了调整，可单击该按钮，将其保存为一个新的预设画笔。

5.4.3 笔尖的种类

Photoshop提供了三种类型的笔尖：圆形笔尖、非圆形的图像样本笔尖，以及毛刷笔尖，如图5-173所示。

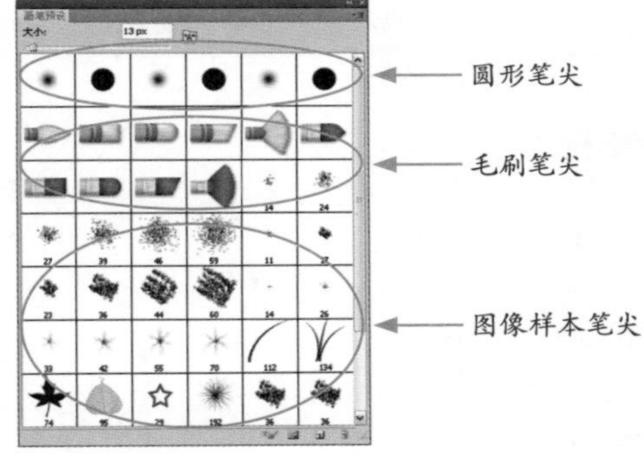

图5-173

圆形笔尖包含尖角、柔角、实边和柔边几种样式。使用尖角和实边笔尖绘制的线条具有清晰的边缘；而所谓的柔角和柔边，就是线条的边缘柔和，呈现逐渐淡出的效果，如图5-174所示。

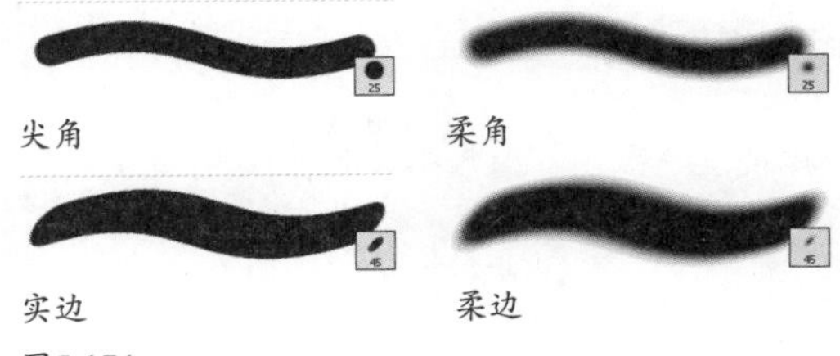

图5-174

我们比较常用的是尖角和柔角笔尖。将笔尖硬度设置为100%可以得到尖角笔尖，它具有清晰的边缘，如图5-175所示；笔尖硬度低于100%时可得到柔角笔尖，它的边缘是模糊的，如图5-176所示。

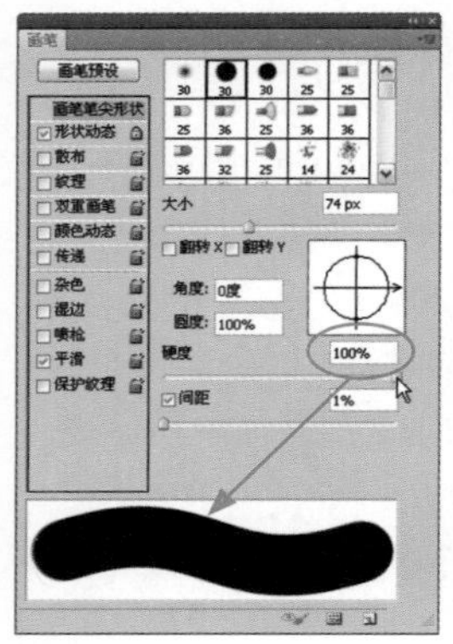

图5-175

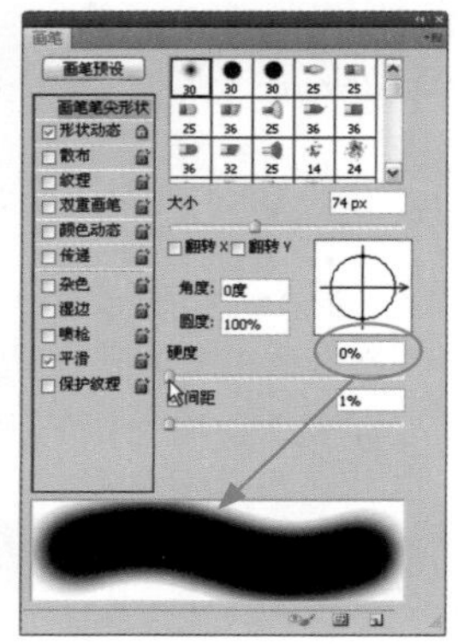

图5-176

5.4.4 画笔笔尖形状

如果要对预设的画笔进行一些修改，如调整画笔的大小、角度、圆度、硬度和间距等笔尖形状特性，可单击“画笔”面板中的“画笔笔尖形状”选项，然后在显示的选项中进行设置，如图5-177所示。如图5-178所示为普通画笔笔尖的绘制效果，图5-179所示为改变形状后的笔尖绘制效果。

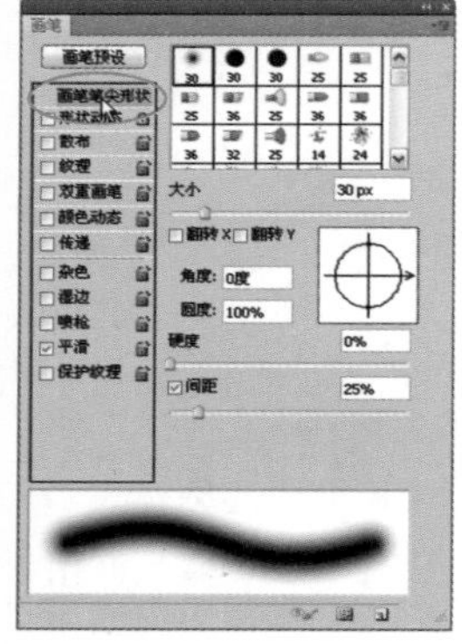

图5-177

图5-178　　图5-179

- 大小：用来设置画笔的大小，范围为1~2500px，如图5-180、图5-181所示。

大小25px

图5-180

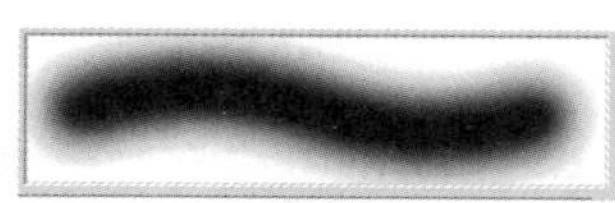

大小50px

图5-181

- 翻转X/翻转Y：用来改变画笔笔尖在其X或Y轴上的方向，如图5-182～图5-184所示。

原画笔

图5-182

勾选“翻转X”

图5-183

勾选“翻转Y”

图5-184

- 角度：用来设置椭圆笔尖和图像样本笔尖的旋转角度。可以在文本框中输入角度值，也可以拖动箭头进行调整，如图5-185、图5-186所示。

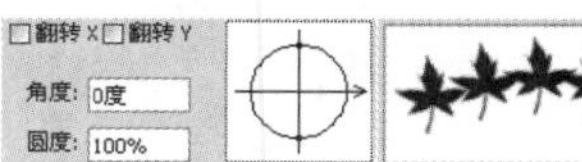

图5-185

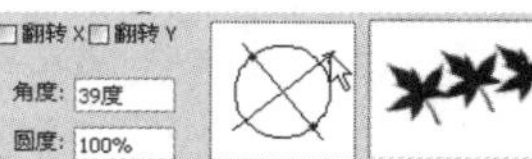

图5-186

- 圆度：用来设置画笔长轴和短轴之间的比率。可以在文本框中输入数值，或拖动控制点来调整。当该值为100% 时，笔尖为圆形，设置为其他值时可将画笔压扁，如图5-187、图5-188所示。

图5-187

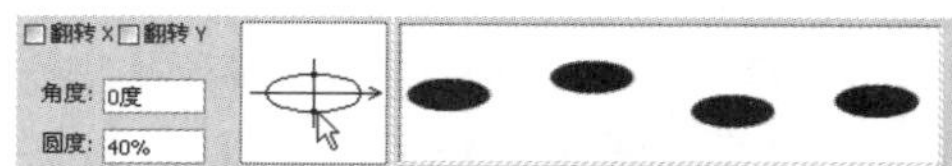

图5-188

- 硬度：用来设置画笔硬度中心的大小。该值越小，画笔的边缘越柔和，如图5-189所示。

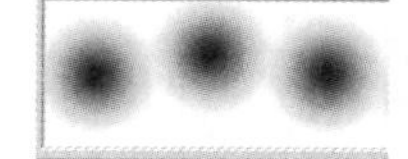

硬度0%

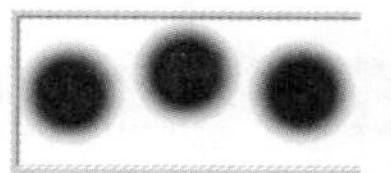

硬度50%

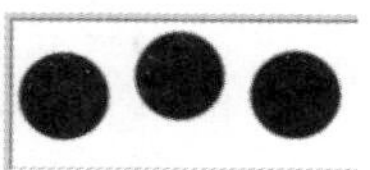

硬度100%

图5-189

- 间距：用来控制描边中两个画笔笔迹之间的距离。该值越高，笔迹之间的间隔距离越大，如图5-190所示。如果取消选择，则Photoshop会根据光标的移动速度调整笔迹的间距。

间距1%

间距100%

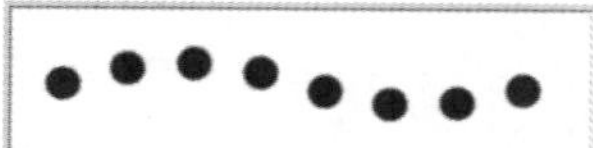

间距200%

图5-190

5.4.5 形状动态

"形状动态"决定了描边中画笔的笔迹如何变化，它可以使画笔的大小、圆度等产生随机变化效果。单击"画笔"面板中的"形状动态"选项，会显示相关设置内容，如图5-191所示。图5-192所示为未设置形状动态的画笔绘制效果，图5-193所示为设置后的绘制效果。

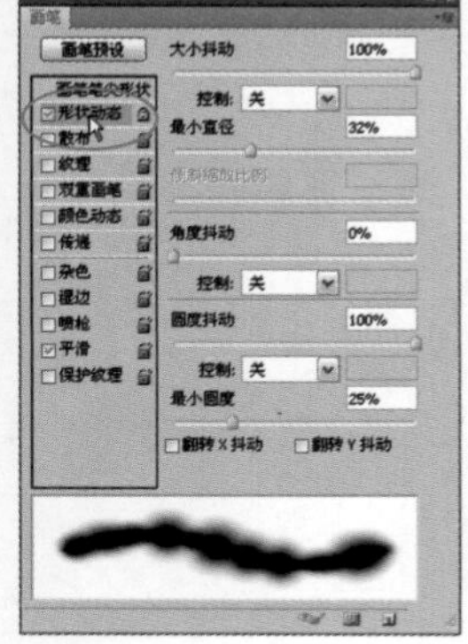

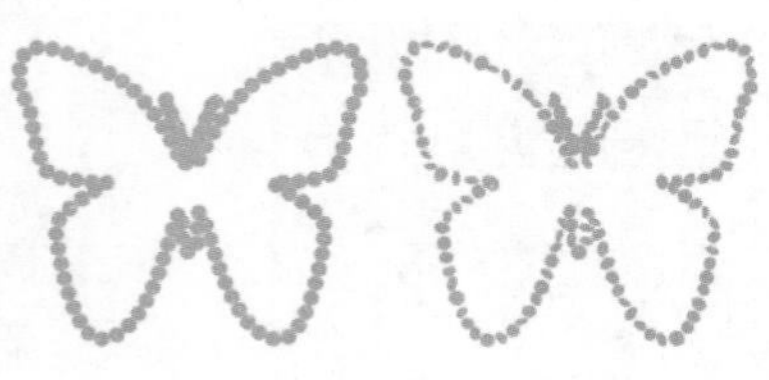

图5-191 图5-192 图5-193

- 大小抖动：用来设置画笔笔迹大小的改变方式。该值越高，轮廓越不规则，如图5-194、图5-195所示。在"控制"选项下拉列表中可以选择抖动的改变方式，选择"关"，表示不控制画笔笔迹的大小变化，如图5-196所示；选择"渐隐"，可按照指定数量的步长在初始直径和最小直径之间渐隐画笔笔迹的大小，使笔迹产生逐渐淡出的效果，如图5-197所示；如果计算机配置有数位板，则可以选择"钢笔压力"、"钢笔斜度"、"光笔轮"和"旋转"选项，此后可根据钢笔的压力、斜度、钢笔拇指轮位置或钢笔的旋转来改变初始直径和最小直径之间的画笔笔迹大小。

大小抖动0%

图5-194

大小抖动100%

图5-195

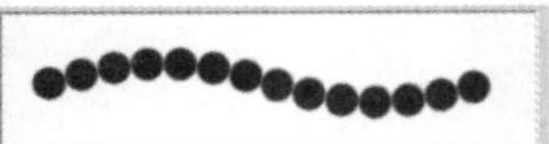

控制"关"

图5-196

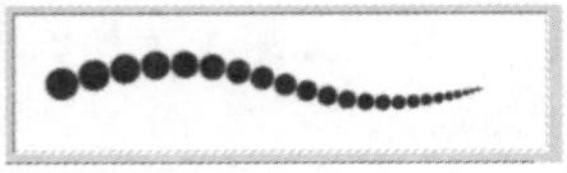

控制"渐隐"

图5-197

- 最小直径：启用了"大小抖动"后，可通过该选项设置画笔笔迹可以缩放的最小百分比。该值越高，笔尖直径的变化越小，如图5-198、图5-199所示。

最小直径0%

图5-198

最小直径100%

图5-199

- 角度抖动：用来改变画笔笔迹的角度，如图5-200、图5-201所示。如果要指定画笔角度的改变方式，可在"控制"下拉列表中选择一个选项。

角度抖动0%

图5-200

角度抖动30%

图5-201

- 圆度抖动/最小圆度：用来设置画笔笔迹的圆度在描边中的变化方式，如图5-202、图5-203所示。可以在"控制"下拉列表中选择一种控制方法，当启用了一种控制方法后，可在"最小圆度"中设置画笔笔迹的最小圆度。

圆度抖动0%

图5-202

圆度抖动50%

图5-203

- 翻转X 抖动/翻转Y抖动：用来设置笔尖在其X或Y轴上的方向。

疑问解答 数位板是什么工具？

使用电脑绘画有一个很大的问题，就是鼠标不能像画笔一样听话。对于专业的绘画和数码艺术创作者来说，最好是配备一个数位板，在数位板上作画。数位板由一块画板和一只无线的压感笔组成，就像是画家的画板和画笔。我们使用压感笔在数位板上作画时，随着笔尖在画板上着力的轻重、速度、角度的改变，绘制出的线条就会产生粗细、浓淡等变化，与在纸上画画的感觉几乎没有任何分别。

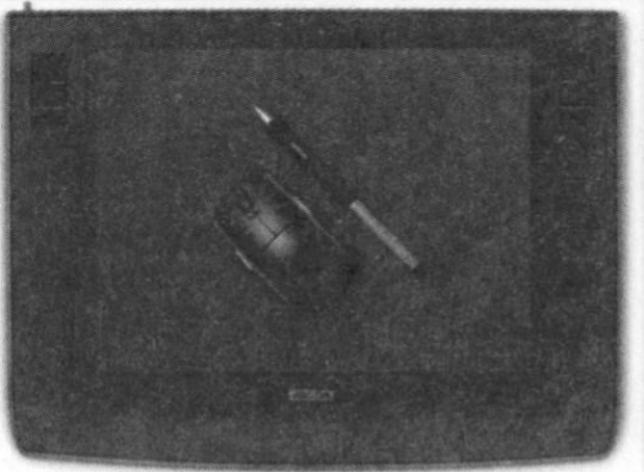

Wacom 影拓数位板

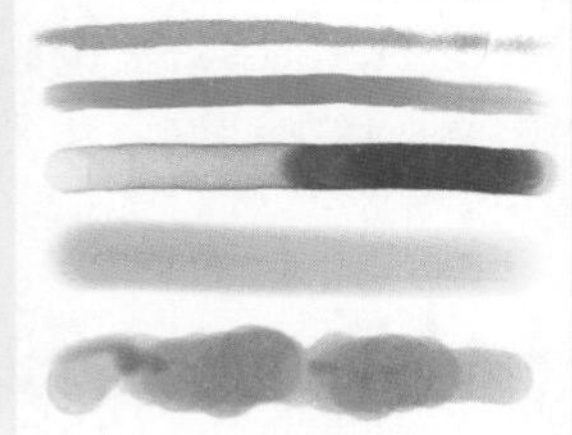

绘制的笔触效果

Wacom是最专业的数位板生产厂商。该公司针对不同的用户推出了不同功能和价位的数位板，学生和入门级用户可以选择丽图系列（价格在￥500以内）；CG爱好者和美术专业的学生可以选择贵凡系列（￥1500以内）；专业的画家和资深的CG用户一般使用影拓系列。

5.4.6 散布

“散布”决定了描边中笔迹的数目和位置，使笔迹沿绘制的线条扩散。单击“画笔”面板中的“散布”选项，会显示相关设置内容，如图5-204所示。如图5-205所示为未设置散布的画笔绘制效果，图5-206所示为设置后的绘制效果。

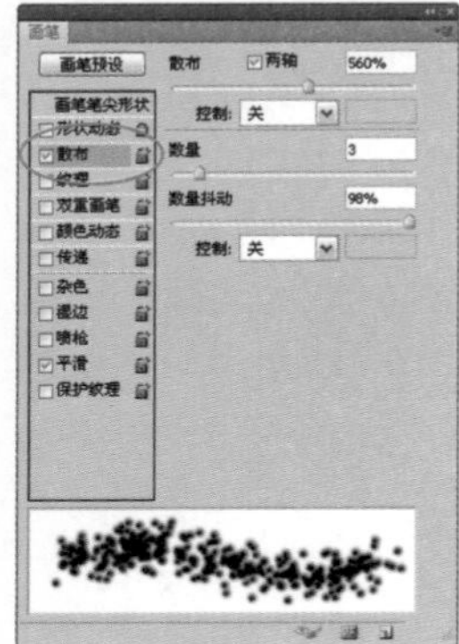

图5-204

图5-205

图5-206

- 散布/两轴：用来设置画笔笔迹的分散程度，该值越高，分散的范围越广，如图5-207、图5-208所示。如果勾选“两轴”，画笔笔迹将以中间为基准，向两侧分散，如图5-209所示。如果要指定画笔笔迹如何散布变化，可以在“控制”下拉列表中选择一个选项。

散布0%

图5-207

散布200%

图5-208

散布200%并勾选两轴

图5-209

- 数量：用来指定在每个间距间隔应用的画笔笔迹数量。增加该值可以重复笔迹，如图5-210、图5-211所示。

散布70%、数量1

图5-210

散布70%、数量10

图5-211

- 数量抖动/控制：用来指定画笔笔迹的数量如何针对各种间距间隔而变化，如图5-212、图5-213所示。“控制”选项用来设置画笔笔迹的数量如何变化。

散布0%、数量抖动0%

图5-212

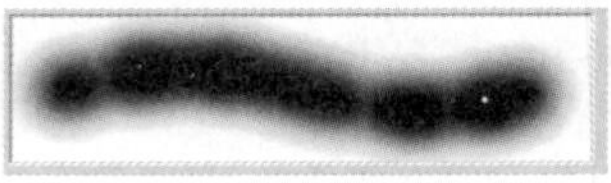

散布0%、数量抖动100%

图5-213

5.4.7 纹理

如果要使画笔绘制出的线条像是在带纹理的画布上绘制的一样，可以单击“画笔”面板左侧的“纹理”选项，选择一种图案，将其添加到描边中，以模拟画布效果，如图5-214所示。如图5-215所示为未设置纹理的画笔绘制效果，图5-216所示为设置后的绘制效果。

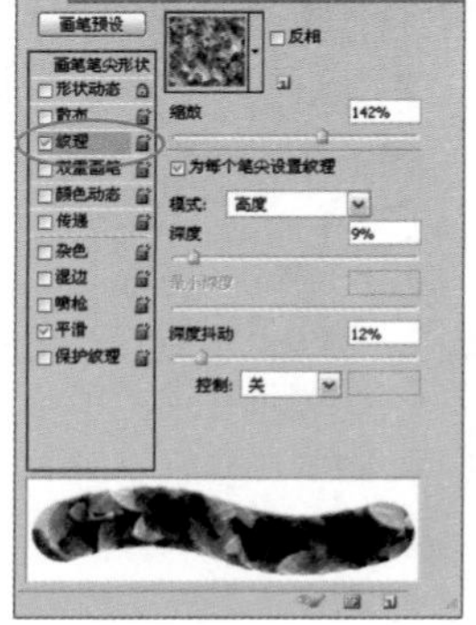

图5-214

图5-215　图5-216

- 设置纹理/反相：单击图案缩览图右侧的▪按钮，可以在打开的下拉面板中选择一个图案，将其设置为纹理。勾选“反相”，可基于图案中的色调反转纹理中的亮点和暗点。
- 缩放：用来缩放图案，如图5-217、图5-218所示。

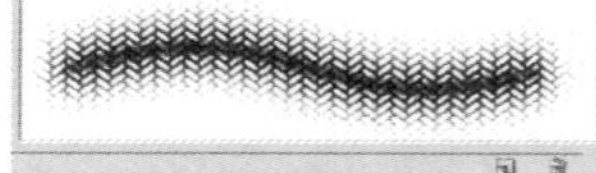

缩放100%

图5-217

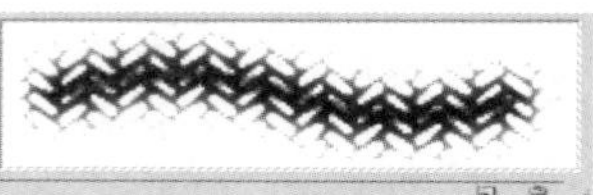

缩放200%

图5-218

- 为每个笔尖设置纹理：用来决定绘画时是否单独渲染每个笔尖。如果不选择该项，将无法使用“深度”变化选项。
- 模式：在该选项下拉列表中可以选择图案与前景色之间的混合模式。
- 深度：用来指定油彩渗入纹理中的深度。该值为 0% 时，纹理中的所有点都接收相同数量的油彩，进而隐藏图案；该值为100%时，纹理中的暗点不接收任何油彩，如图5-219、图5-220所示。

深度0%
图5-219

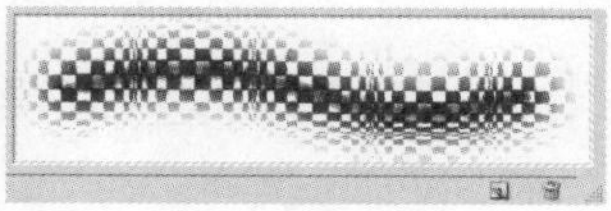

深度100%
图5-220

- 最小深度：用来指定当“深度控制”设置为“渐隐”、“钢笔压力”、“钢笔斜度”或“光笔轮”，并且选中“为每个笔尖设置纹理”时油彩可渗入的最小深度，如图5-221、图5-222所示。只有勾选“为每个笔尖设置纹理”选项后，该选项才可用。

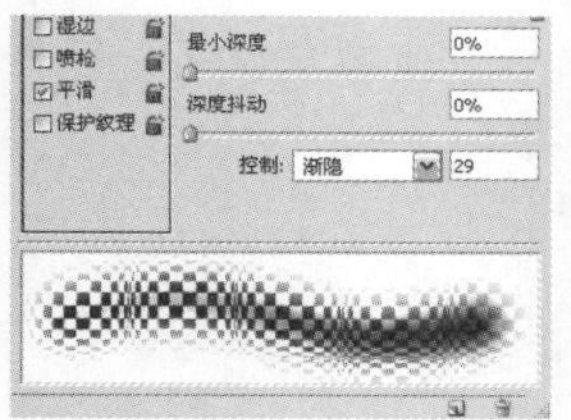

最小深度0%
图5-221

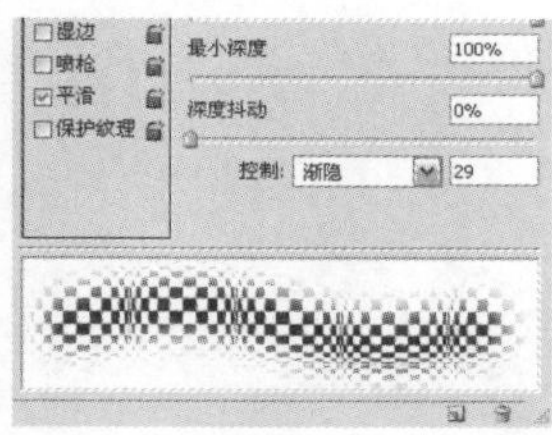

最小深度100%
图5-222

- 深度抖动：用来设置纹理抖动的最大百分比，如图5-223、图5-224所示。只有勾选“为每个笔尖设置纹理”选项后，该选项才可以使用。如果要指定如何控制画笔笔迹的深度变化，可在“控制”下拉列表中选择一个选项。

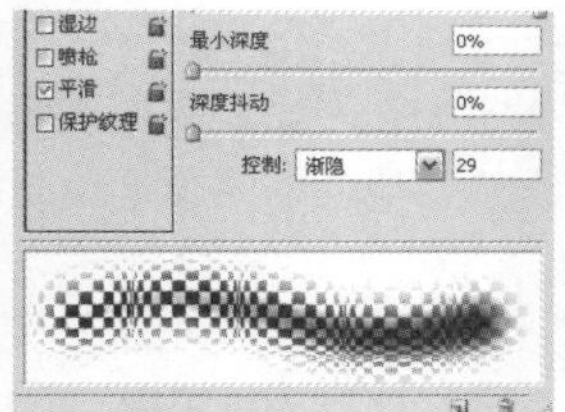

深度抖动0%
图5-223

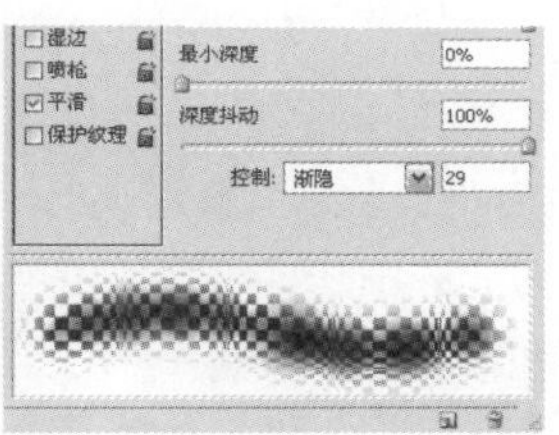

深度抖动100%
图5-224

5.4.8 双重画笔

“双重画笔”是指让描绘的线条中呈现出两种画笔效果。要使用双重画笔，首先要在“画笔笔尖形状”选项设置主笔尖，如图5-225所示，然后再从“双重画笔”部分中选择另一个笔尖，如图5-226所示。如图5-227所示为未设置双重画笔的效果，图5-228所示为设置后的效果。

- 模式：在该选项的下拉列表可以选择两种笔尖在组合时使用的混合模式。
- 大小：用来设置笔尖的大小。
- 间距：用来控制描边中双笔尖画笔笔迹之间的距离。

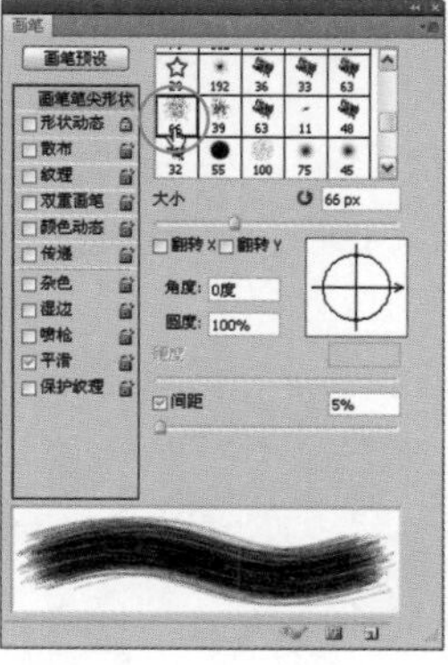
图5-225

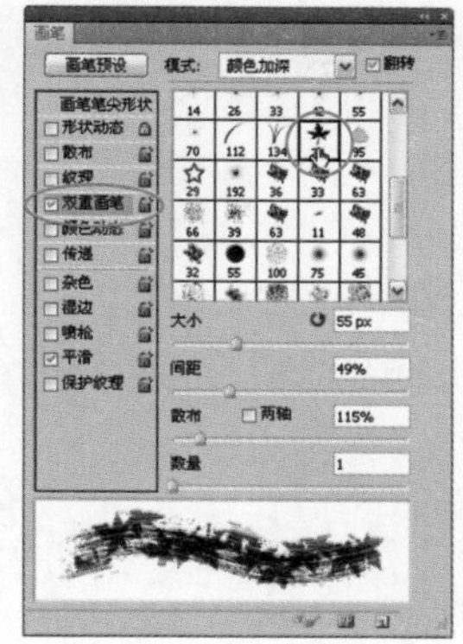
图5-226

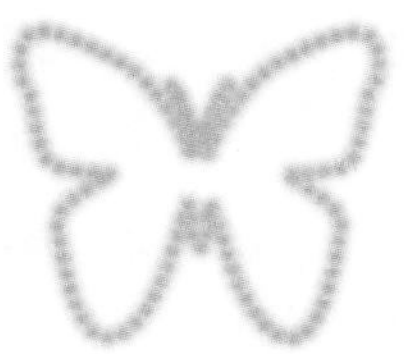
图5-227

图5-228

- 散布：用来指定描边中双笔尖画笔笔迹的分布方式。如果勾选“两轴”，双笔尖画笔笔迹按径向分布；取消勾选，则双笔尖画笔笔迹垂直于描边路径分布。
- 数量：用来指定在每个间距间隔应用的双笔尖画笔笔迹的数量。

5.4.9 颜色动态

如果要让绘制出的线条的颜色、饱和度和明度等产生变化，可单击“画笔”面板左侧的“颜色动态”选项，通过设置选项来改变描边路线中油彩颜色的变化方式，如图5-229所示。如图5-230所示为未设置颜色动态的画笔绘制效果，图5-231所示为设置后的绘制效果。

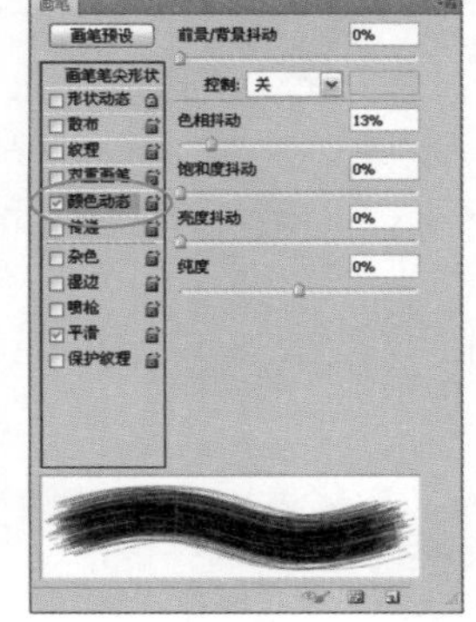
图5-229

图5-230 图5-231

- 前景/背景抖动：用来指定前景色和背景色之间的油彩变化方式。该值越小，变化后的颜色越接近前景色；该值越高，变化后的颜色越接近背景色，如图5-232、图5-233所示。如果要指定如何控制画笔笔迹的颜色变化，可在“控制”选项中选择一个选项。

前景/背景抖动0%

图5-232

前景/背景抖动100%

图5-233

- 色相抖动：用来设置颜色变化范围。该值越小，颜色越接近前景色；该值越高，色相变化越丰富，如图5-234、图5-235所示。

色相抖动50%

图5-234

色相抖动100%

图5-235

- 饱和度抖动：用来设置颜色的饱和度变化范围。该值越小，饱和度越接近前景色；该值越高，色彩的饱和度越高，如图5-236、图5-237所示。

饱和度抖动0%

图5-236

饱和度抖动100%

图5-237

- 亮度抖动：用来设置颜色的亮度变化范围。该值越小，亮度越接近前景色；该值越高，颜色的亮度值越大，如图5-238、图5-239所示。

亮度抖动0%

图5-238

亮度抖动100%

图5-239

- 纯度：用来设置颜色的纯度。该值为-100%时，笔迹的颜色为黑白色；该值越高，颜色饱和度越高，如图5-240、图5-241所示。

纯度-100%

图5-240

纯度+100%

图5-241

5.4.10 传递

“传递”用来确定油彩在描边路线中的改变方式，如图5-242所示。如图5-243所示为未设置其他动态的画笔绘制效果，图5-244所示为设置后的绘制效果。

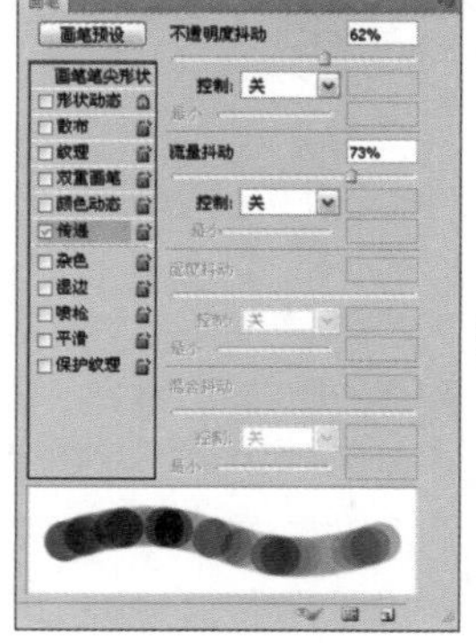

图5-242

图5-243 图5-244

- 不透明度抖动：用来设置画笔笔迹中油彩不透明度的变化程度。如果指定如何控制画笔笔迹的不透明度变化，可在“控制”下拉列表中选择一个选项。
- 流量抖动：用来设置画笔笔迹中油彩流量的变化程度。如果要指定如何控制画笔笔迹的流量变化，可在“控制”下拉列表中选择一个选项。

提示 如果配置了数位板和压感笔，则“湿度抖动”和“混合抖动”选项可以使用。

5.4.11 其他选项

“画笔”面板最下面几个选项是“杂色”、“湿边”、“喷枪”、“平滑”和“保护纹理”，如图5-245所示，它们没有可供调整的数值，如果要启用一个选项，将其勾选即可。

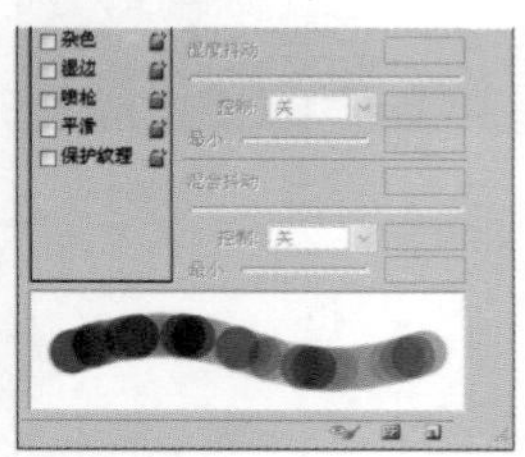

图5-245

- 杂色：可以为个别画笔笔尖增加额外的随机性。当应用于柔画笔笔尖（包含灰度值的画笔笔尖）时，该选项最有效。
- 湿边：可以沿画笔描边的边缘增大油彩量，创建水彩效果。
- 喷枪：将渐变色调应用于图像，同时模拟传统的喷枪技术。该选项与工具选项栏中的喷枪选项相对应，勾选该选项，或者按下工具选项栏中的喷枪按钮，都能启用喷枪功能。
- 平滑：在画笔描边中生成更平滑的曲线。当使用压感笔进行快速绘画时，该选项最有效；但是它在描边渲染中可能会导致轻微的滞后。
- 保护纹理：将相同图案和缩放比例应用于具有纹理的所有画笔预设。选择该选项后，使用多个纹理画笔笔尖绘画时，可以模拟出一致的画布纹理。

5.4.12 实战——创建自定义画笔

●实例门类：软件功能类 ●视频位置：光盘>实例视频>5.4.12

在Photoshop中，我们可以将绘制的图形，整个图像或者选区内的部分图像创建为自定义的画笔。

1 按下Ctrl+O快捷键，打开一个文件（光盘>素材>5.4.12），如图5-246所示。使用快速选择工具选中滑板青年，如图5-247所示，我们来将它定义为画笔。按下Ctrl+J快捷键，将它复制到一个新的图层中，如图5-248所示。

图5-246

图5-247

图5-248

提示 如果要定义模糊的边缘，可对选区进行羽化。画笔形状最大可以为2500 × 2500像素。

2 按下Shift+Ctrl+U快捷键去色，如图5-249所示。按下Ctrl+T快捷键显示定界框，按住Shift键拖动控制点进行等比缩放，如图5-250所示。按下回车键确认。

图5-249

图5-250

3 单击“背景”图层前面的眼睛图标，将该图层隐藏，再按住Ctrl键单击“图层1”的缩览图，载入人物选区，如图5-251、图5-252所示。

图5-251

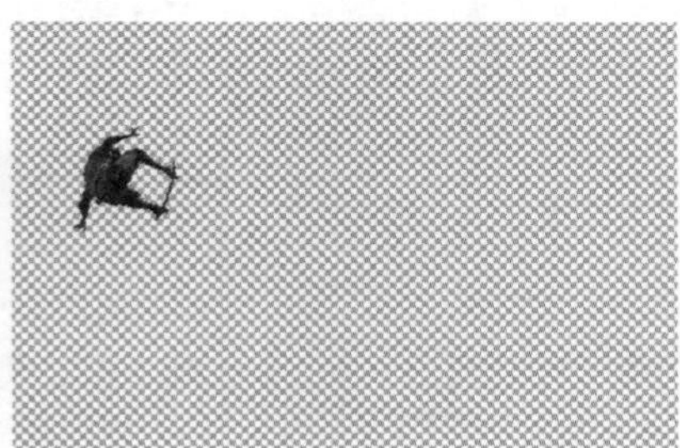

图5-252

4 执行“编辑>定义画笔预设”命令，打开“画笔名称”对话框，为画笔命名，如图5-253所示，单击“确定”按钮关闭对话框，将选中的人物定义为一个画笔。按下Delete

键，将人物删除，按下Ctrl+D快捷键取消选择，如图5-254所示。

图5-253

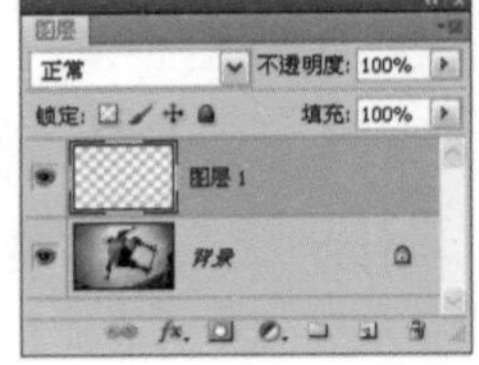
图5-254

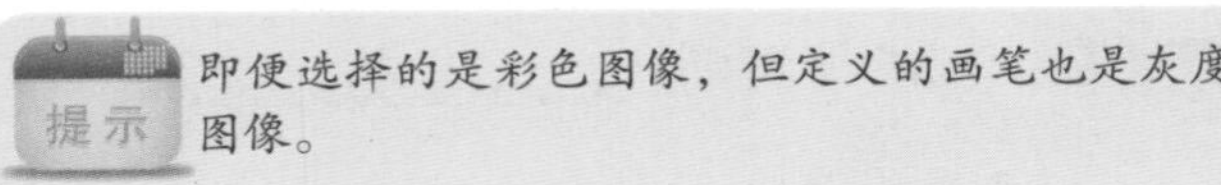
提示 即便选择的是彩色图像，但定义的画笔也是灰度图像。

5 将前景色设置为红色，背景色设置为白色。选择画笔工具，单击工具选项栏中的按钮，打开“画笔”面板。在左侧列表中单击“画笔笔尖形状”选项，然后选择我们定义的画笔，如图5-255所示；再分别选择“形状动态”、“散布”、“颜色动态”选项，对画笔的参数进行调整，如图5-256～图5-258所示。

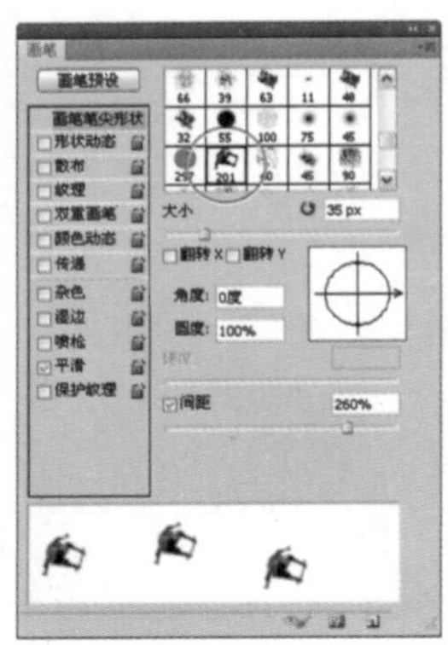
图5-255

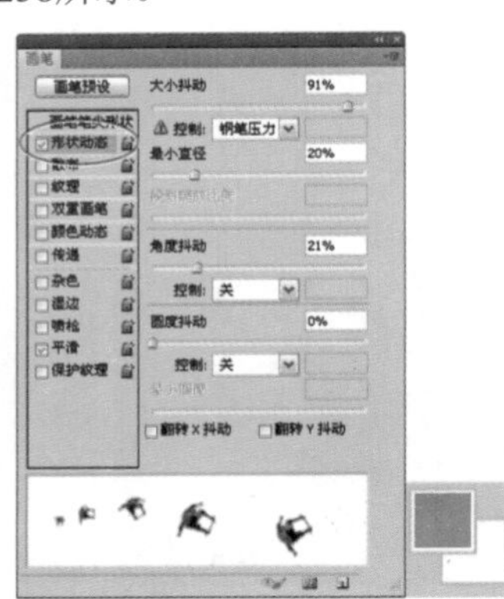
图5-256

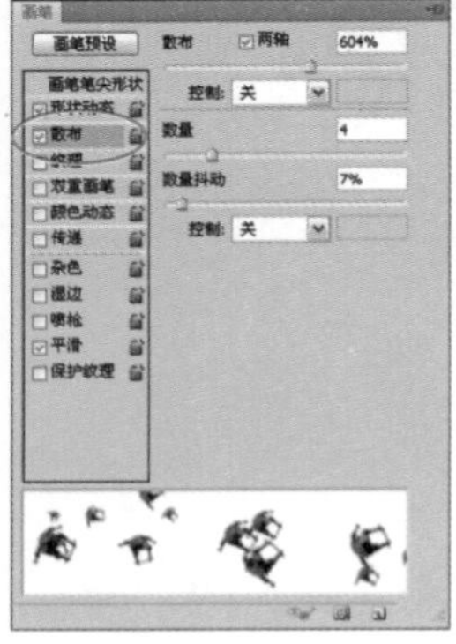
图5-257

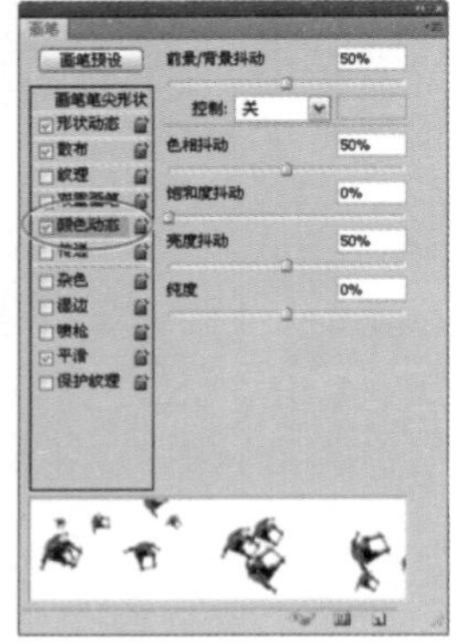
图5-258

6 使用画笔工具在画面中单击并拖动鼠标涂抹，绘制出滑板人像。由于我们调整了画笔参数，绘制的人像大小、角度、颜色都会呈现变化，如图5-259所示。

图5-259

技术看板 20 专门用于绘画的软件

在数码绘画方面，Painter是最好的软件。它与Photoshop功能有很多相似之处，如都有图层、画笔、可以编辑和绘制图像。但Painter拥有更加全面和逼真的仿自然画笔，可通过数码手段模拟自然媒质效果，绘制的油画、水粉、水彩、丙稀等完全可以媲美传统工具的绘画效果。

CG大师Craig Mullins的电脑艺术作品

Illustrator和CorelDraw是最常用的矢量软件，擅长表现矢量风格的插画、制作矢量图形（如Logo）等。

矢量风格插画

5.5 绘画工具

画笔、铅笔、颜色替换和混合器画笔工具是Photoshop提供的绘画工具，它们可以绘制和修改像素。下面我们就来了解这些工具的使用方法。

5.5.1 画笔工具

画笔工具类似于传统的毛笔，它使用前景色绘制线条。画笔不仅能够绘制图画，还可以修改蒙版和通道。如图5-260所示为画笔工具的工具选项栏。

模式：正常 不透明度：100% 流量：100%

图5-260

- 画笔下拉面板：单击“画笔”选项右侧的按钮，可以打开画笔下拉面板，在面板中可以选择笔尖，设置画笔的大小和硬度。
- 模式：在下拉列表中可以选择画笔笔迹颜色与下面的像素的混合模式。如图5-261所示为“正常”模式的效果，图5-262所示为“滤色”模式的效果。

图5-261

图5-262

相关链接：关于各种混合模式的特点与作用，请参阅“7.2 混合模式”。

- 不透明度：用来设置画笔的不透明度，该值越低，线条的透明度越高。如图5-263所示是该值为100%时的绘制效果，图5-264所示是该值为50%的绘制效果。

图5-263

图5-264

- 流量：用来设置当光标移动到某个区域上方时应用颜色的速率。在某个区域上方涂抹时，如果一直按住鼠标按键，颜色将根据流动速率增加，直至达到不透明度设置。如图5-265所示是该值为100%的绘制效果，图5-266所示是该值为50%的绘制效果。

图5-265

图5-266

- 喷枪：按下该按钮，可以启用喷枪功能，Photoshop会根据鼠标按键的单击程度确定画笔线条的填充数量。例如，未启用喷枪时，鼠标每单击一次便填充一次线条，如图5-267所示，启用喷枪后，按住鼠标左键不放，便可持续填充线条，如图5-268所示。

图5-267

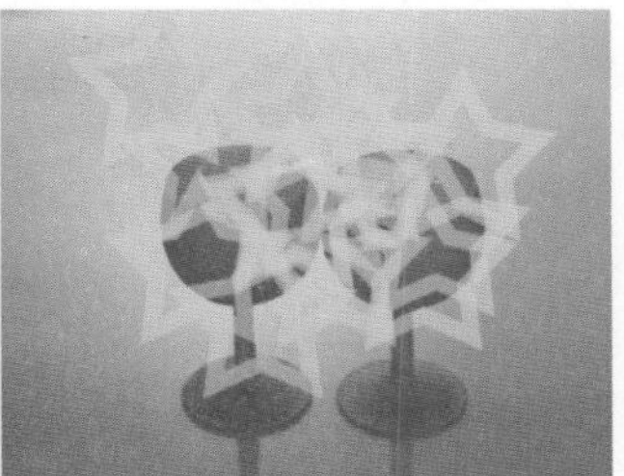

图5-268

技术看板 21 画笔工具的使用技巧

- 按下 [键可将画笔调小，按下] 键则调大。对于实边圆、柔边圆和书法画笔，按下 Shift+[键可减小画笔的硬度，按下Shift+] 键则增加硬度。
- 按下键盘中的数字键可调整画笔工具的不透明度。例如，按下1，画笔不透明度为10%；按下75，不透明度为75%；按下0，不透明度会恢复为100%。
- 使用画笔工具时，在画面中单击，然后按住Shift键单击画面中任意一点，两点之间会以直线连接。按住Shift键还可以绘制水平、垂直或以45°角为增量的直线。

5.5.2 铅笔工具

铅笔工具也是使用前景色来绘制线条的，它与画笔工具的区别是：画笔工具可以绘制带有柔边效果的线条，而铅笔工具只能绘制硬边线条。如图5-269所示为铅笔工具的工具选项栏，除“自动抹除”功能外，其他选项均与画笔工具相同。

图5-269

- 自动抹除：选择该项后，开始拖动鼠标时，如果光标的中心在包含前景色的区域上，可将该区域涂抹成背景色，如图5-270所示；如果光标的中心在不包含前景色的区域上，则可将该区域涂抹成前景色，如图5-271所示。

图5-270 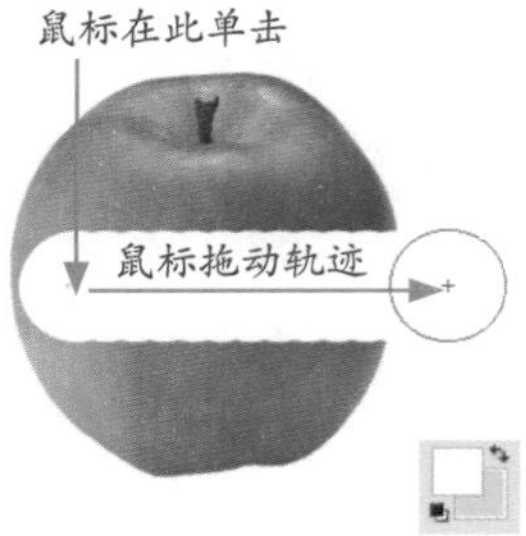　图5-271

如果用缩放工具放大观察铅笔工具绘制的线条就会发现，线条边缘呈现清晰的锯齿。现在非常流行的像素画，便主要是通过铅笔工具绘制的，并且需要出现这种锯齿。

5.5.3 实战——用颜色替换工具表现创意色彩

●实例门类：软件功能类　●视频位置：光盘>实例视频>5.5.3

颜色替换工具可以用前景色替换图像中的颜色。该工具不能用于位图、索引或多通道颜色模式的图像。

1 按下Ctrl+O快捷键，打开一个文件（光盘>素材>5.5.3），如图5-272所示。按下Ctrl+J快捷键复制背景图层。在“色板”面板中选择如图5-273所示的颜色样本。

图5-272

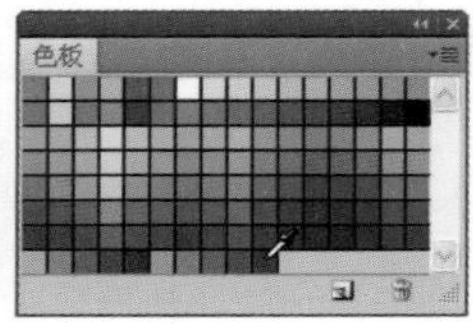

图5-273

2 选择颜色替换工具，在工具选项栏中选择一个柔角笔尖并按下连续按钮，将“限制”设置为“连续”，“容差”设置为30。在天空涂抹，替换天空的颜色，如图5-274所示。在操作时注意，光标中心的十字线不要碰到草地和人物，否则，也替换它们的颜色。

3 修改“图层1”的混合模式，如图5-275、图5-276所示。选择“背景”图层，如图5-277所示。

图5-274

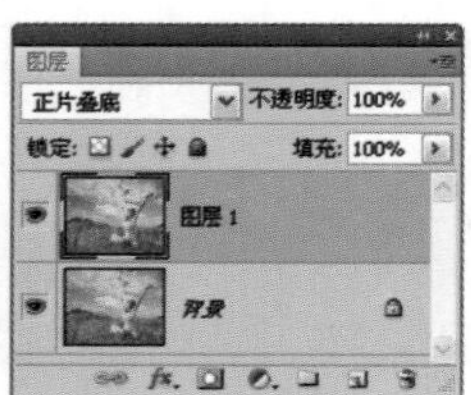

图5-275

图5-276

图5-277

4 在“色板”面板中拾取洋红色，如图5-278所示，在草地上涂抹，如图5-279所示。在“色板”面板中拾取橙色，如图5-280所示，修改云彩的颜色，如图5-281所示。

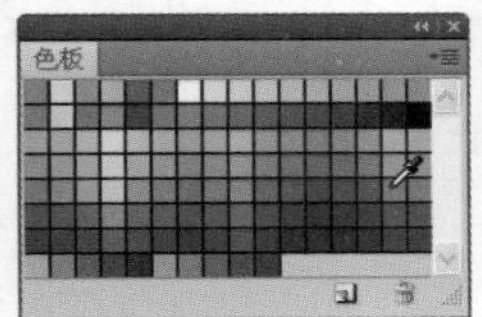

图5-278

图5-279

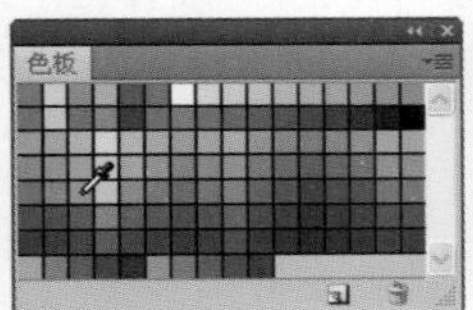

图5-280

图5-281

颜色替换工具选项栏

如图5-282所示为颜色替换工具的工具选项栏。

图5-282

- 模式：用来设置可以替换的颜色属性，包括“色相”、“饱和度”、“颜色”和“明度”。默认为“颜色”，它表示可以同时替换色相、饱和度和明度。
- 取样：用来设置颜色取样的方式。按下连续按钮，在拖动鼠标时可连续对颜色取样；按下一次按钮，只替换包含第一次单击的颜色区域中的目标颜色；按下背景色板按钮，只替换包含当前背景色的区域。
- 限制：选择“不连续”，可替换出现在光标下任何位置的样本颜色；选择“连续”，只替换与光标下的颜色邻近的颜色；选择“查找边缘”，可替换包含样本颜色的连接区域，同时保留形状边缘的锐化程度。
- 容差：用来设置工具的容差。颜色替换工具只替换鼠标单击点颜色容差范围内的颜色，因此，该值越高，包含的颜色范围越广。
- 消除锯齿：勾选该项，可以为校正的区域定义平滑的边缘，从而消除锯齿。

5.5.4 混合器画笔工具

混合器画笔工具可以混合像素，创建类似于传统画笔绘画时颜料之间相互混合的效果。打开一个文件。如图5-283所示，选择混合器画笔工具，在工具选项栏中设置画笔属性，如图5-284所示，在画面中涂抹即可混合颜色，如图5-285、图5-286所示。

图5-283

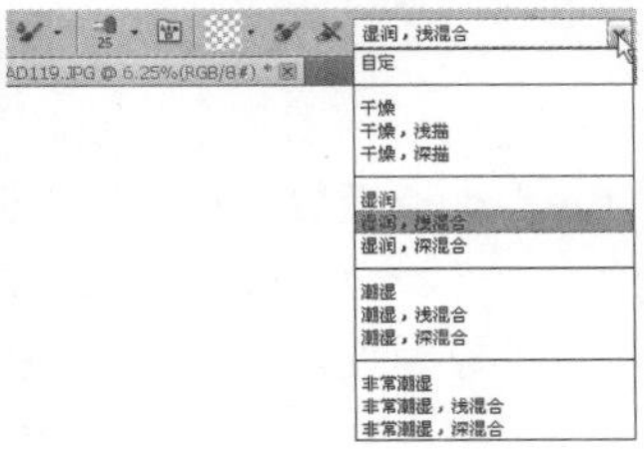

图5-284

湿润，浅混合

图5-285

非常潮湿，深混合

图5-286

如果按下按钮，则可以使光标下的颜色与前景色混合，如图5-287、图5-288所示。

图5-287

图5-288

疑问解答 绘画与绘图是一回事吗？

在Photoshop中，绘画与绘图是两个截然不同的概念，绘画是绘制和编辑基于像素的位图图像，而绘图则是使用矢量工具创建和编辑矢量图形。本章介绍的是绘画工具，我们会在第13章介绍绘图工具。

5.6 照片修复工具

在传统的摄影中，处理照片总是离不开暗房这一环节，而使用电脑对数码照片或扫描的照片进行后期处理时，可以轻松地完成以前在传统相机上需要花费大量人力和物力才能够实现的特殊拍摄效果，使摄影从暗房中解放出来。Photoshop提供了多个照片修复工具，包括仿制图章、污点修复画笔、修复画笔、修补和红眼等工具，它们可以快速修复图像中的污点和瑕疵。我们下面就来学习这些工具的使用方法。

5.6.1 仿制源面板

使用仿制图章工具或修复画笔工具时，可以通过“仿制源”面板设置不同的样本源、显示样本源的叠加，以帮助我们在特定位置仿制源。此外，还可以缩放或旋转样本源以更好地匹配目标的大小和方向。

打开一个文件，如图5-289所示，执行“窗口>仿制源”命令，打开“仿制源”面板，如图5-290所示。

图5-289　　图5-290

- 仿制源：先按下仿制源按钮，使用仿制图章工具或修复画笔工具按住Alt键在画面中单击，可设置取样点，如图5-291所示；再按下一个按钮，还可以继续取样，如图5-292所示。采用同样方法最多可以设置5个不同的取样源，“仿制源”面板会存储样本源，直到关闭文档。

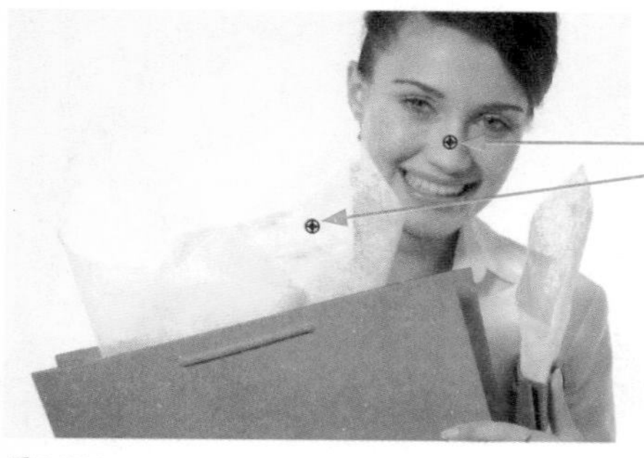

图5-291　　图5-292

- 位移：指定 x 和 y 像素位移时，可在相对于取样点的精确的位置进行绘制。
- 缩放：输入W（宽度）或H（高度）值，可缩放所仿制的源，如图5-293、图5-294所示。默认情况下会约束比例。如果要单独调整尺寸或恢复约束选项，可单击保持长宽比按钮。

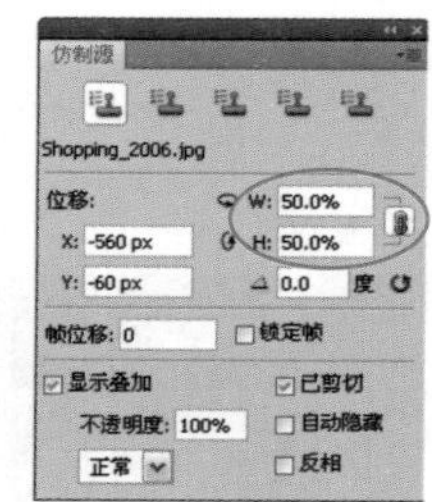

图5-293　　图5-294

- 旋转：在文本框中输入旋转角度，可以旋转仿制的源，如图5-295、图5-296所示。

图5-295　　图5-296

- 翻转：按下按钮，可以进行水平翻转，如图5-297所示；按下按钮，可进行垂直翻转，如图5-298所示。

图5-297

图5-298

- 重置转换：单击该按钮，可以将样本源复位到其初始的大小和方向。
- 帧位移/锁定帧：在“帧位移”中输入帧数，可以使用与初始取样的帧相关的特定帧进行绘制。输入正值时，要使用的帧在初始取样的帧之后；输入负值时，要使用的帧在初始取样的帧之前；如果选择“锁定帧”，则总是使用初始取样的相同帧进行绘制。

- 显示叠加：选择“显示叠加”并指定叠加选项，可以在使用仿制图章或修复画笔时，更好地查看叠加以及下面的图像，如图5-299、图5-300所示。其中，“不透明度”用来设置叠加图像的不透明度；选择“自动隐藏”，可在应用绘画描边时隐藏叠加；选择“已剪切”，可将叠加剪切到画笔大小；如果要设置叠加的外观，可以从“仿制源”面板底部的弹出菜单中选择一种混合模式；勾选“反相”，可反相叠加中的颜色。

图5-299

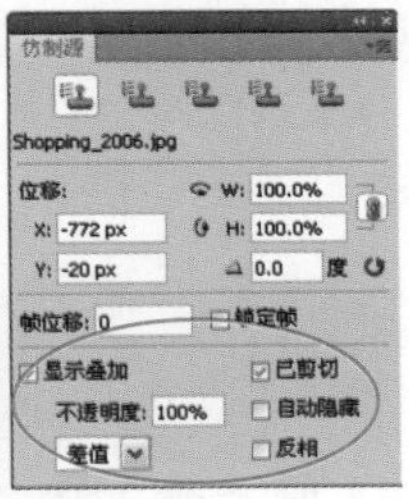

图5-300

提示

在Photoshop Extended中，可以使用仿制图章工具和修复画笔工具来修饰或复制视频或动画帧中的对象。使用仿制图章对一个帧（源）的一部分内容取样，并在相同帧或不同的帧（目标）的其他部分上进行绘制。要仿制视频帧或动画帧，应打开“动画”面板，选择时间轴动画选项，并将当前时间指示器移动到包含要取样的源的帧。

5.6.2 实战——用仿制图章去除照片中的多余人物

●实例门类：数码照片处理类 ●视频位置：光盘>实例视频>5.6.2

仿制图章工具可以从图像中拷贝信息，将其应用到其他区域或者其他图像中。该工具常用于复制图像内容或去除照片中的缺陷。

1 按下Ctrl+O快捷键，打开一张照片（光盘>素材>5.6.2），如图5-301所示。照片中的女孩左侧有多余的人物，使得画面不够完美。下面我们就来学习一下去除照片多余人物的方法。为了不破坏原图像，按下Ctrl+J快捷键复制“背景”图层，如图5-302所示。

图5-301

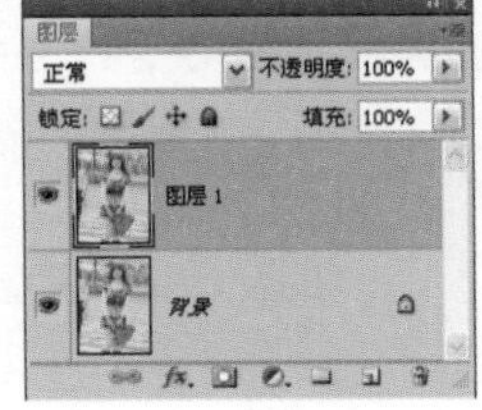

图5-302

2 选择仿制图章工具，在工具选项栏中选择一个柔角笔尖，如图5-303所示。

图5-303

3 将光标放在左下方的斑马线上，光标十字中心应对准斑马线的边缘，按住Alt键单击进行取样，如图5-304所示；然后放开Alt键在左侧的黑色图像上涂抹，注意光标的落点虽是黑色图像，但经过目测，同时也应是斑马线的延长位置，并且在斑马线的边缘，这样可以保证复制的斑马线不产生错位的现象，如图5-305、图5-306所示。

图5-304

图5-305 图5-306

4 继续复制图像，直到将多余人物全部覆盖为止，如图5-307～图5-309所示。

图5-307

图5-308

图5-309

仿制图章工具选项栏

在仿制图章的工具选项栏中，除“对齐”和“样本”外，其他选项均与画笔工具相同。

- 对齐：勾选该项，可以连续对像素进行取样；取消选择，则每单击一次鼠标，都使用初始取样点中的样本像素，因此，每次单击都被视为是另一次复制。
- 样本：用来选择从指定的图层中进行数据取样。如果要从当前图层及其下方的可见图层中取样，应选择“当前和下方图层”；如果仅从当前用图层中取样，可选择“当前图层”；如果要从所有可见图层中取样，可选择“所有图层”；如果要从调整图层以外的所有可见图层中取样，可选择“所有图层”，然后单击选项右侧的忽略调整图层按钮。
- 切换仿制源面板：单击该按钮，可以打开/关闭“仿制源”面板。
- 切换画笔面板：单击该按钮，可以打开/关闭“画笔”面板。

疑问解答 光标中心的十字线有什么用处？

使用仿制图章时，按住Alt键在图像中单击，定义要复制的内容（称为“取样”），然后将光标放在其他位置，放开Alt键拖动鼠标涂抹，即可将复制的图像应用到当前位置。与此同时，画面中会出现一个圆形光标和一个十字形光标，圆形光标是我们正在涂抹的区域，而该区域的内容则是从十字形光标所在位置的图像上拷贝的。在操作时，两个光标始终保持相同的距离，我们只要观察十字形光标位置的图像，便知道将要涂抹出什么样的图像内容了。

5.6.3 实战——用图案图章绘制特效背景

●实例门类：特效类 ●视频位置：光盘>实例视频>5.6.3

图案图章工具可以利用Photoshop提供的图案或者我们自定义的图案进行绘画。

1 按下Ctrl+O快捷键，打开一个文件（光盘>素材>5.6.3），如图5-310所示。选择图案图章工具，在工具选项栏中选择一种图案，如图5-311所示。

图5-310

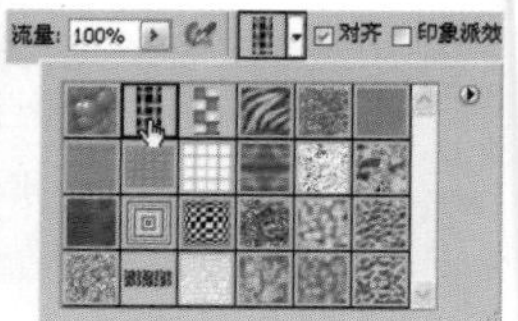

图5-311

提示 如果面板中没有这种图案，可单击按钮打开面板菜单，选择“图案”命令，加载该图案库。

2 在工具选项栏中选择一个笔尖并调整参数，如图5-312所示，在人物背景涂抹，绘制图案，如图5-313所示。

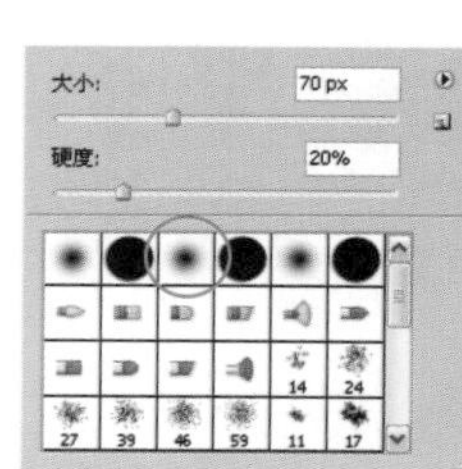

图5-312

图5-313

3 调整笔尖硬度，如图5-314所示，在人物图像上涂抹，效果如图5-315所示。

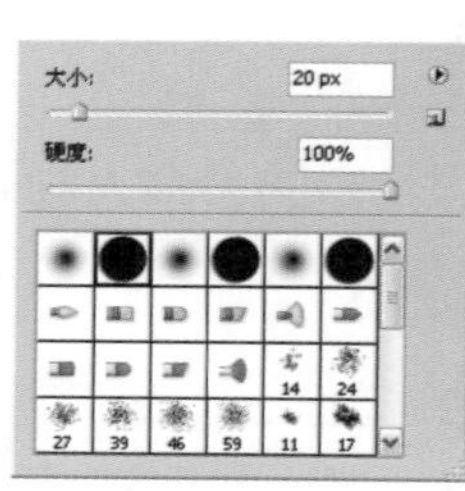

图5-314

图5-315

图案图章工具选项栏

如图5-316所示为图案图章的工具选项栏。其中，“模式”、“不透明度”、“流量”、喷枪等与仿制图章和画笔工具基本相同。

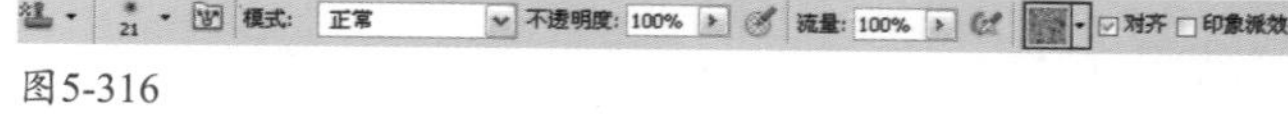

图5-316

- 对齐：选择该选项以后，可以保持图案与原始起点的连续性，即使多次单击鼠标也不例外，如图5-317所示；取消选择时，则每次单击鼠标都重新应用图案，如图5-318所示。

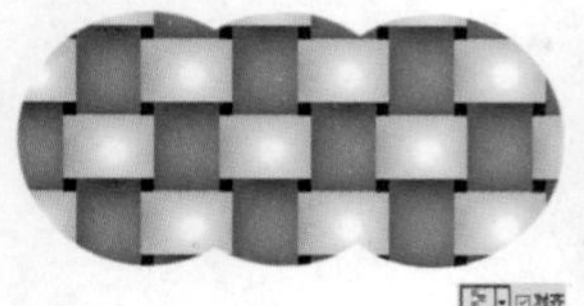

图5-317

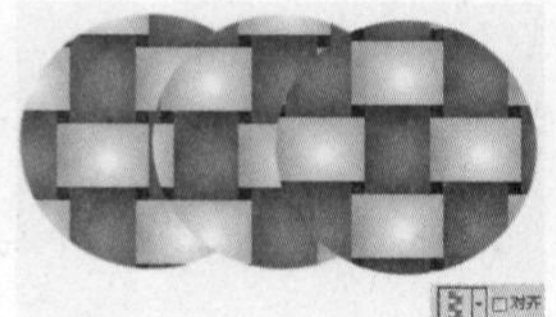

图5-318

- 印象派效果：勾选该项后，可以模拟出印象派效果的图案，如图5-319、图5-320所示。

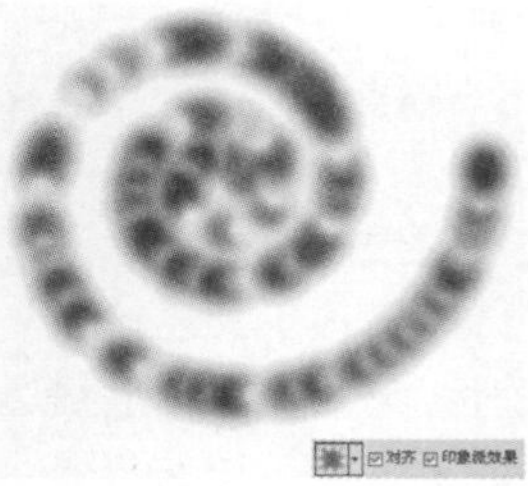

柔角画笔绘制的印象派效果

图5-319

尖角画笔绘制的印象派效果

图5-320

5.6.4 实战——用修复画笔去除鱼尾纹和眼中血丝

●实例门类：数码照片处理类 ●视频位置：光盘>实例视频>5.6.4

修复画笔与仿制工具类似，也可以利用图像或图案中的样本像素来绘画。但该工具可以从被修饰区域的周围取样，并将样本的纹理、光照、透明度和阴影等与所修复的像素匹配，从而去除照片中的污点和划痕，修复结果人工痕迹不明显。

1 按下Ctrl+O快捷键，打开一张照片（光盘>素材>5.6.4），如图5-321所示。

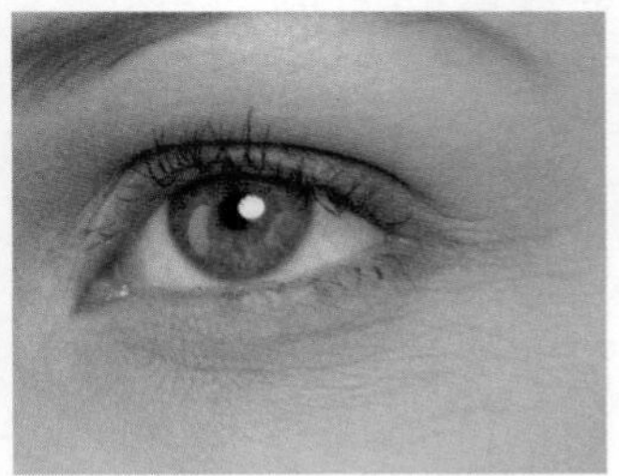

图5-321

2 选择修复画笔工具，在工具选项栏中选择一个柔角笔尖，在“模式”下拉列表中选择“替换”，将“源”设置为“取样”。将光标放在眼角附近没有皱纹的皮肤上，按住Alt 键单击进行取样，如图5-322所示；放开Alt 键，在眼角的皱纹处单击并拖动鼠标进行修复，如图5-323所示。

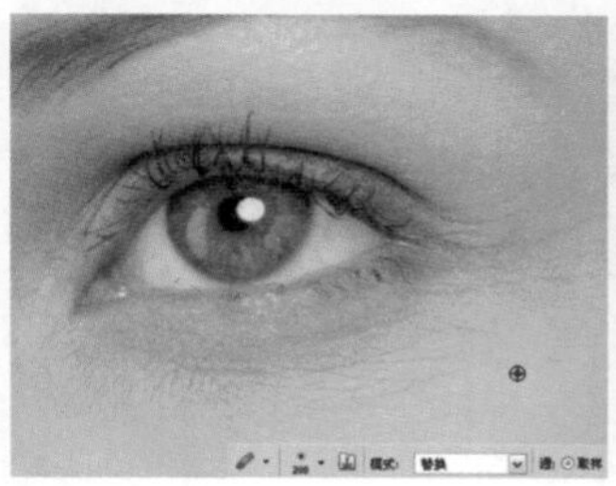

图5-322

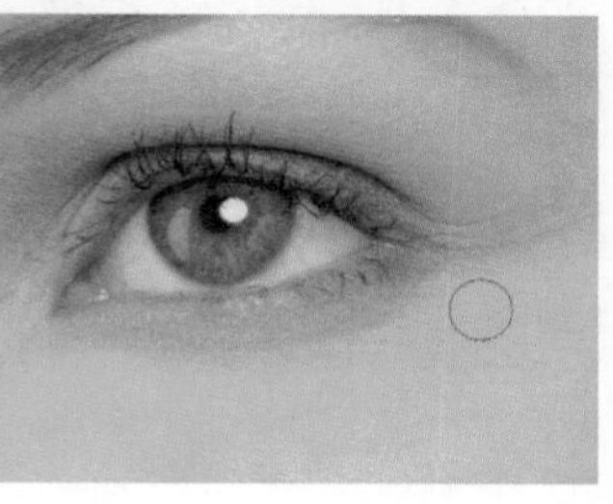

图5-323

3 继续按住Alt 键在眼角周围没有皱纹的皮肤上单击取样，然后修复鱼尾纹，如图5-324所示。在修复的过程中可适当调整工具的大小。采用同样方法在眼白上取样，修复眼中的血丝，如图5-325所示。

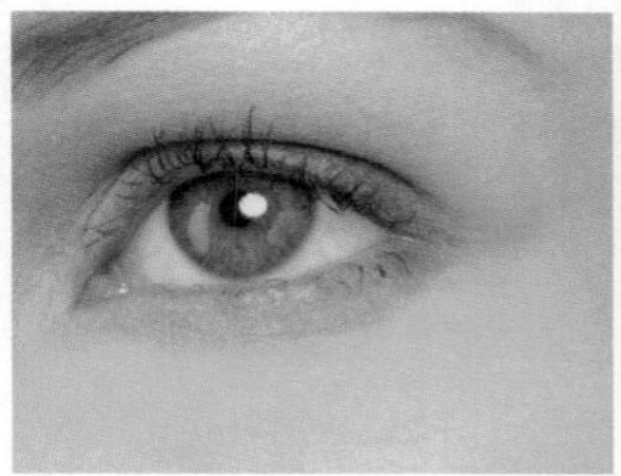

图5-324

图5-325

修复画笔工具选项栏

如图5-326所示为修复画笔的工具选项栏。

图5-326

- 模式：在下拉列表中可以设置修复图像的混合模式。“替换”是比较特殊的模式，它可以保留画笔描边的边缘处的杂色、胶片颗粒和纹理，使修复效果更加真实。
- 源：设置用于修复像素的源。选择“取样”，可以从图像的像素上取样，如图5-327所示为原图像，图5-328所示为修复效果；选择“图案”，则可在图案下拉列表中选择一个图案作为取样，效果类似于使用图案图章绘制图案，如图5-329所示。

图5-327

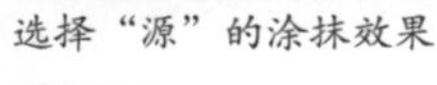

选择“源”的涂抹效果

图5-328

选择“图案”的涂抹效果

图5-329

- 对齐：勾选该项，会对像素进行连续取样，在修复过程中，取样点随修复位置的移动而变化；取消勾选，则在修复过程中始终以一个取样点为起始点。
- 样本：用来设置从指定的图层中进行数据取样。如果要从当前图层及其下方的可见图层中取样，可以选择“当前和下方图层”；如果仅从当前图层中取样，可选择“当前图层”；如果要从所有可见图层中取样，可选择“所有图层”。

5.6.5 实战——用污点修复画笔去除面部色斑

●实例门类：数码照片处理类 ●视频位置：光盘>实例视频>5.6.5

污点修复画笔工具可以快速去除照片中的污点、划痕和其他不理想的部分。它与修复画笔的工作方式类似，也是使用图像或图案中的样本像素进行绘画，并将样本像素的纹理、光照、透明度和阴影与所修复的像素相匹配。但修复画笔要求指定样本，而污点修复画笔可以自动从所修饰区域的周围取样。

1 按下Ctrl+O快捷键，打开一个文件（光盘>素材>5.6.5），如图5-330所示。图片中小女孩的脸部有些斑点，我们来使用污点修复画笔清除斑点。选择污点修复画笔工具，在工具选项栏中选择一个柔角笔尖，将“类型”设置为“近似匹配”，如图5-331所示。

图5-330

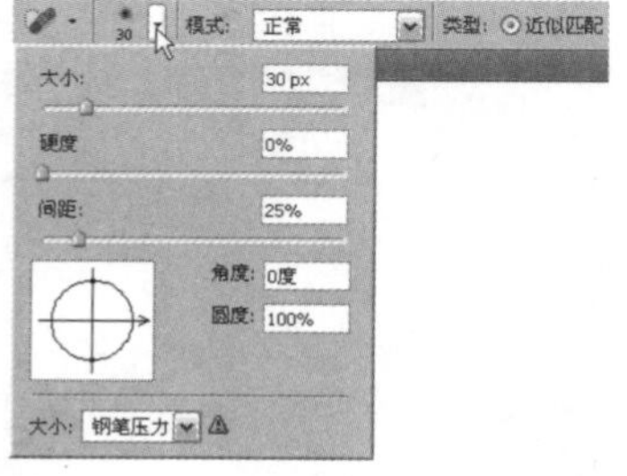

图5-331

2 将光标放在脸部的斑点上，如图5-332所示，单击即可修复图像，如图5-333所示。采用同样方法修复鼻子和眼角的斑点，如图5-334所示。

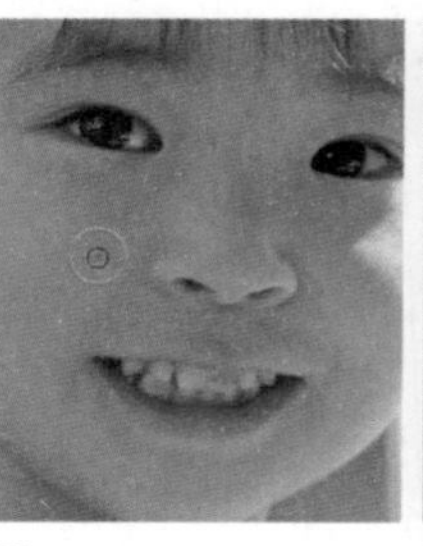

图5-332

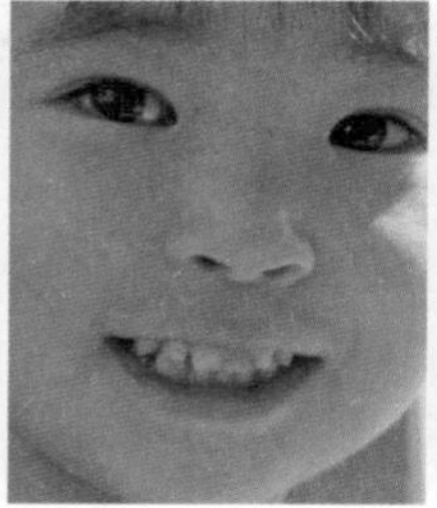

图5-333

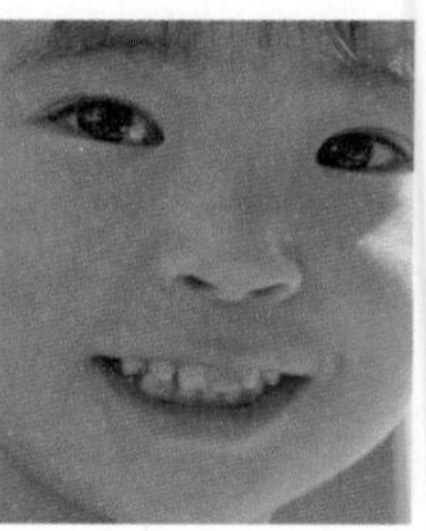

图5-334

图污点修复画笔工具选项栏

如图5-335所示为污点修复画笔的工具选项栏。

模式：正常 类型：近似匹配 创建纹理 内容识别 对所有图层取样

图5-335

- 模式：用来设置修复图像时使用的混合模式。除“正常”、“正片叠底”等常用模式外，该工具还包含一个“替换”模式。选择该模式时，可以保留画笔描边的边缘处的杂色、胶片颗粒和纹理。
- 类型：用来设置修复方法。选择“近似匹配”，可以使用选区边缘周围的像素来查找要用作选定区域修补的图像区域，如果该选项的修复效果不能令人满意，可还原修复并尝试“创建纹理”选项；选择“创建纹理”，可以使用选区中的所有像素创建一个用于修复该区域的纹理，如果纹理不起作用，可尝试再次拖过该区域；选择“内容识别”，可使用选区周围的像素进行修复。
- 对所有图层取样：如果当前文档中包含多个图层，勾选该项后，可以从所有可见图层中对数据进行取样；取消勾选，则只从当前图层中取样。

5.6.6 实战——用修补工具复制人像

●实例门类：数码照片处理类 ●视频位置：光盘>实例视频>5.6.6

修补工具与修复画笔工具类似，也可以用其他区域或图案中的像素来修复选中的区域，并将样本像素的纹理、光照和阴影与源像素进行匹配。该工具的特别之处是需要用选区来定位修补范围。

1 按下Ctrl+O快捷键，打开一个文件（光盘>素材>5.6.6），如图5-336所示。

2 选择修补工具，在工具选项栏中将“修补”设置为“目标”，在画面中单击并拖动鼠标创建选区，将女孩选中，如图5-337所示。

图5-336

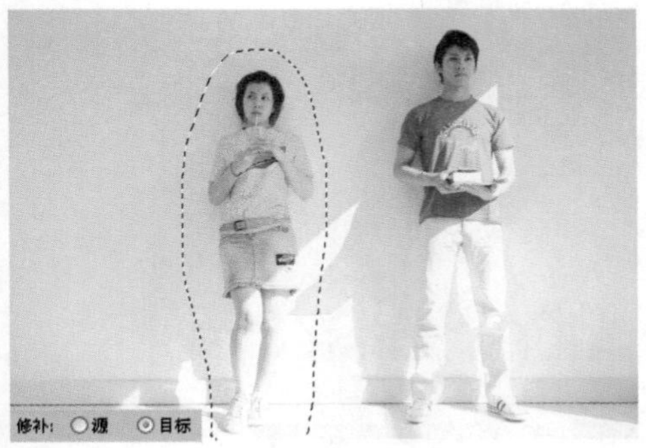

图5-337

3 将光标放在选区内，单击并向左侧拖动复制图像，如图5-338所示。按下Ctrl+D快捷键取消选择，效果如图5-339所示。

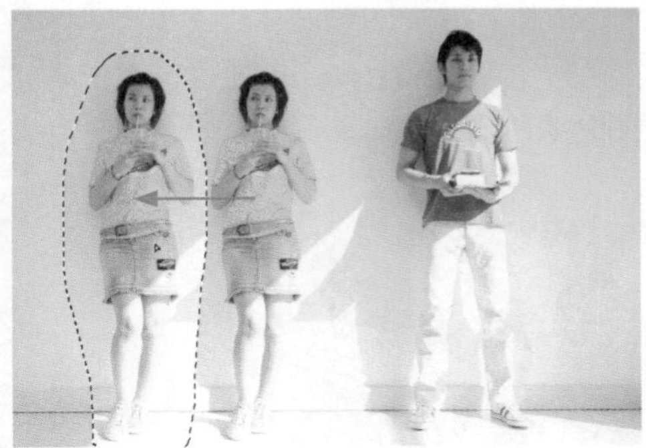

图5-338

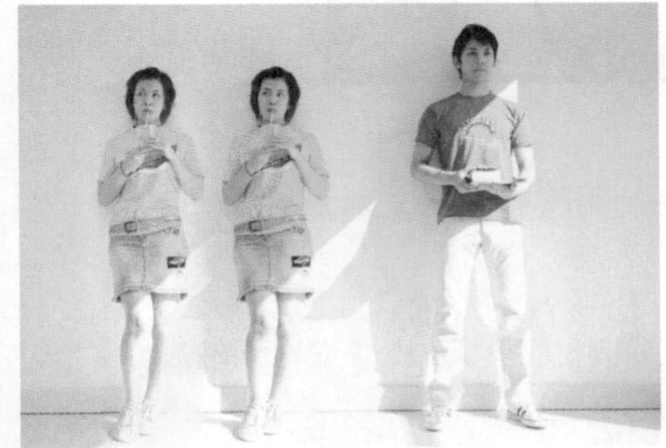

图5-339

提示 可以用矩形选框工具、魔棒工具或套索等工具创建选区，然后用修补工具拖动选区内的图像进行修补。

修补工具选项栏

如图5-340所示为修补工具的工具选项栏。

图5-340

- 选区创建方式：按下新选区按钮，可以创建一个新的选区，如果图像中包含选区，则原选区将被新选区替换；按下添加到选区按钮，可以在当前选区的基础上添加新的选区；按下从选区减去按钮，可以在原选区中减去当前绘制的选区；按下与选区交叉按钮，可得到原选区与当前创建的选区相交的部分。
- 透明：勾选该项后，可以使修补的图像与原图像产生透明的叠加效果。
- 修补：用来设置修补方式。如果选择“源”，当将选区拖至要修补的区域以后，放开鼠标就会用当前选区中的图像修补原来选中的内容，如图5-341、图5-342所示；如果选择“目标”，则会将选中的图像复制到目标区域，如图5-343所示。

图5-341

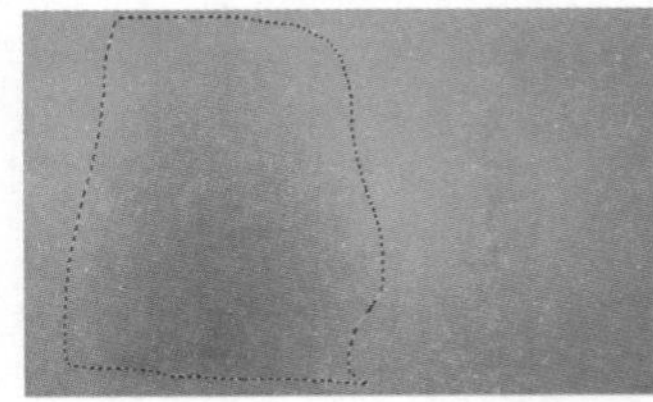

图5-342

图5-343

- 使用图案：在图案下拉面板中选择一个图案后，单击该按钮，可以使用图案修补选区内的图像。

5.6.7 实战——用红眼工具去除照片中的红眼

●实例门类：数码照片处理类 ●视频位置：光盘>实例视频>5.6.7

红眼工具可以去除用闪光灯拍摄的人物照片中的红眼，以及动物照片中的白色或绿色反光。

1 按下Ctrl+O快捷键，打开一张照片（光盘>素材

>5.6.7），如图5-344所示。

2 选择红眼工具，将光标放在红眼区域上，如图5-345所示，单击即可校正红眼，如图5-346所示。另一只眼睛也采用同样方法校正，如图5-347所示。如果对结果不满意，可执行“编辑>还原”命令还原，然后使用不同的“瞳孔大小”和“变暗量”设置再次尝试。

图5-344

图5-345

图5-346

图5-347

红眼工具选项栏

- 瞳孔大小：可设置瞳孔（眼睛暗色的中心）的大小。
- 变暗量：用来设置瞳孔的暗度。

5.6.8 实战——用历史记录画笔恢复局部色彩

●实例门类：数码照片处理类 ●视频位置：光盘>实例视频>5.6.8

历史记录画笔工具可以将图像恢复到编辑过程中的某一步骤状态，或者将部分图像恢复为原样。该工具需要配合“历史记录”面板一同使用。

1 按下Ctrl+O快捷键，打开一个文件（光盘>素材>5.6.8），如图5-348所示。按下Ctrl+J快捷键复制“背景”图层，如图5-349所示。

2 按下Shift+Ctrl+U快捷键去色，如图5-350所示。打开“历史记录”面板，如图5-351所示。我们编辑图像以后，想要将部分内容恢复到哪一个操作阶段的效果（或者恢复为原始图像），就在“历史记录”面板中该操作步骤前面单击，步骤前面会显示历史记录画笔的源图标，如图5-352所示。

图5-348

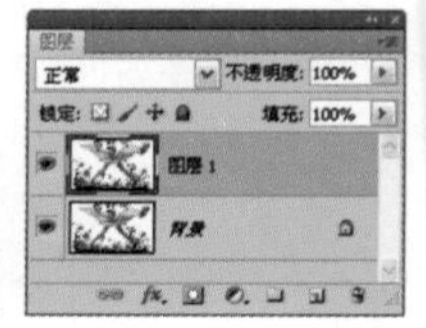

图5-349

图5-350

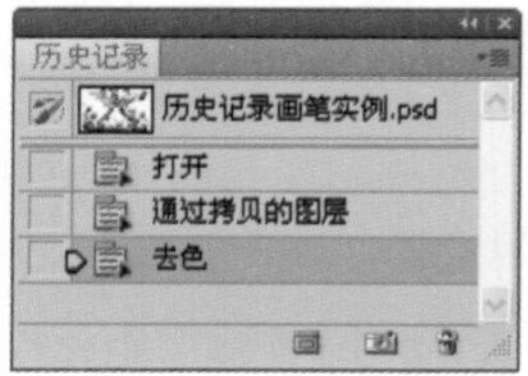

图5-351

图5-352

3 用历史记录画笔工具涂抹花朵、帽子等内容，即可将其恢复到“通过拷贝的图层”时的状态，即彩色图像状态，如图5-353所示。

图5-353

5.6.9 实战——用历史记录艺术画笔制作手绘效果

●实例门类：数码照片处理类 ●视频位置：光盘>实例视频>5.6.9

历史记录艺术画笔工具与历史记录画笔的工作方式完全相同，但它在恢复图像的同时会进行艺术化处理，创建出独具特色的艺术效果。

1 按下Ctrl+O快捷键，打开一个文件（光盘>素材>5.6.9），如图5-354所示。

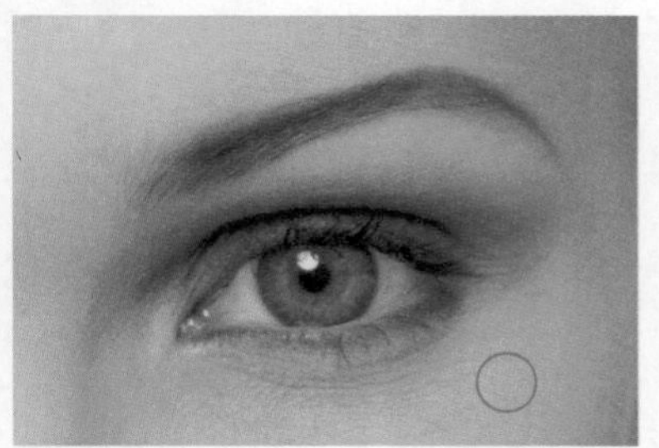

图5-354

2 选择历史记录艺术画笔工具，在画笔下拉面板中选择“硬画布蜡笔”，在样式下拉列表中选择“绷紧短”，如图5-355所示。在图像上拖动鼠标，进行艺术化处理，如图5-356所示。

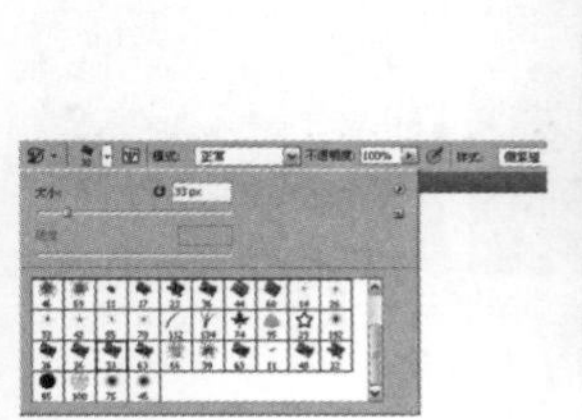

图5-355　图5-356

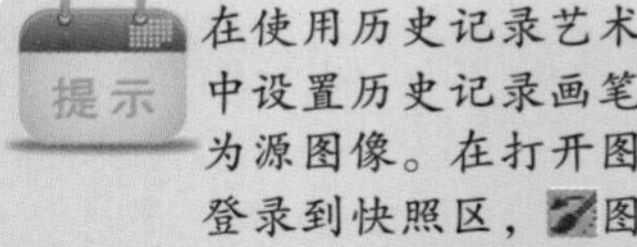

提示：在使用历史记录艺术画笔时，“历史记录”面板中设置历史记录画笔的源图标所在的位置将作为源图像。在打开图像时，它的初始状态会自动登录到快照区，图标也在原始图像的快照上。我们要恢复原始图像，并通过工具的涂抹使其产生绘画效果，因此，不用修改图标的位置。

3 选择“粉笔36像素”笔尖，设置样式为“松散长”，如图5-357所示，在图像边缘涂抹，使边缘的笔触效果更概括，如图5-358所示。

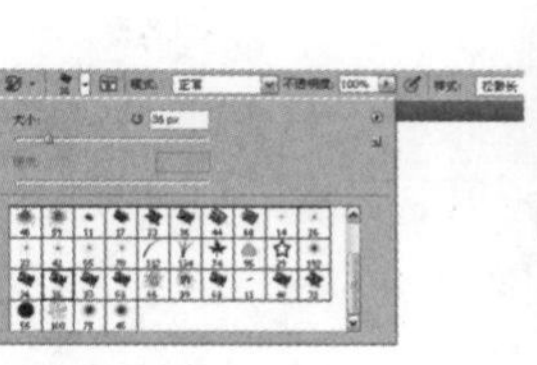

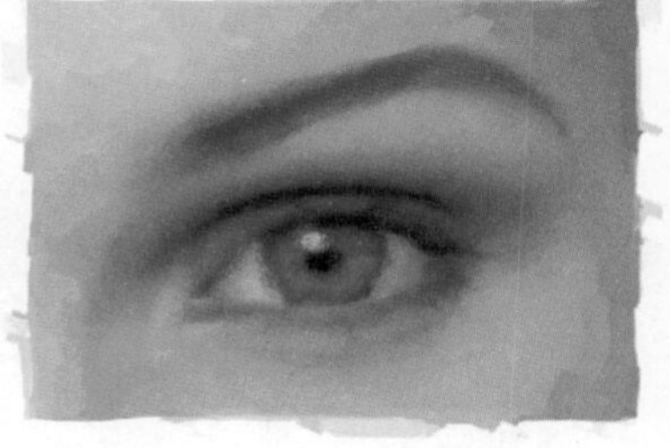

图5-357　图5-358

4 按下Ctrl+L快捷键，打开“色阶”对话框，拖动滑块将图像调暗，增加对比度，如图5-359、图5-360所示。

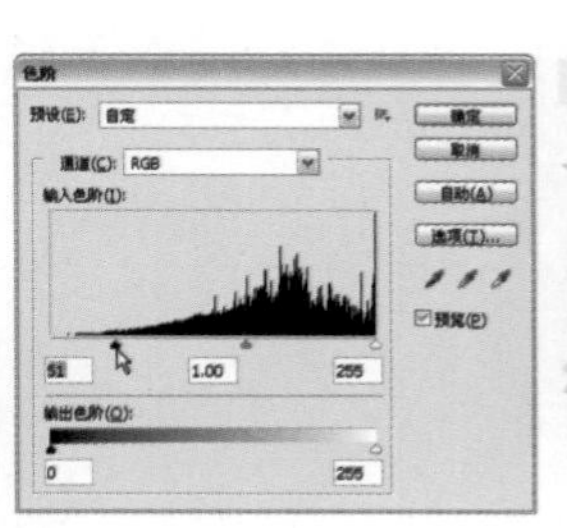

图5-359　图5-360

历史记录艺术画笔工具选项栏

历史记录画笔的工具选项栏中，“画笔”、“模式”、“不透明度”等都与画笔工具的相应选项相同。其他选项如下。

- 样式：可以选择一个选项来控制绘画描边的形状，包括“绷紧短”、“绷紧中”和“绷紧长”等。
- 区域：用来设置绘画描边所覆盖的区域。该值越高，覆盖的区域越大，描边的数量也越多。
- 容差：容差值可以限定可应用绘画描边的区域。低容差可用于在图像中的任何地方绘制无数条描边，高容差会将绘画描边限定在与源状态或快照中的颜色明显不同的区域。

5.7 照片润饰工具

模糊、锐化、涂抹、减淡、加深和海绵等工具可以对照片进行润饰，改善图像的细节、色调、曝光，以及色彩的饱和度。

5.7.1 模糊工具与锐化工具

模糊工具可以柔化图像，减少图像细节；锐化工具可以增强图像中相邻像素之间的对比，提高图像的清晰度。选择这两个工具以后，在图像中单击并拖动鼠标即可进行处理。如图5-361所示为一张照片，使用模糊工具处理背景使其变虚，可以创建景深效果，如图5-362所示；使用锐化工具处理前景，可以使其更加清晰，如图5-363所示。

图5-361

图5-262

图5-363

在使用模糊工具时，如果反复涂抹图像上的同一区域，会使该区域变得更加模糊；使用锐化工具反复涂抹同一区域，则会造成图像失真。如图5-364所示为模糊工具的选项栏。锐化工具与它的选项完全相同。

500 模式：正常 强度：50% □对所有图层取样

图5-364

- 画笔：可以选择一个笔尖，模糊或锐化区域的大小取决于画笔的大小。
- 模式：用来设置工具的混合模式。
- 强度：用来设置工具的强度。
- 对所有图层取样：如果文档中包含多个图层，勾选该选项，表示使用所有可见图层中的数据进行处理；取消勾选，则只处理当前图层中的数据。

相关链接：模糊和锐化工具适合处理小范围内的图像细节，如果要对整幅图像进行处理，最好使用“模糊”和“锐化”滤镜。关于“模糊”滤镜，请参阅“15.6 模糊滤镜组”；关于“锐化”滤镜，请参阅“15.8 锐化滤镜组”。

5.7.2 加深工具与减淡工具

在调节照片特定区域曝光度的传统摄影技术中，摄影师通过减弱光线以使照片中的某个区域变亮（减淡），或增加曝光度使照片中的区域变暗（加深）。减淡工具和加深工具正是基于这种技术，可用于处理照片的曝光。这两个工具的工具选项栏是相同的，如图5-365所示为减淡工具的选项栏。

65 范围：中间调 曝光度：50% ☑保护色调

图5-365

- 范围：可选择要修改的色调。选择“阴影”，可处理图像的暗色调；选择“中间调”，可处理图像的中间调（灰色的中间范围色调）；选择“高光”，则处理图像的亮部色调。如图5-366所示为减淡工具处理效果，图5-367所示为加深工具处理效果。

减淡阴影

减淡中间调

减淡高光

图5-366

加深阴影

加深中间调

加深高光

图5-367

- 曝光度：可以为减淡工具或加深工具指定曝光。该值越高，效果越明显。
- 喷枪：按下该按钮，可以为画笔开启喷枪功能。
- 保护色调：可以保护图像的色调不受影响。

5.7.3 涂抹工具

使用涂抹工具涂抹图像时，可拾取鼠标单击点的颜色，并沿拖移的方向展开这种颜色，模拟出类似于手指拖过湿油漆时的效果。如图5-368所示为涂抹工具的选项栏，除“手指绘画”外，其他选项均与模糊和锐化工具相同。

13 模式：正常 强度：50% □对所有图层取样 □手指绘画

图5-368

- 手指绘画：勾选该选项后，可以在涂抹时添加前景色，如图5-369、图5-370所示；取消勾选，则使用每个描边起点处光标所在位置的颜色进行涂抹，如图5-371所示。

相关链接：涂抹工具适合扭曲小范围图像，图像太大则不容易控制，并且处理速度较慢。如果要处理大面积的图像，可以使用“液化”滤镜，相关内容请参阅“5.11 用“液化”滤镜扭曲图像”。

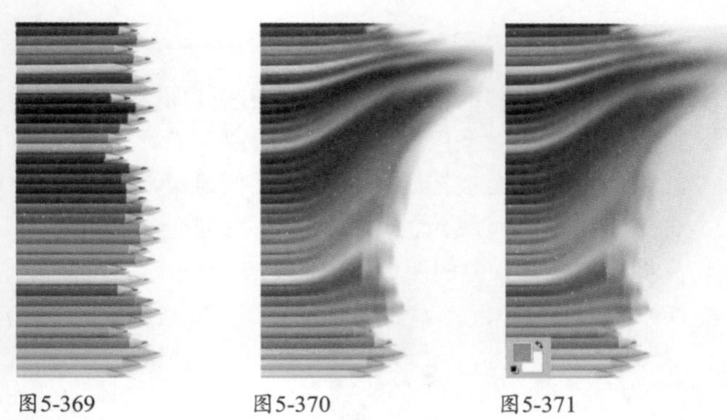

图5-369 图5-370 图5-371

5.7.4 海绵工具

海绵工具可以修改色彩的饱和度。选择该工具后，在画面单击并拖动鼠标涂抹即可进行处理。如图5-372所示为海绵工具的选项栏，其中“画笔”和“喷枪”选项与加深和减淡工具相同。

65 模式: 降低饱和度 流量: 50% 自然饱和度

图5-372

- 模式：如果要增加色彩的饱和度，可以选择“加色”；如果要降低饱和度，则选择“降低饱和度”，如图5-373～图5-375所示。

原图

图5-373

增加饱和度

图5-374

降低饱和度

图5-375

- 流量：可以为海绵工具指定流量。该值越高，工具的强度越大，效果越明显。
- 自然饱和度：选择该项，可以在增加饱和度时，防止颜色过度饱和而出现溢色。

5.8 擦除工具

擦除工具用来擦除图像。Photoshop中包含三种类型的擦除工具：橡皮擦、背景橡皮擦和魔术橡皮擦。后两种橡皮擦主要用于抠图（去除图像的背景），而橡皮擦则会因设置的选项不同，具有不同的用途。

5.8.1 橡皮擦工具

橡皮擦工具可以擦除图像。如图5-376所示为它的工具选项栏。如果处理的是“背景”图层或锁定了透明区域（按下“图层”面板中的按钮）的图层，涂抹区域会显示为背景色，如图5-377所示；处理其他图层时，可擦除涂抹区域的像素，如图5-378所示。

350 模式: 画笔 不透明度: 100% 流量: 100% 抹到历史记录

图5-376

- 模式：可以选择橡皮檫的种类。选择“画笔”，可创建柔边擦除效果，如图5-379所示；选择“铅笔”，可创建硬边擦除效果，如图5-380所示；选择“块”，擦除的效果为块状，如图5-381所示。
- 不透明度：用来设置工具的擦除强度，100% 的不透明度可以完全擦除像素，较低的不透明度将部分擦除像素。将“模式”设置为“块”时，不能使用该选项。
- 流量：用来控制工具的涂抹速度。

图5-377

图5-378

图5-379

图5-380

图5-381

- 抹到历史记录：与历史记录画笔工具的作用相同。勾选该选项后，在“历史记录”面板选择一个状态或快照，在擦除时，可以将图像恢复为指定状态。

5.8.2 实战——用背景橡皮擦工具擦除背景

●实例门类：图像合成类 ●视频位置：光盘>实例视频>5.8.2

背景橡皮擦工具是一种智能橡皮擦，它可以自动采集画笔中心的色样，同时删除在画笔内出现的这种颜色，使擦除区域成为透明区域。

1 按下Ctrl+O快捷键，打开一个文件（光盘>素材>5.8.2a），如图5-382所示。选择背景橡皮擦工具，在工具选项栏中设置参数，如图5-383所示。

图5-382

图5-383

2 将光标放在靠近人物的背景图像上，光标会变为圆形，圆形中心有一个十字线，如图5-384所示。在擦除图像时，Photoshop会采集十字线位置的颜色，并将出现在圆形区域内的类似颜色擦除。我们单击并拖动鼠标即可擦除背景，如图5-385所示。注意不要让十字线碰到人物，否则也会将其擦除。

图5-384

图5-385

3 打开一个背景文件，使用移动工具将去被的人像拖入该文档，如图5-386所示。

图5-386

背景橡皮擦工具选项栏

- 取样：用来设置取样方式。按下连续按钮，在拖动鼠标时可连续对颜色取样，凡是出现在光标中心十字线内的图像都会被擦除；按下一次按钮，只擦除包含第一次单击点颜色的图像；按下背景色板按钮，只擦除包含背景色的图像，如图5-387所示。

连续

一次

背景色板

图5-387

- 限制：定义擦除时的限制模式。选择“不连续”，可擦除出现在光标下任何位置的样本颜色；选择“连续”，只擦除包含样本颜色并且互相连接的区域；选择“查找边缘”，可擦除包含样本颜色的连接区域，同时更好地保留形状边缘的锐化程度。
- 容差：用来设置颜色的容差范围。低容差仅限于擦除与样本颜色非常相似的区域，高容差可擦除范围更广的颜色。
- 保护前景色：勾选该项后，可防止擦除与前景色匹配的区域。

5.8.3 实战——用魔术橡皮擦工具抠像

●实例门类：数码照片处理类 ●视频位置：光盘>实例视频>5.8.3

魔术橡皮擦工具可以自动分析图像的边缘。如果在“背景”图层或是锁定了透明区域的图层中使用该工具，被擦除的区域会变为背景色；在其他图层中使用该工具，被擦除的区域会成为透明区域。

1 打开一个文件（光盘>素材>5.8.3a），如图5-388所示。按下Ctrl+J快捷键复制“背景”图层，得到“图层1”，再单击“背景”图层前面的眼睛图标，将该图层隐藏，如图5-389所示。

2 选择魔术橡皮擦工具，在工具选项栏中将“容差”设置为32，在背景单击，删除背景，如图5-390所示。

3 可以看到，人物的额头、面颊和下巴也被删除了部分图像。单击“背景”图层将它选择，在它前面原眼睛图标处单击，重新显示该图层，如图5-391所示。使用套索工具选中缺失的图像，如图5-392所示。按下Ctrl+J快捷键将选中的图像复制到一个新的图层中，如图5-393所示。

图5-388

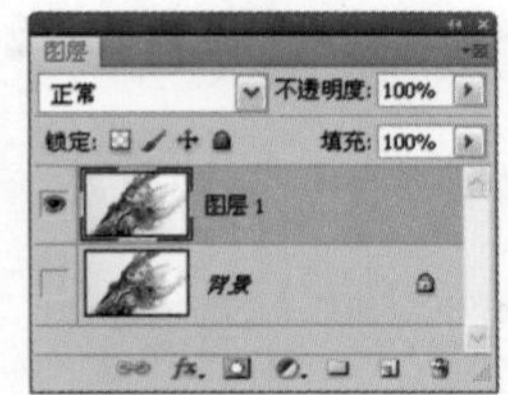

图5-389

图5-391

图5-392

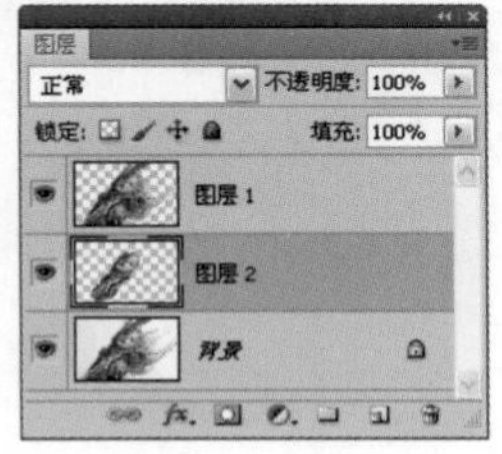

图5-393

4 按住Ctrl键单击“图层1”，将它与“图层2”一同选中，如图5-394所示。打开一个文件（光盘>素材>5.8.3b），使用移动工具将人物拖入该文档，如图5-395所示。

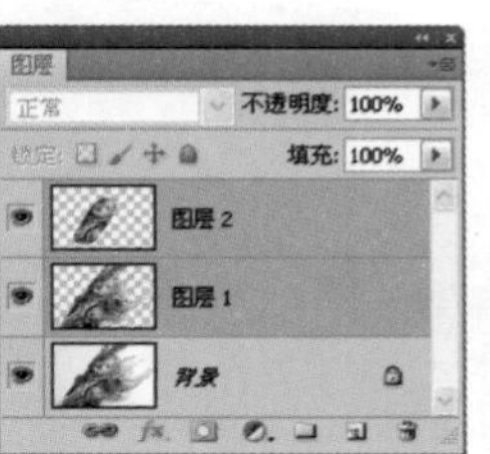

图5-394

图5-395

魔术橡皮擦工具选项栏

- 容差：用来设置可擦除的颜色范围。低容差会擦除颜色值范围内与单击点像素非常相似的像素，高容差可擦除范围更广的像素。
- 消除锯齿：可以使擦除区域的边缘变得平滑。
- 连续：只擦除与单击点像素邻近的像素；取消勾选时，可擦除图像中所有相似的像素。
- 对所有图层取样：对所有可见图层中的组合数据来采集抹除色样。
- 不透明度：用来设置擦除强度，100% 的不透明度将完全擦除像素，较低的不透明度可部分擦除像素。

5.9 用“镜头校正”滤镜校正数码照片

“镜头校正”滤镜可以修复由数码相机镜头缺陷而导致的照片中出现桶形失真、枕形失真、色差以及晕影等问题，它也可以用来校正倾斜的照片，或修复由于相机垂直或水平倾斜而导致的图像透视现象。

5.9.1 自动校正问题照片

打开一张照片，执行“滤镜>镜头校正”命令，打开“镜头校正”对话框，如图5-396所示。

Photoshop提供了可以自动校正照片问题的各种配置文件。我们首先在“相机制造商”和“相机型号”下拉列表中指定拍摄该数码照片的相机的制造商以及相机的型号；然后在“镜头型号”下拉列表中可以选择一款镜头；这些选项指定之后，Photoshop就会给出与之匹配的镜头配置文件。如果没有出现配置文件，则可单击“联机搜索”按钮，在线查找。

以上内容设置完成之后，在“校正”选项组中选择一个选项，Photoshop就会自动校正照片中出现的桶形失真或枕形失真（勾选“几何扭曲”）、色差或者晕影。

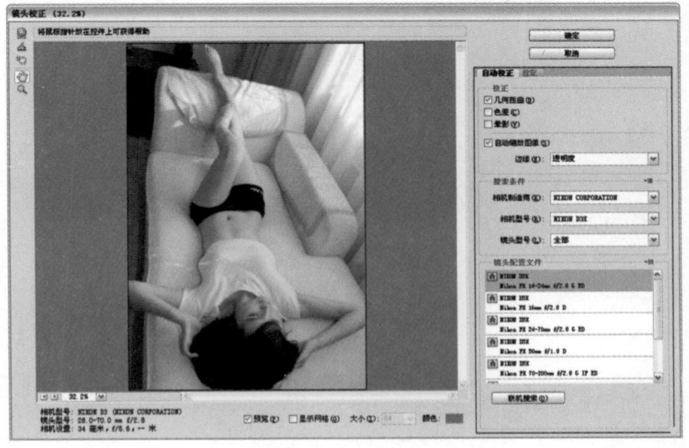

图5-396

提示 “自动缩放图像”用来指定如何处理由于校正枕形失真、旋转或透视校正而产生的空白区域。选择“边缘扩展”，可扩展图像的边缘像素来填充空白区域；选择“透明度”，空白区域保持透明；选择“黑色”或“白色”，则使用黑或白色填充空白区域。

5.9.2 手动校正桶形和枕形失真

桶形失真是由镜头引起的成像画面呈桶形膨胀状的失真现象。我们使用广角镜头或变焦镜头的最广角时，就容易出现这种情况。枕形失真与之相反，它会导致画面向中间收缩。使用长焦镜头或变焦镜头的长焦端时，容易出现枕形失真。

在“镜头校正”对话框中单击“自定”选项卡，显示手动设置面板。拖动“移去扭曲”滑块可以拉直从图像中心向外弯曲或朝图像中心弯曲的水平和垂直线条，如图5-397、图5-398所示。通过这种变形功能可以校正镜头桶形失真和枕形失真。

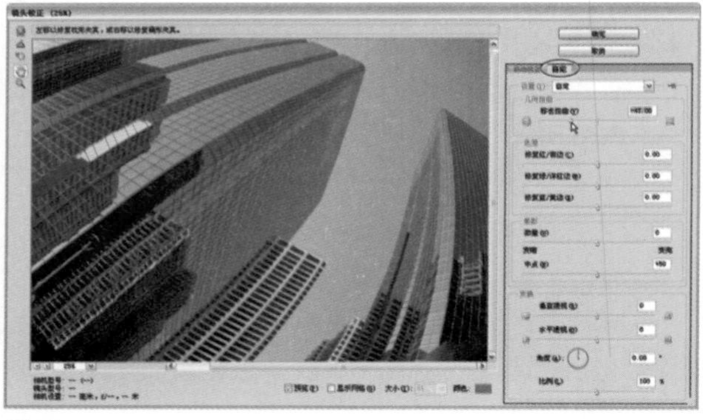
图5-397

图5-398

提示 选择移去扭曲工具，单击并向画面边缘拖动鼠标可以校正桶形失真；向画面的中心拖动鼠标可以校正枕形失真。

5.9.3 实战——校正出现色差的照片

●实例门类：数码照片处理类　●视频位置：光盘>实例视频>5.9.3

色差是由于镜头对不同平面中不同颜色的光进行对焦而产生的。我们进行拍摄时，如果背景的亮度高于前景，就容易出现色差。具体表现为背景与前景对象相接的边缘会出现红、蓝或绿色的异常杂边。

1 按下Ctrl+O快捷键，打开一张照片（光盘>素材>5.9.3）。执行“滤镜>镜头校正”命令，打开“镜头校正”对话框，单击“自定”选项卡。按下Ctrl++快捷键，将窗口放大为100%，以便我们准确观察效果，如图5-399所示。可以看到，花茎边缘色差非常明显。

图5-399

2 向左侧拖动“修复红/青边”滑块，针对红/青色边进行补偿；再向右侧拖动“修复绿/洋红边”滑块进行校正，即可消除花朵和花茎边缘的色差，如图5-400所示。单击“确定”按钮关闭对话框。

图5-400

5.9.4 实战——校正出现晕影的照片

●实例门类：数码照片处理类　●视频位置：光盘>实例视频>5.9.4

晕影的特点表现为图像的边缘（尤其是角落）比图像

中心暗。

1 按下Ctrl+O快捷键，打开一张照片（光盘>素材>5.9.4）。执行“滤镜>镜头校正”命令，打开“镜头校正”对话框，单击“自定”选项卡，如图5-401所示。

图5-401

2 向右拖动“晕影”选项组的“数量”滑块，将边角调亮（向左拖动则会调暗）；再向右拖动“中点”滑块，如图5-402所示。单击“确定”按钮关闭对话框。

图5-402

提示 “中点”用于指定受“数量”滑块所影响的区域的宽度，数值高只会影响图像的边缘；数值小，则会影响较多的图像区域。

5.9.5 实战——校正倾斜的照片

●实例门类：数码照片处理类 ●视频位置：光盘>实例视频>5.9.5

我们拍摄时，如果相机没有端平，就会导致图像倾斜。“镜头校正”滤镜可以轻松校正此类照片。

1 按下Ctrl+O快捷键，打开一张照片（光盘>素材>5.9.5）。执行“滤镜>镜头校正”命令，打开“镜头校正”对话框，单击“自定”选项卡，如图5-403所示。仔细观察可以发现，这张照片中的画面内容左高右低。

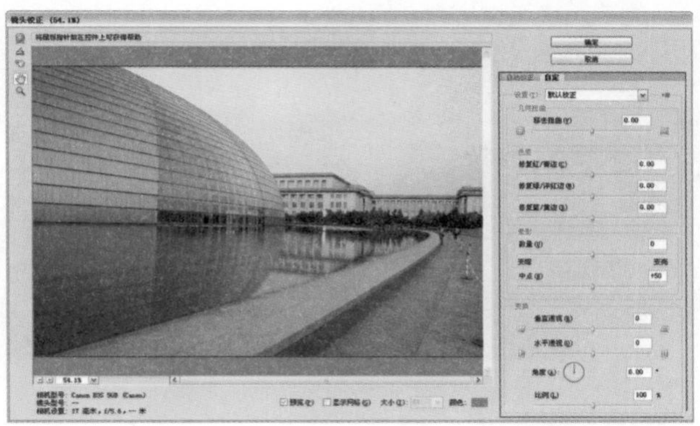

图5-403

2 选择拉直工具，在画面中单击并拖出一条直线，放开鼠标后，图像会以该直线为基准进行角度校正，如图5-404所示。此外，也可以在“角度”右侧的文本框中输入数值进行细微的调整。

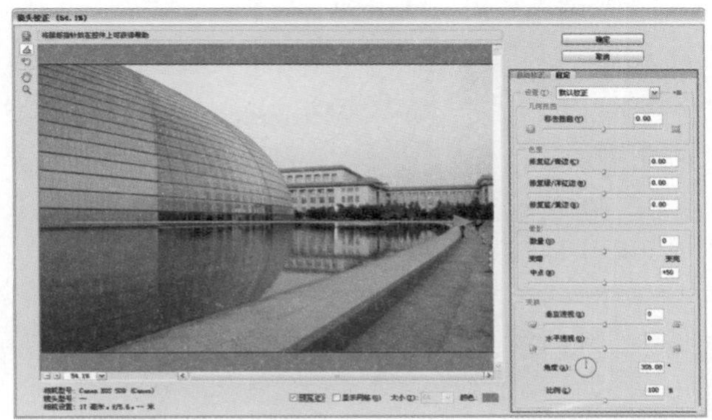

图5-404

应用透视变换

在“镜头校正”对话框中，“变换”选项组中包含扭曲图像的选项，可用于修复由于相机垂直或水平倾斜而导致的图像透视现象。

- 垂直透视/水平透视：用于校正由于相机向上或向下倾斜而导致的图像透视。“垂直透视”可以使图像中的垂直线平行，如图5-405所示；“水平透视”可以使水平线平行，如图5-406所示。

图5-405

图5-406

● 角度：与拉直工具的作用相同，可以旋转图像以针对相机歪斜加以校正，或者在校正透视后进行调整。

● 比例：可以向上或向下调整图像缩放，图像的像素尺寸不会改变。它的主要用途是填充由于枕形失真、旋转或透视校正而产生的图像空白区域。放大实际上是裁剪图像，并使插值增大到原始像素尺寸，因此，放大比例过高会导致图像变虚。

5.10 用“消失点”滤镜修复照片

“消失点”滤镜具有特殊的功能，它可以在包含透视平面（如建筑物侧面或任何矩形对象）的图像中进行透视校正。在应用诸如绘画、仿制、拷贝或粘贴以及变换等编辑操作时，Photoshop可以正确确定这些编辑操作的方向，并将它们缩放到透视平面，使结果更加逼真。

5.10.1 “消失点”对话框

执行“滤镜>消失点”命令，可以打开“消失点”对话框，如图5-407所示。对话框中包含用于定义透视平面的工具、用于编辑图像的工具以及一个可预览图像的工作区。

图5-407

● 编辑平面工具：用来选择、编辑、移动平面的节点以及调整平面的大小。如图5-408所示为创建的透视平面，图5-409所示为使用该工具修改的透视平面。

图5-408

图5-409

● 创建平面工具：用来定义透视平面的四个角节点，如图5-410、图5-411所示。创建了四个角节点后，可以移动、缩放平面或重新确定其形状；按住 Ctrl 键拖动平面的边节点可以拉出一个垂直平面，如图5-412、图5-413所示。在定义透视平面的节点时，如果节点的位置不正确，可按下Back Space键将该节点删除。

图5-410

图5-411

图5-412

图5-413

技术看板 22 有效平面与无效平面

定义透视平面时，蓝色定界框为有效平面，红色定界框为无效平面，我们不能从红色平面中拉出垂直平面。黄色定界框也是无效平面，尽管可以拉出垂直平面或进行编辑，但无法获得正确的对齐结果。

- 选框工具：在平面上单击并拖动鼠标可以选择平面上的图像。选择图像后，将光标放在选区内，按住 Alt 键拖动可以复制图像，如图5-414、图5-415所示；按住Ctrl键拖动选区，则可以用源图像填充该区域。

图5-414

图5-415

- 图章工具：使用该工具时，按住 Alt 键在图像中单击可以为仿制设置取样点，如图5-416所示；在其他区域拖动鼠标可复制图像，如图5-417所示；按住Shift键单击可以将描边扩展到上一次单击处。

图5-416

图5-417

提示 选择图章工具后，可以在对话框顶部的选项中选择一种“修复”模式。如果要绘画而不与周围像素的颜色、光照和阴影混合，可选择“关”；如果要绘画并将描边与周围像素的光照混合，同时保留样本像素的颜色，可选择“明亮度”；如果要绘画并保留样本图像的纹理，同时与周围像素的颜色、光照和阴影混合，可选择“开”。

- 画笔工具：可在图像上绘制选定的颜色。
- 变换工具：使用该工具时，可以通过移动定界框的控制点来缩放、旋转和移动浮动选区，就类似于在矩形选区上使用“自由变换”命令。如图5-418所示为使用选框工具选取并复制的图像，图5-419所示为使用变换工具对选区内的图像进行变换的效果。
- 吸管工具：可拾取图像中的颜色作为画笔工具的绘画颜色。
- 测量工具：可以在透视平面中测量项目的距离和角度。
- 缩放工具/抓手工具：用于缩放窗口的显示比例，以及移动画面。

图5-418

图5-419

5.10.2 实战——在透视状态下复制图像

●实例门类：数码照片处理类 ●视频位置：光盘>实例视频>5.10.2

1 按下Ctrl+O快捷键，打开一个文件（光盘>素材>5.10.2）。执行“滤镜>消失点”命令，打开“消失点”对话框，如图5-420所示。

图5-420

2 使用创建平面工具在图像中单击，添加节点，定义透视平面，如图5-421、图5-422所示。

图5-421

图5-422

3 使用选框工具选择一个窗子，如图5-423所示；将光标放在选区内，按住Alt键拖动鼠标复制图像，如图5-424所示。单击“确定”按钮关闭对话框。

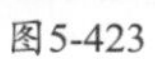
图5-423

图5-424

提示 在操作的过程中，如果出现了失误，可按下Ctrl+Z快捷键还原一次操作；连续按下Alt+Ctrl+Z键可逐步还原；如果想要撤销全部操作，可按住Alt键单击“复位”按钮，对话框中的图像就会恢复为初始状态。

技术看板 23 消失点使用技巧

如果使用“消失点”前创建一个选区，可将“消失点”结果限定在选中的区域内；如果在使用“消失点”前新建一个图层，则修改结果会出现在该图层上，而不会对原图像造成破坏。

5.11 用“液化”滤镜扭曲图像

“液化”滤镜是修饰图像和创建艺术效果的强大工具，它的使用方法简单，但功能强大，可创建推拉、扭曲、旋转、收缩等变形效果，可以用来修改图像的任意区域。

5.11.1 “液化”对话框

执行“滤镜>液化”命令，可以打开“液化”对话框，如图5-425所示。对话框中包含了该滤镜的工具，参数控制选项和图像预览与操作窗口。

图5-425

5.11.2 使用变形工具

使用“液化”对话框中的变形工具在图像上单击并拖动鼠标即可进行变形操作，变形集中在画笔区域中心，并会随着鼠标在某个区域中的重复拖动而得到增强。

- 向前变形工具：可向前推动像素，如图5-426所示。
- 重建工具：用来恢复图像。在变形的区域单击或拖动涂抹，可以使变形区域的图像恢复为原来的效果，如图5-427所示。

图5-426

图5-427

- 顺时针旋转扭曲工具：在图像中单击或拖动鼠标可顺时针旋转像素，如图5-428所示；按住Alt键操作则逆时针旋转扭曲像素，如图5-429所示。

图5-428

图5-429

- 褶皱工具：可以使像素向画笔区域的中心移动，使图像产生向内收缩效果，如图5-430所示。
- 膨胀工具：可以使像素向画笔区域中心以外的方向移动，使图像产生向外膨胀效果，如图5-431所示。

图5-430 图5-431

- 左推工具：垂直向上拖动鼠标时，像素向左移动，如图5-432所示；向下拖动，像素向右移动，如图5-433所示；按住Alt 键垂直向上拖动时，像素向右移动；按住Alt 键向下拖动时，像素向左移动。

图5-432

图5-433

- 镜像工具：在图像上拖动时可以将像素复制到画笔区域，创建镜像效果，如图5-434所示。
- 湍流工具：可以平滑地混杂像素，创建类似火焰、云彩、波浪和相似的效果，如图5-435所示。

图5-434

图5-435

- 冻结蒙版工具：如果要对一些区域进行处理，而又不希望影响其他区域，可以使用该工具在图像上绘制出冻结区域（即要保护的区域）。例如，在嘴唇周围绘制出冻结的区域，如图5-436所示，然后使用褶皱工具在嘴唇上单击进行收缩处理，被冻结区域内图像的像素就不会受到影响，如图5-437所示。

图5-436

图5-437

- 解冻蒙版工具：涂抹冻结区域可以解除冻结。

5.11.3 设置工具选项

“液化”对话框中的“工具选项”组用来设置当前选择的工具的各种属性。

- 画笔大小：用来设置扭曲图像的画笔的宽度。
- 画笔密度：用来设置画笔边缘的羽化范围，它可以使画笔中心的效果最强，边缘处的效果最轻。
- 画笔压力：用来设置画笔在图像上产生的扭曲速度。较低的压力可以减慢更改速度，易于对变形效果进行控制。
- 画笔速率：用来设置旋转扭曲等工具在预览图像中保持静止时扭曲所应用的速度。该值越高，扭曲速度越快。
- 湍流抖动：用来设置湍流工具混杂像素的紧密程度。
- 重建模式：该选项用于重建工具，选取的模式决定了该工具如何重建预览图像的区域。
- 光笔压力：当计算机配置有数位板和压感笔时，勾选该项可通过压感笔的压力控制工具。

5.11.4 设置重建选项

“液化”对话框中的“重建选项”组用来设置重建方式，以及撤销所做的调整。

- 模式：在下拉列表中可以选择重建模式。选择“刚性”，表示在冻结区域和未冻结区域之间边缘处的像素网格中保持直角，该选项可恢复未冻结的区域，使之近似于它们的原始外观；选择“生硬”，表示在冻结区域和未冻结区域之间的边缘处未冻结区域将采用冻结区域内的扭曲，扭曲将随着与冻结区域距离的增加而逐渐减弱，其作用类似于弱磁场；选择“平滑”，表示在冻结区域内和未冻结区域间创建平滑连续地扭曲；选择“松散”，产生的效果类似于“平滑”，但冻结和未冻结区域的扭曲之间的连续性更大；选择“恢复”，表示均匀地消除扭曲，不进行任何种类的平滑处理。
- 重建：单击该按钮可应用重建效果。
- 恢复全部：单击该按钮可取消所有扭曲效果，即使当前图像中有被冻结的区域也不例外。

5.11.5 设置蒙版选项

如果图像中包含选区或蒙版，可通过“液化”对话框中的“蒙版选项”组设置蒙版的保留方式。

- 替换选区：显示原图像中的选区、蒙版或透明度。
- 添加到选区：显示原图像中的蒙版，此时可以使用冻结工具添加到选区。
- 从选区中减去：从冻结区域中减去通道中的像素。
- 与选区交叉：只使用处于冻结状态的选定像素。
- 反相选区：使当前的冻结区域反相。
- 无：单击该按钮可解冻所有区域。
- 全部蒙住：单击该按钮可以使图像全部冻结。
- 全部反相：单击该按钮可以使冻结和解冻区域反相。

5.11.6 设置视图选项

“液化”对话框中的“视图选项”组用来设置图像，网格和背景的显示与隐藏。此外，还可以对网格大小和颜色、蒙版颜色、背景模式和不透明度进行设置。

- 显示图像：在预览区中显示图像。
- 显示网格：勾选该项可在预览区中显示网格，通过网格可以更好地查看和跟踪扭曲。如图5-438所示为扭曲图像前显示的网格，图5-439所示为扭曲后的网格。此时“网格大小”和“网格颜色”选项可用，通过它们可以设置网格的大小和颜色。如果要将当前的网格存储，可单击对话框顶部的“存储网格”按钮进行保存；如果要载入存储的网格，可单击对话框顶部的“载入网格”按钮。

图5-438

图5-439

- 显示蒙版：使用蒙版颜色覆盖冻结区域，在“蒙版颜色”选项中可以设置蒙版颜色。
- 显示背景：如果当前图像中包含多个图层，可通过该选项使其他图层作为背景来显示，以便更好地观察扭曲的图像与其他图层的合成效果。在“使用”选项下拉列表中可以选择作为背景的图层；在“模式”选项下拉列表中可以选择将背景放在当前图层的前面或后面，以便跟踪对图像所做出的修改；“不透明度”选项用来设置背景图层的不透明度。

5.11.7 实战——用液化滤镜修出完美脸形

●实例门类：数码照片处理类　●视频位置：光盘>实例视频>5.11.7

1 按下Ctrl+O快捷键，打开一张照片（光盘>素材>5.11.7）。按下Ctrl+J快捷键复制“背景”图层。执行“滤镜>液化”命令，打开“液化”对话框，选择向前变形工具，设置大小和压力，如图5-440所示。

图5-440

2 将光标放在脸部边缘，向里拖动鼠标，使轮廓向内收缩，改变脸部弧线，如图5-441所示；再调整下颌的轮廓，如图5-442所示。如图5-443、图5-444所示所示为修改前的照片和修改后的对比效果。

图5-441

图5-442

图5-443

图5-444

5.12 用自动命令处理照片

Photoshop提供了一系列可以自动处理照片的命令，通过这些命令可以合并全景照片、裁剪照片、限制图像的尺寸、自动对齐图层等等。它们在“文件>自动”下拉菜单以及“编辑”菜单中。

5.12.1 实战——将多个照片合成为全景图

●实例门类：数码照片处理类 ●视频位置：光盘>实例视频>5.12.1

1 按下Ctrl+O快捷键，打开三张照片（光盘>素材>5.12.1a～c），如图5-445～图5-447所示。

2 执行“文件>自动>Photomerge”命令，打开“Photomerge”对话框。在“版面”选项中选择“自动”，单击“添加打开的文件”按钮，将窗口中打开的三张照片添加到列表中，再勾选“混合图像”选项，让Photoshop自动修改照片的曝光，使它们自然衔接，如图5-448所示。

图5-445

图5-446

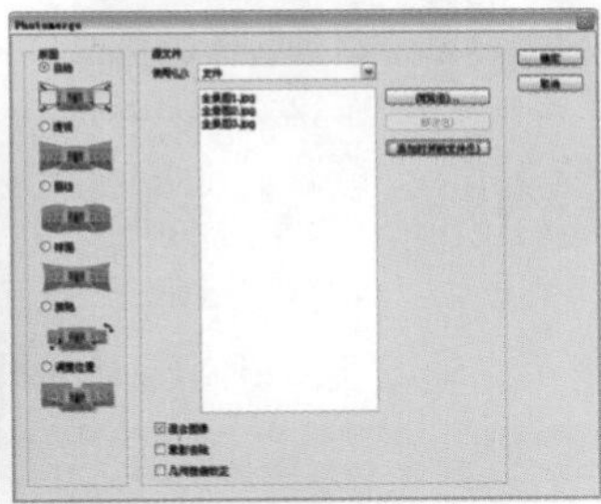

图5-447

图5-448

3 单击“确定”按钮，Photoshop就会自动拼合照片，并添加图层蒙版，使照片之间无缝衔接。最后，用矩形选框工具将照片内容选中，执行“图像>裁剪”命令，将空白区域和多余的图像内容裁掉，如图5-449所示。不要用裁剪工具裁剪，因为裁剪框会自动吸附到画布边缘，不容易对齐到图像边缘。

提示 用于合成全景图的各张照片都要有一定的重叠内容，Photoshop需要识别这些重叠的地方才能拼接照片。一般来说，重叠处应该占照片的10%～15%。

图5-449

5.12.2 自动对齐图层

将几张用于合成全景图的照片拖入一个文档，如图5-450所示，使用“编辑>自动对齐图层”命令，也可以创建全景照片。如图5-451所示为“自动对齐图层”对话框。该命令可根据不同图层中的相似内容（如角和边）自动对齐图层。我们可以指定一个图层作为参考图层，也可以让Photoshop自动选择参考图层，其他图层将与参考图层对齐，以便匹配的内容能够自行叠加。

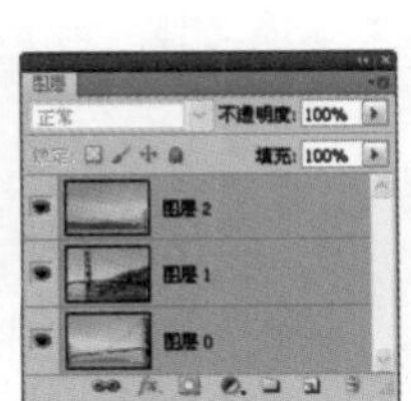

图5-450

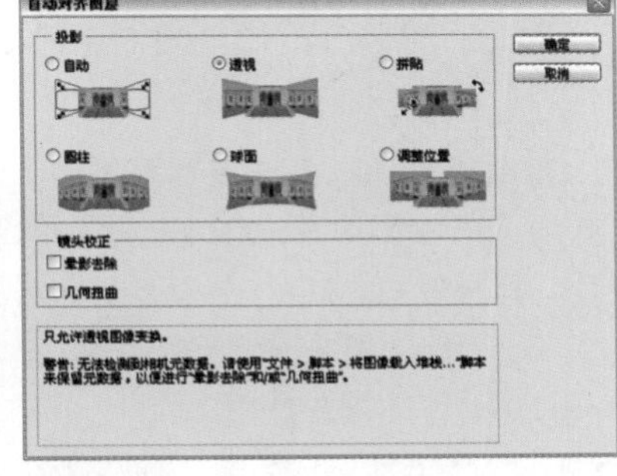

图5-451

- 自动：Photoshop会分析源图像并应用“透视”或“圆柱”版面（取决于哪一种版面能够生成更好的复合图像）。
- 透视：通过将源图像中的一个图像（默认情况下为中间的图像）指定为参考图像来创建一致的复合图像。然后将变换其他图像（必要时，进行位置调整、伸展或斜切），以便匹配图层的重叠内容。
- 拼贴：对齐图层并匹配重叠内容，不修改图像中对象的形状（例如，圆形将保持为圆形）。
- 圆柱：通过在展开的圆柱上显示各个图像来减少在“透视”版面中出现的“领结”扭曲。图层的重叠内容仍匹配，将参考图像居中放置。该方式适合创建宽全景图。

- 球面：将图像与宽视角对齐（垂直和水平）。指定某个源图像（默认情况下是中间图像）作为参考图像，并对其他图像执行球面变换，以便匹配重叠的内容。如果是360度全景拍摄的照片，可选择该选项，拼合并变换图像，以模拟观看360度全景图的感受。
- 调整位置：对齐图层并匹配重叠内容，但不会变换（伸展或斜切）任何源图层。
- 镜头校正：自动校正镜头缺陷，对导致图像边缘（尤其是角落）比图像中心暗的镜头缺陷进行补偿，以及补偿桶形、枕形或鱼眼失真。

技术看板 24 自动混合图层

当使用几张照片创建全景图，或者用几张图像的局部照片合成一张完整的照片时，各个照片之间的曝光差异可能会导致最终结果中出现接缝或不一致的现象。使用“编辑>自动混合图层”命令处理这样的图像，可以在最终图像中生成平滑的过渡，Photoshop会根据需要对每个图层应用图层蒙版，以遮盖过度曝光或曝光不足的区域或内容之间差异，从而创建无缝拼贴效果。

5.12.3 实战——将多个照片合并为HDR图像

●实例门类：数码照片处理类 ●视频位置：光盘>实例视频>5.12.3

HDR图像是通过合成多幅以不同曝光度拍摄的同一场景、或同一人物的照片而创建的高动态范围图片，主要用于影片、特殊效果、3D 作品及某些高端图片。

1 打开一组以不同曝光值拍摄的照片（光盘>素材>5.12.3a～d），如图5-452所示。

图5-452

2 执行“文件>自动>合并到HDR Pro”命令，在打开的对话框单击“添加打开的文件”按钮，将打开的四张照片添加到列表中，如图5-453所示。

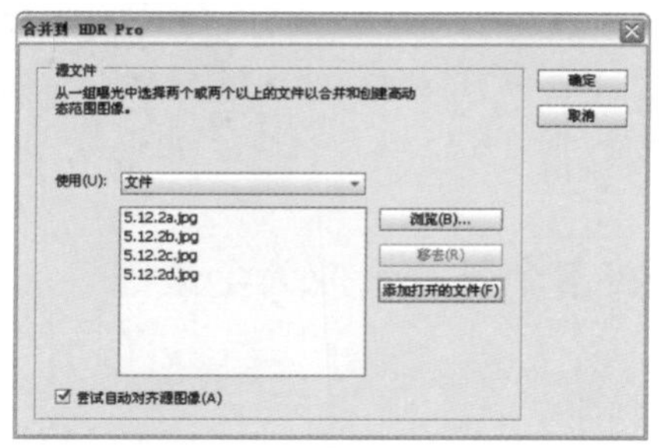

图5-453

3 单击“确定”按钮，Photoshop会对图像进行处理并弹出“合并到HDR Pro”对话框，显示合并的源图像、合并结果的预览图像、“位深度”菜单及用于设置白场预览的滑块，如图5-454所示。

图5-454

4 拖动各个选项滑块，同时观察图像效果，当室内景物清晰明亮、室外景物也有良好的细节时，如图5-455所示，单击“确定”按钮创建HDR照片。

图5-455

5.12.4 调整HDR图像的色调

打开一张HDR照片，如图5-456所示，执行“图像>调整>HDR色调”命令，打开“HDR”色调对话框，如图5-457所示。

图5-456

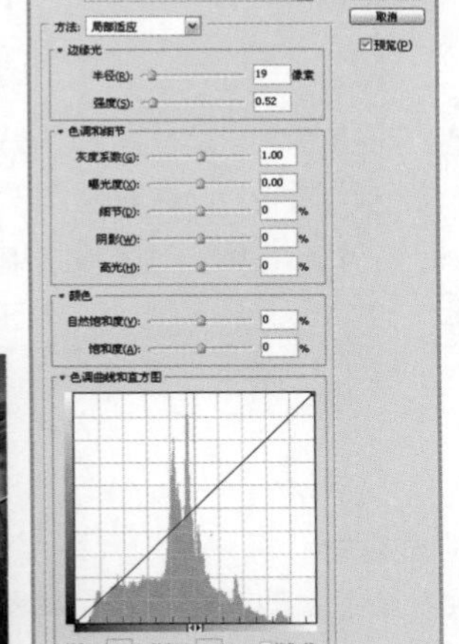

图5-457

- 边缘光：用来控制调整范围和调整的应用强度。
- 色调和细节：用来调整照片的曝光度，以及阴影、高光中的细节的显示程度。其中，“灰度系数”可使用简单的乘方函数调整图像灰度系数。
- 颜色：用来增加或降低色彩的饱和度。其中，拖动“自然饱和度”滑块增加饱和度时，不会出现溢色。
- 色调曲线和直方图：显示了照片的直方图，并提供了曲线可用于调整图像的色调。

5.12.5 调整HDR图像的动态范围视图

HDR 图像的动态范围超出了计算机显示器的显示范围，在 Photoshop 中打开时，可能会非常暗或出现褪色现象。执行“视图>32位预览选项”命令可对HDR图像的预览进行调整。如图5-458所示为“32位预览选项”对话框。

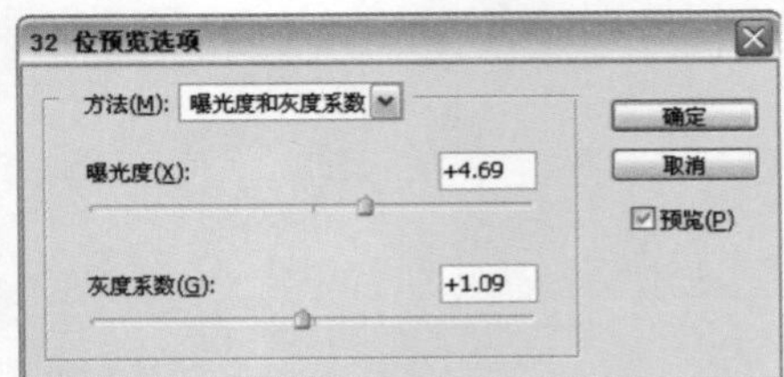

图5-458

我们可以通过两种方式对HDR图像的预览进行调整。一是在“方法”下拉列表中选择“曝光度和灰度系数”，然后拖动“曝光度”和“灰度系数”滑块调整图像的亮度和对比度；另外一种方式是在“方法”下拉列表中选择“高光压缩”，Photoshop会自动压缩 HDR 图像中的高光值，使其位于 8 位/通道或 16 位/通道图像文件的亮度值范围内。

5.12.6 条件模式更改

使用动作处理图像时，如果在某个动作中，有一个步骤是将源模式为 RGB 的图像转换为 CMYK模式，而我们处理的图像非RGB模式（如灰度模式），这就会导致出现错误。为了避免这种情况，可在记录动作时，使用“条件模式更改”命令为源模式指定一个或多个模式，并为目标模式指定一个模式，以便在动作执行过程中进行转换。

执行“文件>自动>条件模式更改”命令，可以打开“条件模式更改”对话框，如图5-459所示。

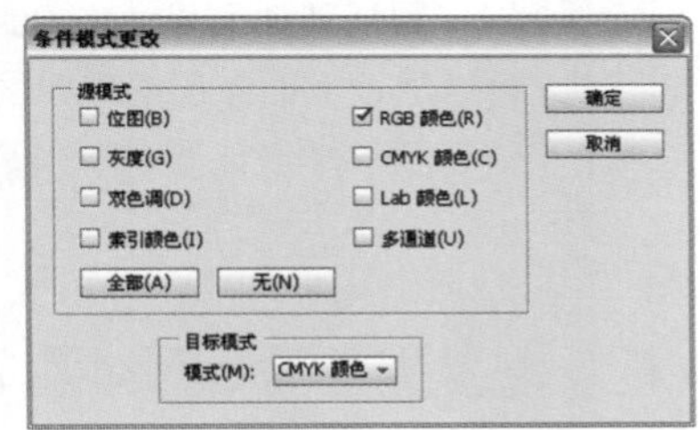

图5-459

- 源模式：用来选择源文件的颜色模式，只有与选择的颜色模式相同的文件才可以被更改。单击“全部”按钮，可选择所有可能的模式；单击“无”按钮，则不选择任何模式。
- 目标模式：用来设置图像转换后的颜色模式。

相关链接：关于动作的创建与使用方法，请参阅“19.1 使用动作实现自动化”。

5.12.7 限制图像

“文件>自动>限制图像”命令可以改变照片的像素数量，将图像限制为指定的宽度和高度，但不会改变分辨率。如图5-460所示为“限制图像”对话框，我们可以指定图像的“宽度”和“高度”的像素值。

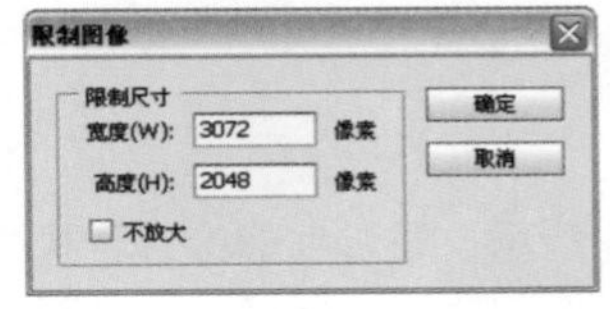

图5-460

Point

第6章 图层

6.1 什么是图层

图层是Photoshop最为核心的功能之一，它承载了几乎所有的编辑操作。如果没有图层，所有的图像都将处在同一个平面上，这对于图像的编辑简直是无法想象的。在这一章里，我们就学习如何创建图层、编辑图层和管理图层，还要了解图层样式的有关内容。

Learning Objectives
学习重点

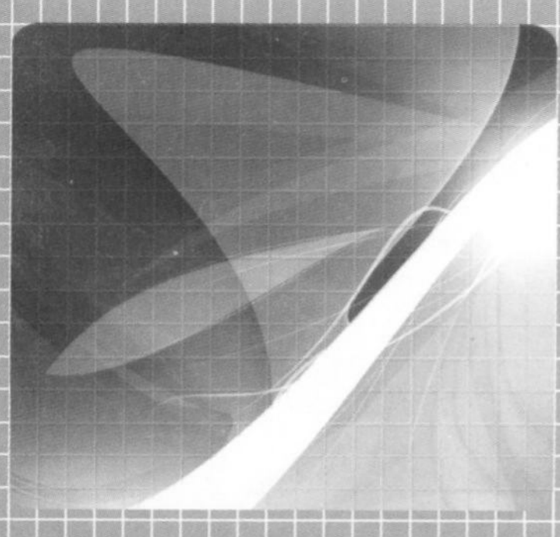

6.1.1 图层的原理

图层就如同堆叠在一起的透明纸，每一张纸（图层）上都保存着不同的图像，我们可以透过上面图层的透明区域看到下面的图层内容，如图6-1所示。

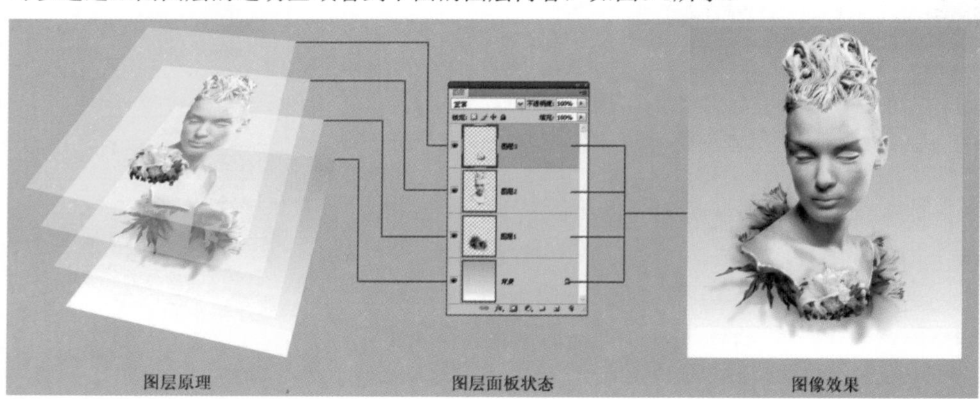

图6-1

各个图层中的对象都可以单独处理，而不会影响其他图层中的内容，如图6-2所示。图层可以移动，也可以调整堆叠顺序，如图6-3所示。

图6-2

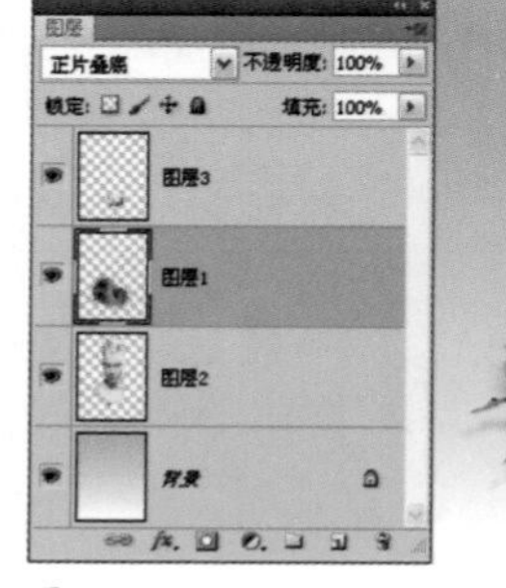

图6-3

除“背景”图层外，其他图层都可以调整不透明度，使图像内容变得透明，如图6-4所示；还可以修改混合模式，让上下图层之间产生特殊的混合效果，如图6-5所示。不透明度和混合模式可以反复调节，而不会损伤图像。我们还可以通过眼睛图标来切换图

层的可视性。图层名称左侧的图像是该图层的缩览图，它显示了图层中包含的图像内容，缩览图中的棋盘格代表了图像的透明区域。如果隐藏所有图层，则整个文档窗口都会变为棋盘格。

图6-4

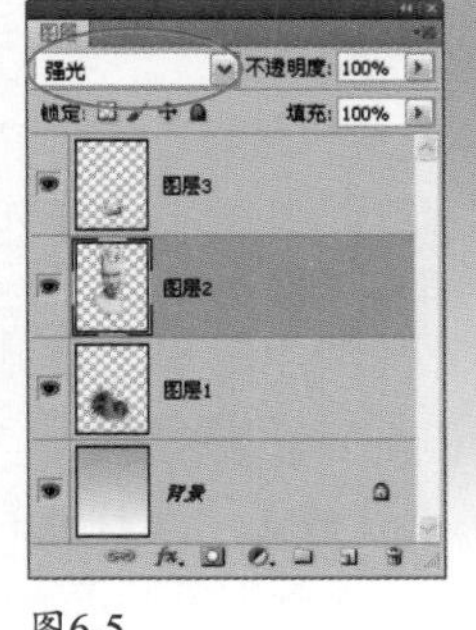

图6-5

在编辑图层前，首先需要在“图层”面板中单击需要的图层，将其选择，所选图层称为“当前图层”。绘画、颜色和色调调整都只能在一个图层中进行，而移动、对齐、变换或应用“样式”面板中的样式时，可以一次处理所选的多个图层。

6.1.2 图层面板

“图层”面板用于创建、编辑和管理图层，以及为图层添加样式。面板中列出了所有的图层、图层组和图层效果，如图6-6所示。图6-7所示为“图层”面板菜单。

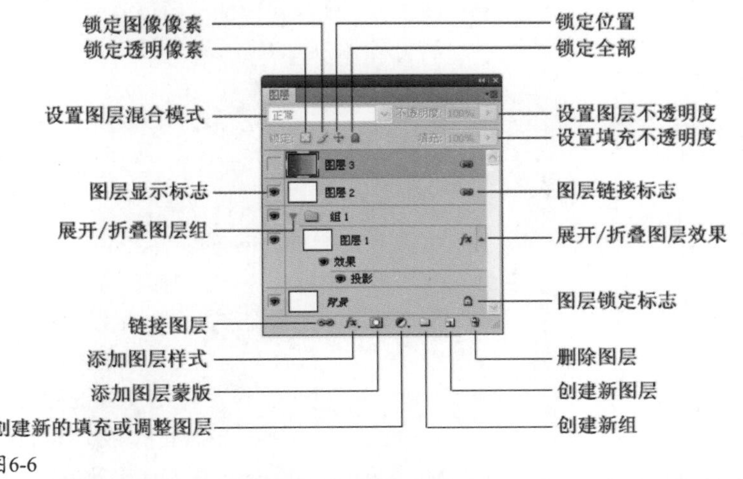

图6-6

新建图层... Shift+Ctrl+N
复制图层(D)...
删除图层
删除隐藏图层

新建组(G)...
从图层新建组(A)...

锁定组内的所有图层(L)...

转换为智能对象(M)
编辑内容

图层属性(P)...
混合选项...
编辑调整...

创建剪贴蒙版(C) Alt+Ctrl+G

链接图层(K)
选择链接图层(S)

向下合并(E) Ctrl+E
合并可见图层(V) Shift+Ctrl+E
拼合图像(F)

动画选项
面板选项...

关闭
关闭选项卡组

图6-7

- 锁定按钮：用来锁定当前图层的属性，使其不可编辑，包括图像像素、透明像素和位置。
- 设置图层混合模式：用来设置当前图层的混合模式，使之与下面的图像产生混合。
- 设置图层不透明度：用来设置当前图层的不透明度，使之呈现透明状态，从而显示出下面图层中的图像内容。
- 设置填充不透明度：用来设置当前图层的填充不透明度，它与图层不透明度类似，但不会影响图层效果。
- 图层显示标志：显示该标志的图层为可见图层，单击它可以隐藏图层。隐藏的图层不能编辑。

- 图层链接标志：显示该图标的多个图层为彼此链接的图层，它们可以一同移动或进行变换操作。
- 展开/折叠图层组：单击该图标可以展开或折叠图层组。
- 展开/折叠图层效果：单击该图标可以展开图层效果，显示出当前图层添加的所有效果的名称。再次单击可折叠图层效果。
- 图层锁定标志：显示该图标时，表示图层处于锁定状态。
- 链接图层：用来链接当前选择的多个图层。
- 添加图层样式：单击该按钮，在打开的下拉菜单中选择一个效果，可以为当前图层添加图层样式。
- 添加图层蒙版：单击该按钮，可以为当前图层添加图层蒙版。蒙版用于遮盖图像，但不会将其破坏。
- 创建新的填充或调整图层：单击该按钮，在打开的下拉菜单中可以选择创建新的填充图层或调整图层。
- 创建新组：单击该按钮可以创建一个图层组。
- 创建新图层：单击该按钮可以创建一个图层。
- 删除图层：单击该按钮可以删除当前选择的图层或图层组。

技术看板 25 修改图层缩览图的大小

在“图层”面板中，图层名称左侧的图像是该图层的缩览图，它显示了图层中包含的图像内容，缩览图中的棋盘格代表了图像的透明区域。在图层缩览图上单击右键，可以在打开的快捷菜单中调整缩览图的大小。

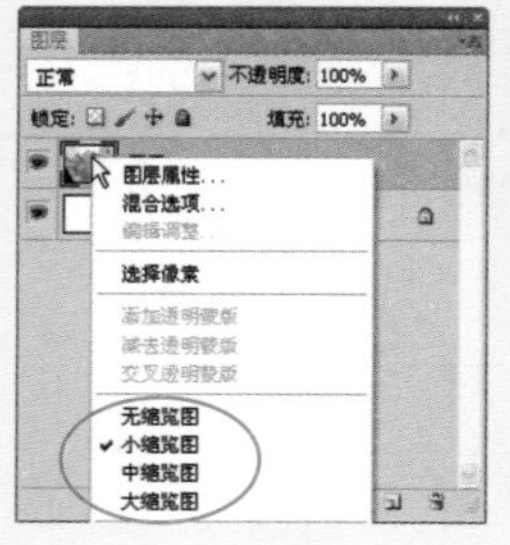

6.1.3 图层的类型

Photoshop中可以创建多种类型的图层，它们都有各自不同的功能和用途，在“图层”面板中的显示状态也各不相同，如图6-8所示。

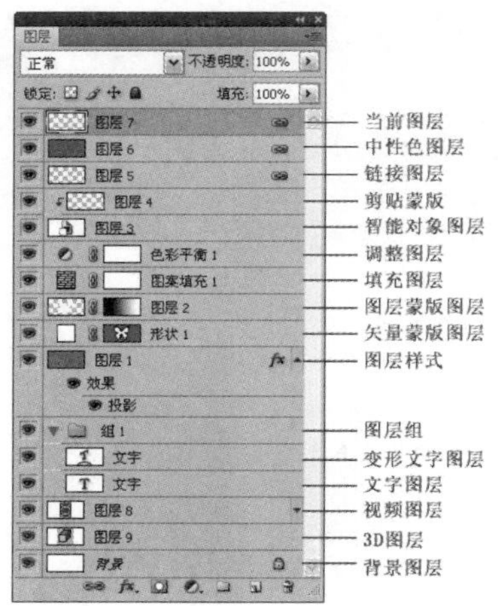

图6-8

- 当前图层：当前选择的图层。在对图像处理时，编辑操作将在当前图层中进行。
- 中性色图层：填充了中性色的特殊图层，其包含了预设的混合模式，可用于承载滤镜或在上面绘画。
- 链接图层：保持链接状态的多个图层。
- 剪贴蒙版：蒙版的一种，可使用一个图层中的图像控制它上面多个图层内容的显示范围。
- 智能对象：包含有智能对象的图层。
- 调整图层：可以调整图像的亮度、色彩平衡等，但不会改变像素值，而且可以重复编辑。
- 填充图层：通过填充纯色、渐变或图案而创建的特殊效果图层。
- 图层蒙版图层：添加了图层蒙版的图层，蒙版可以控制图层中图像的显示范围。
- 矢量蒙版图层：带有矢量形状的蒙版图层。
- 图层样式：添加了图层样式的图层，通过图层样式可以快速创建特效，如投影、发光、浮雕效果等。
- 图层组：用来组织和管理图层，以便于查找和编辑图层，类似于Windows的文件夹。
- 变形文字图层：进行了变形处理后的文字图层。
- 文字图层：使用文字工具输入文字时创建的图层。
- 视频图层：包含有视频文件帧的图层。
- 3D图层：包含有置入的3D文件的图层。3D可以是由Adobe Acrobat 3D Version 8、3D Studio Max、Alias、Maya 和 Google Earth 等程序创建的文件。
- 背景图层：新建文档时创建的图层，它始终位于面板的最下面，名称为“背景”二字，且为斜体。

6.2 创建图层

在Photoshop中创建图层的方法有很多种，包括在“图层”面板中创建、在编辑图像的过程中创建、使用命令创建等。下面我们就来学习图层的具体创建方法。

6.2.1 在图层面板中创建图层

单击“图层”面板中的创建新图层按钮，即可在当前图层上面新建一个图层，新建的图层会自动成为当前图层，如图6-9、图6-10所示。如果要在当前图层的下面新建图层，可以按住Ctrl键单击按钮，如图6-11所示。但“背景”图层下面不能创建图层。

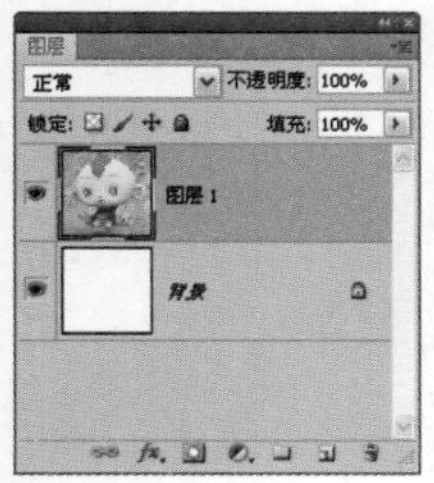
图6-9

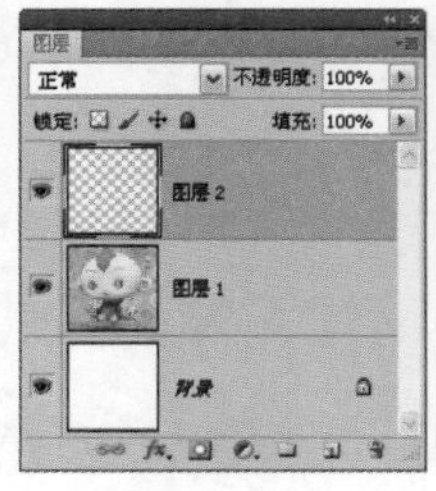
图6-10

图6-11

6.2.2 用“新建”命令创建图层

如果要在创建图层的同时设置图层的属性，如图层名称、颜色和混合模式等，可以执行“图层>新建>图层”命令，或按住Alt键单击创建新图层按钮，打开“新建图层”对话框进行设置，如图6-12、图6-13所示。

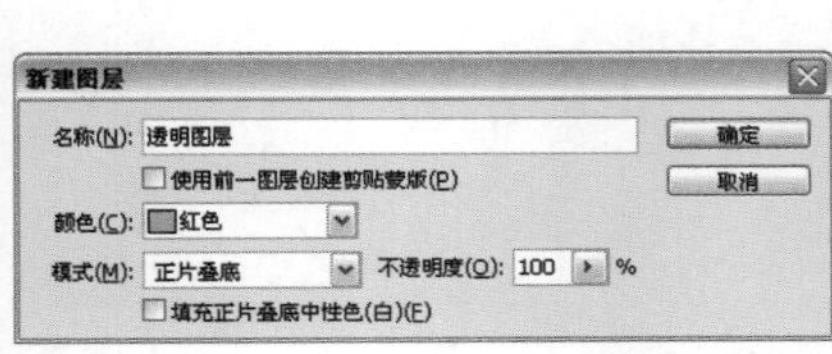

图6-12

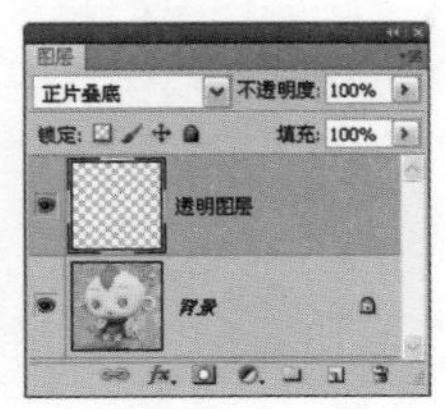
图6-13

提示 在“颜色”下拉列表中选择一种颜色后，可以使用颜色标记图层。用颜色标记图层在Photoshop中称为颜色编码。为某些图层或图层组设置一个可以区别于其他图层或组的颜色，可以有效地区分不同用途的图层。

相关链接：勾选“使用前一图层创建剪贴蒙版”选项后，可以将新建的图层与下面的图层创建为一个剪贴蒙版组。关于剪贴蒙版的内容，请参阅“11.4 剪贴蒙版”。

6.2.3 用“通过拷贝的图层”命令创建图层

如果在图像中创建了选区，如图6-14所示；执行“图层>新建>通过拷贝的图层”命令，或按下Ctrl+J快捷键，可以将选中的图像复制到一个新的图层中，原图层内容保持不变，如图6-15所示。如果没有创建选区，则执行该命令可以快速复制当前图层，如图6-16所示。

图6-14

图6-15

图6-16

6.2.4 用“通过剪切的图层”命令创建图层

在图像中创建选区以后，如果执行“图层>新建>通过剪切的图层”命令，或按下Shift+Ctrl+J快捷键，则可将选区内的图像从原图层中剪切到一个新的图层中，如图6-17所示。图6-18所示为移开图像后的效果。

图6-17

图6-18

6.2.5 创建背景图层

新建文档时，使用白色或背景色作为背景内容，“图层”面板最下面的图层便是“背景”图层，如图6-19所示。使用透明作为背景内容时，是没有“背景”图层的。

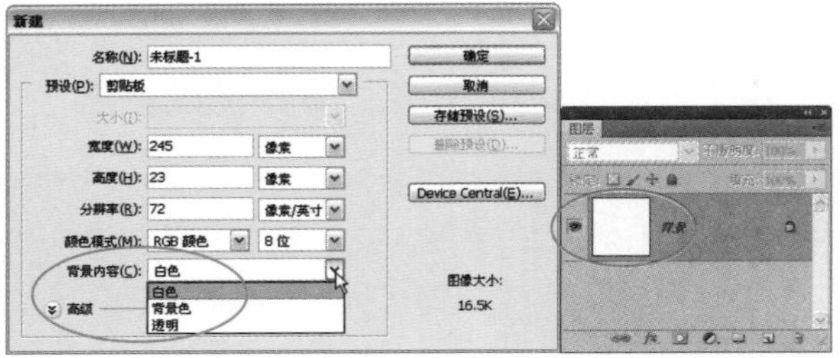

图6-19

删除“背景”图层或文档中没有“背景”图层时，可选择一个图层，如图6-20所示；执行“图层>新建>背景图层”命令，将它转换为“背景”图层，如图6-21所示。

图6-20

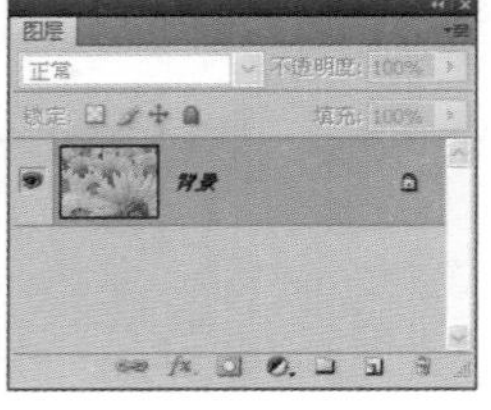

图6-21

6.2.6 将背景图层转换为普通图层

“背景”图层是一个比较特别的图层，它永远在“图层”面板的最底层，不能调整堆叠顺序，并且，不能设置不透明度、混合模式，也不能添加效果。要进行这些操作，需要先将“背景”图层转换为普通图层。

双击“背景”图层，如图6-22所示；在打开的“新建图层”对话框中为它输入一个名称，也可以使用默认的名称，然后单击“确定”按钮，即可将其转换为普通图层，如图6-23、图6-24所示。

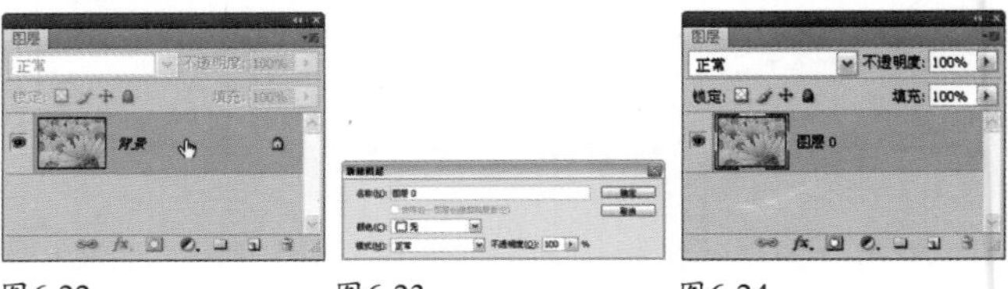

图6-22　图6-23　图6-24

“背景”图层可以用绘画工具、滤镜等编辑。一个图像中可以没有“背景”图层，但最多只能有一个“背景”图层。

> 提示　按住Alt键双击“背景”图层，可以不必打开对话框而直接将其转换为普通图层。

> **技术看板 26　编辑图像时创建图层**
>
> 创建选区以后，按下Ctrl+C快捷键复制选中的图像，粘贴（按下Ctrl+V快捷键）时，可以创建一个新的图层；如果打开了多个文件，则使用移动工具将一个图层拖至另外的图像中，可以将其复制到目标图像，同时创建一个新的图层。
>
> 需要注意的是：在图像间复制图层时，如果两个文件的打印尺寸和图像分辨率不同，则图像在两个文件间的视觉大小会有变化。例如，在相同打印尺寸的情况下，源图像的分辨率小于目标图像的分辨率，则图像复制到目标图像后，会显得比原来小。

6.3 编辑图层

我们下面来学习如何选择图层、复制图层、链接图层、显示与隐藏图层、栅格化图层等图层的基本操作方法。

6.3.1 选择图层

- 选择一个图层：单击“图层”面板中的一个图层即可选择该图层，它会成为当前图层，如图6-25所示。
- 选择多个图层：如果要选择多个相邻的图层，可以单击第一个图层，然后按住 Shift 键单击最后一个图层，如图6-26所示；如果要选择多个不相邻的图层，可按住 Ctrl 键单击这些图层，如图6-27、图6-28所示。

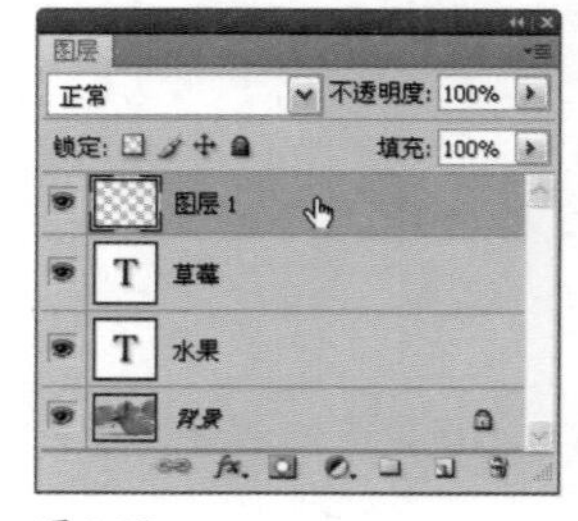

图6-25

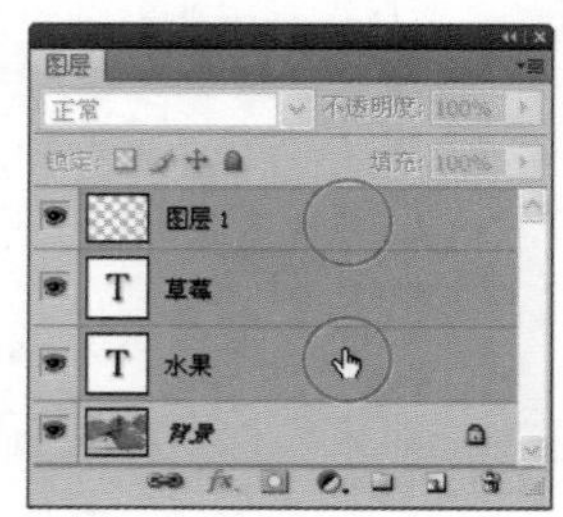

图6-26

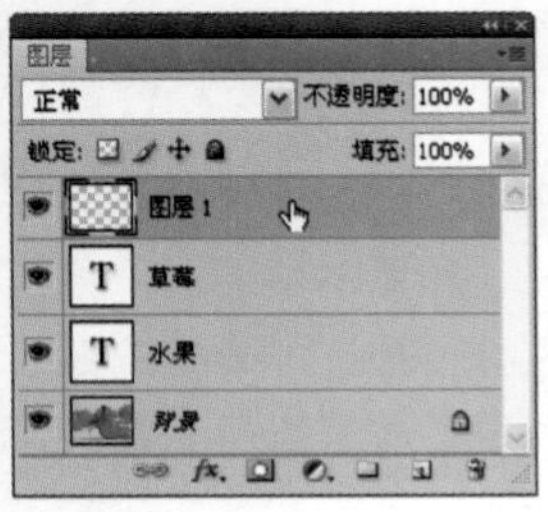

图6-27

图6-28

- 选择所有图层：执行“选择>所有图层”命令，可以选择“图层”面板中所有的图层。
- 选择相似图层：要快速选择类型相似的所有图层，例如，选择所有文字图层，可以选择一个文字图层，如图6-29所示；然后执行“选择>选择相似图层”命令来选择其他文字图层，如图6-30所示。

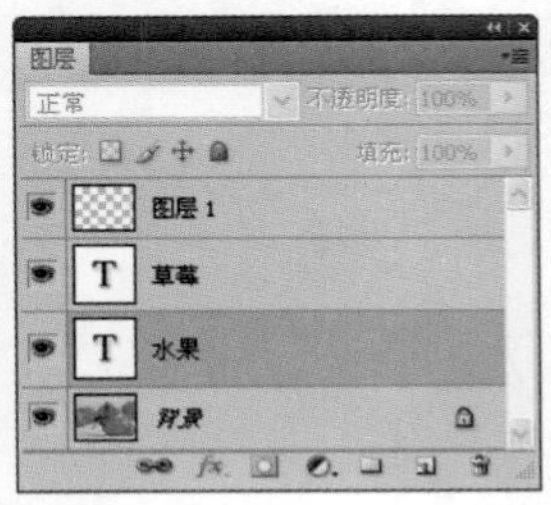

图6-29

图6-30

- 选择链接的图层：选择一个链接图层，执行“图层>选择链接图层”命令，可以选择与之链接的所有图层，如图6-31、图6-32所示。

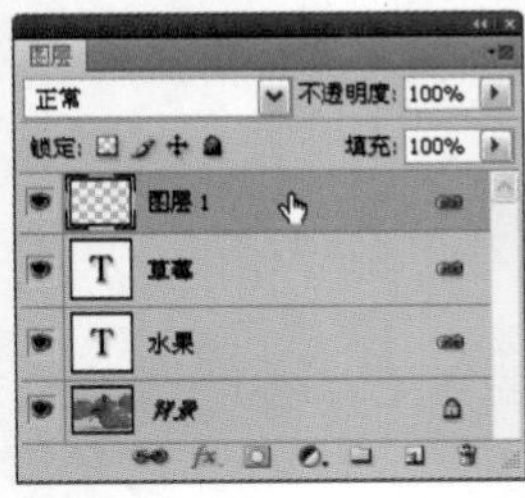

图6-31

图6-32

- 取消选择图层：如果不想选择任何图层，可在面板中最下面一个图层下方的空白处单击，如图6-33所示。也可以执行“选择>取消选择图层”命令。

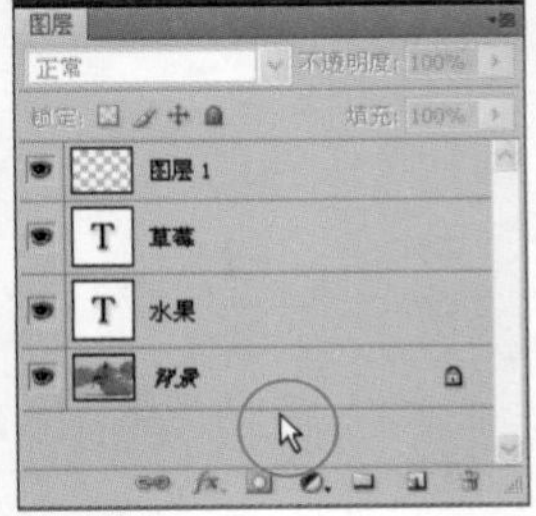

图6-33

技术看板 27 快速切换当前图层

选择一个图层以后，按下Alt+] 键，可以将当前图层切换为与之相邻的上一个图层；按下Alt+ [键，则可将当前图层切换为与之相邻的下一个图层。

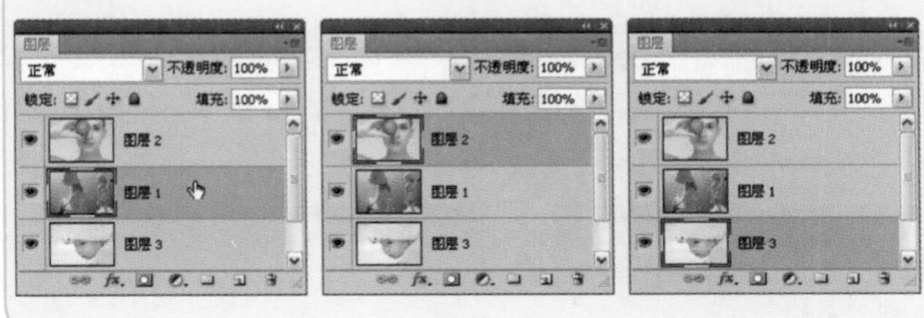

6.3.2 复制图层

在面板中复制图层

在“图层”面板中，将需要复制的图层拖动到创建新图层按钮上，即可复制该图层，如图6-34、图6-35所示。

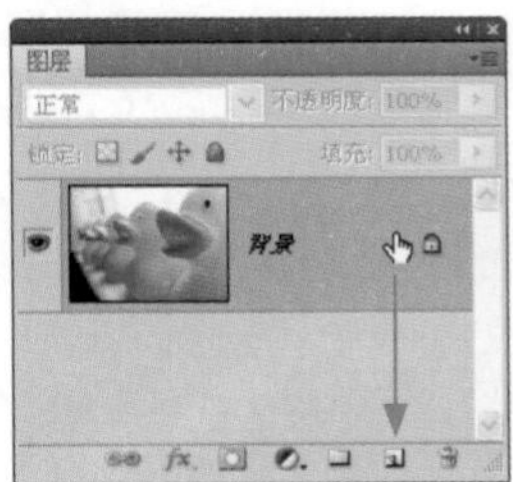

图6-34

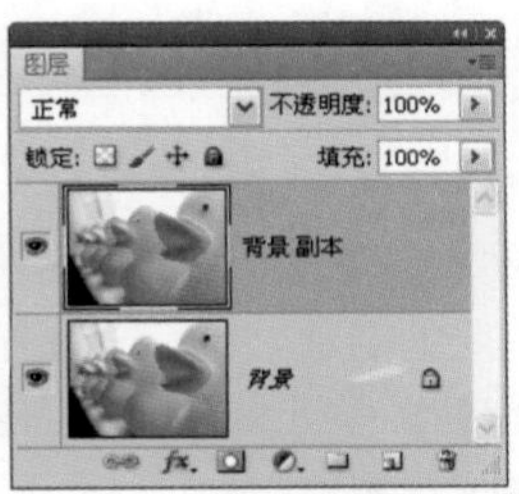

图6-35

通过命令复制图层

选择一个图层，执行“图层>复制图层”命令，打开“复制图层”对话框，输入图层名称并设置选项，单击“确定”按钮可以复制该图层，如图6-36、图6-37所示。

图6-36

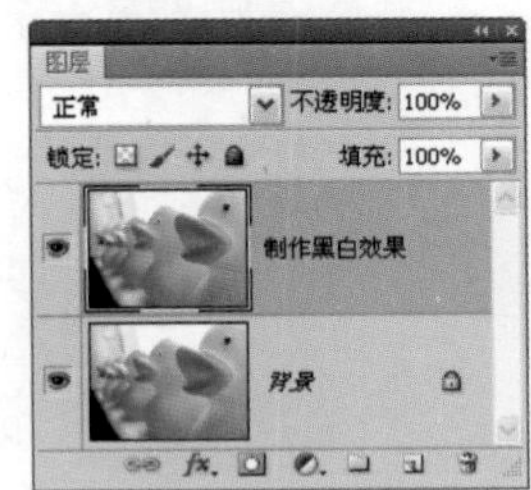

图6-37

- 为：可输入图层的名称。
- 文档：在下拉列表中选择其他打开的文档，可以将图层复制到该文档中。如果选择“新建”，则可以设置文档的名称，将图层内容创建为一个新文件。

6.3.3 链接图层

如果要同时处理多个图层中的内容，例如，同时移动，应用变换或者创建剪贴蒙版，可以将这些图层链接在一起。

在“图层”面板中选择两个或多个图层，如图6-38所示，单击链接图层按钮，或执行“图层>链接图层”命令，即可它们链接，如图6-39所示。如果要取消链接，可以选择一个链接图层，然后单击按钮。

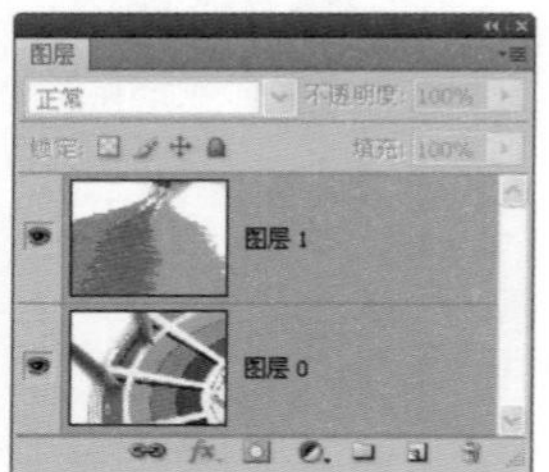
图6-38

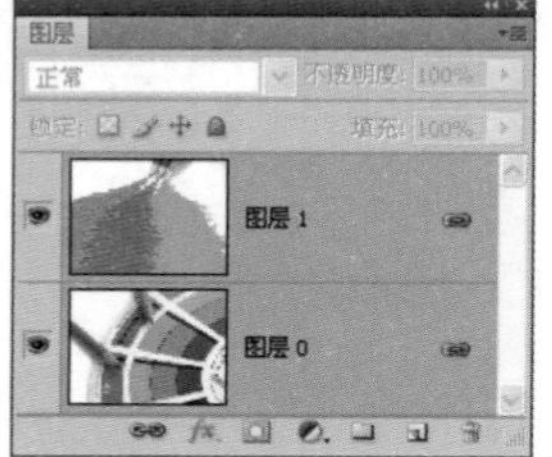
图6-39

6.3.4 修改图层的名称与颜色

在图层数量较多的文档中，我们可以为一些重要的图层设置容易识别的名称或可以区别于其他图层的颜色，以便在操作中可以快速找到它们。

如果要修改一个图层的名称，可以在“图层”面板中双击该图层的名称，然后在显示的文本框中输入新名称，如图6-40所示。

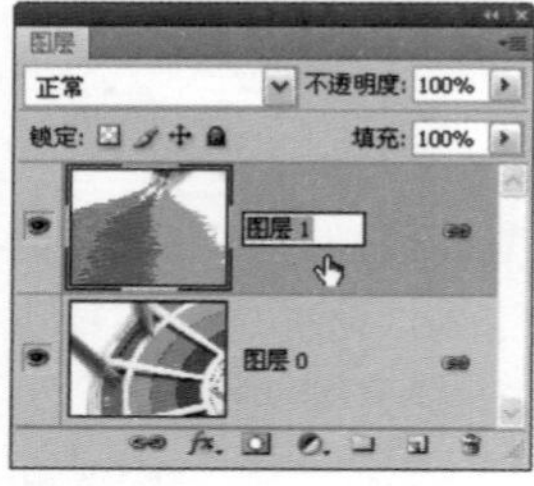
图6-40

如果要修改图层的颜色，可以选择该图层，然后执行“图层>图层属性”命令，在打开的“图层属性”对话框中选择颜色，如图6-41、图6-42所示。

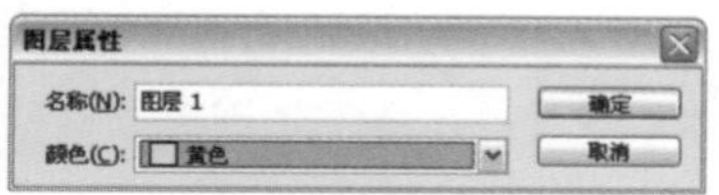

图6-41

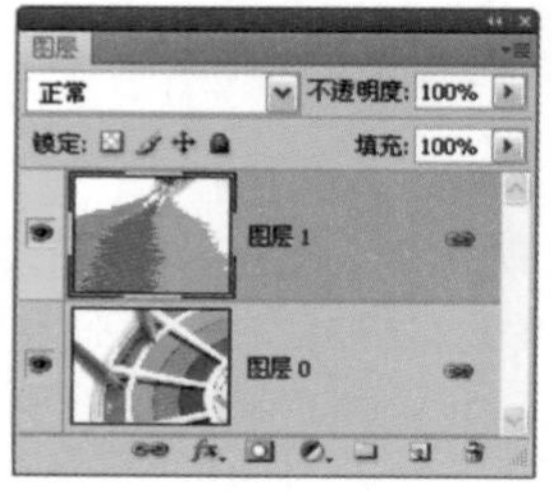
图6-42

6.3.5 显示与隐藏图层

图层缩览图前面的眼睛图标用来控制图层的可见性。有该图标的图层为可见的图层，如图6-43所示。无该图标的是隐藏的图层。单击一个图层前面的眼睛图标，可以隐藏该图层，如图6-44所示。如果要重新显示图层，在可原眼睛图标处单击。

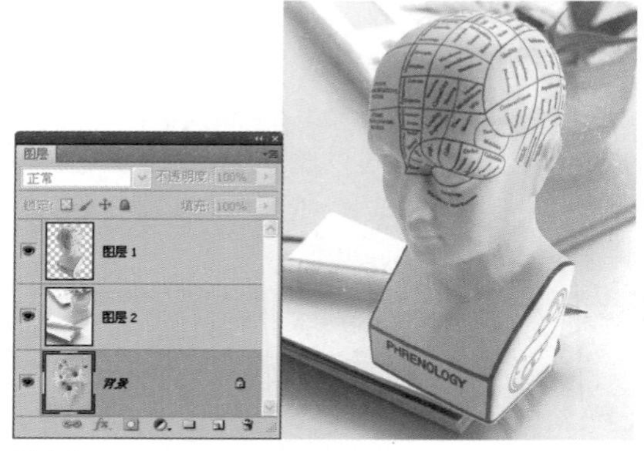
图6-43

图6-44

将光标放在一个图层的眼睛图标上，单击并在眼睛图标列拖动鼠标，可以快速隐藏（或显示）多个相邻的图层，如图6-45所示。

图6-45

提示

执行“图层>隐藏图层”命令，可以隐藏当前选择的图层，如果选择了多个图层，则执行该命令可以隐藏所有被选择的图层。

技术看板 28 快速隐藏其他图层

按住Alt键单击一个图层的眼睛图标，可以将除该图层外的他所有图层都隐藏；按住Alt键再次单击同一眼睛图标，可恢复其他图层的可见性。

6.3.6 锁定图层

“图层”面板中提供了用于保护图层透明区域、图像像素和位置等属性的锁定功能，如图6-46所示。我们可以根据需要完全锁定或部分锁定图层，以免因编辑操作失误而对图层的内容造成修改。

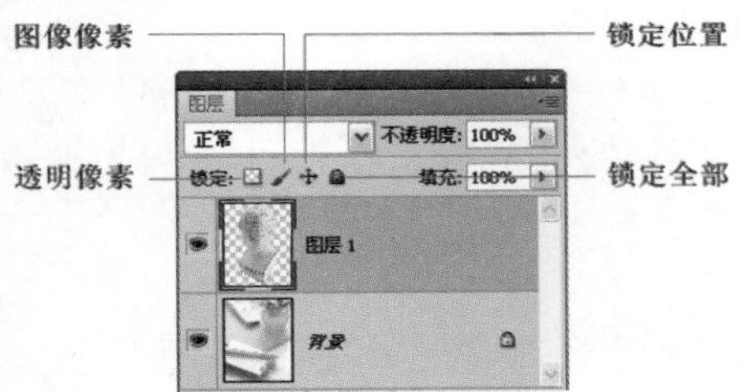

图6-46

- 锁定透明像素：按下该按钮后，可以将编辑范围限定在图层的不透明区域，图层的透明区域会受到保护。例如，如图6-47所示为锁定透明像素后，使用画笔工具涂抹图像时的效果，可以看到，头像之外的透明区域不会受到影响。

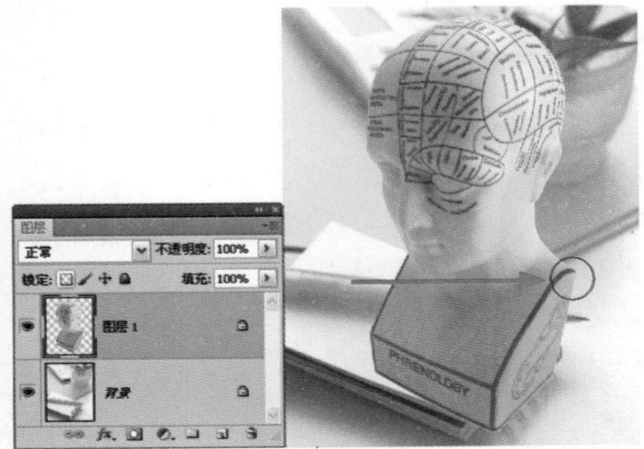

图6-47

- 锁定图像像素：按下该按钮后，只能对图层进行移动和变换操作，不能在图层上绘画、擦除或应用滤镜。图6-48所示为使用画笔工具涂抹图像时弹出的提示信息。

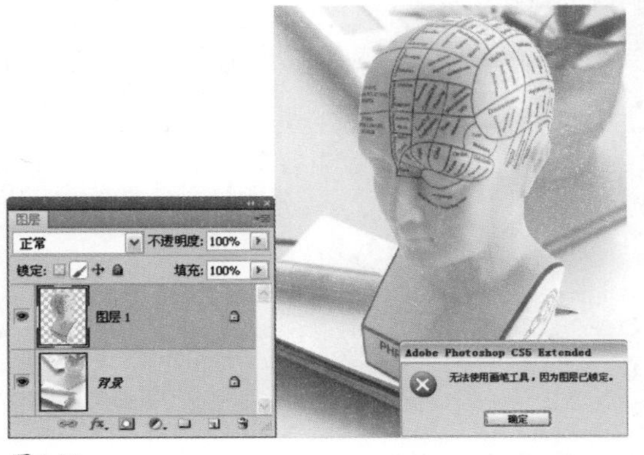

图6-48

- 锁定位置：按下该按钮后，图层不能移动。对于设置了精确位置的图像，将它的位置锁定后就不必担心被意外移动了。
- 锁定全部：按下该按钮，可以锁定以上全部选项。

疑问解答 为什么锁有空心的还有实心的？

当图层只有部分属性被锁定时，图层名称右侧会出现一个空心的锁状图标；当所有属性都被锁定时，锁状图标是实心的。

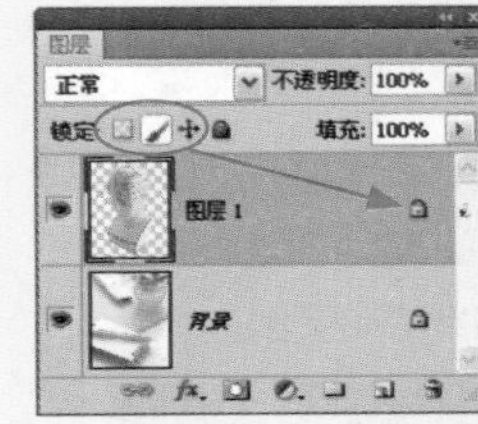

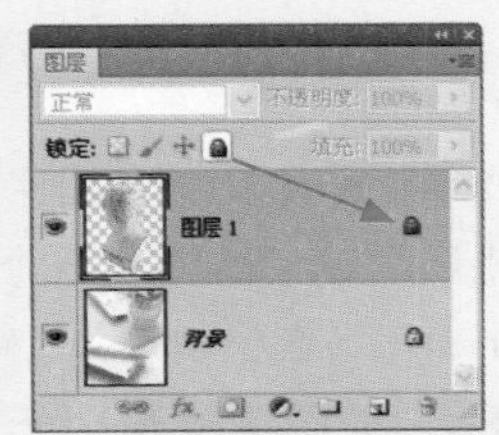

技术看板 29 快速锁定图层组内的图层

选择图层组之后，执行“图层>锁定组内的所有图层”命令，打开“锁定组内的所有图层”对话框。对话框中显示了各个锁定选项，通过它们可以锁定组内所有图层的一种或者多种属性。

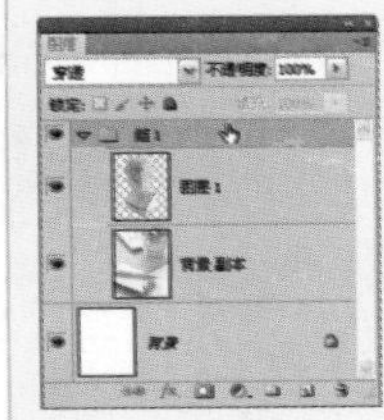

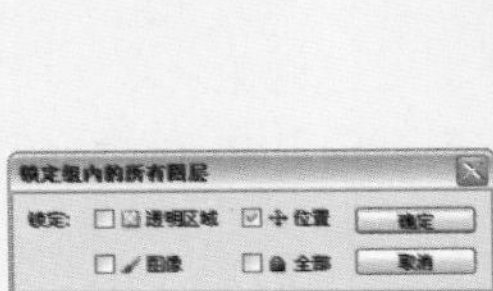

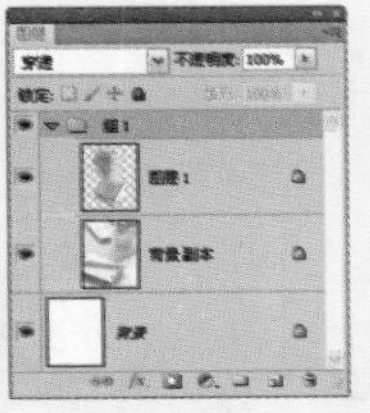

6.3.7 删除图层

将需要删除的图层拖动到“图层”面板中的删除图层按钮上，即可删除该图层。此外，执行“图层>删除”下拉菜单中的命令，也可以删除当前图层或面板中隐藏的图层，如图6-49所示。

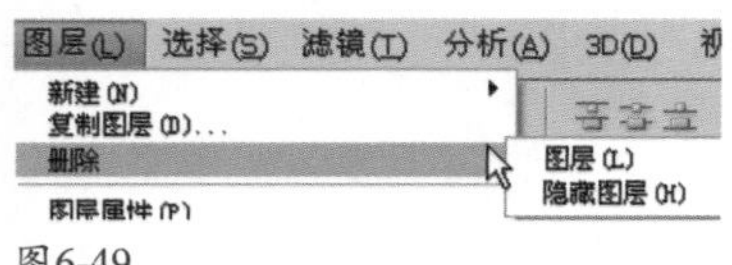

图6-49

6.3.8 栅格化图层内容

如果要使用绘画工具和滤镜编辑文字图层、形状图层、矢量蒙版或智能对象等包含矢量数据的图层，需要先将其栅格化，使图层中的内容转换为光栅图像，然后才能够进行相应的编辑。

选择需要栅格化的图层，执行“图层>栅格化”下拉菜单中的命令即可栅格化图层中的内容，如图6-50所示。

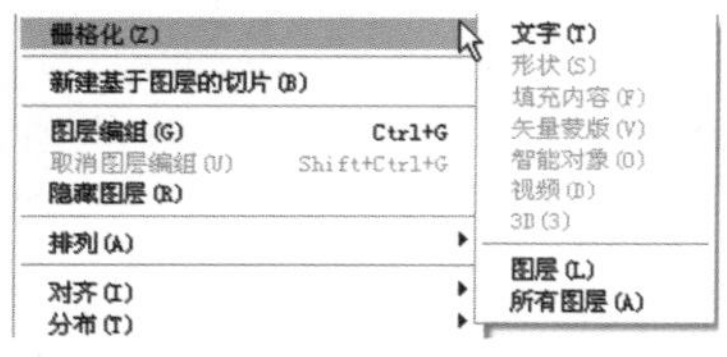

图6-50

- 文字：栅格化文字图层，使文字变为光栅图像。栅格化以后，文字内容不能再修改。如图6-51所示为原文字图层，图6-52所示为栅格化后的图层。

图6-51

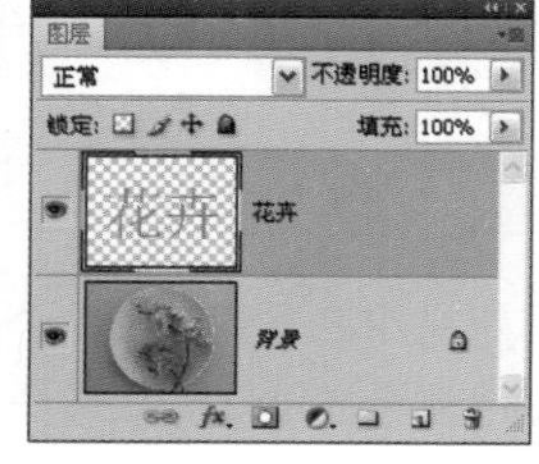
图6-52

- 形状/填充内容/矢量蒙版：执行“形状”命令，可以栅格化形状图层；执行“填充内容”命令，可以栅格化形状图层的填充内容，但保留矢量蒙版；执行“矢量蒙版”命令，可以栅格化形状图层的矢量蒙版，同时将其转换为图层蒙版。如图6-53所示为原形状图层以及执行不同栅格化命令后的图层状态。
- 智能对象：栅格化智能对象，使其转换为像素。

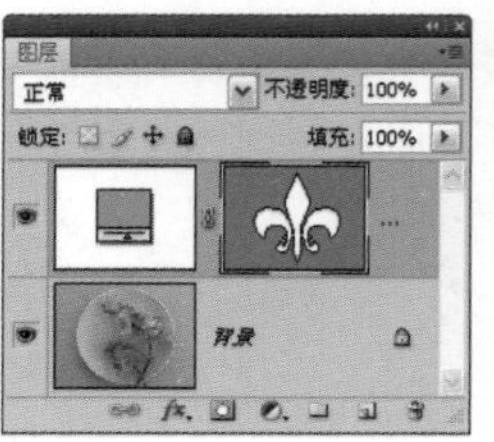
原图层

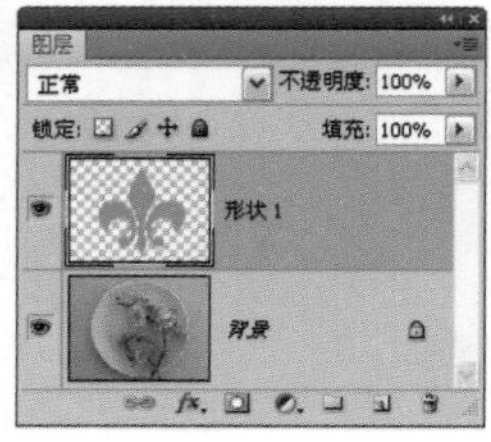
栅格化形状

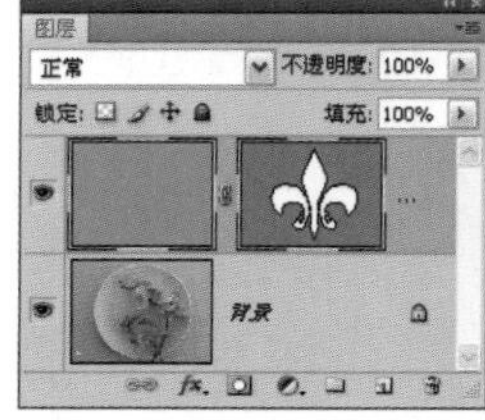
栅格化填充内容

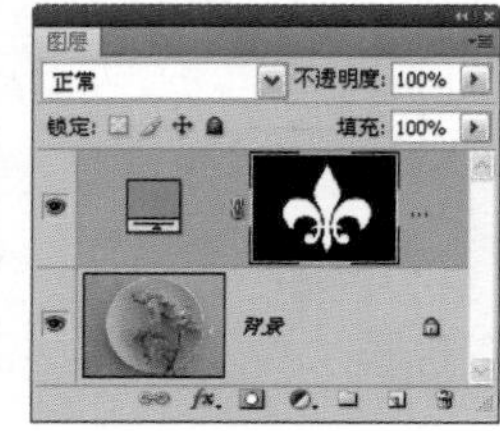
栅格化矢量蒙版

图6-53

- 视频：栅格化视频图层，选定的图层将拼合到“动画”面板中选定的当前帧的复合中。
- 3D：栅格化3D图层。
- 图层/所有图层：执行“图层”命令，可以栅格化当前选择的图层；执行“所有图层”命令，可以格化包含矢量数据、智能对象和生成的数据的所有图层。

6.3.9 清除图像的杂边

当移动或粘贴选区时，选区边框周围的一些像素也会包含在选区内，因此，粘贴选区的边缘会产生边缘或晕圈。执行“图层>修边”下拉菜单中的命令可以去除这些多余的像素，如图6-54所示。

图6-54

- 颜色净化：去除彩色杂边。
- 去边：用包含纯色（不含背景色的颜色）的邻近像素的颜色替换任何边缘像素的颜色。例如，如果在蓝色背景上选择黄色对象，然后移动选区，则一些蓝色背景被选中并随着对象一起移动，“去边”命令可以用黄色像素替换蓝色像素。
- 移去黑色杂边：如果将黑色背景上创建的消除锯齿的选区粘贴到其他颜色的背景上，可执行该命令消除黑色杂边。
- 移去白色杂边：如果将白色背景上创建的消除锯齿的选区粘贴到其他颜色的背景中，可执行该命令消除白色杂边。

6.4 排列与分布图层

“图层”面板中的图层是按照创建的先后顺序堆叠排列的，我们可以重新调整图层的堆叠顺序，也可以选择多个图层，将它们对齐，或者按照相同的间距分布。

6.4.1 调整图层的堆叠顺序

在“图层”面板中改变顺序

在“图层”面板中，图层是按照创建的先后顺序堆叠排列的。将一个图层拖动到另外一个图层的上面（或下面），即可调整图层的堆叠顺序。改变图层顺序会影响图像的显示效果，如图6-55、图6-56所示。

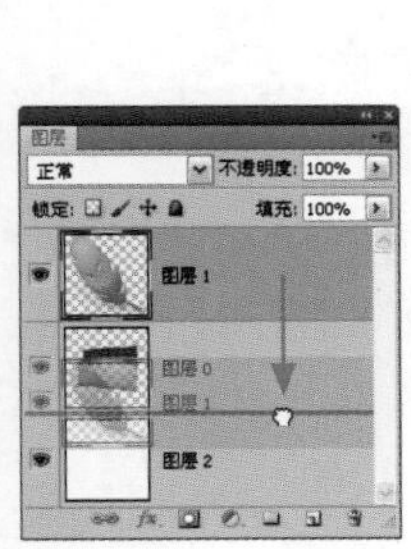

图6-55

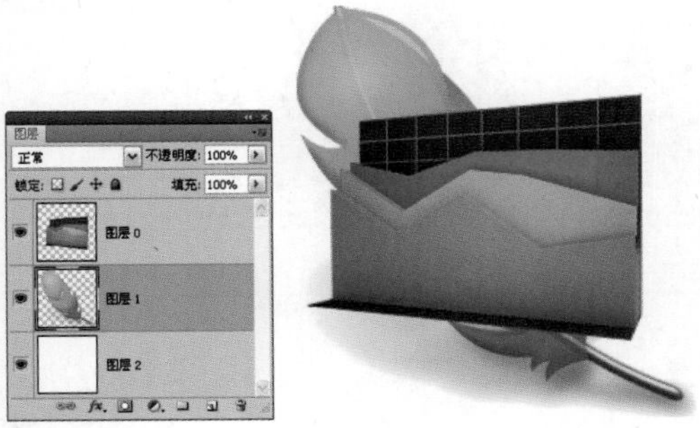

图6-56

通过“排列”命令改变顺序

选择一个图层，执行“图层>排列”下拉菜单中的命令，也可以调整图层的堆叠顺序，如图6-57所示。

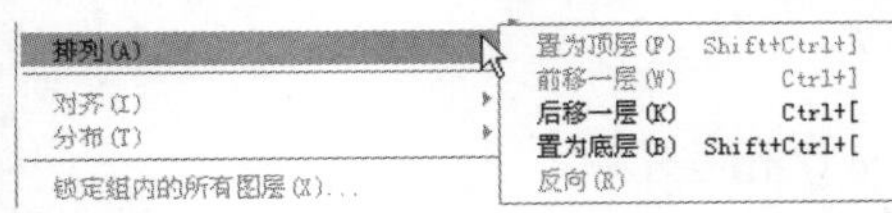

图6-57

- 置为顶层：将所选图层调整到最顶层。
- 前移一层/后移一层：将选择的图层向上或向下移动一个堆叠顺序。
- 置为底层：将所选图层调整到最底层。
- 反向：在“图层”面板中选择多个图层以后，执行该命令，可以反转所选图层的堆叠顺序。

如果选择的图层位于图层组中，执行“置为顶层”和“置为底层”命令时，可以将图层调整到当前图层组的最顶层或最底层。

6.4.2 实战——对齐图层

●实例门类：软件功能类 ●视频位置：光盘>实例视频>6.4.2

如果要将多个图层中的图像内容对齐，可以“图层”面板中选择它们，然后在“图层>对齐”下拉菜单中选择一个对齐命令进行对齐操作。如果所选图层与其他图层链接，则可以对齐与之链接的所有图层。

1 按下Ctrl+O快捷键，打开一个文件（光盘>素材>6.4.2），如图6-58所示。按住Ctrl键单击“图层1”、“图层2”和“图层3”，将它们选择，如图6-59所示。

2 执行“图层>对齐>顶边”命令，如图6-60所示，可以将选定图层上的顶端像素与所有选定图层上最顶端的像素对齐，如图6-61所示。

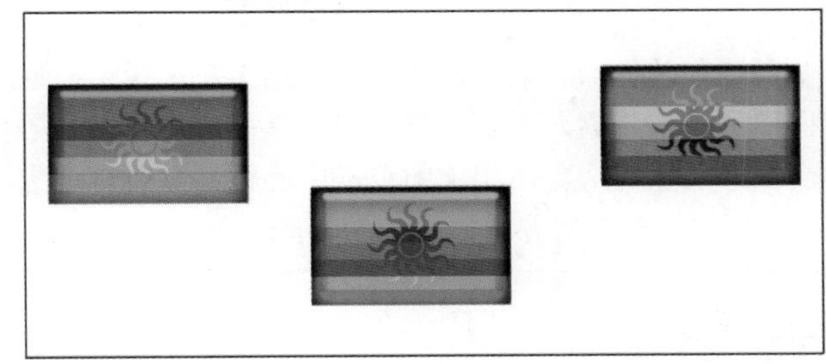

图6-58

图6-59

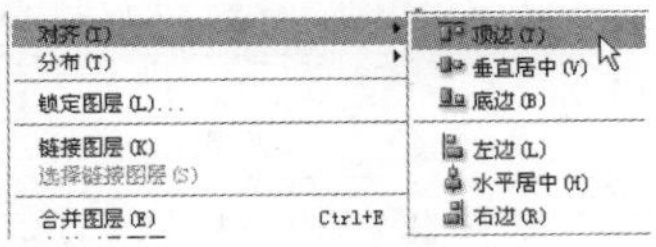

图6-60

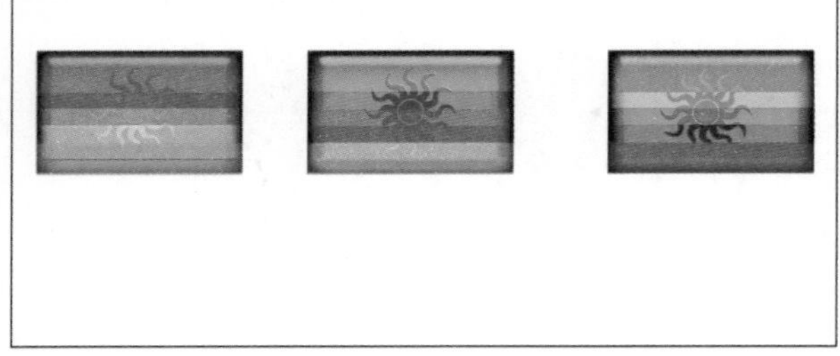

图6-61

3 如果执行“垂直居中”命令，可以将每个选定图层上的垂直中心像素与所有选定图层的垂直中心像素对齐，如图6-62所示；执行“底边”命令，可以将选定图层上的底端像素与选定图层上最底端的像素对齐，如图6-63所示。

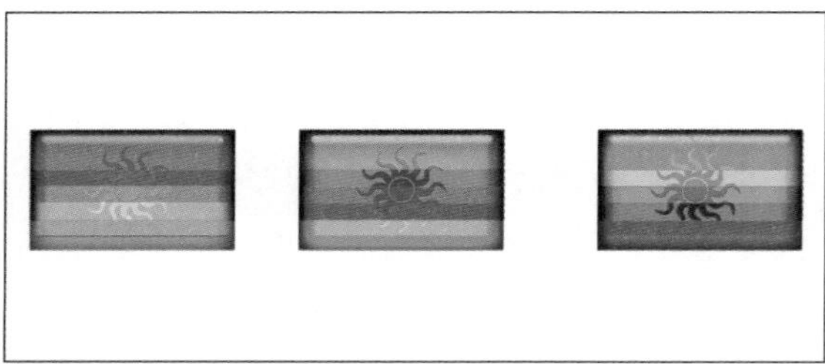

图6-62

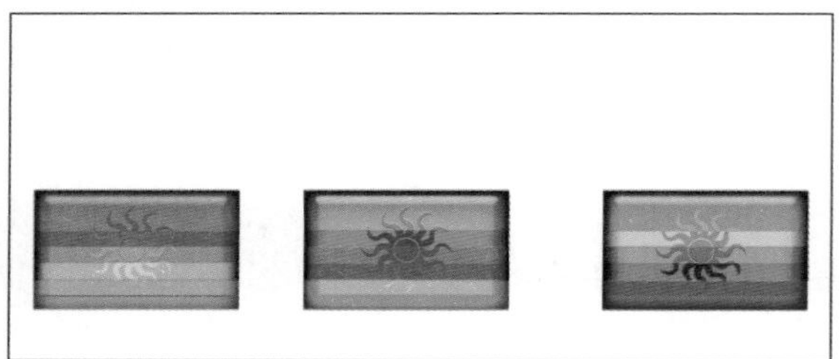

图6-63

4 执行“左边”命令，可以将选定图层上左端像素与最左端图层的左端像素对齐，如图6-64所示；执行“水平居中”命令，可以将选定图层上的水平中心像素与所有选定图层的水平中心像素对齐，如图6-65所示。

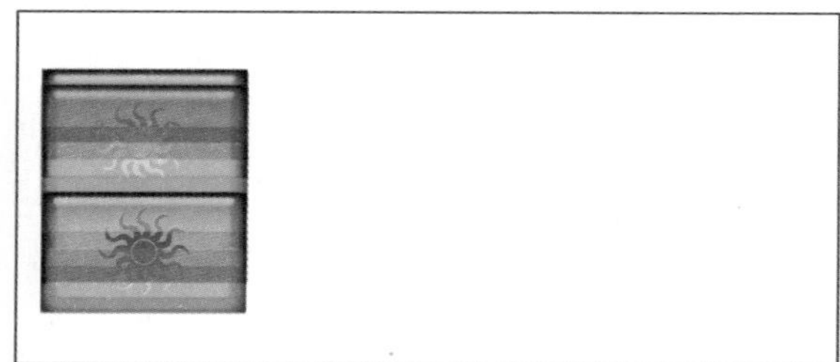

图6-64

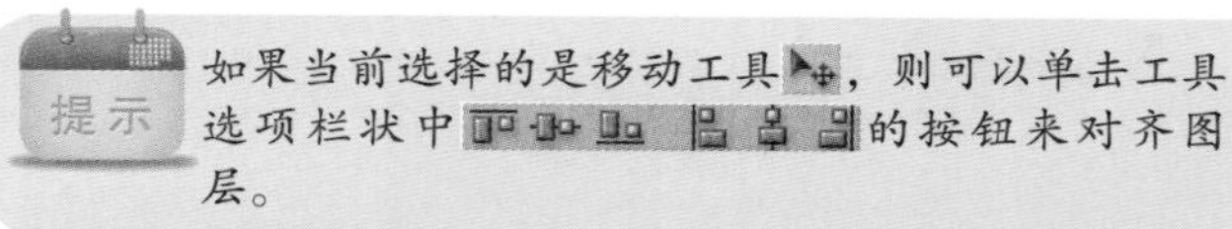

提示 如果当前选择的是移动工具，则可以单击工具选项栏状中的按钮来对齐图层。

图6-65

5 执行“右边”命令，可以将选定图层上的右端像素与所有选定图层上的最右端像素对齐，如图6-66所示。

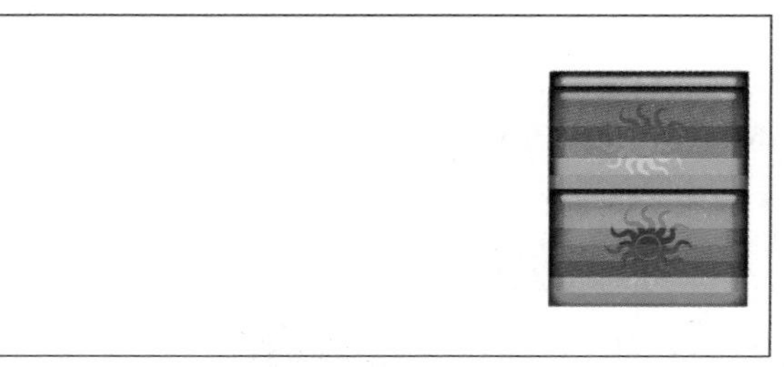

图6-66

6 如果在执行对齐命令前先将这些图层链接，如图6-67所示，然后单击其中的一个图层，如图6-68所示，再执行“对齐”命令时，就会以该图层为基准进行对齐。如图6-69所示为执行“垂直居中”命令的对齐结果。

图6-67

图6-68

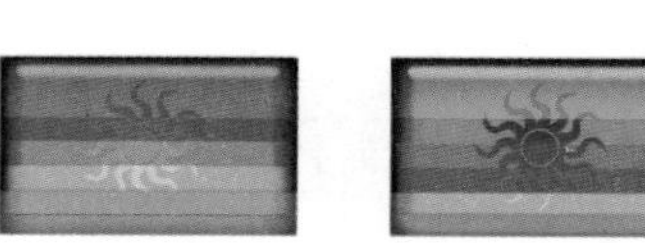

图6-69

6.4.3 实战——分布图层

●实例门类：软件功能类 ●视频位置：光盘>实例视频>6.4.3

如果要让三个或更多的图层采用一定的规律均匀分布，可以选择这些图层，然后执行“图层>分布”下拉菜单中的命令进行操作。

1 打开一个文件（光盘>素材>6.4.3），如图6-70所示，选择如图6-71所示的四个图层。

2 执行“图层>分布>顶边”命令，如图6-72所示，可以从每个图层的顶端像素开始，间隔均匀地分布图层，如图6-73所示。

图6-70

图6-71

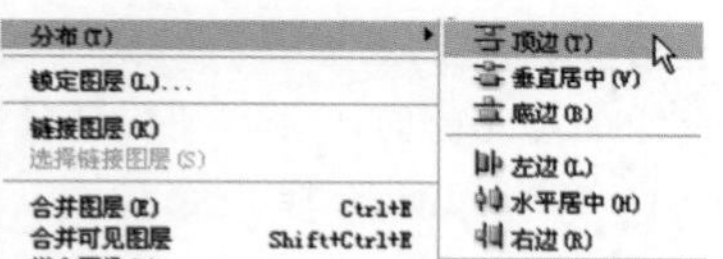

图6-72

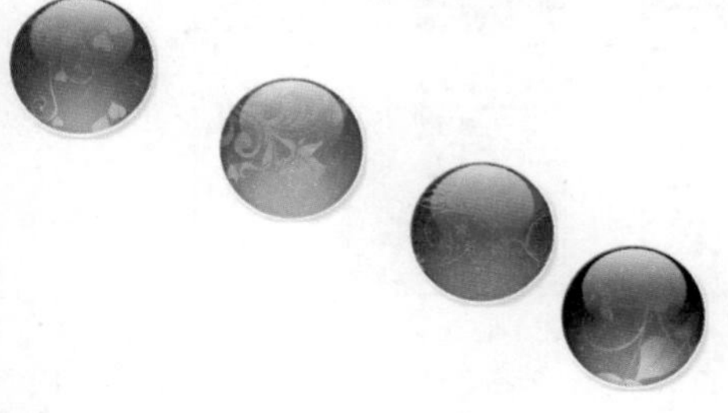

图6-73

3 执行“图层>分布>水平居中”命令，可以从每个图层的水平中心开始，间隔均匀地分布图层，如图6-74所示。执行“垂直居中”命令，可以从每个图层的垂直中心像素开始，间隔均匀地分布图层，如图6-75所示；执行“底边”命令，可以从每个图层的底端像素开始，间隔匀均地分布图层；执行“左边”命令，可以从每个图层的左端像素开始，间隔均匀地分布图层；执行“右边”命令，可以从每个图层的右端像素开始，间隔均匀地分布图层。

提示 如果当前选择的是移动工具，则可以单击工具选项栏状中的按钮来进行图层的分布操作。

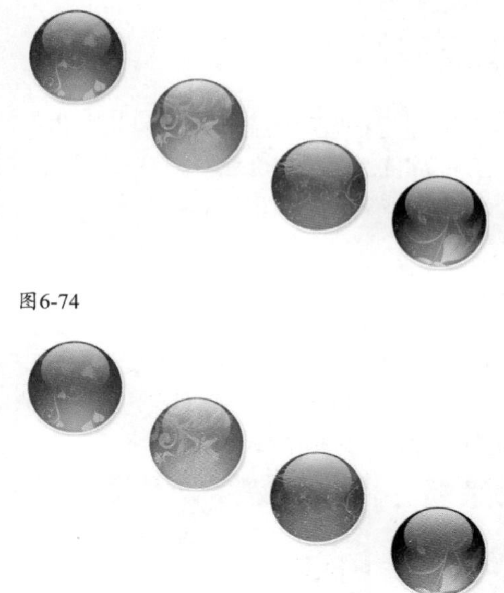

图6-74

图6-75

技术看板 30 以参考线为基准观察分布效果

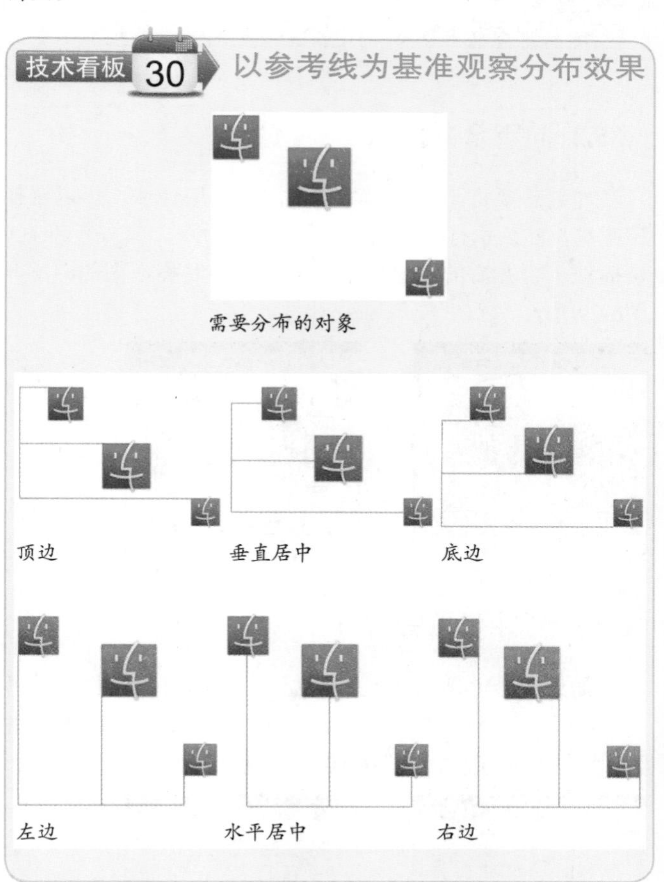

6.5 合并与盖印图层

图层、图层组和图层样式等都会占用计算机的内存和暂存盘，因此，以上内容的数量越多，占用的系统资源也就越多，从而导致计算机的运行速度变慢。将相同属性的图层合并，或者将没有用处的图层删除都可以减小文件的大小。此外，对于复杂的图像文件，图层数量变少以后，既便于管理，也可以快速找到需要的图层。

6.5.1 合并图层

如果要合并两个或多个图层，可以在“图层”面板中将它们选择，然后执行“图层>合并图层”命令，合并后的图层使用上面图层的名称，如图6-76、图6-77所示。

图6-76

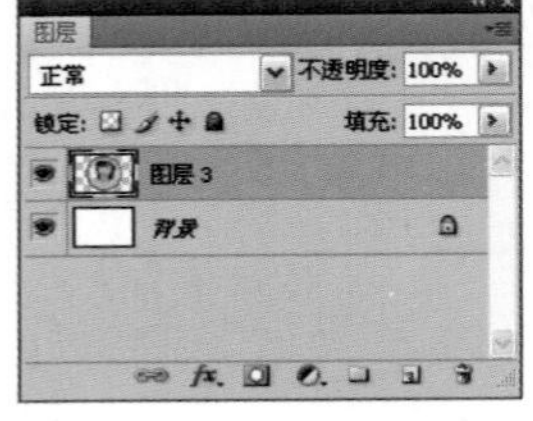
图6-77

6.5.2 向下合并图层

如果想要将一个图层与它下面的图层合并，可以选择该图层，然后执行“图层>向下合并”命令，或按下Ctrl+E快捷键，合并后的图层使用下面图层的名称，如图6-78、图6-79所示。

图6-78

图6-79

6.5.3 合并可见图层

如果要合并所有可见的图层，可以执行“图层>合并可见图层”命令，或按下Shift+Ctrl+E快捷键，它们会合并到“背景”图层中，如图6-80、图6-81所示。

图6-80

图6-81

6.5.4 拼合图像

如果要将所有图层都拼合到“背景”图层中，可以执行“图层>拼合图像”命令。如果有隐藏的图层，则会弹出一个提示，询问是否删除隐藏的图层。

6.5.5 盖印图层

盖印是一种特殊的合并图层的方法，它可以将多个图层中的图像内容合并到一个新的图层中，同时保持其他图层完好无损。如果想要得到某些图层的合并效果，而又要保持原图层完整时，盖印图层是最佳的解决办法。

- 向下盖印：选择一个图层，如图6-82所示，按下Ctrl+Alt+E键，可以该图层中的图像盖印到下面的图层中，原图层内容保持不变，如图6-83所示。

图6-82

图6-83

- 盖印多个图层：选择多个图层，如图6-84所示，按下Ctrl+Alt+E键后，可以将它们盖印到一个新的图层中，原有图层的内容保持不变，如图6-85所示。

图6-84

图6-85

- 盖印可见图层：按下Shift+Ctrl+Alt+E 键，可以将所有可见图层中的图像盖印到一个新的图层中，原有图层内容保持不变，如图6-86所示。
- 盖印图层组：选择图层组，如图6-87所示，按下

Ctrl+Alt+E键，可以将组中的所有图层内容盖印到一个新的图层中，原组及组中的图层内容保持不变，如图6-88所示。

图6-86

图6-87

图6-88

提示 合并图层可以减少图层的数量，而盖印往往会增加图层的数量。

6.6 用图层组管理图层

随着图像编辑的深入，图层的数量就会越来越多，要在众多的图层中找到需要的图层，将会是很麻烦的一件事。如果使用图层组来组织和管理图层，就可以使“图层”面板中的图层结构更加清晰，也便于查找需要的图层。图层组就类似于文件夹，我们可以将图层按照类别放在不同的组内，当关闭图层组后，在“图层”面板中就只显示图层组的名称。图层组可以像普通图层一样移动、复制、链接、对齐和分布，也可以合并，以减小文件的大小。

6.6.1 创建图层组

在“图层”面板中创建图层组

单击“图层”面板中的创建新组按钮，可以创建一个空的图层组，如图6-89所示。此后单击按钮创建的图层将位于该组中，如图6-90所示。

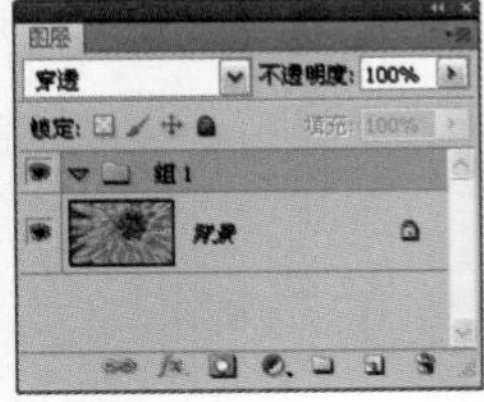

图6-89

图6-90

通过命令创建图层组

如果要在创建图层组时，设置组的名称、颜色、混合模式、不透明度等属性，可执行“图层>新建>组”命令，在打开的“新建组”对话框中设置，如图6-91、图6-92所示。

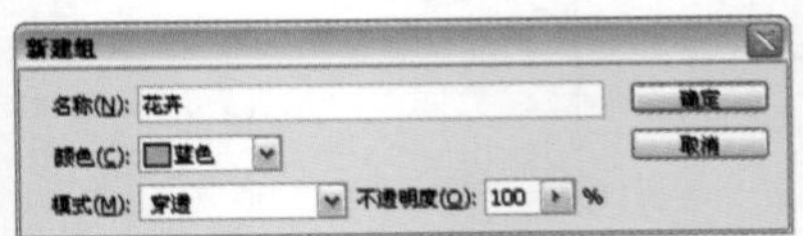

图6-91

图6-92

相关链接：图层组的默认模式为“穿透”，它表示图层组不产生混合效果。如果选择其他模式，则组中的图层将以该组的混合模式与下面的图层混合。关于混合模式的用途和效果，请参阅“7.2 混合模式”。

6.6.2 从所选图层创建图层组

如果要将多个图层创建在一个图层组内，可以选择这些图层，如图6-93所示，然后执行“图层>图层编组”命令，或按下Ctrl+G快捷键，如图6-94所示。编组之后，可以单击组前面的三角图标关闭或者重新展开图层组，如图6-95所示。

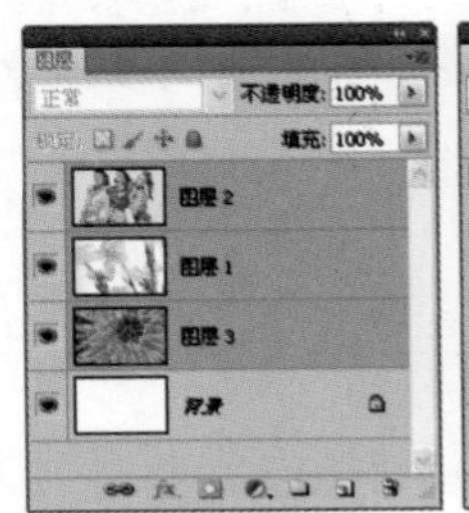

图6-93

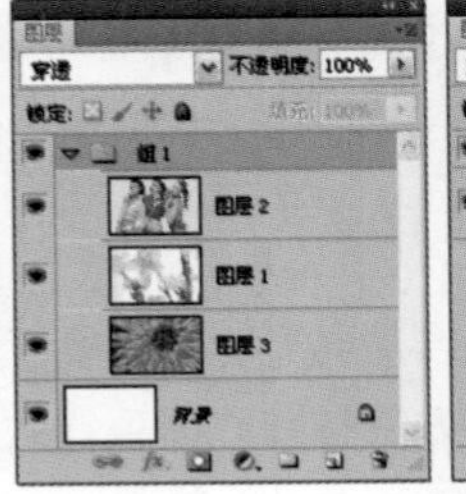

图6-94

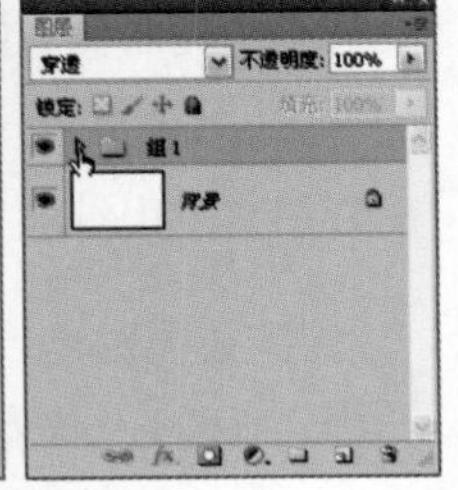

图6-95

提示 选择图层以后，执行“图层>新建>从图层建立组”命令，打开“从图层新建组”对话框，设置图层组的名称、颜色和模式等属性，可以将其创建在设置特定属性的图层组内。

6.6.3 创建嵌套结构的图层组

创建图层组以后，如图6-96所示，在图层组内还可以继续创建新的图层组，如图6-97所示。这种多级结构的图层组称为嵌套图层组。

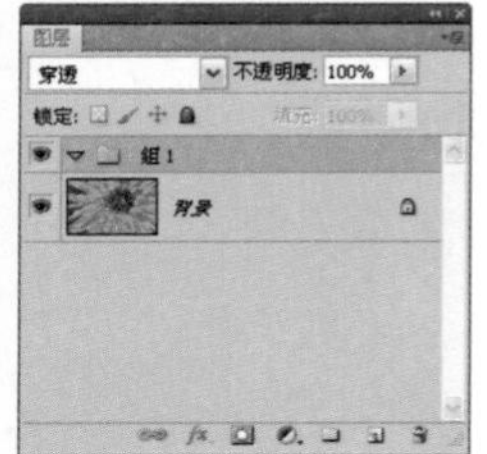
图6-96

图6-97

6.6.4 将图层移入或移出图层组

将一个图层拖入图层组内，可将其添加到图层组中，如图6-98、图6-99所示；将图层组中的图层拖出组外，可将其从图层组中移出，如图6-100、图6-101所示。

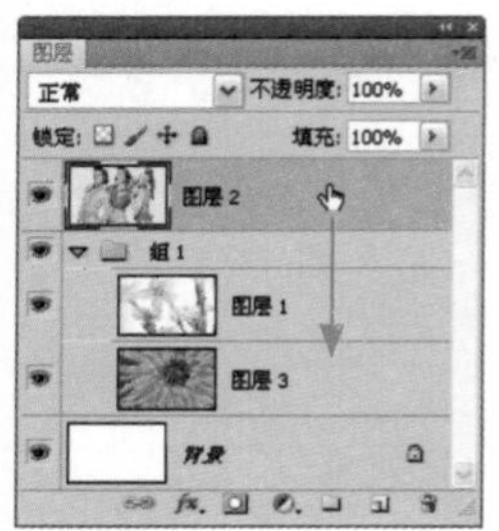
图6-98

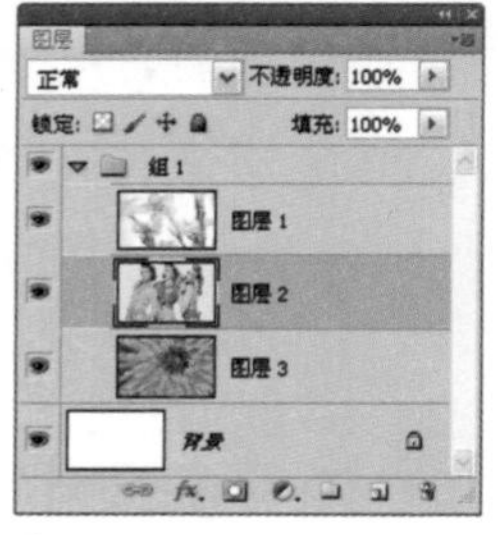
图6-99

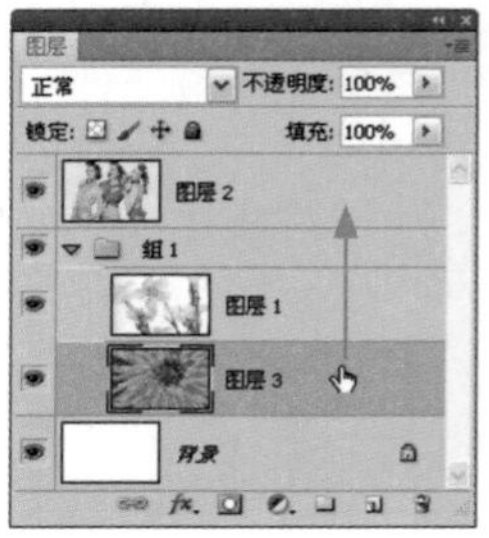
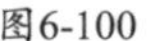
图6-100

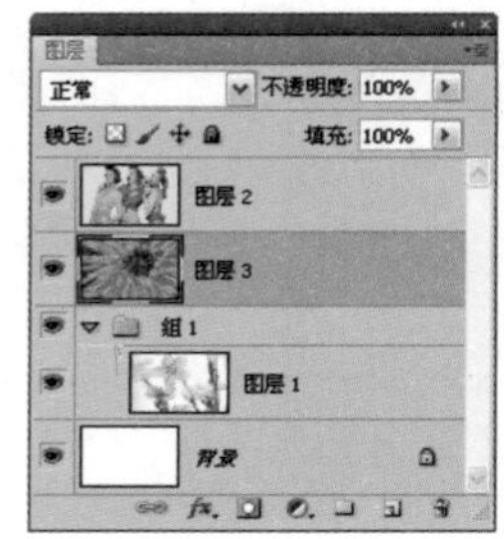
图6-101

6.6.5 取消图层编组

如果要取消图层编组，但保留图层，可以选择该图层组，如图6-102所示，然后执行“图层>取消图层编组”命令，或按下Shift+Ctrl+G快捷键，如图6-103所示。如果要删除图层组及组中的图层，可以将图层组拖动到“图层”面板中的删除图层按钮上。

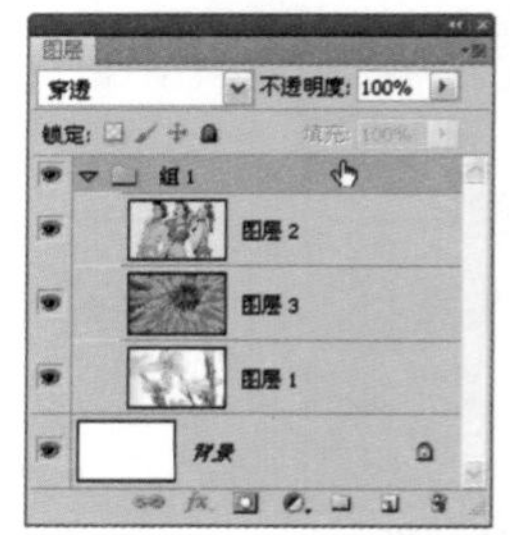
图6-102

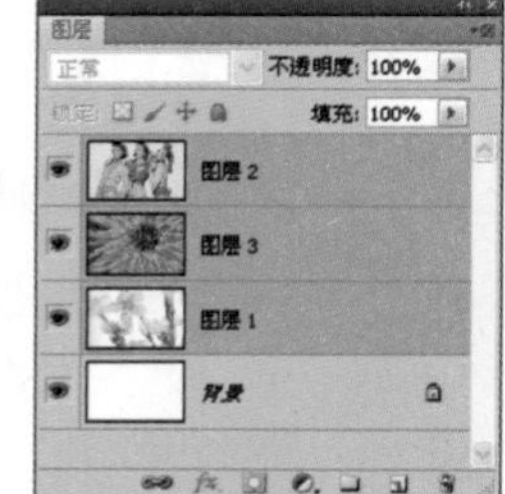
图6-103

6.7 图层样式

图层样式也叫图层效果，它是用于制作纹理和质感的重要功能，可以为图层中的图像内容添加诸如投影、发光、浮雕、描边等效果，创建具有真实质感的水晶、玻璃、金属和立体特效。图层样式可以随时修改、隐藏或删除，具有非常强的灵活性。此外，使用系统预设的样式，或者载入外部样式，只需轻点鼠标，便可以将效果应用于图像。

6.7.1 添加图层样式

如果要为图层添加样式，可以先选择这一图层，然后采用下面任意一种方法打开“图层样式”对话框，进行效果的设定。

- 打开“图层>图层样式”下拉菜单，选择一个效果命令，如图6-104所示，可以打开“图层样式”对话框，并进入到相应效果的设置面板，如图6-105所示。

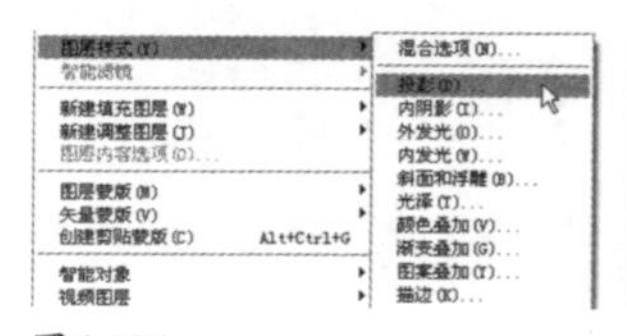
图6-104

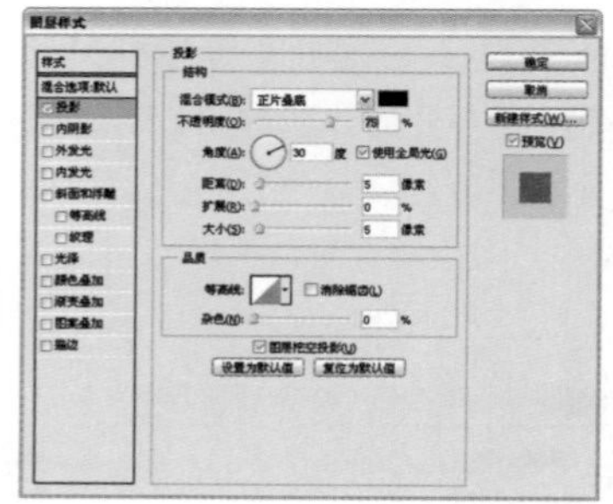
图6-105

- 在“图层”面板中单击添加图层样式按钮fx，在打开的下拉菜单中选择一个效果命令，如图6-106所示，可以打开“图层样式”对话框进入到相应效果的设置面板。
- 双击需要添加效果的图层，如图6-107所示，可以打开“图层样式”对话框，如图6-108所示，在对话框左侧选择要添加的效果，即可切换到该效果的设置面板，如图6-109所示。

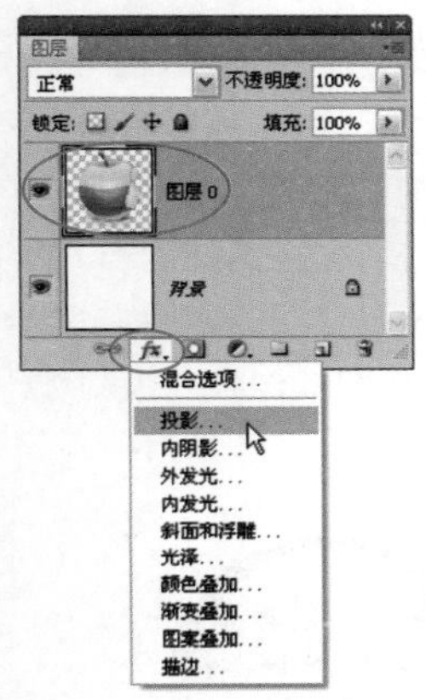
图6-106

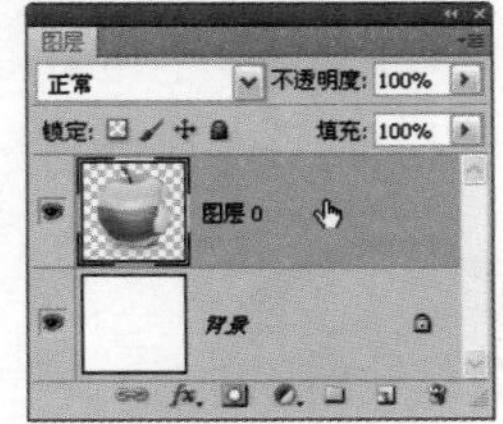
图6-107

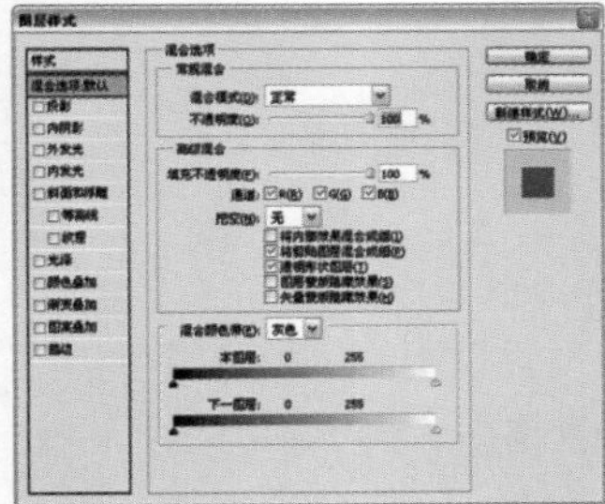
图6-108

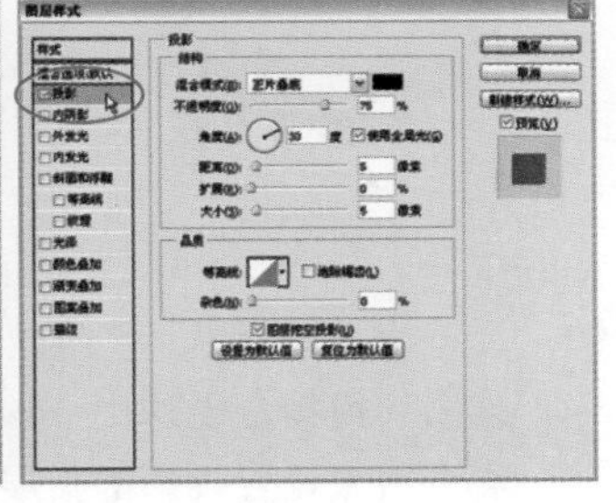
图6-109

疑问解答 “背景”图层能使用图层样式吗？

图层样式不能用于“背景”和图层组。但我们可以按住Alt键双击“背景”图层，将它转换为普通图层，然后为其添加效果。

6.7.2 图层样式对话框

“图层样式”对话框的左侧列出了10种效果，如图6-110所示。效果名称前面的复选框内有“√”标记的，表示在图层中添加了该效果。单击一个效果前面的“√”标记，则可以停用该效果，但保留效果参数。

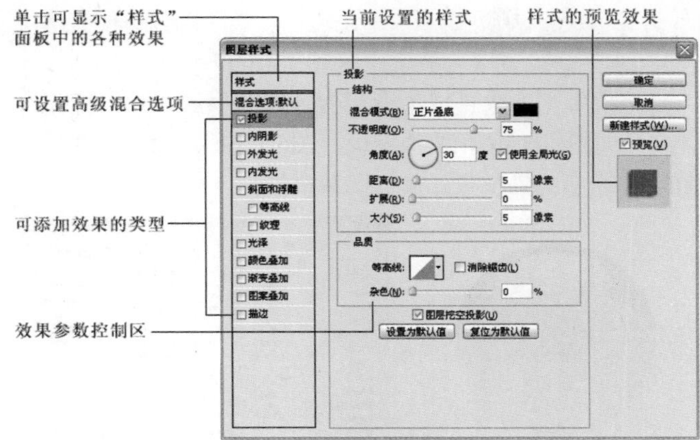

图6-110

单击一个效果的名称，可以选中该效果，对话框的右侧会显示与之对应的选项，如图6-111所示。如果单击效果名称前的复选框，则可以应用该效果，但不会显示效果选项，如图6-112所示。

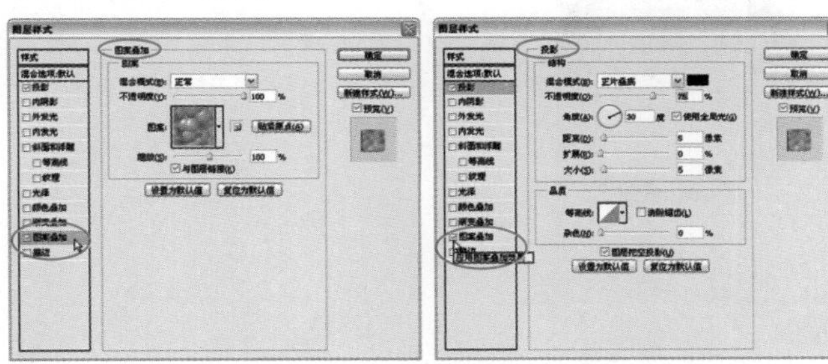
图6-111　图6-112

在对话框中设置效果参数以后，单击“确定”按钮即可为图层添加效果，该图层会显示出一个图层样式图标fx和一个效果列表，如图6-113所示。单击按钮可折叠或展开效果列表，如图6-114所示。

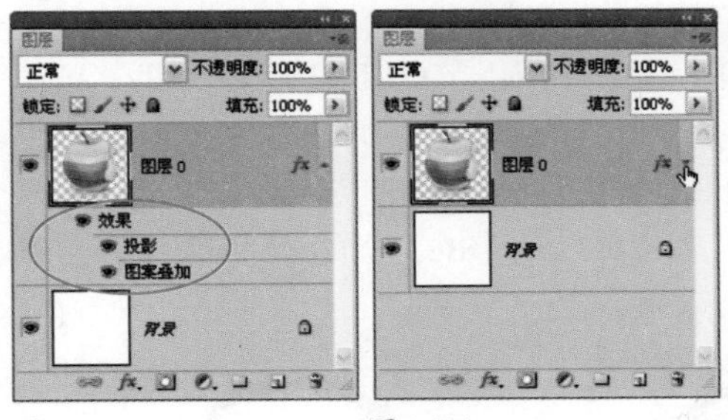
图6-113　图6-114

相关链接：在“图层样式”对话框中，“混合选项”用于设定混合模式、不透明度、挖空、高级蒙版，以及其他与蒙版有关的内容。具体使用方法请参阅“12.1 高级混合选项”。

6.7.3 投影

“投影”效果可以为图层内容添加投影，使其产生立体感。如图6-115所示为原图像，图6-116所示为投影参数，图6-117所示为添加投影后的图像效果。

图6-115

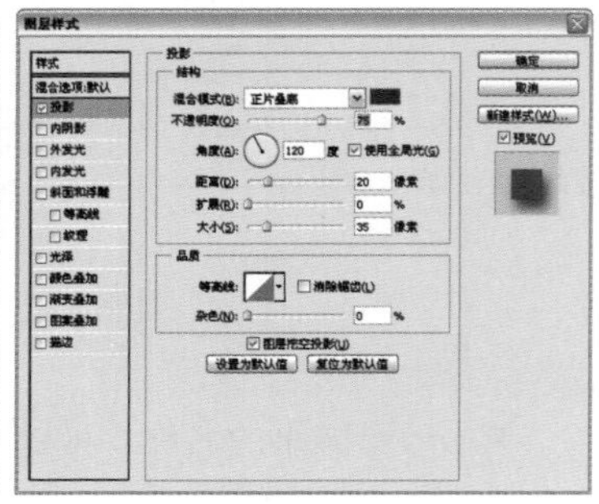
图6-116

图6-117

- 混合模式：用来设置投影与下面图层的混合方式，默认为“正片叠底”模式。
- 投影颜色：单击“混合模式”选项右侧的颜色块，可在打开的“拾色器”中设置投影颜色。
- 不透明度：拖动滑块或输入数值可以调整投影的不透明度，该值越低，投影越淡。
- 角度：用来设置投影应用于图层时的光照角度，可在文本框中输入数值，也可以拖动圆形内的指针来进行调整。指针指向的方向为光源的方向，相反方向为投影的方向，如图6-118～图6-120所示为设置不同角度创建的投影效果。

图6-118

图6-119

图6-120

- 使用全局光：可保持所有光照的角度一致。取消勾选时可以为不同的图层分别设置光照角度。
- 距离：用来设置投影偏移图层内容的距离，该值越高，投影越远。我们也可以将光标放在文档窗口的投影上（光标会变为移动工具▶✥），单击并拖动鼠标直接调整投影的距离和角度，如图6-121、图6-122所示。

图6-121

图6-122

- 大小/扩展：“大小”用来设置投影的模糊范围，该值越高，模糊范围越广，该值越小，投影越清晰。“扩展”用来设置投影的扩展范围，该值会受到“大小”选项的影响。例如，将“大小”设置为0像素以后，无论怎样调整“扩展”值，都生成与原图像大小相同的投影。如图6-123、图6-124所示为设置不同参数的投影效果。

图6-123

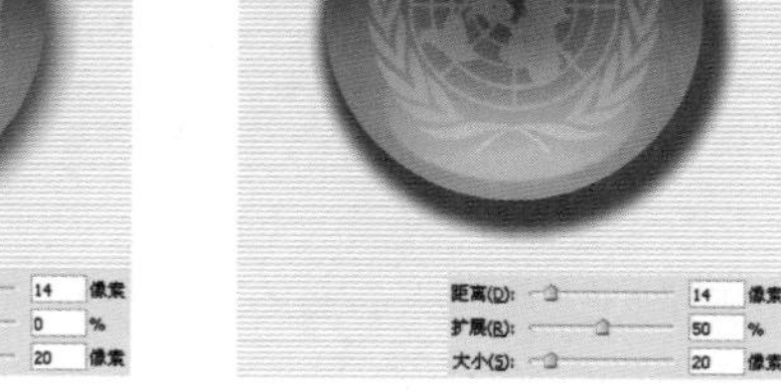

图6-124

- 等高线：使用等高线可以控制投影的形状。
- 消除锯齿：混合等高线边缘的像素，使投影更加平滑。该选项对于尺寸小且具有复杂等高线的投影最有用。

- 杂色：在投影中添加杂色，该值较高时，投影会变为点状，如图6-125所示。

图6-125

- 用图层挖空投影：用来控制半透明图层中投影的可见性。选择该选项后，如果当前图层的填充不透明度小于100%，则半透明图层中的投影不可见，如图6-126所示，图6-127所示为取消选择时的效果。

图6-126

图6-127

相关链接：关于全局光的具体用途，请参阅“6.8.4 使用全局光”；关于等高线的用途，请参阅“6.8.5 使用等高线”。

6.7.4 内阴影

“内阴影”效果可以在紧靠图层内容的边缘内添加阴影，使图层内容产生凹陷效果。如图6-128所示为原图像，图6-129所示为内阴影参数，图6-130所示为添加内阴影后的图像效果。

“内阴影”与“投影”的选项设置方式基本相同。它们的不同之处在于：“投影”是通过“扩展”选项来控制投影边缘的渐变程度的，而“内阴影”则通过“阻塞”选项来控制。“阻塞”可以在模糊之前收缩内阴影的边界，如图6-131～图6-133所示。“阻塞”与“大小”选项相关联，“大小”值越高，可设置的“阻塞”范围也就越大。

图6-128

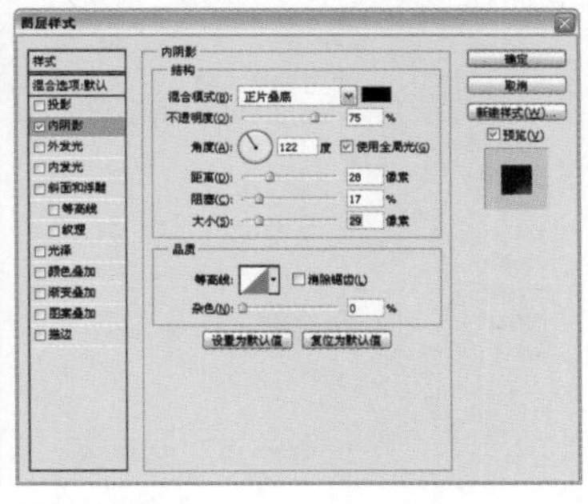

图6-129

图6-130

图6-131

图6-132

图6-133

6.7.5 外发光

“外发光”效果可以沿图层内容的边缘向外创建发光效果。如图6-134所示为外发光参数选项，图6-135所示为原图像，图6-136所示为添加外发光后的图像效果。

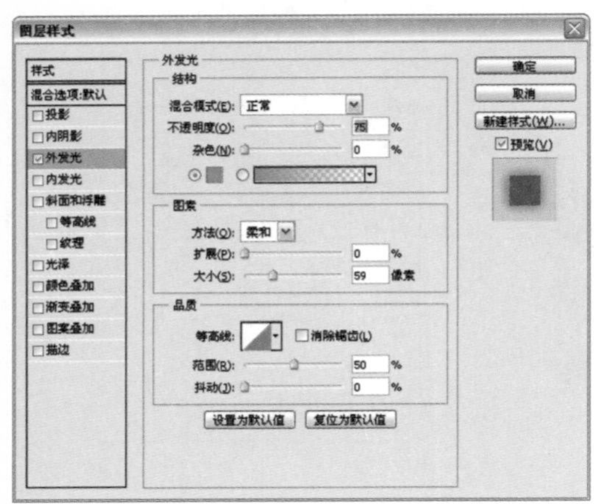

图6-134

图6-135

图6-136

- 混合模式/不透明度："混合模式"用来设置发光效果与下面图层的混合方式；"不透明度"用来设置发光效果的不透明度，该值越低，发光效果越弱。
- 杂色：可以在发光效果中添加随机的杂色，使光晕呈现颗粒感。
- 发光颜色："杂色"选项下面的颜色块和颜色条用来设置发光颜色。如果要创建单色发光，可单击左侧的颜色块，在打开的"拾色器"中设置发光颜色；如果要创建渐变发光，可单击右侧的渐变条，在打开的"渐变编辑器"中设置渐变颜色。如图6-137所示为单色发光效果，图6-138所示为渐变发光效果。

图6-137

图6-138

- 方法：用来设置发光的方法，以控制发光的准确程度。选择"柔和"，可以对发光应用模糊，得到柔和的边缘，如图6-139所示；选择"精确"，则得到精确的边缘，如图6-140所示。

图6-139

图6-140

- 扩展/大小："扩展"用来设置发光范围的大小；"大小"用来设置光晕范围的大小。如图6-141～图6-143所示为设置不同数值的发光效果。

图6-141

图6-142

图6-143

"外发光"设置面板中的"等高线"、"消除锯齿"、"范围"和"抖动"等选项与"投影"样式相应选项的作用相同。

6.7.6 内发光

"内发光"效果可以沿图层内容的边缘向内创建发光效果。如图6-144所示为内发光参数选项，图6-145所示为原图像，图6-146所示为添加内发光后的图像效果。"内发光"效果中除了"源"和"阻塞"外，其他大部分选项都与"外发光"效果相同。

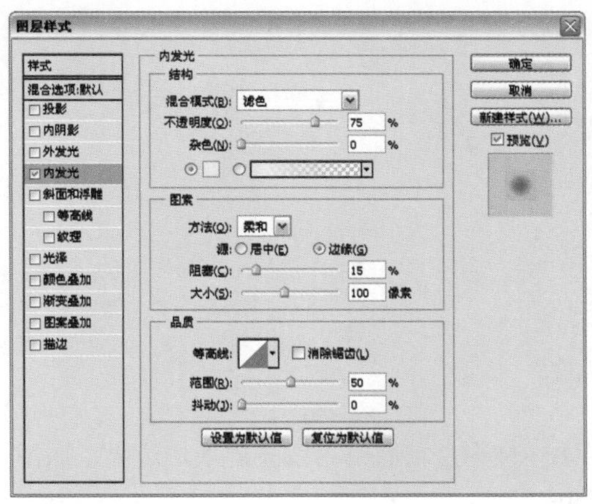

图6-144

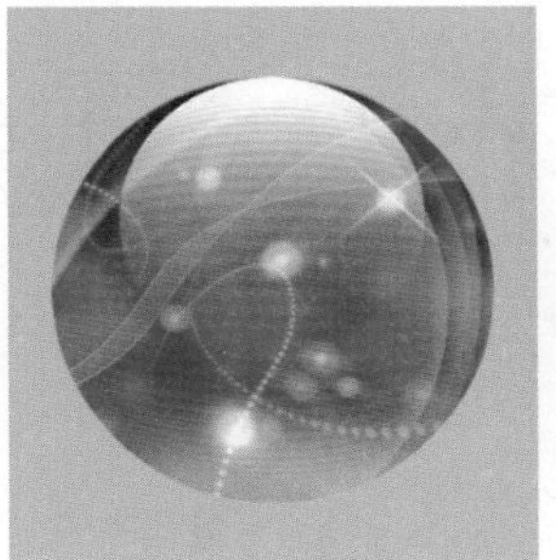

图6-145

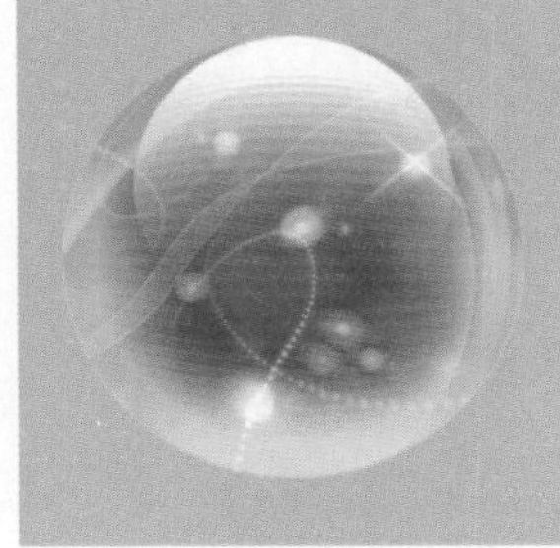

图6-146

- 源：用来控制发光光源的位置。选择"居中"，表示应用从图层内容的中心发出的光，如图6-147所示，此时如果增加"大小"值，发光效果会向图像的中央收缩，如图6-148所示；选择"边缘"，表示应用从图层内容的内部边缘发出的光，如图6-149所示，此时如果增加"大小"值，发光效果会向图像的中央扩展，如图6-150所示。

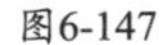

图6-147

图6-148

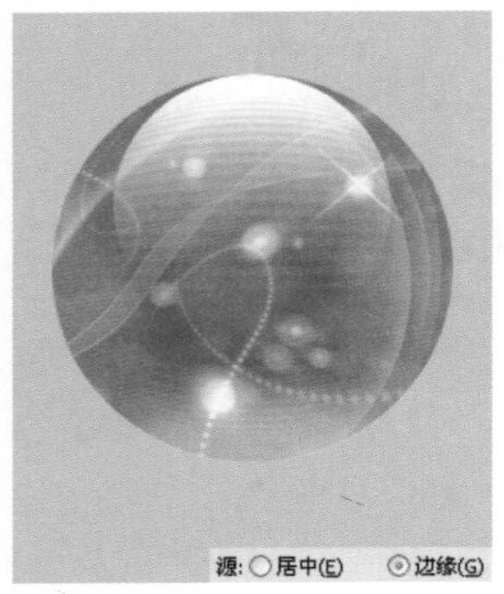

图6-149

图6-150

阻塞：用来在模糊之前收缩内发光的杂边边界，如图6-151、图6-152所示。

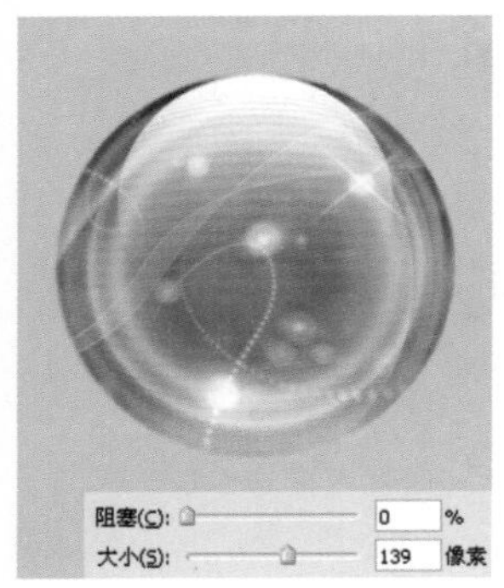

图6-151

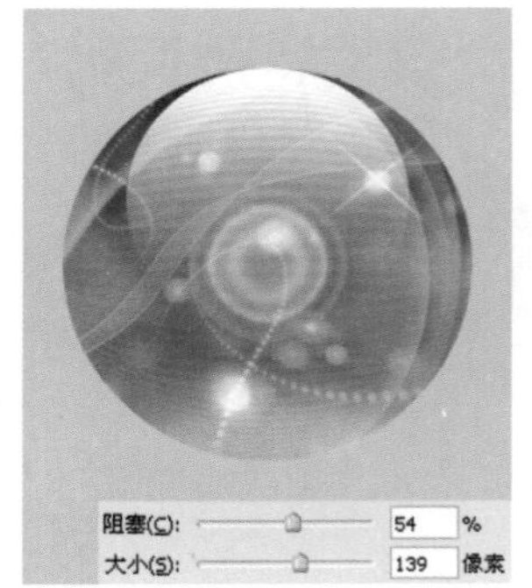

图6-152

6.7.7 斜面和浮雕

“斜面和浮雕”效果可以对图层添加高光与阴影的各种组合，使图层内容呈现立体的浮雕效果。如图6-153所示为斜面和浮雕参数选项，图6-154所示为原图像，图6-155所示为添加该效果后的图像。

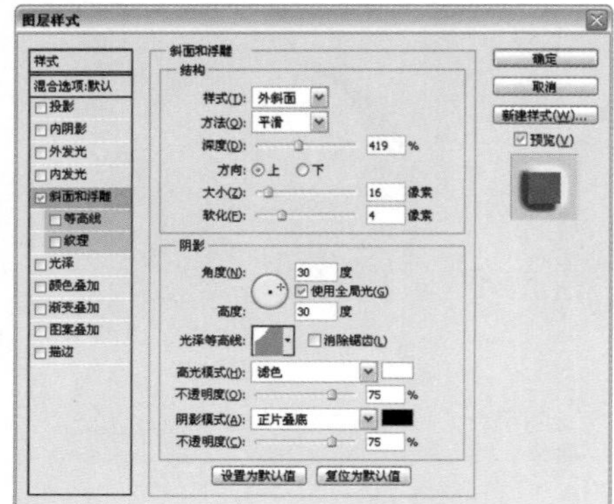

图6-153

图6-154

图6-155

设置斜面和浮雕

样式：在该选项下拉列表中可以选择斜面和浮雕的样式。选择“外斜面”，可在图层内容的外侧边缘创建斜面；选择“内斜面”，可在图层内容的内侧边缘创建斜面；选择“浮雕效果”，可模拟使图层内容相对于下层图层呈浮雕状的效果；选择“枕状浮雕”，可模拟图层内容的边缘压入下层图层中产生的效果；选择“描边浮雕”，可将浮雕应用于图层的描边效果的边界。如图6-156所示为各种浮雕样式。

疑问解答 为什么我的描边浮雕看不到效果？

如果要使用“描边浮雕”，需要先为图层添加“描边”效果。

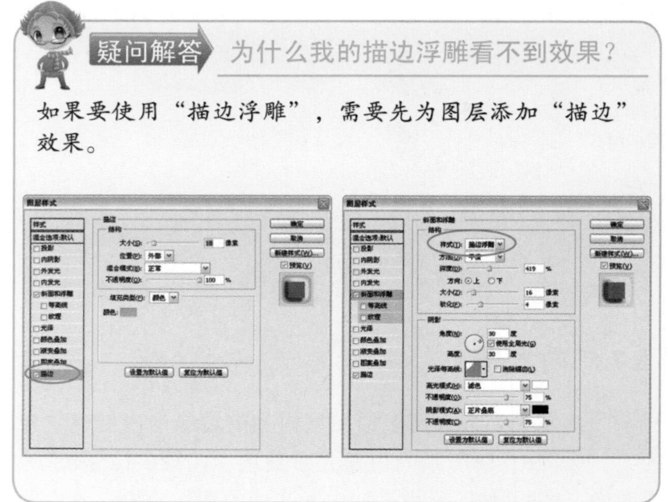

外斜面

内斜面

浮雕效果

枕状浮雕

描边浮雕

图6-156

- 方法：用来选择一种创建浮雕的方法。选择“平滑”，能够稍微模糊杂边的边缘，它可用于所有类型的杂边，不论其边缘是柔和还是清晰，该技术不保留大尺寸的细节特征；“雕刻清晰”使用距离测量技术，主要用于消除锯齿形状（如文字）的硬边杂边，它保留细节特征的能力优于“平滑”技术；“雕刻柔和”使用经过修改的距离测量技术，虽然不如“雕刻清晰”精确，但对较大范围的杂边更有用，它保留特征的能力优于“平滑”技术。如图6-157所示为使用不同选项创建的浮雕效果。

平滑

雕刻清晰

雕刻柔和

图6-157

- 深度：用来设置浮雕斜面的应用深度，该值越高，浮雕的立体感越强。
- 方向：定位光源角度后，可通过该选项设置高光和阴影的位置。例如，将光源角度设置为90度后，选择“上”，高光位于上面，如图6-158所示；选择“下”，高光位于下面，如图6-159所示。

方向“上”

图6-158

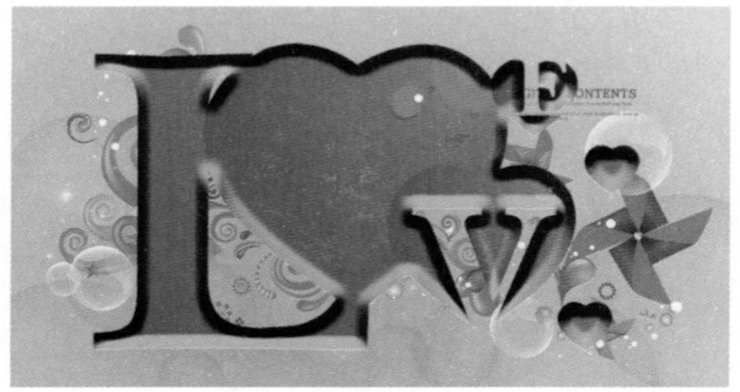

方向“下”

图6-159

- 大小：用来设置斜面和浮雕中阴影面积的大小。
- 软化：用来设置斜面和浮雕的柔和程度，该值越高，效果越柔和。
- 角度/高度：“角度”选项用来设置光源的照射角度，“高度”选项用来设置光源的高度，需要调整这两个参数时，可以在相应的文本框中输入数值，也可以拖动圆形图标内的指针来进行操作。如图6-160、图6-161所示是在角度为30度的情况下设置不同高度的浮雕效果。如果勾选“使用全局光”，则所有浮雕样式的光照角度可以保持一致。

图6-160

图6-161

- 光泽等高线：可以选择一个等高线样式，为斜面和浮雕表面添加光泽，创建具有光泽感的金属外观浮雕效果，如图6-162所示。

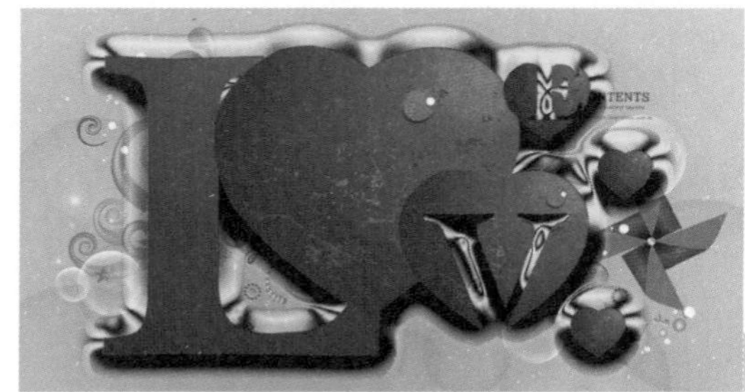

图6-162

- 消除锯齿：可以消除由于设置了光泽等高线而产生的锯齿。
- 高光模式：用来设置高光的混合模式、颜色和不透明度。
- 阴影模式：用来设置阴影的混合模式、颜色和不透明度。

设置等高线

单击对话框左侧的“等高线”选项，可以切换到“等高线”设置面板，如图6-163所示。使用“等高线”可以勾画在浮雕处理中被遮住的起伏、凹陷和凸起，如图6-164、图6-165所示为选择不同等高线时的浮雕效果。

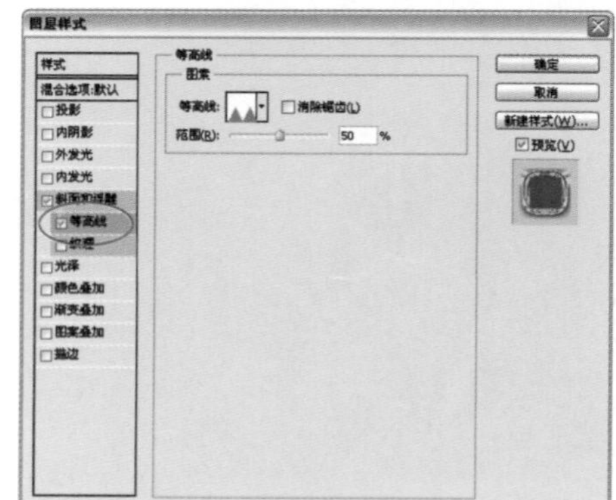

图6-163

图6-164

图6-165

设置纹理

单击对话框左侧的“纹理”选项，可以切换到“纹理”设置面板，如图6-166所示。

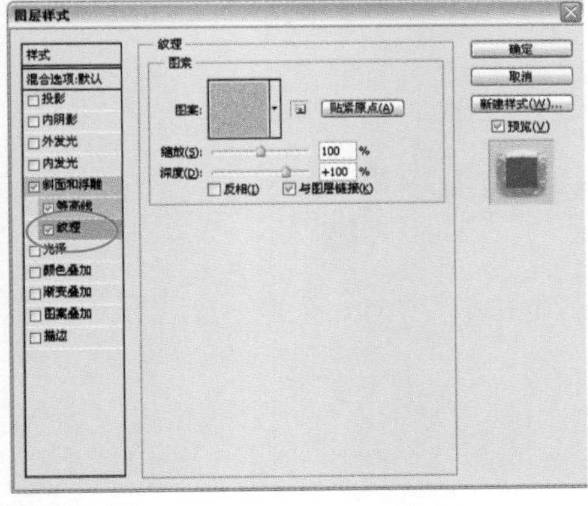

图6-166

- 图案：单击图案右侧的按钮，可以在打开的下拉面板中选择一个图案，将其应用到斜面和浮雕上，如图6-167所示。

图6-167

- 从当前图案创建新的预设：单击该按钮，可以将当前设置的图案创建为一个新的预设图案，新图案会保存在“图案”下拉面板中。
- 缩放：拖动滑块或输入数值可以调整图案的大小，如图6-168所示。

图6-168

- 深度：用来设置图案的纹理应用程度。
- 反相：勾选该项，可以反转图案纹理的凹凸方向，如图6-169所示。

图6-169

- 与图层链接：勾选该项可以将图案链接到图层，此时对图层进行变换操作时，图案也会一同变换。在该选项处于勾选状态时，单击“贴紧原点”按钮，可以将图案的原点对齐到文档的原点。如果取消选择该选项，则单击“贴紧原点”按钮时，可以将原点放在图层的左上角。

技术看板 31 使用预设的纹理映射浮雕效果

单击图案右侧的按钮，打开下拉面板，单击面板右上角的按钮，可以在打开的菜单中选择一个纹理素材库，将其载入使用。

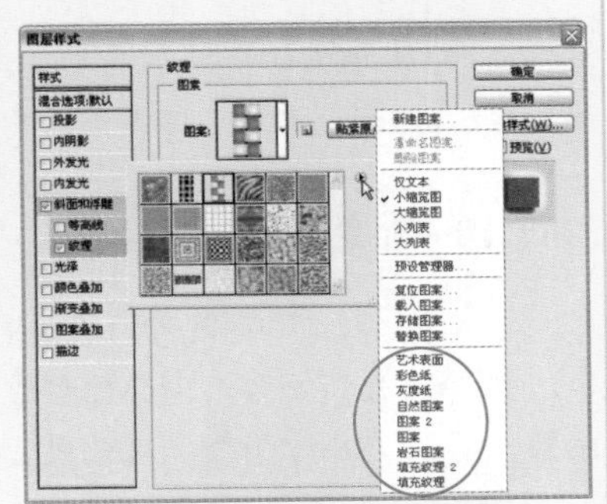

6.7.8 光泽

“光泽”效果可以应用光滑光泽的内部阴影，通常用来创建金属表面的光泽外观。该效果没有特别的选项，但我们可以通过选择不同的“等高线”来改变光泽的样式。如图6-170所示为光泽参数选项，图6-171所示为原图像，图6-172所示为添加光泽后的图像效果。

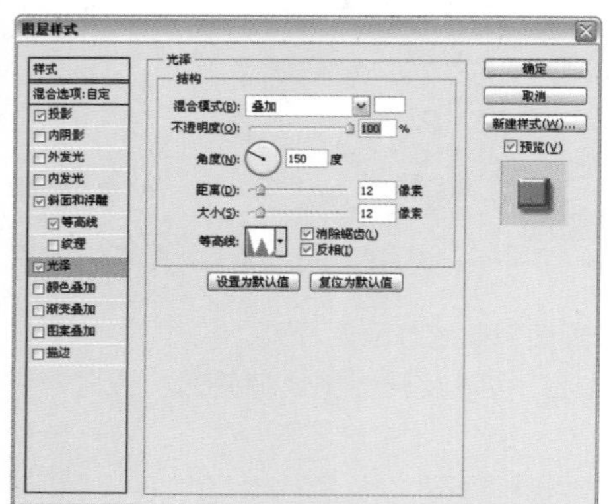

图6-170

图6-171

图6-172

6.7.9 颜色叠加

“颜色叠加”效果可以在图层上叠加指定的颜色，通过设置颜色的混合模式和不透明度，可以控制叠加效果。如图6-173所示为颜色叠加参数选项，图6-174所示为原图像，图6-175所示为添加该效果后的图像。

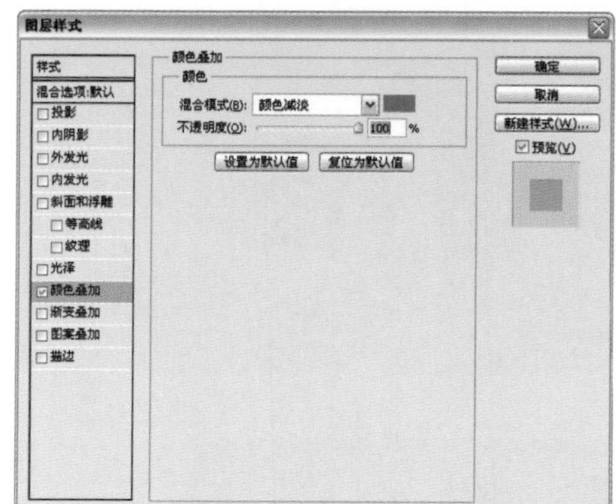

图6-173

图6-174

图6-175

6.7.10 渐变叠加

“渐变叠加”效果可以在图层上叠加指定的渐变颜色。如图6-176所示为渐变叠加参数选项，图6-177所示为原图像，图6-178所示为添加该效果后的图像。

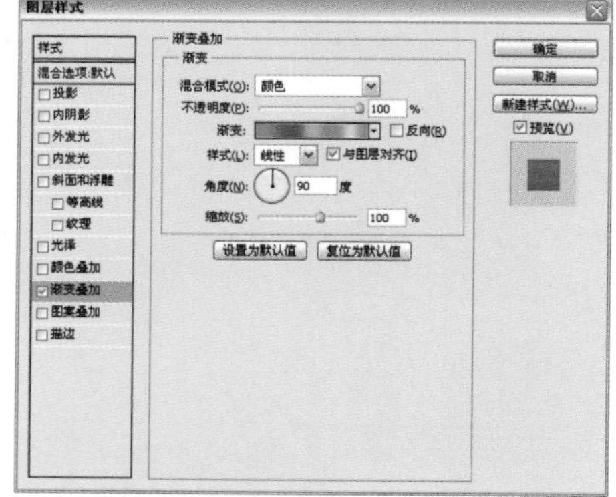

图6-176

图6-177

图6-178

6.7.11 图案叠加

“图案叠加”效果可以在图层上叠加指定的图案，并且可以缩放图案、设置图案的不透明度和混合模式。如图6-179所示为图案叠加参数选项，图6-180所示为原图像，图6-181所示为添加该效果后的图像。

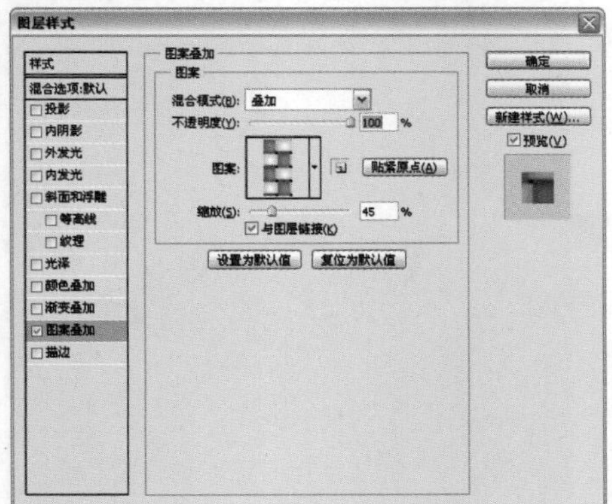

图6-179

图6-180

图6-181

> 提示 “颜色叠加”、“渐变叠加”和“图案叠加”效果类似于“纯色”、“渐变”和“图案”填充图层，只不过它是通过图层样式的形式进行内容叠加的。

6.7.12 描边

“描边”效果可以使用颜色、渐变或图案描画对象的轮廓，它对于硬边形状，如文字等特别有用。如图6-182所示为描边参数选项，图6-183所示为原图像，图6-184所示为使用颜色描边的效果，图6-185所示为使用渐变描边的效果，图6-186所示为使用图案描边的效果。

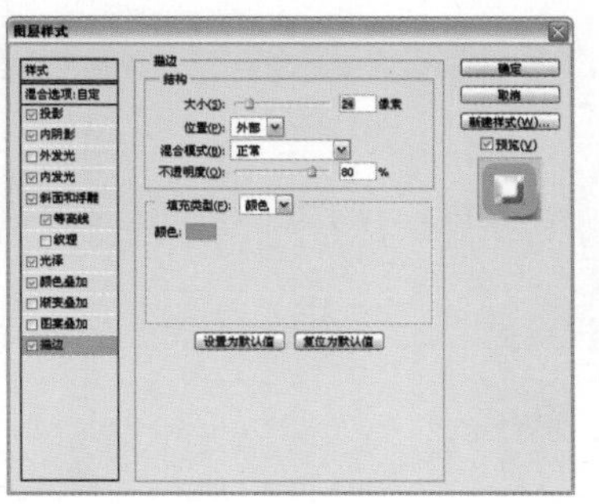

图6-182

图6-183

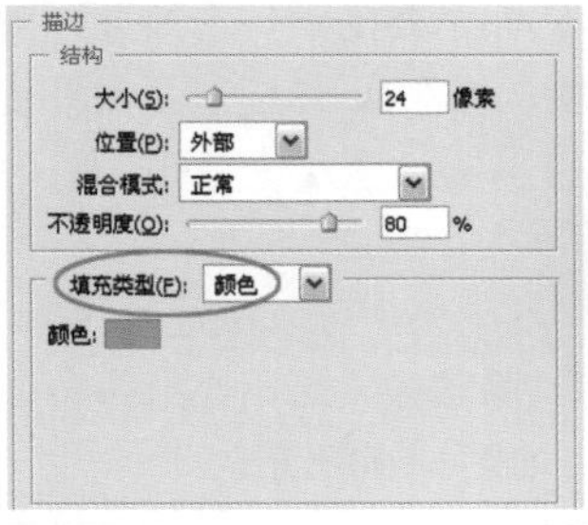

颜色描边

图6-184

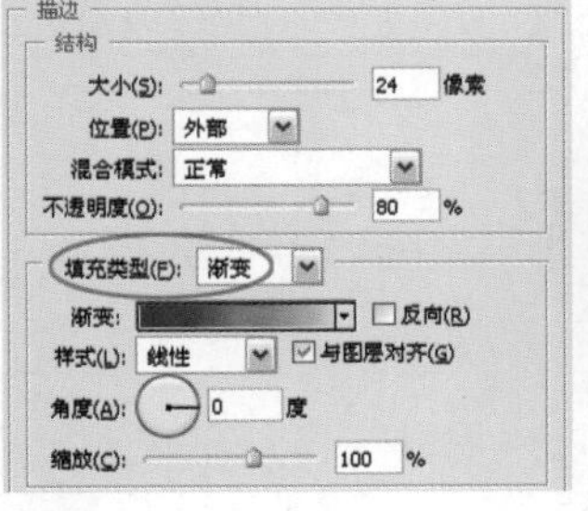

渐变描边

图6-185

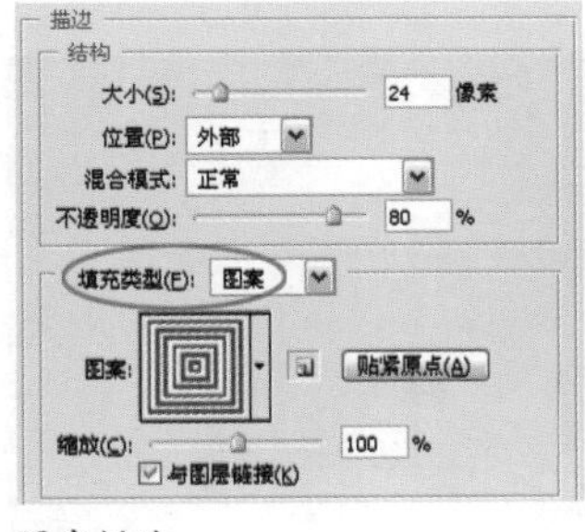

图案描边

图6-186

6.8 编辑图层样式

图层样式是非常灵活的功能，我们可以随时修改效果的参数，隐藏效果，或者删除效果，这些操作都不会对图层中的图像造成任何破坏。

6.8.1 显示与隐藏效果

在“图层”面板中，效果前面的眼睛图标用来控制效果的可见性，如图6-187所示。如果要隐藏一个效果，可单击该效果名称前的眼睛图标，如图6-188所示；如果要隐藏一个图层中的所有效果，可单击该图层“效果”前的眼睛图标，如图6-189所示。

如果要隐藏文档中所有图层的效果，可以执行“图层>图层样式>隐藏所有效果”命令。隐藏效果后，在原眼睛图标处单击，可以重新显示效果，如图6-190所示。

图6-187

图6-188

图6-189

图6-190

6.8.2 修改效果

在“图层”面板中，双击一个效果的名称，如图6-191所示，可以打开“图层样式”对话框并进入该效果的设置面板，此时可以修改效果的参数，如图6-192所示，也可以在左侧列表中选择新效果，如图6-193所示。设置完成后，单击“确定”按钮，可以将修改后的效果应用于图像。

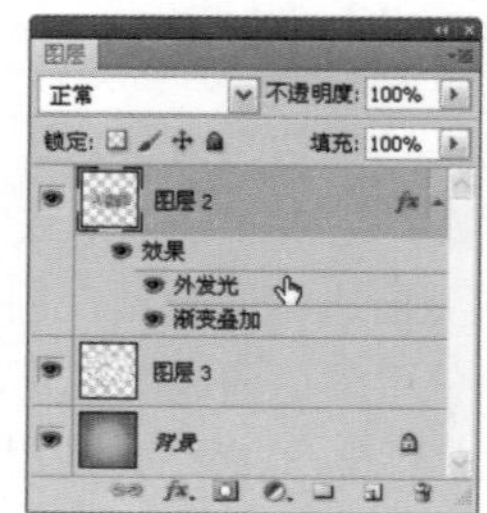

图6-191

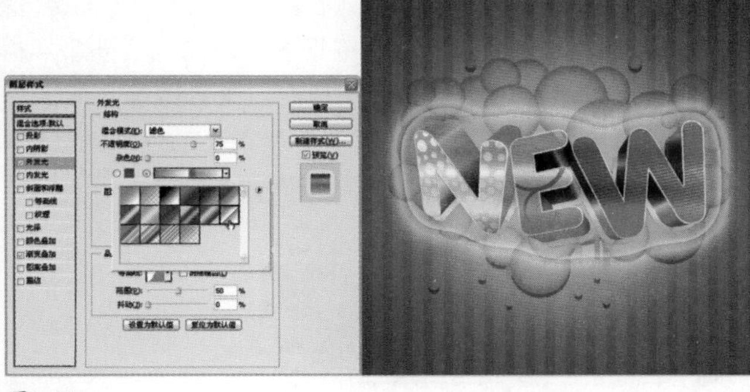

图6-192

图6-193

6.8.3 复制、粘贴与清除效果

复制与粘贴效果

选择添加了图层样式的图层，如图6-194所示，执行“图层>图层样式>拷贝图层样式”命令复制效果，选择其他图层，执行“图层>图层样式>粘贴图层样式”命令，可以将效果粘贴到该图层中，如图6-195所示。

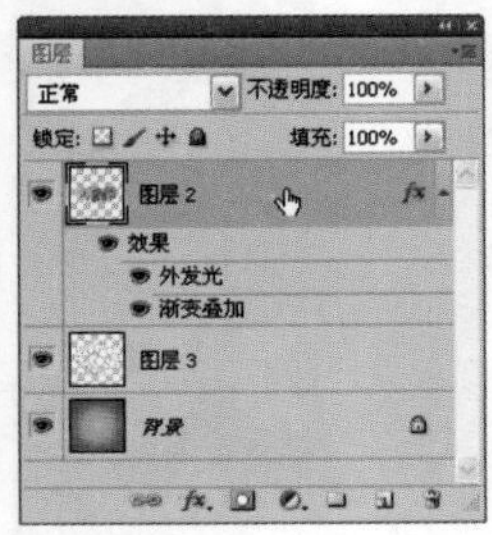

图6-194

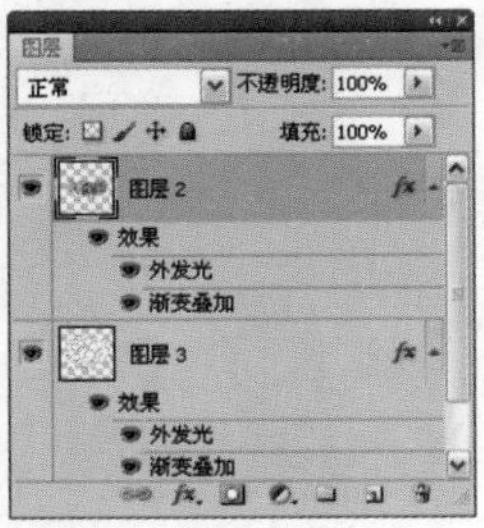

图6-195

此外，按住Alt键将效果图标fx从一个图层拖动到另一个图层，可以将该图层的所有效果都复制到目标图层，如图6-196所示；如果只需要复制一个效果，可按住Alt键拖动该效果的名称至目标图层，如图6-197所示；如果没有按住Alt键，则可以将效果转移到目标图层，原图层不再有效果。

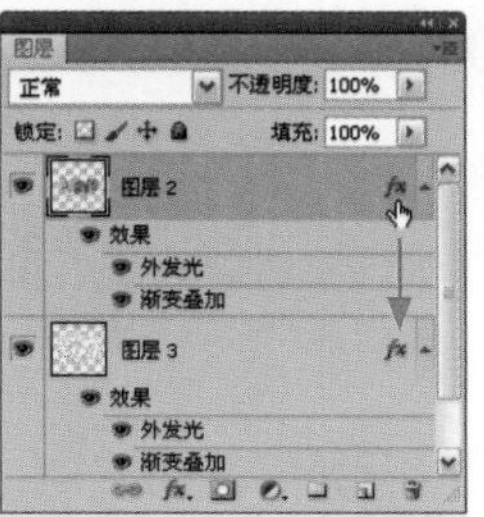

图6-196

图6-197

清除效果

如果要删除一种效果，可以将它拖动到“图层”面板底部的按钮上，如图6-198、图6-199所示。

图6-198

图6-199

如果要删除一个图层的所有效果，可以将效果图标fx拖动到按钮上，如图6-200、图6-201所示。也可以选择图层，然后执行“图层>图层样式>清除图层样式”命令来进行操作。

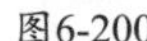
图6-200

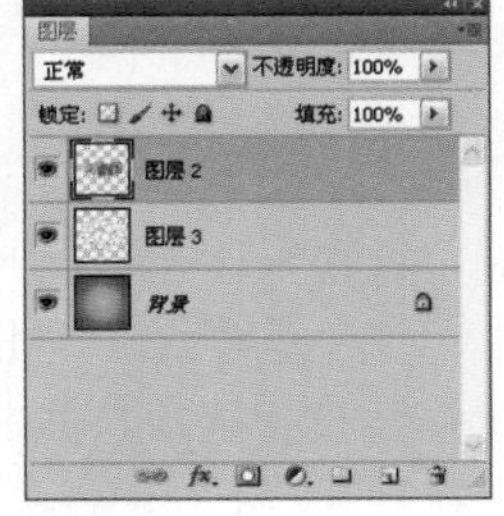

图6-201

6.8.4 使用全局光

在“图层样式”对话框中，“投影”、“内阴影”、“斜面和浮雕”效果都包含一个“全局光”选项，选择了该选项后，以上效果就会使用相同角度的光源。

例如，如图6-202所示的对象添加了“斜面和浮雕”和“投影”效果，在调整“斜面和浮雕”的光源角度时，如果勾选了“使用全局光”选项，“投影”的光源也会随之改变，如图6-203所示；如果没有勾选该选项，则“投影”的光源不会变，如图6-204所示。

如果要调整全局光的角度和高度，可执行“图层>图层样式>全局光”命令，打开“全局光”对话框进行设置，如图6-205所示。

图6-202

图6-203

图6-204

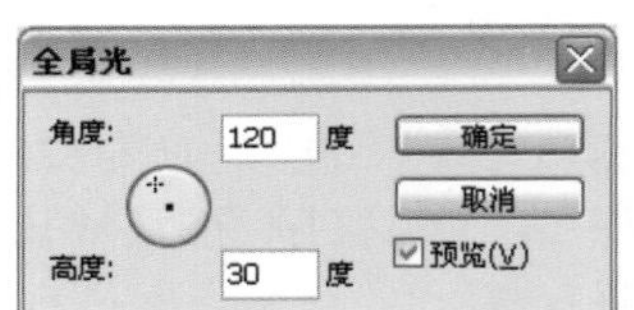

图6-205

6.8.5 使用等高线

在“图层样式”对话框中，“投影”、“内阴影”、“内发光”、“外发光”、“斜面和浮雕”、“光泽”效果都包含等高线设置选项。单击“等高线”选项右侧的按钮，可以在打开的下拉面板中选择一个预设的等高线样式，如图6-206所示。

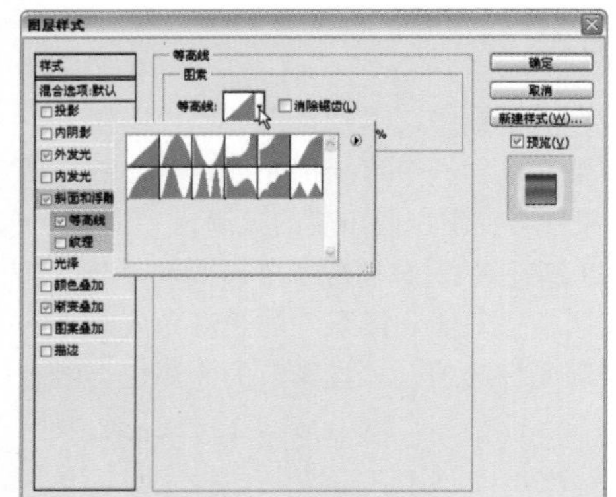

图6-206

如果单击等高线缩览图，则可以打开“等高线编辑器”，如图6-207所示。等高线编辑器与曲线对话框非常相似，我们可以添加、删除和移动控制点来修改等高线的形状，从而影响“投影”、“内发光”等效果的外观。

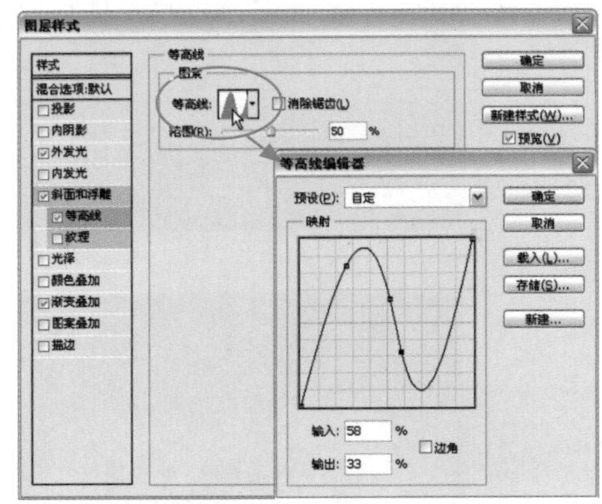

图6-207

如图6-208所示为各种预设的等高线对斜面和浮雕效果的影响。

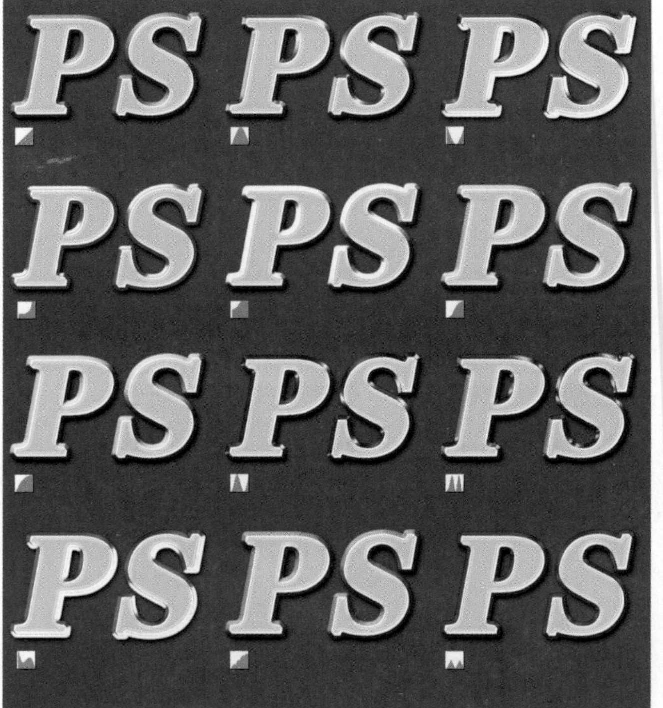

图6-208

6.8.6 等高线在效果中的应用

等高线是一个地理名词，它指的是地形图上高程相等的各个点连成的闭合曲线。Photoshop中的等高线用来控制效果在指定范围内的形状，以模拟不同的材质。

创建投影和内阴影效果时，可以通过“等高线”来指定投影的渐隐样式，如图6-209、图6-210所示。

图6-209

图6-210

创建发光效果时，如果使用纯色作为发光颜色，等高线允许我们创建透明光环，如图6-211所示；使用渐变填充发光时，等高线允许我们创建渐变颜色和不透明度的重复变化，如图6-212所示。

图6-211

图6-212

在斜面和浮雕效果中，可以使用“等高线”勾画在浮雕处理中被遮住的起伏、凹陷和凸起，如图6-213、图6-214所示。

图6-213

图6-214

6.8.7 实战——针对图像大小缩放效果

●实例门类：软件功能类 ●视频位置：光盘>实例视频>6.8.7

当我们对添加了效果的对象进行缩放时，效果仍然保持原来的比例，而不会随着对象大小的变化而改变。如果要获得与图像比例一致的效果，就需要单独对效果进行缩放。

1 按下Ctrl+O快捷键，打开两个文件（光盘>素材>6.8.7a、6.8.7b），如图6-215、图6-216所示。这是两个分辨率不同的文件。文字的分辨率大，背景素材的分辨率小。可执行“图像>图像大小”命令查看分辨率。

图6-215

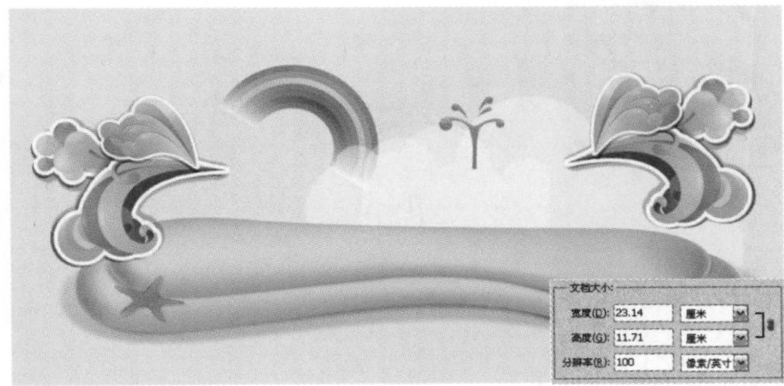

图6-216

2 使用移动工具将文字拖入另一个文档中，如图6-217所示。由于文字太大，画面中显示不全。

图6-217

3 我们来缩小文字。按下Ctrl+T快捷键显示定界框，在工具选项栏中设置缩放为50%，将文字缩小，然后按下回车键确认，如图6-218所示。

图6-218

4 我们可以看到，文字虽然缩小了，但图层效果的比例没有改变，与文字的比例不协调。我们来缩放效果。执行“图层>图层样式>缩放效果”命令，打开“缩放图层效果”对话框，将效果的缩放比例也设置为50%，如图6-219所示。这样效果就与文字相匹配了，如图6-220所示。

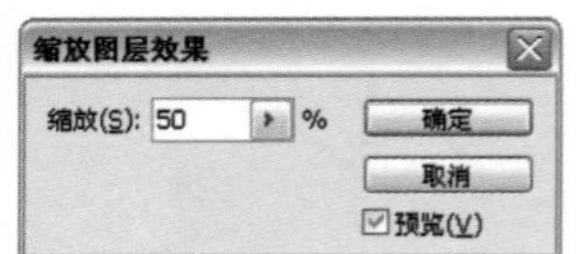

图6-219

图6-220

“缩放效果”命令只能缩放效果，而不会缩放添加了效果的图层。

技术看板 32 修改图像分辨率时缩放效果

我们执行“图像>图像大小”命令，修改一个图像的分辨率时，如果文档中有图层添加了图层样式，勾选“缩放样式”选项，就可以使效果与修改后的图像相匹配。否则效果会在视觉上与原来产生差异。

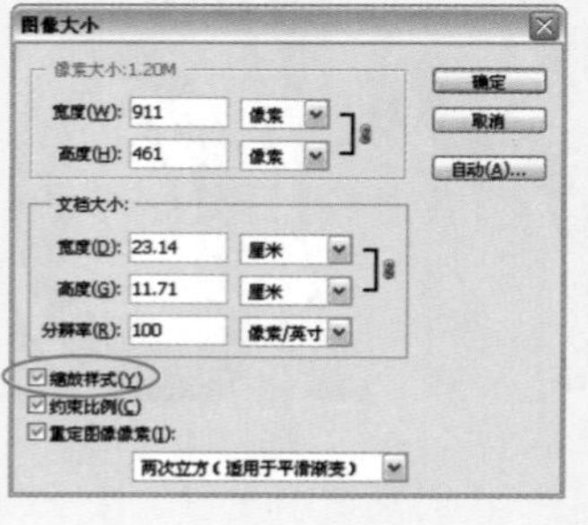

6.8.8 实战——将效果创建为图层

●实例门类：软件功能类 ●视频位置：光盘>实例视频>6.8.8

图层样式虽然丰富，但要想进一步对其进行编辑，如在效果内容上绘画或应用滤镜，则需要先将效果创建为图层。我们下面来看一下怎样操作。

1 打开一个文件（光盘>素材>6.8.8），如图6-221所示。

图6-221

2 选择添加了效果的图层，如图6-222所示，执行“图层>图层样式>创建图层”命令，将效果从图层中剥离出来成为单独的图层，如图6-223所示。

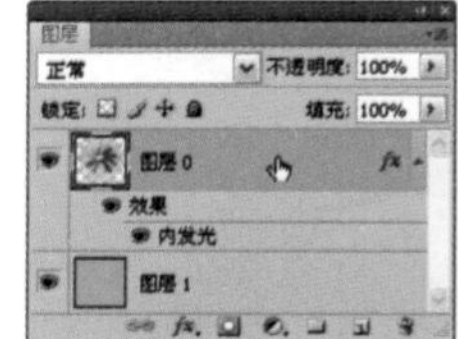

图6-222 图6-223

3 选择剥离出来的图层，如图6-224所示，执行“滤镜>纹理>染色玻璃”命令，设置参数如图6-225所示，图像效果如图6-226所示。

图6-224

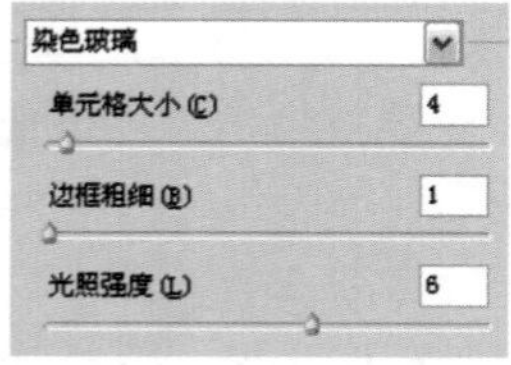

图6-225

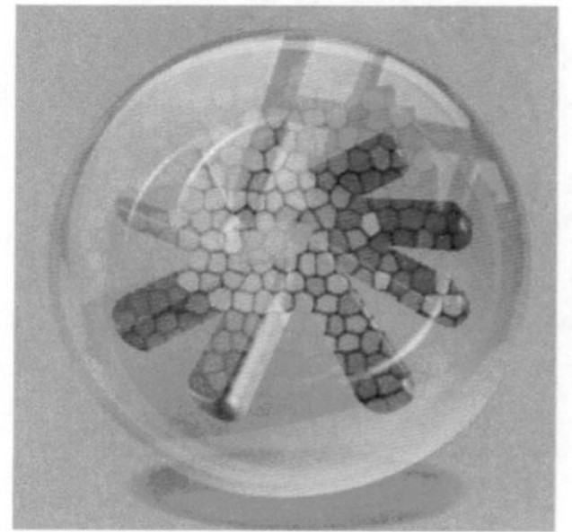

图6-226

6.8.9 实战——制作霓虹灯字

●实例门类：软件功能类 ●视频位置：光盘>实例视频>6.8.9

1 按下Ctrl+O快捷键，打开一个文件（光盘>素材>6.8.9），如图6-227所示。我们下面来为“图层1”中的艺术字添加图层样式，制作霓虹灯效果。

图6-227

2 双击“图层1”，打开“图层样式”对话框。切换到“内发光”设置面板，设置混合模式为“正常”，不透明度为100%，其他参数如图6-228所示。将发光设置为渐变，然后单击渐变颜色条，打开“渐变编辑器”调整渐变颜色，如图6-229所示，文字效果如图6-230所示。

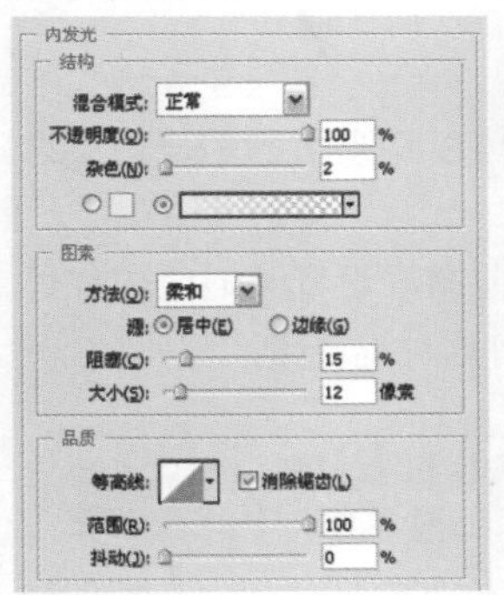

图6-228

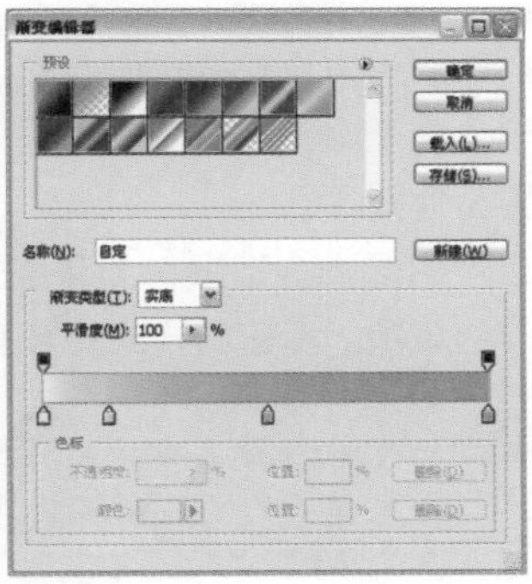

图6-229

图6-230

3 切换到“外发光”设置面板，设置混合模式为“滤色”，不透明度为55%，将发光颜色设置为红色，其他参数如图6-231所示，文字效果如图6-232所示。

图6-231

图6-232

4 切换到“投影”设置面板，设置混合模式为“颜色减淡”，不透明度为50%，其他参数如图6-233所示。单击“确定”按钮完成制作，文字效果如图6-234所示。

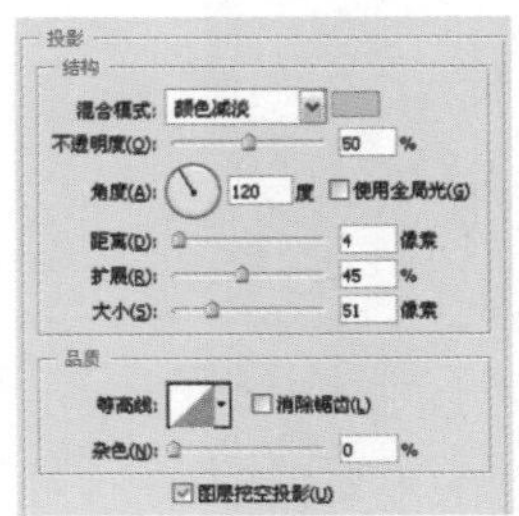

图6-233

图6-234

6.9 使用样式面板

“样式”面板用来保存、管理和应用图层样式。我们也可以将Photoshop提供的预设样式，或者外部样式库载入到该面板中使用。

6.9.1 样式面板

“样式”面板中提供了Photoshop中各种预设的图层样式，如图6-235所示，图6-236所示为面板菜单。

图6-235

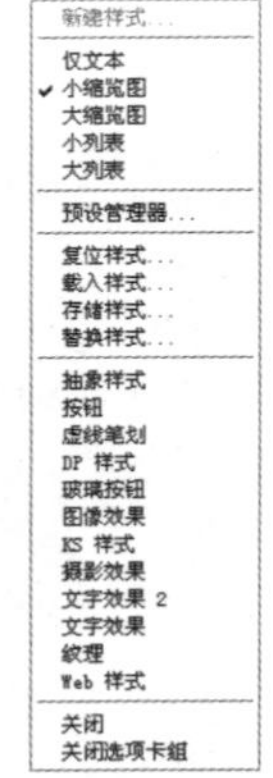

图6-236

选择一个图层，如图6-237所示，单击“样式”面板中的一个样式，即可为它添加该样式，如图6-238所示。

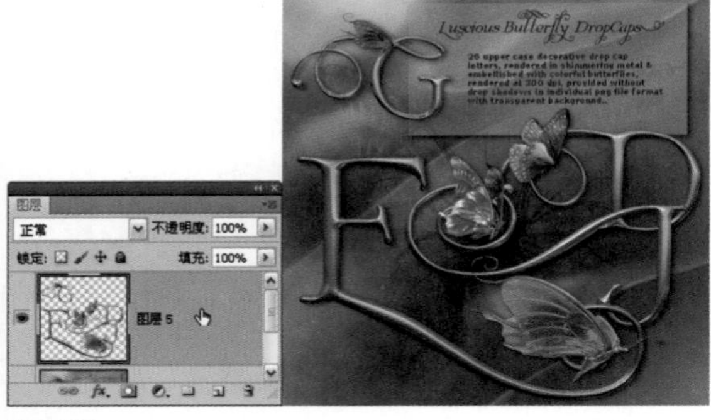

图6-237

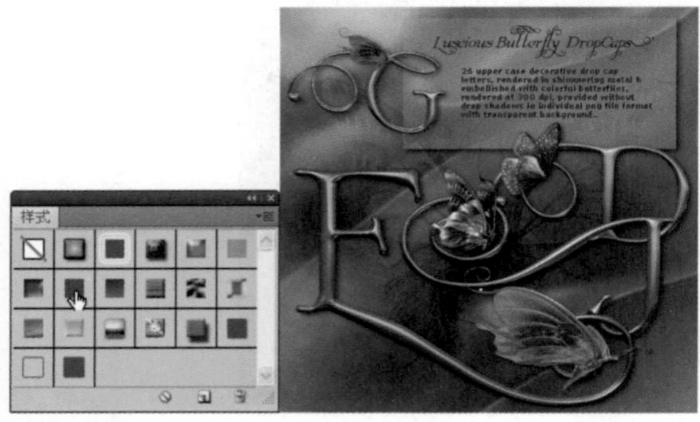

图6-238

6.9.2 创建与删除样式

新建样式

在“图层样式”对话框中为图层添加了一种或多种效果以后，可以将该样式保存到“样式”面板中，以方便以后使用。

如果要将效果创建为样式，可以在“图层”面板中选择添加了效果的图层，如图6-239所示，然后单击“样式”面板中的创建新样式按钮，打开如图6-240所示的对话框，设置选项并单击“确定”按钮即可创建样式，如图6-241所示。

图6-239

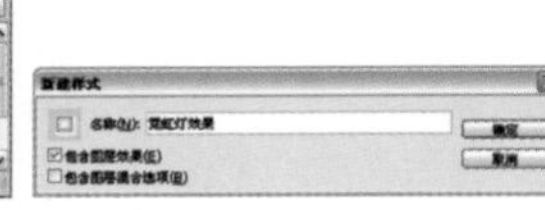

图6-240

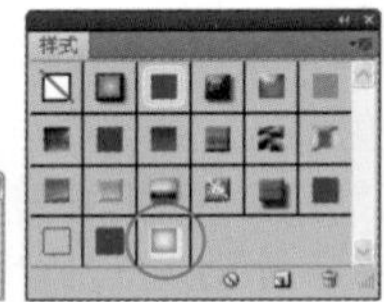

图6-241

- 名称：用来设置样式的名称。
- 包含图层效果：勾选该项，可以将当前的图层效果设置为样式。
- 包含图层混合选项：如果当前图层设置了混合模式，勾选该项，新建的样式将具有这种混合模式。

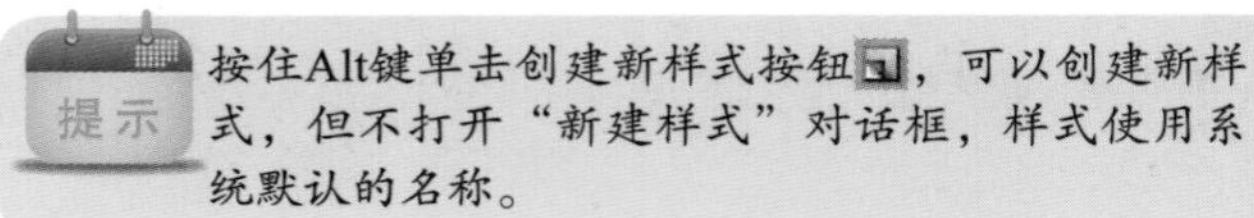

提示

按住Alt键单击创建新样式按钮，可以创建新样式，但不打开“新建样式”对话框，样式使用系统默认的名称。

删除样式

将“样式”面板中的一个样式拖动删除样式按钮上，即可将其删除，如图6-242、图6-243所示。此外，按住Alt 键单击一个样式，则可直接将其删除。

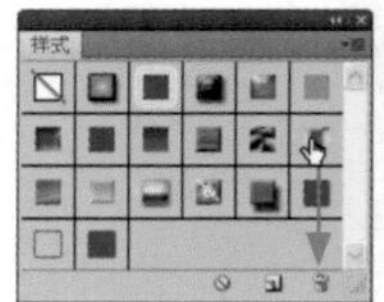

图6-242

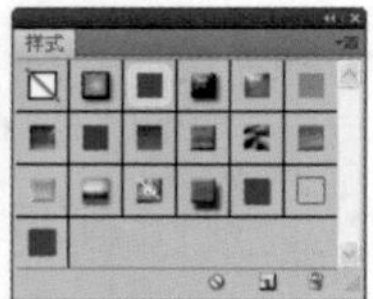

图6-243

6.9.3 存储样式库

如果在“样式”面板中创建了大量的自定义样式，可以将这些样式保存为一个独立的样式库。

执行“样式”面板菜单中的“存储样式”命令，打开“存储”对话框，如图6-244所示，输入样式库名称和保存位置，单击“确定”按钮，即可将面板中的样式保存为一个样式库。如果将自定义的样式库保存在 Photoshop 程序文件夹的“Presets>Styles”文件夹中，则重新运行Photoshop后，该样式库的名称会出现在“样式”面板菜单的底部，如图6-245所示。

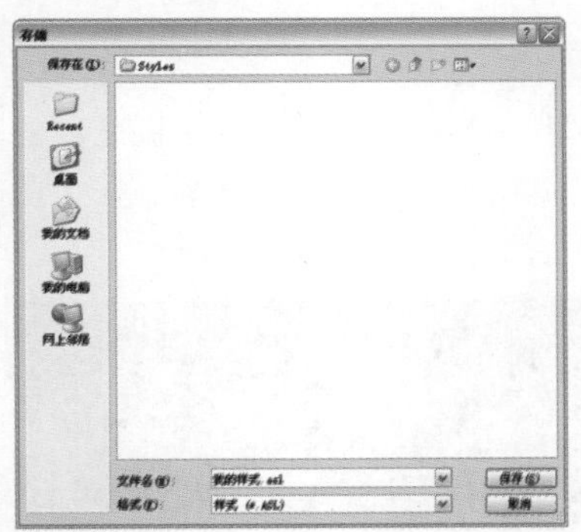

图6-244

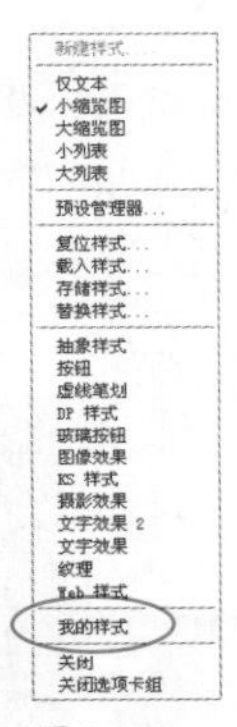

图6-245

6.9.4 载入样式库

除了“样式”面板中显示的样式外，Photoshop还提供了其他的样式，它们按照不同的类型放在不同的库中。例如，Web样式库中包含了用于创建 Web 按钮的样式，“文字效果”样式库中包含了向文本添加效果的样式。要使用这些样式，需要将它们载入到“样式”面板中。

打开“样式”面板菜单，选择一个样式库，如图6-246所示，弹出如图6-247所示的对话框，单击“确定”按钮，可载入样式并替换面板中的样式，如图6-248所示；单击“追加”按钮，可以将样式添加到面板中，如图6-249所示；单击“取消”按钮，则取消载入样式的操作。

疑问解答 怎样复位”样式“面板?

删除“样式”面板中的样式，或者载入其他样式库以后，如果想要让面板恢复为Photoshop默认的预设样式，可以执行“样式”面板菜单中的“复位样式”命令。

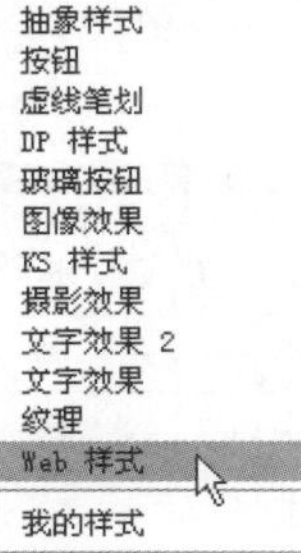

图6-246

图6-247

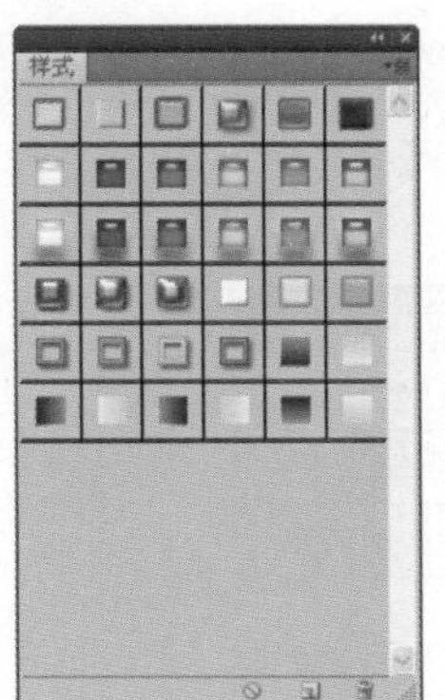

图6-248

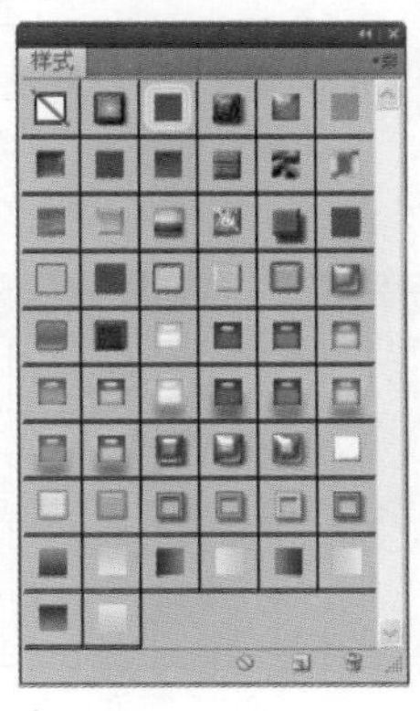

图6-249

6.9.5 实战——使用外部样式创建特效字

●实例门类：软件功能类 ●视频位置：光盘>实例视频>6.9.5

1 按下Ctrl+O快捷键，打开一个文件（光盘>素材>6.9.5），如图6-250所示。

图6-250

2 打开“样式”面板。执行面板菜单中的“载入样式”命令，打开“载入”对话框，选择光盘中的样式文件（光盘>素材>金属样式），如图6-251所示，将它载入到面板中，如图6-252所示。

图6-251

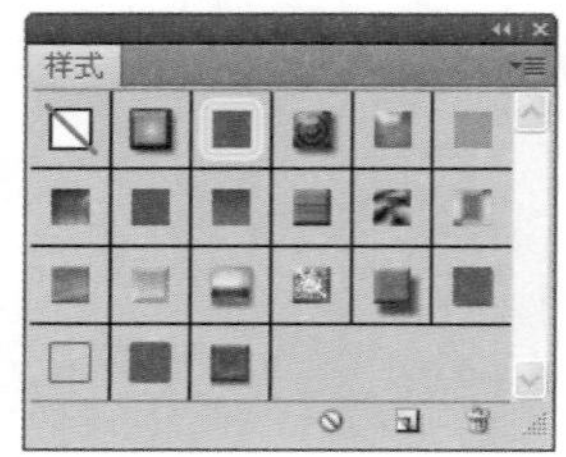

图6-252

3 在“图层”面板中选择“图层1”，如图6-253所示；单击“样式”面板中新载入的样式，为图层添加金属效果，如图6-254、图6-255所示。

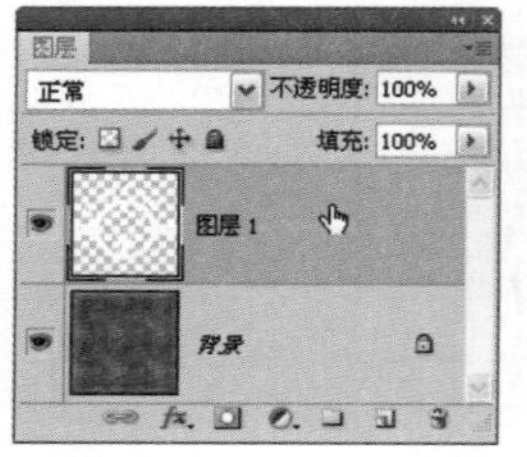

图6-253

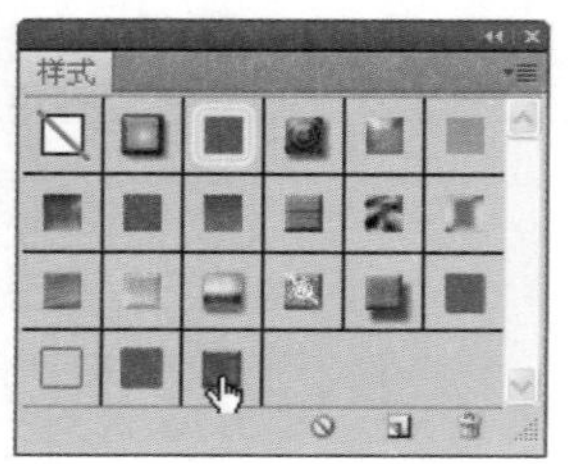

图6-254

图6-255

4 单击“调整”面板中的▬，创建“色相/饱和度”调整图层，将“饱和度”滑块拖动到最左侧。单击面板底部的●按钮，创建剪贴蒙版，使调整图层只影响下面的一个图层，不会影响背景，如图6-256所示。

图6-256

5 单击“调整”面板中的◁按钮，重新显示调整工具。单击▲按钮，创建“色阶”调整图层，单击面板底部的●按钮，创建剪贴蒙版，拖动滑块将金属图形调亮，如图6-257所示。

图6-257

技术看板 33 在原有样式上追加新效果

在使用“样式”面板中的样式时，如果当前图层中添加了效果，则新效果会替换原有的效果。如果要保留原有效果，可以按住 Shift 键单击“样式”面板中的样式。

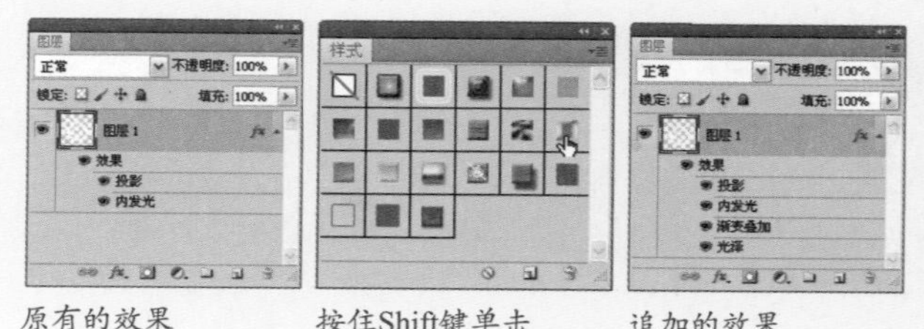
原有的效果　按住Shift键单击　追加的效果

6.10 图层复合

图层复合是“图层”面板状态的快照，它记录了当前文档中图层的可见性、位置和外观（包括图层的不透明度、混合模式以及图层样式等），通过图层复合可以快速地在文档中切换不同版面的显示状态，如图6-258所示。比较适合展示多种设计方案。

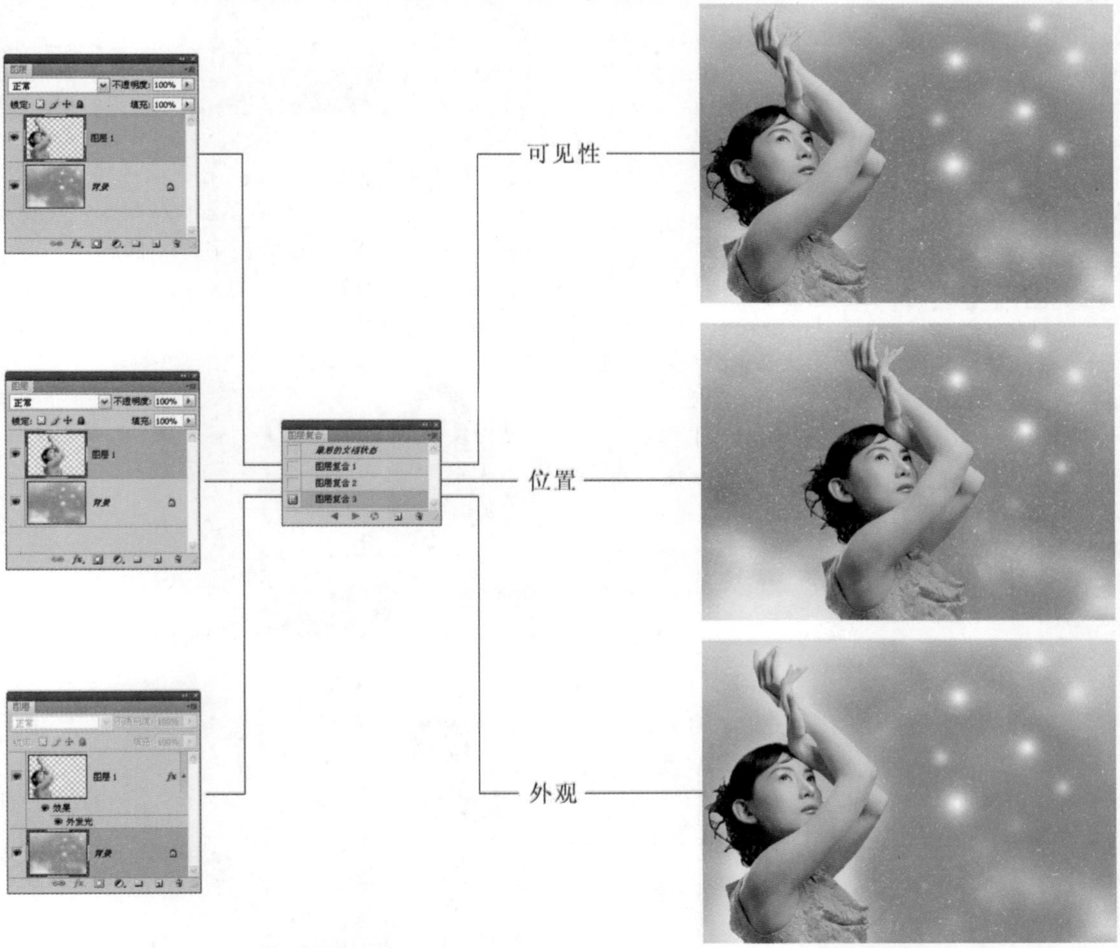

可见性

位置

外观

“图层”面板状态　“图层复合”面板状态　图像显示效果

图6-258

6.10.1 图层复合面板

“图层复合”面板用来创建、编辑、显示和删除图层复合，如图6-259所示，图6-260所示为面板菜单。

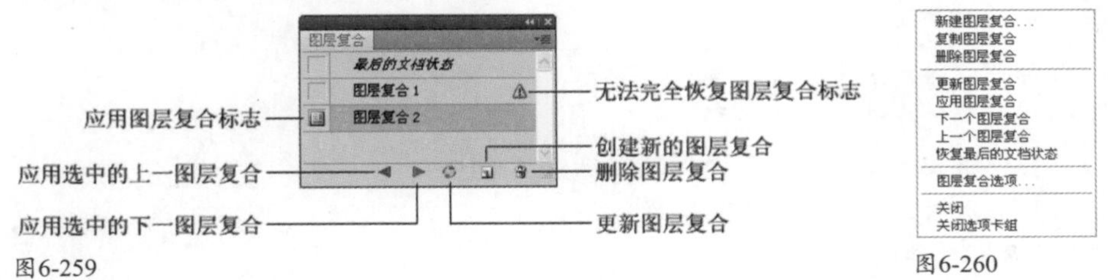

图6-259　图6-260

- 应用图层复合图标：显示该图标的图层复合为当前使用的图层复合。
- 无法完全恢复图层复合图标：如果在“图层”面板中进行了删除图层、合并图层、将图层转换为背景，或者转换颜色模式等操作，有可能会影响到其他图层复合所涉及到的图层，甚至不能够完全恢复图层复合，在这种情况下，图层复合名称右侧会出现警告图标。
- 应用选中的上一图层复合：切换到上一个图层复合。
- 应用选中的下一图层复合：切换到下一个图层复合。
- 更新图层复合：如果更改了图层复合的配置，可单击该按钮进行更新。
- 创建新的图层复合：用来创建一个新的图层复合。
- 删除图层复合：用来删除当前创建的图层复合。

6.10.2 更新图层复合

当出现无法完全恢复图层复合警告图标时，如图6-261所示，我们可以通过以下方法来进行处理。

- 单击警告图标：单击警告图标，会弹出一个提示，如图6-262所示。它说明图层复合无法正常恢复。单击“清除”按钮可清除警告，使其余的图层保持不变。

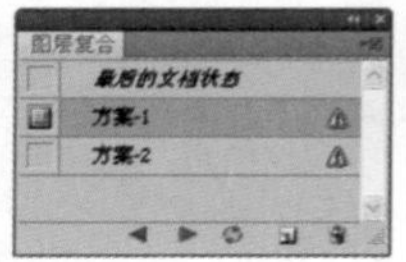

图6-261

图6-262

- 忽略警告：如果不对警告进行任何处理，可能会导致丢失一个或多个图层，而其他已存储的参数可能会保留下来。
- 更新图层复合：单击更新图层复合按钮，对图层复合进行更新，这可能导致以前记录的参数丢失，但可以使复合保持最新状态。
- 右键单击图标：右键单击警告图标，在打开的下拉菜单中可以选择是清除当前图层复合的警告，还是清除所有图层复合的警告。

6.10.3 实战——用图层复合制作设计方案

●实例门类：软件功能类 ●视频位置：光盘>实例视频>6.10.3

通常情况下，设计师在向客户展示设计方案时，每一个方案都需要制作为一个单独的文件。现在我们已经学习了图层复合，就可以将页面版式的变化图稿创建为多个图层复合，向客户展示设计方案时，只需通过“图层复合”面板便可以在单个文件中显示这些图稿。

1 按下Ctrl+O快捷键，打开一个文件（光盘>素材>6.10.3a），如图6-263、图6-264所示。

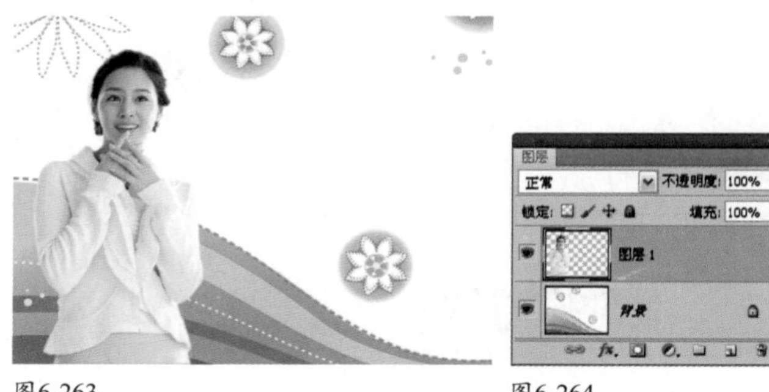

图6-263 图6-264

2 选择横排文字工具T，在工具选项栏中选择字体、设置文字大小和颜色，然后在窗口中单击，再输入文字，如图6-265所示。将光标放在字符“自然堂”上，单击并拖动鼠标将它们选择，在工具选项栏中修改文字的颜色和大小，如图6-266所示。

图6-265

图6-266

3 单击“图层复合”面板中的按钮，打开“新建图层复合”对话框，设置图层复合的名称为“方案-1”，并选择“可见性”选项，如图6-267所示，单击“确定”按钮，创建一个图层复合，如图6-268所示。此复合记录了“图层”面板中图层的当前显示状态。

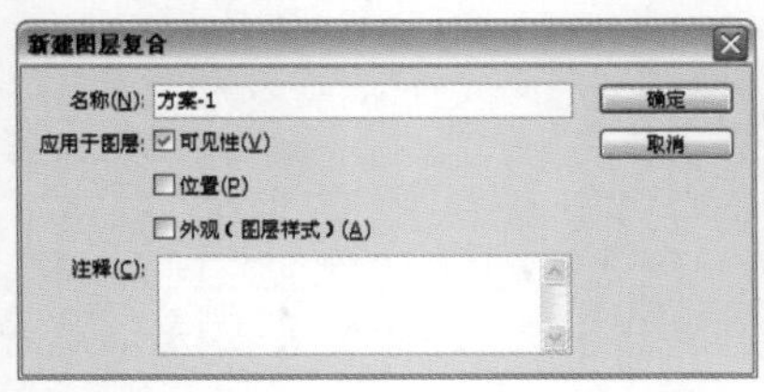

图 6-267

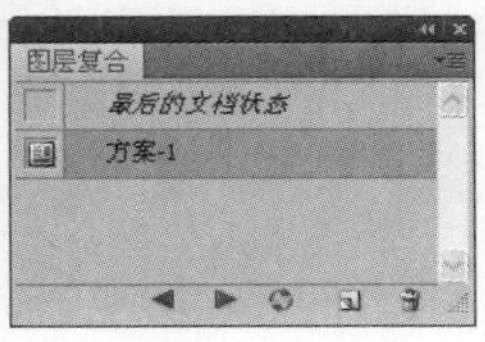

图6-268

4 打开一个文件（光盘>素材>6.10.3b）如图6-269所示。使用移动工具按住Shift键将它拖动到人物文档中，生成“图层2”，将“图层2”拖动到“图层1”的下面，作为图像的新背景，如图6-270、图6-271所示。

图6-269

图6-270

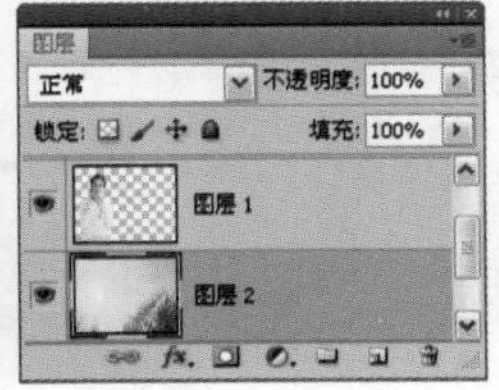

图6-271

提示 如果新打开的素材文件与当前文档的大小相同，使用移动工具按住Shift键将它拖动到当前文档时，该文件的边界会自动与当前文档的边界对齐。如果两个文档的大小不同，则按住Shift键拖入的图像会自动位于画面的中心。

5 单击“图层复合”面板中的按钮，再创建一个图层复合，设置名称为“方案-2”，如图6-272、图6-273所示。

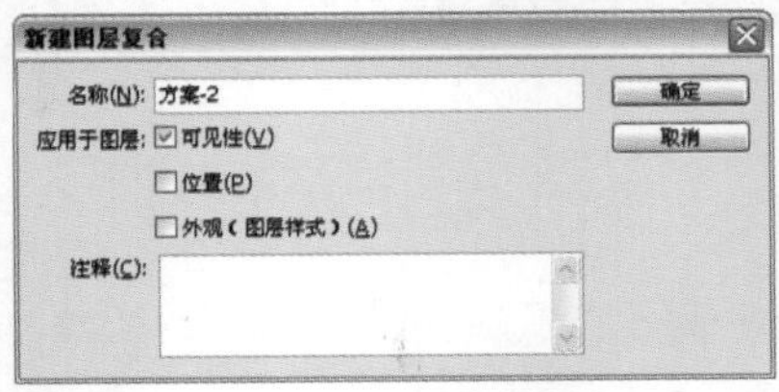

图6-272

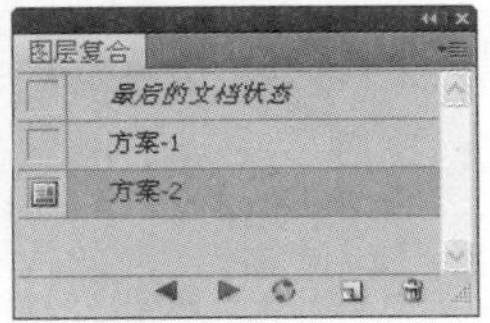

图6-273

提示 在“新建图层复合”对话框中，“名称”用来设置图层复合的名称；“可见性”用来确定记录图层是显示或是隐藏；“位置”记录图层在文档中的位置；“外观”记录是否将图层样式应用于图层和图层的混合模式；“注释”可以添加说明性注释。

6 至此，我们就通过图层复合记录了两套设计方案。在向客户展示方案时，可以在“图层复合”面板中的“方案1”和“方案2”的名称前单击，显示出应用图层复合图标，图像窗口中便会显示此图层复合记录的快照，如图6-274、图6-275所示。也可以按下◀和▶按钮循环切换。

图6-274

图6-275

第7章 图层的高级操作

7.1 不透明度

"图层"面板中有两个控制图层不透明度的选项："不透明度"和"填充"。在这两个选项中，100% 代表了完全不透明、50% 代表了半透明、0%代表了完全透明。

其中，"不透明度"用于控制图层、图层组中绘制的像素和形状的不透明度，如果对图层应用了图层样式，则图层样式的不透明度也会受到该值的影响。"填充"只影响图层中绘制的像素和形状的不透明度，不会影响图层样式的不透明度。

例如，如图7-1所示为添加了"外发光"效果的汽车图像，调整图层不透明度时，会对汽车图像和投影都产生影响，如图7-2所示；调整填充不透明度时，则仅影响汽车，外发光效果的不透明度不会改变，如图7-3所示。

Learning Objectives
学习重点

图7-1

图7-2

图7-3

技术看板 34 快速修改图层的不透明度

使用除画笔、图章、橡皮擦等绘画和修饰之外的其他工具时，按下键盘中的数字键即可快速修改图层的不透明度。例如，按下"5"，不透明度会变为50%；按下"55"，不透明度会变为55%；按下"0"，不透明度会恢复为100%。

PHOTOSHOP

7.2 混合模式

混合模式是Photoshop的核心功能之一，它决定了像素的混合方式，可用于合成图像、制作选区和特殊效果，但不会对图像造成任何实质性的破坏。

7.2.1 了解混合模式的应用方向

Photoshop中的许多工具和命令都包含混合模式设置选项，如“图层”面板、绘画和修饰工具的工具选项栏、“图层样式”对话框、“填充”命令、“描边”命令、“计算”和“应用图像”命令等。如此多的功能都与混合模式有关，足见混合模式的重要。

用于混合图层

在“图层”面板中，混合模式用于控制当前图层中的像素与它下面图层中的像素如何混合，如图7-4、图7-5所示。除“背景”图层外，其他图层都支持混合模式。

图7-4

图7-5

用于混合像素

在绘画和修饰工具的工具选项栏，以及“渐隐”、“填充”、“描边”命令和“图层样式”对话框中，混合模式只将所添加的内容与当前操作的图层混合，而不会影响其他图层。例如，如图7-6所示是画笔工具为“正常”模式下的涂抹效果，图7-7所示是“柔光”模式下的涂抹效果。

图7-6

图7-7

用于混合通道

在“应用图像”和“计算”命令中，混合模式用来混合通道，可以创建特殊的图像合成效果，也可以用来制作选区。例如，如图7-8所示是使用“应用图像”命令在通道中制作的选区，如图7-9所示为使用此选区抠出的人像。

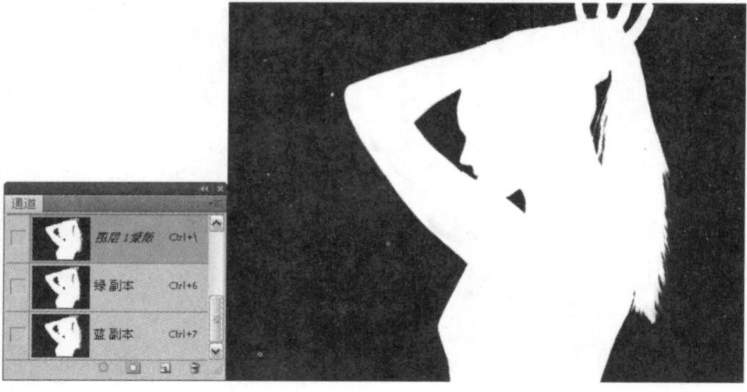

图7-8

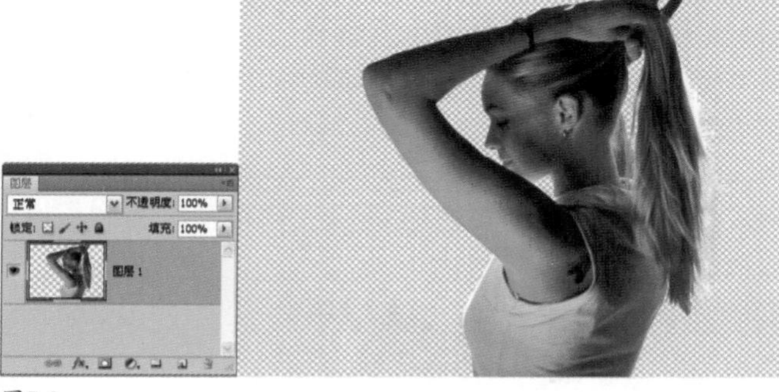

图7-9

7.2.2 图层混合模式的设定

在“图层”面板中选择一个图层，单击面板顶部的按钮，在打开的下拉列表中可以选择一种混合模式，如图7-10所示。

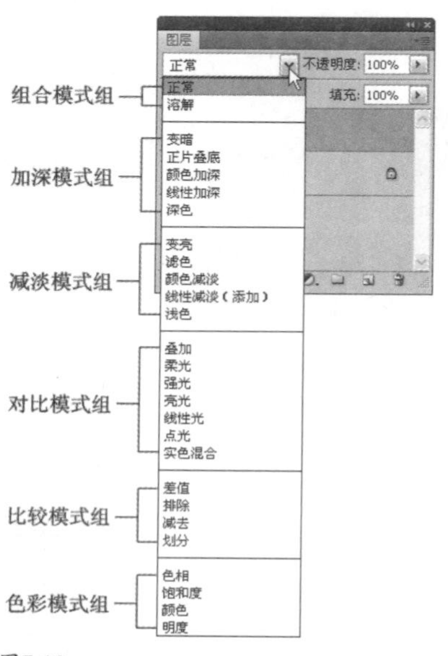

图7-10

混合模式分为6组，共27种，每一组的混合模式都可以产生相似的效果或有着相近的用途。

- 组合模式组中的混合模式需要降低图层的不透明度才能产生作用。
- 加深模式组中的混合模式可以使图像变暗，在混合过程中，当前图层中的白色将被底层较暗的像素替代。
- 减淡模式组与加深模式组产生的效果截然相反，它们可以使图像变亮。在使用这些混合模式时，图像中的黑色会被较亮的像素替换，而任何比黑色亮的像素都可能加亮底层图像。
- 对比模式组中的混合模式可以增强图像的反差。在混合时，50%的灰色会完全消失，任何亮度值高于50%灰色的像素都可能加亮底层的图像，亮度值低于50%灰色的像素则可能使底层图像变暗。
- 比较模式组中的混合模式可以比较当前图像与底层图像，然后将相同的区域显示为黑色，不同的区域显示为灰度层次或彩色。如果当前图层中包含白色，白色的区域会使底层图像反相，而黑色不会对底层图像产生影响。
- 使用色彩模式组中的混合模式时，Photoshop会将色彩分为3种成分（色相、饱和度和亮度），然后再将其中的一种或两种应用在混合后的图像中。

技术看板 35 图层组的混合模式

我们创建图层组时，Photoshop会给它赋予一种特殊的混合模式，即“穿透”模式，它表示图层组没有自己的混合属性。为图层组设置了其他的混合模式以后，Photoshop就会将图层组内的所有图层视为一幅单独的图像，用所选模式与下面的图像混合。

7.2.3 混合模式演示效果

如图7-11所示是一个PSD格式分层文件，接下来，我们将调整“图层1”的混合模式，演示它与下面图层中的像素（“背景”图层）是如何混合的。

图7-11

- 正常模式：默认的混合模式，图层的不透明度为100%时，完全遮盖下面的图像，如图7-12所示。降低不透明度可以使其与下面的图层混合。
- 溶解模式：设置为该模式并降低图层的不透明度时，可以使半透明区域上的像素离散，产生点状颗粒，如图7-13所示。

正常

图7-12

溶解

图7-13

- 变暗模式：比较两个图层，当前图层中较亮的像素会被底层较暗的像素替换，亮度值比底层像素低的像素保持不变，如图7-14所示。
- 正片叠底模式：当前图层中的像素与底层的白色混合时保持不变，与底层的黑色混合时则被其替换，混合结果通常会使图像变暗，如图7-15所示。

变暗

图7-14

正片叠底

图7-15

- 颜色加深模式：通过增加对比度来加强深色区域，底层图像的白色保持不变，如图7-16所示。
- 线性加深模式：通过减小亮度使像素变暗，它与“正片叠底”模式的效果相似，但可以保留下面图像更多的颜色信息，如图7-17所示。

颜色加深

图7-16

线性加深

图7-17

- 深色模式：比较两个图层的所有通道值的总和并显示值较小的颜色，不会生成第三种颜色，如图7-18所示。
- 变亮模式：与“变暗”模式的效果相反，当前图层中较亮的像素会替换底层较暗的像素，而较暗的像素则被底层较亮的像素替换，如图7-19所示。
- 滤色模式：与“正片叠底”模式的效果相反，它可以使图像产生漂白的效果，类似于多个摄影幻灯片在彼此之上投影，如图7-20所示。
- 颜色减淡模式：与“颜色加深”模式的效果相反，它通过减小对比度来加亮底层的图像，并使颜色变得更加饱和，如图7-21所示。

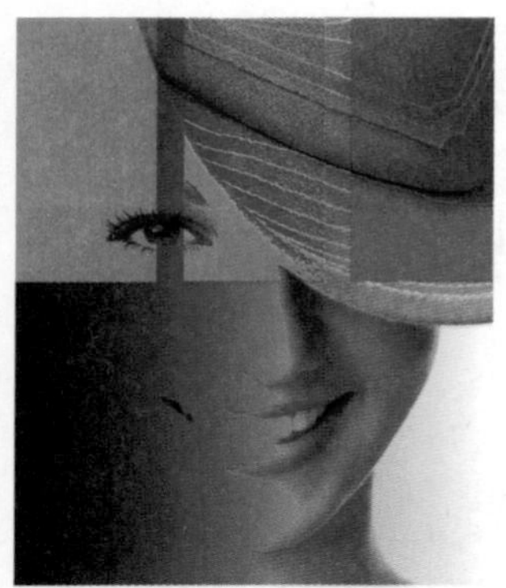
深色
图7-18

变亮
图7-19

滤色
图7-20

颜色减淡
图7-21

- 线性减淡（添加）模式：与“线性加深”模式的效果相反。通过增加亮度来减淡颜色，亮化效果比“滤色”和“颜色减淡”模式都强烈，如图7-22所示。
- 浅色模式：比较两个图层的所有通道值的总和并显示值较大的颜色，不会生成第三种颜色，如图7-23所示。

线性减淡（添加）
图7-22

浅色
图7-23

- 叠加模式：可增强图像的颜色，并保持底层图像的高光和暗调，如图7-24所示。
- 柔光模式：当前图层中的颜色决定了图像变亮或是变暗。如果当前图层中的像素比 50% 灰色亮，则图像变亮；如果像素比 50% 灰色暗，则图像变暗。产生的效果与发散的聚光灯照在图像上相似，如图7-25所示。

叠加
图7-24

柔光
图7-25

- 强光模式：当前图层中比50%灰色亮的像素会使图像变亮；比50%灰色暗的像素会使图像变暗。产生的效果与耀眼的聚光灯照在图像上相似，如图7-26所示。
- 亮光模式：如果当前图层中的像素比 50% 灰色亮，则通过减小对比度的方式使图像变亮；如果当前图层中的像素比 50% 灰色暗，则通过增加对比度的方式使图像变暗。可以使混合后的颜色更加饱和，如图7-27所示。

强光
图7-26

亮光
图7-27

- 线性光模式：如果当前图层中的像素比 50% 灰色亮，可通过增加亮度使图像变亮；如果当前图层中的像素比 50% 灰色暗，则通过减小亮度使图像变暗。与“强光”模式相比，“线性光”可以使图像产生更高的对比度，如图7-28所示。
- 点光模式：如果当前图层中的像素比 50% 灰色亮，则替换暗的像素；如果当前图层中的像素比 50% 灰色暗，则替换亮的像素，这对于向图像中添加特殊效果时非常有用，如图7-29所示。

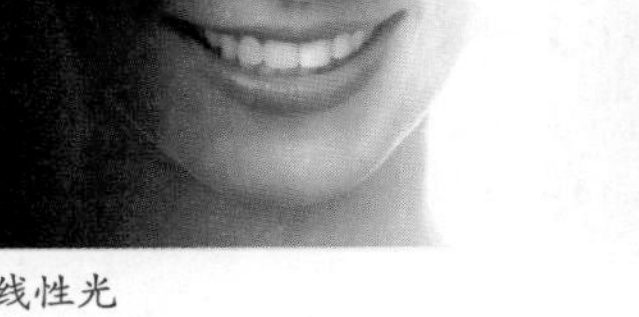

线性光

图7-28

点光

图7-29

- 实色混合模式：如果当前图层中的像素比50%灰色亮，会使底层图像变亮；如果当前图层中的像素比50%灰色暗，则会使底层图像变暗。该模式通常会使图像产生色调分离效果，如图7-30所示。
- 差值模式：当前图层的白色区域会使底层图像产生反相效果，而黑色则不会对底层图像产生影响，如图7-31所示。

实色混合

图7-30

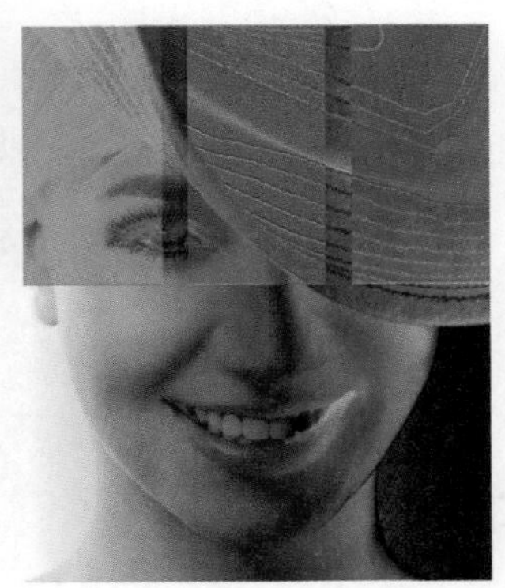

差值

图7-31

- 排除模式：与“差值”模式的原理基本相似，但该模式可以创建对比度更低的混合效果，如图7-32所示。
- 减去模式：可以从目标通道中相应的像素上减去源通道中的像素值，如图7-33所示。
- 划分模式：查看每个通道中的颜色信息，从基色中划分混合色，如图7-34所示。
- 色相模式：将当前图层的色相应用到底层图像的亮度和饱和度中，可以改变底层图像的色相，但不会影响其亮度和饱和度。对于黑色、白色和灰色区域，该模式不起作用，如图7-35所示。

排除

图7-32

减去

图7-33

划分

图7-34

色相

图7-35

- 饱和度模式：将当前图层的饱和度应用到底层图像的亮度和色相中，可以改变底层图像的饱和度，但不会影响其亮度和色相，如图7-36所示。
- 颜色模式：将当前图层的色相与饱和度应用到底层图像中，但保持底层图像的亮度不变，如图7-37所示。

饱和度

图7-36

颜色

图7-37

- 明度模式：将当前图层的亮度应用于底层图像的颜色中，可改变底层图像的亮度，但不会对其色相与饱和度产生影响，如图7-38所示。

明度

图7-38

技术看板 36 为黑白照片着色

“颜色”模式常于在给黑白照片上色。例如，将画笔工具的混合模式设置为“颜色”以后，使用不同的颜色在黑白图像上涂抹，即可为其着色。

7.2.4 背后模式与清除模式

“背后”模式和“清除”模式是绘画工具、“填充”和“描边”命令特有的混合模式，如图7-39～图7-41所示。使用形状工具时，如果在工具选项栏中按下了填充像素按钮，则“模式”下拉列表中也包含这两种模式，如图7-42所示。

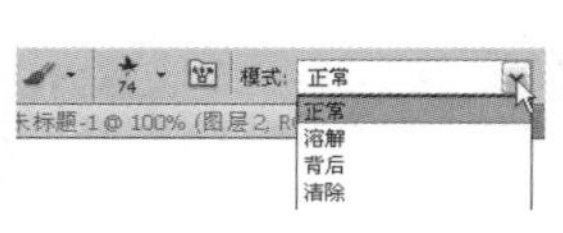

图7-39

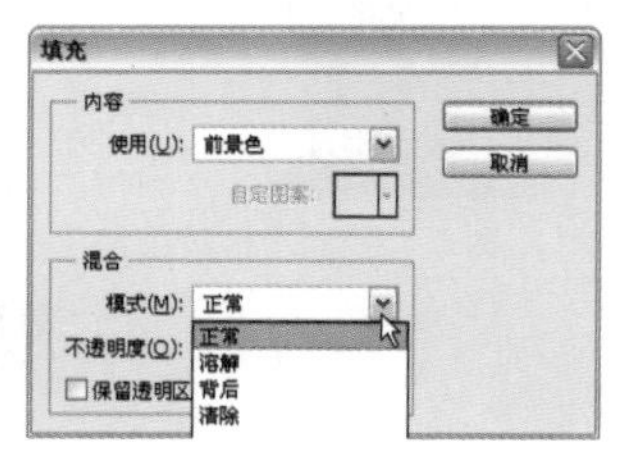

图7-40

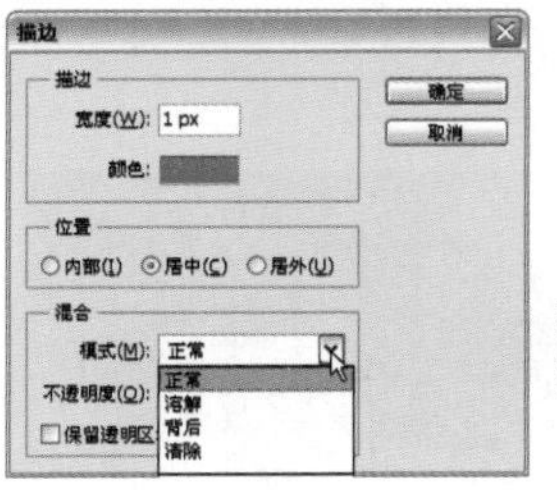

图7-41

图7-42

- 背后模式：仅在图层的透明部分编辑或绘画，不会影响图层中原有的图像，就像在当前图层下面的图层绘画一样。例如，图7-43所示为“正常”模式下使用画笔工具涂抹的效果，图7-44所示为“背后”模式下的涂抹效果。

“正常”模式涂抹效果

图7-43

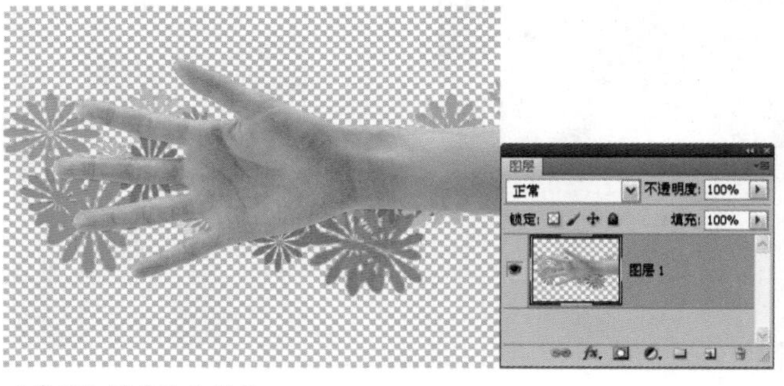

“背后”模式涂抹效果

图7-44

- 清除模式：与橡皮擦工具的作用类似。在该模式下，工具或命令的不透明度决定了像素是否被完全清除，不透明度为100%时，可以完全清除像素，不透明度小于100%时，则部分清除像素。图7-45所示是画笔工具的不透明度为100%时的涂抹效果，图7-46所示是不透明度为50%时的涂抹效果。

提示：“背后”模式和“清除”模式只能用在未锁定透明区域的图层中，如果锁定了图层的透明区域（按下“图层”面板中的按钮），则这两种混合模式将不能使用。

画笔不透明度为100%

图7-45

画笔不透明度为50%

图7-46

7.3 填充图层

填充图层是指向图层中填充纯色、渐变和图案而创建的特殊图层，我们可以为它设置不同的混合模式和不透明度，从而修改其他图像的颜色或者生成各种图像效果。

7.3.1 实战——用纯色填充图层制作发黄旧照片

●实例门类：数码照片处理类 ●视频位置：光盘>实例视频>7.3.1

1 按下Ctrl+O快捷键，打开一张照片（光盘>素材>7.3.1a），如图7-47所示。

图7-47

2 执行“滤镜>镜头校正”命令，打开“镜头校正”对话框。单击“自定”选项卡，设置“晕影”参数如图7-48所示，使画面的四周变暗，如图7-49所示。

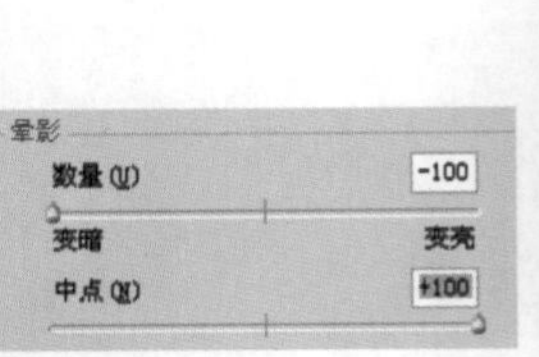

图7-48

图7-49

3 执行“滤镜>杂色>添加杂色”命令，在图像中加入杂色，如图7-50、图7-51所示。

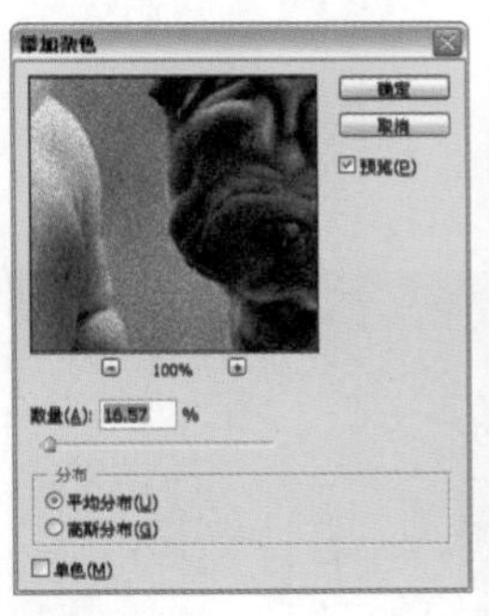

图7-50

图7-51

4 执行“图层>新建填充图层>纯色”命令，或单击“图层”面板底部的创建新的填充或调整图层按钮，选择“纯色”命令，如图7-52所示，打开“拾色器”设置颜色，如图7-53所示，单击“确定”按钮关闭对话框，创建填充图层。将填充图层的混合模式设置为“颜色”，如图7-54所示，图像效果如图7-55所示。

图7-52

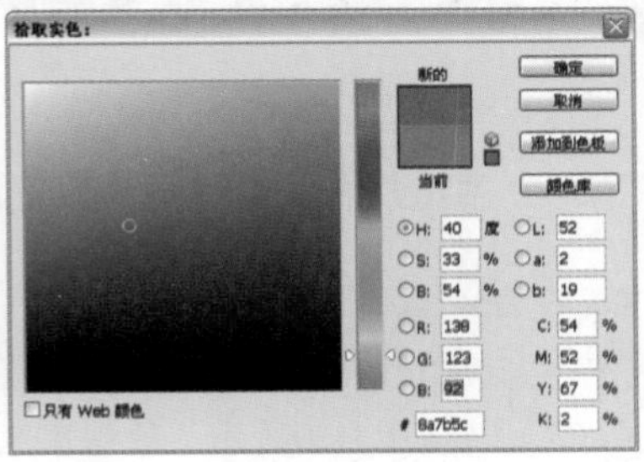

图7-53

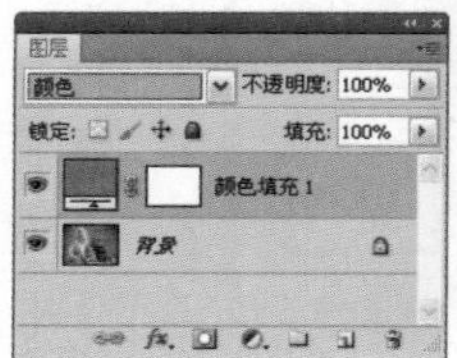

图7-54

图7-55

5 打开一个文件（光盘>素材>7.3.1b），如图7-56所示。使用移动工具将它拖入照片文档，设置混合模式为“柔光”，不透明度为70%，使它叠加在照片上，生成划痕效果，如图7-57、图7-58所示。

图7-56

图7-57

图7-58

7.3.2 实战——用渐变填充图层制作蔚蓝晴空

●实例门类：数码照片处理类 ●视频位置：光盘>实例视频>7.3.2

1 按下Ctrl+O快捷键，打开一个文件（光盘>素材>7.3.2），如图7-59所示。使用快速选择工具选中天空，如图7-60所示。

图7-59

图7-60

2 执行“图层>新建填充图层>渐变”命令，或单击“图层”面板中的按钮，选择“渐变”命令，打开“渐变填充”对话框。单击“渐变”选项右侧的渐变色条，如图7-61所示，打开“渐变编辑器”调整渐变颜色，如图7-62所示；单击“确定”按钮返回到“渐变填充”对话框，再单击“确定”按钮关闭对话框，创建渐变填充图层，如图7-63所示。选区会转换到填充图层的蒙版中，效果如图7-64所示。

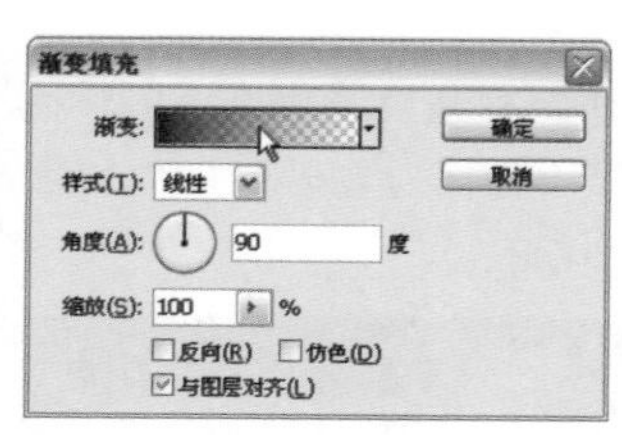

图7-61

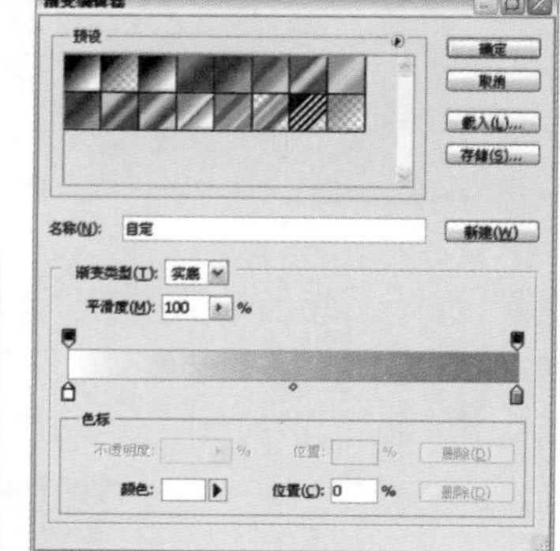

图7-62

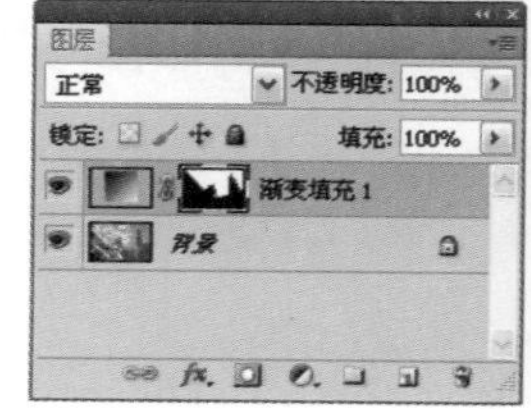
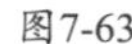

图7-63

图7-64

提示 创建填充图层时，如果图像中有选区，则选区会转换到填充图层的蒙版中，使填充图层只影响选中的图像。

3 单击“图层”面板底部的按钮，新建一个图层。选择一个柔角画笔工具（大小为1000px），将前景色设置为白色，在画面右上角点一个大的圆点，如图7-65所示。

图7-65

4 按住Alt键，将调整图层的蒙版拖动到新建的“图层1”上，为它复制相同的蒙版，如图7-66、图7-67所示。

图7-66

图7-67

5 按住Alt键单击“图层”面板底部的按钮，弹出“新建图层”对话框，在“模式”下拉列表中选择“滤色”，勾选“填充屏幕中性色”选项，如图7-68所示，创建一个中性色图层，如图7-69所示。

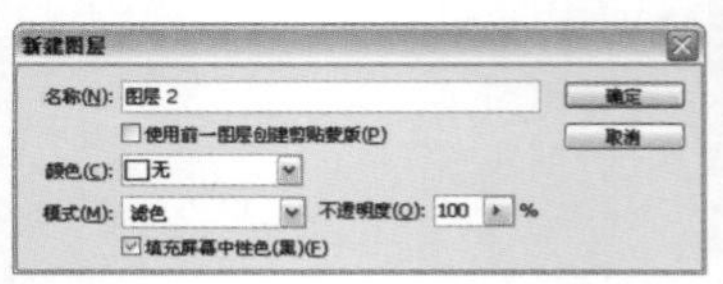

图7-68

图层
滤色
不透明度: 100%
锁定:
填充: 100%
图层 2
图层 1
渐变填充 1
背景

图7-69

相关链接：中性色图层是填充了中性色的特殊图层，可用于绘画、添加滤镜等等。要了解更多内容内容，请参阅“7.5 中性色图层”。

6 执行“滤镜>渲染>镜头光晕”命令，打开“镜头光晕”对话框，在缩览图的右上角单击，定位光晕中心，设置参数如图7-70所示，滤镜会添加在我们创建的中性色图层上，不会破坏其他图像内容。图7-71所示为原图像，图7-72所示为修改后的效果。

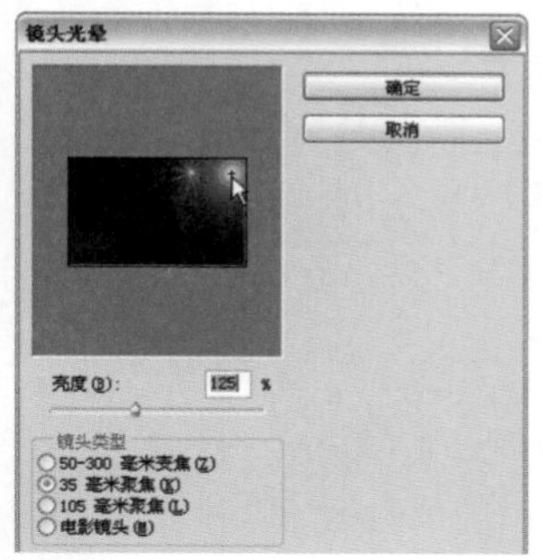

图7-70

图7-71

图7-72

“渐变填充”对话框选项

- 编辑渐变颜色：如果要使用Photoshop预设的渐变颜色，可单击渐变颜色条右侧的三角按钮，打开下拉面板选择渐变，如图7-73所示；如果要设置自定义的渐变颜色，可单击渐变颜色条，在弹出的“渐变编辑器”中调整颜色。

- 样式：在该选项下拉列表中可以选一种渐变样式，如图7-74所示。

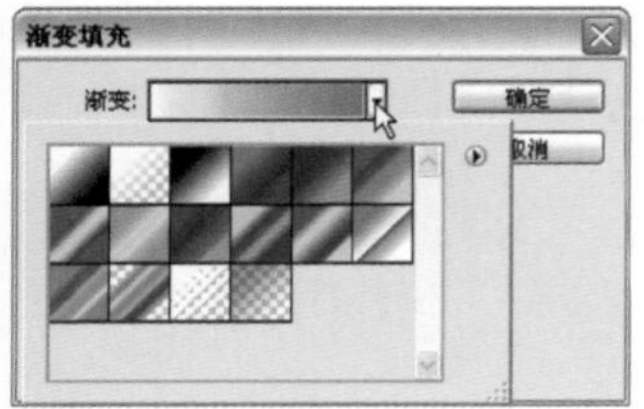
图7-73

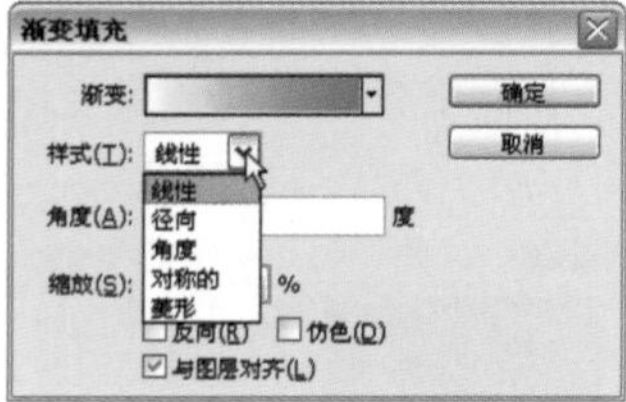
图7-74

- 角度：可以指定应用渐变时使用的角度。
- 缩放：可以调整渐变的大小。
- 反向：可以反转渐变的方向。
- 仿色：可通过对渐变应用仿色减少带宽，使渐变效果更加平滑。
- 与图层对齐：使用图层的定界框来计算渐变填充，使渐变与图层对齐。

7.3.3 实战——用图案填充图层为衣服贴花

●实例门类：数码照片处理类　●视频位置：光盘>实例视频>7.3.3

1 按下Ctrl+O快捷键，打开两个文件（光盘>素材>7.3.3a、7.3.3b），如图7-75、图7-76所示。

图7-75

图7-76

2 将花朵设置为当前操作的文档。按下Ctrl+A快捷键全选，执行“编辑>定义图案”命令，打开“图案名称”对话框，如图7-77所示，单击“确定”按钮，将花朵定义为图案。

图7-77

3 按下Ctrl+Tab快捷键切换到人物文档中。使用快速选择工具选中上衣，如图7-78所示；按住Alt键，在选择到的背景区域涂抹，将背景排除到选区之外，如图7-79所示。

图7-78

图7-79

4 执行“图层>新建填充图层>图案”命令，或单击“图层”面板中的按钮，选择“图案”命令，打开“图案填充”对话框，选择我们创建的花朵图案，如图7-80所示；单击“确定”按钮，创建图案填充图层，如图7-81、图7-82所示。

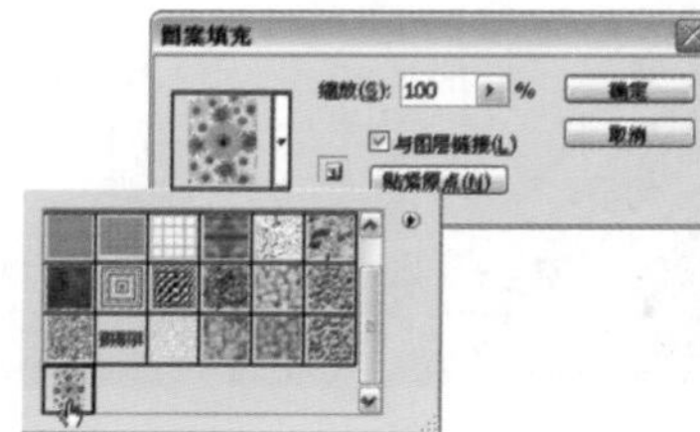
图7-80

图7-81

图7-82

5 设置图案填充图层的混合模式为“线性加深”。按下Ctrl+J快捷键复制图层，设置图层的不透明度为20%，如图7-83所示，图像的效果如图7-84所示。

图7-83

图7-84

"图案填充"对话框选项

- 缩放：可以对填充的图案进行缩放。
- 贴紧原点：可以使图案的原点与文档的原点相同。
- 与图层链接：如果希望图案在图层移动时随图层一起移动，可勾选该选项。选中该选项以后，我们还可以将光标放在图像上，拖动鼠标来移动图案。

7.3.4 实战——修改填充图层制作绸缎面料

●实例门类：软件功能类 ●视频位置：光盘>实例视频>7.3.4

创建填充图层以后，可以随时修改填充颜色、渐变颜色和图案内容。

1 打开前一个实例的效果文件，如图7-85所示。将上面的填充图层隐藏，双击下面的填充图层的缩览图，如图7-86所示，弹出"图案填充"对话框。

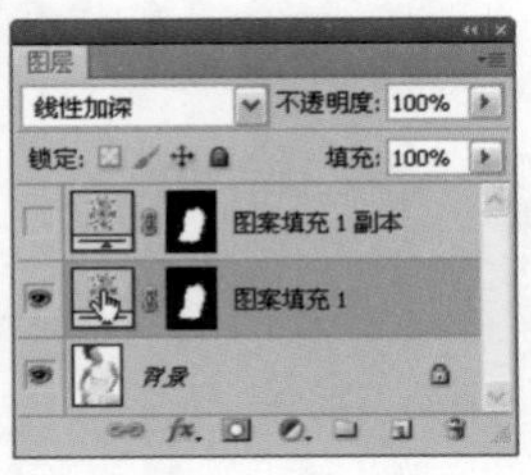

图7-85

图7-86

2 打开图案下拉面板，单击右上角的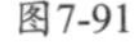按钮，在打开的面板菜单中选择"图案"命令，加载该图案库，选择如图7-87所示的图案，为衣服添加该图案，如图7-88所示。

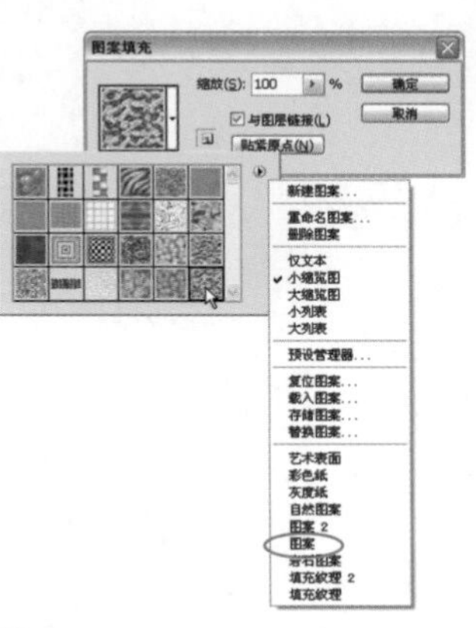

图7-87

图7-88

3 设置填充图层的混合模式为"颜色加深"，如图7-89、图7-90所示。

图7-89

图7-90

4 单击"图层"面板底部的创建新的填充或调整图层按钮，选择"纯色"命令，打开"拾色器"，将填充颜色设置为红色（R255、G18、B18）。将该填充图层的混合模式设置为"深色"，即可得到绸缎效果，如图7-91、图7-92所示。

图7-91

图7-92

7.4 调整图层

调整图层是一种特殊的图层，它可以将颜色和色调调整应用于图像，但不会改变原图像的像素，因此，不会对图像产生实质性的破坏。下面我们来了解怎样使用调整图层。关于各种调整命令的使用方法，可以参阅第8章和第9章。

7.4.1 了解调整图层的优势

在Photoshop中，图像色彩与色调的调整方式有两种，一种是执行“图像>调整”下拉菜单中的命令，另外一种方式便是使用调整图层来操作。例如，如图7-93所示为原图像，图7-94、图7-95所示为这两种调整方式的效果。我们可以看到，“图像>调整”下拉菜单中的调整命令会直接修改所选图层中的像素数据。而调整图层可以达到同样的调整效果，但不会修改像素。不仅如此，只要隐藏或删除调整图层，便可以将图像恢复为原来的状态。

图7-93

图7-94

图7-95

创建调整图层以后，颜色和色调调整就存储在调整图层中，并影响它下面的所有图层。如果想要对多个图层进行相同的调整，可以在这些图层上面创建一个调整图层，通过调整图层来影响这些图层，而不必分别调整每个图层。将其他图层放在调整图层下面，就会对其产生影响，如图7-96所示；从调整图层下面移动到上面，则可取消对它的影响，如图7-97所示。

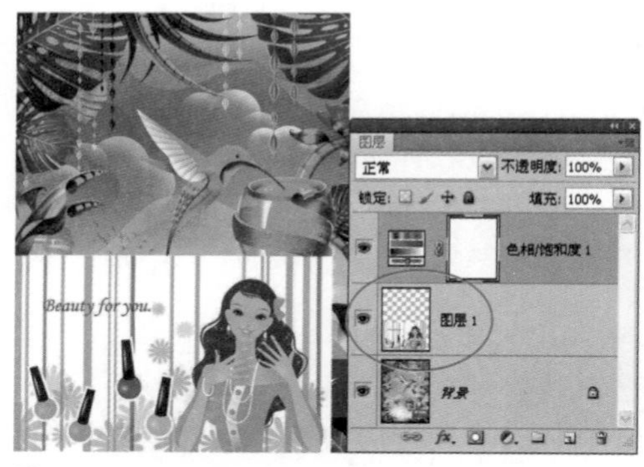

图7-96

图7-97

调整图层可以随时修改参数。而“图像>调整”菜单中的命令一旦应用以后，将文档关闭，图像就不能恢复了。

7.4.2 调整面板

执行“图层>新建调整图层”下拉菜单中的命令，或者使用“调整”面板都可以创建调整图层。“调整”面板中包含了用于调整颜色和色调的工具，并提供了常规图像校正的一系列调整预设，如图7-98所示。单击一个调整图层按钮，或单击一个预设，可以显示相应的参数设置选项，如图7-99所示，同时创建调整图层。

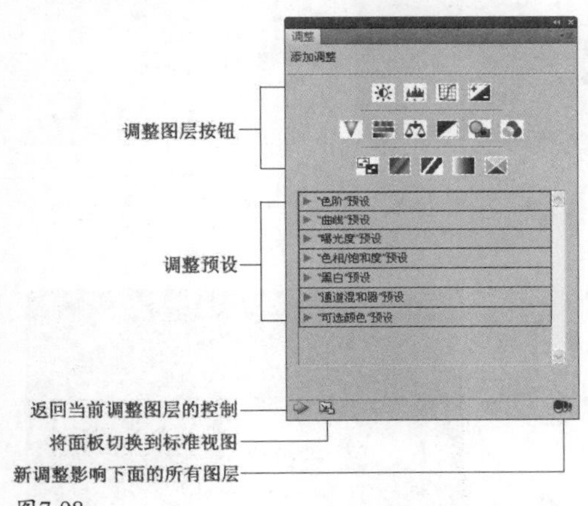

图7-98

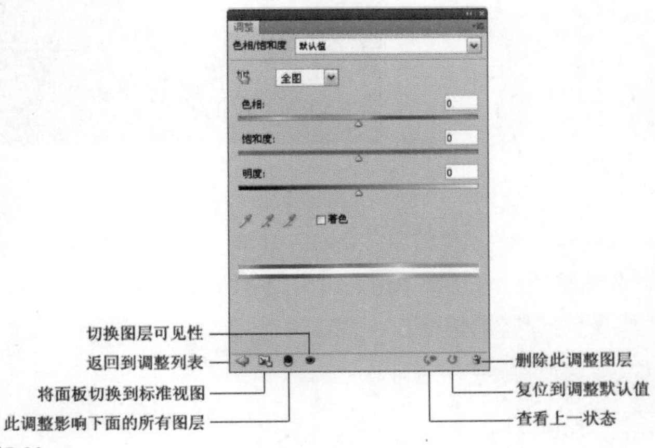

图7-99

- 调整图层按钮/调整预设：单击一个调整图层按钮，面板中会显示相应设置选项，将光标放在按钮上，面板顶部会显示该按钮所对应的调整命令的名称，如图7-100所示；单击一个预设前面的按钮，可以展开预设列表，如图7-101所示，选择一个预设即可使用该预设调整图像，同时面板中会显示相应设置选项。

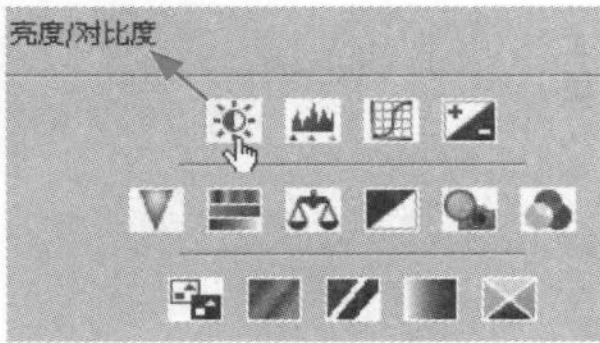

图7-100 图7-101

- 返回当前调整图层的控制/返回到调整列表：单击按钮，可以将面板切换到显示当前调整设置选项的状态；单击按钮，可以将面板返回到显示调整按钮和预设列表的状态。
- 将面板切换到标准视图：可以调整面板的宽度。
- 新调整图层影响下面的所有图层：默认情况下，新建的调整图层都会影响下面的所有图层。如果按下该按钮，则以后创建任何调整图层时，都会自动将其与下面的图层创建为剪贴蒙版组，使该调整图层只影响它下面的一个图层。
- 此调整影响下面的所有图层：按下该按钮，可以将当前的调整图层与它下面的图层创建为一个剪贴蒙版组，使调整图层仅影响它下面的一个图层，如图7-102所示；再次单击该按钮时，调整图层会影响下面的所有图层，如图7-103所示。

图7-102

图7-103

相关链接：剪贴蒙版是用于控制图像显示区域的功能，详细内容请参阅“11.4 剪贴蒙版”。

- 切换图层可见性：单击该按钮，可以隐藏或重新显示调整图层，如图7-104、图7-105所示。

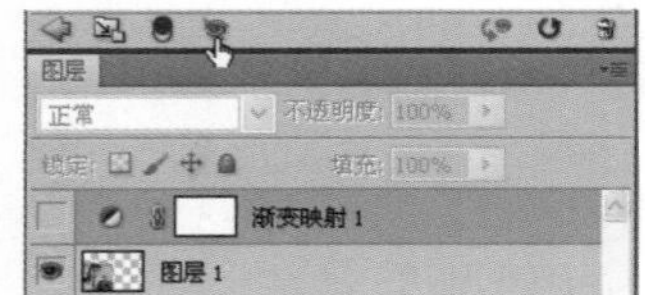
图7-104

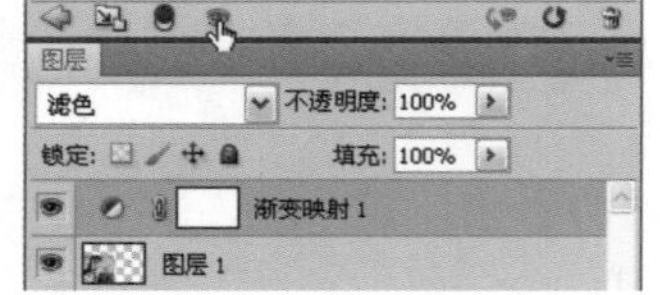
图7-105

- 查看上一状态：当调整参数以后，可单击该按钮或按下 \ 键，在窗口中查看图像的上一个调整状态，以便比较两种效果。
- 复位到调整默认值：单击该按钮，可以将调整参数恢复为默认值。
- 删除此调整图层：单击该按钮，可以删除当前调整图层。

技术看板 37 多文档复制调整图层

同时打开了多个图像文件以后，在“图层”面板中，将一个调整图层拖动到另外的文档，可将其复制到这一文档中。

7.4.3 实战——用调整图层制作摇滚风格图像

●实例门类：软件功能类 ●视频位置：光盘>实例视频>7.4.3

1 按下Ctrl+O快捷键，打开一个文件（光盘>素材>7.4.3a），如图7-106所示。单击“调整”面板中的按钮，创建“色调分离”调整图层，如图7-107所示。

图7-106

图7-107

2 拖动滑块将色阶调整为4，如图7-108所示，图像效果如图7-109所示。

图7-108

图7-109

3 单击“调整”面板底部的按钮，重新显示各个调整工具按钮；单击按钮，创建一个渐变映射调整图层，设置渐变颜色，如图7-110所示，图像效果如图7-111所示。

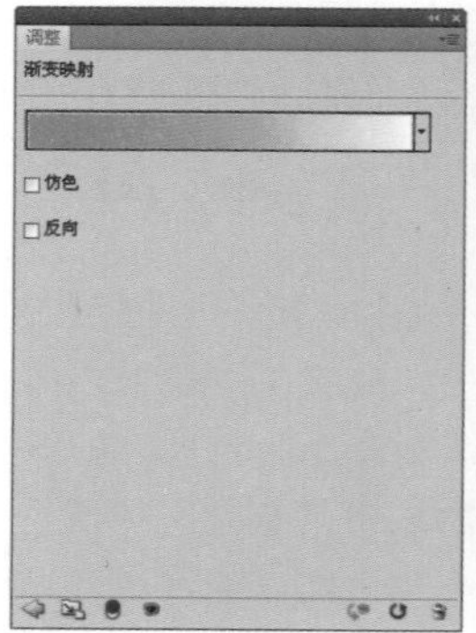

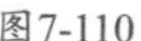
图7-110

图7-111

4 打开一个文件（光盘>素材>7.4.3b），如图7-112所示。用移动工具将它拖入照片文档，设置混合模式为“滤色”，如图7-113、图7-114所示。

图7-112

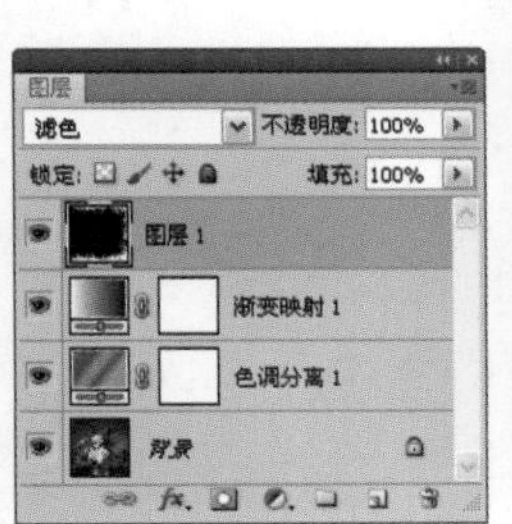

图7-113

图7-114

7.4.4 实战——控制调整强度和调整范围

●实例门类：软件功能类 ●视频位置：光盘>实例视频>7.4.4

1 按下Ctrl+O快捷键，打开一个文件（光盘>素材>7.4.4），如图7-115所示。

图7-115

2 单击“调整”面板中的按钮，创建“阈值”调整图层。拖动滑块调整阈值色阶，如图7-116所示，图像效果如图7-117所示。

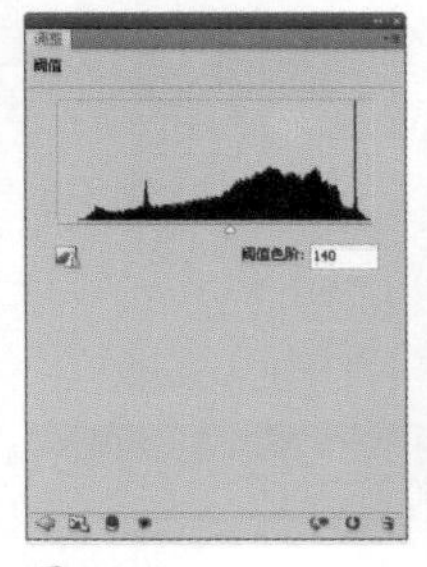

图7-116 图7-117

3 在“图层”面板中将调整图层的不透明度设置为50%，调整图层的调整强度便会减弱为从前的一半，如图7-118所示。不透明度值越低，调整强度会变得更弱。

图7-118

4 将调整图层的不透明度恢复为100%。我们再来看一下，怎样修改调整范围。创建调整图层时，Photoshop会自动为其添加一个图层蒙版。在蒙版中，白色代表了调整图层影响的区域，灰色会使调整强度变弱，黑色会遮盖调整图层。我们可以使用画笔、渐变等工具在图像中涂抹黑色和灰色，来定义调整图层影响的区域，如图7-119、图7-120所示。如果要使调整图层对所有区域都产生影响，则可将蒙版填充为白色。

图7-119

图7-120

7.4.5 修改调整参数

创建调整图层以后，如图7-121所示，在“图层”面板中单击调整图层的缩览图，“调整”面板中就会显示调整选项，此时即可修改调整参数，如图7-122所示。

图7-121

图7-122

创建了填充图层或调整图层后，执行“图层>图层内容选项”命令，可以重新打开填充或调整对话框，在对话框中可以修改选项和参数。

7.4.6 删除调整图层

选择调整图层，按下Delete键，或者将它拖动到“图层”面板底部的删除图层按钮上即可将其删除。如果要保留调整图层，仅删除它的蒙版，可以在调整图层的蒙版上单击右键，选择快捷菜单中的“删除蒙版”命令。

提示 默认情况下，创建调整图层时，都会自动添加一个图层蒙版。如果不想让调整图层拥有蒙版，可以取消“调整”面板菜单中“默认情况下添加蒙版”命令的勾选。

相关链接：关于图层蒙版的使用方法，请参阅“11.5 图层蒙版”。

7.5 中性色图层

中性色图层是一种填充了中性色的特殊图层，它通过混合模式对下面的图像产生影响。中性色图层可用于修饰图像以及添加滤镜，所有操作都不会破坏其他图层上的像素。

7.5.1 了解中性色

在Photoshop中，黑色、白色和50％灰色是中性色，如图7-123～图7-125所示。

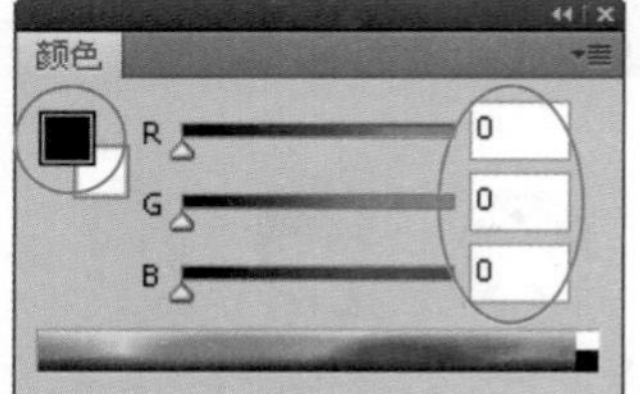

图7-123

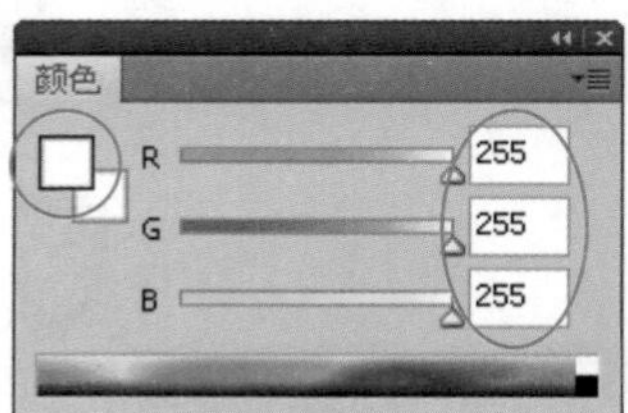

图7-124

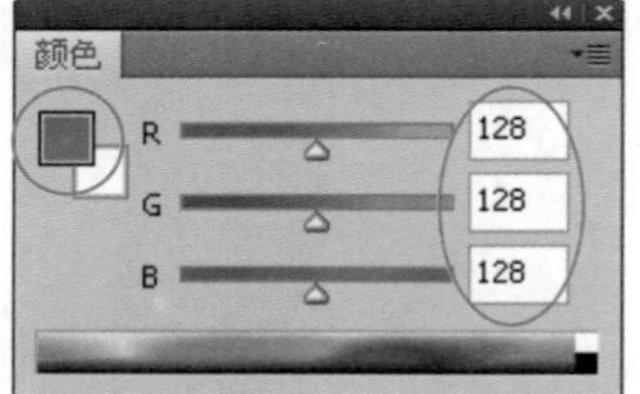

图7-125

创建中性色图层时，Photoshop会用这3种中性色中的一种来填充图层，在混合模式的作用下，使得图层中的中性色不可见，就像我们新建的透明图层一样，如图7-126所示。如果不应用效果，中性色图层不会对其他图层产生任何影响。

图7-126

我们可以用画笔、加深、减淡等工具在中性色图层上涂抹，修改中性色，从而影响下面图像的色调，如图7-127所示。此外，我们还可以对中性色图层应用滤镜，图7-128所示为添加“杂色”滤镜的效果。

图7-127

图7-128

提示 “光照效果”、“镜头光晕”、“胶片颗粒”等滤镜是不能应用在没有像素的图层上的，但它们可以用于中性色图层。

技术看板 38 用中性色校正色偏

使用“色阶”或“曲线”校正偏色的照片时，可以通过定义灰点来校正色偏。灰点的颜色便是中性色。相应操作方法，请参阅“9.5.5 实战——定义灰点校正偏色的照片”。

偏色的照片

定义灰点校正色偏

7.5.2 实战——用中性色图层校正照片曝光

●实例门类：数码照片处理类 ●视频位置：光盘>实例视频>7.5.2

1 按下Ctrl+O快捷键，打开一张照片（光盘>素材>7.5.2），如图7-129所示。

图7-129

2 执行“图层>新建>图层”命令，打开“新建图层”对话框。在“模式”下拉列表中选择“柔光”，勾选“填充柔光中性色”选项，创建一个柔光模式的中性色图层，如图7-130、图7-131所示。

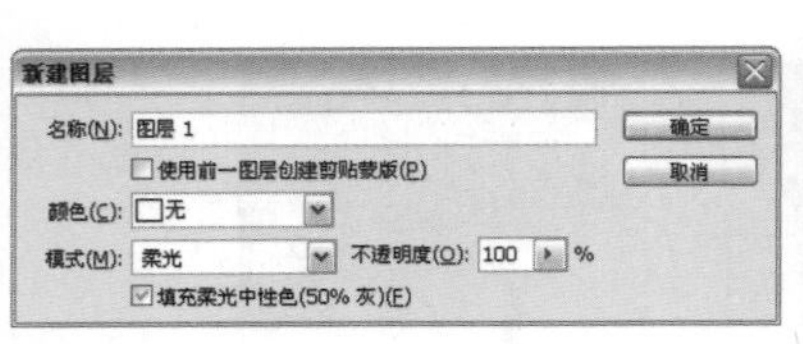

图7-130

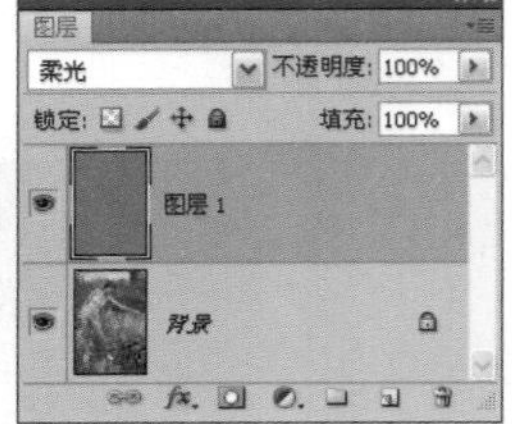

图7-131

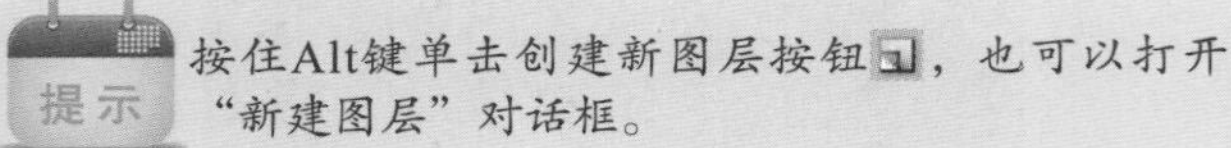
提示 按住Alt键单击创建新图层按钮，也可以打开“新建图层”对话框。

3 按下D键，将前景色设置为黑色。选择一个柔角画笔工具，在工具选项栏中将工具的不透明度设置为30%左右，在人物后面的背景上涂抹，进行加深处理，如图7-132所示。

图7-132

4 按下X键，将前景色切换为白色。在人物身体上涂抹，进行减淡处理，如图7-133所示。

图7-133

5 单击“调整”面板中的按钮，创建“曲线”调整图层，如图7-134所示。在曲线上单击，添加两个控制点，拖动控制点将曲线调整为如图7-135所示的形状。图7-136所示为原图像，图7-137所示为我们校正曝光后的效果。可以看到色调更加清晰，色彩也变得鲜艳了。

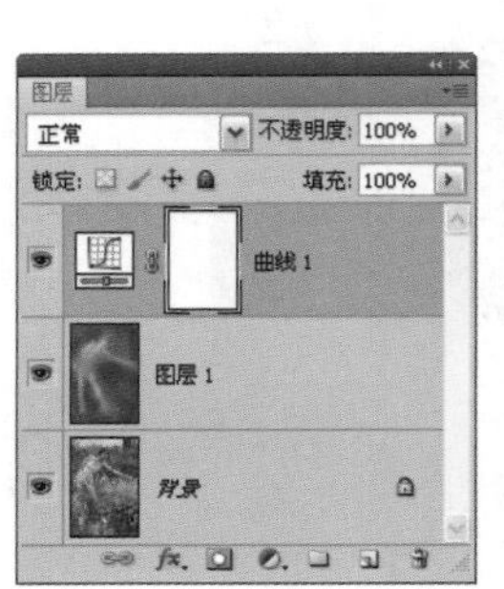

图7-134

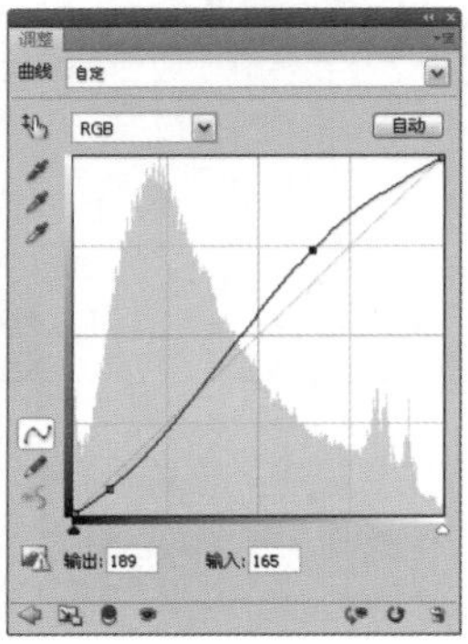

图7-135

图7-136

图7-137

7.5.3 实战——用中性色图层制作灯光效果

●实例门类：特效类 ●视频位置：光盘>实例视频>7.5.3

1 按下Ctrl+O快捷键，打开一个文件（光盘>素材>7.5.3），如图7-138所示。下面我们来将滤镜应用到中性色图层上，创建舞台灯光效果。

图7-138

2 按住Alt键单击创建新图层按钮，打开“新建图层”对话框。在“模式”下拉列表中选择“叠加”，勾选“填充叠加中性色”选项，创建一个中性色图层，如图7-139、图7-140所示。

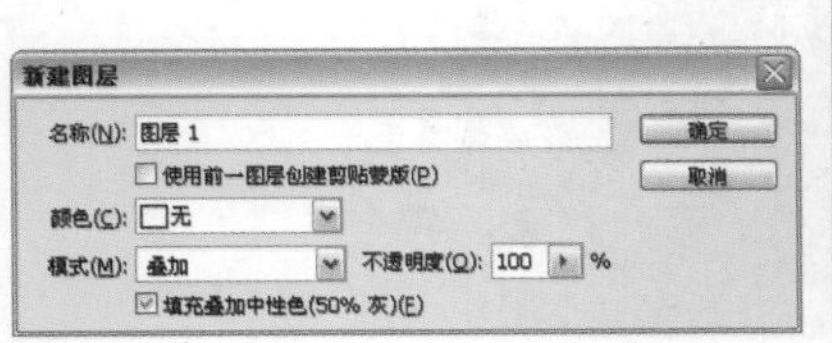

图7-139

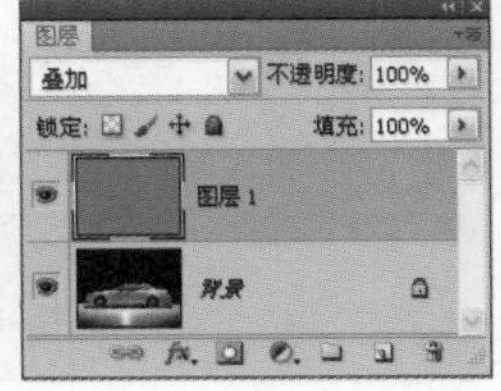

图7-140

3 执行“滤镜>渲染>光照效果”命令，打开“光照效果”对话框。在“样式”下拉列表中选择“RGB光”，如图7-141所示；选择绿色光源，拖动它的控制点，扩大光源的照射范围，如图7-142、图7-143所示；采用同样的方法调整红色光源和蓝色光源的照射范围，如图7-144、图7-145所示。

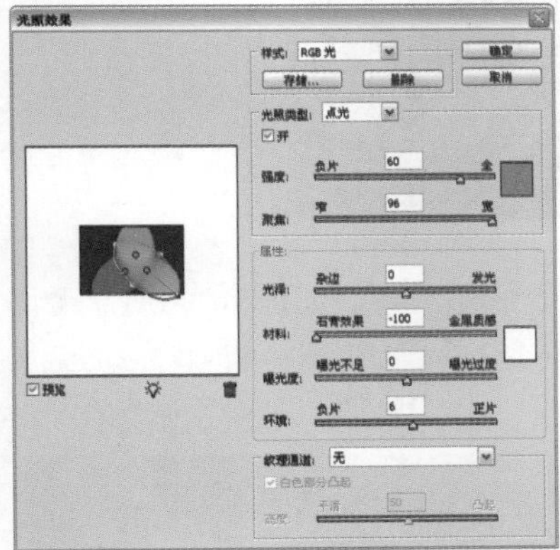

图7-141

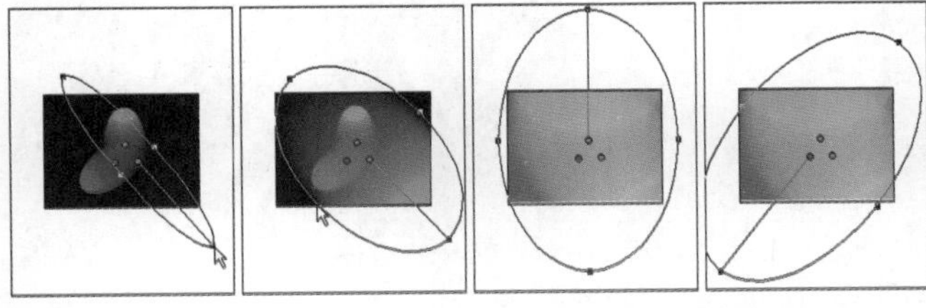

图7-142 图7-143 图7-144 图7-145

4 单击“确定”按钮关闭对话框，可以在中性色图层上应用滤镜，如图7-146、图7-147所示。

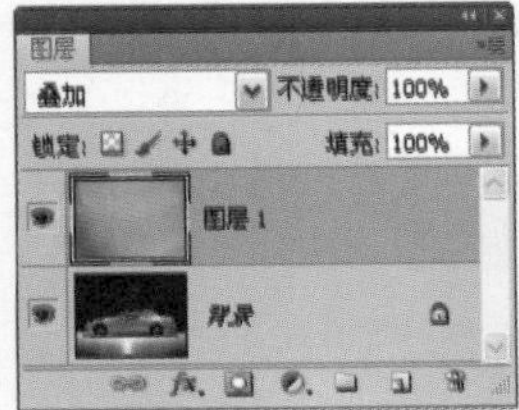

图7-146

图7-147

7.5.4 实战——用中性色图层制作金属按钮

●实例门类：特效类 ●视频位置：光盘>实例视频>7.5.4

1 按下Ctrl+O快捷键，打开一个文件（光盘>素材>7.5.4），如图7-148所示。下面我们来创建中性色图层，并为其添加图层样式，制作出金属按钮。

图7-148

2 按住Alt键单击按钮，打开“新建图层”对话框，创建一个“减去”模式的中性色图层，如图7-149、图7-150所示。

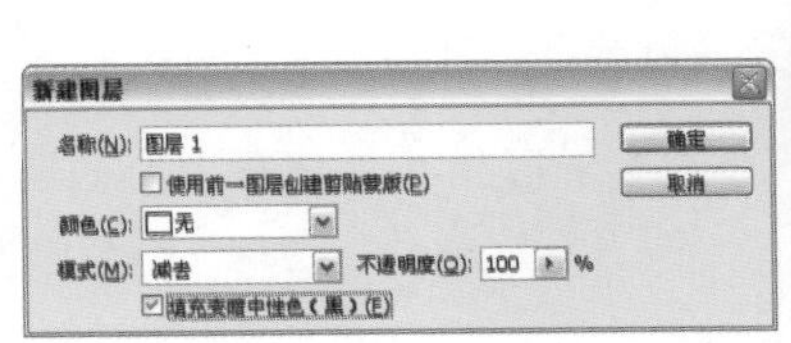

图7-149

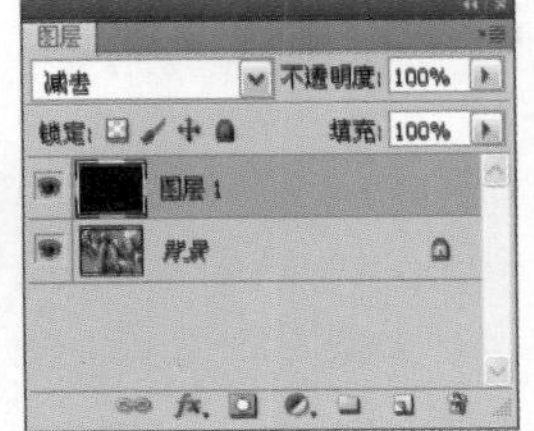

图7-150

3 单击“图层”面板中的fx按钮，选择“内发光”命令，打开“图层样式”对话框，添加“内发光”效果，如图7-151所示；在左侧列表单击“斜面和浮雕”效果，添加该效果，如图7-152所示；单击“确定”按钮关闭对话框，效果会添加到中性色图层上，生成金属立体按钮，如图7-153、图7-154所示。

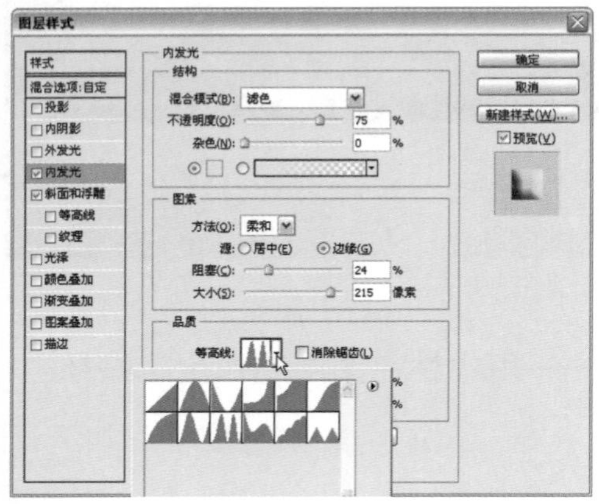

图7-151

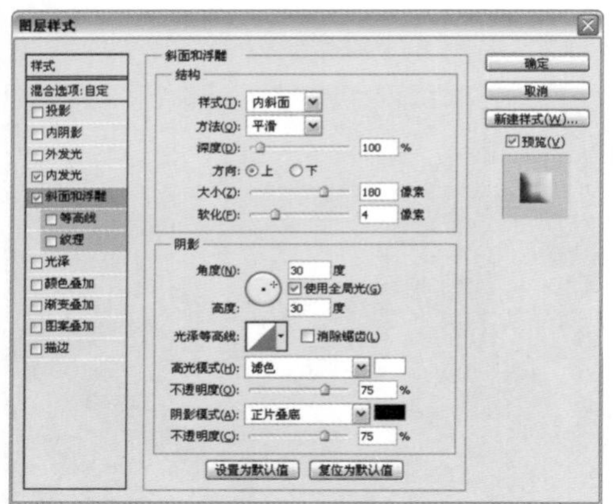

图7-152

图7-153

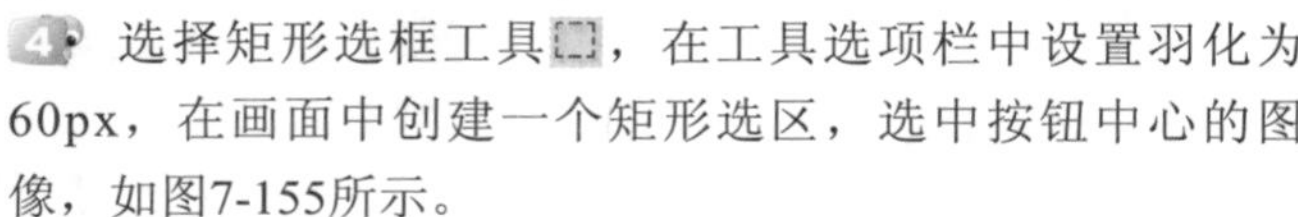

图7-154

4 选择矩形选框工具，在工具选项栏中设置羽化为60px，在画面中创建一个矩形选区，选中按钮中心的图像，如图7-155所示。

图7-155

5 按下Shift+Ctrl+I快捷键反选，如图7-156所示。

图7-156

6 单击“调整”面板中的按钮，创建“曲线”调整图层，将曲线调整为如图7-157所示的形状，增加边缘的金属质感，如图7-158所示。

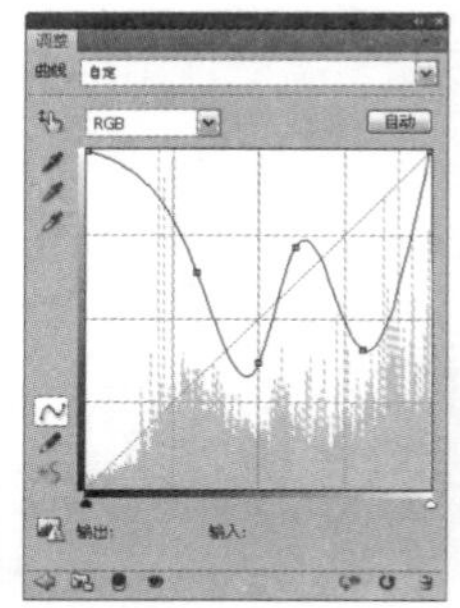

图7-157

图7-158

技术看板 39 为中性色图层添加效果的好处

与创建在普通图层上的效果相比，中性色图层上的效果可以进行更加灵活的编辑和修改。例如，我们可以移动效果的位置，也可以通过不透明度来控制效果的强度，或者用蒙版遮盖部分效果。而在普通图层上要进行以上操作，需要先将效果创建为单独的图层。

7.6 智能对象

智能对象是一个嵌入到当前文档中的文件，它可以包含图像，也可以包含在Illustrator中创建的矢量图形。智能对象与普通图层的重要区别在于可以保留对象的源内容和所有的原始特征，我们在Photoshop中处理它时，不会直接应用到对象的原始数据，这是一种非破坏性的编辑功能。

7.6.1 了解智能对象的优势

- 智能对象可以进行非破坏性变换，例如，我们可以根据需要按任意比例缩放对象、旋转、进行变形等，不会丢失原始图像数据或者降低图像的品质。
- 智能对象可以保留非Photoshop 本地方式处理的数据，例如，在嵌入Illustrator 中的矢量图形时，Photoshop 会自动将它转换为可识别的内容。
- 我们可以将智能对象创为多个副本，对原始内容进行编辑后，所有与之链接的副本都会自动更新。
- 将多个图层内容创建为一个智能对象以后，可以简化“图层”面板中的图层结构。
- 应用于智能对象的所有滤镜都是智能滤镜，智能滤镜可以随时修改参数或者撤销，并且不会对图像造成任何破坏。

技术看板 40 非破坏性编辑

非破坏性编辑是指在不破坏图像原始数据的基础上对其进行的编辑。在Photoshop中，使用调整图层、填充图层、中性色图层、图层蒙版、矢量蒙版、剪贴蒙版、智能对象、智能滤镜、混合模式和图层样式等编辑图像都属于非破坏性的编辑，这些操作方式都有一个共同的特点，就是能够修改或者撤销，可以随时将图像恢复为原来的状态。

7.6.2 创建智能对象

将文件作为智能对象打开

执行“文件>打开为智能对象”命令，可以选择一个文件作为智能对象打开，如图7-159所示。在“图层”面板中，智能对象的缩览图右下角会显示智能对象图标，如图7-160所示。

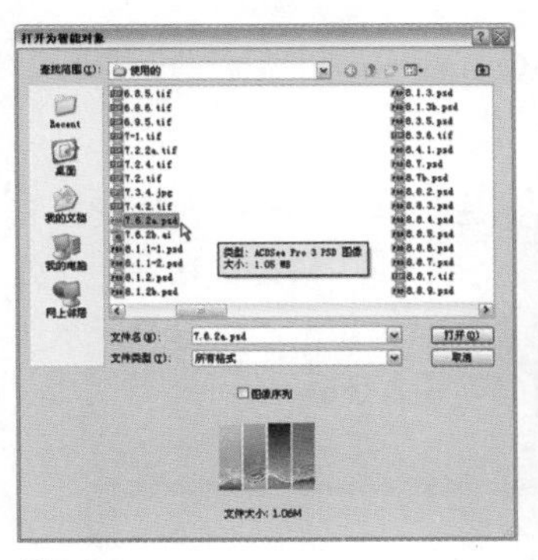

图7-159

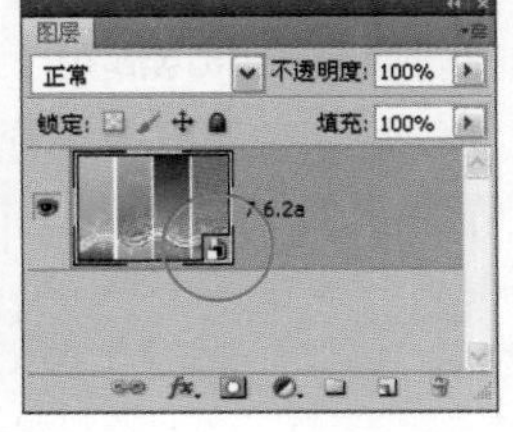

图7-160

在文档中置入智能对象

打开一个文件以后，如图7-161所示，执行“文件>置入”命令，可以将另外一个文件作为智能对象置入到当前文档中，如图7-162所示。

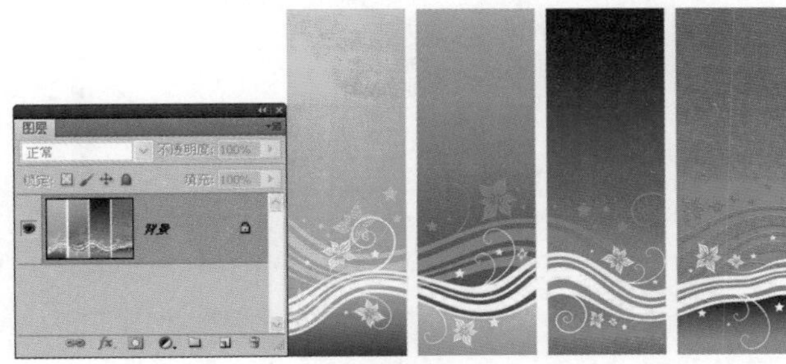

图7-161

图7-162

将图层中的对象创建为智能对象

在“图层”面板中选择一个或多个图层，如图7-163所示，执行“图层>智能对象>转换为智能对象图层”命令，可以将它们打包到一个智能对象中，如图7-164所示。

图7-163

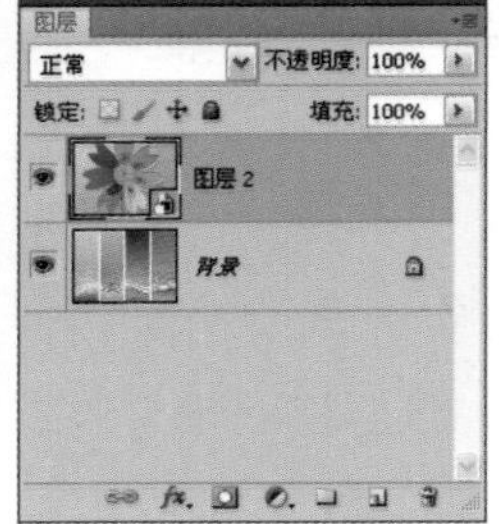

图7-164

将Illustrator中的图形粘贴为智能对象

在Illustrator中选择一个对象，按下Ctrl+C快捷键将它复制；切换到Photoshop中，按下Ctrl+V快捷键粘贴，在弹出的“粘贴”对话框中选择“智能对象”，可以将矢量图形粘贴为智能对象，如图7-165、图7-166所示。

图7-165

图7-166

将PDF或Illustrator文件创建为智能对象

将一个PDF文件，或者Illustrator创建的矢量图形拖动到Photoshop文档中，如图7-167所示，弹出“置入PDF”对话框，单击“确定”按钮，可将其创建为智能对象，如图7-168所示。

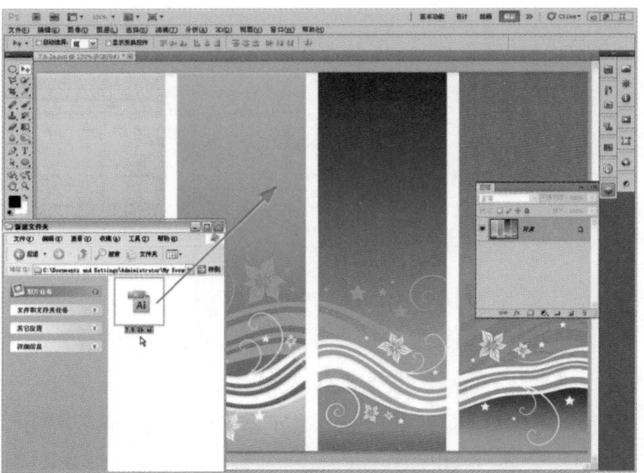

图7-167

图7-168

7.6.3 创建链接的智能对象实例

通过前面介绍的方法创建智能对象之后，选择智能对象，如图7-169所示，执行“图层>新建>通过拷贝的图层”命令，可以复制出新的智能对象（它称为智能对象的实例），如图7-170所示。

图7-169

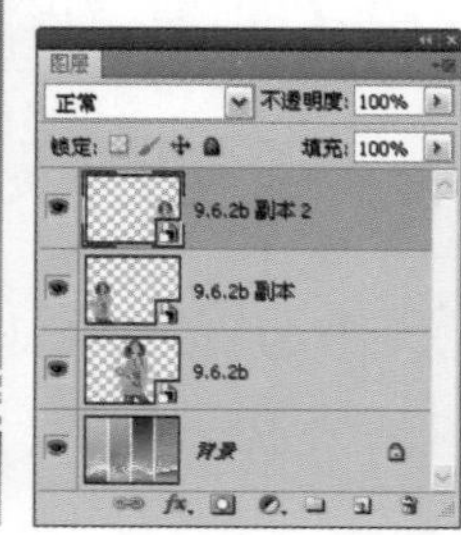

图7-170

实例与原智能对象保持链接关系，编辑其中的任意一个，与之链接的智能对象也会同时显示出所做的修改，如图7-171所示。

图7-171

提示 将智能对象拖动到创建新图层按钮上，也可以复制出一个与之链接的智能对象实例。

7.6.4 创建非链接智能对象实例

如果要复制出非链接的智能对象，可以选择智能对象图层，执行“图层>智能对象>通过拷贝新建智能对象”命令，新智能对象与原智能对象各自独立，编辑其中任何一个，都不会影响到另外一个，如图7-172、图7-173所示。

图7-172

图7-173

7.6.5 实战——用智能对象制作旋转特效

●实例门类：特效+软件功能类 ●视频位置：光盘>实例视频>7.6.5

1 按下Ctrl+O快捷键，打开一个文件（光盘>素材>7.6.5），如图7-174所示。选择“人物”图层，执行“图层>智能对象>转换为智能对象”命令，将它转换为智能对象，如图7-175所示。

图7-174

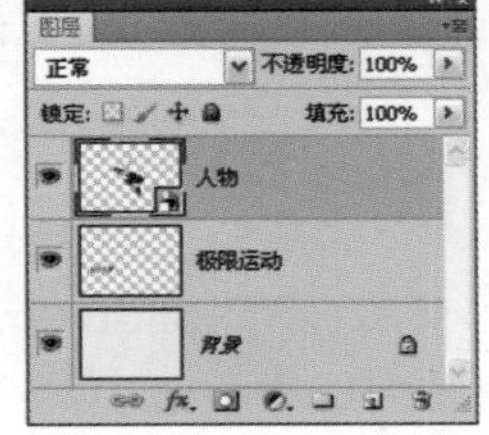

图7-175

2 按下Ctrl+T快捷键显示定界框，先将中心点拖动到定界框外，如图7-176所示；然后在工具选项栏中输入数值，精确定位它，如图7-177所示。

图7-176

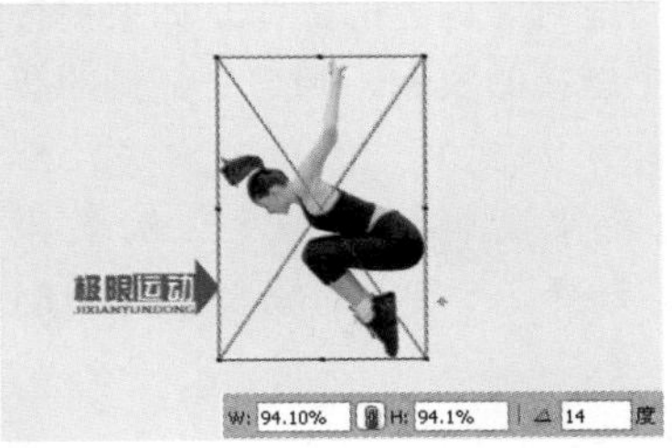

图7-177

3 在工具选项栏中输入旋转角度（14度）和缩放比例（94.1%），将图像旋转并等比缩小，如图7-178所示。变换参数设置完成后，按下回车键确认。

图7-178

4 连续按下Alt+Shift+Ctrl+T快捷键大概30次，每按一次便生成一个新的智能对象，新对象位于单独的图层中，如图7-179、图7-180所示。

图7-179

图7-180

5 在“图层”面板中选择最下面的“人物”图层，如图7-181所示，按下Shift+Ctrl+]快捷键将它调整到最顶层，效果如图7-182所示。

图7-181

图7-182

7.6.6 实战——替换智能对象内容

●实例门类：软件功能类 ●视频位置：光盘>实例视频>7.6.6

下面我们来进行替换智能对象内容的操作。如果被替换内容的智能对象包含多个链接的实例，则与之链接的智能对象也会同时替换内容。

1 打开前一个实例的效果文件（光盘>实例效果>7.6.5），如图7-183所示。选择一个智能对象，如图7-184所示。

图7-183

图7-184

2 执行“图层>智能对象>替换内容”命令，打开“置入”对话框，选择一个文件（光盘>素材>7.6.6），如图7-185所示，单击“确定”按钮，将其置入到文档中，替换原有的智能对象，如图7-186所示。

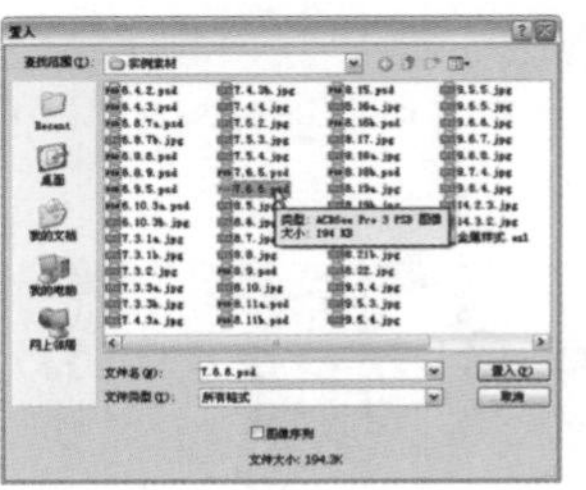

图7-185

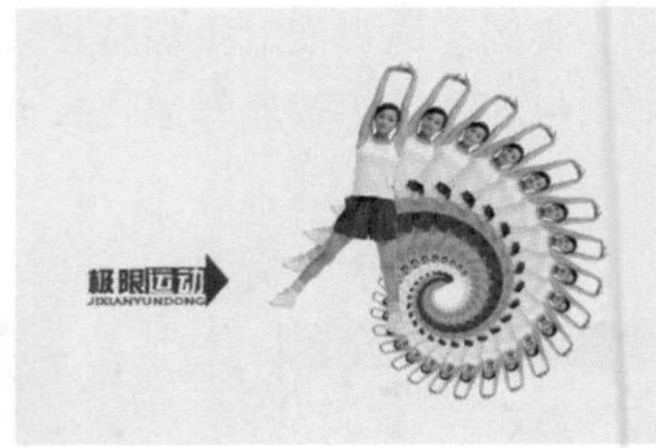

图7-186

3 执行“选择>相似图层”命令，选择所有智能对象图层，如图7-187所示；按下Ctrl+T快捷键显示定界框，拖动控制点旋转图形，如图7-188所示；按下回车键确认，效果如图7-189所示。

图7-187

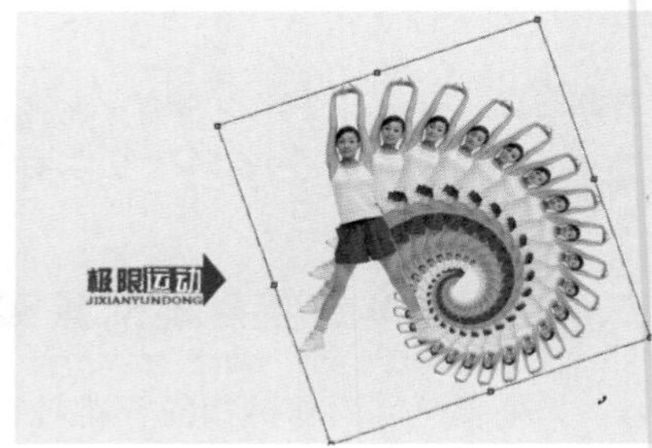

图7-188

图7-189

提示 替换智能对象时，将保留对第一个智能对象应用的缩放、变形或效果。

7.6.7 实战——编辑智能对象内容

●实例门类：软件功能类 ●视频位置：光盘>实例视频>7.6.7

创建智能对象后，可以根据需要修改它的内容。如果源内容为栅格数据或相机原始数据文件，可以在 Photoshop 中打开它；如果源内容为矢量EPS或 PDF文件，则会在

Illustrator中打开它。存储修改后的智能对象时，文档中所有与之链接的智能对象实例都会显示所做的修改。

1 打开前一个实例的效果文件（光盘>实例效果>7.6.6），如图7-190所示。

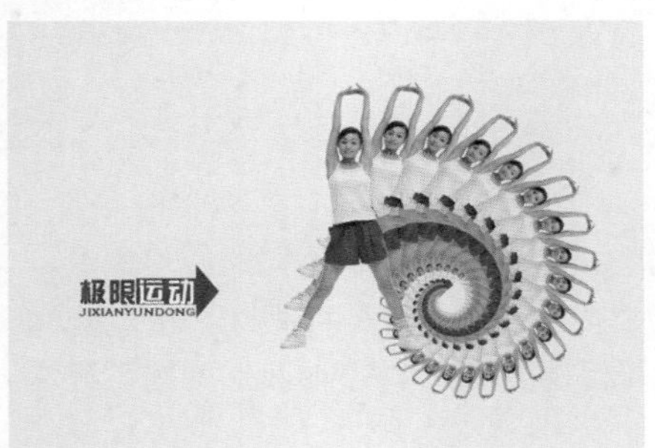

图7-190

2 双击一个智能对象，如图7-191所示，或者选择智能对象图层后，执行“图层>智能对象>编辑内容”命令，弹出如图7-192所示的对话框。单击“确定”按钮，会在一个新的窗口中打开智能对象的原始文件，如图7-193所示。

图7-191

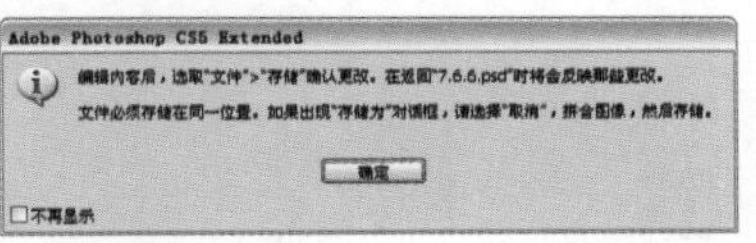

图7-192

图7-193

3 单击“调整”面板中的按钮，创建渐变映射调整图层，设置渐变颜色，如图7-194所示。单击面板底部的按钮，创建剪贴蒙版，将它的混合模式设置为“颜色”，通过它来改变图像的颜色，如图7-195、图7-196所示。

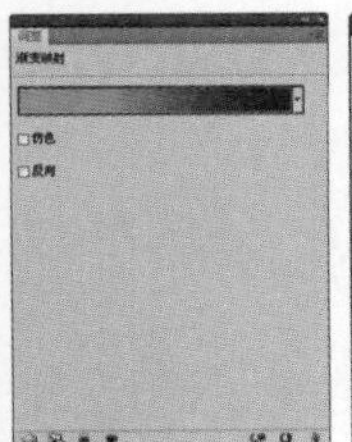
图7-194

图7-195

图7-196

4 关闭该文件，在弹出的对话框中单击“是”按钮，如图7-197所示，确认对它做出的修改，另一个文档中的智能对象及其所有实例都会显示所做的修改，如图7-198所示。

图7-197

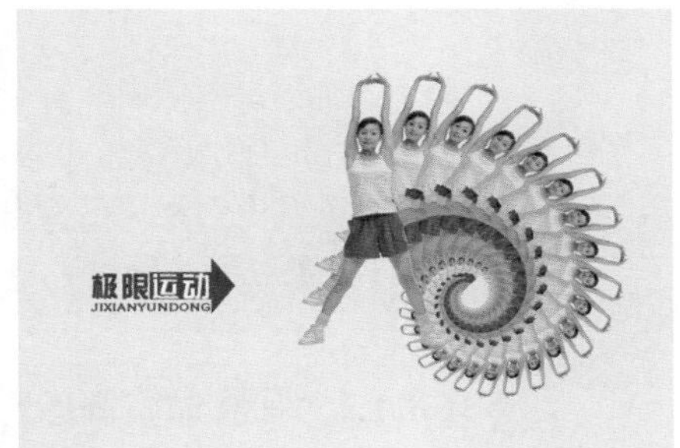

图7-198

7.6.8 将智能对象转换到图层

选择要转换为普通的图层的智能对象，如图7-199所示，执行“图层>智能对象>栅格化”命令，可以将智能对象转换为普通图层，原图层缩览图上的智能对象图标会消失，如图7-200所示。

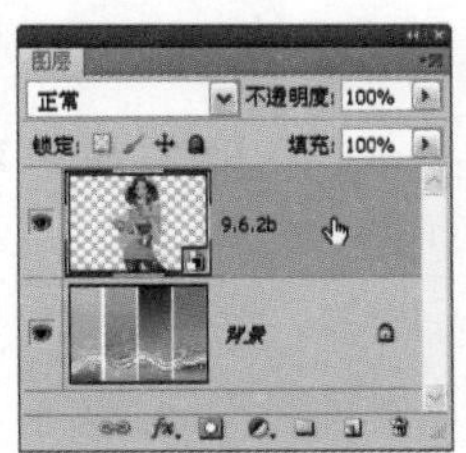

图7-199

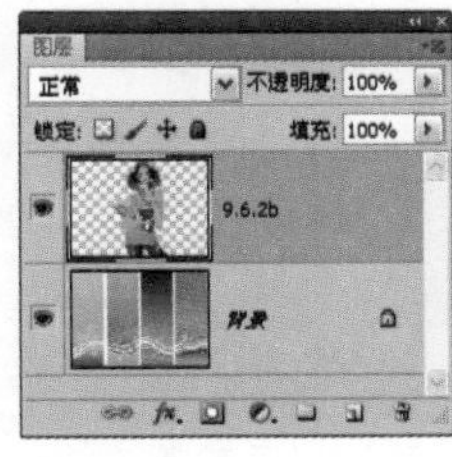

图7-200

7.6.9 导出智能对象内容

我们在Photoshop中编辑智能对象以后，可以将它按照其原始的置入格式（JPEG、AI、TIF、PDF 或其他格式）导出，以便其他程序使用。

在“图层”面板中选择智能对象，执行“图层>智能对象>导出内容”命令，即可导出智能对象。如果智能对象是利用图层创建的，则以 PSB 格式导出。

相关链接：智能滤镜是智能对象的一种应用形式。与普通滤镜相比，它不会破坏图像内容，是一种非破坏性的滤镜。更多详细内容，请参阅“15.3 智能滤镜”。

第8章 颜色与色调调整

Learning Objectives
学习重点

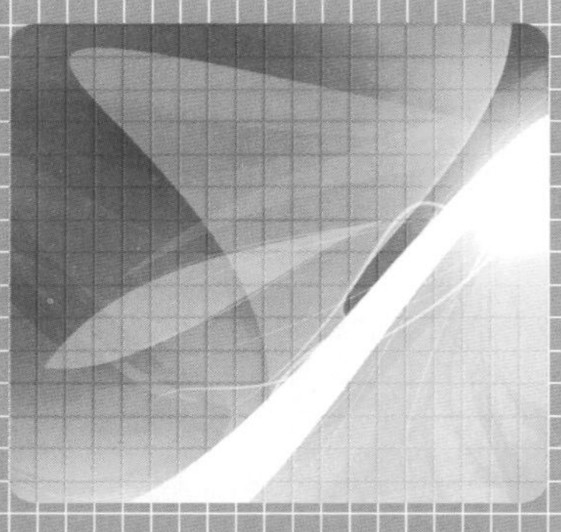

PHOTOSHOP

8.1 Photoshop调整命令概览

在一张图像中，色彩不只是真实记录下物体，还能够带给我们不同的心理感受。创造性地使用色彩，可以营造各种独特的氛围和意境，使图像更具表现力。Photoshop提供了大量色彩和色调调整工具，可用于处理图像和数码照片，下面我们就来了解这些工具的使用方法。

8.1.1 调整命令的分类

Photoshop的“图像”菜单中包含了用于调整图像色调和颜色的各种命令，如图8-1所示。这其中，一部分常用的命令也通过“调整”面板提供给了用户，如图8-2所示。这些命令主要分为以下几种类型。

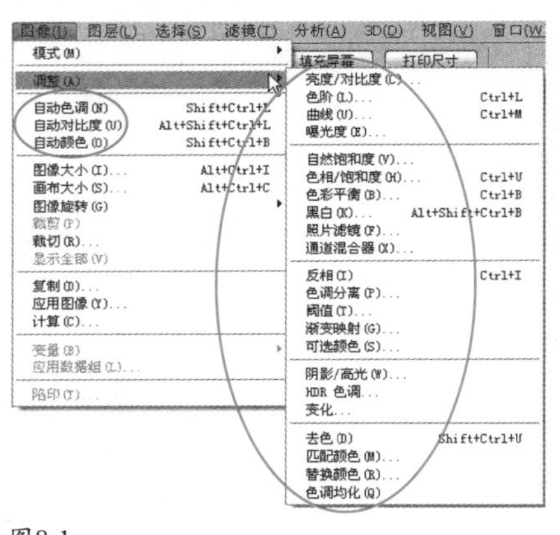

图8-1

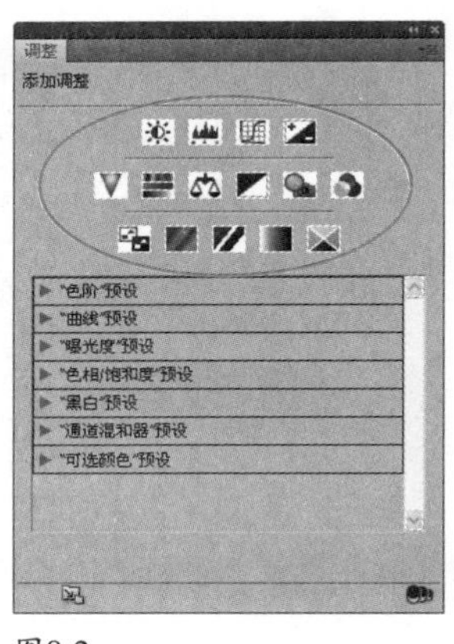

图8-2

- 调整颜色和色调的命令：“色阶”和“曲线”命令可以调整颜色和色调，它们是最重要、最强大的调整命令；“色相/饱和度”和“自然饱和度”命令用于调整色彩；“阴影/高光”和“曝光度”命令只能调整色调。
- 匹配、替换和混合颜色的命令：“匹配颜色”、“替换颜色”、“通道混合器”和“可选颜色”命令可以匹配多个图像之间的颜色，替换指定的颜色或者对颜色通道做出调整。
- 快速调整命令：“自动色调”、“自动对比度”和“自动颜色”命令能够自动调整图片的颜色和色调，可以进行简单的调整，适合初学者使用；“照片滤镜”、“色彩平衡”和“变化”是用于调整色彩的命令，使用方法简单且直观；“亮度/对比度”和“色调均化”命令用于调整色调。
- 应用特殊颜色调整的命令：“反相”、“阈值”、“色调分离”和“渐变映射”是特殊的颜色调整命令，它们可以将图片转换为负片效果、简化为黑白图像、分离色彩或者用渐变颜色转换图片中原有的颜色。

8.1.2 调整命令的使用方法

Photoshop的调整命令可以通过两种方式来使用。第一种是直接用“图像”菜单中的命令来处理图像，第二种是使用调整图层来应用这些调整命令。这两种方式可以达到相同的调整结果。它们的不同之处在于：“图像”菜单中的命令会修改图像的像素数据，而调整图层则不会修改像素，它是一种非破坏性的调整功能。

例如，如图8-3所示为原图像，假设我们要用“色相/饱和度”命令调整它的颜色。如果使用“图像>调整>色相/饱和度”命令来操作，“背景”图层中的像素就会被修改，如图8-4所示。如果使用调整图层操作，则可在当前图层的上面创建一个调整图层，调整命令通过该图层对下面的图像产生影响，调整结果与使用“图像”菜单中的“色相/饱和度”命令完全相同，但下面图层的像素却没有任何变化，如图8-5所示。

图8-3

图8-4

图8-5

使用“调整”命令调整图像后，我们不能修改调整参数，而调整图层却可以随时修改参数，如图8-6所示。并且，我们只需隐藏或删除调整图层，便可以将图像恢复为原来的状态，如图8-7所示。

图8-6

图8-7

8.2 转换图像的颜色模式

颜色模式决定了用来显示和打印所处理图像的颜色方法。打开一个文件以后，在“图像>模式”下拉菜单中选择一种模式，如图8-8所示，即可将其转换为该模式。这其中，RGB、CMYK、Lab等是常用和基本的颜色模式，索引颜色和双色调等则是用于特殊色彩输出的颜色模式。颜色模式基于颜色模型（一种描述颜色的数值方法），选择一种颜色模式，就等于选用了某种特定的颜色模型。

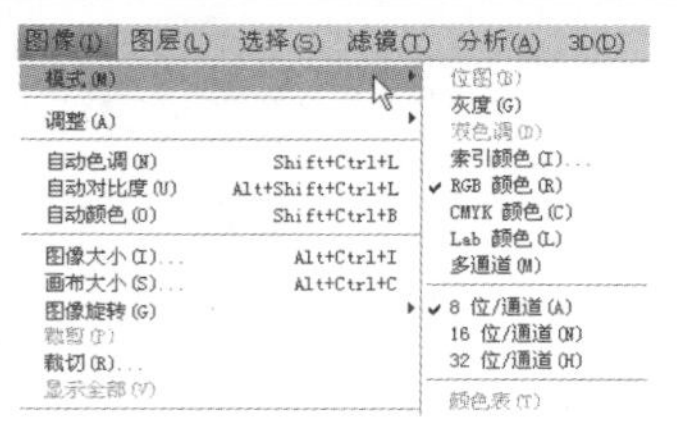

图8-8

8.2.1 位图模式

位图模式只有纯黑和纯白两种颜色，适合制作艺术样式或用于创作单色图形。彩色图像转换为该模式后，色相和饱和度信息都会被删除，只保留亮度信息。只有灰度和双色调模式才能够转换为位图模式。

打开一个RGB模式彩色图像，如图8-9所示，执行“图像>模式>灰度”命令，先将它转换为灰度模式，再执行“图像>模式>位图”命令，打开“位图”对话框，如图8-10所示。在“输出”选项中设置图像的输出分辨率，然后在“方法”选项中选择一种转换方法，包括“50%阈值”、“图案仿色”、“扩散仿色”、“半调网屏”和“自定图案”。

图8-9

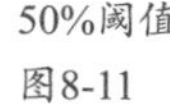

图8-10

- 50%阈值：将50%色调作为分界点，灰色值高于中间色阶128的像素转换为白色，灰色值低于色阶128的像素转换为黑色，如图8-11所示。
- 图案仿色：用黑白点图案模拟色调，如图8-12所示。
- 扩散仿色：通过使用从图像左上角开始的误差扩散过程来转换图像，由于转换过程的误差原因，会产生颗粒状的纹理，如图8-13所示。
- 半调网屏：可模拟平面印刷中使用的半调网点外观，如图8-14所示。

50%阈值
图8-11

图案仿色
图8-12

扩散仿色
图8-13

半调网屏
图8-14

- 自定图案：可选择一种图案来模拟图像中的色调，如图8-15、图8-16所示。

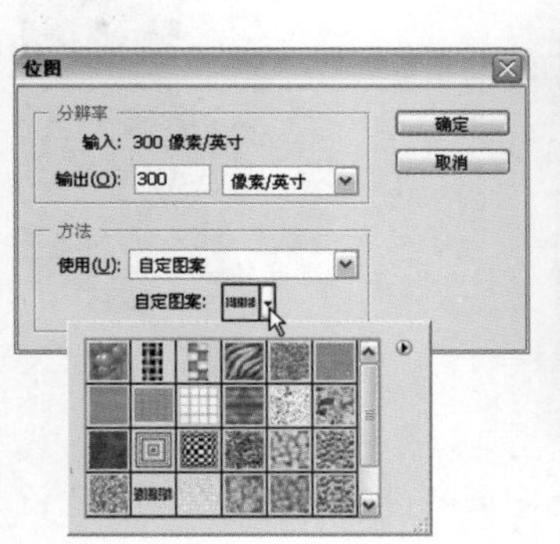

图8-15

图8-16

8.2.2 灰度模式

灰度模式的图像不包含颜色，彩色图像转换为该模式后，色彩信息都会被删除。

灰度图像中的每个像素都有一个0到255之间的亮度值，0代表黑色，255代表白色，其他值代表了黑、白中间过渡的灰色。在8位图像中，最多有256级灰度，在16和32位图像中，图像中的级数比8位图像要大得多。

8.2.3 双色调模式

双色调模式采用一组曲线来设置各种颜色油墨传递灰度信息的方式。使用双色油墨可以得到比单一通道更多的色调层次，能在打印中表现更多的细节。双色调模式还包含三色调和四色调选项，可以为三种或四种油墨颜色制版。但是，只有灰度模式的图像才能转换为双色调模式。

图8-17、图8-18所示分别为双色调和三色调效果。

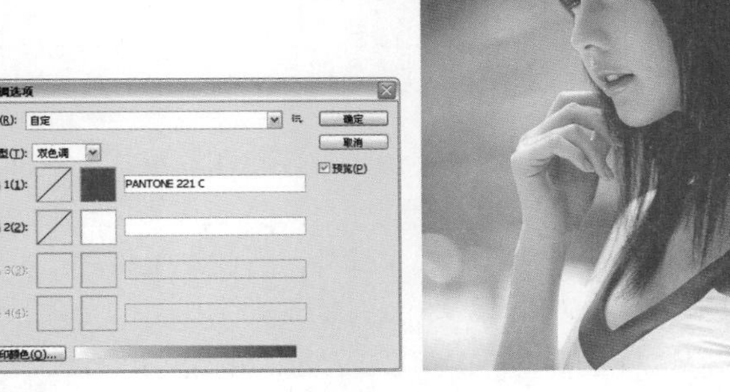
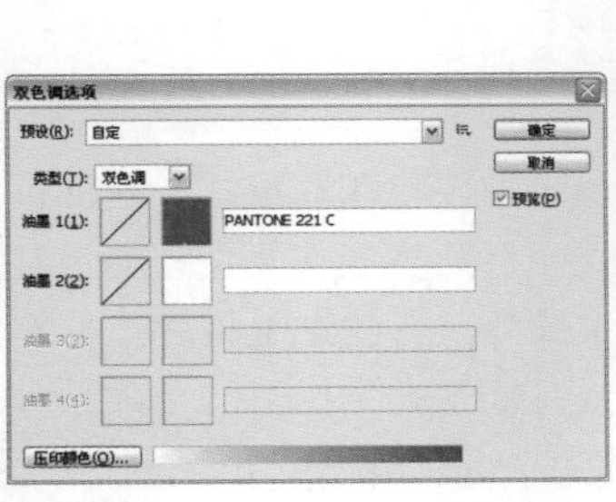

图8-17

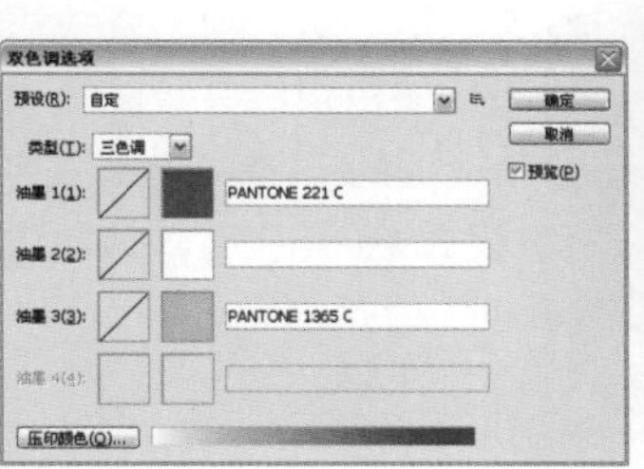

图8-18

- 预设：可以选择一个预设的调整文件。
- 类型：在下拉列表中可以选择“单色调”、“双色调”、“三色调”或“四色调”。单色调是用非黑色的单一油墨打印的灰度图像，双色调、三色调和四色调分别是用两种、三种和四种油墨打印的灰度图像。选择之后，单击各个油墨颜色块，可以打开“颜色库”设置油墨颜色，如图8-19、图8-20所示。

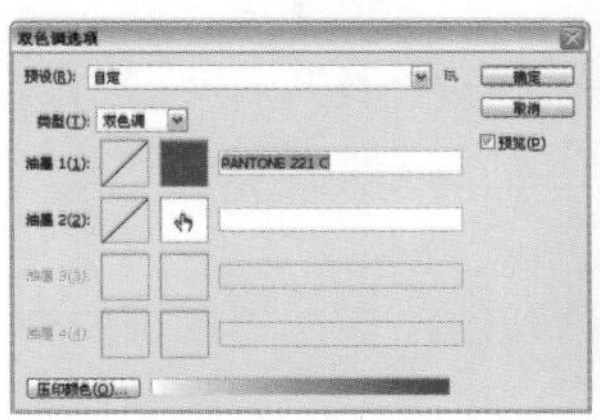

图8-19

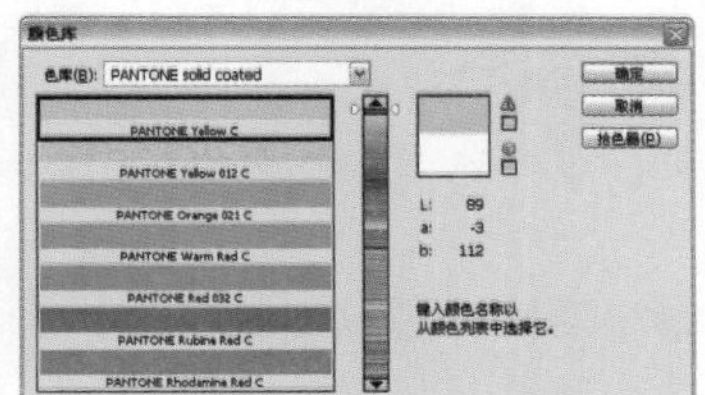

图8-20

- 编辑油墨颜色：选择“单色调”时，只能编辑一种油墨，选择“四色调”时，可以编辑全部的四种油墨。单击如图8-21所示的图标，可以打开“双色调曲线”对话框，调整曲线可以改变油墨的百分比，如图8-22所示。单击“油墨”选项右侧的颜色块，可以打开“颜色库”选择油墨。

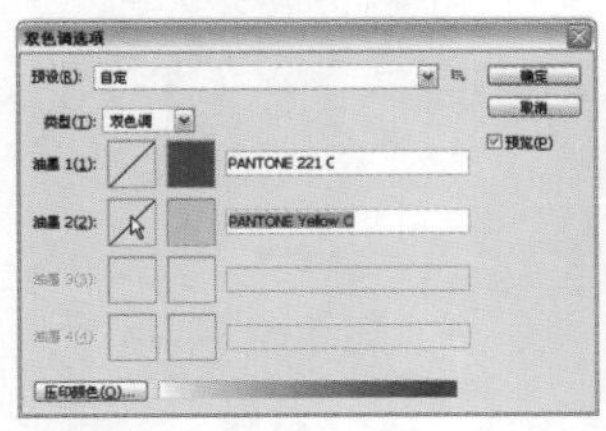

图8-21

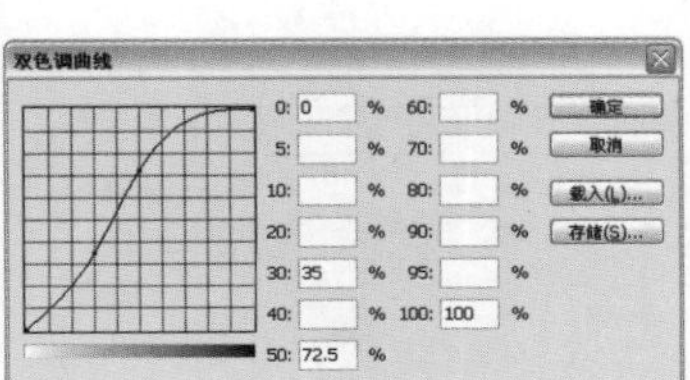

图8-22

- 压印颜色：压印颜色是指相互打印在对方之上的两种无网屏油墨。单击该按钮可以在打开的“压印颜色”对话框中设置压印颜色在屏幕上的外观。

8.2.4 索引模式

使用256种或更少的颜色替代全彩图像中上百万种颜色的过程叫做索引。Photoshop会构建一个颜色查找表(CLUT)，存放图像中的颜色。如果原图像中的某种颜色没有出现在该表中，则程序会选取最接近的一种，或使用仿色以现有颜色来模拟该颜色。索引模式是GIF文件默认的颜色模式。如图8-23所示为“索引颜色”对话框。

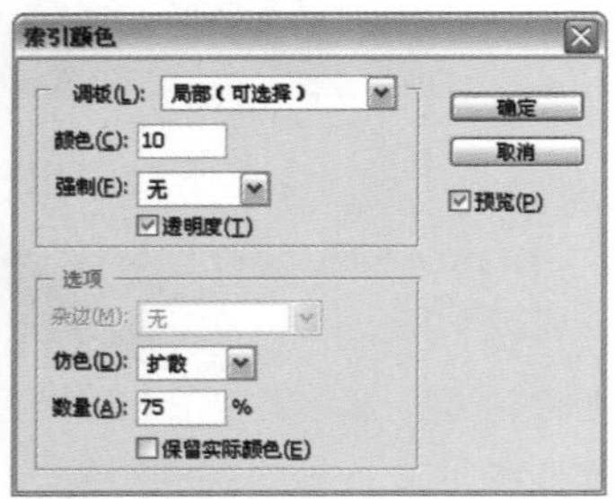

图8-23

- 调板/颜色：可以选择转换为索引颜色后使用的调板类型，它决定了使用哪些颜色。如果选择“平均分布”、“可感知”、“可选择”或“随样性”，可通过输入“颜色”值指定要显示的实际颜色数量（多达256种）。
- 强制：可以选择将某些颜色强制包括在颜色表中的选项。选择“黑色和白色”，可将纯黑色和纯白色添加到颜色表中；选择“原色”，可添加红色、绿色、蓝色、青色、洋红、黄色、黑色和白色；选择“Web”，可添加216种Web安全色；选择“自定”，则允许定义要添加的自定颜色。如图8-24、图8-25所示是设置“颜色”为9、“强制”分别为“黑白”和“三原色”构建的颜色表及图像效果。

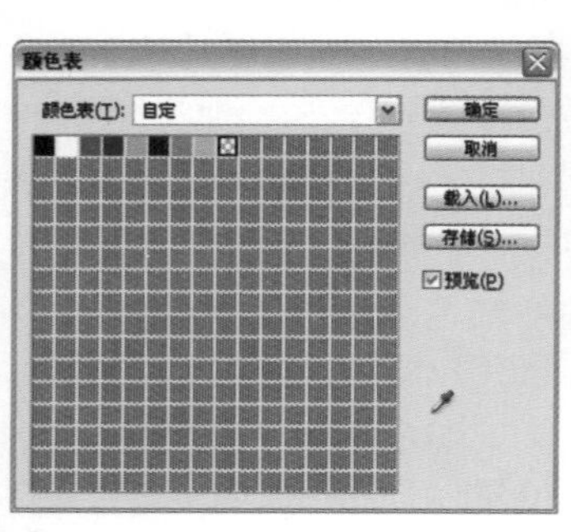

图8-24

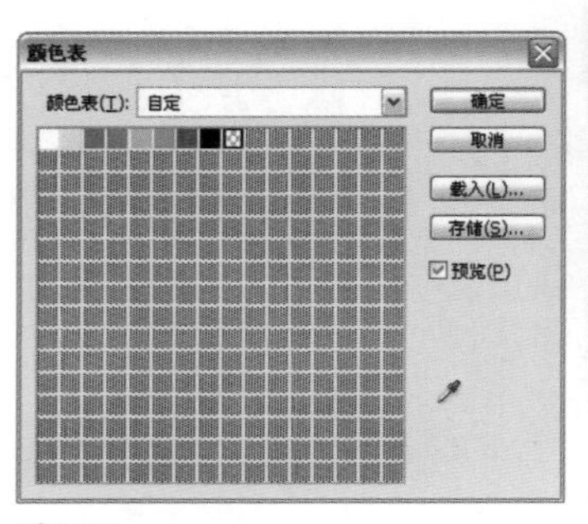

图8-25

- 杂边：指定用于填充与图像的透明区域相邻的消除锯齿边缘的背景色。
- 仿色：在下拉列表中可以选择是否使用仿色。如果要模拟颜色表中没有的颜色，可以采用仿色。仿色会混合现有颜色的像素，以模拟缺少的颜色。要使用仿色，可在该选项下拉列表中选择仿色选项，并输入仿色数量的百分比值。该值越高，所仿颜色越多，但可能会增加文件大小。

相关链接：关于颜色表的详细内容，请参阅“8.2.10 颜色表”。

8.2.5 RGB颜色模式

RGB是通过红、绿、蓝3种原色光混合的方式来显示颜色的，计算机显示器、扫描仪、数码相机、电视、幻灯片、网络、多媒体等都采用这种模式。在24 位图像中，每一种颜色都有256种亮度值，因此，RGB颜色模式可以重现1670万种颜色（256×256×256）。

在Photoshop中除非有特殊要求而使用特定的颜色模式，RGB都是首选。在这种模式下可以使用所有Photoshop工具和命令，而其他模式则会受到限制。

8.2.6 CMYK颜色模式

CMYK是商业印刷使用的一种四色印刷模式。它的色域（颜色范围）要比RGB模式小，只有制作要用印刷色打印的图像时，才使用该模式。此外，在CMYK模式下，有许多滤镜都不能使用。

CMYK颜色模式中，C代表了青、M代表了品红、Y代表了黄、K代表了黑色。在 CMYK 模式下，可以为每个像素的每种印刷油墨指定一个百分比值。

相关链接：编辑RGB模式图像时，如果想要预览它的打印效果，可以执行“视图>校样颜色”命令打开电子校样。详细内容请参阅“9.3.4 在电脑屏幕上模拟印刷”。

8.2.7 Lab颜色模式

Lab模式是Photoshop进行颜色模式转换时使用的中间模式。例如，在将RGB图像转换为CMYK模式时，Photoshop会在内部先将其转换为Lab模式，再由Lab转换为CMYK模式。因此，Lab的色域最宽，它涵盖了RGB和CMYK的色域。

在Lab颜色模式中，L代表了亮度分量，它的范围为0～100；a代表了由绿色到红色的光谱变化；b代表了由蓝色到黄色的光谱变化。颜色分量a和b的取值范围均为+127～-128。

Lab模式在照片调色中有着非常特别的优势，我们处理明度通道时，可以在不影响色相和饱和度的情况下轻松修改图像的明暗信息；处理a和b通道时，则可以在不影响色调的情况下修改颜色，如图8-26、图8-27所示。

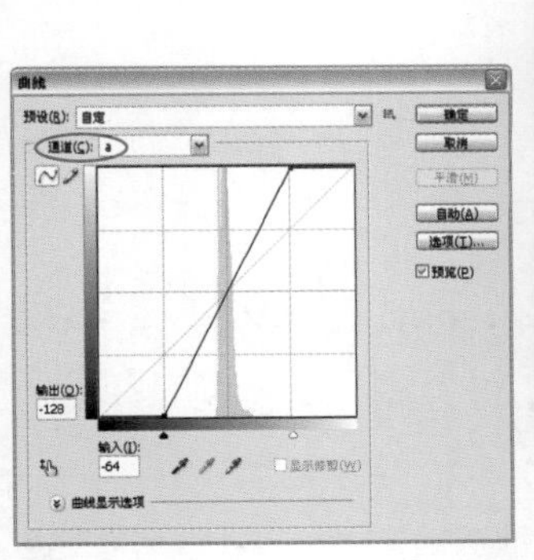

图8-26

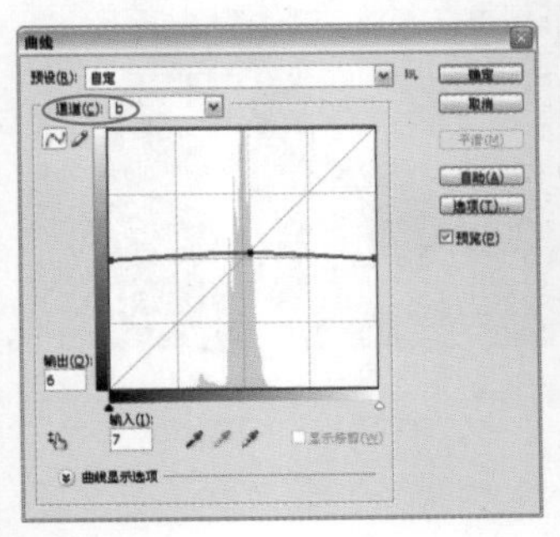

图8-27

8.2.8 多通道模式

多通道是一种减色模式，将RGB图像转换为该模式后，可以得到青色、洋红和黄色通道。此外，如果删除RGB、CMYK、Lab模式的某个颜色通道，图像会自动转换为多通道模式，如图8-28～图8-30所示。在多通道模式下，每个通道都使用 256 级灰度。进行特殊打印时，多通道图像十分有用。

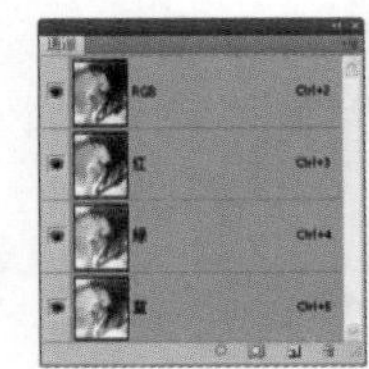

图8-28

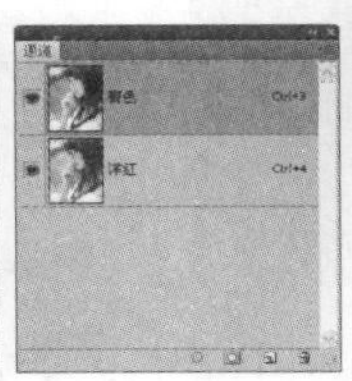

图8-29

图8-30

8.2.9 位深度

位深度也称为像素深度或色深度，即多少位/像素，它是显示器、数码相机、扫描仪等使用的术语。Photoshop使用位深度来存储文件中每个颜色通道的颜色信息。存储的位越多，图像中包含的颜色和色调差就越大。

打开一个图像后，可以在“图像>模式”下拉菜单中选择8位/通道、16位/通道、32位/通道命令，改变图像的位深度。

- 8位/通道：位深度为8位，每个通道可支持256种颜色，图像可以有1600万个以上的颜色值。
- 16位/通道：位深度为16位，每个通道可以包含高达65000种颜色信息。无论是通过扫描得到的16位/通道文件，还是数码相机拍摄得到的16位/通道的Raw文件，都包含了比8位/通道文件更多的颜色信息，因此，色彩渐变更加平滑、色调也更加丰富。
- 32位/通道：32位/通道的图像也称为高动态范围（HDR）图像，文件的颜色和色调更胜于16位/通道文件。用户可以有选择性地对部分图像进行动态范围的扩展，而不至于丢失其他区域的可打印和可显示的色调。目前，HDR 图像主要用于影片、特殊效果、3D作品及某些高端图片。

8.2.10 颜色表

当我们将图像的颜色模式转换为索引模式以后，“图像>模式”下拉菜单中的“颜色表”命令可用。执行该命令时，Photoshop会从图像中提取256种典型颜色。如图8-31所示为一个索引模式的图像，图8-32所示为它的颜色表。

图8-31

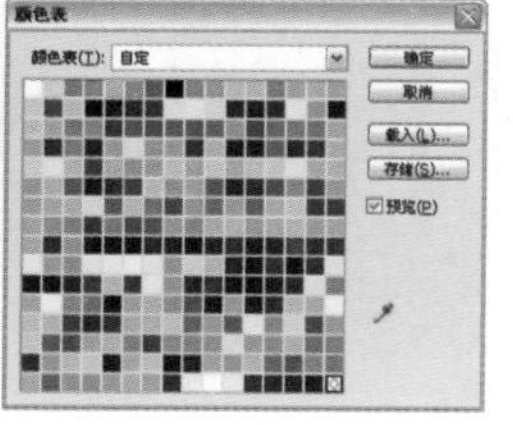

图8-32

在“颜色表”下拉列表中可以选择一种预定义的颜色表，包括“自定”、“黑体”、“灰度”、“色谱”、“系统 (Mac OS)”和“系统 (Windows)”。

- 自定：创建指定的调色板。自定颜色表对于颜色数量有限的索引颜色图像可以产生特殊效果。
- 黑体：显示基于不同颜色的面板，这些颜色是黑体辐射物被加热时发出的，从黑色到红色、橙色、黄色和白色，如图8-33所示。
- 灰度：显示基于从黑色到白色的256个灰阶的面板。
- 色谱：显示基于白光穿过棱镜所产生的颜色的调色板，从紫色、蓝色、绿色到黄色、橙色和红色，如图8-34所示。

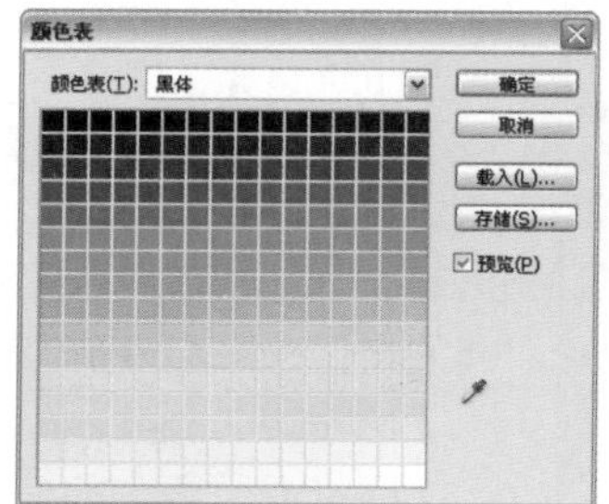

图8-33

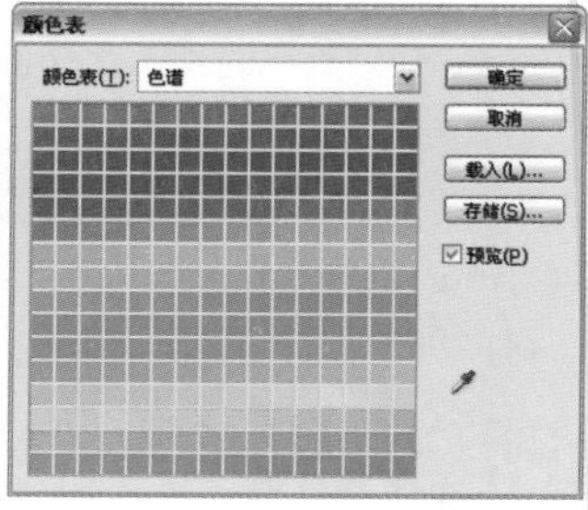

图8-34

- 系统 (Mac OS)：显示标准的 Mac OS 256 色系统面板。
- 系统 (Windows)：显示标准的 Windows 256 色系统面板。

8.3 快速调整图像

在“图像>调整”下拉菜单中，“自动色调”、“自动对比度”和“自动颜色”命令可以自动对图像的颜色和色调进行简单的调整，适合对于各种调色工具不太熟悉的初学者使用。

8.3.1 自动色调命令

“自动色调”命令可以自动调整图像中的黑场和白场，将每个颜色通道中最亮和最暗的像素映射到纯白（色阶为 255）和纯黑（色阶为 0），中间像素值按比例重新分布，从而增强图像的对比度。

打开一张色调有些发灰的照片，如图8-35所示，执行“图像>自动色调”命令，Photoshop会自动调整图像，使色调变得清晰，如图8-36所示。

图8-35

图8-36

8.3.2 自动对比度命令

“自动对比度”命令可以自动调整图像的对比度，使高光看上去更亮，阴影看上去更暗。如图8-37所示为一张色调有些发白的照片，执行“图像>自动对比度”命令，效果如图8-38所示。

图8-37

图8-38

“自动对比度”命令不会单独调整通道，它只调整色调，而不会改变色彩平衡，因此，也就不会产生色偏，但也不能用于消除色偏（色偏即色彩发生改变）。该命令可以改进彩色图像的外观，无法改善单色调颜色的图像（只有一种颜色的图像）。

8.3.3 自动颜色命令

“自动颜色”命令可以通过搜索图像来标识阴影、中间调和高光，从而调整图像的对比度和颜色。我们可以使用该命令来校正出现色偏的照片。

打开一张照片，如图8-39所示。这张照片的颜色偏绿。执行“图像>自动颜色”命令，即可校正颜色，如图8-40所示。

图8-39

图8-40

8.4 亮度/对比度命令

“亮度/对比度”命令可以对图像的色调范围进行调整。它的使用方法非常简单，对于暂时还不能灵活使用“色阶”和“曲线”的用户，需要调整色调和饱和度时，可以通过该命令来操作。打开一张照片，如图8-41所示，执行“图像>调整>亮度/对比度”命令，打开“亮度/对比度”对话框，如图8-42所示，向左拖动滑块可降低亮度和对比度，如图8-43所示；向右拖动滑块可增加亮度和对比度，如图8-44所示。如果在对话框中勾选“使用旧版”选项，则可以得到与Photoshop CS3以前的版本相同的调整结果（即进行线性调整）。

图8-41

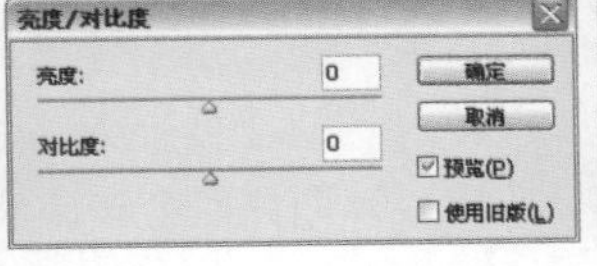

图8-42

图8-43

图8-44

相关链接：“亮度/对比度”命令没有“色阶”和“曲线”的可控性强，有可能导致丢失图像细节，对于高端输出，最好使用“色阶”或“曲线”来调整。这两个命令的详细内容请参阅“9.5 色阶”、“9.6 曲线”。

8.5 曝光度命令：调整照片的曝光

实例门类：
数码照片处理类

难易程度：
★☆☆

主要功能：
“曝光度”命令

制作要点：
调整曝光不足的照片，使其显示出更多的细节

素材位置：
光盘>素材>8.5

视频位置：
光盘>实例视频>8.5

“曝光度”命令是专门用于调整HDR图像曝光度的功能。由于可以在 HDR 图像中按比例表示和存储真实场景中的所有明亮度值，调整 HDR 图像曝光度的方式与在真实环境中拍摄场景时调整曝光度的方式类似。该命令也可以用于调整8 位和 16 位的普通照片的曝光度。

1 按下Ctrl+O快捷键，打开一张照片，如图8-45所示。这是一张逆光拍摄的照片，人像和山峰由于曝光不足而显得较暗。

图8-45

2 执行“图像>调整>曝光度”命令，打开“曝光度”对话框，向右拖动“曝光度”滑块，将画面调亮；向左拖动“位移”滑块，增加对比度，如图8-46、图8-47所示。

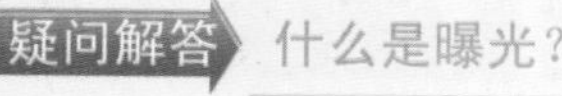

什么是曝光？

曝光是胶卷或者数码感光部件（CCD等）接受从镜头进光来形成影像。如果照片中的景物过亮，而且亮的部分没有层次或细节，这就是曝光过度（过曝）；反之，照片较黑暗，无法真实反映景物的细节，就是曝光不足（欠曝）。

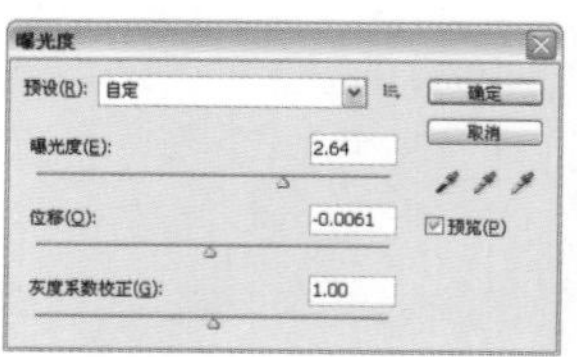

图8-46

图8-47

“曝光度”命令选项

- 曝光度：调整色调范围的高光端，对极限阴影的影响很轻微。
- 位移：使阴影和中间调变暗，对高光的影响很轻微。
- 灰度系数校正：使用简单的乘方函数调整图像灰度系数。负值会被视为它们的相应正值（这些值仍然保持为负，但仍然会被调整，就像它们是正值一样）。
- 吸管工具：用设置黑场吸管在图像中单击，可以使单击点的像素变为黑色；设置白场吸管工具可以使单击点的像素变为白色；设置灰场吸管工具可以使单击点的像素变为中性灰色（R、G、B值均为128）。

8.6 自然饱和度命令：让人像照片色彩鲜艳

"自然饱和度"是用于调整色彩饱和度的命令，它的特别之处是可在增加饱和度的同时防止颜色过于饱和而出现溢色，非常适合处理人像照片。

1 按下Ctrl+O快捷键，打开一张照片，如图8-48所示。这张照片由于天气情况不好，模特的肤色不够红润，色彩有些苍白。

图8-48

2 执行"图像>调整>自然饱和度"命令，打开"自然饱和度"对话框。对话框中有两个滑块，向左侧拖动可以降低颜色的饱和度，向右拖动则增加饱和度。我们拖动"饱和度"滑块时，可以增加（或减少）所有颜色的饱和度。如图8-49所示为增加饱和度时的效果，我们可以看到，色彩过于鲜艳，人物皮肤的颜色显得非常不自然。而拖动"自然饱和度"滑块增加饱和度时，Photoshop不会生成过于饱和的颜色，并且即使是将饱和度调整到最高值，皮肤颜色变得红润以后，仍能保持自然、真实的效果，如图8-50所示。

图8-49

图8-50

疑问解答 什么是溢色？

显示器的色域（RGB模式）要比打印机（CMYK模式）的色域广，因此，我们在显示器上看到或调出的颜色有可能打印不出来，那些不能被打印机准确输出的颜色称为"溢色"。关于怎样了解图像中是否出现溢色，请参阅"9.3 色域和溢色"。

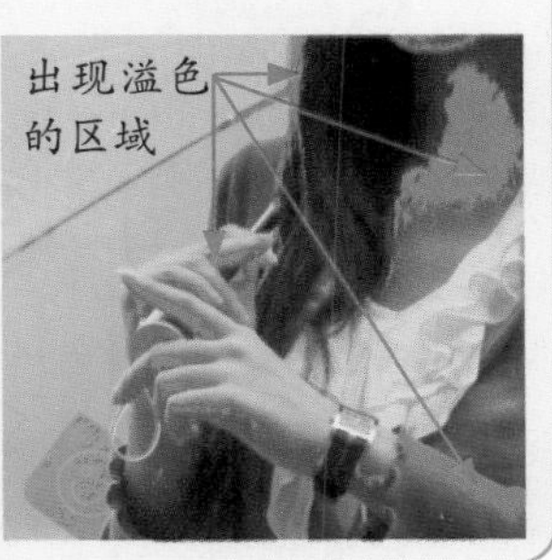

8.7 色相/饱和度命令：制作宝丽来风格照片

实例门类：
数码照片处理类

难易程度：
★★★☆

主要功能：
"色相/饱和度"命令、通道调色

制作要点：
用"色相/饱和度"命令修改几种特定的颜色

素材位置：
光盘>素材>8.7

视频位置：
光盘>实例视频>8.7

"色相/饱和度"是非常重要的命令，它可以对色彩的三大属性，色相、饱和度（纯度）、明度进行修改。它的特点是既可以单独调整单一颜色（包括红、黄、绿、蓝、青、洋红等）的色相、饱和度和明度，也同时调整图像中所有颜色的色相、饱和度和明度。

1 按下Ctrl+O快捷键，打开一张照片，如图8-51所示。

图8-51

2 打开"通道"面板，单击蓝通道，将它选择，此时画面中显示的是该通道内的灰度图像，如图8-52所示。将前景色设置为灰色（R128、G128、B128），按下Alt+Delete键，将蓝通道填充为灰色，然后单击RGB复合通道，重新显示彩色图像，如图8-53所示。

图8-52

图8-53

疑问解答 宝丽来公司和宝丽来相机

宝丽来（Polaroid）是著名的即时成像相机品牌。宝丽来公司由美国物理学家艾尔文·兰德于1937年成立，1944年研发出即时摄影技术。1948年11月26日在市场推出世界上第一个即时成像相机Polaroid 95。1972年，宝丽来推出SX－70袖珍型即时成像相机，随即风靡世界。

3 执行"滤镜>镜头校正"命令，拖动"晕影"选项组中的"数量"和"中心点"滑块，在照片四个边角添加暗角效果，如图8-54所示。

4 执行"图像>调整>色相/饱和度"命令，打开"色相/饱和度"对话框，向右拖动"饱和度"滑块，如图8-55所示，增加图像色彩的饱和度；单击按钮，在下拉列表中分别选择"黄色"和"蓝色"，单独调整这两种颜色，如

图8-56、图8-57所示，效果如图8-58所示。

图8-54

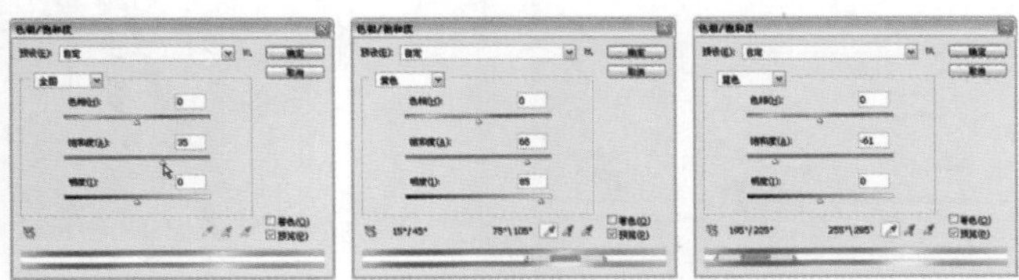

图8-55 图8-56 图8-57

图8-58

5 执行“图像>调整>亮度/对比度”命令，增加色调的亮度和对比度，使照片内容更加清晰，如图8-59所示。

图8-59

“色相/饱和度”命令选项

打开一个文件，如图8-60所示，执行“图像>调整>色相/饱和度”命令，打开“色相/饱和度”对话框，如图8-61所示。对话框中有“色相”、“饱和度”和“明度”三个滑块，拖动相应的滑块，即可调整颜色的色相、饱和度和明度。

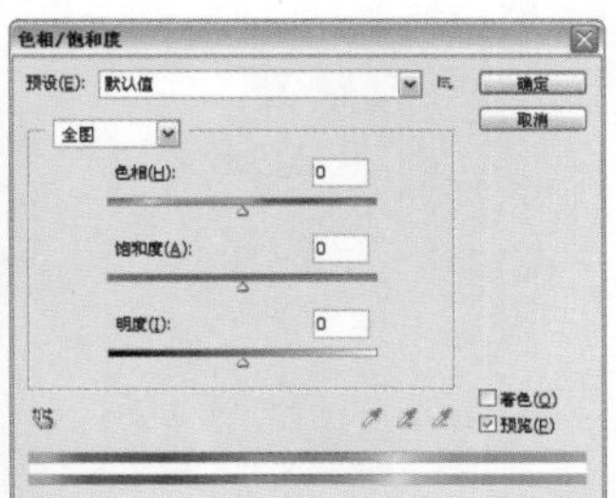

图8-60 图8-61

- 编辑：单击按钮，在下拉列表可以选择要调整的颜色。选择“全图”，然后拖动下面的滑块，可以调整图像中所有颜色的色相、饱和度和明度，如图8-62所示；选择其他选项，则可以单独调整红色、黄色、绿色和青色等颜色的色相、饱和度和明度。如图8-63所示为只调整红色的效果。

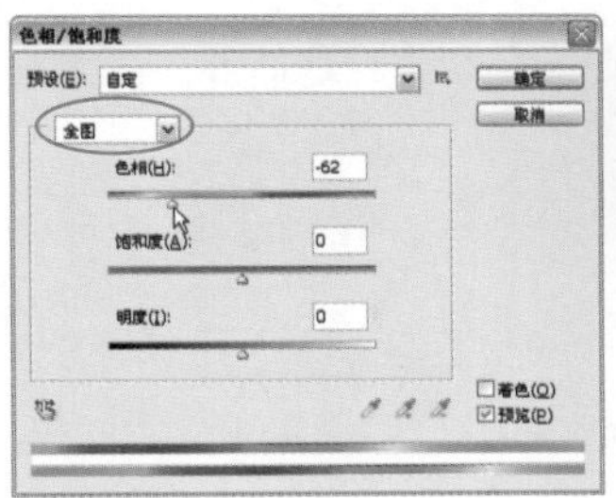

图8-62

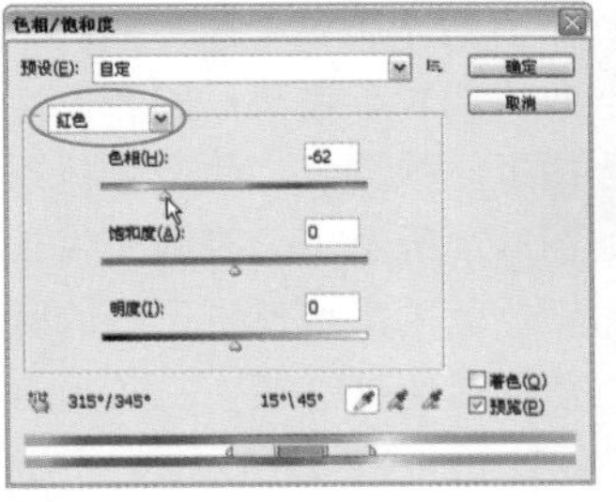

图8-63

- 图像调整工具：选择该工具以后，将光标放在要调整的颜色上，如图8-64所示，单击并拖动鼠标即可修改单击点颜色的饱和度，向左拖动鼠标可以降低饱和度，如图8-65所示，向右拖动则增加饱和度，如图8-66所示。如果按住Ctrl键拖动鼠标，则可以修改色相，如图8-67所示。

图8-64

图8-65

图8-66

图8-67

着色：勾选该项以后，如果前景色是黑色或白色，图像会转换为红色，如图8-68所示；如果前景色不是黑色或白色，则图像会转换为当前前景色的色相。变为单色图像以后，可以拖动“色相”滑块修改颜色，或者拖动下面的两个滑块调整饱和度和明度，如图8-69所示。

图8-68

图8-69

隔离颜色范围

“色相/饱和度”对话框底部有两个颜色条，上面的颜色条代表了调整前的颜色，下面的代表了调整后的颜色。如果我们在“编辑”选项中选择了一种颜色，两个颜色条之间便会出现几个小滑块，如图8-70所示，此时两个内部的垂直滑块定义了将要修改的颜色范围，调整所影响的区域会由此逐渐向两个外部的三角形滑块处衰减，三角形滑块以外的颜色则不会受到任何影响，如图8-71所示。

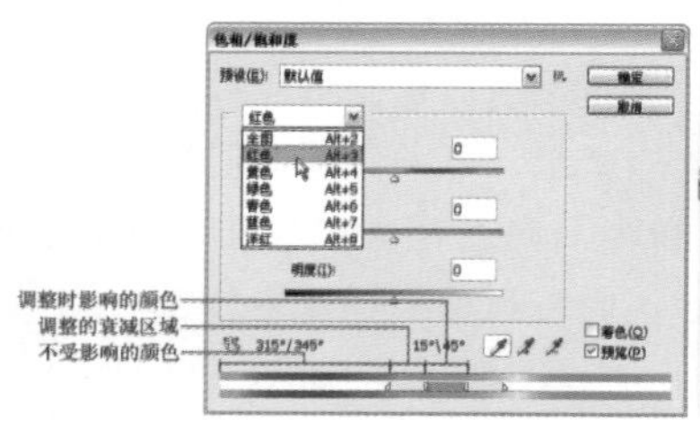

图8-70

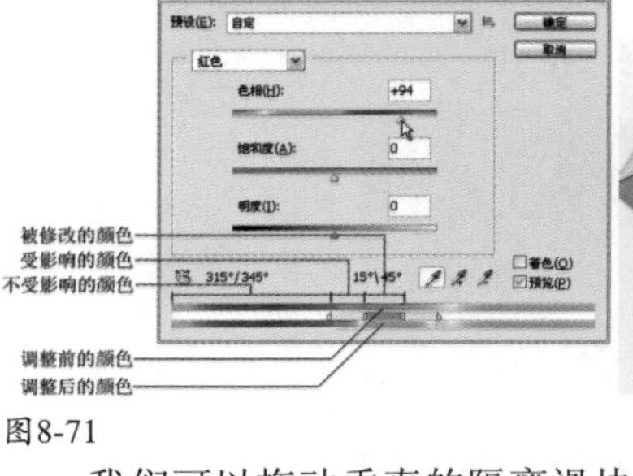

图8-71

我们可以拖动垂直的隔离滑块，扩展或收缩所影响的颜色范围，如图8-72所示；也可以拖动三角形衰减滑块，扩展或收缩衰减范围，如图8-73所示。

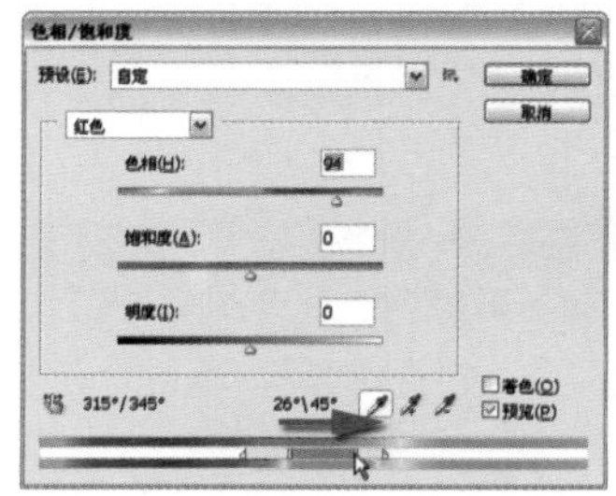

图8-72

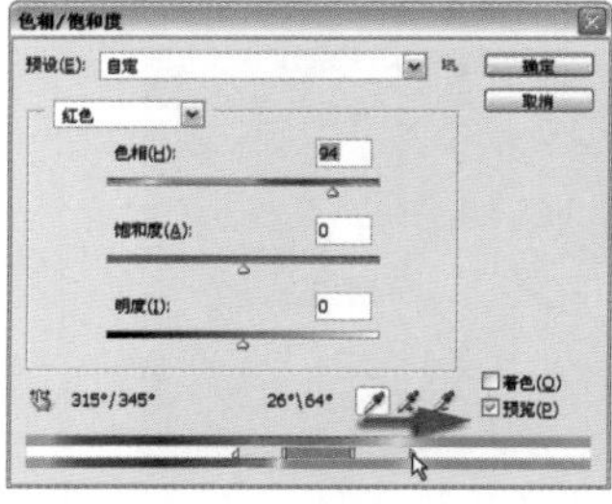

图8-73

颜色条上面的四组数字分别代表红色（当前选择的颜色）和其外围颜色的范围。在色轮中，红色的色相为0°及左右各30°的范围（即30°～0°～330°），如图8-74所示。我们再观察“色相/饱和度”对话框中的数值，如图8-75所示，其中，345°到26°之间的颜色是被调整的颜色，345°到315°之间的颜色，以及26°到64°之间的颜色的调整强度会逐渐衰减，这样就保证了调整与未调整的颜色之间平滑过渡。

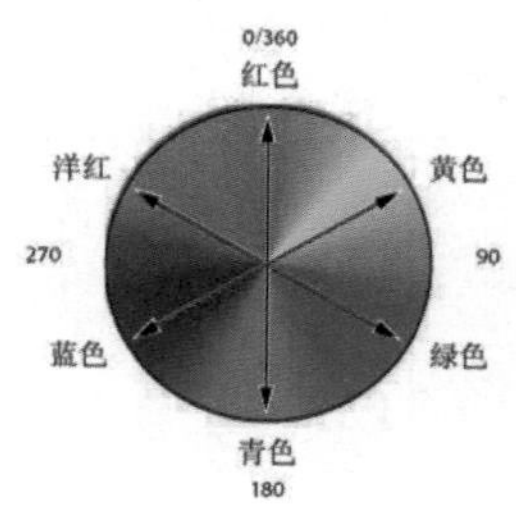

图8-74

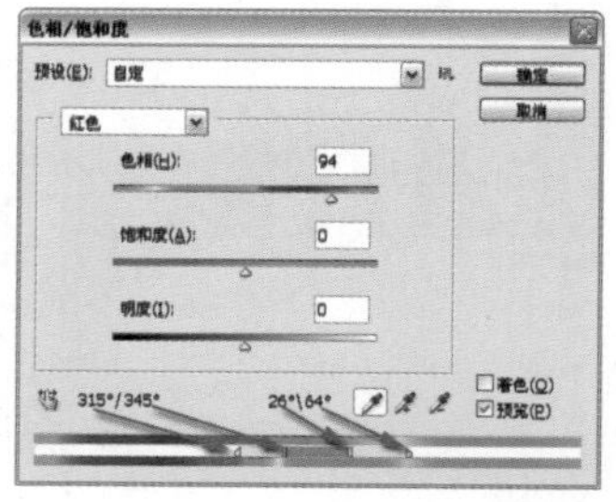

图8-75

用吸管隔离颜色

在“编辑”选项中选择一种颜色以后，对话框中的3个吸管工具便可以使用。用吸管工具在图像中单击可以选择要调整的颜色范围，如图8-76所示；用添加到取样工具在图像中单击可以扩展颜色范围，如图8-77所示；用从取样中减去工具在图像中单击可以减少颜色。

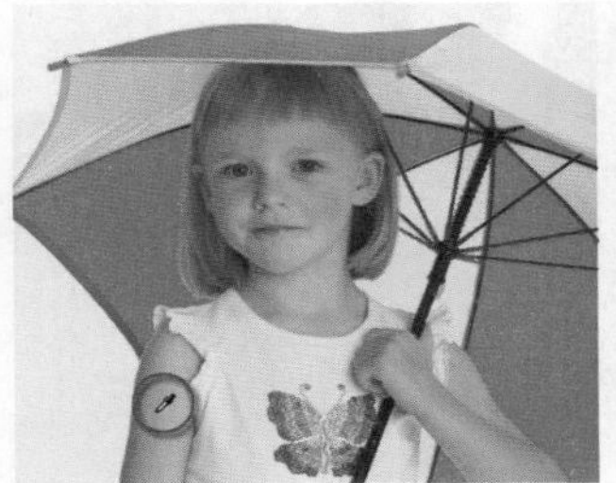
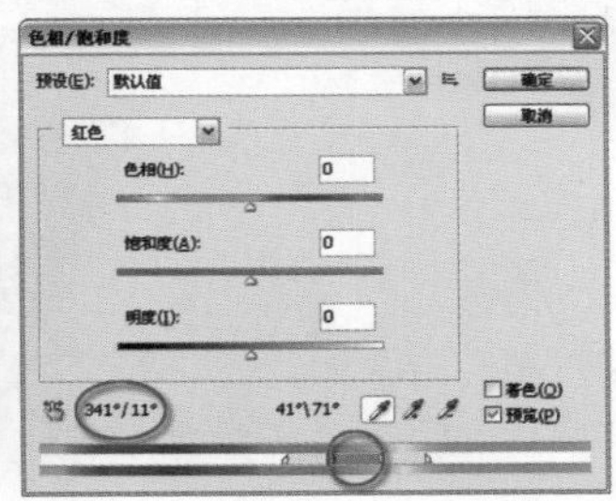

图8-76

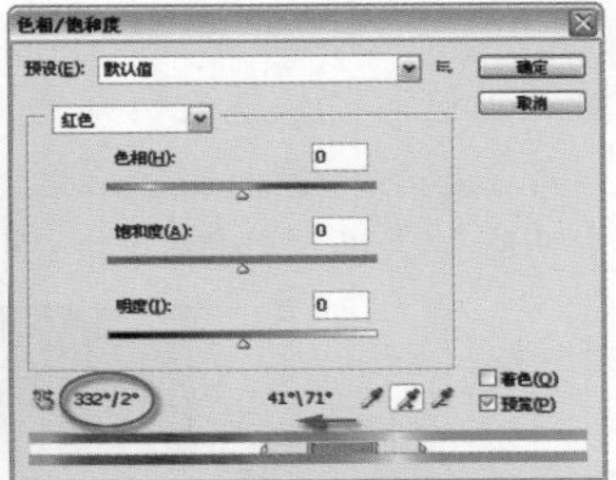

图8-77

定义了颜色范围后，可以拖动滑块来调整所选颜色的色相、饱和度和明度，如图8-78所示。

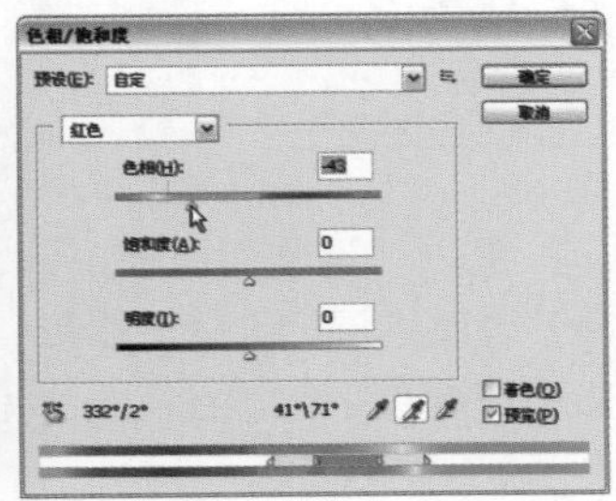

图8-78

技术看板 41 色相、饱和度、明度和色调

色相是指色彩的相貌。光谱中的红、橙、黄、绿、蓝、紫为基本色相。

明度是指色彩的明暗程度。无彩色中明度最高的是白色，明度最低的是黑色。有彩色中，任何一种纯度色都有自己的明度特征，如黄色为明度最高的颜色，处于光谱中心，紫色是明度最低的颜色，处于光谱边缘。

纯度是指色彩的鲜艳程度，也称饱和度。我们的眼睛能够辨认的有色相的色都具有一定程度的鲜艳度。例如绿色，当它混入白色时，它的鲜艳程度就会降低，但明度提高了，成为淡绿色；当它混入黑色时，鲜艳度降低了，明度变暗了，成为暗绿色；当混入与绿色明度相似的中性灰色时，它的明度没有改变，但鲜艳度降低了，成为灰绿色。

以明度和纯度共同表现的色彩的程度称为色调。色调一般分为11种：鲜明、高亮、明亮、清澈、苍白、灰亮、隐约、浅灰、阴暗、深暗、黑暗。其中，鲜明和高亮色调的彩度很高，会给人一种华丽而又强烈的感觉；清澈和隐约的亮度和彩度都比较高，会给人一种柔和的感觉；灰亮、浅灰、阴暗的亮度和彩度都比较低，会给人一种朴素而又冷静的感觉；深暗和黑暗的亮度很低，会给人一种深沉、凝重的感觉。

色相变化

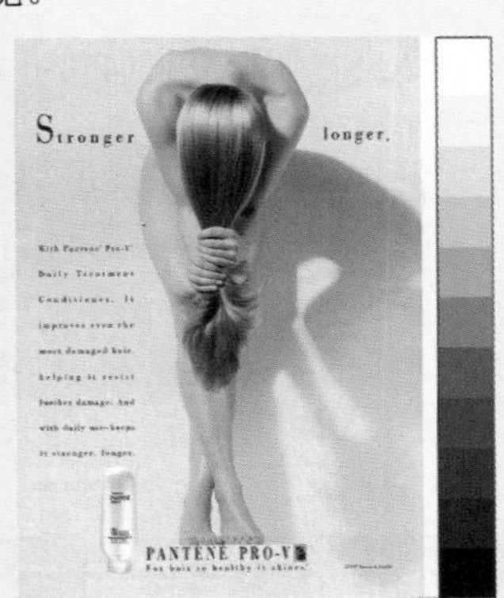

明度变化

纯度变化

色调变化

提示 现代色彩学按照全面、系统的观点，将色彩分为无彩色和有彩色两类。无彩色是指黑色、白色和各种纯度的灰色。无彩色的颜色只有明度变化，但在色彩学中，无彩色也是一种色彩。有彩色是指红、橙、黄、绿、蓝、紫这六个最基本的色相，以及由它们混合所得到的所有色彩。

8.8 色彩平衡命令：制作韩国风格写真片

色彩平衡命令正如其字面的意思，是用来调整各种色彩间平衡的功能。它将图像分为高光、中间调和阴影三种色调，我们可以调整其中一种或两种色调，也可以调整全部色调的颜色。例如，可以只调整高光色调中的红色，而不会影响中间调和阴影中的红色。

1 按下Ctrl+O快捷键，打开一张照片，如图8-79所示。按下Ctrl+J快捷键复制“背景”图层，得到“图层1”，如图8-80所示。

图8-79

图8-80

2 执行“滤镜>模糊>高斯模糊”命令，设置模糊参数如图8-81所示，效果如图8-82所示。

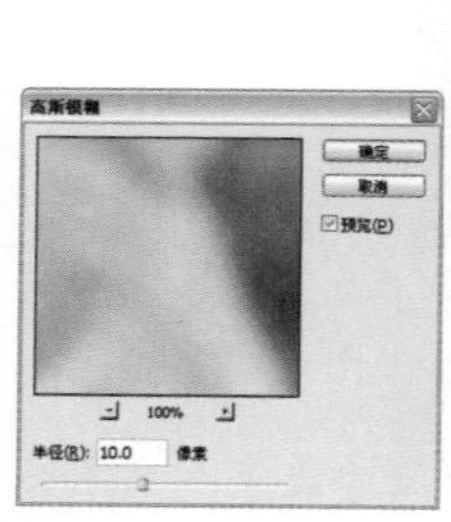

图8-81

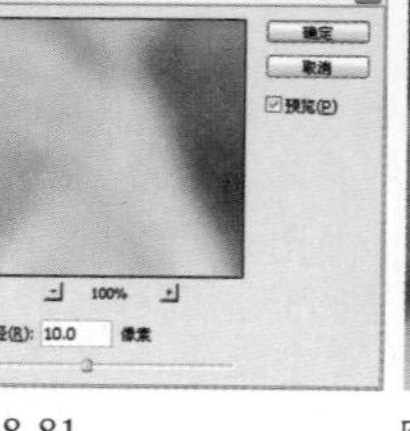

图8-82

3 单击“图层”面板底部的按钮，为“图层1”添加蒙版。这时前景色会自动变为黑色。选择画笔工具，在人像上涂抹黑色，用蒙版遮盖图像，显示出“背景”图层中清晰的人像，如图8-83、图8-84所示。

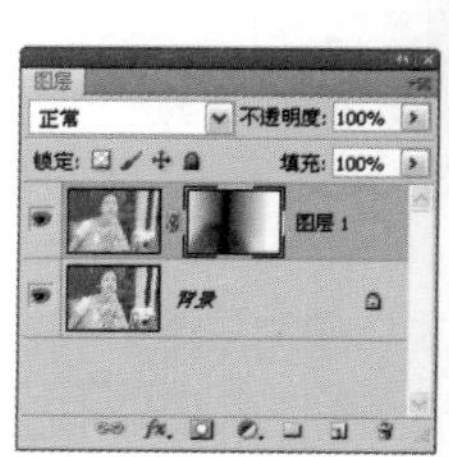

图8-83

图8-84

4 单击“调整”面板中的按钮，创建一个“色彩平衡”调整图层。选择“阴影”选项，然后拖动滑块调整阴影中的颜色平衡，在阴影中增加蓝色，如图8-85、图8-86所示。

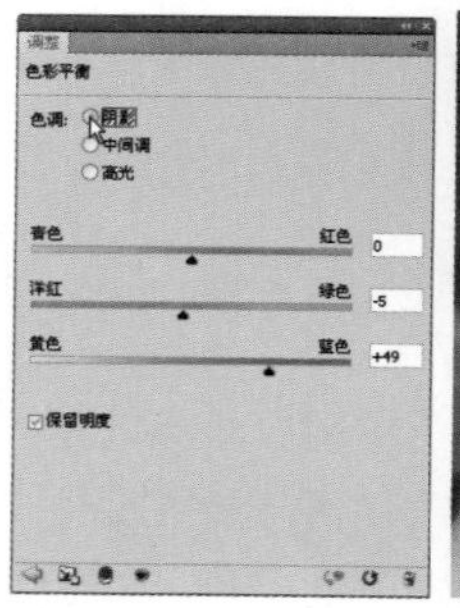

图8-85

图8-86

5 再选择“高光”选项，调整高光中的颜色平衡，在高光中增加黄色和绿色，如图8-87、图8-88所示。

图8-87

图8-88

6 最后，选择横排文字工具T，在画面中单击并输入一行文字，字体和内容可以自行设定，效果如图8-89所示。

图8-89

"色彩平衡"命令选项

打开一个文件，如图8-90所示，执行"图像>调整>色彩平衡"命令，打开"色彩平衡"对话框，如图8-91所示。在对话框中，相互对应的两个颜色互为补色（如青色与红色）。当我们提高某种颜色的比重时，位于另一侧的补色的颜色就会减少。

图8-90

图8-91

- 色彩平衡：在"色阶"文本框中输入数值，或拖动滑块可以向图像中增加或减少颜色。例如，如果将最上面的滑块移向"青色"，可在图像中增加青色，同时减少其补色红色；将滑块移向"红色"，则减少青色，增加红色。图8-92所示为调整不同的滑块的对图像的影响。

增加青色，减少红色

增加红色，减少青色

增加洋红，减少绿色

增加绿色，减少洋红

增加黄色，减少蓝色

增加蓝色，减少黄色

图8-92

- 色彩平衡：可以选择一个或多个色调来进行调整，包括"阴影"、"中间调"和"高光"。图8-93所示为单独向阴影、中间调和高光中添加黄色的效果。勾选"保持明度"选项，可以保持图像的色调不变，防止亮度值随颜色的更改而改变。

向阴影中添加黄色

向中间调添加黄色

向高光中添加黄色

图8-93

技术看板 42 互补色

在色轮上，相距180°的颜色是互补色（如红与青、黄与蓝）。互补色结合的色组，是对比效果最强的色组。我们使用"色彩平衡"、"变化"等命令时，当增加一种颜色时，就会自动减少它的补色，反之亦然。

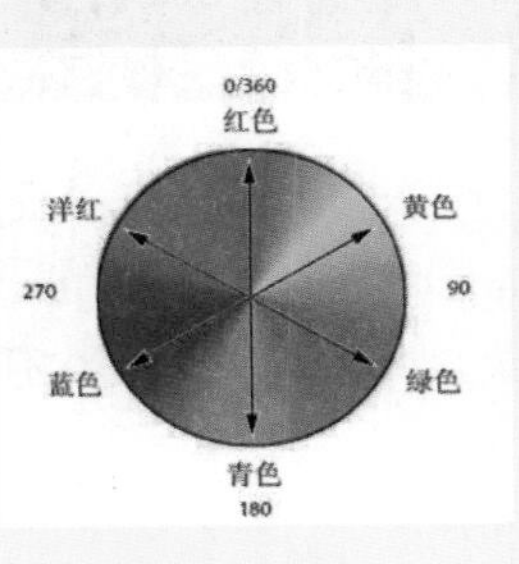

8.9 黑白命令：制作CD包装封面

"黑白"命令是专门用于制作黑白照片和黑白图像的工具，它可以对各颜色的转换方式完全控制，简单说来，就是我们可以控制每一种颜色的色调深浅。例如，彩色照片转换为黑白图像时，红色和绿色的灰度非常相似，色调的层次感就被削弱了。为了解决这个问题，可以通过"黑白"命令分别调整这两种颜色的灰度，将它们区分开，使色调的层次丰富、鲜明。

1 按下Ctrl+O快捷键，打开一个文件，如图8-94所示。单击"图层1"，将它选择，如图8-95所示。

图8-94

图8-95

2 执行"图像>调整>黑白"命令，打开"黑白"对话框，使用默认的参数，将"图层1"中的人像调整为黑白效果，如图8-96、图8-97所示。

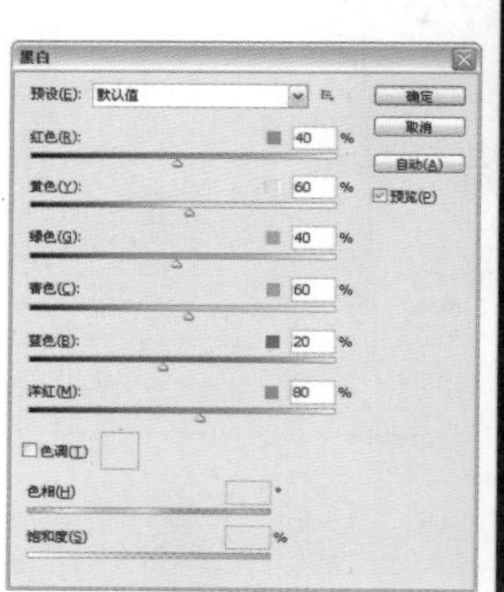

图8-96

图8-97

3 执行"图像>调整>色阶"命令，打开"色阶"对话框，拖动滑块，增加色调的对比度，如图8-98、图8-99所示。

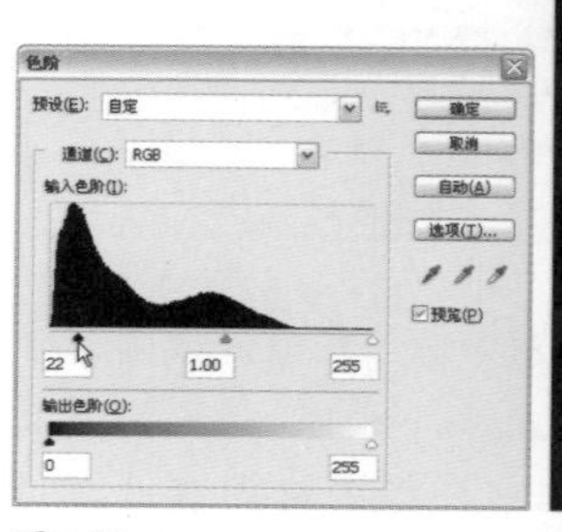

图8-98

图8-99

4 按下Ctrl+J快捷键复制"图层1"，如图8-100所示。按下Ctrl+T快捷键显示定界框，按住Shift键拖动控制点，将图像等比缩小，然后移动到画面下方，如图8-101所示，按下回车键确认。

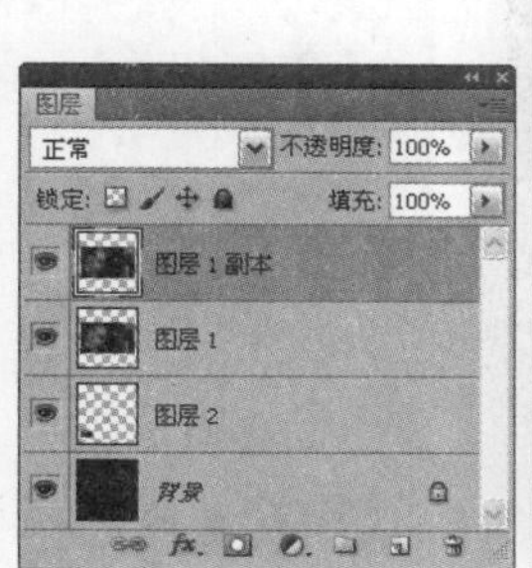

图8-100　图8-101

5 单击“图层”面板底部的按钮，新建“图层3”。按住Ctrl键单击“图层1”的缩览图，载入选区，如图8-102、图8-103所示。

图8-102　图8-103

6 将前景色调整为天蓝色（R0、G187、B255），按下Alt+Delete键在选区内填充前景色，按下Ctrl+D快捷键取消选择。将该图层的混合模式设置为“叠加”，如图8-104、图8-105所示。

图8-104　图8-105

7 最后用横排文字工具T在光盘封套上输入一些文字。还可以用自定形状工具绘制一些图形，如图8-106所示。

图8-106

“黑白”命令选项

“黑白”命令不仅可以将彩色图像转换为黑白效果，也可以为灰度着色，使图像呈现为单色效果。打开一个文件，如图8-107所示，执行“图像>调整>黑白”命令，打开“黑白”对话框，如图8-108所示。Photoshop 会基于图像中的颜色混合执行默认的灰度转换。

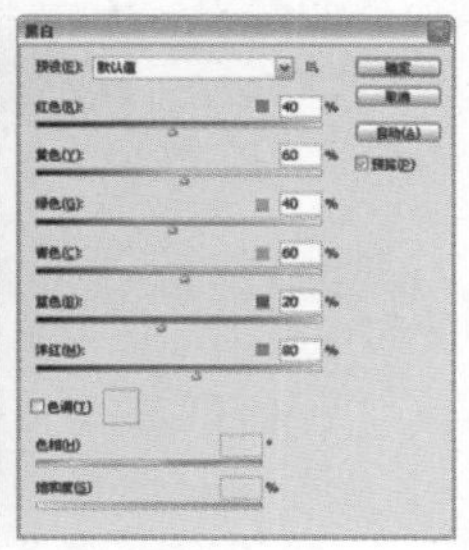

图8-107　图8-108

- 手动调整特定颜色：如果要对某种颜色进行细致的调整，可以将光标定位在该颜色区域的上方，此时光标会变为状，如图8-109所示，单击并拖动鼠标可以使该颜色变暗或变亮，如图8-110、图8-111所示。同时，“黑白”对话框中的相应的颜色滑块也会自动移动位置。

图8-109

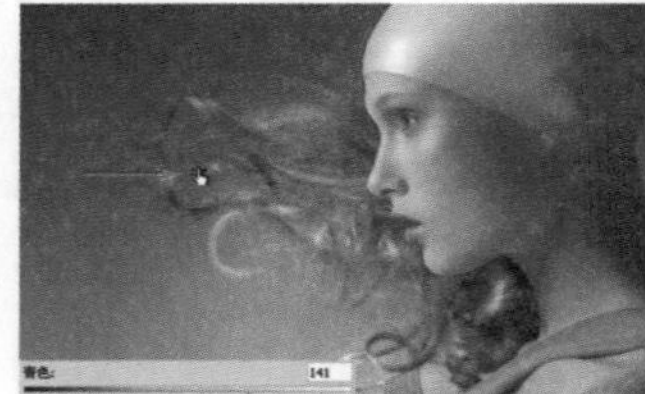

图8-110

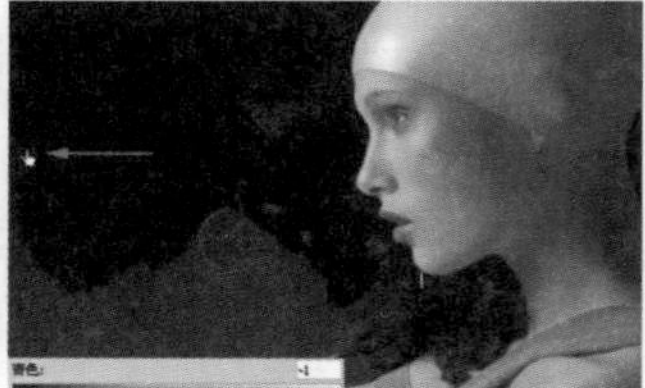

图8-111

- **拖动颜色滑块调整**：拖动各个原色的滑块可调整图像中特定颜色的灰色调。例如，向左拖动洋红色滑块时，可以使图像中由洋红色转换而来的灰色调变暗，如图8-112所示；向右拖动，则使这样的灰色调变亮，如图8-113所示。

图8-112

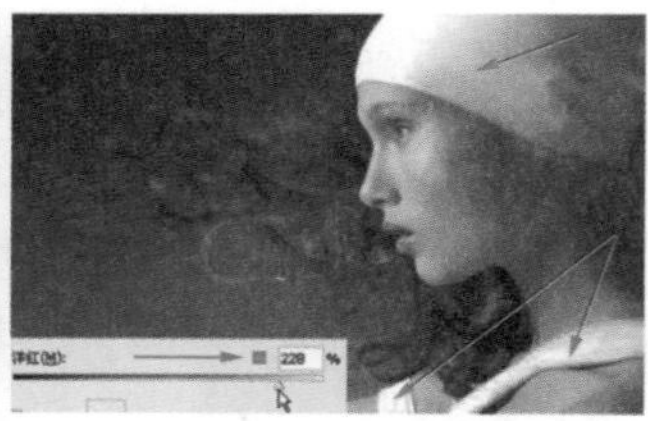

图8-113

> 提示：按住Alt键单击某个色卡可将单个滑块复位到其初始设置。另外，按住Alt键时，对话框中的“取消”按钮将变为“复位”，单击“复位”按钮可复位所有的颜色滑块。

- **使用预设文件调整**：在下拉列表中可以选择一个预设的调整文件，对图像自动应用调整。如图8-114所示为使用不同预设文件创建的黑白效果。如果要存储当前的调整设置结果，可单击选项右侧的按钮，在下拉菜单中选择“存储预设”命令。

蓝色滤镜　较暗　绿色滤镜

高对比度蓝色滤镜　高对比度红色滤镜　红外线

较亮　最黑　最白

中灰密度　红色滤镜　黄色滤镜

图8-114

- **为灰度着色**：如果要为灰度着色，创建单色调效果，可勾选“色调”选项，再拖动“色相”滑块和“饱和度”滑块进行调整。单击颜色块，可以打开“拾色器”对颜色进行调整。图8-115、图8-116所示为创建的单色调图像。

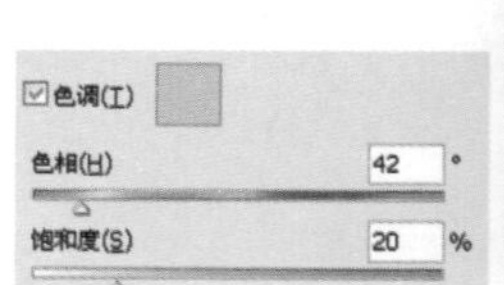

图8-115

图8-116

- **自动**：单击该按钮，可设置基于图像的颜色值的灰度混合，并使灰度值的分布最大化。“自动”混合通常会产生极佳的效果，并可以用作使用颜色滑块调整灰度值的起点。

8.10 照片滤镜命令：制作怀旧风格照片

滤镜是相机的一种配件，将它安装在镜头前面可以保护镜头，降低或消除水面和非金属表面反光，或者改变色温。“照片滤镜”命令可以模拟彩色滤镜，调整通过镜头传输的光的色彩平衡和色温，对于调整数码照片特别有用。

1 按下Ctrl+O快捷键，打开一张照片，如图8-117所示。单击“图层”面板底部的按钮，新建一个图层，如图8-118所示。

图8-117

图8-118

2 按下D键，恢复为默认的前景色和背景色。选择渐变工具，在工具选项栏中选择前景色-透明渐变，如图8-119所示，在画面右下角单击，然后向左上角拖动鼠标，填充渐变，如图8-120所示。

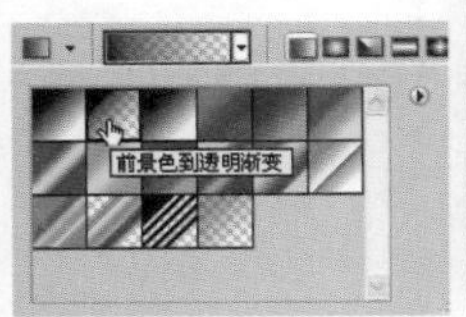

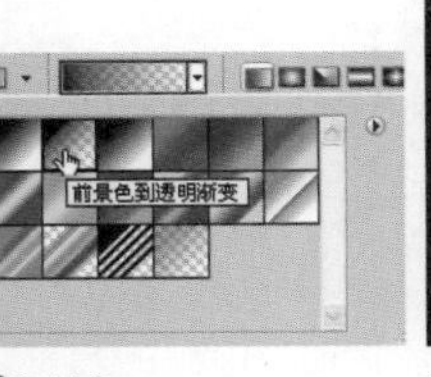

图8-119

图8-120

3 按下X键，将前景色切换为白色，在画面左上角单击，然后向右下角拖动鼠标填充白色渐变，如图8-121所示。

图8-121

4 将该图层的“混合模式”设置为“柔光”，“不透明度”调整为52%，如图8-122所示。通过该图层的叠加，可以使照片的左上角变亮，右下角变暗，如图8-123所示。

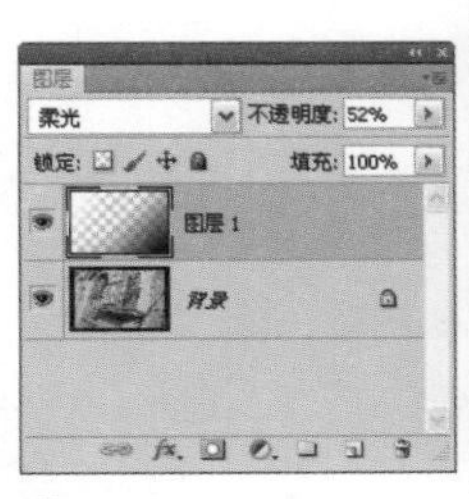

图8-122 图8-123

5 单击“调整”面板中的按钮，创建“照片滤镜”调整图层，单击按钮，在下拉列表中选择“加温滤镜LBA”，将“浓度”设置为100%，如图8-124、图8-125所示。

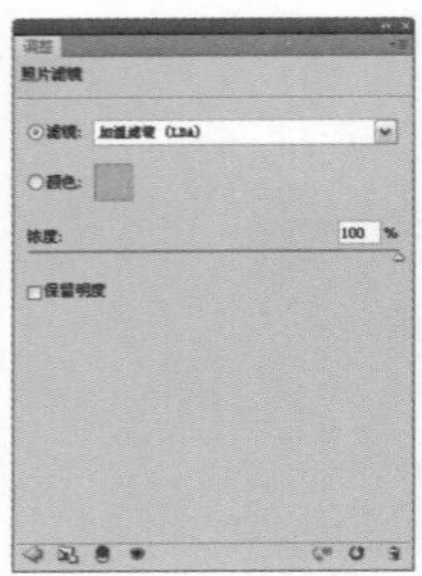
图8-124

图8-125

6 最后使用横排文字工具T输入一些文字，如图8-126所示。

图8-126

“照片滤镜”命令选项

打开一张照片，如图8-127所示，执行“图像>调整>照片滤镜”命令，打开“照片滤镜”对话框，如图8-128所示。

图8-127

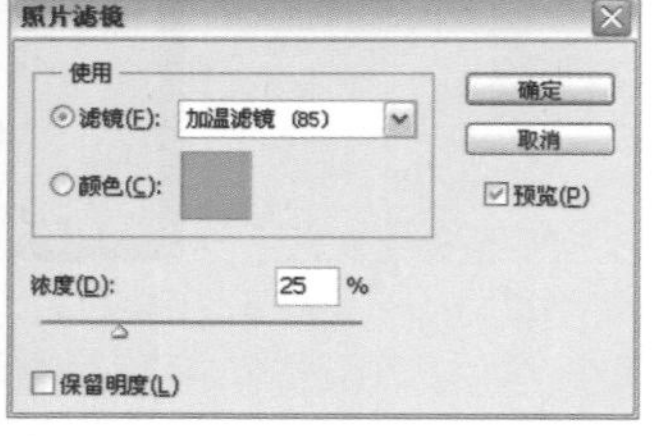

图8-128

- 滤镜/颜色：在“滤镜”下拉列表中可以选择要使用的滤镜。如果要自定义滤镜颜色，则可单击“颜色”选项右侧的颜色块，打开“拾色器”调整颜色。
- 浓度：可调整应用到图像中的颜色数量，该值越高，颜色的调整强度就越大，如图8-129、图8-130所示。

图8-129

图8-130

- 保留明度：勾选该项时，可以保持图像的明度不变，如图8-131所示。取消勾选，则会因为添加滤镜效果而使图像色调变暗，如图8-132所示。

图8-131

图8-132

技术看板 43 校正出现色偏的照片

“照片滤镜”可以校正照片的颜色。例如，日落时拍摄的人脸会显得偏红。我们可以针对想减弱的颜色选用其补色的滤光镜—青色滤光镜（红色的补色是青色）来校正颜色，恢复正常的肤色。

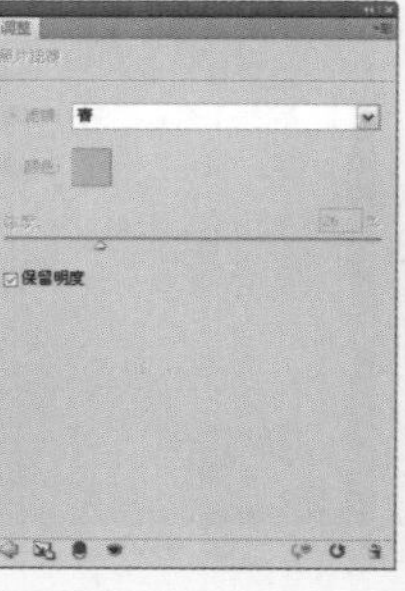

8.11 通道混合器命令：新锐插画设计

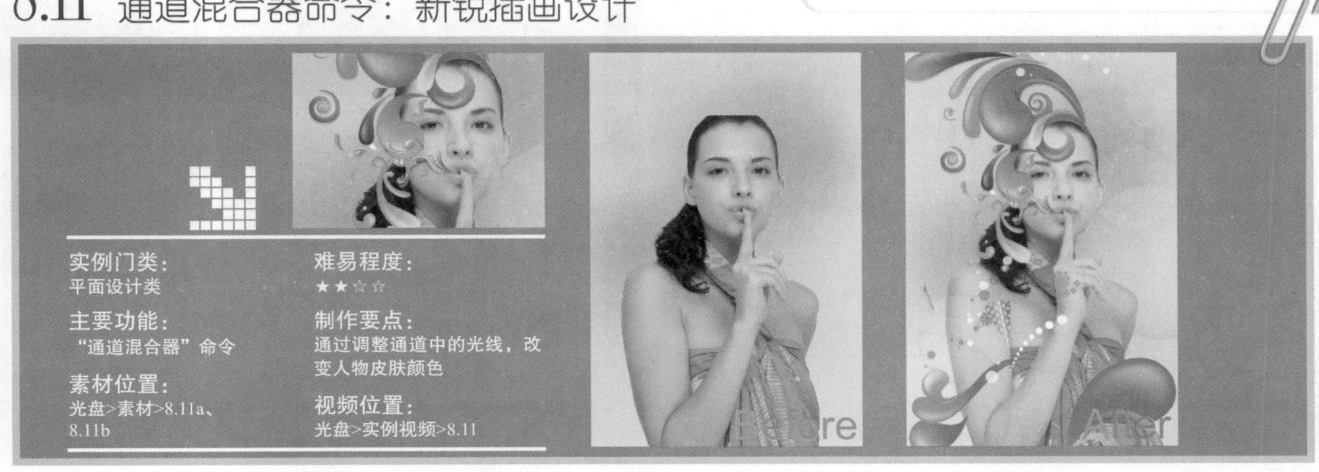

在“通道”面板中，各个颜色通道（红、绿、蓝通道）保存着图像的色彩信息。我们将颜色通道调亮或者调暗，都会改变图像的颜色。“通道混合器”可以将所选的通道与我们想要调整的颜色通道混合，从而修改该颜色通道中的光线量，影响其颜色含量，从而改变色彩。

1 按下Ctrl+O快捷键，打开一个文件，如图8-133所示。选择“图层1”，如图8-134所示。

图8-133　图8-134

2 执行“图像>调整>通道混合器”命令，打开“通道混合器”对话框。分别在“输出通道”下拉列表中选择“红”、“绿”、“蓝”通道，然后拖动各个滑块，在人物的皮肤颜色中增加粉色，如图8-135～图8-138所示。

3 执行“图像>调整>色相/饱和度”命令，选择“青色”，拖动“色相”滑块，将人物裙子调整为湖蓝色，如图8-139、图8-140所示。

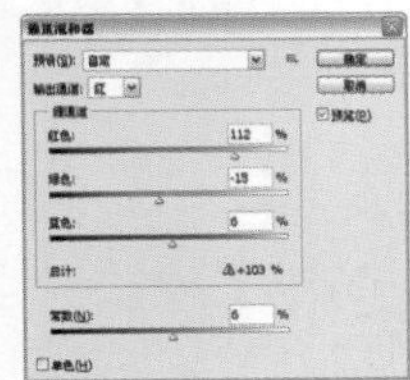

图8-135

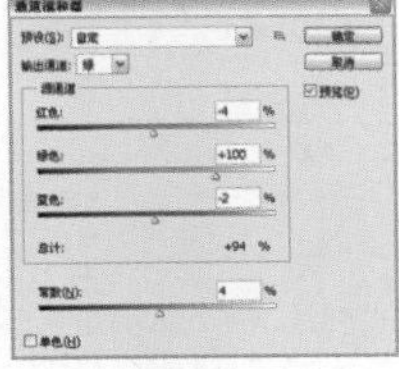

图8-136

图8-137　图8-138

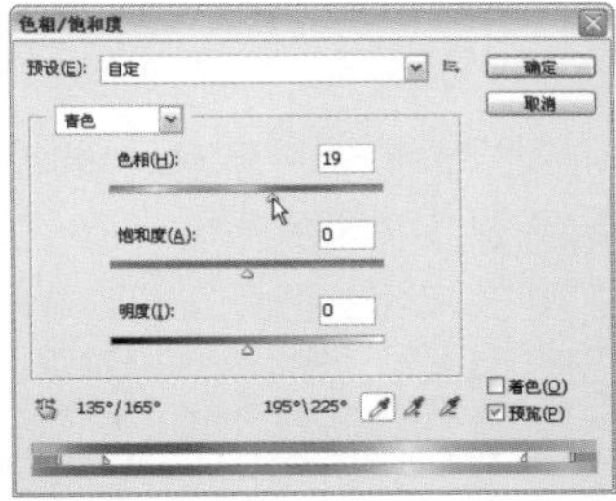

图8-139

图8-140

4 按下Ctrl+O快捷键，打开一个素材文件，如图8-141所示。使用移动工具将各个图形拖动到人物文档中进行装饰，如图8-142所示。

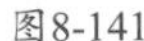

图8-141

图8-142

"通道混合器"命令选项

"通道混合器"可以使用图像中现有（源）颜色通道的混合来修改目标（输出）颜色通道，创建高品质的灰度图像、棕褐色调图像或对图像进行创造性的颜色调整。打开一个文件，如图8-143所示，执行"图像>调整>通道混合器"命令，打开"通道混合器"对话框，如图8-144所示。

图8-143

图8-144

- 预设：该选项的下拉列表中包含了Photoshop提供的预设调整设置文件，可用于创建各种黑白效果。
- 输出通道：可以选择要调整的通道。
- 源通道：用来设置输出通道中源通道所占的百分比。将一个源通道的滑块向左拖动时，可减小该通道在输出通道中所占的百分比；向右拖动则增百分比，负值可以使源通道在被添加到输出通道之前反相。如图8-145所示是分别选择"红"、"绿"和"蓝"作为输出通道时的调整结果。
- 总计：显示了源通道的总计值。如果合并的通道值高于100%，会在总计旁边显示一个警告⚠。并且，该值超过100%，有可能会损失阴影和高光细节。

红通道+200%

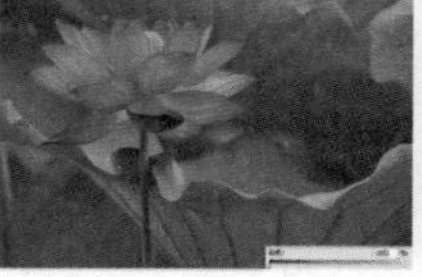

红通道-200%

绿通道+200%

绿通道-200%

蓝通道+200%

蓝通道-200%

图8-145

- 常数：用来调整输出通道的灰度值。负值可以在通道中增加黑色，如图8-146所示；正值则在通道中增加白色，如图8-147所示。-200% 会使输出通道成为全黑，+200% 则会使输出通道成为全白。

图8-146

图8-147

- 单色：勾选该项，可以将彩色图像转换为黑白效果。

相关链接：关于通道与色彩的关系，以及怎样使用通道调整颜色，请参阅"9.7 通道调色技术"。

8.12 反相命令

打开一张照片，如图8-148所示，执行"图像>调整>反相"命令，或按下Ctrl+I快捷键，Photoshop会将通道中每个像素的亮度值都转换为 256 级颜色值刻度上相反的值，从而反转图像的颜色，创建彩色负片效果，如图8-149所示。再次执行该命令，可以将图像重新恢复为正常效果。将图像反相以后，执行"图像>调整>去色"命令，可以得到黑白负片，如图8-150所示。

图8-148

图8-149

图8-150

8.13 色调分离命令

“色调分离”命令可以按照指定的色阶数减少图像的颜色（或灰度图像中的色调），从而简化图像内容。该命令适合创建大的单调区域，或者在彩色图像中产生有趣的效果。打开一张照片，如图8-151所示，执行“图像>调整>色调分离”命令，打开“色调分离”对话框。如果要得到简化的图像，可以降低色阶值，如图8-152所示；如果要显示更多的细节，则增加色阶值，如图8-153所示。如果使用“高斯模糊”或“去斑”滤镜对图像进行轻微的模糊，再进行色调分离，就可以得到更少、更大的色块。

图8-151

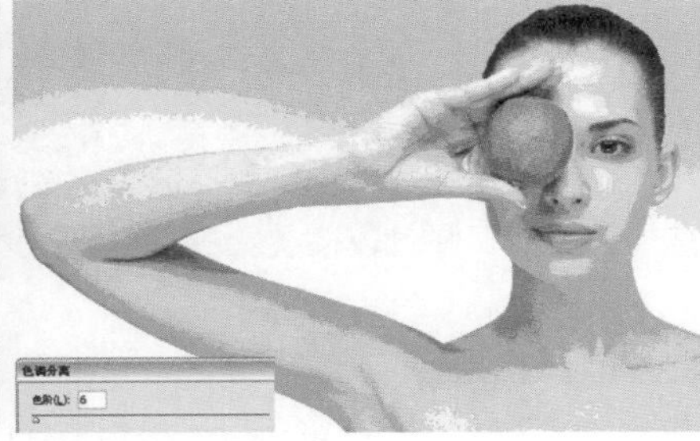
图8-152

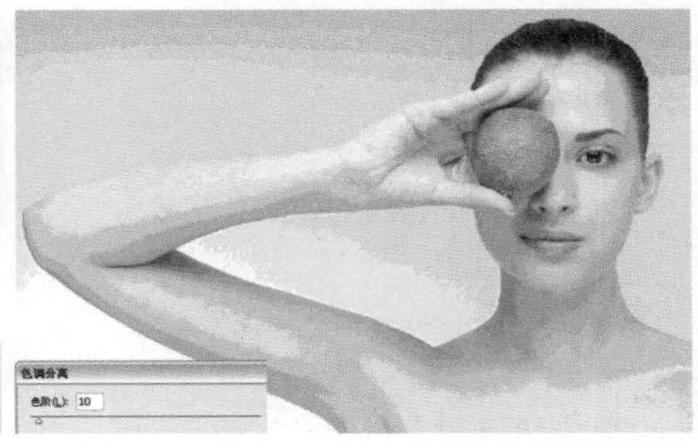
图8-153

8.14 色调均化命令

“色调均化”命令可以重新分布像素的亮度值，将最亮的值调整为白色，最暗的值调整为黑色，中间的值分布在整个灰度范围中，使它们更均匀地呈现所有范围的亮度级别（0～255）。该命令还可以增加那些颜色相近的像素间的对比度。打开一个文件，如图8-154所示，执行“图像>调整>色调均化”命令，效果如图8-155所示。

如果在图像中创建了一个选区，如图8-156所示，则执行“色调均化”命令时，会弹出一个对话框，如图8-157所示。选择“仅色调均化所选区域”，表示仅均匀分布选区内的像素，如图8-158所示；选择“基于所选区域色调均化整个图像”，则可根据选区内的像素均匀分布所有图像像素，包括选区外的像素，如图8-159所示。

图8-154

图8-155

图8-156

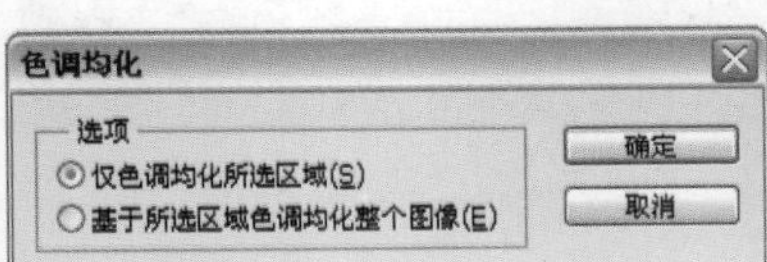

图8-157

图8-158

图8-159

8.15 渐变映射命令：制作前卫插画

“渐变映射”命令可以将图像转换为灰度，再用设定的渐变色替换图像中的各级灰度。如果指定的是双色渐变，图像中的阴影就会映射到渐变填充的一个端点颜色，高光则映射到另一个端点颜色，中间调映射为两个端点颜色之间的渐变。

1 按下Ctrl+O快捷键，打开一个文件，如图8-160所示。

2 选择“图层1”，如图8-161所示，按下Alt+Ctrl+G快捷键，创建剪贴蒙版，用“图层2”中的图像限定人物的显示范围，如图8-162、图8-163所示。

图8-160

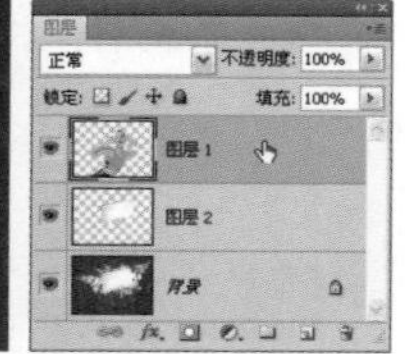

图8-161

图8-162

图8-163

3 单击“调整”面板中的按钮，创建“渐变映射”调整图层。单击渐变颜色条右侧的按钮，在打开的下拉面板中选择如图8-164所示的渐变；再单击面板底部的按钮，将调整图层加入到下面的剪贴蒙版组中，使调整图层只影响剪贴蒙版组中的图像，而不会改变背景图像的颜色，图像效果如图8-165所示。

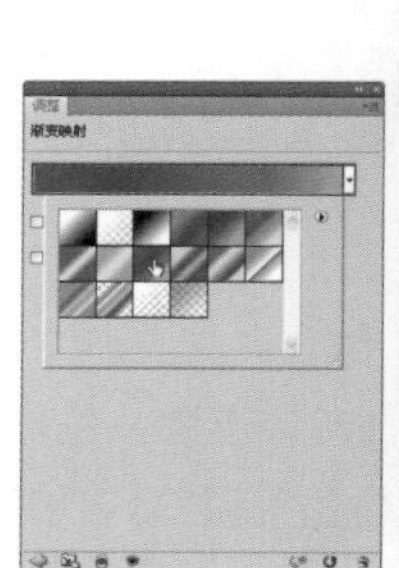

图8-164

图8-165

4 将调整图层的混合模式设置为“颜色加深”，如图8-166、图8-167所示。

图8-166

图8-167

5 按住Alt键，将“图层1”拖动到面板的最顶层，如图8-168所示，放开鼠标后，可以复制出一个图层，如图8-169所示。按下Alt+Ctrl+G快捷键，将其加入到下面的剪贴蒙版组中，如图8-170所示。

图8-168

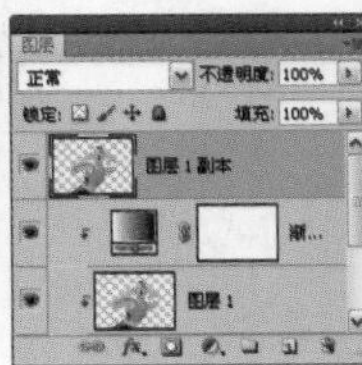
图8-169

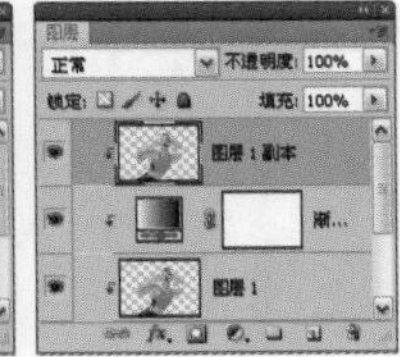
图8-170

6 将该图层的混合模式设置为“强光”，如图8-171、图8-172所示。

图8-171

图8-172

“渐变映射”命令选项

打开一个文件，如图8-173所示，执行“图像>调整>渐变映射”命令，弹出“渐变映射”对话框，如图8-174所示，Photoshop会使用当前的前景色和背景色改变图像的颜色，如图8-175所示。

图8-173

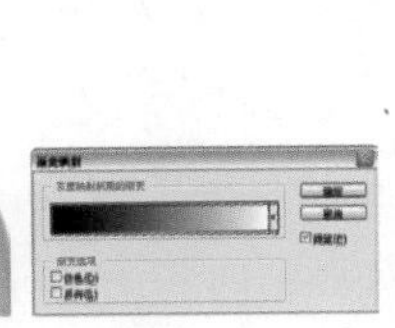
图8-174

图8-175

- 调整渐变：单击渐变颜色条右侧的三角按钮，可以在打开的下拉面板中选择一个预设的渐变，如图8-176、图8-177所示。如果要创建自定义的渐变，则可以单击渐变颜色条，打开“渐变编辑器”进行设置。

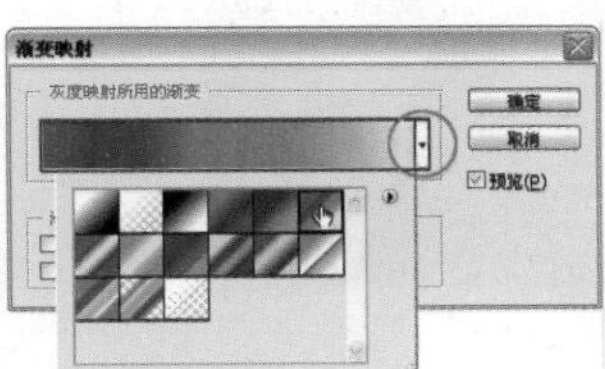
图8-176

图8-177

- 仿色：可以添加随机的杂色来平滑渐变填充的外观，减少带宽效应，使渐变效果更加平滑。
- 反相：可以反转渐变填充的方向，如图8-178、图8-179所示。

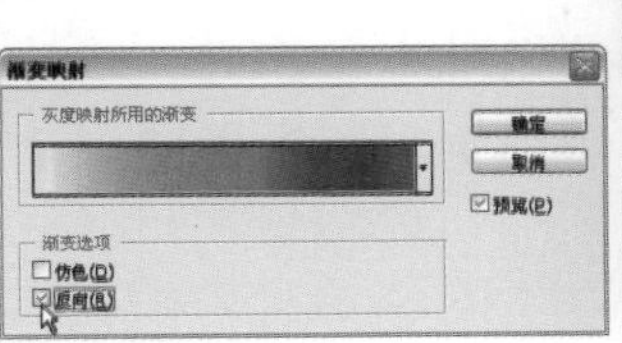
图8-178

图8-179

技术看板 44 保持色调的对比度

渐变映射会改变图像色调的对比度。要避免出现这种情况，可以使用“渐变映射”调整图层，然后将调整图层的混合模式设置为“颜色”，使它只能改变图像的颜色，而不会影响图像的亮度。

亮度发生变化

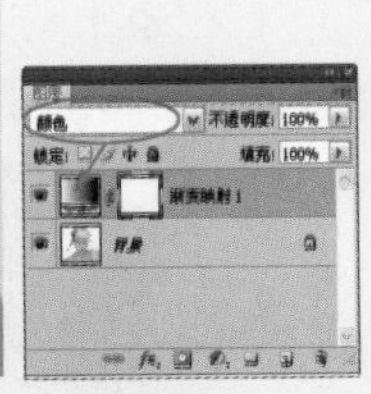
修改混合模式

恢复亮度

8.16 可选颜色命令：制作时尚冷艳色调

“可选颜色”命令是通过调整印刷油墨的含量来控制颜色的。印刷色由青、洋红、黄、黑四种油墨混合而成，使用“可选颜色”命令可以有选择性地修改主要颜色中的印刷色的含量，但不会影响其他主要颜色。例如，可以减少绿色图素中的青色，同时保留蓝色图素中的青色不变。

1 按下Ctrl+O快捷键，打开一张照片，如图8-180所示。

图8-180

2 单击“调整”面板中的按钮，创建“可选颜色”调整图层，在“颜色”下拉列表中选择“白色”，再选择“相对”选项，设置参数如图8-181、图8-182所示。

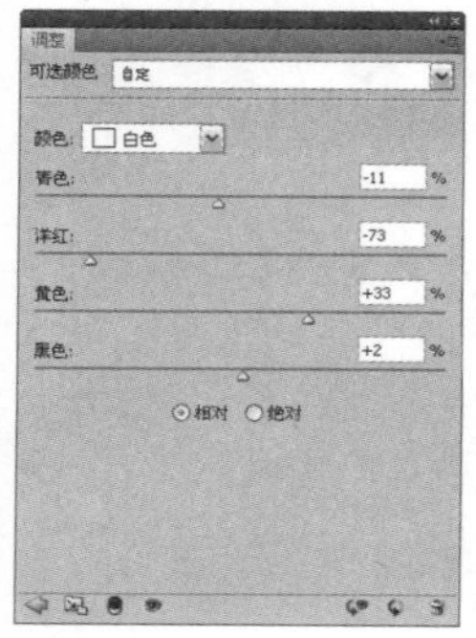

图8-181

图8-182

3 在“颜色”下拉列表中选择“中性色”，增加青色和洋红的含量，减少黄色，如图8-183、图8-184所示。

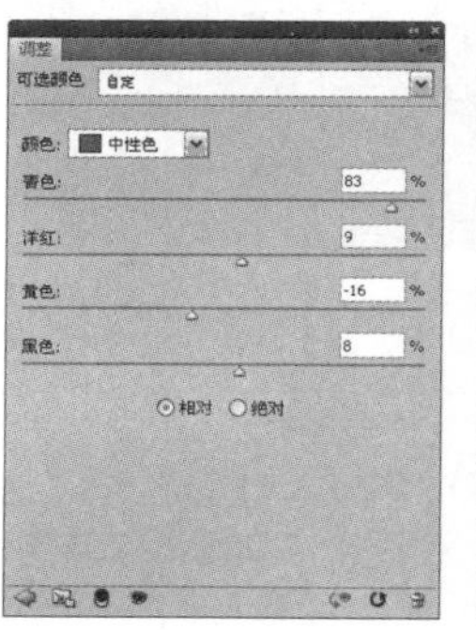

图8-183

图8-184

提示：在“可选颜色”对话框中，即使只设置一种颜色，也可以改变图像效果。但使用时必须注意，若对颜色的设置不合适的话，会打乱暗部和亮部的结构。

4 选择横排文字输入工具T，打开“字符”面板，设置字体、大小及间距，如图8-185所示。在画面中单击，输入文字，如图8-186所示。

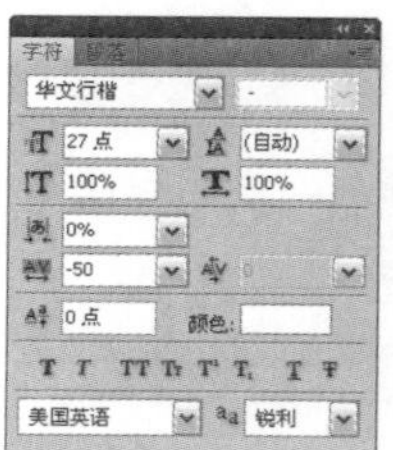

图8-185

图8-186

5 单击工具选项栏中的按钮，打开“变形文字”对话框，在“样式”下拉列表中选择“扇形”，设置弯曲参数为27%，如图8-187所示；使文字产生弧形弯曲，如图8-188所示。

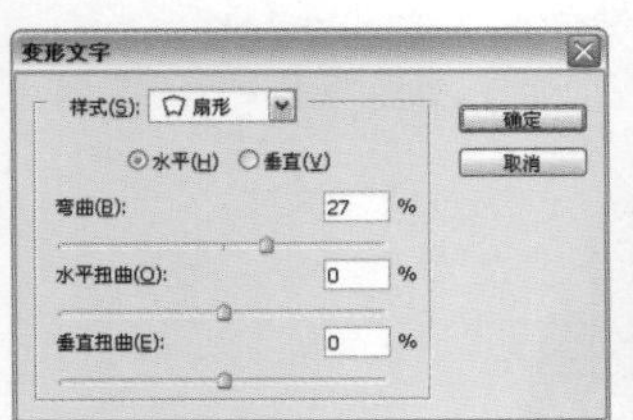

图8-187　图8-188

6 按下Ctrl+T快捷键显示定界框，在定界框外拖动鼠标，将文字向左旋转，如图8-189所示；按下回车键确认操作，输入其他文字，并在画面中加入花纹边框作为装饰，如图8-190所示。

图8-189　图8-190

"可选颜色"命令选项

打开一个文件，如图8-191所示，执行"图像>调整>可选颜色"命令，打开"可选颜色"对话框，如图8-192所示。

图8-191　图8-192

- 颜色/滑块：在"颜色"下拉列表中选择要修改的颜色，拖动下面的各个颜色滑块，即调整可所选颜色中青色、洋红色、黄色和黑色的含量。图8-193所示为在"颜色"下拉列表中选择"红色"，然后调整红色中各个印刷色含量的效果。

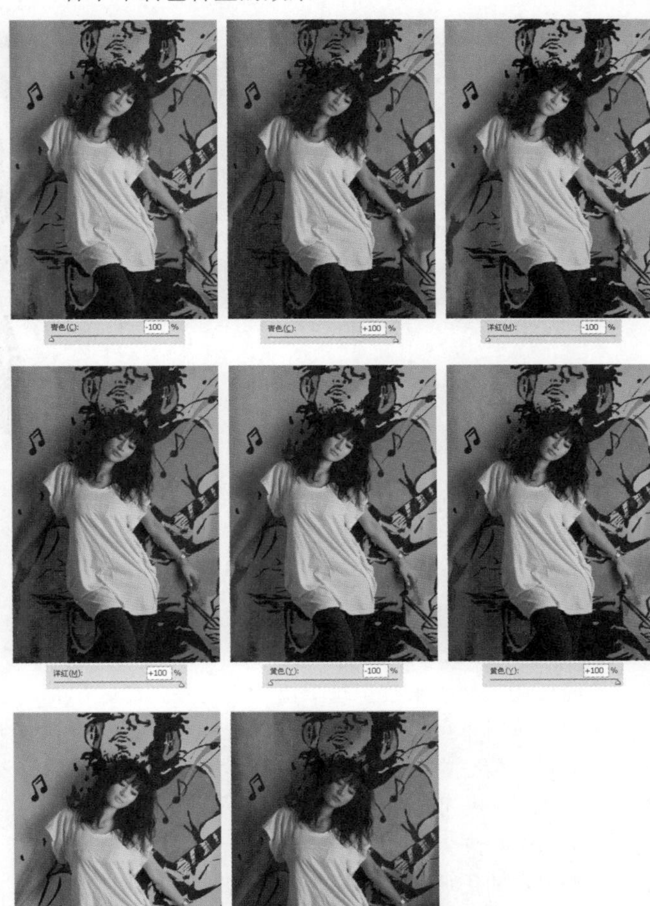

图8-193

- 方法：用来设置调整方式。选择"相对"，可按照总量的百分比修改现有的青色、洋红、黄色或黑色的含量。例如，如果从 50% 的洋红像素开始添加 10%，结果为 55% 的洋红（50%＋50%×10%= 55%）；选择"绝对"，则采用绝对值调整颜色。例如，如果从 50% 的洋红像素开始添加 10%，则结果为60%洋红。

提示：可选颜色校正是高端扫描仪和分色程序使用的一种技术，用于在图像中的每个主要原色成分中更改印刷色的数量。

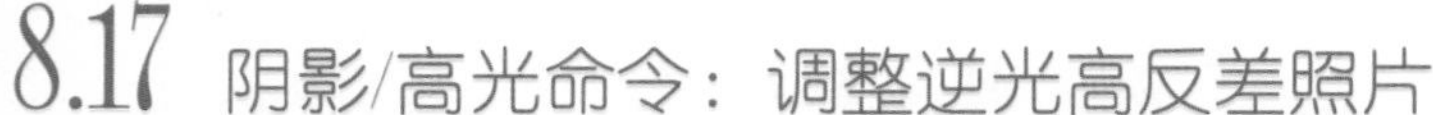

8.17 阴影/高光命令：调整逆光高反差照片

使用数码相机逆光拍摄时，经常会遇到一种情况，就是场景中亮的区域特别亮，暗的区域又特别暗。拍摄时如果考虑亮调不能过曝，就会导致暗调区域过暗，看不清内容，形成高反差。处理这种照片最好的方法是使用“阴影/高光”命令来单独调整阴影区域，它能够基于阴影或高光中的局部相邻像素来校正每个像素，调整阴影区域时，对高光的影响很小，而调整高光区域时，对阴影的影响很小。非常适合校正由强逆光而形成剪影的照片，也可以校正由于太接近相机闪光灯而有些发白的焦点。

1 按下Ctrl+O快捷键，打开一张照片，如图8-194所示。这张逆光照片的色调反差非常大，人物几乎变成了剪影效果。如果使用“色阶”或“亮度/对比度”等工具将图像调亮，整个图像都会变亮，人物的细节虽然可以显示出来，但背景却没有什么信息了，如图8-195所示。我们需要将阴影区域（人物）调亮，但又不影响高光区域（人物背后的窗户）的亮度，而这正是“阴影/高光”命令的强项。

图8-194

图8-195

2 执行“图像>调整>阴影/高光”命令，打开“阴影/高光”对话框，Photoshop会给出一个默认的参数来提高阴影区域的亮度，如图8-196、图8-197所示。可以看到，现在人物的细节已经显示出来了。

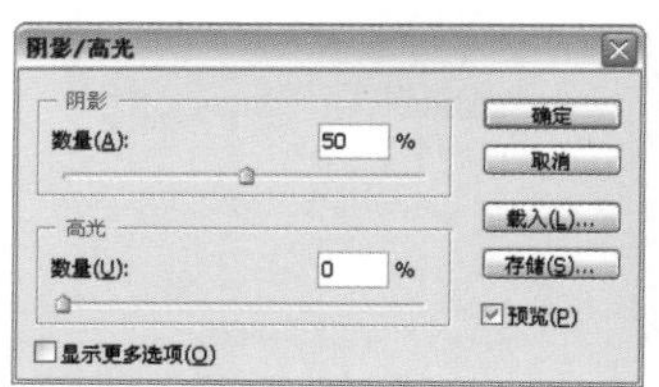

图8-196

图8-197

3 勾选“显示更多选项”，显示完整的选项。将“数量”滑块拖动到最右侧，提高调整强度，使画面更亮，如图8-198、图8-199所示。

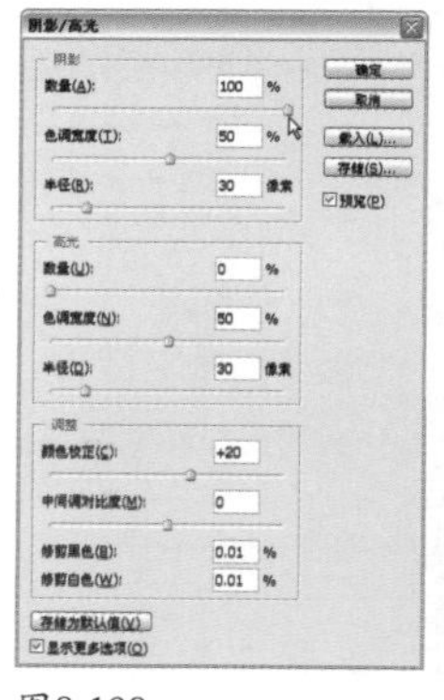

图8-198

图8-199

4 再向右拖动“半径”滑块，将更多的像素定义为阴影，以便Photoshop对其应用调整，从而使色调变得平滑，消除不自然感，如图8-200、图8-201所示。

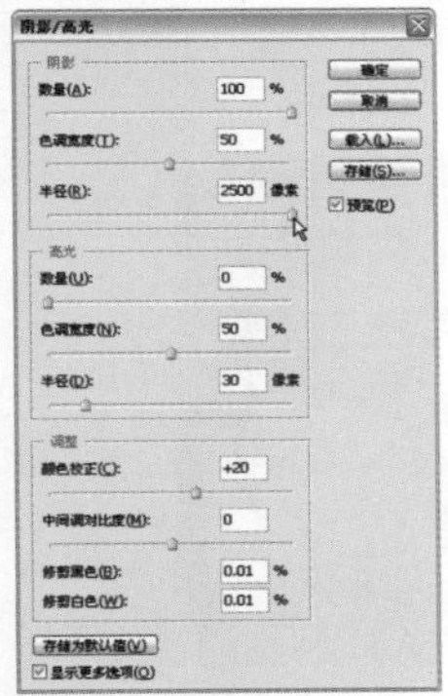

图8-200

图8-201

5 现在画面的颜色还有些发灰，可以向右拖动“颜色校正”滑块，增加颜色的饱和度，如图8-202、图8-203所示。

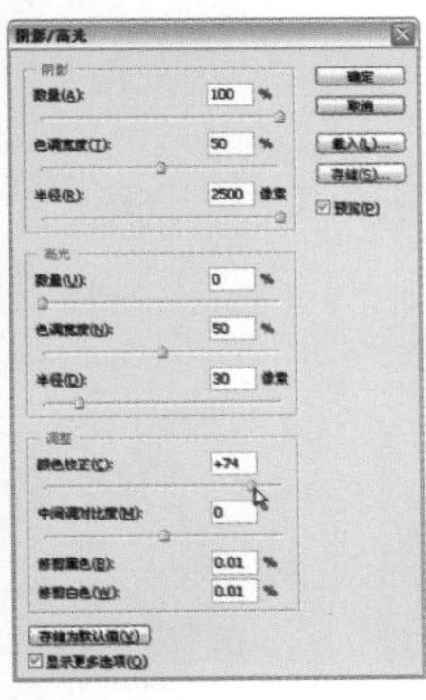

图8-202

图8-203

“阴影/高光”命令选项

打开一张照片，如图8-204所示，执行“图像>调整>阴影/高光”命令，打开“阴影/高光”对话框，如图8-205所示。

图8-204

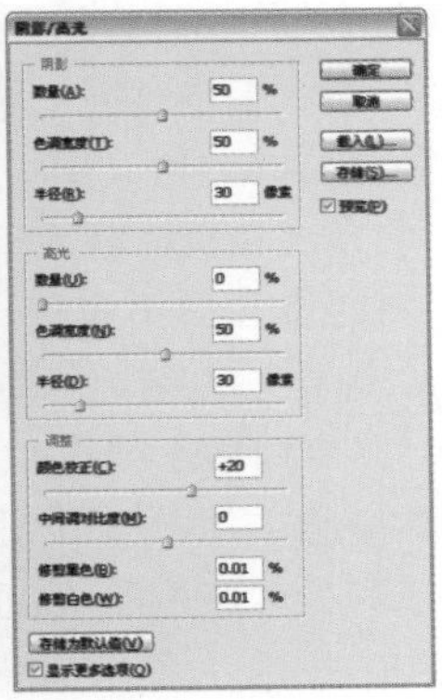

图8-205

● “阴影”选项组：可以将阴影区域调亮。拖动“数量”滑块可以控制调整强度，该值越高，阴影区域越亮，如图8-206、图8-207所示；“色调宽度”用来控制色调的修改范围，较小的值会限制只对较暗的区域进行校正，如图8-208所示，较大的值会影响更多的色调，如图8-209所示；“半径”可控制每个像素周围的局部相邻像素的大小，相邻像素决定了像素是在阴影中还是在高光中，如图8-210、图8-211所示。

数量10 色调宽度50 半径30

图8-206

数量50 色调宽度50 半径30

图8-207

数量50 色调宽度10 半径30

图8-208

数量50 色调宽度100 半径30

图8-209

数量50 色调宽度50 半径0

图8-210

数量50 色调宽度50 半径2500

图8-211

- "高光"选项组：可以将高光区域调暗。"数量"可以控制调整强度，该值越高，高光区域越暗，如图8-212、图8-213所示；"色调宽度"可以控制色调的修改范围，较小的值只对较亮的区域进行校正，如图8-214所示，较大的值会影响更多的色调，如图8-215所示；"半径"可以控制每个像素周围的局部相邻像素的大小，如图8-216、图8-217所示。

数量0　色调宽度50　半径30
图8-212

数量100　色调宽度50　半径30
图8-213

数量50　色调宽度30　半径30
图8-214

数量50　色调宽度100　半径30
图8-215

数量50　色调宽度50　半径0
图8-216

数量50　色调宽度50　半径2500
图8-217

- 颜色校正：可以调整已更改区域的色彩。例如，增大"阴影"选项组中的"数量"值使图像中较暗的颜色显示出来以后，如图8-218所示，再增加"颜色校正"值，就可以使这些颜色更加鲜艳，如图8-219所示。

图8-218

图8-219

- 中间调对比度：用来调整中间调的对比度。向左侧拖动滑块会降低对比度，向右侧拖动滑块则增加对比度。
- 修剪黑色/修剪白色：可以指定在图像中将多少阴影和高光剪切到新的极端阴影（色阶为 0，黑色）和高光（色阶为 255，白色）颜色。该值越高，图像的对比度越强。
- 存储为默认值：单击该按钮，可以将当前的参数设置存储为预设，再次打开"暗部/高光"对话框时，会显示该参数。如果要恢复为默认的数值，可按住Shift键，该按钮就会变为"复位默认值"按钮，单击它便可以进行恢复。
- 显示更多选项：勾选该项，可以显示全部的选项。

技术看板 45 无损的Raw格式照片

普通的数码相机一般都是将照片存储为JPEG格式，这种格式会压缩图像的信息。而单反数码相机则提供Raw（原始数据格式）格式用于拍摄照片。Raw文件与JPEG不同，它包含相机捕获的所有数据，如ISO设置、快门速度、光圈值、白平衡等，是未经处理、也未经压缩的格式，因此，也称为"数字底片"。Photoshop Camera Raw 是专门用于处理Raw文件的程序，它可以解释相机原始数据文件，使用有关相机的信息以及图像元数据来构建和处理彩色图像。此外，该程序也可以处理JPEG 和 TIFF 图像。关于Camera Raw，以及数码照片后期处理的更多专业技巧，请参阅笔者编著的《中文版Photoshop CS4数码摄影后期处理完全自学教程》。

8.18 变化命令：制作清新淡雅写真片

“变化”命令是一个简单且直观的图像调整工具，我们使用它时，只需单击图像缩览图便可以调整色彩、饱和度和明度。该命令的优点体现在我们能够预览颜色变化的整个过程，并比较调整结果与原图之间的差异。此外，在增加饱和度时，如果出现溢色，Photoshop还会标出溢色区域。总之，这是一个非常适合初学者使用的命令。

1 按下Ctrl+O快捷键，打开一张照片，如图8-220所示。

图8-220

2 执行“图像>调整>变化”命令，打开“变化”对话框，如图8-221所示。

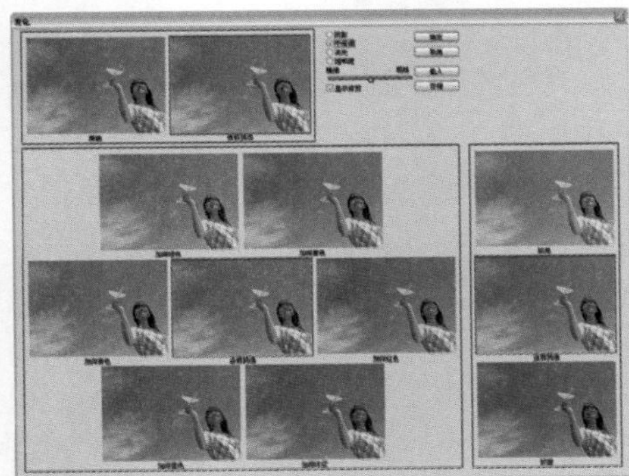

图8-221

3 先在对话框顶部选择要调整的色调（选择“中间色调”），然后单击3次“加深黄色”缩览图，再单击两次“加深青色”缩览图，如图8-222所示。单击“确定”按钮关闭对话框。

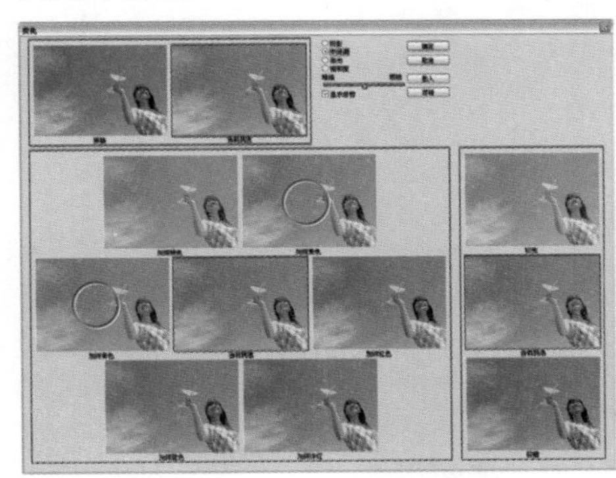

图8-222

4 按住Alt键单击“图层”面板底部的按钮，弹出“新建图层”对话框，在“模式”下拉列表中选择“叠加”，再勾“填充叠加中性色”选项，新建一个中性色图层，如图8-223、图8-224所示。

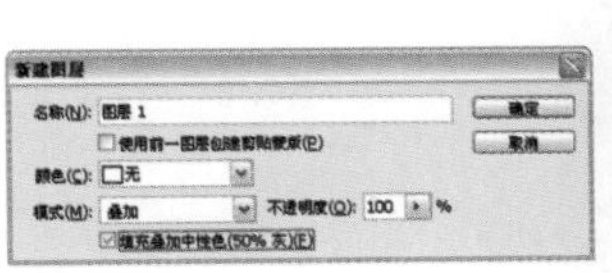

图8-223　图8-224

5 执行“滤镜>渲染>镜头光晕”命令，在如图8-225所示的位置单击，定位光晕中心，再拖动滑块调整光晕亮度，在图像中添加如图8-226所示的光晕效果。

图8-225

图8-226

6 使用横排文字工具T在画面中央输入一行文字，如图8-227所示。在“图层”面板中双击文字图层，打开“图层样式”对话框，在左侧列表中选择“描边”效果，设置参数如图8-228所示，文字效果如图8-229所示。最后，可以在画面中添加一些蒲公英素材，也可以加入一个卡通边框，使画面更加活泼、可爱，如图8-230所示。

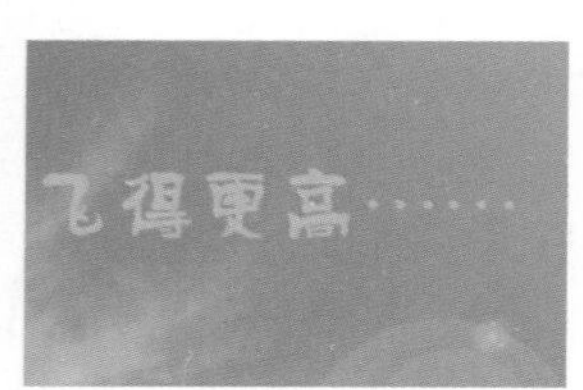

图8-227

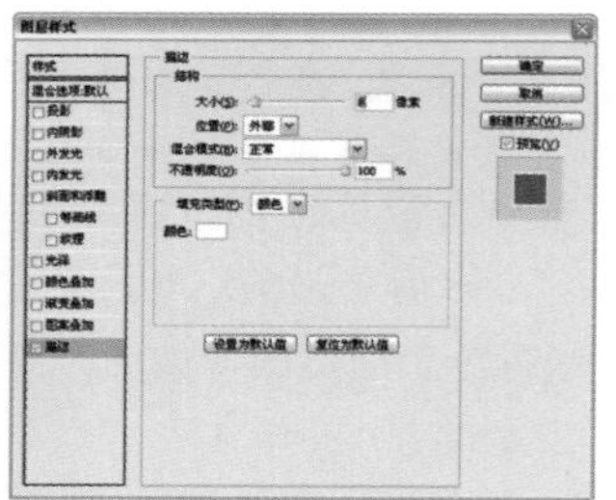

图8-228

图8-229

图8-230

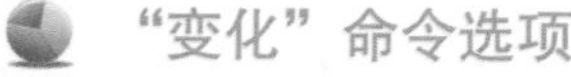

“变化”命令选项

打开一张照片，如图8-231所示，执行“图像>调整>变化”命令，打开“变化”对话框，如图8-232所示。

图8-231

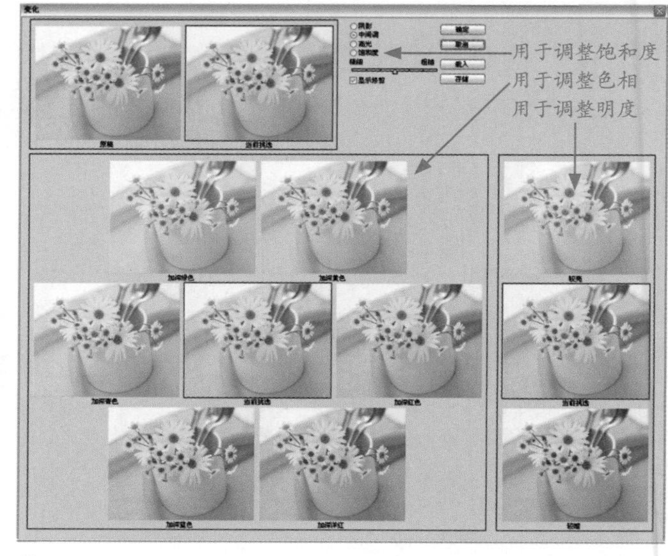

图8-232

- 原稿/当前挑选：对话框顶部的“原稿”缩览图中显示了原始图像，“当前挑选”缩览图中显示了图像的调整结果。第一次打开该对话框时，这两个图像是一样的，而“当前挑选”图像将随着调整的进行而实时显示当前的处理结果，如图8-233所示。如果要将图像恢复为调整前的状态，可单击“原稿”缩览图，如图8-234所示。

图8-233

图8-234

- 加深绿色、加深黄色等缩览图：在对话框左侧的7个缩览图中，位于中间的“当前挑选”缩览图也是用来显示调整结果的，另外6个缩览图用来调整颜色，单击其中任何一个缩览图都可将相应的颜色添加到图像中，连续单击则可以累积添加颜色。例如，单击“加深红色”缩略图两次将应用两次调整，如图8-235所示。如果要减少一种颜色，可单击其对角的颜色缩览图，例如，要减少红色，可单击“加深青色”缩览图，如图

8-236所示。

图8-235

图8-236

- 阴影/中间色调/高光：选择相应的选项，可以调整图像的阴影、中间调和高光的颜色。图8-237所示是分别在阴影、中间调和高光中添加黄色时的图像效果。

向阴影添加黄色　向中间调添加黄色　向高光添加黄色

图8-237

- 饱和度/显示修剪："饱和度"用来调整颜色的饱和度。勾选该项后，对话框左侧会出现3个缩览图，中间的"当前挑选"缩览图显示了调整结果，单击"减少饱和度"和"增加饱和度"缩览图可减少或增加饱和度。在增加饱和度时，可以勾选"显示修剪"选项，这样如果超出了饱和度的最高限度（即出现溢色），颜色就会被修剪，以标识出溢色区域，如图8-238所示。

图8-238

疑问解答　溢色有什么害处吗？

颜色超出了饱和度的最高限度是指出现了溢色，也就是说，颜色过于饱和。这样的颜色虽然可以在屏幕上正常显示，但在打印时，输出设备无法打印出来。关于溢色的更多内容，请参阅"9.3 色域和溢色"。

- 精细/粗糙：用来控制每次的调整量，每移动一格滑块，可以使调整量双倍增加。

技术看板 46　"变化"命令的使用技巧

"变化"命令是基于色轮来进行颜色的调整的。在"变化"对话框的7个缩览图中，处于对角位置的颜色互为补色，当我们单击一个缩览图，增加一种颜色的含量时，会自动减少其补色的含量。例如，增加红色会减少青色；增加绿色会减少洋红色；增加蓝色会减少黄色，反之亦然。

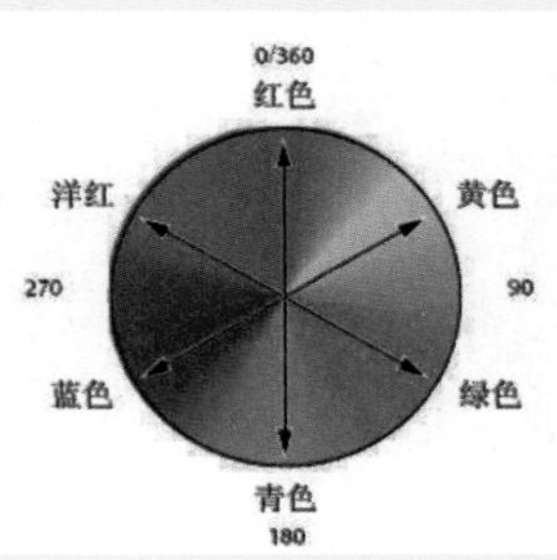

色轮中的补色对应关系

"变化"命令中的颜色变化对应关系

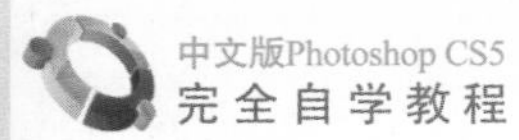

8.19 匹配颜色命令：匹配两张照片的颜色

“匹配颜色”命令可以将一个图像的颜色与另一个图像的颜色相匹配，我们可以通过该命令使多个图像或者照片的颜色保持一致。

1 按下Ctrl+O快捷键，打开两个文件，如图8-239、图8-240所示。我们来通过“匹配颜色”命令将建筑的颜色与向日葵相匹配。首先单击建筑文档，将它设置为当前操作的文档。

图8-239

图8-240

2 执行“图像>调整>匹配颜色”命令，打开“匹配颜色”对话框。在“源”选项下拉列表中选择向日葵素材，然后调整“明亮度”、“颜色强度”和“渐隐”值，如图8-241所示，单击“确定”按钮关闭对话框，即可使建筑图像与向日葵的色彩风格相匹配，让照片的色彩成分主要由橙色、黄色和绿色组成，如图8-242所示。

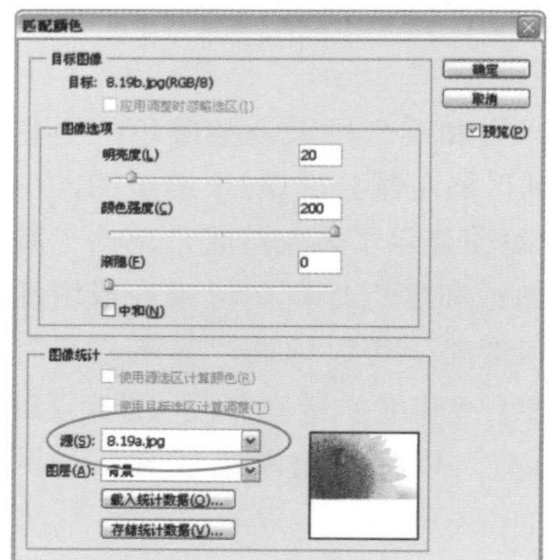

图8-241

图8-242

“匹配颜色”命令选项

打开两个文件，如图8-243、图8-244所示，执行“图像>调整>匹配颜色”命令，打开“匹配颜色”对话框，如图8-245所示。

图8-243

图8-244

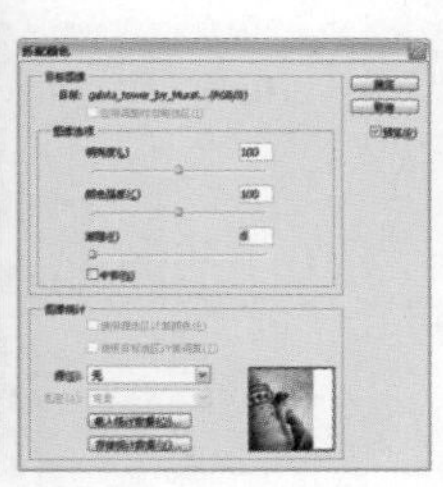
图8-245

- 目标：显示了被修改的图像的名称和颜色模式。
- 应用调整时忽略选区：如果当前图像中包含选区，勾选该项，可忽略选区，将调整应用于整个图像，如图8-246所示；取消勾选，则仅影响选中的图像，如图8-247所示。

图8-246

图8-247

- 明亮度：可以增加或减小图像的亮度。
- 颜色强度：用来调整色彩的饱和度。该值为1时，生成灰度图像，如图8-248、图8-249所示。

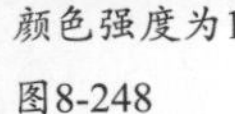
颜色强度为1

图8-248

颜色强度为100

图8-249

- 渐隐：用来控制应用于图像的调整量，该值越高，调整强度越弱，如图8-250～图8-252所示。

渐隐0

图8-250

渐隐50

图 8-251

渐隐100

图8-252

- 中和：勾选该项，可以消除图像中出现的色偏，如图8-253、图8-254所示。

未勾选“中和”

图8-253

勾选“中和”

图8-254

- 使用源选区计算颜色：如果在源图像中创建了选区，勾选该项，可使用选区中的图像匹配当前图像的颜色；取消勾选，则会使用整幅图像进行匹配。
- 使用目标选区计算调整：如果在目标图像中创建了选区，勾选该项，可使用选区内的图像来计算调整；取消勾选，则使用整个图像中的颜色来计算调整。
- 源：可选择要将颜色与目标图像中的颜色相匹配的源图像。
- 图层：用来选择需要匹配颜色的图层。如果要将“匹配颜色”命令应用于目标图像中的特定图层，应确保在执行“匹配颜色”命令时该图层处于当前选择状态。
- 存储统计数据/载入统计数据：单击“存储统计数据”按钮，将当前的设置保存；单击“载入统计数据”按钮，可载入已存储的设置。使用载入的统计数据时，无需在Photoshop中打开源图像，就可以完成匹配当前目标图像的操作。

8.20 替换颜色命令：制作风光明信片

"替换颜色"命令可以选中图像中的特定颜色，然后修改其色相、饱和度和明度。该命令包含了颜色选择和颜色调整两种选项，颜色选择方式与"色彩范围"命令基本相同，颜色调整方式则与"色相/饱和度"命令十分相似。

1 按下Ctrl+O快捷键，打开一张照片。

2 执行"图像>调整>替换颜色"命令，打开"替换颜色"对话框，将光标放在画面中的黄色枫叶上，如图8-255所示，单击鼠标，对颜色进行取样，如图8-256所示。

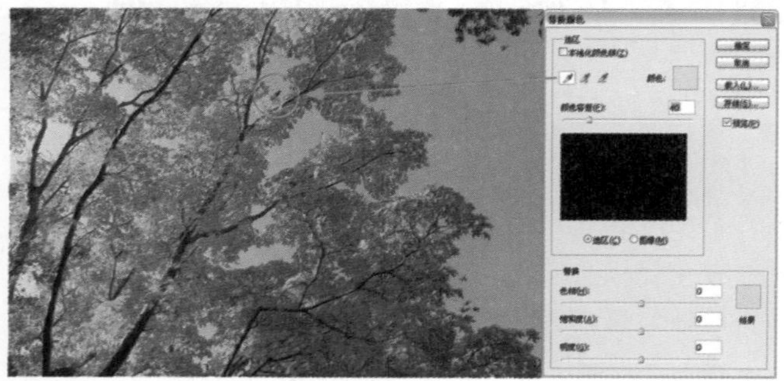

图8-255

图8-256

3 拖动"颜色容差"滑块，选中所有黄色的枫叶（对话框中白色的图像代表了选中的内容），如图8-257所示；拖动"色相"滑块，即可调整枫叶的颜色，如图8-258、图8-259所示。

图8-257

图8-258

图8-259

相关链接：关于"色彩范围"命令的使用方法，请参阅"4.6 '色彩范围'命令"。

"替换颜色"命令选项

打开一个文件，执行"图像>调整>替换颜色"命令，打开"替换颜色"对话框，如图8-260所示。

图8-260

- 吸管工具：用吸管工具在图像上单击，可以选中光标下面的颜色（"颜色容差"选项下面的缩览图中，白色代表了选中的颜色），如图8-261所示；用添加到取样工具在图像中单击，可以添加新的颜色，如图8-262所示；用从取样中减去工具在图像中单击，可以减少颜色，如图8-263所示。

图8-261

图8-262

图8-263

- 本地化颜色簇：如果要在图像中选择多种颜色，可以先勾选该项，再用吸管工具和添加到取样工具在图像中单击，进行颜色取样，如图8-264所示，这时我们就可以同时调整两种或者更多的颜色，如图8-265所示为同时调整绿色和蓝色的效果。

图8-264

图8-265

- 颜色容差：控制颜色的选择精度。该值越高，选中的颜色范围越广（白色代表了选中的颜色），如图8-266、图8-267所示。
- 选区/图像：勾选"选区"，可在预览区中显示蒙版。其中黑色代表了未选择的区域，白色代表了选中的区域，灰色代表了被部分选择的区域，如图8-268所示；勾选"图像"，则会显示图像内容，不显示选区，如图8-269所示。

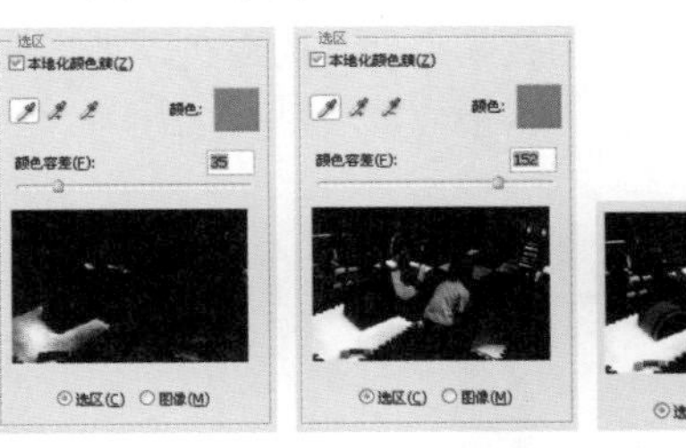

图8-266　图8-267　图8-268　图8-269

- 替换：拖动各个滑块即可调整选中的颜色的色相、饱和度和明度。

8.21 阈值命令：制作涂鸦效果艺术海报

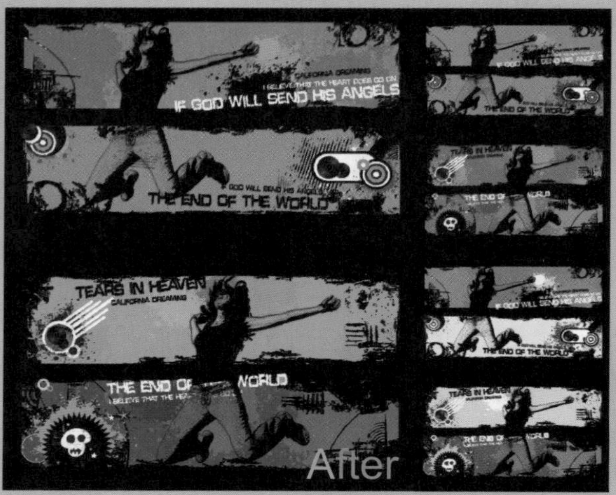

实例门类：
平面设计类

难易程度：
★★★

主要功能：
"阈值"命令

制作要点：
简化图像内容，制作手绘效果的人物图像

素材位置：
光盘>素材>8.21a、8.21b

视频位置：
光盘>实例视频>8.21

"阈值"命令可以将彩色图像转换为只有黑白两色。适合制作单色照片，或者模拟类似于手绘效果的线稿。

1 按下Ctrl+O快捷键，打开一个文件，如图8-270所示。

图8-270

2 单击"调整"面板中的按钮，创建"阈值"调整图层。面板中的直方图显示了图像像素的分布情况。输入"阈值色阶"值或拖动直方图下面的滑块可以指定某个色阶作为阈值，所有比阈值亮的像素会转换为白色，所有比阈值暗的像素会转换为黑色，如图8-271、图8-272所示。

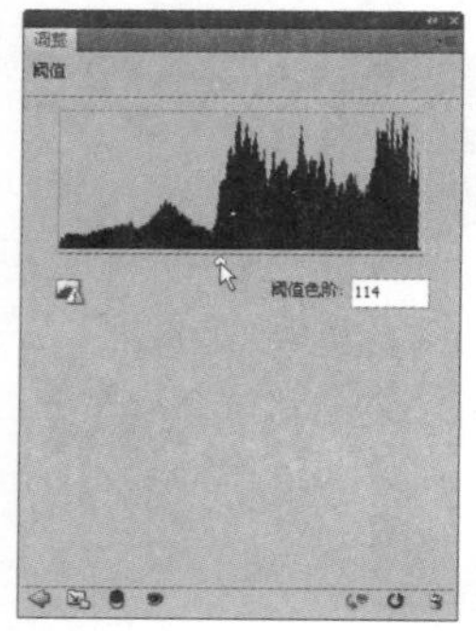

图8-271

图8-272

3 将"背景"图层拖动到"图层"面板底部的按钮上进行复制，如图8-273所示。按下Shift+Ctrl+]快捷键，将该图层调整到面板顶层，如图8-274所示。执行"滤镜>风格化>查找边缘"命令，效果如图8-275所示。

图8-273

图8-274

图8-275

4 按下Shift+Ctrl+U快捷键去除颜色。将该图层的混合模式设置为"正片叠底"，如图8-276、图8-277所示。

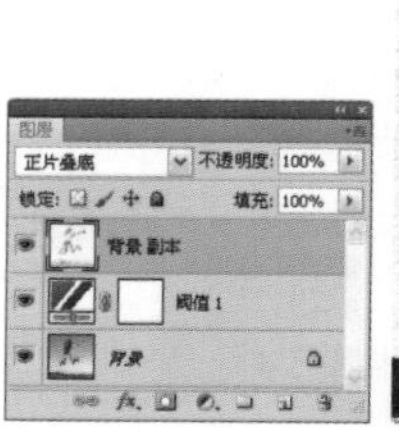

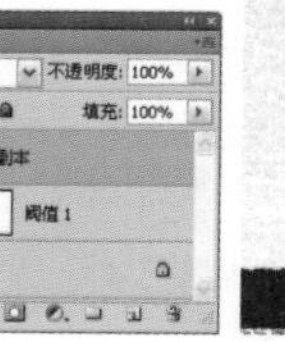

图8-276

图8-277

5 按下Shift+Ctrl+E快捷键合并所有图层。用多边形套索工具选中人像，打开一个背景文件，用移动工具将人像拖入该文档中，制作成为一幅时尚的海报。

8.22 去色命令：制作高调黑白人像照片

在人像、风光和纪实摄影领域，黑白照片是具有特殊魅力的一种艺术表现形式。高调是由灰色级谱的上半部分构成的，主要包含白、极浅白灰、浅灰、深灰和中灰，如图8-278所示。即表现得轻盈明快、单纯、清秀、优美等艺术氛围的照片，称为高调照片。

1 按下Ctrl+O快捷键，打开一张照片，如图8-279所示。

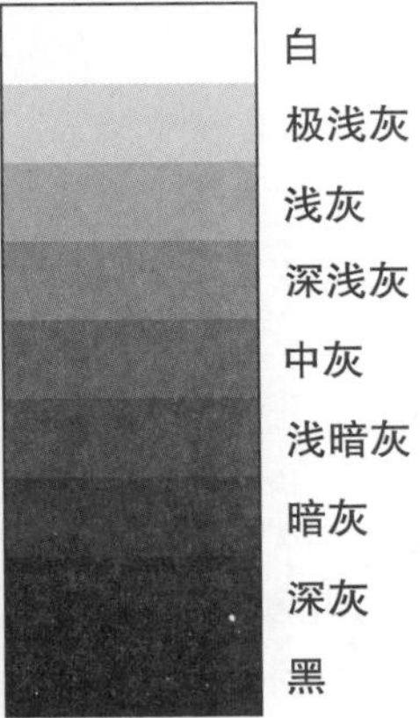

图8-278

图8-279

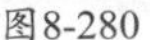

图8-280

图8-281

2 执行"图像>调整>去色"命令，删除图像的颜色，将其转变为黑白效果，如图8-280所示。按下Ctrl+J快捷键复制"背景"图层，得到"图层1"，设置它的混合模式为"滤色"，不透明度为70%，提高图像的亮度，如图8-281所示。

3 执行"滤镜>模糊>高斯模糊"命令，对图像进行模糊处理，使色调变得柔美，如图8-282、图8-283所示。

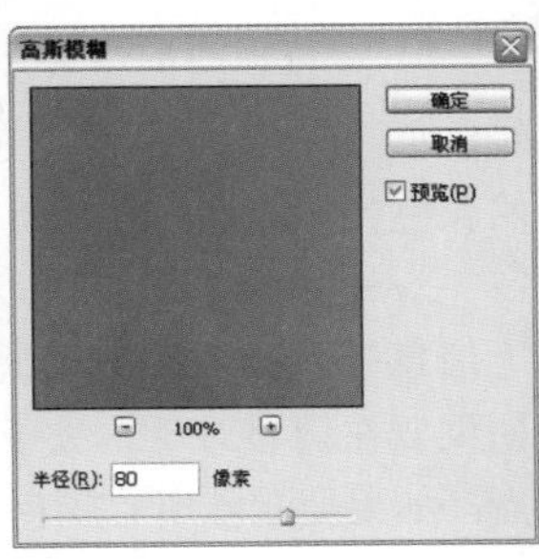

图8-282

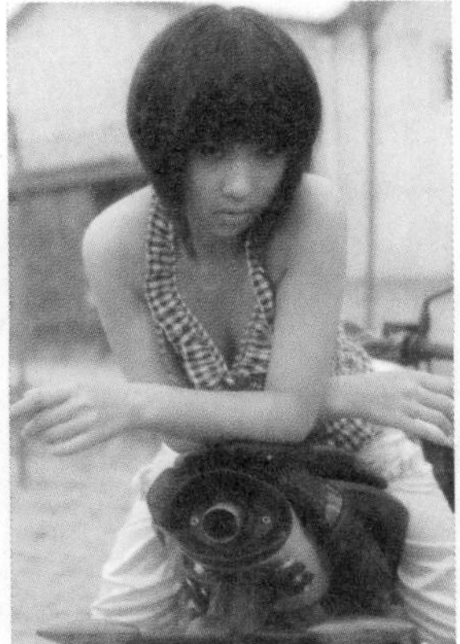

图8-283

第9章 颜色与色调高级调整工具

Learning Objectives
学习重点

257页
直方图中的统计数据

258页
从直方图中判断影调和曝光

260页
色阶对话框

262页
让灰暗的照片变得清晰

264页
定义灰点校正偏色的照片

266页
曲线对话框

270页
典型曲线对图像产生的影响

9.1 用颜色取样器和信息面板识别颜色

当多种色彩并置时，色彩之间的色相对比、纯度对比、明度对比等都会影响我们的判断力。例如，观察如图9-1所示的图像，A点和B点的方格哪一个颜色更深？看起来A点明显要深一些，而实际上，阴影区域内的浅色方格B和阴影区域外的深色方格A的色调深浅是完全一样的。

Photoshop为我们提供了一个可以准确识别色彩的工具——“信息”面板。执行“窗口>信息”命令，打开该面板，将光标放在需要查看的颜色上面，面板中就会显示它的颜色值，如图9-2、图9-3所示。可以看到，这两点的颜色值完全一样。

图9-1

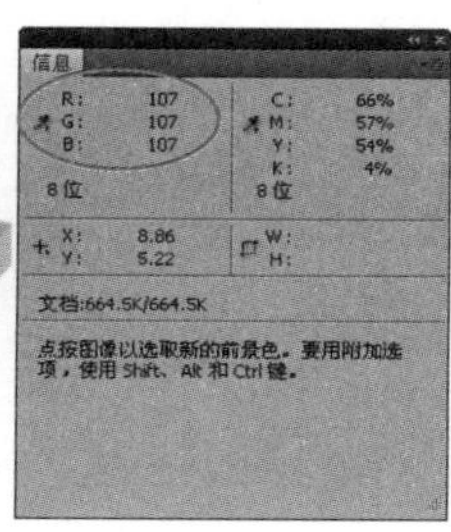

图9-2

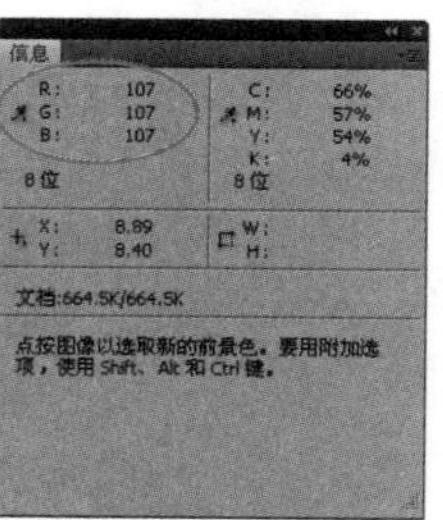

图9-3

在调整图像时，如果需要精确地了解颜色值的变化情况，可以使用颜色取样器工具在需要观察的位置单击，建立取样点，这时会弹出“信息”面板显示取样位置的颜色值，如图9-4所示；在开始调整时，面板中会出现两组数字，斜杠前面的是调整前的颜色值，斜杠后面的是调整后的颜色值，如图9-5所示。

一个图像中最多可以放置4个取样点。单击并拖动取样点，可以移动它的位置，“信息”面板中的颜色值也会随之改变；按住 Alt 键单击颜色取样点，可将其删除；如果要在调整对话框处于打开的状态下删除颜色取样点，可按住 Alt+Shift键单击取样点；如果要删除所有颜色取样点，可单击工具选项栏中的“清除”按钮。

提示 颜色取样器的工具选项栏中有一个“取样大小”选项。选择“取样点”，可拾取取样点下面像素的精确颜色；选择“3×3平均”，则拾取取样点3个像素区域内的平均颜色。其他选项依此类推。

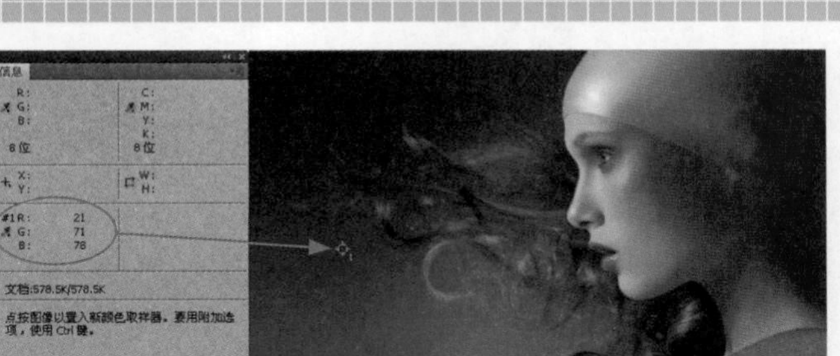

图9-4

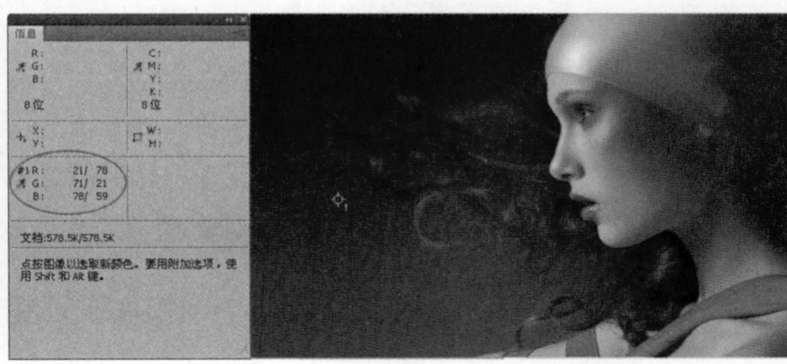

图9-5

9.2 信息面板

“信息”面板是个多面手，当我们没有进行任何操作时，它会显示光标下面的颜色值、文档的状态、当前工具的使用提示等信息。如果执行了操作，例如，进行了变换或者创建了选区、调整了颜色等，面板中就会显示与当前操作有关的各种信息。

9.2.1 使用信息面板

执行“窗口>信息”命令，打开“信息”面板，默认情况下，面板中显示以下选项。

- 显示颜色信息：将光标放在图像上，面板中会显示光标的精确坐标和光标下面的颜色值，如图9-6所示。

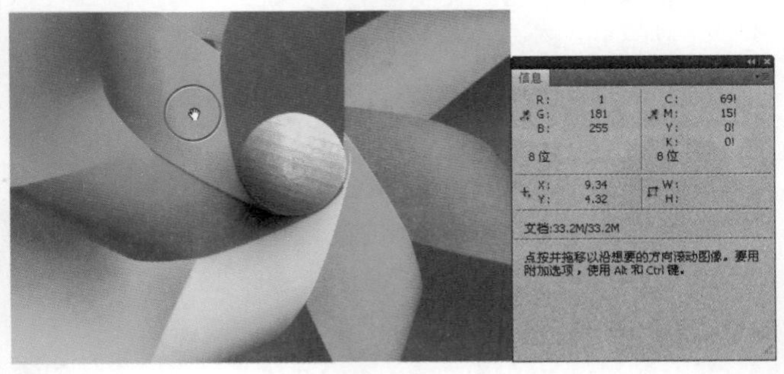

图9-6

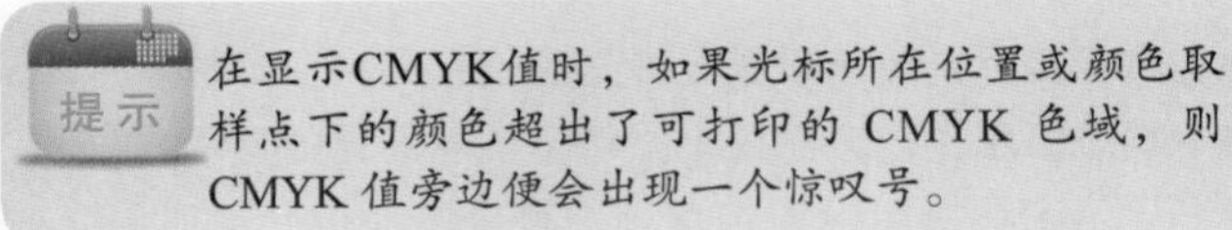

提示 在显示CMYK值时，如果光标所在位置或颜色取样点下的颜色超出了可打印的 CMYK 色域，则 CMYK 值旁边便会出现一个惊叹号。

- 显示选区大小：使用选框工具（矩形选框、椭圆选框等）创建选区时，面板中会随着鼠标的拖动而实时显示选框的宽度 (W) 和高度 (H)，如图9-7所示。

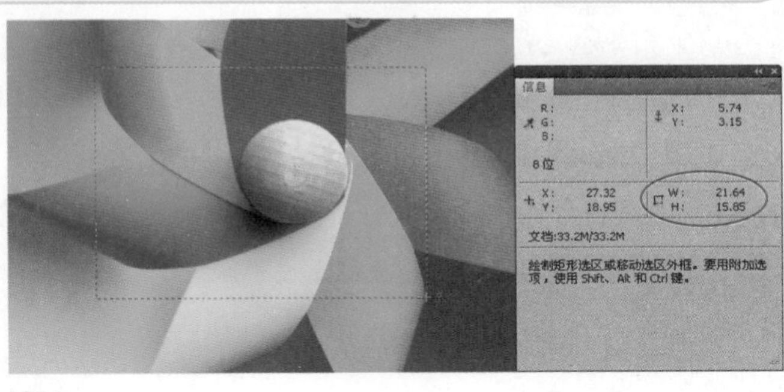

图9-7

- 显示定界框的大小：使用裁剪工具和缩放工具时，会显示定界框的宽度 (W) 和高度 (H)，如图9-8所示。如果旋转裁剪框，还会显示旋转角度。

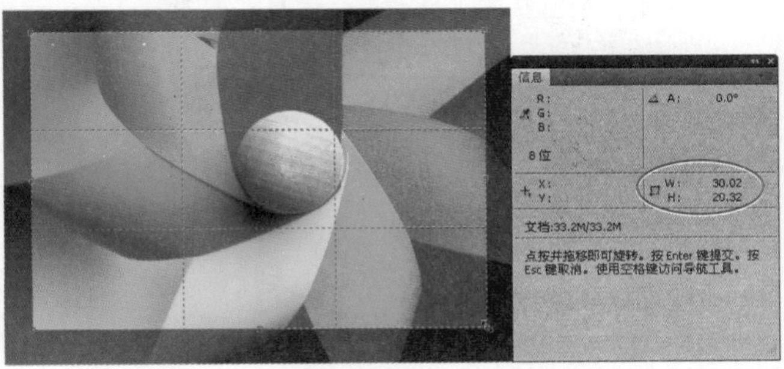

图9-8

- 显示开始位置、变化角度和距离：当移动选区，或者使用直线工具、钢笔工具、渐变工具时，会随着鼠标的移动显示开始位置的 x 和 y 坐标，X 的变化 (DX)、Y 的变化 (DY)以及角度 (A)和距离。如图9-9所示为使用直线工具绘制直线路径时显示的信息。

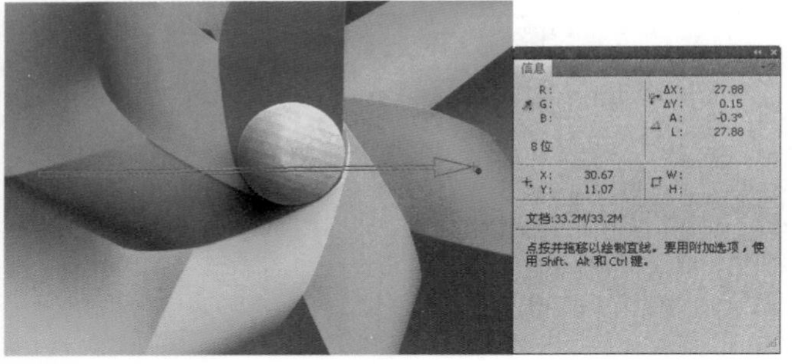

图9-9

- 显示变换参数：在执行二维变换命令（如“缩放”和“旋转”）时，会显示宽度 (W) 和高度 (H) 的百分比变化、旋转角度 (A) 以及水平切线 (H) 或垂直切线 (V) 的角度。图9-10所示为缩放选区内的图像时显示的信息。

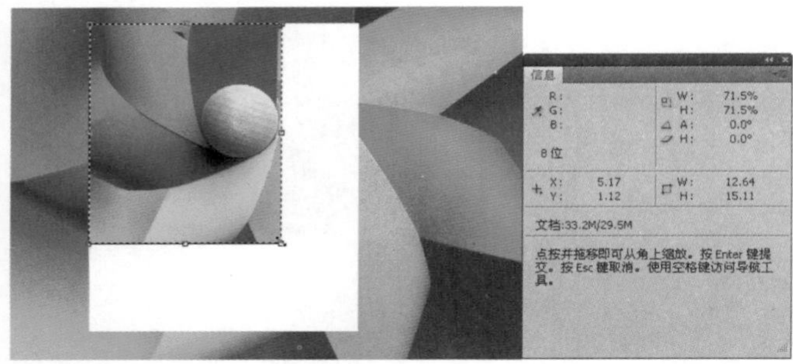

图9-10

- 显示状态信息：显示文档大小、文档配置文件、文档尺寸、暂存盘大小、效率、计时以及当前工具等，如图9-11所示。具体显示内容取决于在“面板选项”对话框中设置的选项。
- 显示工具提示：如果启用了“显示工具提示”，则可以显示当前选择的工具的提示信息，如图9-12所示。

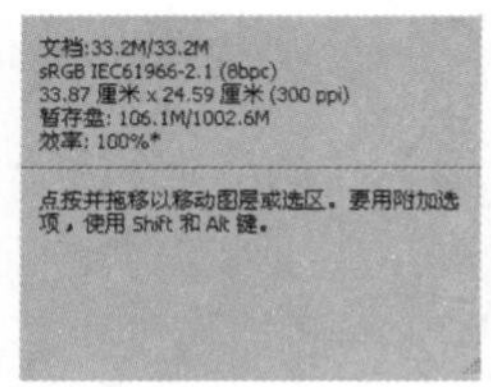

图9-11

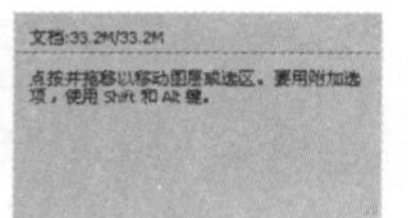

图9-12

技术看板 47 更改读数选项和单位

在“信息”面板上的吸管图标和鼠标坐标上单击，可在打开的下拉菜单中更改读数选项和单位。

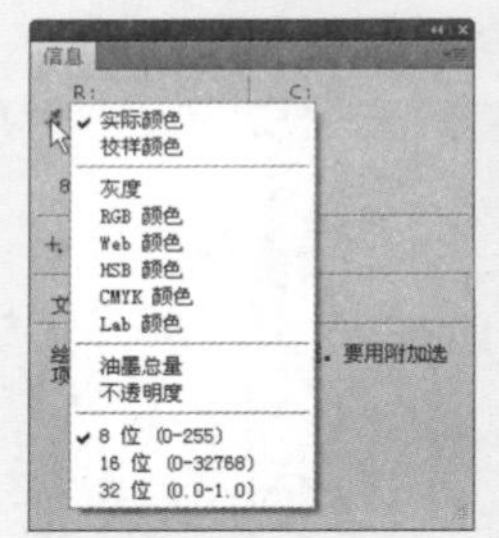

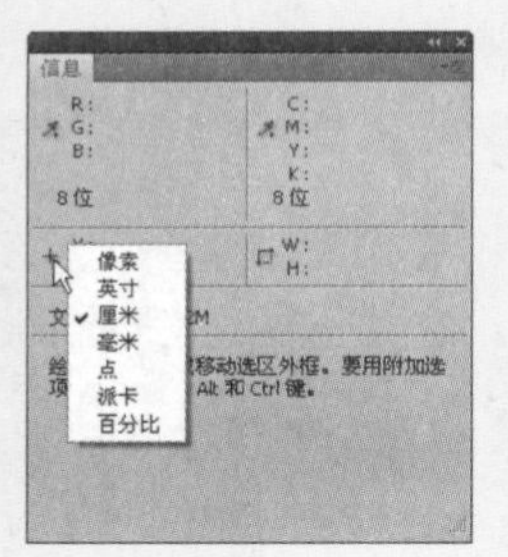

9.2.2 设置信息面板选项

执行“信息”面板菜单中的“面板选项”命令，可以打开“信息面板选项”对话框，如图9-13所示。

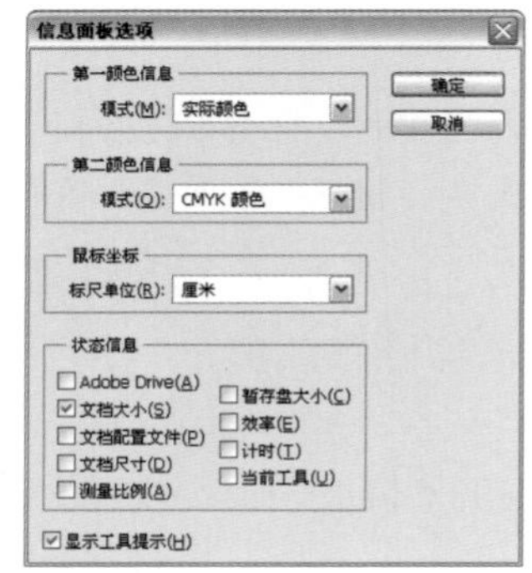

图9-13

- 第一颜色信息：在该选项的下拉列表内可以设置面板中第一个吸管显示的颜色信息。选择“实际颜色”，可显示图像当前颜色模式下的值；选择“校样颜色”，可显示图像的输出颜色空间的值；选择“灰度”、“RGB”、“CMYK”等颜色模式，可显示相应颜色模式下的颜色值；选择“油墨总量”，可显示指针当前位置的所有 CMYK 油墨的总百分比；选择“不透明度”，可显示当前图层的不透明度，该选项不适用于背景。
- 第二颜色信息：用来设置面板中第二个吸管显示的颜色信息。
- 鼠标坐标：用来设置鼠标光标位置的测量单位。
- 状态信息：设置面板中“状态信息”处的显示内容。
- 显示工具提示：勾选该项，可以在面板底部显示当前使用的工具的各种提示信息。

9.3 色域和溢色

我们在电脑上接触的色彩是屏幕颜色，其原理是电子流冲击屏幕上的发光体使之发光来合成颜色，而印刷色则是通过油墨合成的颜色。由于色彩范围的不同，导致这两种模式之间存在一定的差异。

9.3.1 色域

色域是一种设备能够产生出的色彩范围。在现实世界中，自然界可见光谱的颜色组成了最大的色域空间，它包含了人眼能见到的所有颜色。CIELab国际照明协会根据人眼视觉特性，把光线波长转换为亮度和色相，创建了一套描述色域的色彩数据，如图9-14所示。

可以看到，RGB模式（屏幕模式）比CMYK模式（印刷模式）的色域范围广，所以当RGB图像转换为CMYK模式后，图像的颜色信息会有损失。这也是为什么在屏幕上看起来漂亮的色彩，无法用印刷复制出来，导致屏幕与印刷在色彩上产生差异的原因。

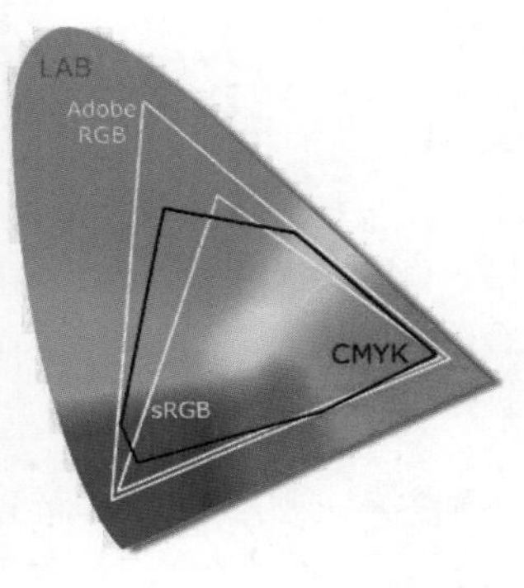

图9-14

9.3.2 溢色

显示器的色域（RGB模式）要比打印机（CMYK模式）的色域广，这就导致我们在显示器上看到或调出的颜色有可能打印不出来，那些不能被打印机准确输出的颜色称为“溢色”。

使用“拾色器”或“颜色”面板设置颜色时，如果出现溢色，Photoshop就会给出一个警告，如图9-15、图9-16所示。在它下面有一个小颜色块，这是Photoshop提供的与当前颜色最为接近的可打印颜色，单击该颜色块，就可以用它来替换溢色，如图9-17所示。

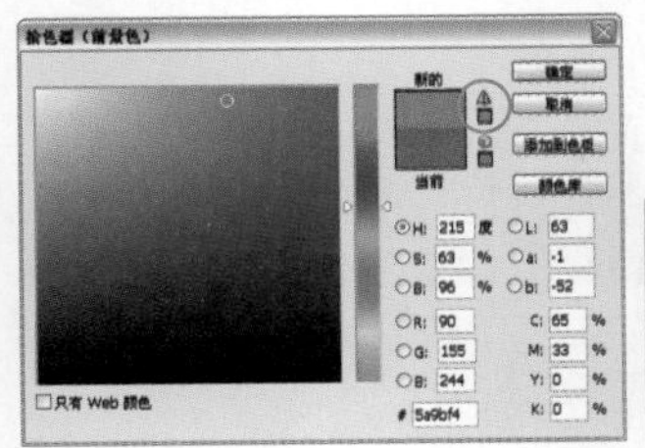

图9-15

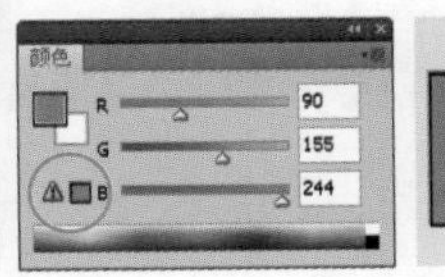

图9-16

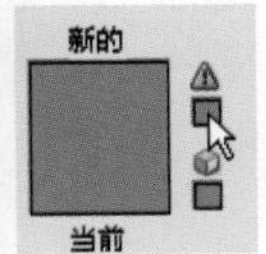

图9-17

如果使用“图像>调整”菜单中的命令，或者用“调整”面板中的工具增加颜色的饱和度时，想要在操作过程中了解图像中是否出现了溢色，可以先用颜色取样器工具  建立取样点，然后在“信息”面板的吸管图标上单击右键并选择CMYK颜色，如图9-18所示。调整图像时，如果取样点的颜色超出了CMYK 色域，CMYK 值旁边便会出现惊叹号，如图9-19所示。

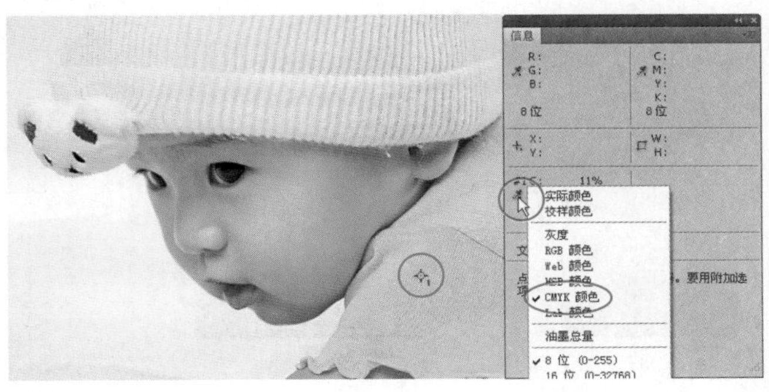

图9-18

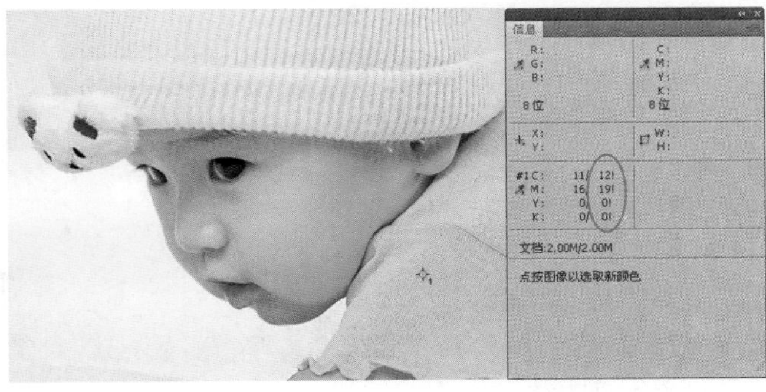

图9-19

9.3.3 开启溢色警告

打开一个文件，如图9-20所示，如果想要了解哪些图像内容出现了溢色，可以执行“视图>色域警告”命令，画面中出现的灰色便是溢色区域，如图9-21所示。再次执行该命令，可以关闭色域警告。

相关链接：默认情况下，溢色显示为灰色，如果要修改为其他颜色，可参阅“20.3.6 透明度与色域”。

图9-20

图9-21

技术看板 48 在"拾色器"中查看溢色

如果我们打开"拾色器"以后执行"色域警告"命令，则该对话框中的溢色也会显示为灰色。上下拖动颜色滑块，可以观察将RGB图像转换为CMYK后，哪个色系丢失的颜色最多。

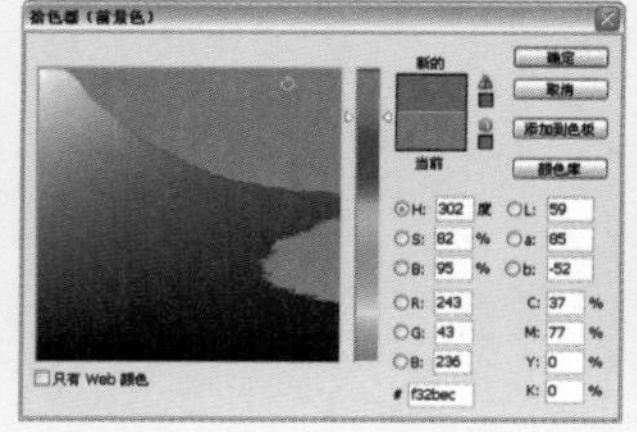

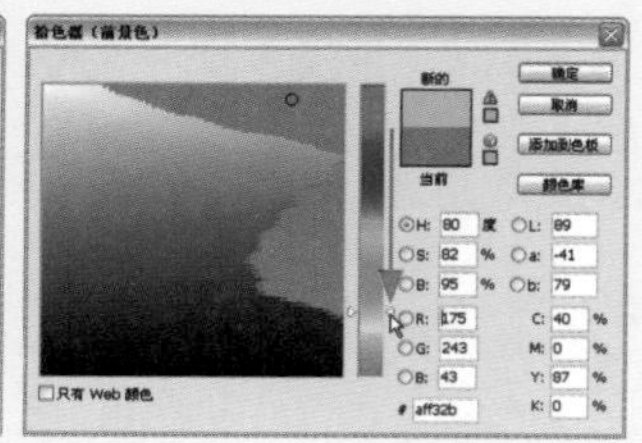

9.3.4 在电脑屏幕上模拟印刷

在创建用于商业印刷机上输出的图像，如小册子、海报、杂志封面等时，我们可以在电脑屏幕上查看这些图像将来印刷后的效果会是怎样的。打开一个文件（光盘>素材>9.3.4），如图9-22所示，执行"视图>校样设置>工作中的CMYK"命令，如图2-23所示，然后执行"视图>校样颜色"命令启动电子校样，Photoshop就会模拟图像在商用印刷机上的效果。

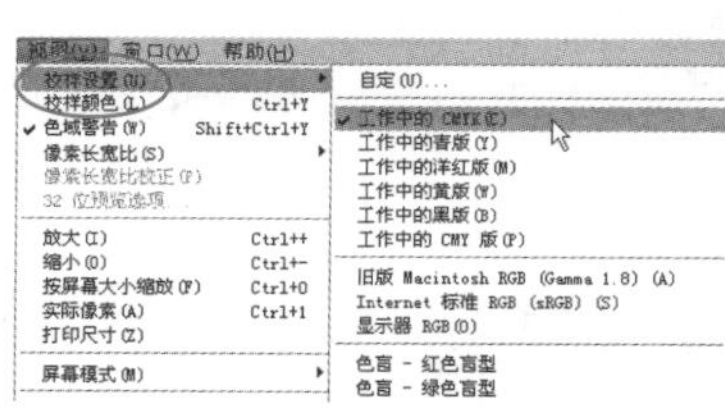
图9-22

图9-23

"校样颜色"只是提供了一个CMYK模式预览，以便用户查看转换后RGB颜色信息的丢失情况，而并没有真正将图像转换为CMYK模式。如果要关闭电子校样，可再次执行"校样颜色"命令。

提示 由于图像是印刷在纸张上的，无法表现出差异，读者可以使用提供的素材观察校样效果。

9.4 直方图

直方图是一种统计图形，它由来已久，早在1891年，科学家们就把直方图图表用于各种使用目的了。直方图在图像领域的应用非常广泛，就拿我们使用的数码相机来说，多数中高档数码相机的LCD（显示屏）上都可以显示直方图，有了这项功能，我们便可以随时察看照片的曝光情况。在调整数码照片的影调时，直方图也非常重要。

9.4.1 直方图面板

Photoshop的直方图用图形表示了图像的每个亮度级别的像素数量，展现了像素在图像中的分布情况。通过观察直方图，可以判断出照片的阴影、中间调和高光中包含的细节是否足，以便对其做出正确的调整。

打开一张照片，如图9-24所示，执行"窗口>直方图"命令，打开"直方图"面板，如图9-25所示。

图9-24

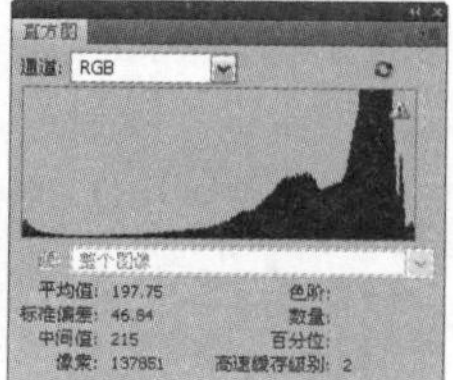
图9-25

- 通道：在下拉列表中选择一个通道（包括颜色通道、Alpha 通道和专色通道）以后，面板中会显示该通道的直方图，如图9-26所示红色通道的直方图；选择“明度”，则可以显示复合通道的亮度或强度值，如图9-27所示；选择“颜色”，可以显示颜色中单个颜色通道的复合直方图，如图9-28所示。

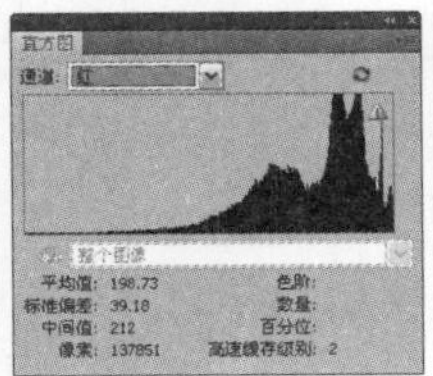
图9-26

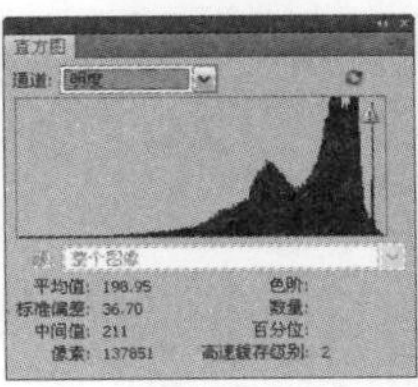
图9-27

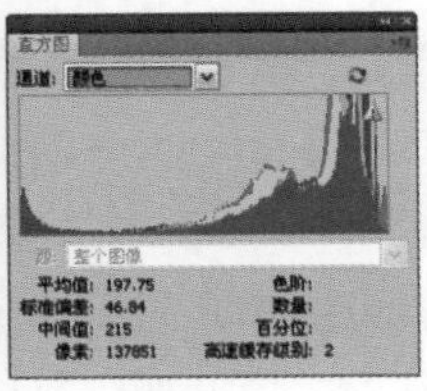
图9-28

- 不使用高速缓存的刷新：单击该按钮可以刷新直方图，显示当前状态下最新的统计结果。
- 高速缓存数据警告：使用“直方图”面板时，Photoshop会在内存中高速缓存直方图，也就是说，最新的直方图是被Photoshop存储在内存中的，而并非实时显示在“直方图”面板中。此时直方图的显示速度较快，但并不能及时显示统计结果，面板中就会出现图标。单击该图标，可以刷新直方图。
- 改变面板的显示方式：“直方图”面板菜单中包含切换直方图显示方式的命令。“紧凑视图”是默认的显示方式，它显示的是不带统计数据或控件的直方图，如图9-29所示；“扩展视图”显示的是带有统计数据和控件的直方图（如图9-25所示）；“全部通道视图”显示的是带有统计数据和控件的直方图，同时还显示每一个通道的单个直方图（不包括 Alpha 通道、专色通道和蒙版），如图9-30所示。如果选择面板菜单中的“用原色显示直方图”命令，还可以用彩色方式查看通道直方图，如图9-31所示。

图9-29

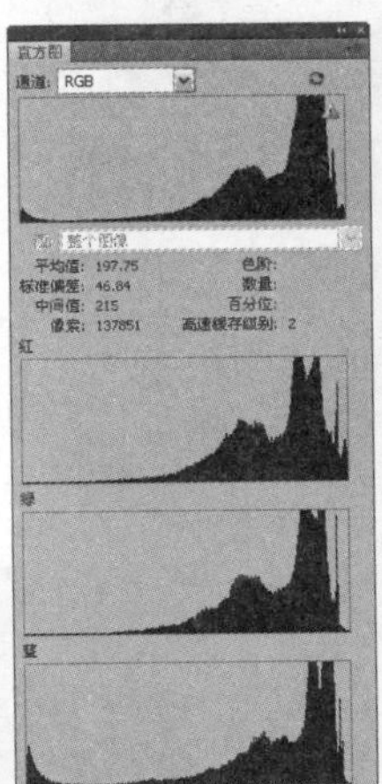
图9-30

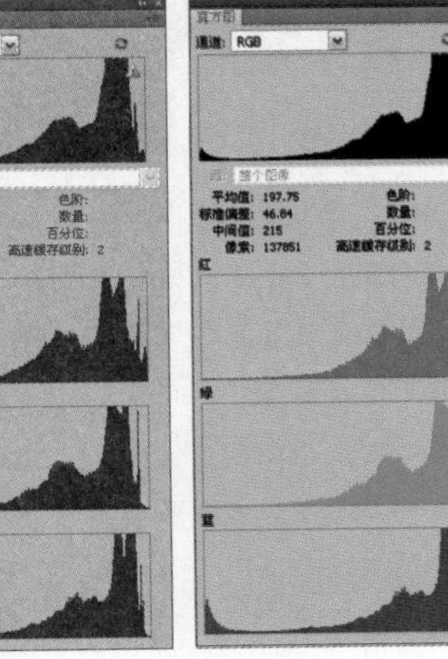
图9-31

疑问解答 调整图像时怎么出现两个直方图？

使用“色阶”或“曲线”调整图像时，“直方图”面板中会出现两个直方图，黑色的是当前调整状态下的直方图（最新的直方图），灰色的则是调整前的直方图。应用调整之后，原始直方图会被新直方图取代。

原始直方图

调整过程中的直方图

9.4.2 直方图中的统计数据

以“扩展视图”和“全部通道视图”显示“直方图”面板时，可以在面板中查看统计数据，如图9-32所示。如果在直方图上单击并拖动鼠标，则可以显示所选范围内的数据，如图9-33所示。

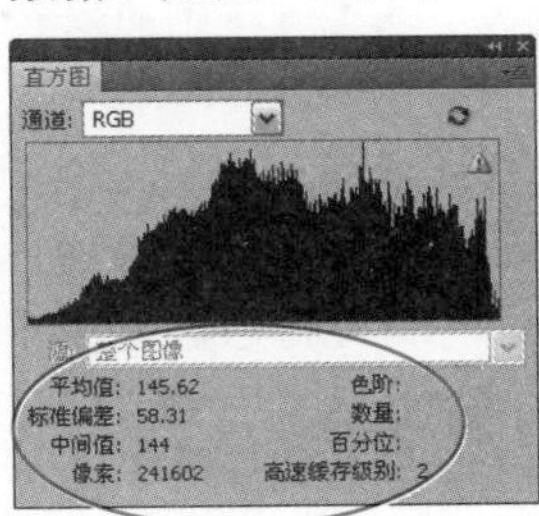
图9-32

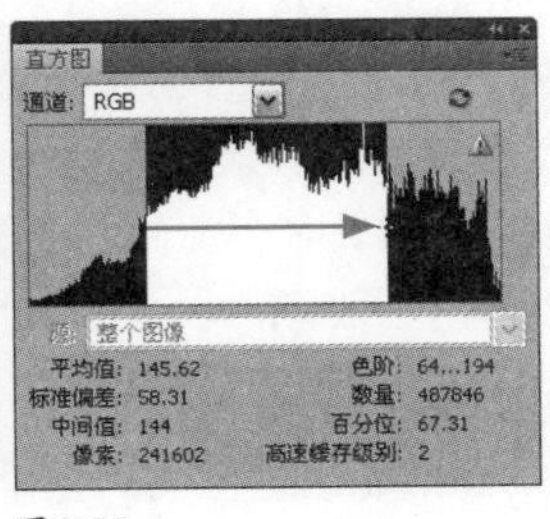
图9-33

- 平均值：显示了像素的平均亮度值（0至255之间的平均亮度）。通过观察该值，我们可以判断出图像的色调类型。例如，如图9-34、图9-35所示图像的“平均值”为145.62，直方图中的山峰位于直方图的中间偏右处，说明该图像属于平均色调且偏亮。

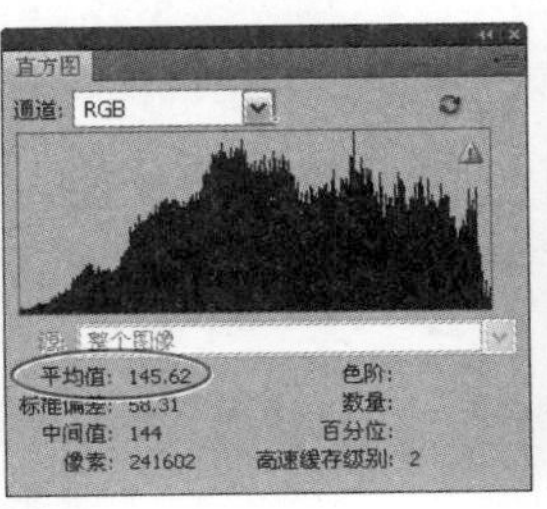
图9-34

图9-35

- 标准偏差：显示了亮度值的变化范围，该值越高，说明图像的亮度变化越剧烈。如图9-36、图9-37所示为调高图像亮度后的状态，“标准偏差”由调整前的58.31变为51.66，说明图像的亮度变化在减弱。

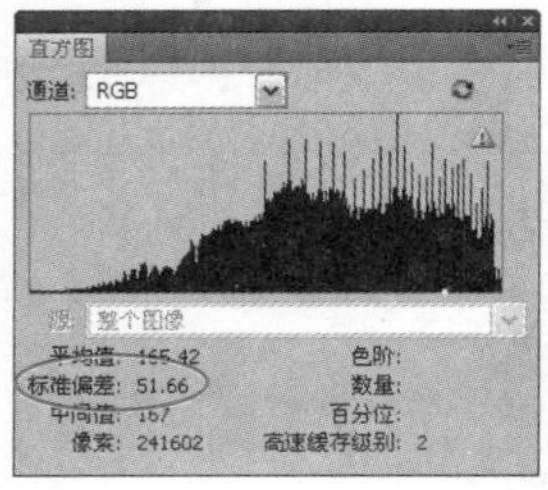

图9-36

图9-37

- 中间值：显示了亮度值范围内的中间值，图像的色调越亮，它的中间值越高，如图9-38、图9-39所示。

图9-38

图9-39

- 像素：显示了用于计算直方图的像素总数。
- 色阶/数量：“色阶”显示了光标下面区域的亮度级别；“数量”显示了相当于光标下面亮度级别的像素总数，如图9-40所示。
- 百分位：显示了光标所指的级别或该级别以下的像素累计数。如果对全部色阶范围进行取样，该值为100；对部分色阶取样时，显示的是取样部分占总量的百分比，如图9-41所示。

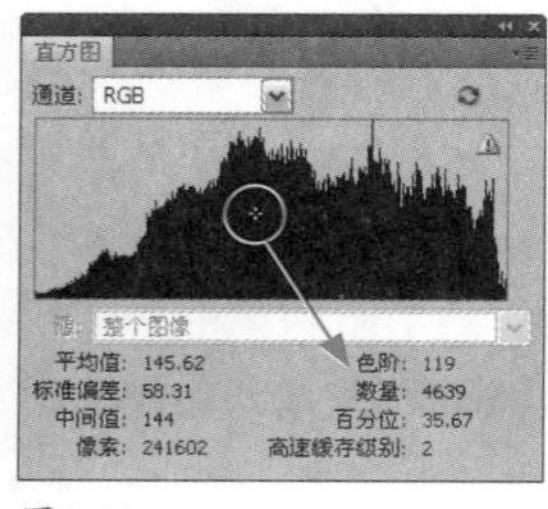

图9-40

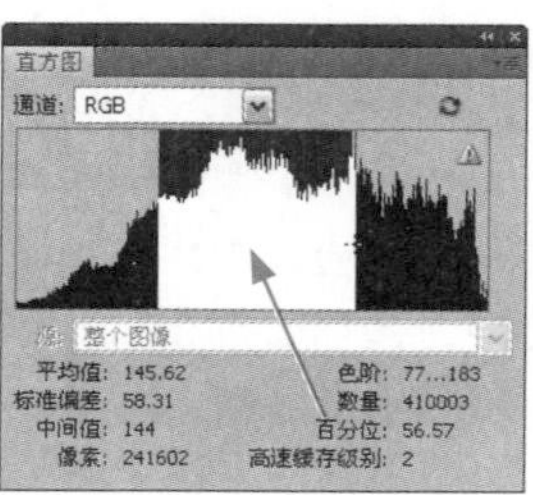

图9-41

- 高速缓存级别：显示了当前用于创建直方图的图像高速缓存的级别。

9.4.3 从直方图中判断照片的影调和曝光

曝光是摄影最为重要的要素之一，只有获得正确的曝光，才能拍摄出令人满意的作品。那么，我们怎样了解照片的曝光是否正确呢？答案办便是使用直方图。

直方图是用于判断照片影调和曝光是否正常的重要工具。我们拍摄完照片以后，可以在相机的液晶屏上回放照片，通过观察它的直方图来分析曝光参数是否正确，再根据情况修改参数重新拍摄。而我们在Photoshop中处理照片时，则可以打开“直方图”面板，根据直方图形态和照片的实际情况，采取具有针对性的方法，调整照片的影调和曝光。

深入解读直方图

无论是在拍摄时使用相机中的直方图评价曝光，还是使用Photoshop后期调整照片的影调，我们首先要能够看懂直方图。在直方图中，左侧代表了图像的阴影区域，中间代表了中间调，右侧代表了高光区域，从阴影（黑色，色阶0）到高光（白色，色阶255）共有256级色调，如图9-42所示。

直方图中的山脉代表了图像的数据，山峰则代表了数据的分布方式，较高的山峰表示该区域所包含的像素较多，较低的山峰则表示该区域所包含的像素较少。

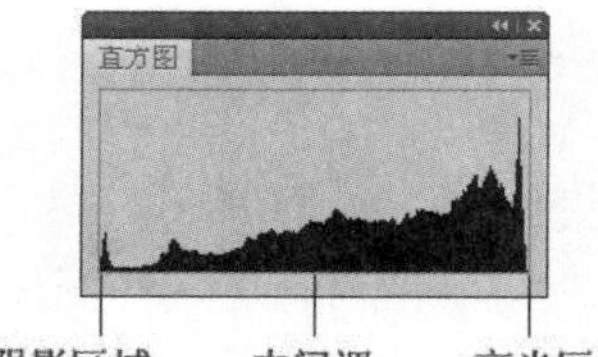

图9-42

曝光准确的照片

打开一张曝光准确的照片，如图9-43所示。曝光准确的照片色调均匀，明暗层次丰富，亮部分不会丢失细节，暗部分也不会漆黑一片。从直方图中我们可以看到，山峰基本在中心，并且从左（色阶0）到右（色阶255）每个色阶都有像素分布。

图9-43

曝光不足的照片

如图9-44所示为曝光不足的照片，画面色调非常暗。在它的直方图中，山峰分布在直方图左侧，中间调和高光都缺少像素。

曝光过度的照片

图9-45所示为曝光过度的照片，画面色调较亮，人物的皮肤、衣服等高光区域都失去了层次。在它的直方图中，山峰整体都向右偏移，阴影缺少像素。

图9-44

图9-45

反差过小的照片

图9-46所示为反差过小的照片，照片灰蒙蒙的。在它的直方图中，两个端点出现空缺，说明阴影和高光区域缺少必要的像素，图像中最暗的色调不是黑色，最亮的色调不是白色，该暗的地方没有暗下去，该亮的地方也没有亮起来，所以照片是灰蒙蒙的。

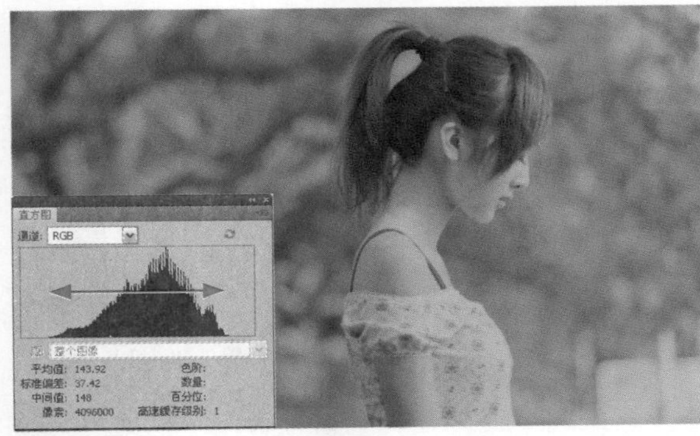

图9-46

暗部缺失的照片

图9-47所示为暗部缺失的照片，头发的暗部漆黑一片，没有层次，也看不到细节。在它的直方图中，一部分山峰紧贴直方图左端，它们就是全黑的部分（色阶0）。

图9-47

高光溢出的照片

图9-48所示为高光溢出的照片，衣服的高光部分完全变成了白色，没有任何层次。在它的直方图中，一部分山峰紧贴直方图右端，它们就是全白的部分（色阶255）。

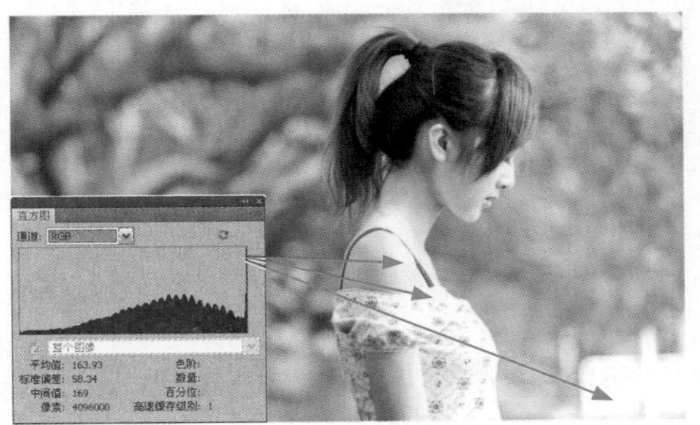

图9-48

疑问解答 直方图完全可靠吗？

前面介绍的是绝大多数情况下的直方图形态，但有时也不能涵盖复杂的影调关系。例如，拍摄白色沙滩上的白色冲浪板时，即使直方图极端偏右也没有什么好奇怪的。因此，我们只要能确认是否有暗部缺失或高光溢出等必要信息，就不必对图形整体分布趋势过于敏感。

提示 曝光是指相机通过光圈大小、快门时间长短以及感光度高低控制光线，并投射到感光元件，形成影像的过程。简单地说，曝光就是按动快门后，相机形成影像的过程。

9.5 色阶

“色阶”是Photoshop最为重要的调整工具之一，它可以调整图像的阴影、中间调和高光的强度级别，校正色调范围和色彩平衡。也就是说，“色阶”不仅可以调整色调，还可以调整色彩。

9.5.1 色阶对话框

打开一张照片，如图9-49所示，执行“图像>调整>色阶”命令，或按Ctrl+L快捷键，打开“色阶”对话框，如图9-50所示。对话框中也有一个直方图，可以作为调整的参考依据，但它的缺点是不能实时更新。我们调整照片时，最好打开“直方图”面板观察直方图的变化情况。

图9-49

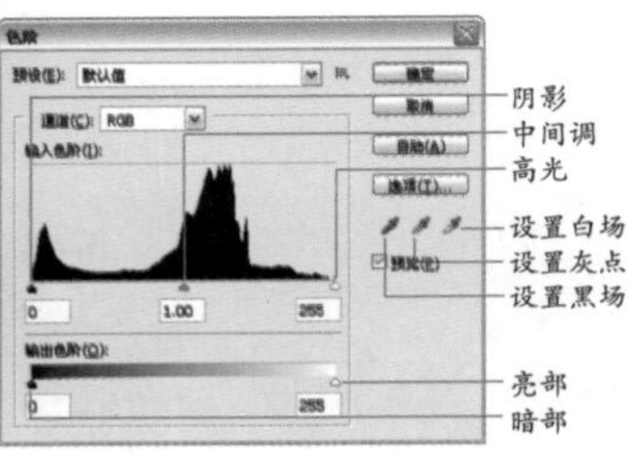

图9-50

- 预设：单击“预设”选项右侧的按钮，在打开的下拉列表中选择“存储”命令，可以将当前的调整参数保存为一个预设文件。在使用相同的方式处理其他图像时，可以用该文件自动完成调整。
- 通道：可以选择一个通道来进行调整，调整通道会影响图像的颜色，如图9-51所示。

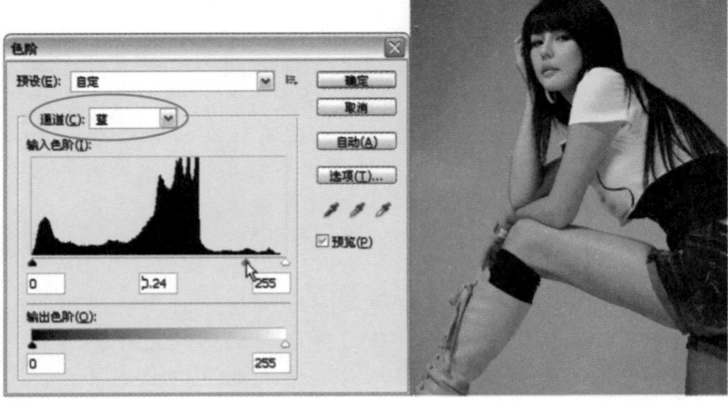

图9-51

技术看板 49 同时调整多个通道

如果要同时编辑多个颜色通道，可在执行“色阶”命令之前，先按住 Shift 键在“通道”面板中选择这些通道，之后，“色阶”的“通道”菜单会显示目标通道的缩写，如RG表示红色和绿色通道。

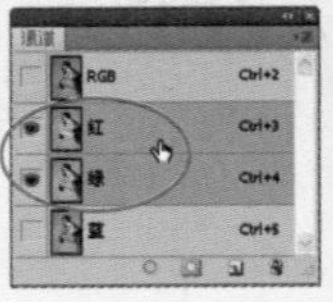

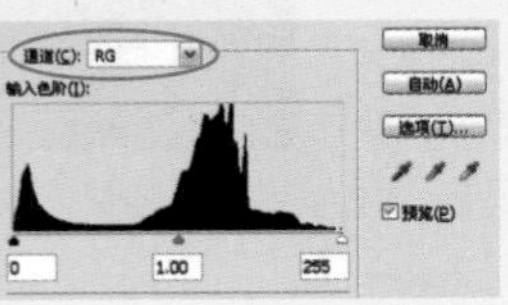

- 输入色阶：用来调整图像的阴影（左侧滑块）、中间调（中间滑块）和高光区域（右侧滑块）。可拖动滑块或者在滑块下面的文本框中输入数值来进行调整，向左移动滑块，可使与之对应的色调变亮，如图9-52所示；向右拖动，则使之变暗，如图9-53所示。

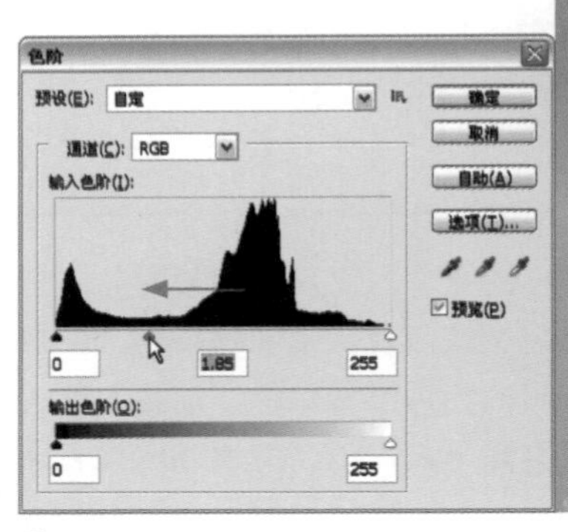

图9-52

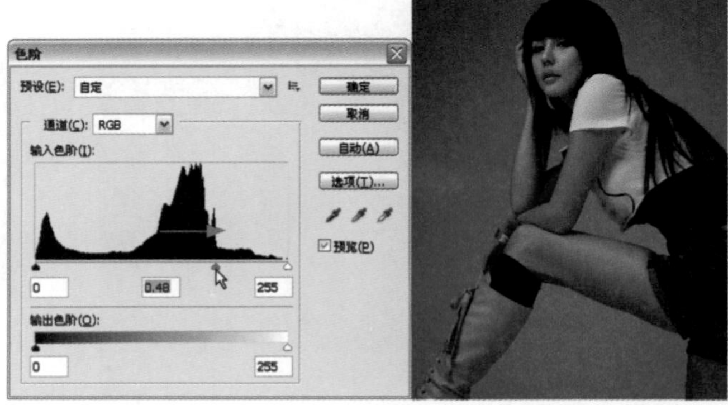

图9-53

- 输出色阶：可以限制图像的亮度范围，从而降低对比度，使图像呈现褪色效果，如图9-54所示。

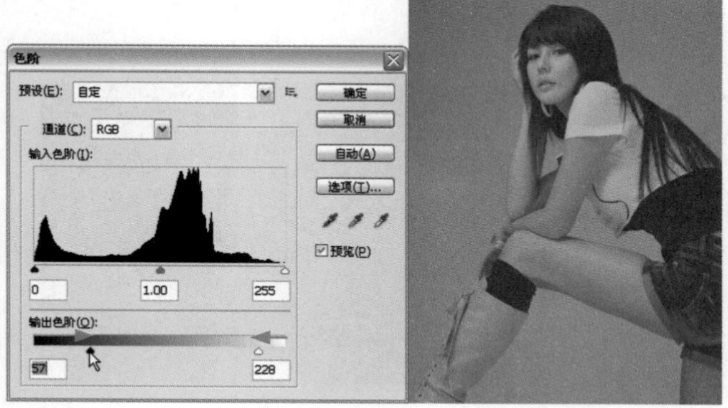

图9-54

- 设置黑场：使用该工具在图像中单击，可以将单击点的像素调整为黑色，原图中比该点暗的像素也变为黑色，如图9-55所示。
- 设置灰点：使用该工具在图像中单击，可根据单击点像素的亮度来调整其他中间色调的平均亮度，如图9-56所示。我们通常使用它来校正色偏。
- 设置白场：使用该工具在图像中单击，可以将单击点的像素调整为白色，比该点亮度值高的像素也都会变为白色，如图9-57所示。

图9-55

图9-56

图9-57

- 自动：单击该按钮，可应用自动颜色校正，Photoshop会以0.5%的比例自动调整图像色阶，使图像的亮度分布更加均匀。
- 选项：单击该按钮，可以打开“自动颜色校正选项”对话框，如图9-58所示。在对话框中可以设置黑色像素和白色像素的比例。

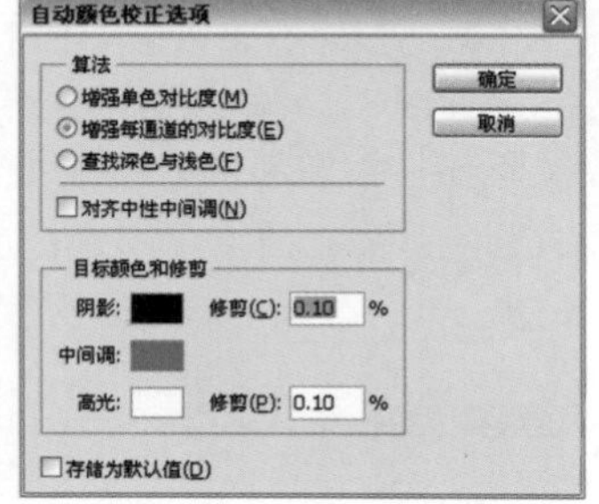

图9-58

9.5.2 色阶的色调映射原理

打开一个图像文件，如图9-59所示，按Ctrl+L快捷键，打开“色阶”对话框，如图9-60所示。

图9-59

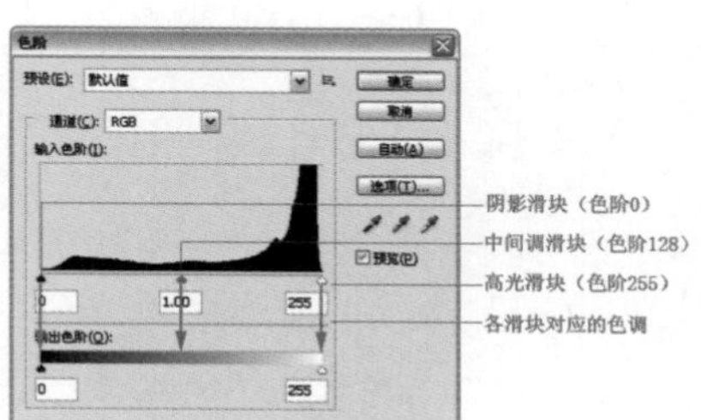

图9-60

在“输入色阶”选项组中，阴影滑块位于色阶0处，它所对应的像素是纯黑的。如果我们向右移动阴影滑块，Photoshop 就会将滑块当前位置的像素值映射为色阶“0”。也就是说，滑块所在位置左侧的所有像素都会变为黑色，如图9-61所示。

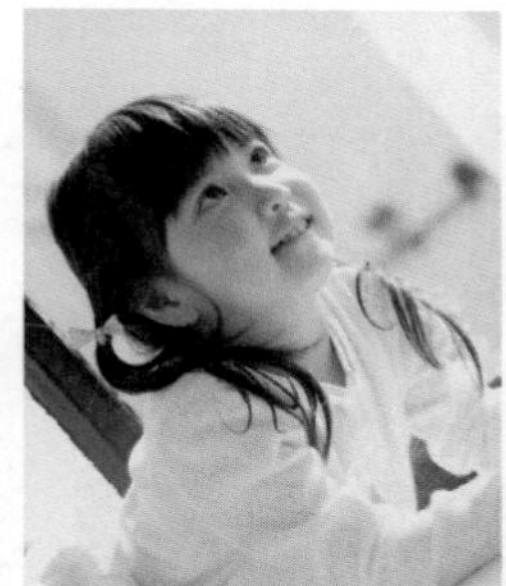

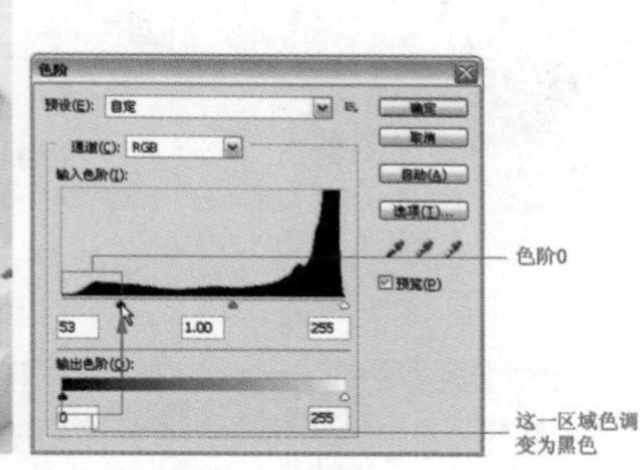

图9-61

高光滑块位于色阶255处，它所对应的像素是纯白的。如果向左移动高光滑块，滑块当前位置的像素值就会映射为色阶“255”，因此，滑块所在位置右侧的所有像素都会变为白色，如图9-62所示。

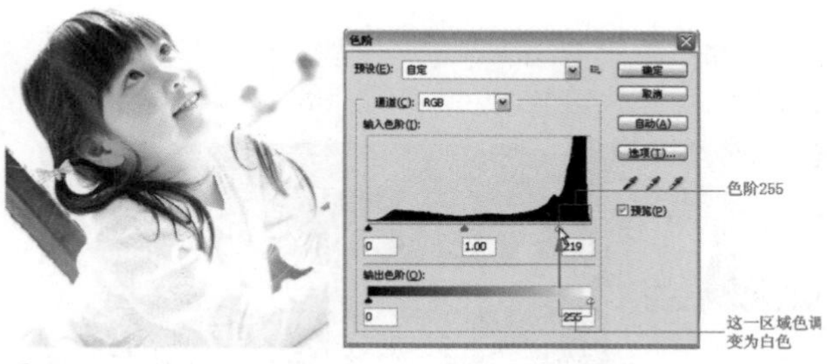

图9-62

中间调滑块位于色阶128处，它用于调整图像中的灰度系数，可以改变灰色调中间范围的强度值，但不会明显改变高光和阴影。

“输出色阶”选项组中的两个滑块用来限定图像的亮度范围。当我们向右拖动暗部滑块时，它左侧的色调都会映射为滑块当前位置的灰色，图像中最暗的色调也就不再是黑色了，色调就会变灰；如果向左移动白色滑块，它右侧的色调都会映射为滑块当前位置的灰色，图像中最亮的色调就不再是白色了，色调就会变暗。

9.5.3 实战——让灰暗的照片变得清晰

●实例门类：数码照片处理类 ●视频位置：光盘>实例视频>9.5.3

1 按Ctrl+O快捷键，打开一张照片（光盘>素材>9.5.3），如图9-63所示。这是北京798艺术区里一个非常特别的雕塑，汽车除了风挡之外都是用砖雕出来的，车内方向盘、踏板、坐垫等一应俱全。单击“调整”面板中的按钮，创建“色阶”调整图层，如图9-64所示。

图9-63

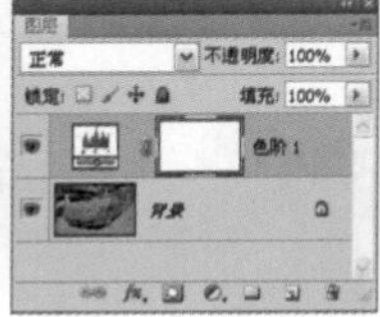

图9-64

2 向左侧拖动高光滑块，将画面调亮，如图9-65所示。

图9-65

3 将中间调滑块向左侧拖动，增加色调的对比度，图像效果就会变得清晰，如图9-66所示。

图9-66

4 对比度增强以后，画面左侧的面包车有些过于明亮。选择一个柔角画笔工具，按下D键，将前景色设置为黑色，在面包车上涂抹黑色，用蒙版遮盖调整图层，排除其对面包车的影响，如图9-67、图9-68所示。

图9-67

图9-68

5 单击“调整”面板中的，创建“色相/饱和度”调整图层，拖动“饱和度”滑块，让色彩变得鲜艳，如图9-69所示。

图9-69

9.5.4 实战——在阈值模式下调整照片清晰度

●实例门类：数码照片处理类 ●视频位置：光盘>实例视频>9.5.4

“色阶”的阴影和高光滑块越靠近直方图中央，图像的对比度越强，但也越容易丢失细节。如果能将滑块精确地定位在直方图的起点和终点上，就可以在保持图像细节不会丢失的基础上获得最佳的对比度。下面我们来学习这种调整方法。

1 按下Ctrl+O快捷键，打开一张照片（光盘>素材>9.5.4）。按下Ctrl+L快捷键，打开“色阶”对话框，观察直方图，如图9-70所示。可以看到，山脉的两端没有延伸到直方图的两个端点上，这说明图像中最暗的点不是黑色，最亮的点也不是白色，图像缺乏对比度，调子比较灰。

提示 本实例的操作方法是在“色阶”对话框中将图像临时切换为阈值状态，它不能用于调整CMYK模式的图像。

图9-70

2 按住 Alt 键向右拖动阴影滑块，临时切换为阈值模式，我们可以看到一个高对比度的预览图像，如图9-71所示；往回拖动滑块（不要放开Alt键），当画面中出现少量高对比度图像时放开滑块，如图9-72所示，这样可以比较准确地将滑块定位在直方图左侧的端点上。

图9-71

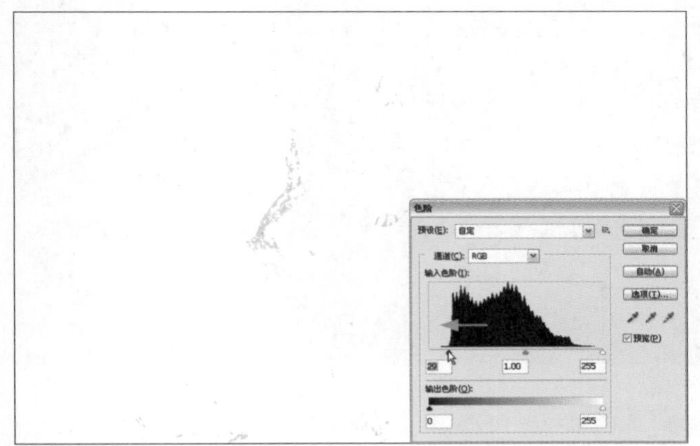
图9-72

3 高光滑块的调整方法与阴影滑块相同，首先按住 Alt 键向左拖动高光滑块，然后往回拖动滑块，将它定位在出现少量高对比度图像处，如图9-73所示，这样就将滑块比较准确地定位在直方图最右侧的端点上。

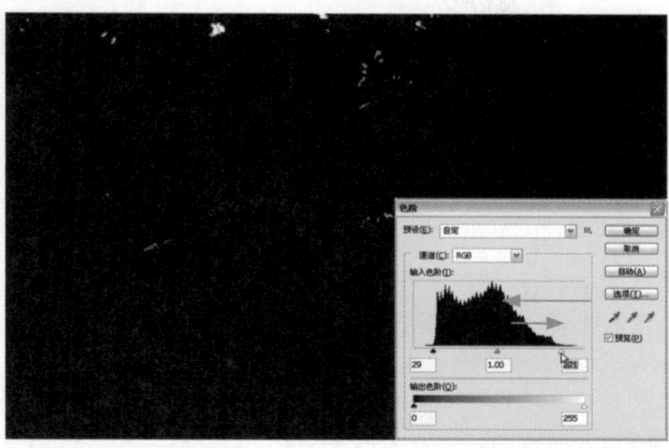
图9-73

4 放开Alt 键，再将中间调滑块向左拖动（大概定位在1.42处），将画面适当调亮就可以了。图9-74所示为原片，图9-75所示为精确调整色阶后的效果。

图9-74

图9-75

9.5.5 实战——定义灰点校正偏色的照片

●实例门类：数码照片处理类 ●视频位置：光盘>实例视频>9.5.5

我们使用数码相机拍摄时，需要设置正确的白平衡才能使照片准确还原色彩，否则会导致颜色出现偏差。此外，室内人工照明对拍摄对象产生影响、照片由于年代久远而褪色、扫描或冲印过程中也会产生色偏。下面我们就来学习怎样处理这样的照片。

1 按下Ctrl+O快捷键，打开一张出现色偏的照片（光盘>素材>9.5.5），如图9-76所示。我们先来判定照片出现了怎样的色偏。浅色或中性图像区域比较容易确定色偏，例如，白色的衬衫、灰色的道路等都是查找色偏的理想位置。

图9-76

2 使用颜色取样器工具在白色的耳环上单击，建立取样点，如图9-77所示。弹出“信息”面板显示取样的颜色值，如图9-78所示。

图9-77

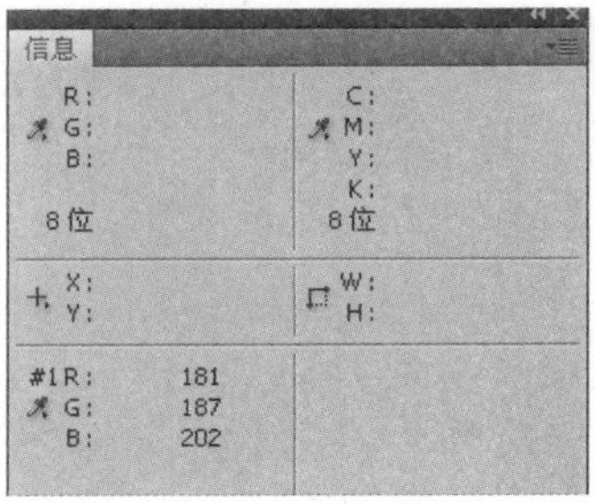

信息

R: C:
G: M:
B: Y:
K:
8位 8位
X: W:
Y: H:
#1R: 181
G: 187
B: 202

图9-78

3 我们可以看到，取样点的颜色值是：R181、G187、B202。在Photoshop中，等量的红、绿、蓝生成灰色，如图9-79、图9-80所示。如果照片中原本应该是灰色的区域的RGB数值不一样，说明它不是真正的灰色，它一定包含了其他的颜色。如果R值高于其他值，说明图像偏红色；如果G值高于其他值，说明图像偏绿色；如果B值高于其他两个颜色值，说明偏蓝色。而我们的取样点B（蓝色）值最高，其他两个颜色值相差不大，由此我们可以判断出照片颜色偏蓝。

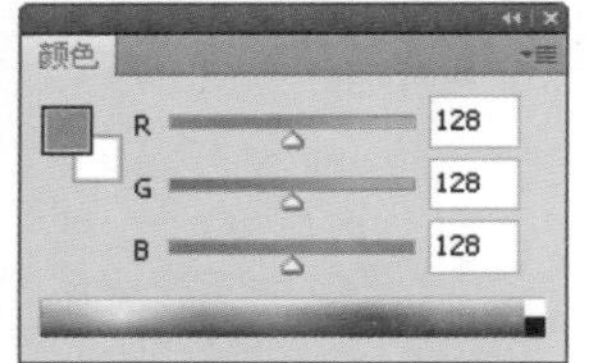

图9-79

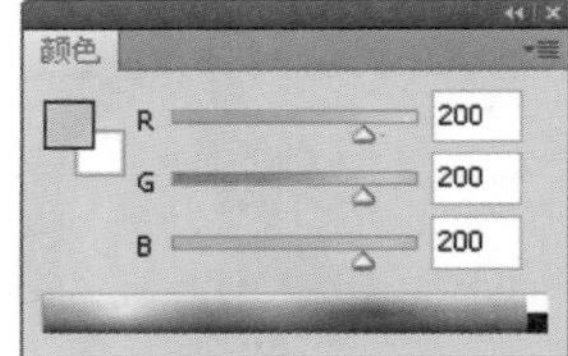

图9-80

4 单击“调整”面板中的按钮，创建“色阶”调整图层。选择对话框中的设置灰场吸管，将光标放在取样点上，如图9-81所示。

图9-81

5 单击鼠标，Photoshop会计算出单击点像素RGB的平均值，并根据该值调整其他中间色调的平均亮度，从而校正色偏，图9-82、图9-83所示分别为原图及校正结果。

原片

图9-82

校正色偏后的效果

图9-83

在进行校正色偏的操作时，如果单击的区域不是灰色区域，则可能导致更严重的色偏，如图9-84所示，或出现其他颜色的色偏，如图9-85所示。

图9-84

图9-85

此外，同样是在灰色区域单击，单击位置不同，校正结果也会有差异，如图9-86所示。我们可以看到该校正结果颜色有些偏红。由此可见，校正色偏是一个比较感性的工作，我们只要凭着对照片的直观感受，将其调整到最佳的视觉效果就可以了。况且，有些色偏还是有益的。

图9-86

疑问解答 什么样的色偏不需要校正？

夕阳下的金黄色调，室内温馨的暖色调，摄影师使用镜头滤镜拍摄的特殊色调等可以增强图像的视觉效果，这样的色偏是不需要校正的。

9.6 曲线

“曲线”是Photoshop中最强大的调整工具，它具有“色阶”、“阈值”、“亮度/对比度”等多个命令的功能。曲线上可以添加14个控制点，这意味着我们可以对色调进行非常精确的调整。

9.6.1 曲线对话框

打开一个文件，执行“图像>调整>曲线”命令，或按下Ctrl+M快捷键，打开“曲线”对话框，如图9-87所示。在曲线上单击可以添加控制点，拖动控制点改变曲线的形状就可以调整图像的色调和颜色。单击控制点，可将其选择，按住Shift键单击可以选择多个控制点。选择控制点后，按下Delete键可将其删除。

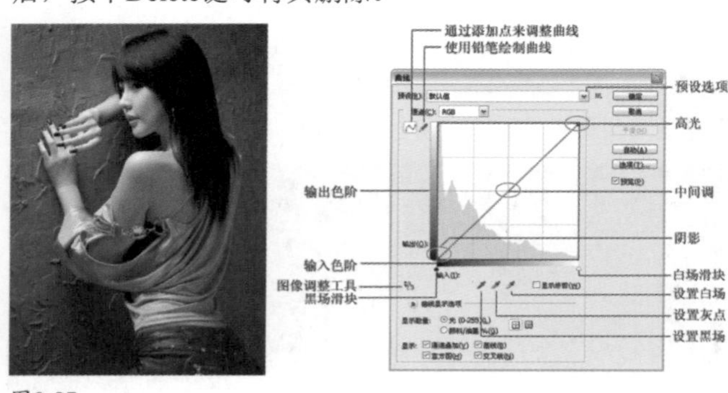

图9-87

“曲线”命令基本选项

- 通道：在下拉列表中可以选择要调整的通道。调整通道会改变图像颜色，如图9-88所示。

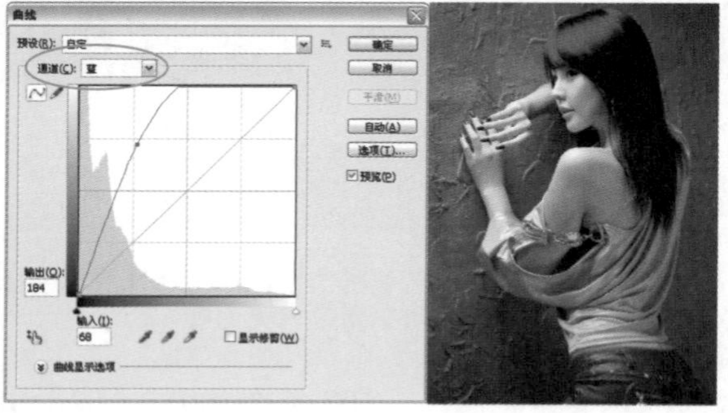
图9-88

- 预设：包含了Photoshop提供的各种预设调整文件，如图9-89所示，可用于调整图像，如图9-90所示。单击“预设”选项右侧的按钮，可以打开一个下拉列表，选择“存储预设”命令，可以将当前的调整状态保存为一个预设文件，在对其他图像应用相同的调整时，可以选择“载入预设”命令，用载入的预设文件自动调整；选择“删除当前预设”命令，则删除所存储的预设文件。

默认值
彩色负片 (RGB)
反冲 (RGB)
较暗 (RGB)
增加对比度 (RGB)
较亮 (RGB)
线性对比度 (RGB)
中对比度 (RGB)
负片 (RGB)
强对比度 (RGB)
自定

图8-89

彩色负片　反冲　较暗

增加对比度

较亮

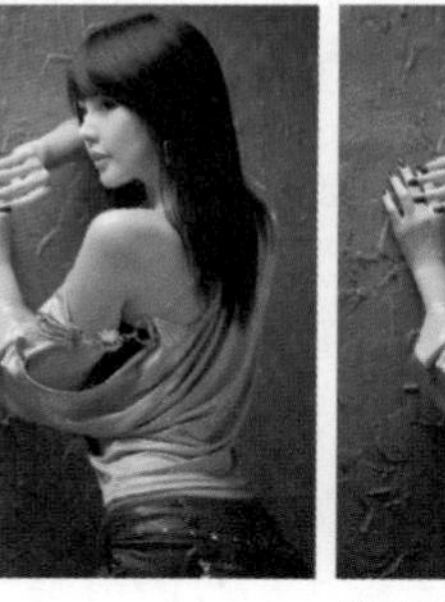
线性对比度

中对比度

负片

强对比度

图9-90

- 通过添加点来调整曲线：打开“曲线”对话框时，该按钮为按下状态，此时在曲线中单击可添加新的控制点，拖动控制点改变曲线形状，即可调整图像。

当图像为RGB模式时，曲线向上弯曲，可以将色调调亮，如图9-91所示；曲线向下弯曲，可以将色调调暗，如图9-92所示。

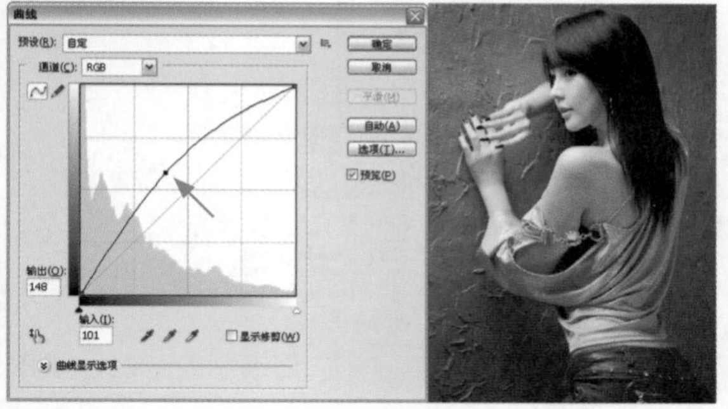

图9-91

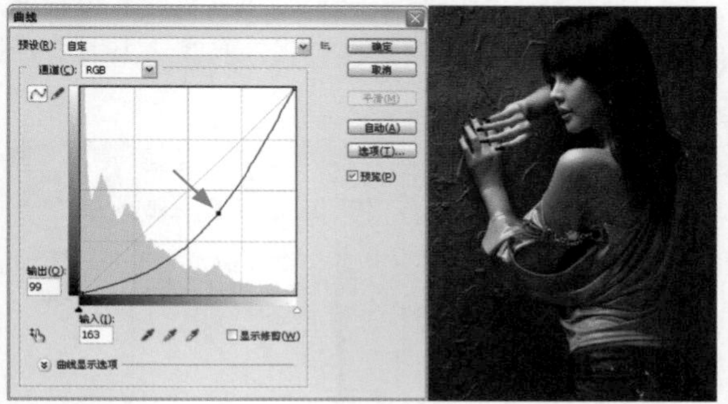

图9-92

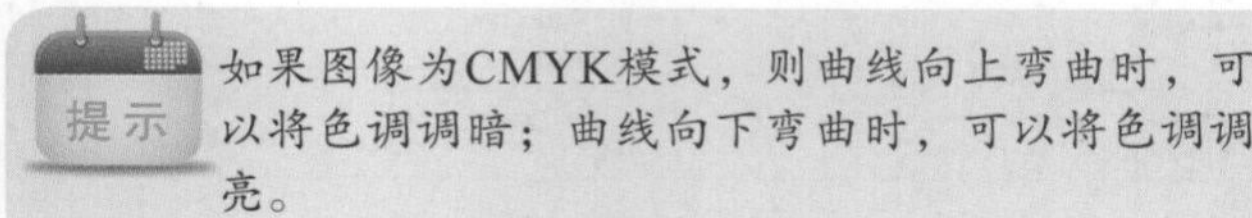

如果图像为CMYK模式，则曲线向上弯曲时，可以将色调调暗；曲线向下弯曲时，可以将色调调亮。

- 使用铅笔绘制曲线：按下该按钮后，可绘制手绘效果的自由曲线，如图9-93所示。绘制完成后，单击按钮，曲线上会显示控制点。

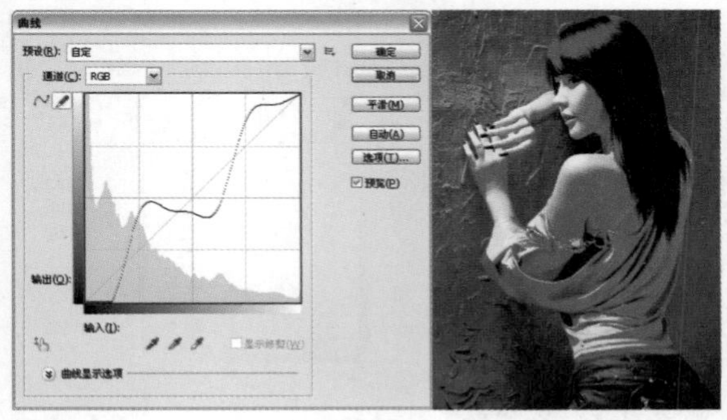

图9-93

- 平滑：使用工具绘制曲线后，单击该按钮，可以对曲线进行平滑处理，如图9-94所示。

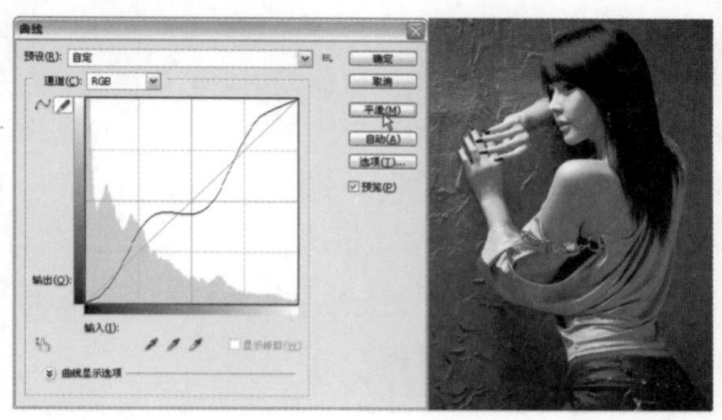

图9-94

- 图像调整工具：选择该工具后，将光标放在图像上，曲线上会出现一个空的圆形图形，它代表了光标处的色调在曲线上的位置，如图9-95所示，在画面中单击并拖动鼠标可添加控制点并调整相应的色调，如图9-96所示。

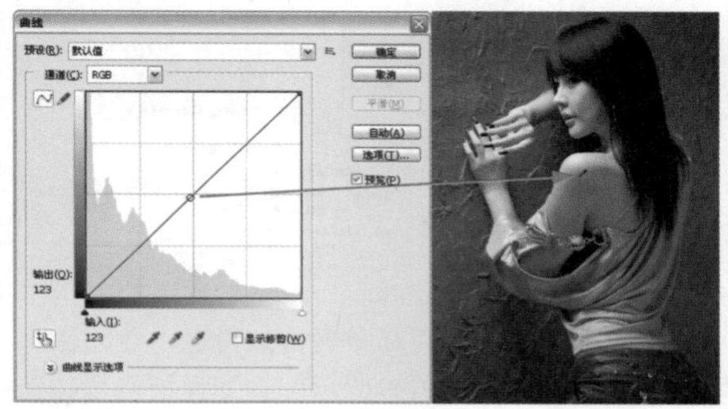

图9-95

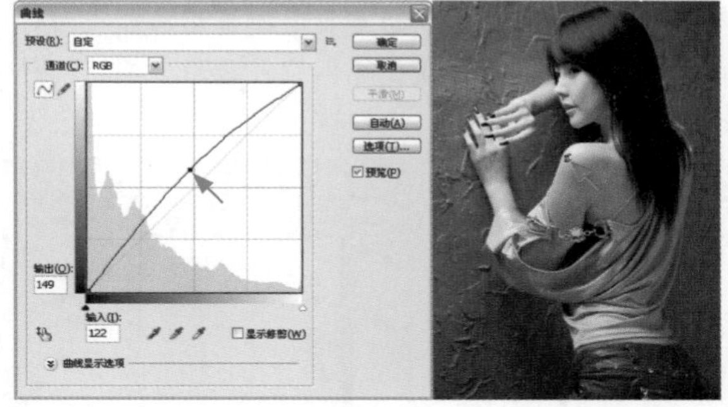

图9-96

- 输入色阶/输出色阶：“输入色阶”显示了调整前的像素值，“输出色阶”显示了调整后的像素值。
- 设置黑场/设置灰点/设置白场：这几个工具与“色阶”相应工具的作用相同。
- 自动：单击该按钮，可对图像应用“自动颜色”、“自动对比度”或“自动色调”校正。具体的校正内容取决于“自动颜色校正选项”对话框中的设置。
- 选项：单击该按钮，可以打开“自动颜色校正选项”对话框。自动颜色校正选项用来控制由“色阶”和

"曲线"中的"自动颜色"、"自动色调"、"自动对比度"和"自动"选项应用的色调和颜色校正。它允许指定阴影和高光剪切百分比，并为阴影、中间调和高光指定颜色值。

曲线显示选项

单击"曲线"对话框中"曲线显示选项"前的按钮，可以显示曲线更多的选项。

- 显示数量：可反转强度值和百分比的显示。如图9-97所示为选择"光 (0-255)"选项时的曲线，图9-98为选择"颜料/油墨量 (%)"选项时的曲线。

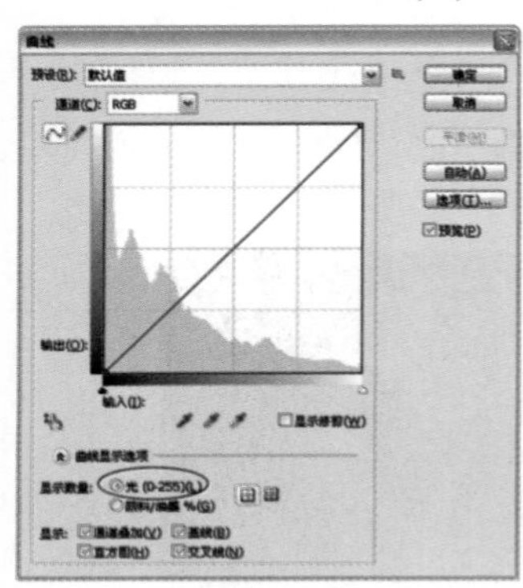
图9-97

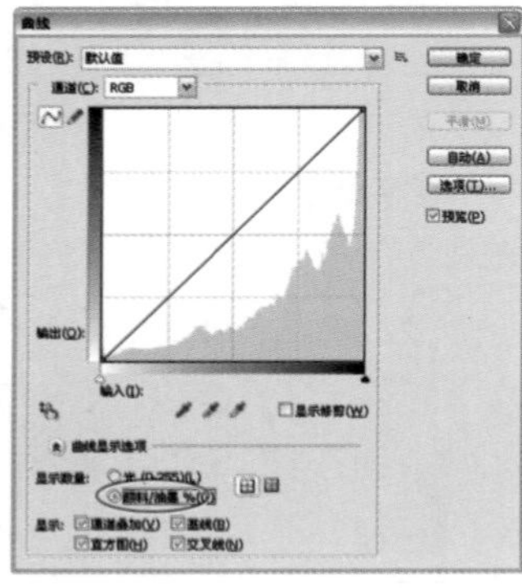
图9-98

- 简单网格/详细网格：按下简单网格按钮，会以 25% 的增量显示网格，如图9-99所示；按下详细网格按钮，则以 10% 的增量显示网格，如图9-100所示。在详细网格状态下，我们可以更加准确地将控制点对齐到直方图上。按住 Alt 键单击网格，也可以在这两种网格间切换。

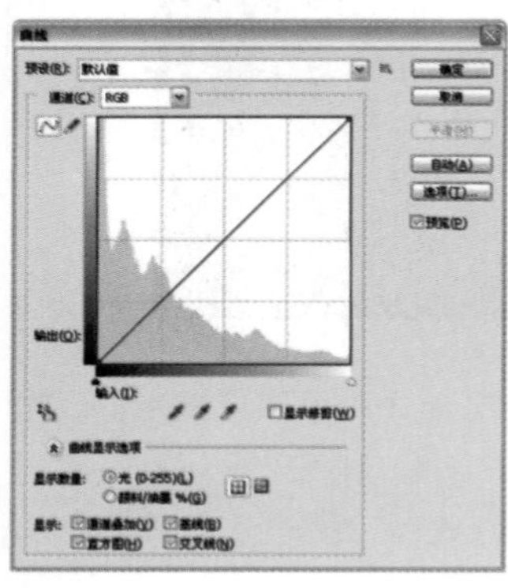
图9-99

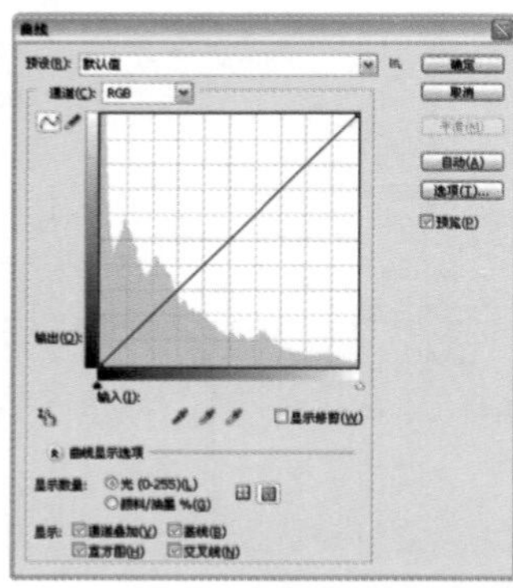
图9-100

- 通道叠加：可在复合曲线上方叠加各个颜色通道的曲线，如图9-101所示。
- 直方图：可在曲线上叠加直方图，如图9-102所示。

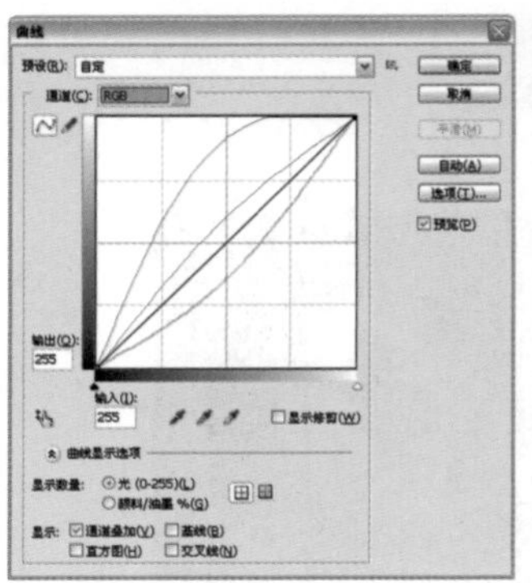
图9-101

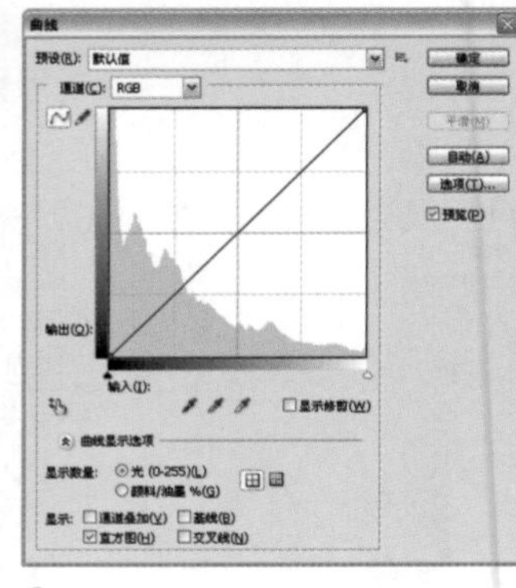
图9-102

- 基线：可在网格上显示以 45 ° 角绘制的基线，如图9-103所示。
- 交叉线：调整曲线时，显示水平线和垂直线，以帮助我们在相对于直方图或网格进行拖动时将点对齐，如图9-104所示。

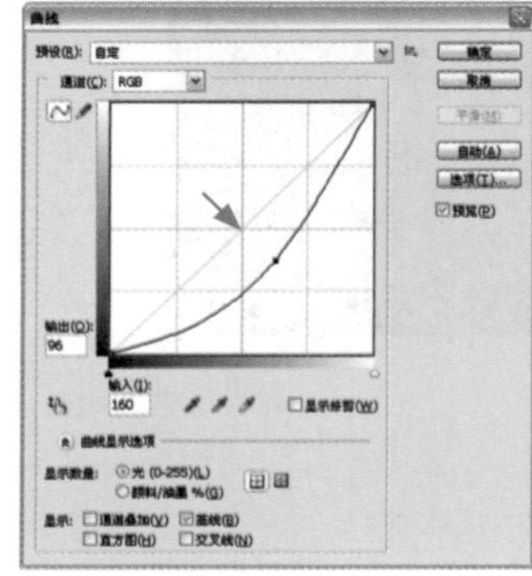
图9-103

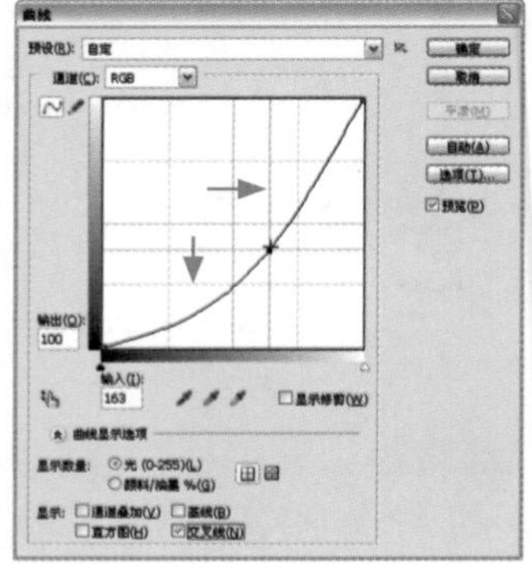
图9-104

9.6.2 曲线的色调映射原理

打开一个文件，如图9-105所示，按下Ctrl+M快捷键，打开"曲线"对话框，如图9-106所示。

图9-105

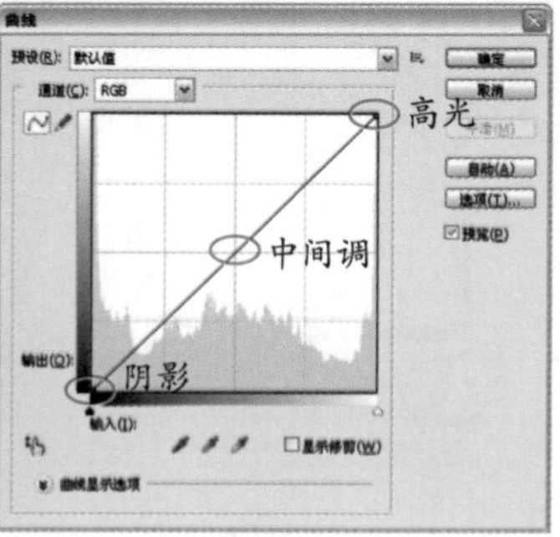

图9-106

在对话框中，水平的渐变颜色条为输入色阶，它代表了像素的原始强度值，垂直的渐变颜色条为输出色阶，它代表了调整曲线后像素的强度值。调整曲线以前，这两个数值是相同的。我们在曲线上单击，添加一个控制点，当我们向上拖动该点时，在输入色阶中可以看到图像中正在被调整的色调（色阶113），在输出色阶中可以看到它被Photoshop映射为更浅的色调（色阶148），图像就会因此而变亮，如图9-107所示。

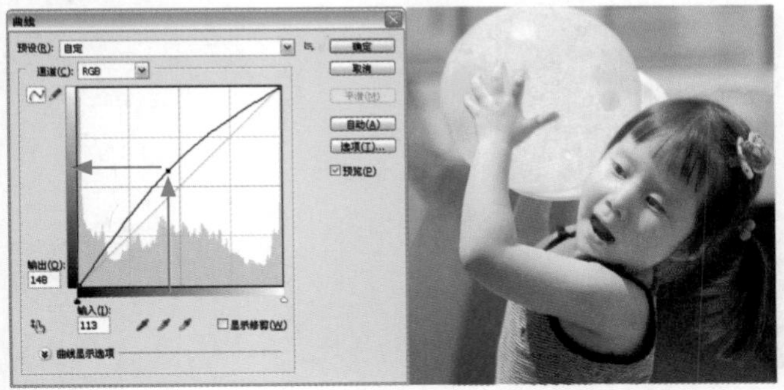

图9-107

提示 整个色阶范围为0～255，0代表了全黑，255代表了全白。因此，色阶数值越高，色调越亮。

如果向下移动控制点，则Photoshop会将所调整的色调映射为更深的色调（将色阶154映射为色阶110），图像也会因此而变暗，如图9-108所示。

图9-108

如果沿水平方向向右拖动左下角的控制点，可以将输入色阶中该点左侧的所有灰色都映射为黑色，如图9-109所示；沿水平方向向左拖动右上角的控制点，则可将输入色阶中该点右侧的所有灰色都映射为白色，如图9-110所示。

如果沿垂直方向向上拖动左下角的控制点，可以将图像中的黑色映射为该点所对应的输出色阶中的灰色，如图9-111所示；如果沿垂直方向向下拖动右上角的控制点，则可将图像中的白色映射为该点所对应的输出色阶中的灰色，如图9-112所示。

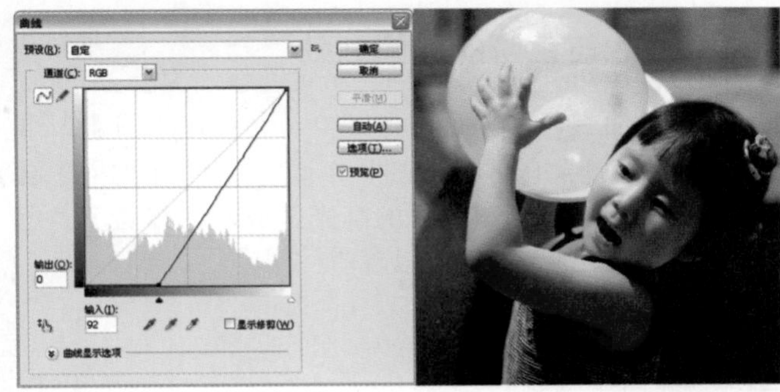

图9-109

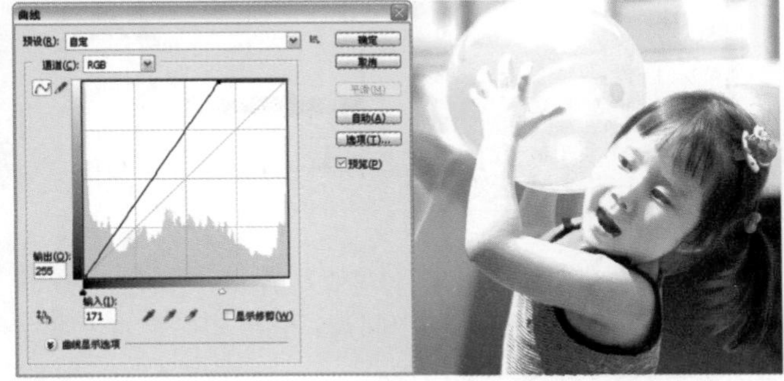

图9-110

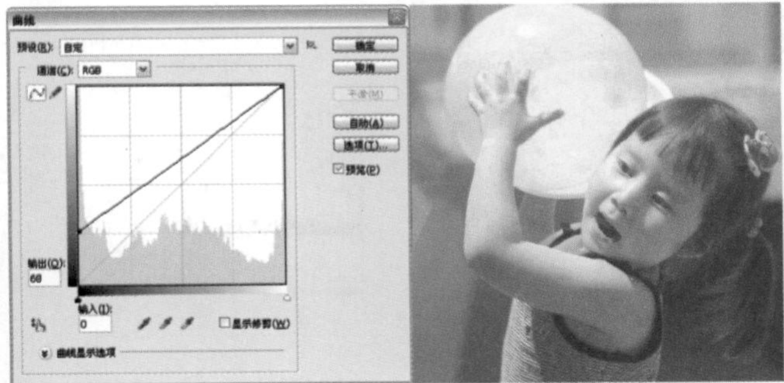

图9-111

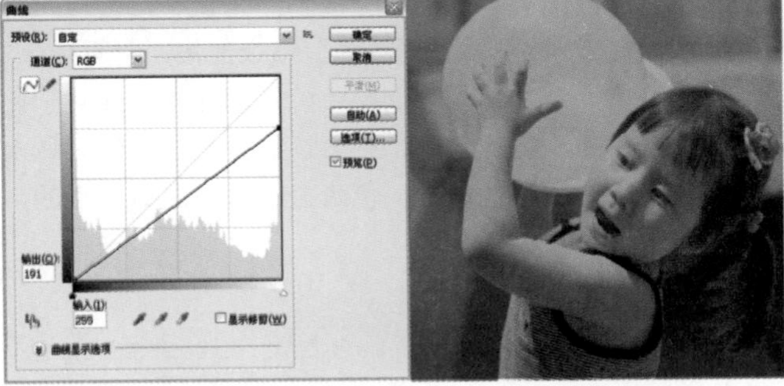

图9-112

9.6.3 曲线与色阶的异同之处

曲线上面有两个预设的控制点，其中，“阴影”可以调整照片中的阴影区域，它相当于“色阶”中的阴影滑块；“高光”可以调整照片的高光区域，它相当于“色阶”中的高光滑块，如图9-113所示。

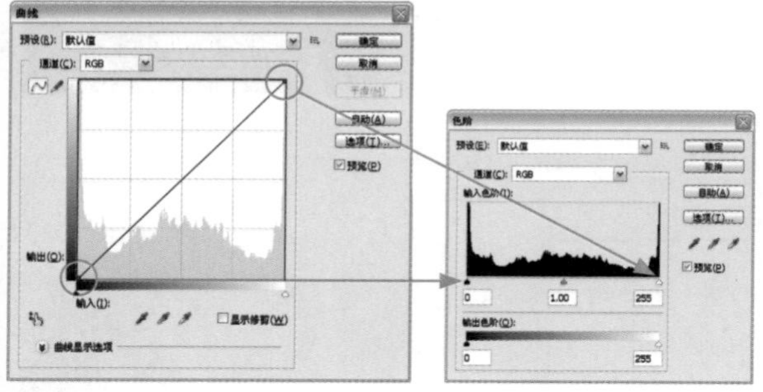

图9-113

如果我们在曲线的中央（1/2处）单击，添加一个控制点，该点就可以调整照片的中间调，它就相当于“色阶”的中间调滑块，如图9-114所示。

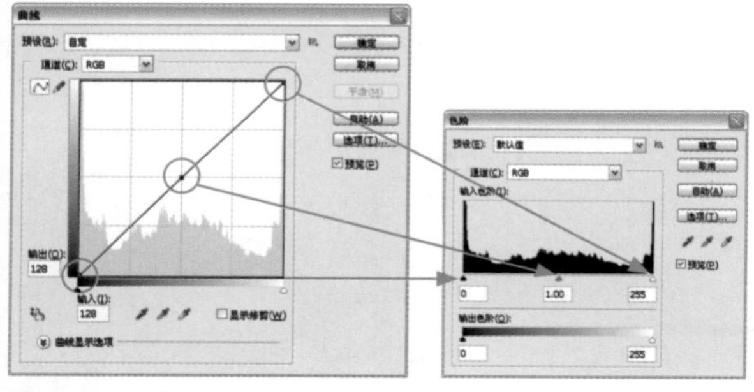

图9-114

然而曲线上最多可以有16个控制点，也就是说，它能够把整个色调范围（0～255）分成15段来调整，因此，对于色调的控制非常精确。而色阶只有3个滑块，它只能分3段（阴影、中间调、高光）调整色阶。因此，曲线对于色调的控制可以做到更加精确，它可以调整一定色调区域内的像素，而不影响其他像素，色阶是无法做到这一点的，这就是曲线的强大之处。

疑问解答 怎样轻微移动控制点？

选择控制点后，按下键盘中的方向键（→、←、↑、↓）可轻移控制点。如果要选择多个控制点，可以按住Shift键单击它们（选中的控制点为实心黑色）。通常情况下，我们编辑图像时，只需对曲线进行小幅度的调整即可实现目的，曲线的变形幅度越大，越容易破坏图像。

9.6.4 典型曲线对图像产生的影响

打开一张照片，如图9-115所示。我们下面通过对它应用“曲线”调整来分析各种形状的曲线会产生怎样的调整结果。

图9-115

向上移动曲线中间的点，可以使中间调变亮，如图9-116所示；向下移动则使中间调变暗，如图9-117所示。

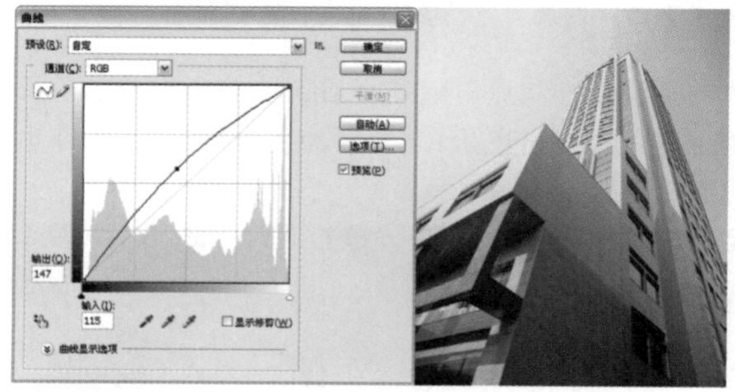

图9-116

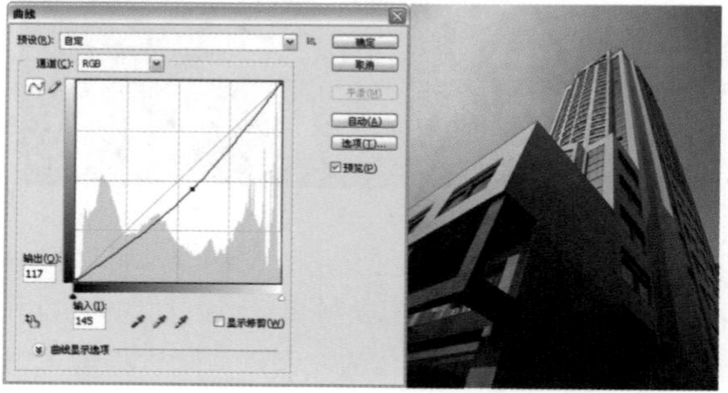

图9-117

将曲线调整为S形可以使高光区域变亮、阴影区域变暗，从而增强图像的对比度，如图9-118所示；反S形曲线则降低图像的对比度，如图9-119所示。

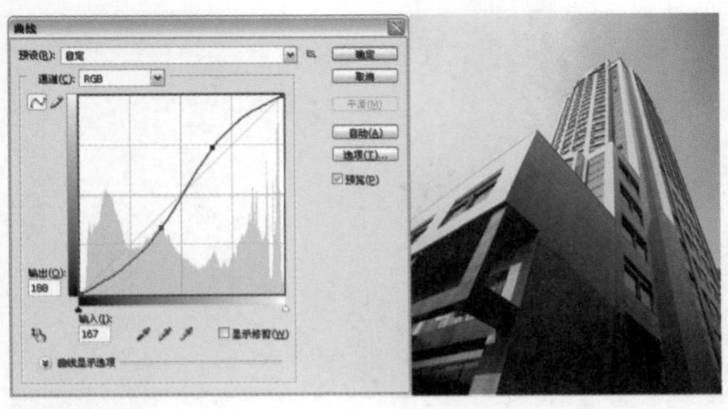

图9-118

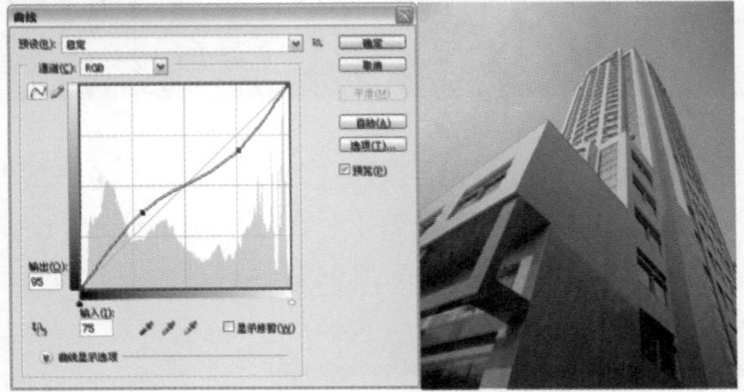

图9-119

向上移动曲线底部的点时，会把黑色映射为灰色，阴影区域因此而变亮，如图9-120所示；向下移动曲线顶部的点时，会把白色映射为灰色，高光区域因此而变暗，如图9-121所示。

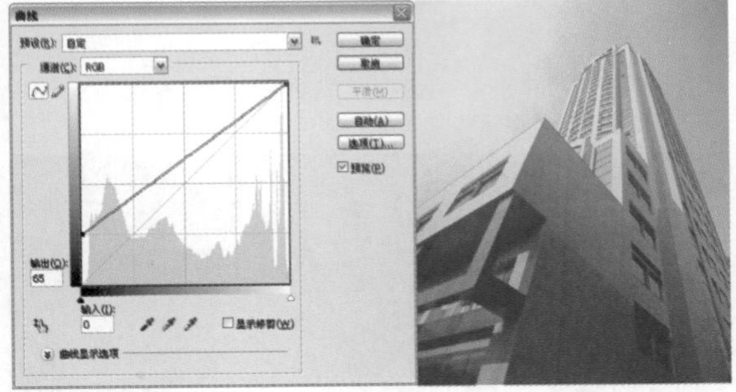

图9-120

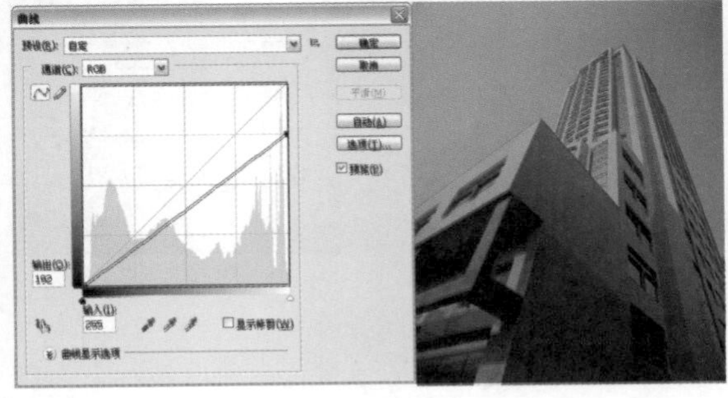

图9-121

将曲线顶部的点移动到最下面，将底部的点移动到最上面，可以反相图像，如图9-122所示；将曲线调整为如图9-123所示的形状，则可以使部分图像反相。

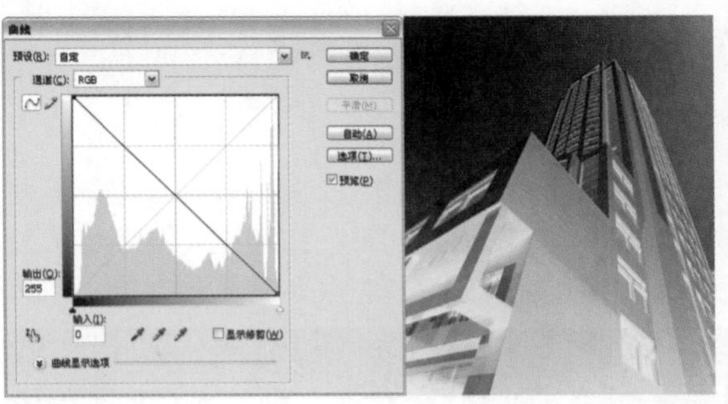

图9-122

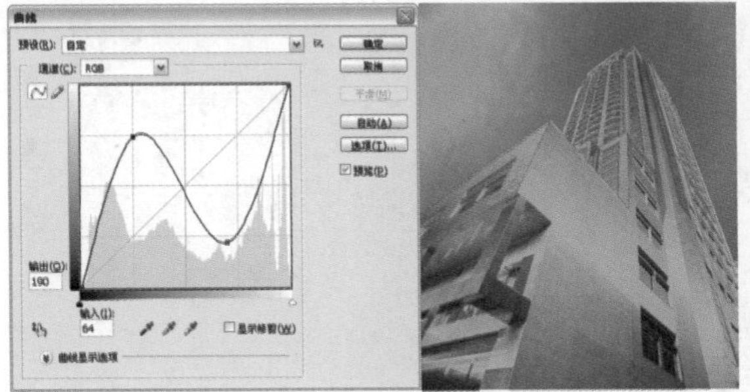

图9-123

将曲线顶部的点向左移动，可以剪切高光，如图9-124所示；将曲线底部的点向右移动，可以剪切阴影，如图9-125所示。

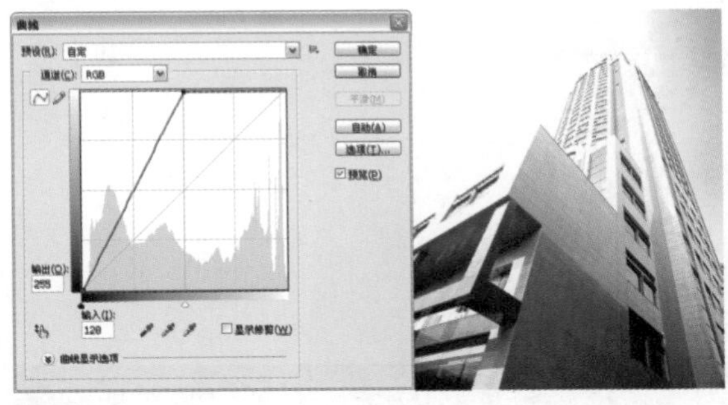

图9-124

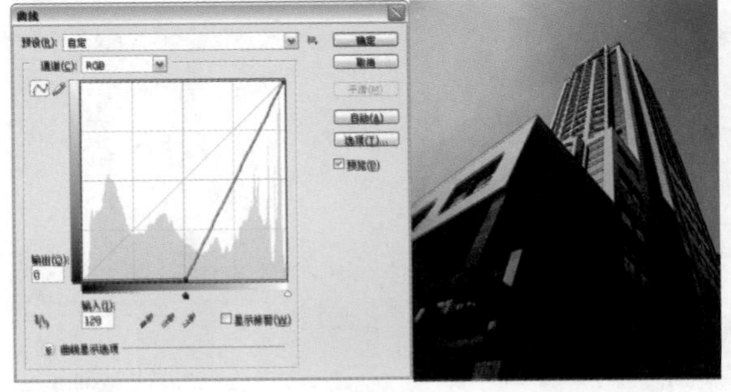

图9-125

如果将顶部和底部的点同时向中间移动，则可以创建色调分离效果。

9.6.5 实战——调整严重曝光不足的照片

●实例门类：数码照片处理类 ●视频位置：光盘>实例视频>9.6.5

1 按下Ctrl+O快捷键，打开一张照片（光盘>素材>9.6.5），如图9-126所示。这是一张严重曝光不足的照片，画面很暗，阴影区域的细节非常少。

图9-126

2 按下Ctrl+J快捷键复制"背景"图层，得到"图层1"，将它的混合模式改为"滤色"，提升图像的整体亮度，如图9-127、图9-128所示。

图9-127

图9-128

3 再按下Ctrl+J快捷键，复制这个"滤色"模式的图层，效果如图9-129所示。

图9-129

4 单击"调整"面板中的按钮，创建"曲线"调整图层。在曲线偏下的位置单击，添加一个控制点，如图9-130所示，然后向上拖动曲线，将图像的暗部区域调亮，如图9-131、图9-132所示。

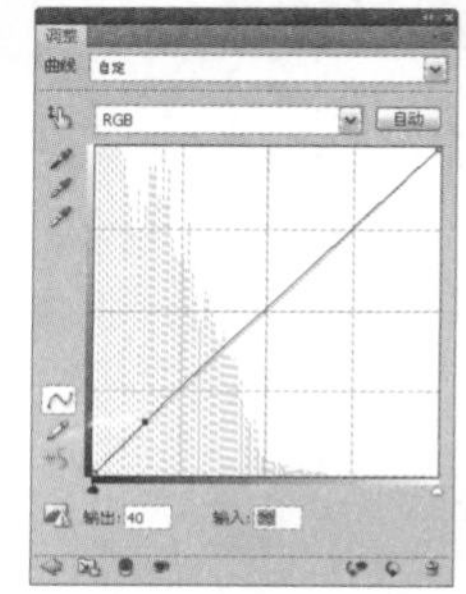

图9-130

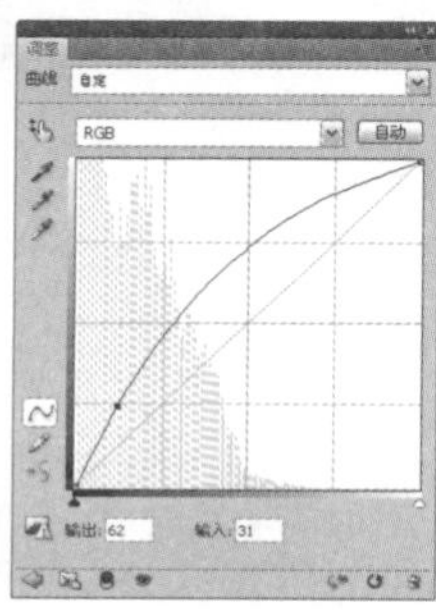

图9-131

图9-132

5 严重曝光不足的照片或多或少都有一些偏色，从现在的调整结果中我们可以看到，图像颜色有些偏红。下面我们来校正色偏。单击"调整"面板底部的按钮，显示调整工具，再单击按钮，创建"色相/饱和度"调整图层，如图9-133所示。选择"红色"，拖动"明度"滑块，将红色调亮，可以降低红色的饱和度，将人物肤色调白，如图9-134、图9-135所示。

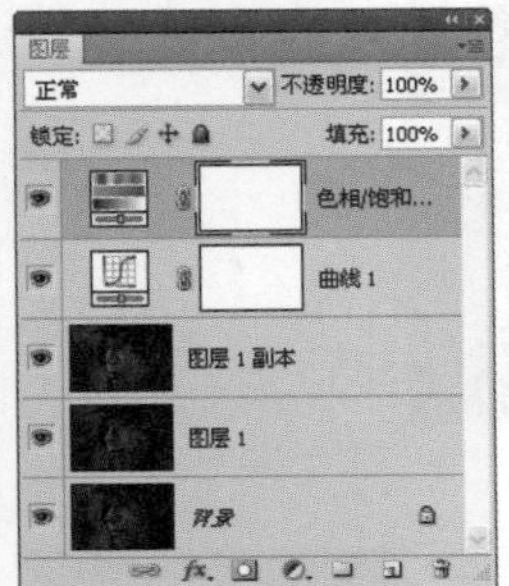
图9-133

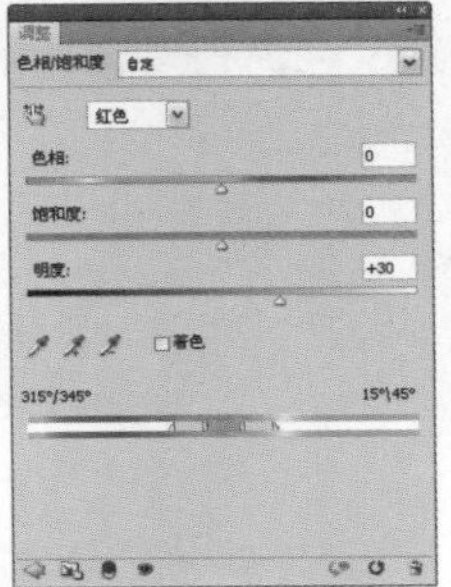
图9-134

图9-135

9.6.6 实战——调整曝光过度的照片

●实例门类：数码照片处理类 ●视频位置：光盘>实例视频>9.6.6

1 按下Ctrl+O快捷键，打开一张过曝的照片（光盘>素材>9.6.6），如图9-136所示。单击“调整”面板中的按钮，创建“曲线”调整图层，如图9-137所示。

图9-136

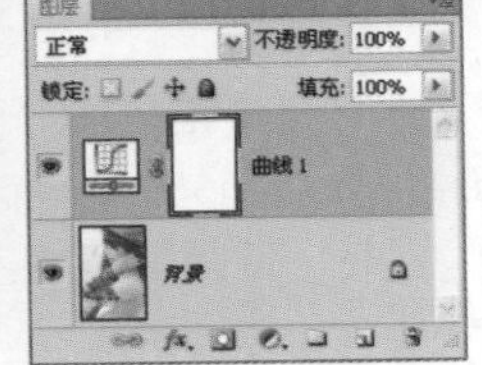
图9-137

2 将黑场滑块拖动到直方图左侧的端点上（阴影滑块会随之而动），将图像中最暗的点定义为黑色，如图9-138所示；然后在曲线中间添加一个控制点，向下拖动，降低中间调的亮度，如图9-139、图9-140所示。

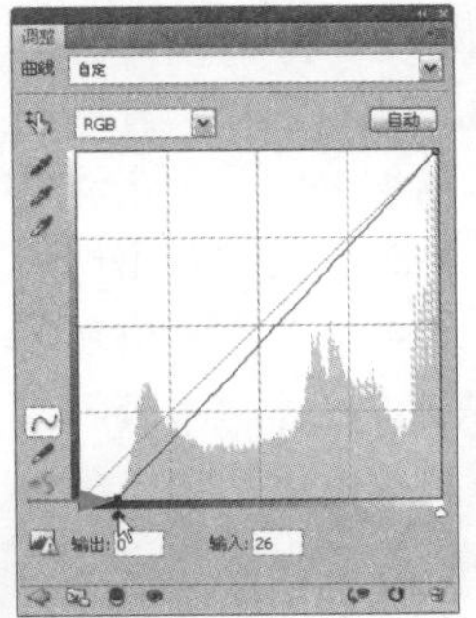
图9-138

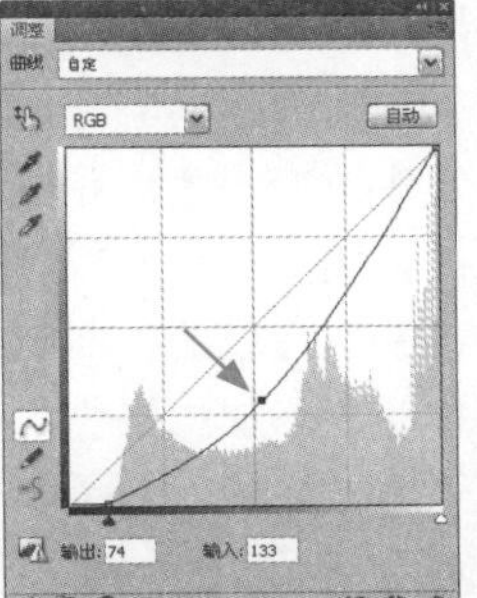
图9-139

图9-140

3 选择一个柔角画笔工具，按下D键将前景色设置为黑色，在人物面部、手和脖子上涂抹，使其恢复为较亮的色调；在头发上涂抹，适当恢复细节，如图9-141、图9-142所示。

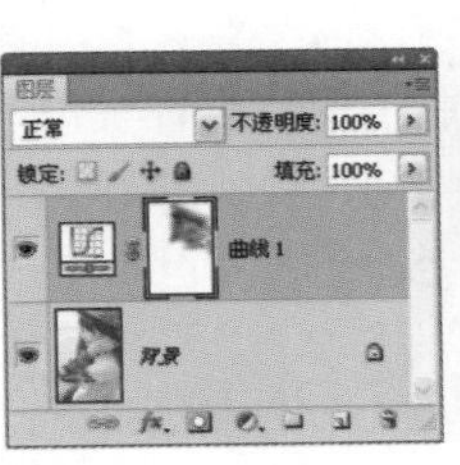
图9-141

图9-142

9.6.7 实战——校正白平衡错误的照片

●实例门类：数码照片处理类 ●视频位置：光盘>实例视频>9.6.7

使用数码相机拍摄时，需要设置正确的白平衡才能使照片准确还原色彩，否则会导致颜色出现偏差。

相机的白平衡可以用色温来衡量。随着颜色的升高，光线的颜色会发生改变，色温越高，颜色越偏蓝；色温越低，颜色越偏红。例如，日出或者黄昏时，天空会出现红色，这是由于色温低造成的；而晴天的下午天空会出现偏蓝的颜色。简单的数码相机提供了自动、日光、阴天、白炽灯、荧光灯等调整模式，单反相机则可以手动调整色温值。下面我们来看一下怎样校正白平衡出现错误的照片。

1 按下Ctrl+O快捷键，打开一张照片（光盘>素材>9.6.7），如图9-143所示。这是一张室内拍摄的照片，环境光为暖色，但白平衡错误地设置为“荧光灯”，所以照片颜色发蓝。

图9-143

2 按下Ctrl+M快捷键打开“曲线”对话框，选择设置灰场吸管，将光标放在如图9-144所示的白色展台上。

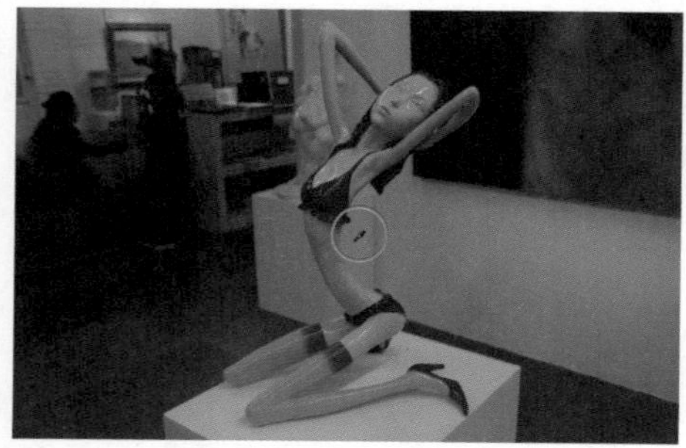

图9-144

3 单击鼠标，校正色偏，如图9-145所示。

4 先不要关闭对话框，我们再来调整色调。在曲线上添加两个控制点，将上面的控制点向上拖动，将画面调亮；将下面的控制点稍微向下移动一下，增加色调的对比度，如图9-146所示。

图9-145

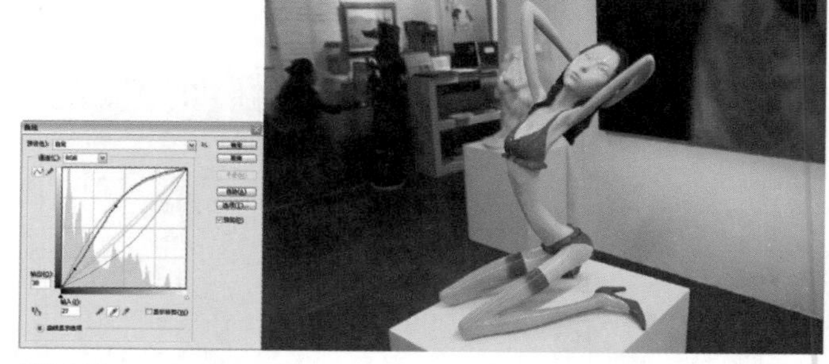

图9-146

9.6.8 实战——让照片中的水更绿、花更红

●实例门类：数码照片处理类 ●视频位置：光盘>实例视频>9.6.8

1 按下Ctrl+O快捷键，打开一张照片（光盘>素材>9.6.8），如图9-147所示。这张照片有三个问题，一是色彩不鲜艳，花不够红、叶不够绿；二是色调不清晰，整张照片都灰蒙蒙的，缺乏神采；三是画面没有层次，近景（花枝）、中景（树丛）、远景（塔）都堆砌在一处。找到了问题以后，我们就来逐个解决。

图9-147

2 按下Ctrl+J快捷键复制“背景”图层，设置混合模式为“线性减淡（添加）”，先将画面调亮，如图9-148、图9-149所示。

图9-148

图9-149

3 现在中景的树丛变得清晰了，与近景的花枝也拉开了层次，但花朵却过于明亮而丢失了细节。我们来恢复花朵细节。单击“图层”面板底部的按钮，为“图层1”添加蒙版。选择一个柔角画笔工具，在工具选项栏中将工具的不透明度设置为20%，在花朵上涂抹黑色，用蒙版遮盖当前图层，显示“背景”图层中的花朵，如图9-150、图9-151所示。

图9-150

图9-151

4 单击“调整”面板中的按钮，创建“曲线”调整图层。先在曲线中间单击添加一个控制点；然后在曲线左下角单击添加一个控制点，并将该点向下拖动，将阴影的色调调暗，从而增加对比度，使整个图像的色调变得清晰；接下来在曲线右上角添加一个控制点，通过该点将上半部曲线尽量恢复为原状，这样，我们的调整就只增加中间调和阴影的对比度，而不会影响高光区域，如图9-152、图9-153所示。

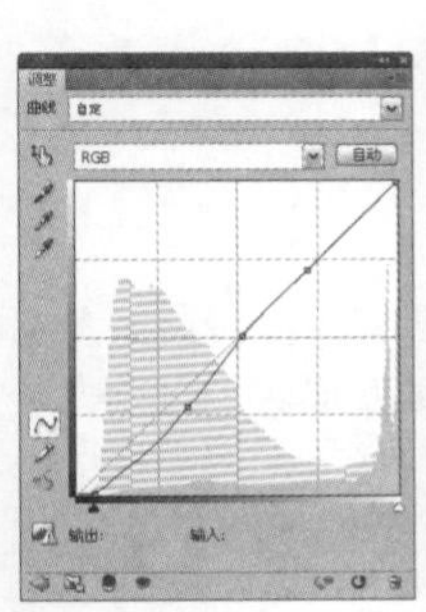

图9-152

图9-153

5 单击“调整”面板中的按钮，创建“色相/饱和度”调整图层，拖动“饱和度”滑块，增加全图色彩的饱和度，如图9-154所示；再选择“红色”，增加红色的饱和度，如图9-155所示。如图9-156所示为调整前的图像，图9-157所示为调整后的效果。

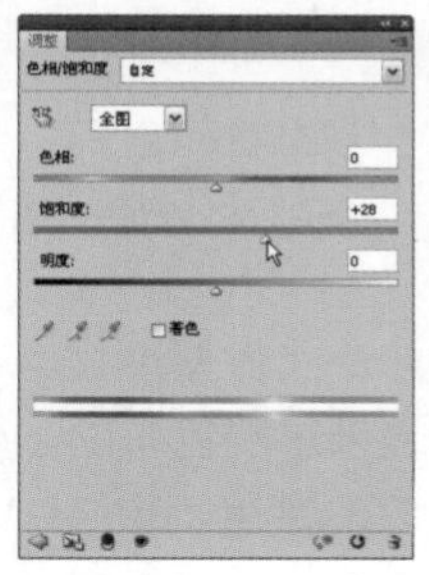

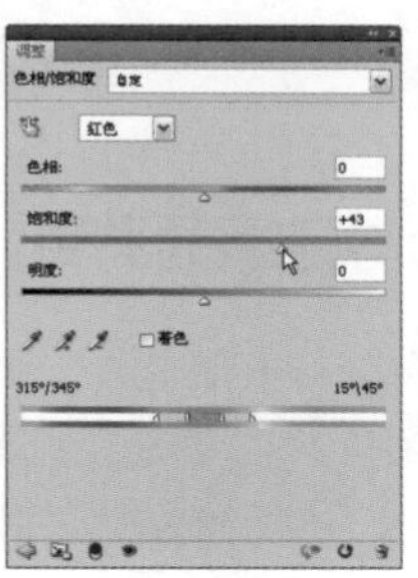

图9-154

图9-155

图9-156

图9-157

技术看板 50 调整时避免出现新的色偏

使用“曲线”和“色阶”增加彩色图像的对比度时，通常还会增加色彩的饱和度，调整后的图像容易出现偏色。要避免出现色偏，可以通过“曲线”或“色阶”调整图层来应用调整，再将调整图层的混合模式设置为“明度”就行了。

9.7 通道调色技术

我们使用的图像素材，以及拍摄的数码照片通常都使用RGB模式，它包含一个RGB复合通道和3个颜色通道（红、绿、蓝）。颜色通道保存了图像的颜色信息，我们编辑颜色通道就可以改变图像的颜色，这是一种高级调色技术。

9.7.1 调色命令与通道的关系

图像的颜色信息保存在通道中，因此，我们使用任何一个调色命令调整颜色时，都是通过通道来影响色彩的。例如，如图9-158所示为一个RGB文件及它的通道，我们使用“色相/饱和度”命令调整它的整体颜色时，可以看到，红、绿、蓝通道都发生了改变，如图9-159所示。

图9-158

图9-159

由此可见，我们使用调色命令调整图像颜色时，Photoshop是在内部处理颜色通道，使之变亮或者变暗，从而实现色彩的变化。

9.7.2 颜色通道与色彩的关系

打开一个图像文件，如图9-160所示。

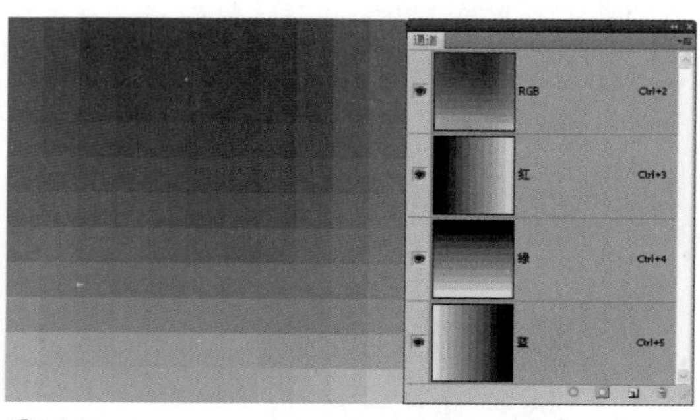

图9-160

在颜色通道中，灰色代表了一种颜色的含量，明亮的区域表示包含大量对应的颜色，暗的区域表示对应的颜色较少。如果要在图像中增加某种颜色，可以将相应的通道调亮；要减少某种颜色，则将相应的通道调暗。“色阶”和“曲线”对话框中都包含通道选项，我们可以选择一个通道，调整它的明度，从而影响颜色。

例如，将红色通道调亮，可以增加红色，如图9-161所示；将红色通道调暗，则减少红色，如图9-162所示。

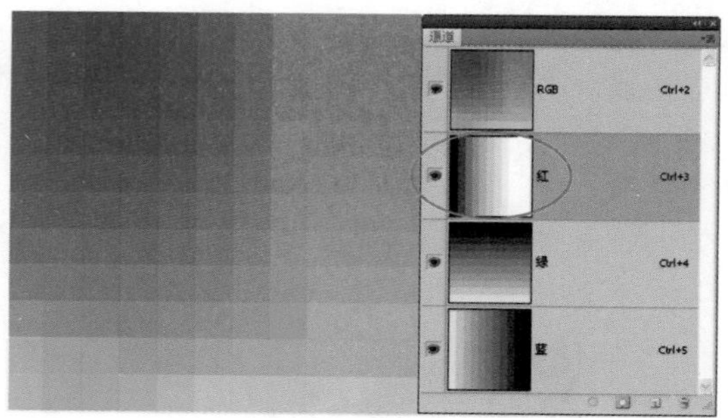

红色通道变亮增加红色

图9-161

相关链接：Photoshop中有3种类型的通道：颜色通道、Alpha通道和专色通道。颜色通道记录了图像内容和颜色信息；Alpha 通道用于保存选区；专色通道用来存储印刷用的专色。关于通道的更多内容，请参阅“11.6 通道总览”。

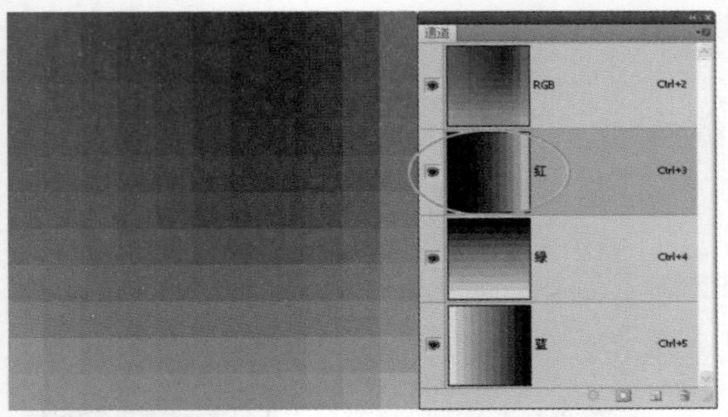

红色通道变暗减少红色

图9-162

将绿色通道调亮，可以增加绿色，如图9-163所示；调暗则减少绿色，如图9-164所示。

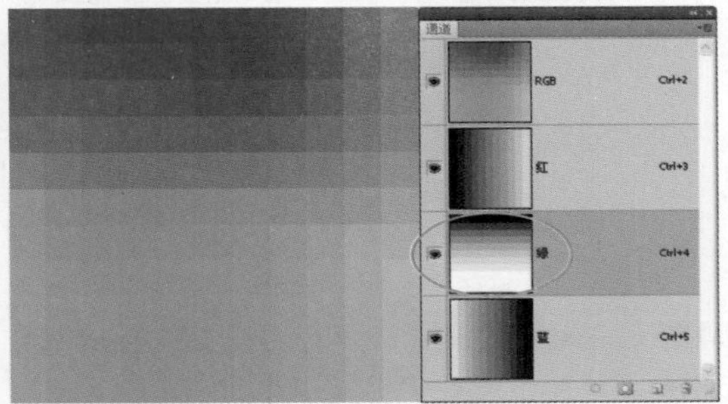

绿色通道变亮增加绿色

图9-163

绿色通道变暗减少绿色

图9-164

将蓝色通道调亮，可以增加蓝色，如图9-165所示；调暗则减少蓝色，如图9-166所示。

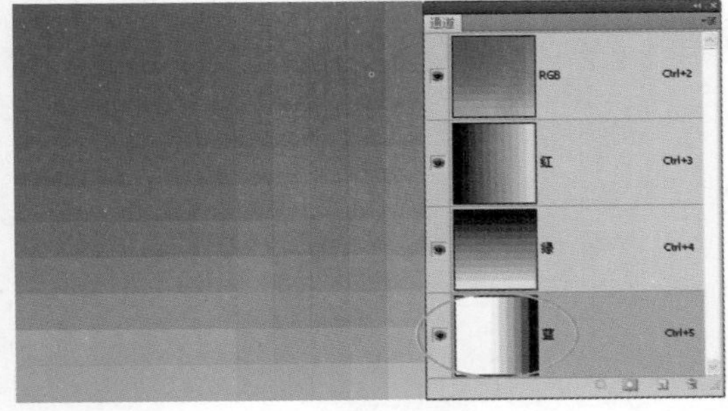

蓝色通道变亮增加蓝色

图9-165

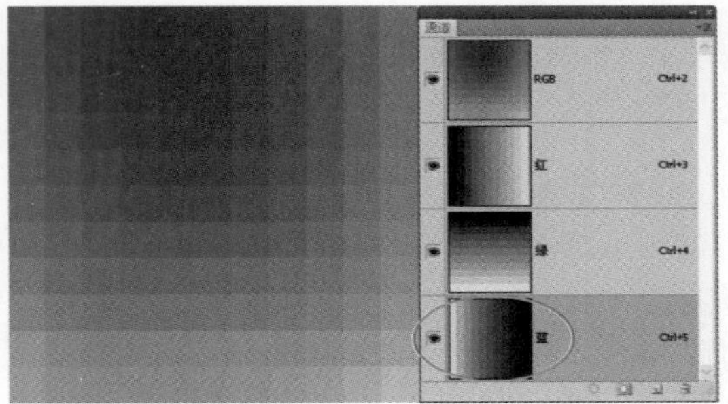

蓝色通道变暗减少蓝色

图9-166

9.7.3 观察色轮了解色彩的转换关系

通过前面的学习我们了解到，将一个颜色通道调亮以后，可以在图像中增加该种颜色的含量，调暗则减少这种颜色的含量。然而，这只是一个方面。在颜色通道中，色彩是可以互相影响的，当我们增加一种颜色含量的同时，还会减少它的补色的含量；反之，减少一种颜色的含量，就会增加它的补色的含量。图9-167所示的色轮显示了颜色的互补关系。在标准色轮上，处于相对位置的颜色互为补色，如洋红与绿、黄与蓝。

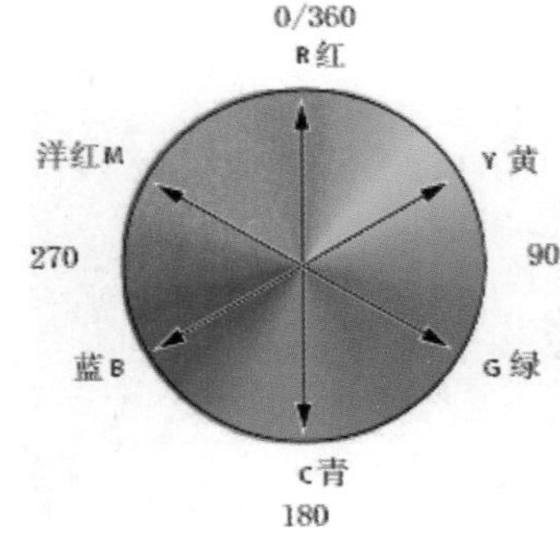

图9-167

有了色轮，我们就可以在调整一个颜色通道时，了解会对相应的颜色以及它的补色产生怎样的影响。例如，将红色通道调亮，可增加红色，并减少它的补色青色；将红色通道调暗，则减少红色，同时增加青色。其他颜色通道也是如此。了解这个规律以后，我们就可以用通道调整任意的颜色了。

Photoshop中的“色彩平衡”和“变化”命令也是基于色彩互补关系应用调整的。关于这两个命令的详细内容，请参阅第8章。

9.7.4 实战——用通道调出暖暖夕阳

●实例门类：数码照片处理类 ●视频位置：光盘>实例视频>9.7.4

1 按下Ctrl+O快捷键，打开一张照片（光盘>素材>9.7.4），如图9-168所示。这是一张冬日的照片。从画面中我们可以看到，即便是夕阳西下，色调还是很清冷的。我们来使用通道调色，使雪地变成金色的沙滩。

图9-168

2 单击“调整”面板中的按钮，创建“曲线”调整图层。选择红色通道，添加一个控制点并向上拖动曲线，将该通道调亮，增加红色，如图9-169所示。

图9-169

3 选择蓝色通道，向下拖动曲线，将该通道调暗，减少蓝色，同时可增加它的补色黄色。当红色和黄色增强以后，画面中就会呈现出暖暖的金黄色，如图9-170所示。

图9-170

4 最后，再选择RGB复合通道，将曲线调整为“S”形，增加对比度，如图9-171所示。调整时注意观察太阳，不要出现过曝情况，尽量保留更多的细节。

图9-171

9.8 Lab调色技术

Lab模式是色域最宽的颜色模式，它包含了RGB和CMYK模式的色域。Lab模式有一个非常突出的特点，就是它可以将图像的色彩和图像内容分离到不同的通道中。许多高级技术都是通过将图像转换为Lab模式，再处理图像，以实现RGB图像调整所达不到的效果。

9.8.1 Lab模式的通道

打开一个文件，如图9-172所示。执行“图像>模式>Lab颜色”命令，将它转换为Lab模式，如图9-173所示。我们可以看到，图像没有任何改变，而它的通道却发生了变化。

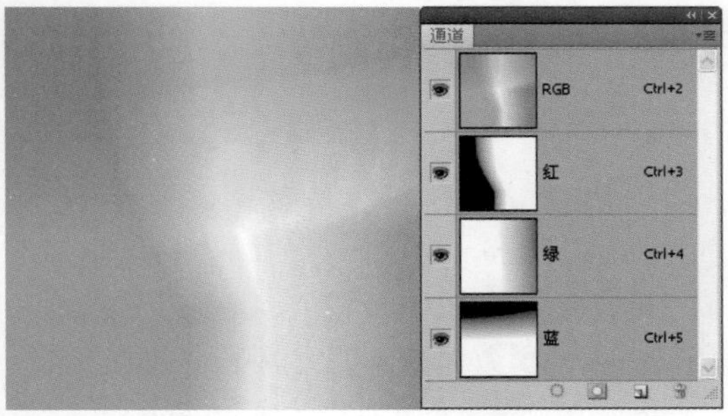

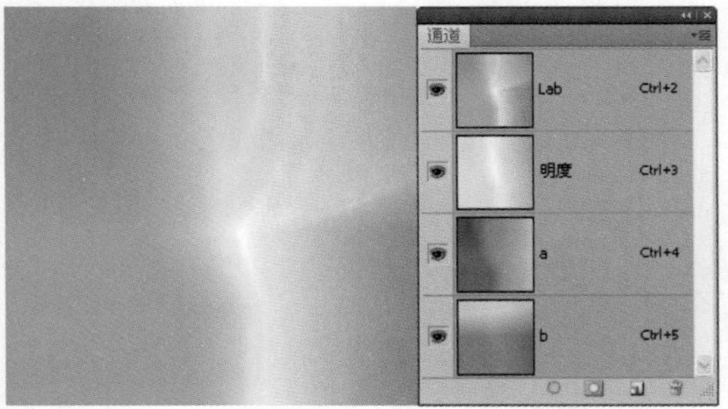

图9-172

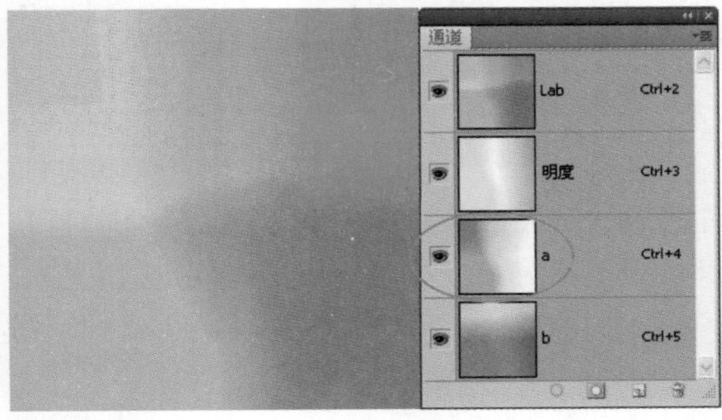

图9-173

在Lab模式中，L代表了亮度分量（明度通道），它的范围为0～100（0代表纯黑色，100代表纯白色），a代表了由绿色到红色的光谱变化，分量b代表由蓝色到黄色的光谱变化。颜色分量a和b的取值范围均为+127 ～ -128。

9.8.2 Lab通道与色彩

当我们将图像转换为Lab模式后，图像的色彩就被分离到a和b通道中。如果我们将a通道调亮，就会增加洋红色，如图9-174所示；将a通道调暗，则会增加绿色，如图9-175所示；我们将b通道调亮时，会增加黄色，如图9-176所示；将b通道调暗，则增加蓝色，如图9-177所示。

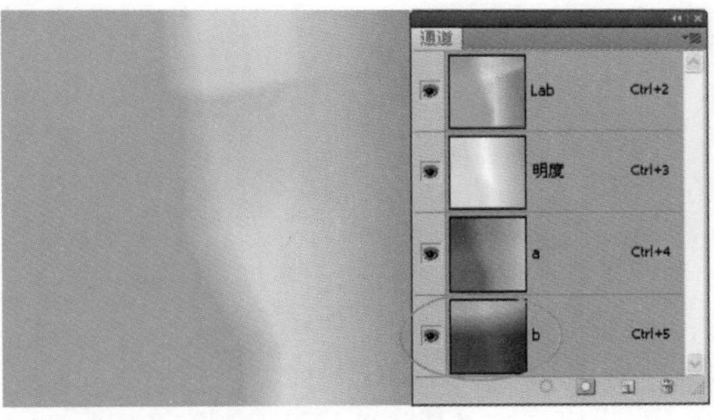

a通道变亮增加洋红色

图9-174

a通道变暗增加绿色

图9-175

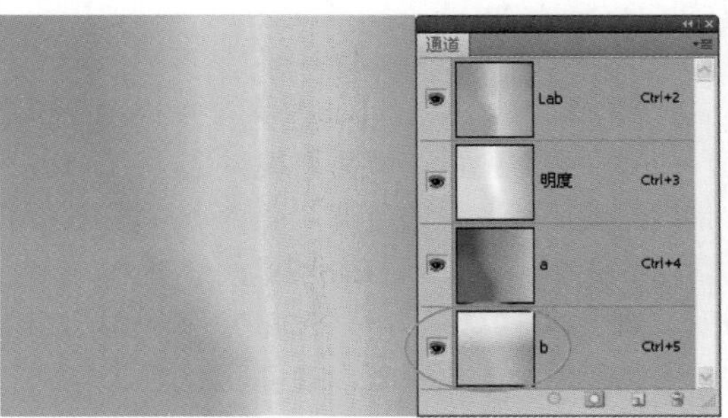

b通道变亮增加黄色

图9-176

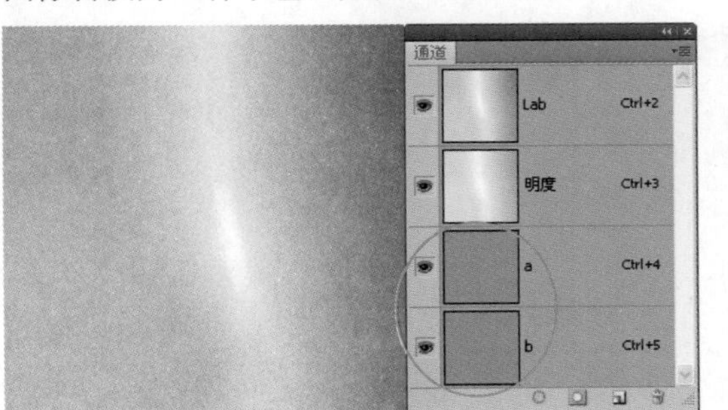

b通道变暗增加蓝色

图9-177

如果是一个黑白图像，则a和b通道就会变为50％灰色，如图9-178所示。我们调整a、b通道的亮度时，就会将图像转换为一种单色，如图9-179所示。

图9-178

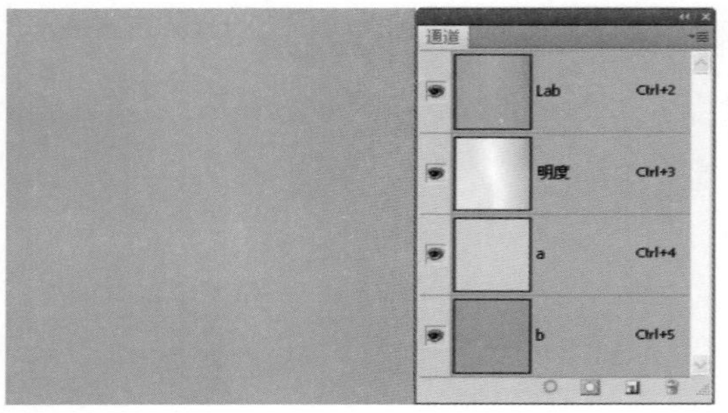
图9-179

9.8.3 Lab通道与色调

通过前面的介绍我们了解到，Lab图像的色彩在a和b通道中，因此，如果要调整颜色，就需要编辑这两个通道。但是，如果我们想要调整图像的色调，或者修改图像的内容，则需要编辑明度通道，因为，Lab图像的细节都在明度通道中。例如，如图9-180所示为一个Lab图像，如果要增加图像的对比度，使色调更加清晰，就可以用“曲线”或“色阶”调整明度通道（“S”形曲线可以增加对比度），如图9-181所示。

图9-180

图9-181

9.8.4 实战——用通道调出明快色彩

●实例门类：数码照片处理类　●视频位置：光盘>实例视频>9.8.4

1 按下Ctrl+O快捷键，打开一张照片（光盘>素材>9.8.4），如图9-182所示。这张照片的曝光和调子都不错，我们需要做的是将它转换为Lab模式，增加色彩的饱和度。此外，还要将画面稍微调亮，使色调更加明快。执行“图像>模式>Lab颜色”命令，将照片转换为Lab模式。

图9-182

2 按下Ctrl+M快捷键，打开“曲线”对话框，如图9-183所示。按住Alt键在网格上单击，以25% 的增量显示网格线，如图9-184所示，以便于我们将控制点对齐到网格上。

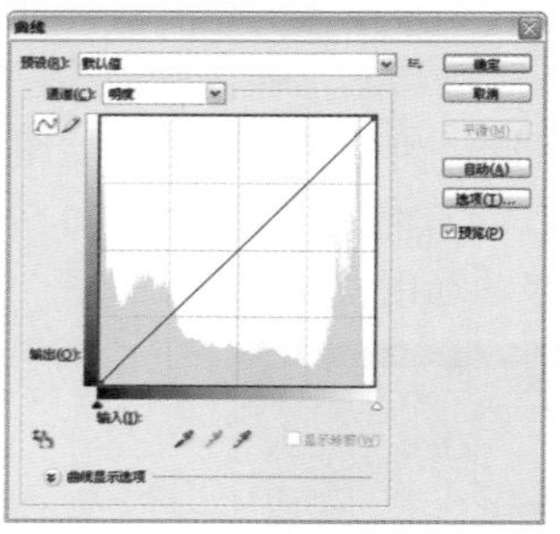
图9-183　图9-184

3 在“通道”下拉列表中选择a通道，然后将上面的控制点向左侧水平移动两个网格线，将下面的控制点向右侧水平移动两个网格线，可以使色彩更加清新，如图9-185、图9-186所示。

图9-185

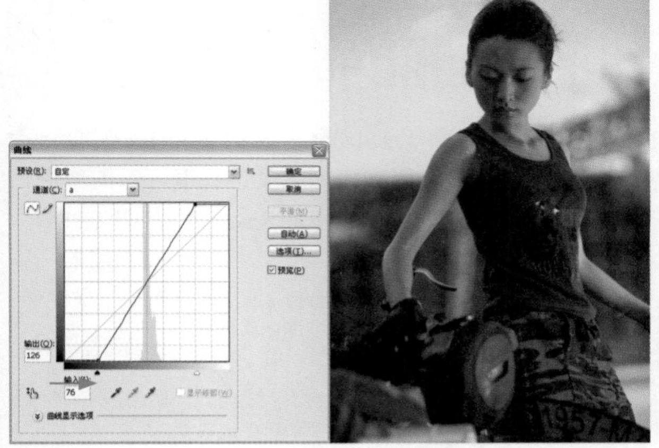

图9-186

4 选择b通道，采用同样的方法，将最顶部的控制点向左侧移动两格，如图9-187所示；再将最底部的控制点向右侧移动两格，如图9-188所示。

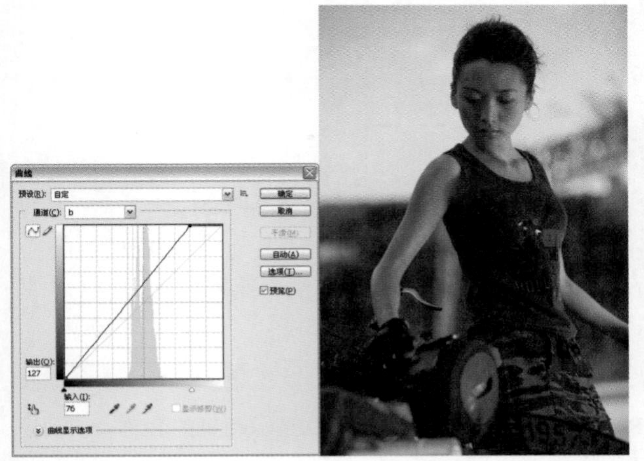

图9-187

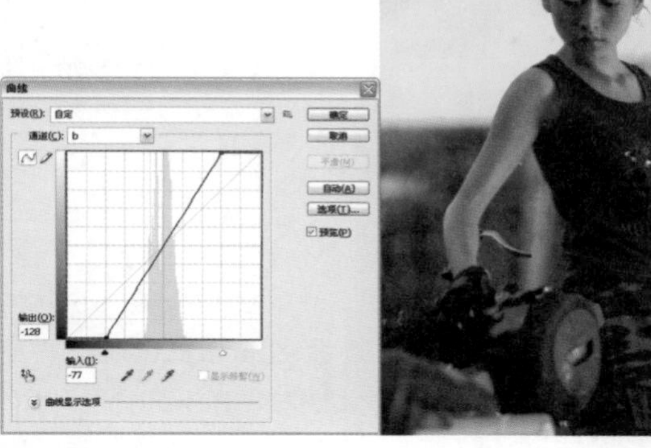

图9-188

5 选择“明度”通道，向左侧拖动白场滑块，将它定位到直方图右侧的端点上，使照片中最亮的点成为白色，以增加对比度，如图9-189所示；再添加控制点，向上调整曲线，将画面调亮，如图9-190所示。如图9-191所示为调整前的照片，图9-192所示为调整后的效果。

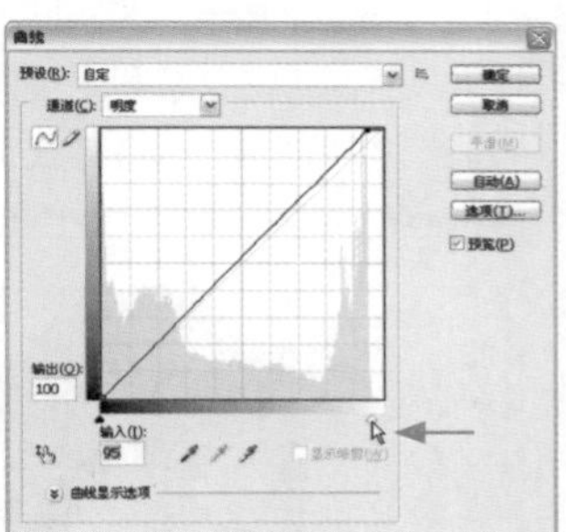

图9-189

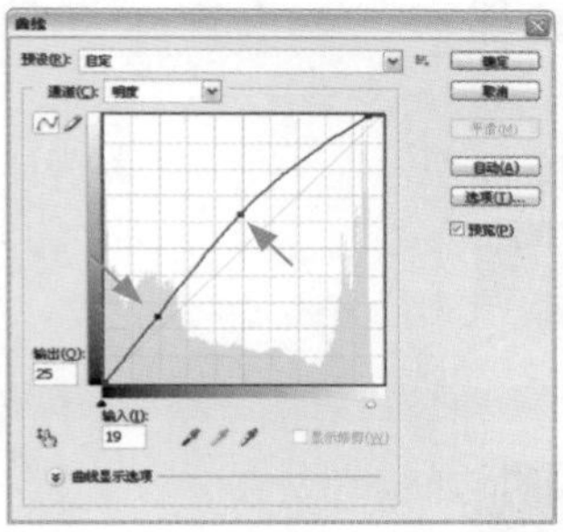

图9-190

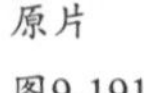

原片

图9-191

调整结果

图9-192

第10章 Camera Raw

10.1 Camera Raw操作界面概览

我们拍摄 JPEG格式照片时，相机会自动处理 JPEG 文件以改进和压缩图像。单反数码相机以及一些高端的消费型相机都提供Raw（原始数据格式）格式用于拍摄照片。Raw文件与JPEG不同，它包含相机捕获的所有数据，如ISO设置、快门速度、光圈值、白平衡等。Raw是未经处理、也未经压缩的格式，因此，又称为“数字底片”。Photoshop Camera Raw 是专门用于处理Raw文件的程序，它可以解释相机原始数据文件，使用有关相机的信息以及图像元数据来构建和处理彩色图像。此外，该程序也可以处理JPEG 和 TIFF 图像。

Learning Objectives
学习重点

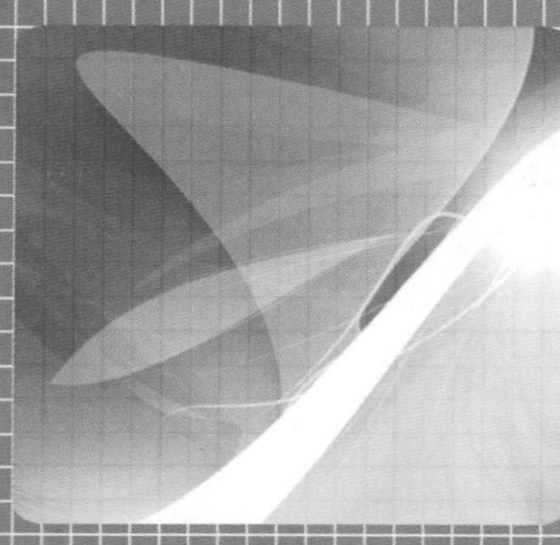

Camera Raw是作为一个增效工具随 Photoshop 一起提供的，安装Photoshop时会自动安装Camera Raw。它可以调整照片的颜色，包括白平衡、色调以及饱和度，对图像进行锐化处理、减少杂色、纠正镜头问题以及重新修饰。我们可以将Raw文件存储为PSD、TIFF、JPEG 或 DNG格式。图10-1所示为Camera Raw对话框。

图10-1

10.1.1 基本选项

- 相机名称或文件格式：打开Raw文件时，窗口左上角可以显示相机的名称，打开其他格式的文件时，则显示文档的格式。
- 预览：可在窗口中实时显示对照片所做的调整。
- 切换全屏模式：单击该按钮，可以将对话框切换为全屏模式。

PHOTOSHOP

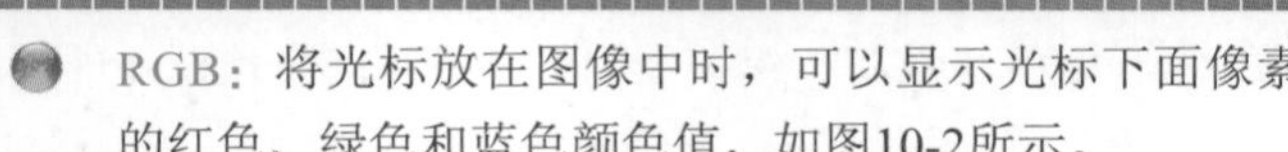

- RGB：将光标放在图像中时，可以显示光标下面像素的红色、绿色和蓝色颜色值，如图10-2所示。

图10-2

- 直方图：显示了图像的直方图。
- Camera Raw设置菜单：单击按钮，可以打开“Camera Raw 设置”菜单，访问菜单中的命令。
- 缩放级别：可以从菜单中选取一个放大设置，或单击按钮缩放窗口的视图比例。
- 单击显示工作流程选项：单击可以打开“工作流程选项”对话框。我们可以从 Camera Raw 输出的所有文件指定设置，包括颜色彩深度、色彩空间和像素尺寸等。

10.1.2 工具

- 缩放工具：单击可以放大窗口中图像的显示比例，按住 Alt 键单击则缩小图像的显示比例。如果要恢复到100%显示，可以双击该工具。
- 抓手工具：放大窗口以后，可使用该工具在预览窗口中移动图像。此外，按住空格键可以切换为该工具。
- 白平衡工具：使用该工具在白色或灰色的图像内容上单击，可以校正照片的白平衡。双击该工具，可以将白平衡恢复为照片的原来状态。
- 颜色取样器工具：使用该工具在图像中单击，可以建立颜色取样点，对话框顶部会显示取样像素的颜色值，以便于我们调整时观察颜色的变化情况，如图10-3所示。一个图像最多可以放置9个取样点。

图10-3

- 目标调整工具：单击该工具，在打开的下拉列表中选择一个选项，包括“参数曲线”、“色相”、“饱和度”、“明亮度”，然后在图像中单击并拖动鼠标即可应用调整。
- 裁剪工具：可用于裁剪图像。如果要按照一定的长宽比裁剪照片，可在剪工具上按住鼠标按键，在打开的下拉菜单中选择一个比例尺寸。
- 拉直工具：可用于校正倾斜的照片。使用拉直工具在图像中单击并拖出一条水平基准线，如图10-4所示；放开鼠标后会显示裁剪框，如图10-5所示；可以拖动控制点，调整它的大小或将它旋转。角度调整完成后，按下回车键确认，如图10-6所示。

图10-4 图10-5

图10-6

- 污点去除：可以使用另一区域中的样本修复图像中选中的区域。
- 红眼去除：可以去除红眼。将光标放在红眼区域，单击并拖出一个选区，选中红眼，如图10-7所示；放开鼠标后Camera Raw会使选区大小适合瞳孔。拖动选框的边框，使其选中红眼，就可以校正红眼，如图10-8所示。

图10-7

图10-8

- 调整画笔/渐变滤镜：可以处理局部图像的曝光度、亮度、对比度、饱和度、清晰度等。
- 打开首选项对话框：单击该按钮，可以打开“Camera Raw首选项”对话框。
- 旋转工具：可以逆时针或顺时针旋转照片。

10.1.3 图像调整选项卡

- 基本：可调整白平衡、颜色饱和度和色调。
- 色调曲线：可以使用“参数”曲线和“点”曲线对色调进行微调。
- 细节：可对图像进行锐化处理，或者减少杂色。
- HSL/灰度：可以使用“色相”、“饱和度”和“明亮度”调整对颜色进行微调。
- 分离色调：可以为单色图像添加颜色，或者为彩色图像创建特殊的效果。
- 镜头校正：可以补偿相机镜头造成的色差和晕影。
- 效果：可以为照片添加颗粒和晕影效果。
- 相机校准：可以校正阴影中的色调以及调整非中性色来补偿相机特性与该相机型号的 Camera Raw 配置文件之间的差异。
- 预设：可以将一组图像调整设置存储为预设并进行应用。
- 快照：单击该按钮，可以将图像的当前调整效果创建为一个快照，在后面的处理过程中如果要将图像恢复到此快照状态，可通过单击快照来进行恢复。

10.2 打开和存储Raw照片

Camera Raw不仅可以处理Raw文件，也可以打开和处理JPEG和TIFF格式的文件，但打开方法有所不同。文件处理完成后，我们可以将Raw文件另存为PSD、TIFF、JPEG 或 DNG格式。

10.2.1 在Photoshop中打开Raw照片

在Photoshop中执行“文件>打开”命令，或按下Ctrl+O快捷键，弹出“打开”对话框，选择一张Raw照片，如图10-9所示，单击“打开”按钮或按下回车键，即可运行Camera Raw并将其打开，如图10-10所示。

图10-9

图10-10

10.2.2 在Photoshop中打开多张Raw照片

如果想要在Photoshop中一次打开多张Raw照片，可以Ctrl+O快捷键，弹出“打开”对话框，按住Ctrl键单击需要打开的照片，将它们选择，然后按回车键打开。这些照片会以“ 连环缩览幻灯胶片视图”的形式排列在Camera Raw对话框左侧。如果想要对两张或多张照片应用相同的处理，可以按住Ctrl键单击这些照片，将它们同时选择，再进行调整。单击对话框底部的◀ ▶按钮，可以在选中的照片间切换。

10.2.3 在Bridge中打开Raw照片

在Adobe Bridge中选择Raw照片，执行“ 文件>在Camera Raw中打开”命令，或按下Ctrl+R快捷键，可以在Camera Raw 中将其打开。

10.2.4 在Camera Raw中打开其他格式照片

要使用Camera Raw处理普通的JPEG或TIFF照片，可在Photoshop中执行“文件>打开为”命令，弹出“打开为”对话框，选择照片（按住Ctrl键单击可以选择多张照片），然后在“打开为”下拉列表中选择“Camera Raw”，单击“打开”按钮即可在Camera Raw中打开它。Camera Raw的标题栏中会显示照片的格式，而Raw照片则会显示相机的名称。

10.2.5 使用其他格式存储Raw照片

我们在Camera Raw中完成对Raw照片的编辑以后，可单击对话框底部的按钮，选择一种方式存储照片或者放弃修改结果，如图10-11所示。

图10-11

- 取消：单击该按钮，可放弃所有调整并关闭Camera Raw对话框。
- 完成：单击该按钮，可以将调整应用到Raw图像上，并更新其在Bridge中的缩览图。
- 打开图像：将调整应用到Raw图像上，然后在Photoshop中打开图像。
- 存储图像：如果要将Raw照片存储为PSD、TIFF、JPEG 或 DNG 格式，可单击该按钮，打开“ 存储选项” 对话框，设置文件名称和存储位置，在“文件扩展名”列表中选择保存格式，如图10-12所示。

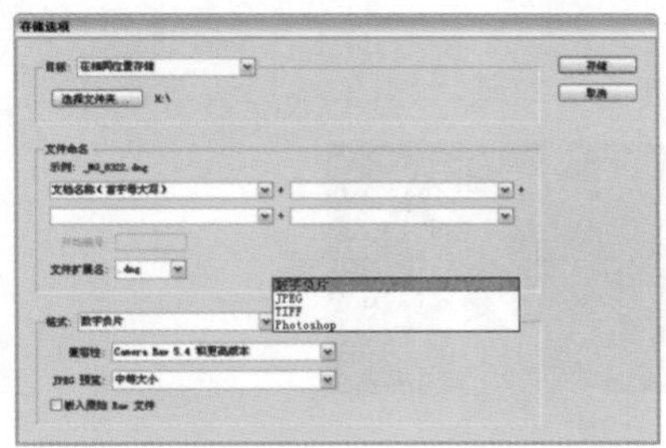

图10-12

提示

数字负片（DNG格式）是Adobe公司创造的一种用于保存Raw图像副本的文件格式。选择该格式并勾选“嵌入JPEG 预览”选项，其他应用程序不必解析相机原始数据即可查看DNG文件内容。

技术看板 51 Raw格式与JPEG格式的比较

将照片存储为JPEG格式时，数码相机会调节图像的颜色、清晰度、色阶和分辨率，然后进行压缩。而使用Raw格式则可以直接记录感光元件上获取的信息，不需要进行任何调节。因此，Raw拥有JPEG图像无法相比的大量拍摄信息。普通的JPEG文件可以预览，而Raw格式如果不使用专用的软件进行成像处理的话，就无法浏览。Raw文件大小要比相同分辨率的JPG文件大两到三倍，对于存储卡容量有较大要求。

10.3 在Camera Raw中进行颜色和色调调整

Camera Raw可以调整照片的白平衡、色调、饱和度，以及校正镜头缺陷。使用 Camera Raw 调整Raw照片时，将保留图像原来的相机原始数据，调整内容或者存储在Camera Raw 数据库中，作为元数据嵌入在图像文件中。在 Adobe Bridge 的图像缩览图中，编辑后的照片会显示状图标。

10.3.1 实战——调整照片白平衡

●实例门类：数码照片处理类 ●视频位置：光盘>实例视频>10.3.1

使用JPEG格式拍摄时，需要特别注意白平衡设置，因为通过后期调整，会对照片的质量造成损失。如果拍摄时采用Raw格式，就可以不必太多地考虑白平衡问题，因为Camera Raw可以改变白平衡，而不会影响照片的质量。

1 按下Ctrl+O快捷键，打开一张Raw照片（光盘>素材>10.3.1），如图10-13所示。

图10-13

2 这张照片的色调稍微有一点冷。选择白平衡工具，在图像中找一处应该是中性色（白色或灰色）的区域，如图10-14所示；单击鼠标，Camera Raw可以确定拍摄场景的光线颜色，然后自动调整场景光照，如图10-15所示。

图10-14

图10-15

3 现在，人物皮肤的颜色已经不再偏蓝了，再适当拖动“曝光”滑块，将画面调亮，如图10-16所示。

图10-16

4 单击对话框左下角的“存储图像”按钮，将修改后的照片保存为“数字负片”格式（DNG格式）。

白平衡调整选项

- 白平衡列表：默认情况下，该选项显示的是相机拍摄此照片时所使用原始白平衡设置（原照设置），我们可以在下拉列表中选择其他的预设（日光、阴天、白炽灯等），如图10-17所示。

原照设置

自动

日光

阴天

阴影

白炽灯

荧光灯

闪光灯

图10-17

- 色温：可以将白平衡设置为自定的色温。如果拍摄照片时的光线色温较低，可通过降低“色温”来校正照片，Camera Raw 可以使图像颜色变得更蓝以补偿周围光线的低色温（发黄）。相反，如果拍摄照片时的光线色温较高，则提高“色温”可以校正照片，图像颜色会变得更暖（发黄）以补偿周围光线的高色温（发蓝），如图10-18所示。
- 色调：可通过设置白平衡来补偿绿色或洋红色色调。减少“色调”可在图像中添加绿色；增加“色调”则在图像中添加洋红色，如图10-19所示。

降低色温颜色变蓝

增加色温颜色变黄

图10-18

降低色调颜色变绿　增加色调颜色变洋红色

图10-19

- 曝光：调整整体图像的亮度，对高光部分的影响较大。减少“曝光”会使图像变暗，增加则使图像变亮。该值的每个增量等同于光圈大小。
- 恢复：尝试从高光中恢复细节。Camera Raw可从将一个或两个颜色通道修剪为白色的区域中重建某些细节。
- 填充亮光：从阴影中恢复细节，但不会使黑色变亮。
- 黑色：指定哪些输入色阶将在最终图像中映射为黑色。增加“黑色”可以扩展映射为黑色的区域，使图像的对比度看起来更高。它主要影响阴影区域，对中间调和高光中影响较小。
- 亮度：调整图像的亮度或暗度，它与“曝光度”属性非常类似。但是，向右移动滑块时，可以压缩高光并扩展阴影，而不是修剪图像中的高光或阴影。通常的调整顺序为：通过先设置“曝光度”、“恢复”和“黑色”来设置总体色调范围，然后再设置“亮度”。
- 对比度：可以增加或减少图像对比度，主要影响中间色调。增加对比度时，中到暗图像区域会变得更暗，中到亮图像区域会变得更亮。

10.3.2 实战——调整照片清晰度和饱和度

●实例门类：数码照片处理类　●视频位置：光盘>实例视频>10.3.2

1 执行“文件>打开为”命令，在对话框中选择一张照片（光盘>素材>10.3.2），在“打开为”下拉列表中选择“Camera Raw”，单击“打开”按钮，用Camera Raw打开照片，如图10-20所示。

图10-20

2 先调整“色温”和“色调”，使照片倾向蓝绿色；增加“填充亮光”的参数，恢复阴影细节；增加“清晰度”和“自然饱和度”的参数，使照片色调鲜亮、明快，如图10-21所示。

图10-21

清晰度和饱和度选项

- 清晰度：可以调整图像的清晰度。
- 自然饱和度：可以调整饱和度，并在颜色接近最大饱和度时减少溢色。该设置更改所有低饱和度颜色的饱和度，对高饱和度颜色的影响较小，类似于Photoshop的“自然饱和度”命令。
- 饱和度：可以均匀地调整所有颜色的饱和度，调整范围从-100（单色）到+100（饱和度加倍）。该命令类似于Photoshop“色相/饱和度”命令中的饱和度功能。

10.3.3 使用色调曲线调整对比度

单击Camera Raw对话框中的色调曲线按钮，显示色调曲线选项卡。通过色调曲线可以调整图像的对比度。色调曲线有两种调整方式，默认显示的是参数选项卡，如图10-22所示。此时我们调整曲线时，可以拖动“高光”、“亮调”、“暗调”或“阴影”滑块来针对这几个色调进行微调。这种调整方式的好处在于，可避免我们拖动直接曲线调整时由于调整强度过大而损坏图像。

图10-22

当我们向右拖动滑块时，可以使曲线上扬，所调整的色调就会变亮，如图10-23所示；向左拖动滑块可以使曲线下降，所调整的色调就会变暗，如图10-24所示。

图10-23

图10-24

提示：如果习惯使用Photoshop传统曲线调整图像，可单击“点”选项，在点选项卡中进行调整。

10.3.4 锐化

Camera Raw的锐化只应用于图像的亮度，而不会影响色彩。打开一张照片，单击细节选项卡，显示出锐化选项。拖动“数量”、“细节”和“蒙版”滑块对图像进行锐化，如图10-25所示。可以按下P键在原图与处理结果之间切换，以便观察锐化程度。

图10-25

锐化选项

- 数量：调整边缘的清晰度。该值为0时关闭锐化。
- 半径：调整应用锐化的细节的大小。该值过大会导致图像内容不自然。
- 细节：调整锐化影响的边缘区域的范围，它决定了图像细节的显示程度。较低的值将主要锐化边缘，以便消除模糊。较高的值则可以使图像中的纹理更清楚。
- 蒙版：Camera Raw是通过强调图像边缘的细节来实现锐化效果的。将“蒙版”设置为0时，图像中的所有部分均接受等量的锐化；设置为100时，可将锐化限制在饱和度最高的边缘附近，避免非边缘区域锐化。

10.3.5 调整颜色

Camera Raw提供了一种与Photoshop“色相/饱和度”命令非常相似的调整功能，使我们可以调整各种颜色的色相、饱和度和明度。单击HSL/灰度选项卡，可以显示如图10-26所示的选项。

图10-26

- 色相：可以改变颜色。例如，我们可以将蓝天（以及所有其他蓝色对象）由青色改为紫色。要改变哪种颜色就拖动相应的滑块，滑块向哪个方向拖动就会得到哪种颜色。
- 饱和度：可调整各种颜色的鲜明度或颜色纯度。
- 明亮度：可以调整各种颜色的亮度。
- 转换为灰度：勾选该项以后，可以将彩色照片转换为黑白效果，并显示一个嵌套选项卡“灰度混合”。拖动此选项卡中的滑块可以指定每个颜色范围在图像灰度中所占的比例，类似于Photoshop的“黑白”命令。

10.3.6 实战——为黑白照片着色

●实例门类：数码照片处理类 ●视频位置：光盘>实例视频>10.3.6

在Camera Raw中，分离色调选项卡中的选项可以为黑白照片或灰度图像着色。我们既可以为整个图像添加一种颜色，也可以对高光和阴影应用不同的颜色，从而创建分离色调效果。

1 用Camera Raw打开一张照片（光盘>素材>10.3.6），单击分离色调选项卡显示选项，如图10-27所示。

图10-27

2 在“饱和度”参数为0%的情况下，调整“色相”参数是看不出效果的。我们可以按住Alt键拖动“色相”滑块，此时显示的是饱和度为100%的彩色图像，确定“色相”参数后，放开Alt键，再对“饱和度”进行调整，效果如图10-28所示。

图10-28

10.3.7 实战——校正色差

●实例门类：数码照片处理类 ●视频位置：光盘>实例视频>10.3.7

1 按下Ctrl+O快捷键，打开一张照片（光盘>素材>10.3.7），如图10-29所示。画面右上角的色差很明显。

图10-29

2 单击镜头校正选项卡，显示镜头校正选项内容，“色差”选项组中包含两个滑块，“修复红/ 青边”滑块可以校正红/ 青色边缘，“修复蓝/ 黄边”则可校正蓝/ 黄色边缘。观察这张照片可以发现，松枝的边缘有很明显的红边，所以我们将“修复红/ 青边”滑块向右拖动，消除红边，如图10-30所示。

图10-30

镜头校正选项

- 去边：包含3个选项，可去除镜面高光周围出现的色彩散射现象的颜色。选择“ 所有边缘”可以校正所有边缘的色彩散射现象，如果导致了边缘附近出现细灰线或者其他不想要的效果，则可以选择“ 高光边缘”，仅校正高光边缘。选择“ 关”可关闭去边效果。
- 数量：正值使角落变亮，负值使角落变暗。
- 中点：调整晕影的校正范围，向左拖动滑块可以使变亮区域向画面中心扩展，向右拖动则收缩变亮区域。

10.3.8 实战——添加特效

●实例门类：数码照片处理类 ●视频位置：光盘>实例视频>10.3.8

1 用Camera Raw打开一张照片（光盘>素材>10.3.8），单击效果选项卡显示选项，如图10-31所示。

图10-31

2 设置颗粒数量为55，为照片添加颗粒效果，设置“大小”为0；再调整晕影的数量、中点和圆度，使照片边缘产生朦胧的反白效果，粗糙度与羽化参数则是在应用了颗粒与晕影后系统自动生成的默认参数，如图10-32所示。

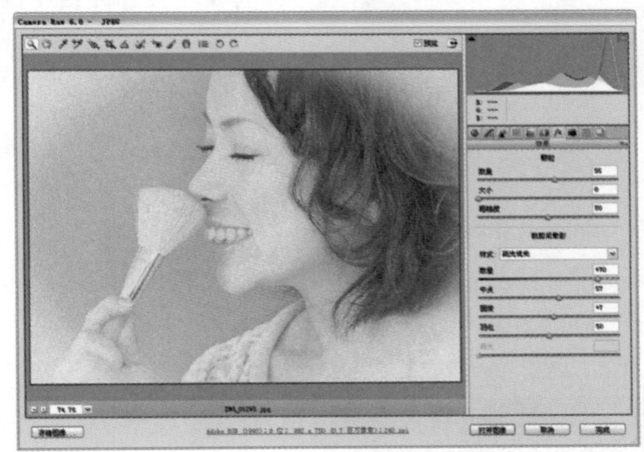

图10-32

10.3.9 调整相机的颜色显示

有些型号的数码相机拍摄照片时总是存在色偏。可在Camera Raw 对话框中进行调整，并将它定义为这款相机的默认设置。以后打开该相机拍摄的照片时，就会自动对颜色进行补偿。

打开一张问题相机拍摄的典型照片，单击Camera Raw对话框中的相机校准选项卡，可以显示如图10-33所示的选项。如果阴影区域出现色偏，可以移动“阴影”选项中的色调滑块进行校正。如果是各种原色出现问题，则可移动原色滑块。这些滑块也可以用来模拟不同类型的胶卷。校正完成后，单击右上角的按钮，在打开的菜单中选择“存储新的Camera Raw 默认值”命令将设置保存，如图10-34所示。以后打开该相机拍摄的照片时，Camera Raw就会对照片进行自动校正。

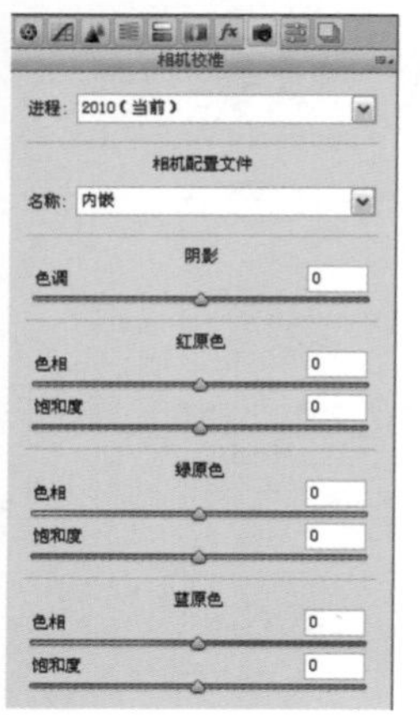

图10-33

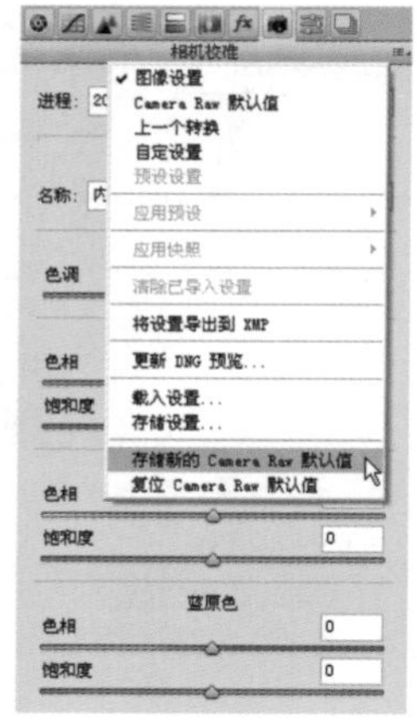

图10-34

技术看板 52 将照片保存为Raw格式

使用Camera Raw对照片进行调整时，将保留图像原来的相机原始数据。调整内容存储在Camera Raw数据库中，或作为元数据嵌入在图像中。因此，我们处理完一个Raw文件，只要还是保存成Raw格式，以后我们还能将照片还原成原始状态。这一特性是JPEG无法比拟的，因为JPEG文件每保存一次，质量就会下降一些。

10.4 在Camera Raw中修改照片

Camera Raw提供了基本的照片修改功能，这使得我们不必使用Photoshop就可以对Raw照片进行艺术处理。下面我们就来了解怎样修改照片。

10.4.1 实战——修饰照片中的斑点

●实例门类：数码照片处理类 ●视频位置：光盘>实例视频>10.4.1

1 用Camera Raw打开一张照片（光盘>素材>10.4.1），如图10-35所示。

图10-35

2 将视图比例放大。选择污点去除工具，将光标放在需要修饰的斑点上，如图10-36所示；单击并拖动鼠标用红白相间的圆将斑点选中，如图10-37所示；放开鼠标，在它旁边会出现一个绿白相间的圆，Camera Raw就会自动在斑点附近选择一处图像来修复选中的斑点，如图10-38所示。如果斑点较小的话，我们可以将选框调小，也可以移动它们的位置。图10-39所示为去斑后的效果。

图10-36

图10-37

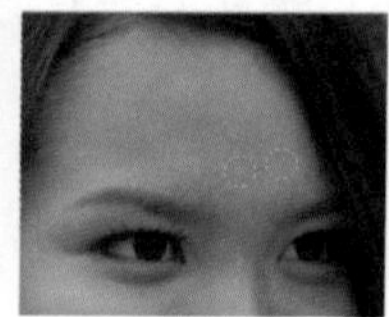

图10-38

图10-39

污点去除工具选项

- 类型：选择“修复”，可以使样本区域的纹理、光照和阴影与所选区域相匹配；选择“仿制”，则将图像的样本区域应用于所选区域。
- 半径：用来指定点去除工具影响的区域的大小。
- 不透明度：可以调整取样的图像的不透明度。
- 显示叠加：用来显示或隐藏选框。
- 清除全部：单击该按钮，可以撤销所有的修复。

10.4.2 实战——使用调整画笔修改局部曝光

●实例门类：数码照片处理类 ●视频位置：光盘>实例视频>10.4.2

调整画笔的使用方法是先在图像上绘制需要调整的区域，通过蒙版将这些区域覆盖，然后隐藏蒙版，再调整所选区域的色调、色彩饱和度和锐化。

1 用Camera Raw打开一张照片（光盘>素材>10.4.2）。这张照片是逆光拍摄的，人物面部曝光不足，显得非常暗，五官也看不清楚。选择调整画笔工具，对话框右侧会显示“调整画笔”选项卡，我们先勾选“显示蒙版”选项，如图10-40所示。

图10-40

2 将光标放在画面中，光标会变为如图10-41所示的状态，十字线代表了画笔中心，实圆代表了画笔的大小，黑白虚圆代表了羽化范围。在人物面部单击并拖动鼠标绘制调整区域，如图10-42所示。如果涂抹到了其他区域，可按住Alt键在这些区域上绘制，将其清除掉。我们可以看到，涂抹区域覆盖了一层淡淡的灰色，在我们单击处显示出一个图钉图标。取消“显示蒙版”选项的勾选或按下Y键，隐藏蒙版，如图10-43所示。

图10-41 图10-42

图10-43

3 现在我们可以对人物进行调整了。向右拖动“亮度”滑块，可以看到，我们使用调整画笔工具涂抹的区域的图像被调亮了（即蒙版覆盖的区域），其他图像没有受到影响，如图10-44所示。

图10-44

调整画笔选项

- 新建：选择调整画笔以后，该选项为勾选状态，此时在图像中涂抹可以绘制蒙版。
- 添加：绘制一个蒙版区域后，勾选该项，可在其他区域添加新的蒙版。
- 清除：要删除部分蒙版或者撤销部分调整，可以勾选该项，并在原蒙版区域上涂抹。创建多个调整区域以后，如果要删除其中的一个调整区域，则可单击该区域的图钉图标，然后按下Delete键。
- 自动蒙版：将画笔描边限制到颜色相似的区域。
- 显示蒙版：勾选该项可以显示蒙版。如果要修改蒙版颜色，可单击选项右侧的颜色块，在打开的“拾色器”中调整，如图10-45、图10-46所示。

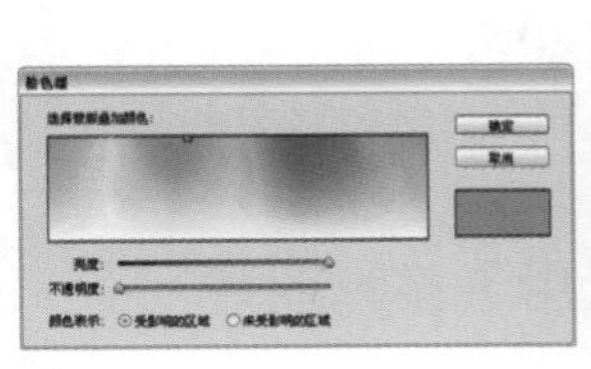

图11-45 图11-46

- 清除全部：单击该按钮可删除所有调整和蒙版。
- 大小：用来指定画笔笔尖的直径（以像素为单位）。
- 羽化：用来控制画笔描边的硬度。羽化值越高，画笔的边缘越柔和。
- 流动：用来控制应用调整的速率。
- 浓度：用来控制描边中的透明度程度。
- 显示笔尖：显示图钉图标。
- 曝光：设置整体图像亮度，对高光部分的影响较大。
- 亮度：调整图像亮度，它对中间调的影响更大。向右拖动滑块可增加亮度，向左拖动滑块可减少亮度。

- 对比度：调整图像对比度，它对中间调的影响更大。向右拖动滑块可增加对比度，向左拖动滑块可减少对比度。
- 饱和度：调整颜色鲜明度或颜色纯度。向右拖动滑块可增加饱和度，向左拖动滑块可减少饱和度。
- 清晰度：通过增加局部对比度来增加图像深度。向右拖动滑块可增加对比度，向左拖动滑块可减少对比度。
- 锐化程度：可增强边缘清晰度以显示细节。向右拖动滑块可锐化细节，向左拖动滑块可模糊细节。
- 颜色：可以在选中的区域中叠加颜色。单击右侧的颜色块，可以修改颜色。

10.4.3 调整照片的大小和分辨率

我们在拍摄Raw照片时，为了能够获得更多的信息，照片的尺寸和分辨率设置得都比较大。如果要使用Camera Raw修改照片尺寸或者分辨率，可单击Camera Raw对话框底部的工作流程选项，如图10-47所示，在弹出的“工作流程选项”对话框中设置，如图10-48所示。

- 色彩空间：指定目标颜色的配置文件。通常设置为用于 Photoshop RGB 工作空间的颜色配置文件。
- 色彩深度：可以选择照片的位深度，包括8位/通道和16位/通道，它决定了Photoshop在黑白之间可以使用多少级灰度。
- 大小：可设置导入到Photoshop时图像的像素尺寸。默认像素尺寸是拍摄图像时所用的像素尺寸。要重定图像像素，可打开“大小”菜单进行设置。

图10-47

图10-48

以上选项设置完成以后，单击“确定”按钮关闭“工作流程选项”对话框，再单击Camera Raw中的“打开”按钮，在Photoshop中打开修改后的照片就可以了。我们可以执行“图像>图像大小”命令，观察它的大小和分辨率。

10.5 使用Camera Raw自动处理照片

Camera Raw提供了自动处理照片的功能，如果我们要对多张照片应用相同的调整，可以先在Camera Raw中处理一张照片，然后再通过Bridge将相同的调整应用于其他照片。

10.5.1 实战——将调整应用于多张照片

●实例门类：数码照片处理类 ●视频位置：光盘>实例视频>10.5.1

1 单击Photoshop程序栏中的Br按钮，运行Bridge。导航到保存照片的文件夹（光盘>素材>10.5.1）。在照片上单击右键，选择“在Camera Raw中打开”命令，如图10-49所示。

2 在Camera Raw中打开照片以后，我们将它调整为黑白效果，如图10-50所示。单击“完成”按钮，关闭照片和Camera Raw，返回到Bridge。

图10-49

图10-50

3 在Bridge中，经Camera Raw处理后的照片右上角有一个状图标。按住Ctrl键单击需要处理的其他照片，单击右键，选择“开发设置>上一次转换”命令，即可将选择的照片都处理为黑白效果，如图10-51、图10-52所示。

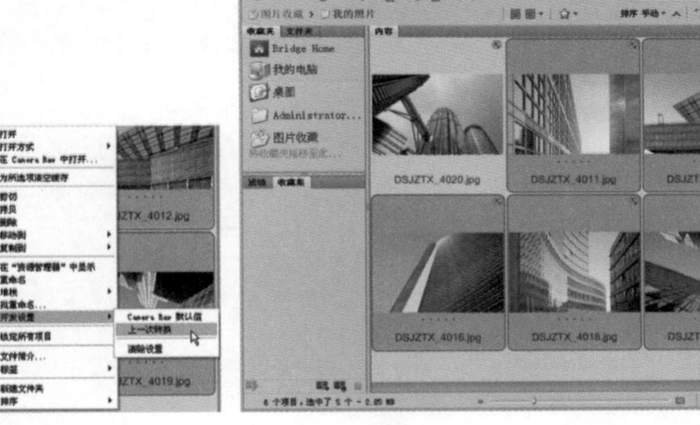

图10-51　图10-52

4 如果要将照片恢复为原状，可以选择照片，然后打开“开发设置”菜单，选择“清除设置”命令。

10.5.2 Camera Raw与批处理

Photoshop中的动作可以将我们对图像的处理过程记录下来，对其他图像应用相同的处理时，播放此动作即可自动完成所有操作，从而实现图像处理的自动化。我们也可以创建一个动作让Camera Raw 自动完成照片处理。

录制动作时的注意事项

在记录动作时，可先单击“Camera Raw”对话框的“Camera Raw 设置”菜单按钮，选择“ 图像设置”命令，如图10-53所示。这样，就可以使用每个图像专用的设置（来自“Camera Raw” 数据库或附属 XMP 文件）来播放动作。

图10-53

批处理时的注意事项

Photoshop的“文件>自动>批处理”命令可以将动作应用于一个文件夹中所有的图像。如图10-54所示为“批处理”对话框。

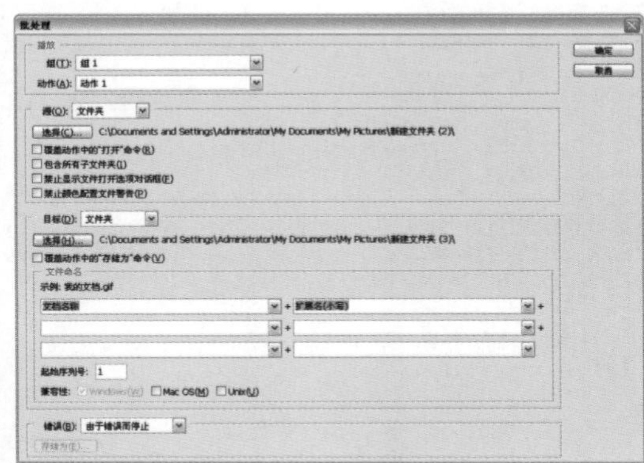

图10-54

- 使用“批处理”命令时，需要选择“覆盖动作‘打开’命令”。这样可以确保动作中的“打开”命令对批处理文件进行操作，否则将处理由动作中的名称指定的文件。
- 选择“禁止显示文件打开选项对话框”选项，这样可防止处理照片时显示“Camera Raw”对话框。
- 如果要使用“批处理”命令中的“存储为”指令，而不是动作中的“存储为”指令保存文件，应选择“覆盖动作‘存储为’命令”。
- 在创建快捷批处理时，需要在“创建快捷批处理”对话框的“播放”区域中选择“禁止显示文件打开选项对话框”。这样可防止在处理每个相机原始图像时都显示“Camera Raw” 对话框。

提示

Adobe会不定期对Camera Raw版本进行更新。我们可以执行“ 帮助>更新” 命令来检查并安装新版本Camera Raw。

关于动作的录制方法，以及批处理的具体操作方法请参阅“第19章 动作与任务自动化”。

Point

第11章 蒙版与通道

11.1 蒙版总览

蒙版是用于合成图像的重要功能，它可以隐藏图像内容，但不会将其删除，因此，用蒙版处理图像是一种非破坏性的编辑方式。如图11-1、图11-2所示为蒙版合成图像的精彩案例。

图11-1

图11-2

Photoshop提供了3种蒙版：图层蒙版、剪贴蒙版和矢量蒙版。图层蒙版通过蒙版中的灰度信息来控制图像的显示区域；剪贴蒙版通过一个对象的形状来控制其他图层的显示区域；矢量蒙版则通过路径和矢量形状控制图像的显示区域。

提示 蒙版原本是用于控制照片不同区域曝光的传统暗房技术。

11.2 蒙版面板

“蒙版”面板用于调整所选图层中的图层蒙版和矢量蒙版的不透明度和羽化范围，如图11-3所示。

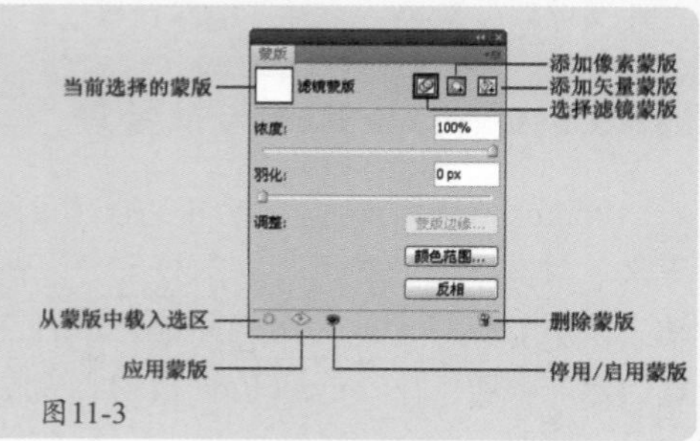

图11-3

- 当前选择的蒙版：显示了在“图层”面板中选择的蒙版的类型，如图11-4所示，此时可在“蒙版”面板中对其进行编辑。

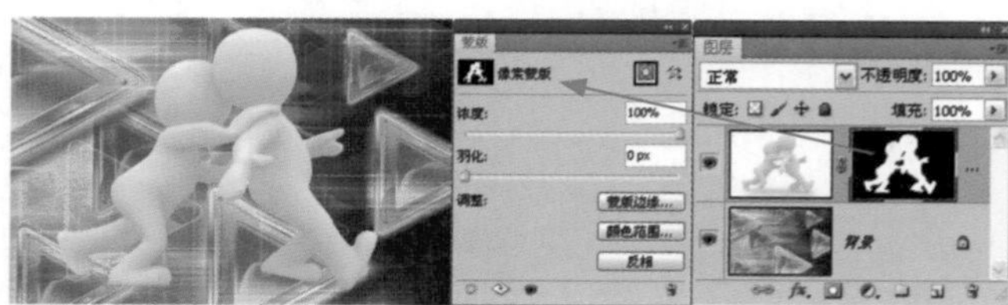
图11-4

Learning Objectives
学习重点

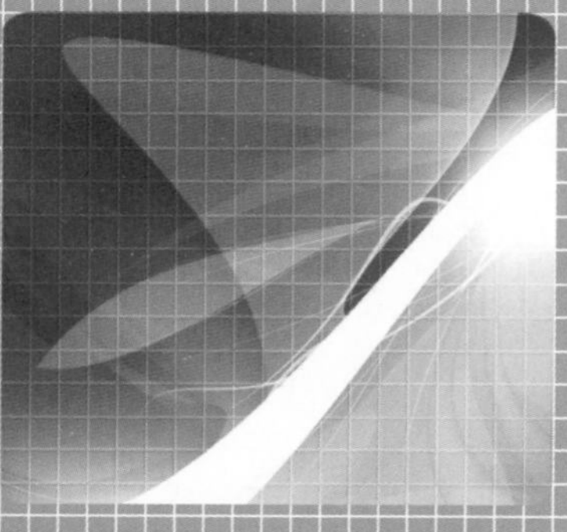

- 添加像素蒙版/添加矢量蒙版：单击按钮，可以为当前图层添加图层蒙版；单击按钮则添加矢量蒙版。
- 浓度：拖动滑块可以控制蒙版的不透明度，即蒙版的遮盖强度，如图11-5所示。

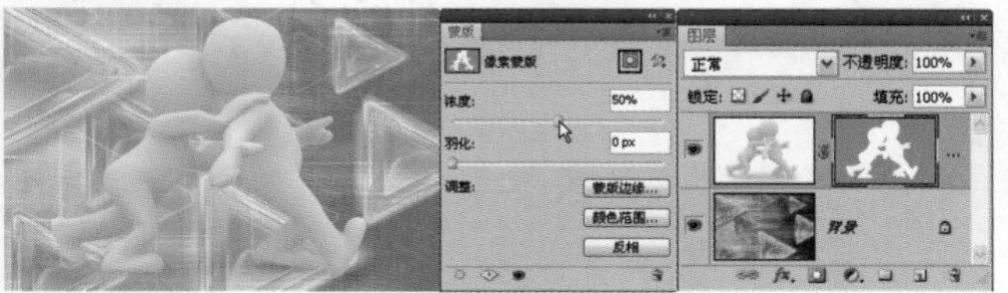

图11-5

- 羽化：拖动滑块可以柔化蒙版的边缘，如图11-6所示。

图11-6

- 蒙版边缘：单击该按钮，可以打开"调整蒙版"对话框修改蒙版边缘，并针对不同的背景查看蒙版。这些操作与调整选区边缘基本相同。
- 颜色范围：单击该按钮，可以打开"色彩范围"对话框，通过在图像中取样并调整颜色容差可修改蒙版范围。
- 反相：可反转蒙版的遮盖区域，如图11-7所示。

图11-7

- 从蒙版中载入选区：单击该按钮，可以载入蒙版中包含的选区。
- 应用蒙版：单击该按钮，可以将蒙版应用到图像中，同时删除被蒙版遮盖的图像。
- 停用/启用蒙版：单击该按钮，或按住Shift键单击蒙版的缩览图，可以停用（或者重新启用）蒙版。停用蒙版时，蒙版缩览图上会出现一个红色的"×"，如图11-8所示。

图11-8

- 删除蒙版：删除当前选择的蒙版。此外，在"图层"面板中将蒙版缩览图拖至删除图层按钮上，也可以将其删除。

11.3 矢量蒙版

矢量蒙版是由钢笔、自定形状等矢量工具创建的蒙版（图层蒙版和剪贴蒙版都是基于像素的蒙版），它与分辨率无关，常用来制作Logo、按钮或其他Web设计元素。无论图像自身的分辨率是多少，只要使用了该蒙版，都可以得到平滑的轮廓。

11.3.1 实战——创建矢量蒙版

●实例门类：软件功能类　●视频位置：光盘>实例视频>11.3.1

1 按下Ctrl+O快捷键，打开一个文件（光盘>素材>11.3.1），如图11-9所示。

图11-9

2 选择椭圆工具，在工具选项栏中按下路径按钮，在画面中单击并拖动鼠标绘制椭圆路径，如图11-10所示。

图11-10

3 执行“图层>矢量蒙版>当前路径”命令，或者按住Ctrl键单击添加图层蒙版按钮，即可基于当前路径创建矢量蒙版，路径区域外的图像会被蒙版遮盖，如图11-11所示。

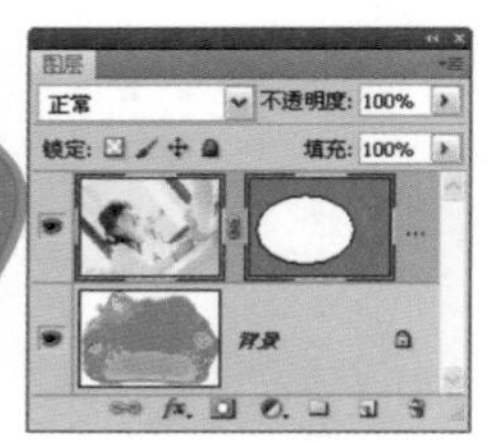

图11-11

提示：执行“图层>矢量蒙版>显示全部”命令，可以创建一个显示全部图像内容的矢量蒙版；执行“图层>矢量蒙版>隐藏全部”命令，可以创建隐藏全部图像的矢量蒙版。

11.3.2 实战——向矢量蒙版中添加形状

●实例门类：软件功能类 ●视频位置：光盘>实例视频>11.3.2

1 单击矢量蒙版将其选择，它的缩览图外面会出现一个白色的框，此时画面中会显示出矢量图形，如图11-12所示。

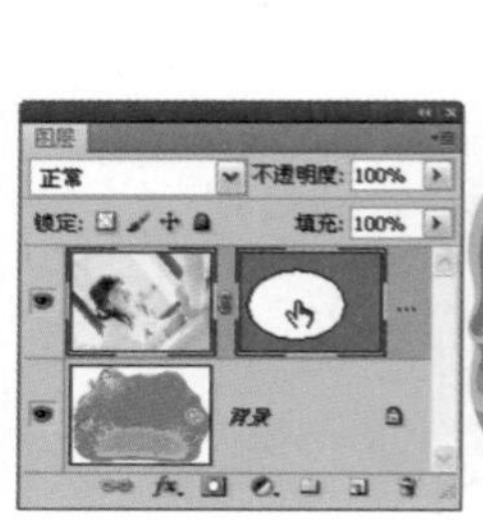

图11-12

2 选择自定形状工具，在形状下拉面板中选择五角星，按下路径按钮和重叠形状区域除外按钮，然后绘制五角星，可以将它添加到矢量蒙版中，如图11-13所示。

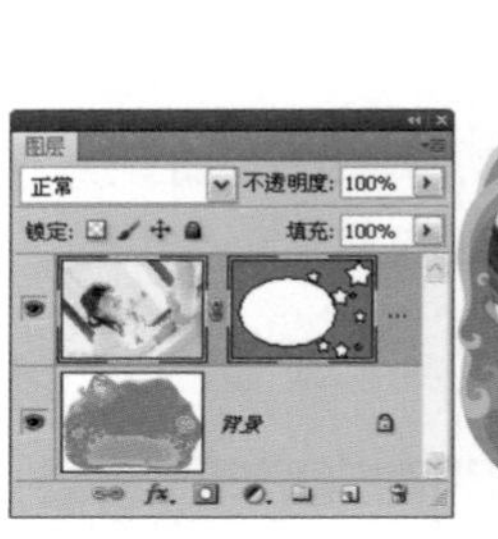

图11-13

11.3.3 实战——为矢量蒙版添加效果

●实例门类：软件功能类 ●视频位置：光盘>实例视频>11.3.3

1 在“图层”面板中双击添加了矢量蒙版的图层，如图11-14所示，打开“图层样式”对话框。

2 在左侧列表中选择“内阴影”效果，设置参数如图11-15所示；在左侧列表中选择“描边”效果，设置参数如图11-16所示。

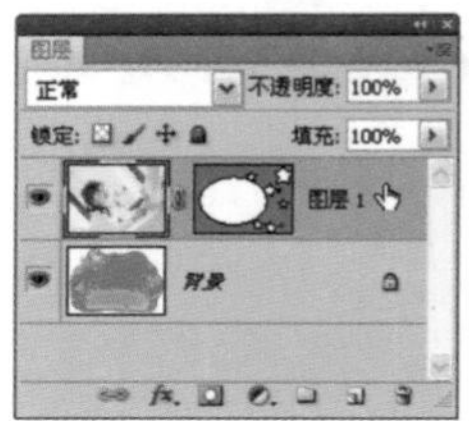

图11-14

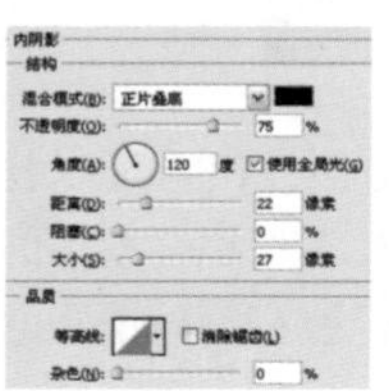

图11-15

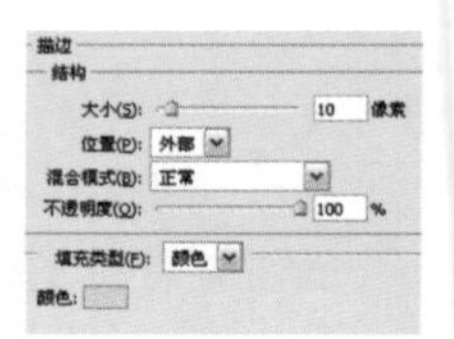

图11-16

3 单击“确定”按钮关闭对话框，即可为矢量蒙版图层添加图层效果，如图11-17所示。

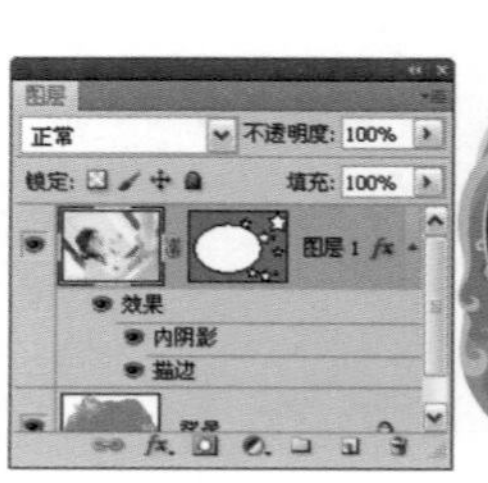

图11-17

11.3.4 实战——编辑矢量蒙版中的图形

●实例门类：软件功能类 ●视频位置：光盘>实例视频>11.3.4

创建矢量蒙版以后，可以使用路径编辑工具移动或者修改路径，从而改变蒙版的遮盖区域。我们继续使用前面的文件来进行操作。

1 选择矢量蒙版，画面中会显示矢量图形。使用路径选择工具按住Shift键单击画面右下角的几个图形，将它们选择，如图11-18所示，按下Delete键可将其删除，如图11-19所示。

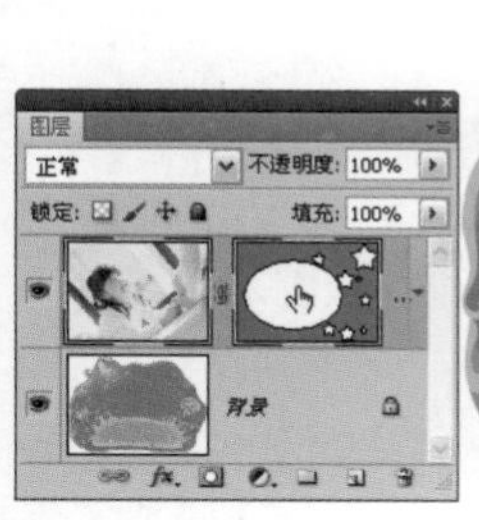

图11-18

图11-19

2 用路径选择工具单击矢量图形，拖动鼠标可将其移动，蒙版的遮盖区域也随之改变，如图11-20所示。

图11-20

选择矢量蒙版，执行“图层>矢量蒙版>删除”命令，或者将矢量蒙版拖动到删除图层按钮上，可以删除矢量蒙版。

11.3.5 变换矢量蒙版

单击“图层”面板中的矢量蒙版缩览图，选择蒙版，如图11-21所示，执行“编辑>变换路径”下拉菜单中的命令，即可对矢量蒙版进行各种变换操作，如图11-22所示。矢量蒙版与分辨率无关，因此，在进行变换和变形操作时不会产生锯齿。

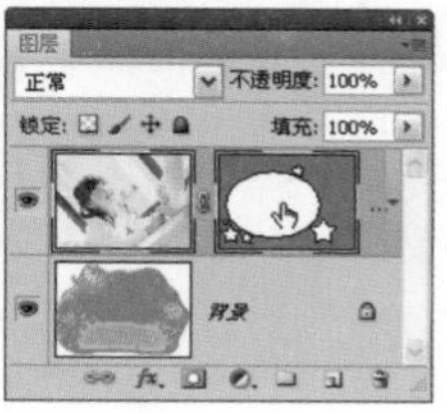

图11-21

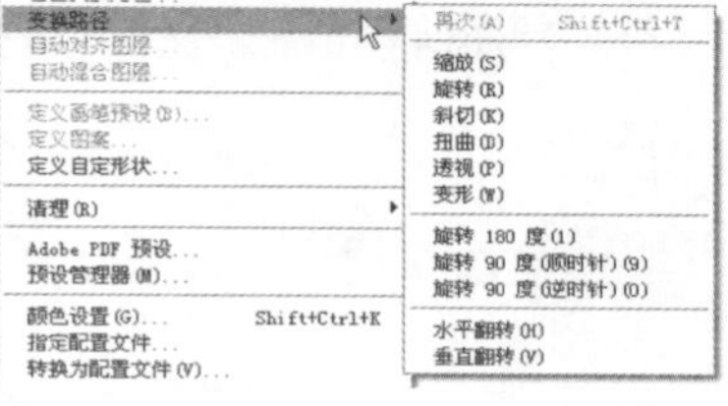

图11-22

矢量蒙版缩览图与图像缩览图之间有一个链接图标，它表示蒙版与图像处于链接状态，此时进行任何变换操作，蒙版都与图像一同变换。执行“图层>矢量蒙版>取消链接”命令，或单击该图标取消链接，然后就可以单独变换图像或蒙版。

相关链接：矢量蒙版的变换方法与图像的变换方法相同，相关内容请参阅“3.15 图像的变换与变形操作”。

11.3.6 将矢量蒙版转换为图层蒙版

选择矢量蒙版所在的图层，如图11-23所示，执行“图层>栅格化>矢量蒙版”命令，可将其栅格化，转换为图层蒙版，如图11-24所示。

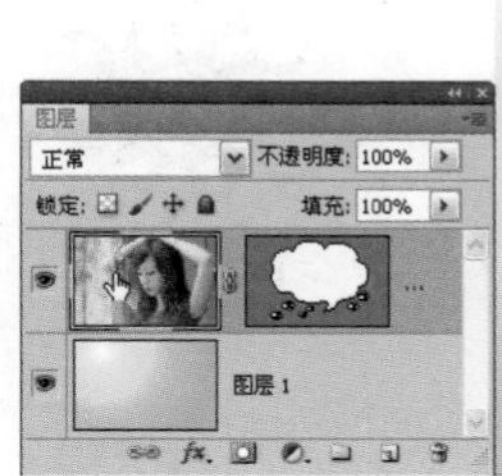

图11-23

图11-24

11.4 剪贴蒙版

剪贴蒙版可以用一个图层中包含像素的区域来限制它上层图像的显示范围。它的最大优点是可以通过一个图层来控制多个图层的可见内容，而图层蒙版和矢量蒙版都只能用于控制一个图层。

11.4.1 实战——创建剪贴蒙版

●实例门类：软件功能类 ●视频位置：光盘>实例视频>11.4.1

1 按下Ctrl+O快捷键，打开一个文件（光盘>素材>11.4.1），如图11-25所示。按住Ctrl键单击按钮，在"图层1"下面新建一个图层，然后隐藏"图层1"，如图11-26所示。

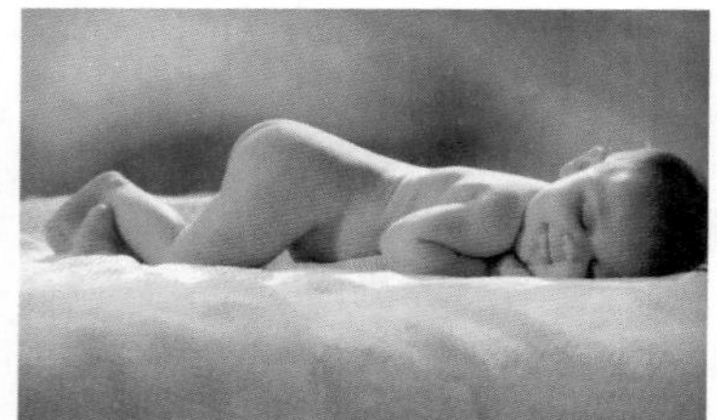

图11-25

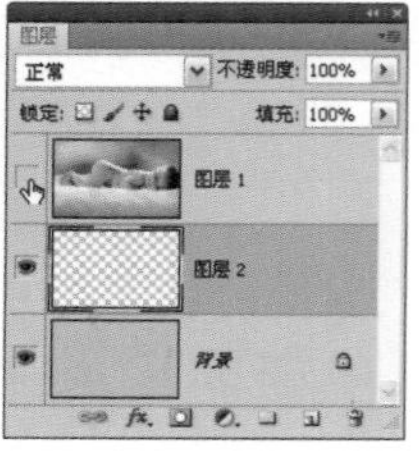

图11-26

2 选择自定形状工具，在工具选项栏中按下填充像素按钮，选择一个太阳状图形，按住Shift键拖动鼠标进行绘制，如图11-27、图11-28所示。

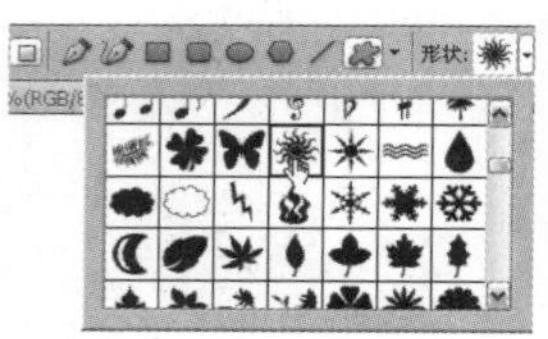

图11-27

图11-28

3 选择横排文字蒙版工具，选择一个笔画较粗的字体，在画面中单击并输入文字，创建文字选区，如图11-29所示。按下Alt+Delete键在选区内填充前景色，按下Ctrl+D快捷键取消选择，如图11-30所示。

图11-29

图11-30

4 选择并显示"图层1"，如图11-31所示，执行"图层>创建剪贴蒙版"命令，或按下Alt+Ctrl+G快捷键，将该图层与它下面的图层创建为一个剪贴蒙版，如图11-32所示。

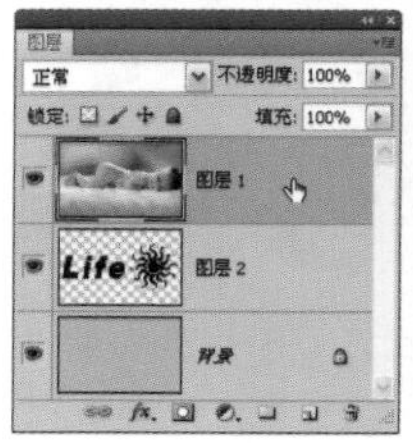

图11-31

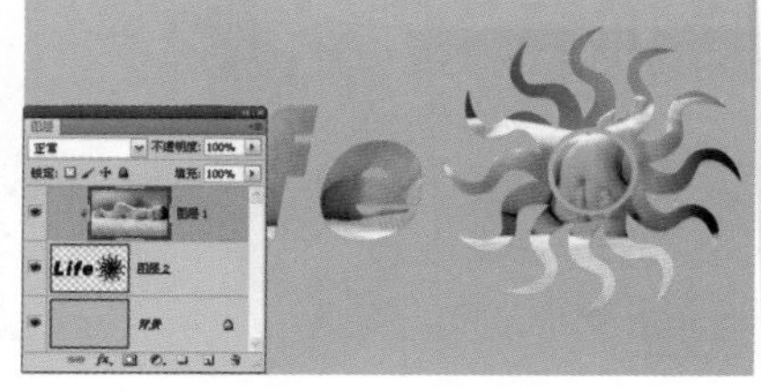

图11-32

提示 剪贴蒙版可以应用于多个图层，但有一个前提，就是这些图层必须相邻。

5 选择"背景"图层，执行"滤镜>渲染>镜头光晕"命令，设置参数如图11-33所示，效果如图11-34所示。

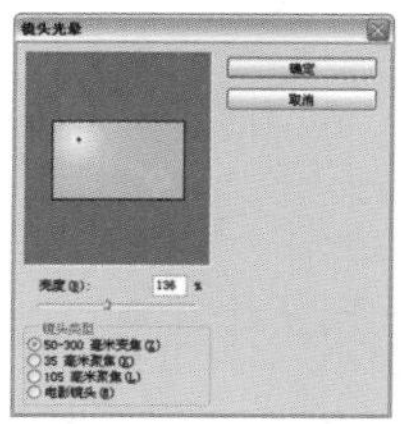

图11-33

图11-34

6 双击"图层2"，打开"图层样式"对话框，选择"投影"效果，为该图层添加投影，如图11-35、图11-36所示。

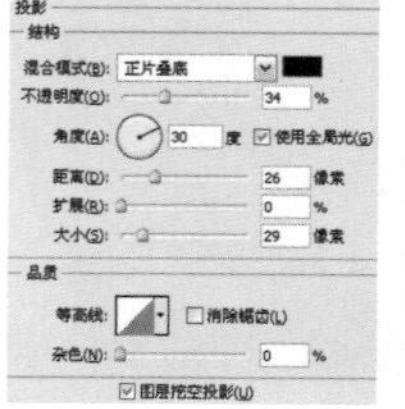

图11-35

图11-36

提示 选择一个内容图层，执行"图层>释放剪贴蒙版"命令，可以从剪贴蒙版中释放出该图层。如果该图层上面还有其他内容图层，则这些图层也会一同释放。

11.4.2 剪贴蒙版的图层结构

在剪贴蒙版组中，最下面的图层为基底图层（图标指向的那个图层，其名称带有下划线），上面的图层为内容图层（缩览图是缩进的，并显示图标），如图11-37所示。

图11-37

基底图层中包含像素的区域控制内容图层的显示范围，因此，移动基底图层就可以改变内容图层的显示区域，如图11-38所示。

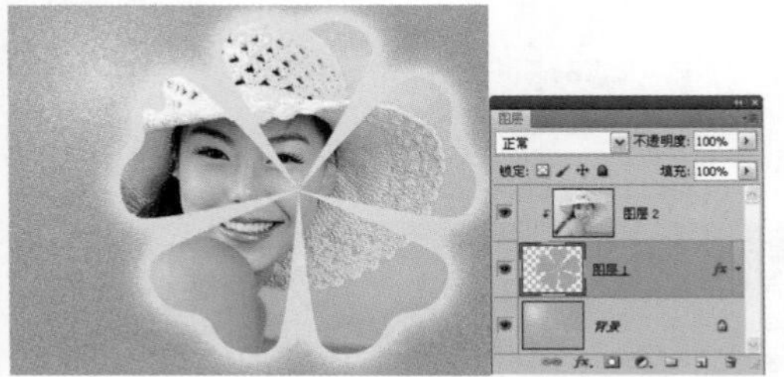

图11-38

11.4.3 设置剪贴蒙版的不透明度

剪贴蒙版组使用基底图层的不透明度属性，也就是说，我们调整基底图层的不透明度时，可以控制整个剪贴蒙版组的不透明度，如图11-39、图11-40所示。

图11-39

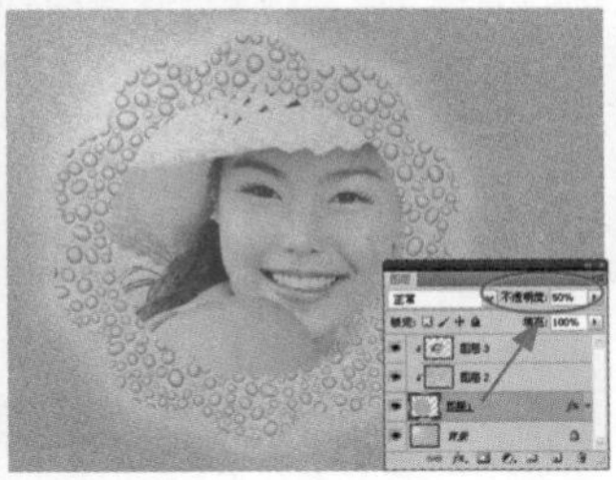

图11-40

而调整内容图层的不透明度时，不会影响到剪贴蒙版组中的其他图层，如图11-41、图11-42所示。

图11-41

图11-42

11.4.4 设置剪贴蒙版的混合模式

剪贴蒙版使用基底图层的混合属性，当基底图层为“正常”模式时，所有的图层将按照各自的混合模式与下面的图层混合。调整基底图层的混合模式时，整个剪贴蒙版中的图层都会使用此模式与下面的图层混合，如图11-43所示。而调整内容图层时，仅对其自身产生作用，不会影响其他图层，如图11-44所示。

图11-43

图11-44

相关链接：“图层样式”对话框中的“将剪贴图层混合成组”选项可以改变剪贴蒙版的混合属性，详细内容请参阅“12.1.5 将剪贴图层混合成组”。

11.4.5 将图层加入或移出剪贴蒙版组

将一个图层拖动到基底图层上，可将其加入到剪贴蒙版组中，如图11-45、图11-46所示。将内容图层移出剪贴蒙版组，则可以释放该图层，如图11-47、图11-48所示。

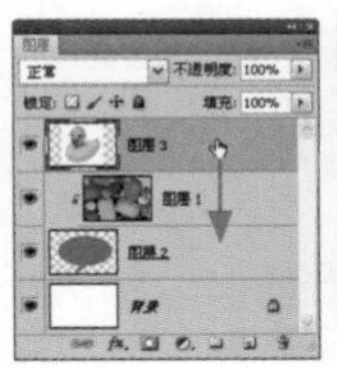

图11-45

图11-46

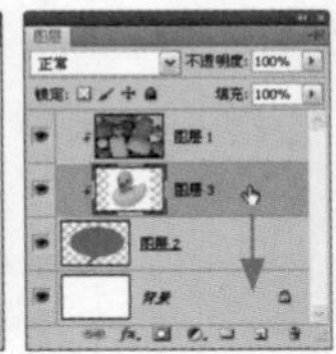

图11-47

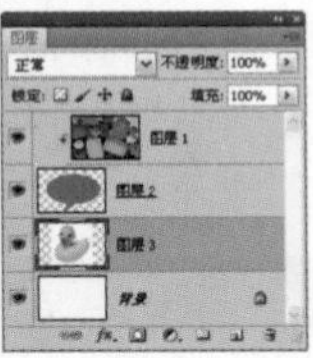

图11-48

技术看板 53 快速创建与释放剪贴蒙版

在“图层”面板中，将光标放在分隔两个图层的线上，按住Alt键，光标会变为状，单击即可创建剪贴蒙版；按住Alt键再次单击鼠标则释放剪贴蒙版。

11.4.6 释放剪贴蒙版

选择基底图层正上方的内容图层，如图11-49所示，执行“图层>释放剪贴蒙版”命令，或按下Alt+Ctrl+G快捷键，可以释放全部剪贴蒙版，如图11-50所示。

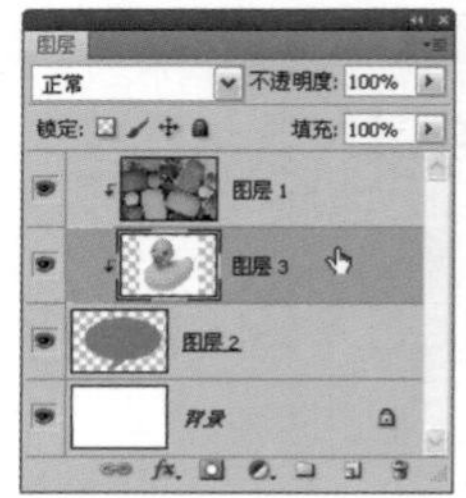

图11-49

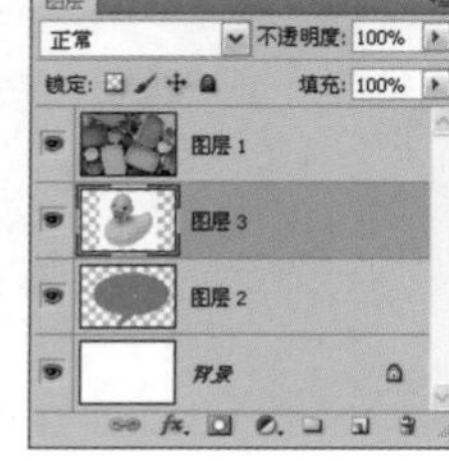

图11-50

11.5 图层蒙版

图层蒙版主要用于合成图像。此外，我们创建调整图层、填充图层或者应用智能滤镜时，Photoshop也会自动为其添加图层蒙版，因此，图层蒙版可以控制颜色调整和滤镜范围。

11.5.1 图层蒙版的原理

图层蒙版是与文档具有相同分辨率的256级色阶灰度图像。蒙版中的纯白色区域可以遮盖下面图层中的内容，只显示当前图层中的图像；蒙版中的纯黑色区域可以遮盖当前图层中的图像，显示出下面图层中的内容；蒙版中的灰色区域会根据其灰度值使当前图层中的图像呈现出不同层次的透明效果。

基于以上原理，如果要隐藏当前图层中的图像，可以使用黑色涂抹蒙版，如图11-51所示；如果要显示当前图层中的图像，可以使用白色涂抹蒙版，如图11-52所示；如果要使当前图层中的图像呈现半透明效果，则使用灰色涂抹蒙版，如图11-53所示，或者在蒙版中填充渐变，如图11-54所示。

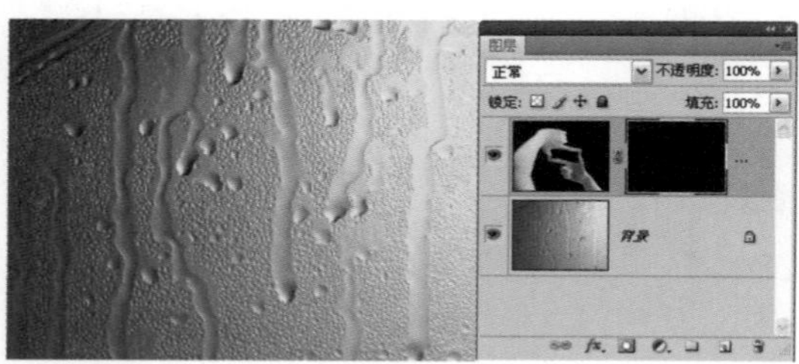

图11-51

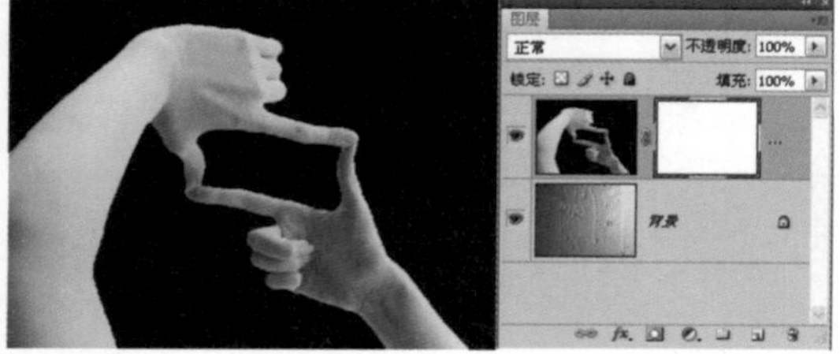

图11-52

图11-53

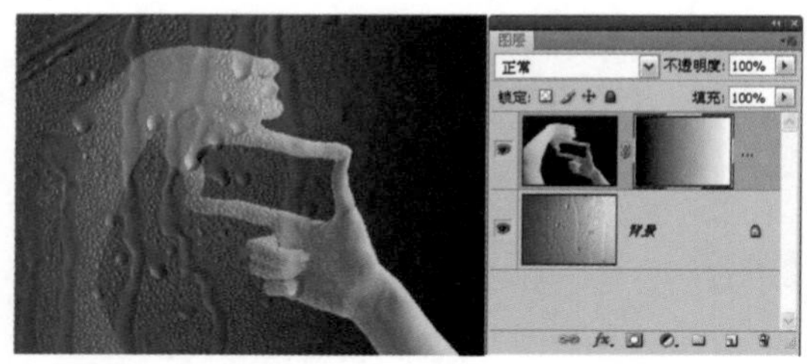

图11-54

11.5.2 实战——创建图层蒙版

●实例门类：图像合成类　●视频位置：光盘>实例视频>11.5.2

01 按下Ctrl+O快捷键，打开两个文件（光盘>素材>11.5.2a、11.5.2b），如图11-55、图11-56所示。

图11-55

图11-56

2 使用移动工具将人物拖入另一个文档中，生成“图层1”，将它的混合模式设置为“明度”，如图11-57、图11-58所示。

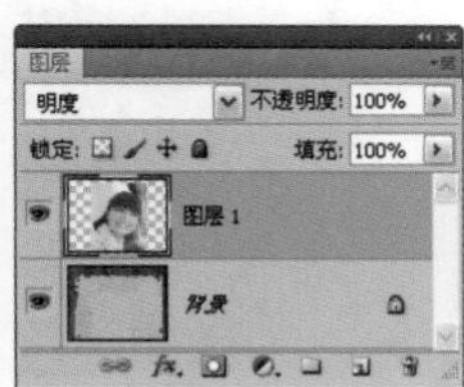
图11-57

图11-58

3 单击“图层”面板中的按钮，为该图层添加蒙版，如图11-59所示。白色蒙版不会遮盖图像。选择一个柔角画笔工具，如图11-60所示。

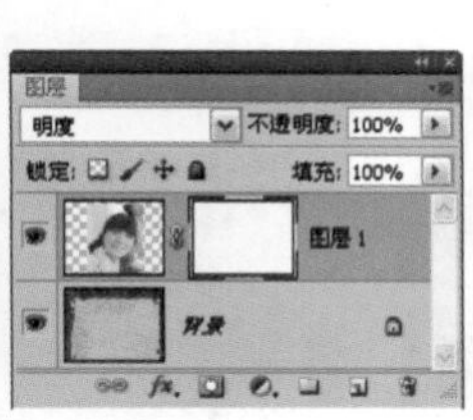
图11-59

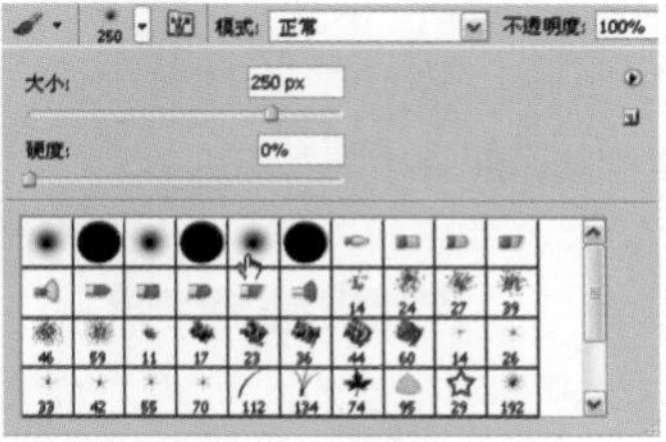
图11-60

提示 执行“图层>图层蒙版>显示全部”命令，可以创建一个显示图层内容的白色蒙版；执行“图层>图层蒙版>隐藏全部”命令，可以创建一个隐藏图层内容的黑色蒙版。

4 在人物的边缘涂抹黑色，用蒙版遮盖图像，如图11-61、图11-62所示。如果涂抹到了人物面部等区域，可以按下X键，将前景色切换为白色，用白色绘制可以重新显示图像。

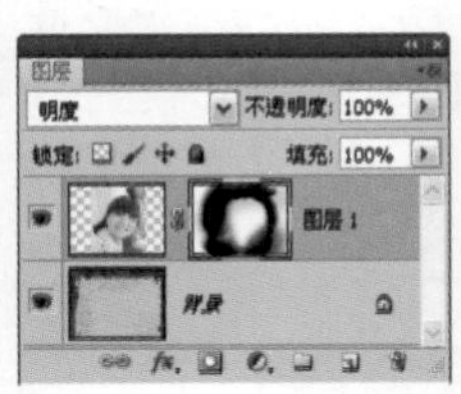
图11-61

图11-62

提示 选择图层蒙版所在的图层，执行“图层>图层蒙版>应用”命令，可以将蒙版应用到图像中，并删除原先被蒙版遮盖的图像；执行“图层>图层蒙版>删除”命令，可以删除图层蒙版。

技术看板 54 特殊的图像合成效果

我们使用画笔、加深、减淡、模糊、锐化、涂抹等工具修改图层蒙版时，可以选择不同样式的笔尖，此外，还可以用各种滤镜编辑蒙版，得到特殊的图像合成效果。

原图像

用特色笔尖编辑蒙版

用拼贴滤镜编辑蒙版

11.5.3 实战——从选区中生成蒙版

●实例门类：图像合成类 ●视频位置：光盘>实例视频>11.5.3

1 按下Ctrl+O快捷键，打开一个文件（光盘>素材>11.5.3），如图11-63、图11-64所示。

图11-63

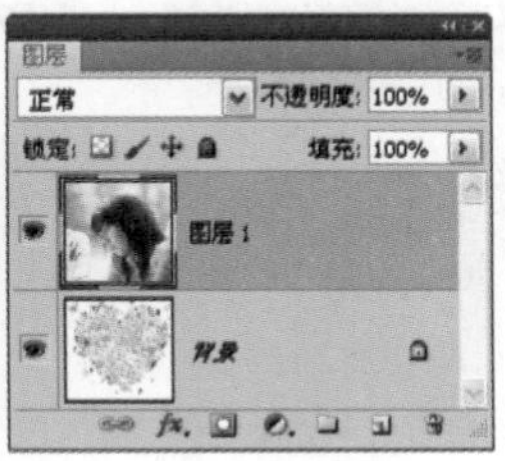
图11-64

2 选择椭圆选框工具，在工具选项栏中设置羽化为50px，按住Shift键创建一个圆形选区，如图11-65所示。

图11-65

3 单击添加图层蒙版按钮，可以从选区中生成蒙版，选区内的图像是可见的，选区外的图像会被蒙版遮盖，显示出“背景”图层中的图像，如图11-66、图11-67所示。

图11-66

图11-67

> 提示　创建选区后，也可以执行“图层>图层蒙版>显示选区”命令，基于选区创建图层蒙版；如果执行“图层>图层蒙版>隐藏选区”命令，则选区内的图像将被蒙版遮盖。

技术看板 55 添加蒙版以后编辑图像内容时的注意事项

添加图层蒙版后，蒙版缩览图外侧有一个白色的边框，它表示蒙版处于编辑状态，此时我们进行的所有操作将应用于蒙版。如果要编辑图像，则单击图像缩览图，将边框转移到图像上。

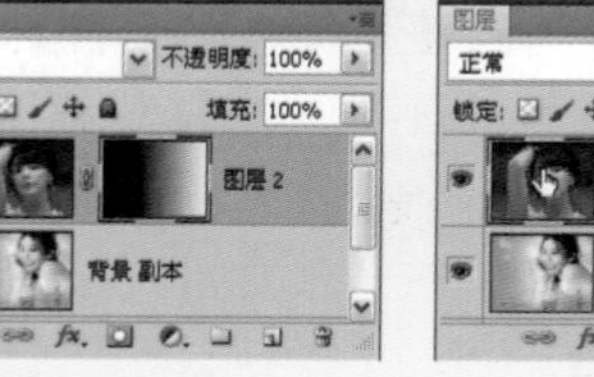

蒙版处于编辑状态

图像处于编辑状态

11.5.4 实战——从图像中生成蒙版

●实例门类：图像合成类　●视频位置：光盘>实例视频>11.5.4

1 按下Ctrl+O快捷键，打开两个文件（光盘>素材>11.5.4a、11.5.4b），如图11-68、图11-69所示。

图11-68

图11-69

2 单击按钮，为天鹅图像添加图层蒙版，然后按住Alt键单击蒙版缩览图，在画面中显示蒙版图像，如图11-70所示。切换到云彩文档，按下Ctrl+A快捷键全选，按下Ctrl+C快捷键复制图像；再切换到天鹅文档，按下Ctrl+V快捷键将图像粘贴到蒙版中，如图11-71所示。

图11-70

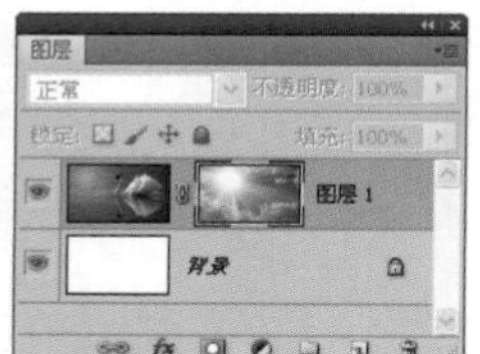

图11-71

3 按下Ctrl+D快捷键取消选择，按住Alt键单击蒙版缩览图，重新显示图像，如图11-72所示。按下Ctrl+I快捷键将蒙版反相，如图11-73所示。

图11-72

图11-73

4 单击“调整”面板中的按钮，创建“曲线”调整图层，将蒙版图像调暗，如图11-74、图11-75所示。

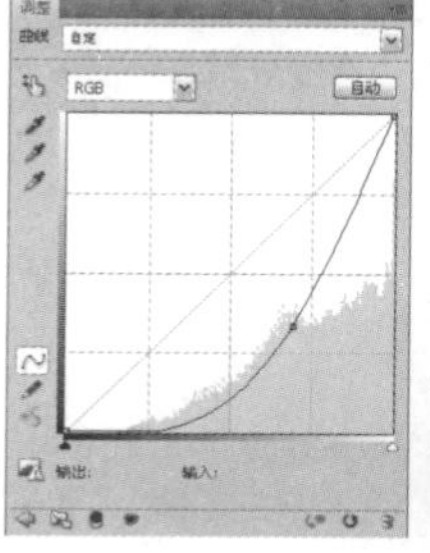

图11-74

图11-75

11.5.5 复制与转移蒙版

按住Alt键将一个图层的蒙版拖至另外的图层，可以将蒙版复制到目标图层，如图11-76、图11-77所示。如果直接将蒙版拖至另外的图层，则可将该蒙版转移到目标图层，源图层将不再有蒙版，如图11-78所示。

图11-76

图11-77

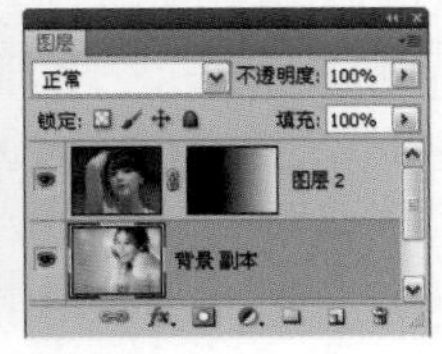
图11-78

11.5.6 链接与取消链接蒙版

创建图层蒙版后，蒙版缩览图和图像缩览图中间有一个链接图标，它表示蒙版与图像处于链接状态，此时进行变换操作，蒙版会与图像一同变换。执行“图层>图层蒙版>取消链接”命令，或者单击该图标，可以取消链接，取消后可以单独变换图像，也可以单独变换蒙版。

11.6 通道总览

通道是Photoshop的高级功能，它与图像内容、色彩和选区有关。Photoshop提供了3种类型的通道：颜色通道、Alpha通道和专色通道。下面我们就来了解这几种通道的特征和主要用途。

11.6.1 颜色通道

颜色通道就像是摄影胶片，它们记录了图像内容和颜色信息。图像的颜色模式不同，颜色通道的数量也不相同。RGB图像包含红、绿、蓝和一个用于编辑图像内容的复合通道，如图11-79所示；CMYK图像包含青色、洋红、黄色、黑色和一个复合通道，如图11-80所示；Lab图像包含明度、a、b和一个复合通道，如图11-81所示；位图、灰度、双色调和索引颜色的图像都只有一个通道。

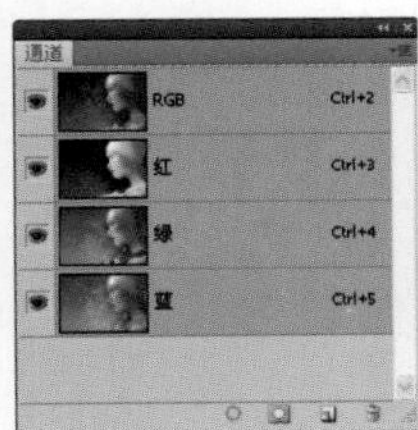

图11-79

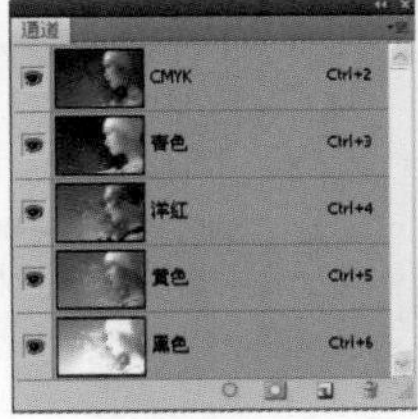

图11-80

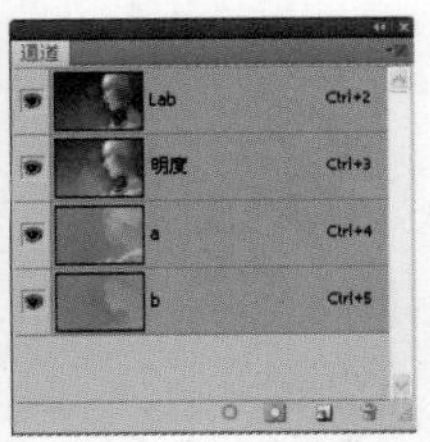

图11-81

相关链接：用调色命令编辑颜色通道可以改变图像的颜色，相关内容请参阅“9.7 通道调色技术”和“9.8 Lab调色技术”。

11.6.2 Alpha通道

Alpha 通道有三种用途，一是用于保存选区；二是可以将选区存储为灰度图像，这样我们就能够用画笔、加深、减淡等工具以及各种滤镜，通过编辑Alpha 通道来修改选区；三是我们可以从Alpha 通道中载入选区。

在Alpha通道中，白色代表了可以被选择的区域，黑色代表了不能被选择的区域，灰色代表了可以被部分选择的区域（即羽化区域）。用白色涂抹Alpha通道可以扩大选区范围；用黑色涂抹则收缩选区；用灰色涂抹可以增加羽化范围。如图11-82所示为原图像，在Alpha通道制作一个呈现灰度阶梯的选区，可以选取出如图11-83所示的图像。

图11-82

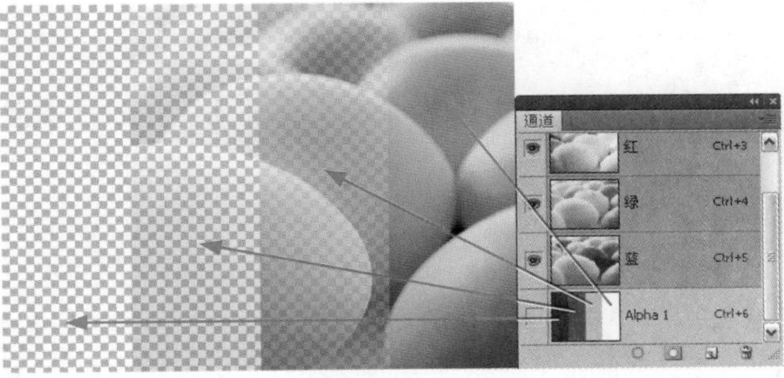

图11-83

11.6.3 专色通道

专色通道用来存储印刷用的专色。专色是特殊的预混油墨，如金属金银色油墨、荧光油墨等，它们用于替代或补充普通的印刷色 (CMYK) 油墨。通常情况下，专色通道都是以专色的名称来命名的。

11.7 通道面板

“通道”面板可以创建、保存和管理通道。当我们打开一个图像时，Photoshop会自动创建该图像的颜色信息通道，如图11-84、图11-85所示，图11-86所示为面板菜单。

图11-84

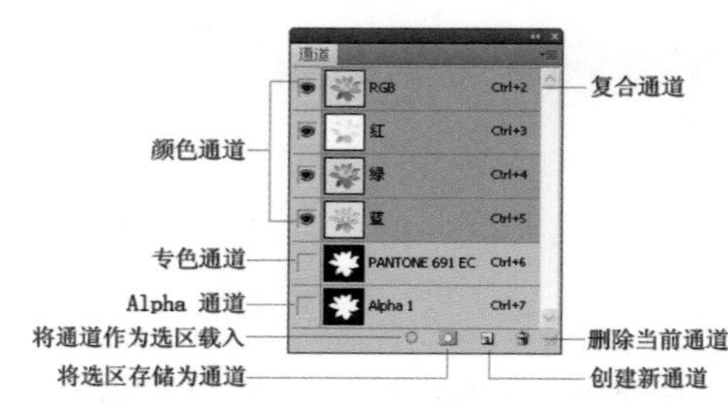

图11-85

新建通道...
复制通道...
删除通道
新建专色通道...
合并专色通道(G)
图层蒙版选项...
分离通道
合并通道...
面板选项...
关闭
关闭选项卡组

图11-86

- 复合通道：面板中最先列出的通道是复合通道，在复合通道下可以同时预览和编辑所有颜色通道。
- 颜色通道：用于记录图像颜色信息的通道。
- 专色通道：用来保存专色油墨的通道。
- Alpha 通道：用来保存选区的通道。
- 将通道作为选区载入：单击该按钮，可以载入所选通道内的选区。
- 将选区存储为通道：单击该按钮，可以将图像中的选区保存在通道内。
- 创建新通道：单击该按钮，可创建Alpha通道。
- 删除当前通道：单击该按钮，可删除当前选择的通道。但复合通道不能删除。

11.8 编辑通道

我们下面来了解如何使用“通道”面板和面板菜单中的命令，创建通道以及对通道进行复制、删除分离与合并等操作。

11.8.1 通道的基本操作

单击“通道”面板中的一个通道即可选择该通道，文档窗口中会显示所选通道的灰度图像，如图11-87所示。按住 Shift 键单击其他通道，可以选择多个通道，此时窗口中会显示所选颜色通道的复合信息，如图11-88所示。通道名称的左侧显示了通道内容的缩览图，在编辑通道时缩览图会自动更新。

图11-87

图11-88

单击RGB复合通道可以重新显示其他颜色通道，如图11-89所示，此时可同时预览和编辑所有颜色通道。

图11-89

技术看板 56 通过快捷键选择通道

按下Ctrl+数字键可以快速选择通道。例如，如果图像为RGB模式，按下Ctrl+3可以选择红色通道，按下Ctrl+4可以选择绿色通道，按下Ctrl+5可以选择蓝色通道，按下Ctrl+6可以选择蓝色通道下面的Alpha通道。如果要回到RGB复合通道，可以按下Ctrl+2键。

11.8.2 Alpha通道与选区的互相转换

将选区保存到Alpha通道中

如果在文档中创建了选区，如图11-90所示，单击按钮可将选区保存到Alpha通道中，如图11-91所示。

图11-90

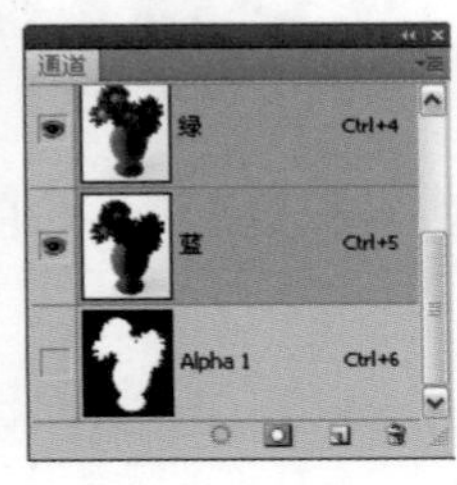

图11-91

载入Alpha通道中的选区

在“通道”面板中选择要载入选区的Alpha通道，单击将通道作为选区载入按钮，可以载入通道中的选区。此外，按住Ctrl键单击Alpha通道也可以载入选区，如图11-92、图11-93所示。这样操作的好处是不必来回切换通道。

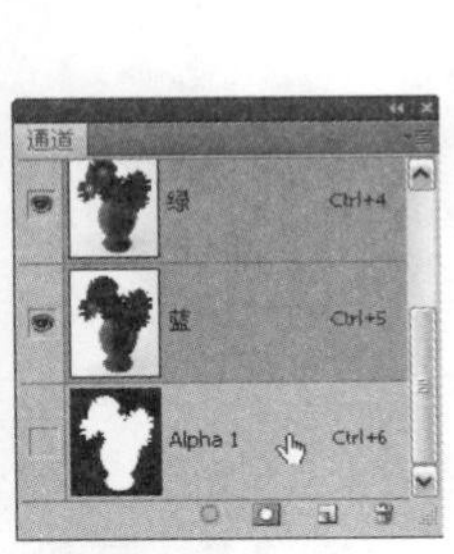

图11-92

图11-93

技术看板 57 载入选区时的运算方式

如果当前图像中包含选区，按住Ctrl键单击“通道”、“路径”、“图层”面板中的缩览图时，可以通过按下按键来进行选区运算。按住Ctrl键（光标变为状）单击可以将它作为一个新选区载入；按住Ctrl+Shift键（光标变为状）单击可将它添加到现有选区中；按住Ctrl+Alt键（光标变为状）单击可以从当前的选区中减去载入的选区；按住Ctrl+Shift+Alt键（光标变为状）单击可进行与当前选区相交的操作。

11.8.3 实战——在图像中定义专色

●实例门类：平面设计类 ●视频位置：光盘>实例视频>11.8.3

专色印刷是指采用黄、品红、青、黑四色墨以外的其他色油墨来复制原稿颜色的印刷工艺。当我们要将带有专色的图像印刷时，需要用专色通道来存储专色。

1 按下Ctrl+O快捷键，打开一个文件（光盘>素材>11.8.3），如图11-94所示。选择魔棒工具，在工具选项栏中设置“容差”为12，取消“连续”的勾选，在黑色背景上单击，选择背景，如图11-95所示。

图11-94

图11-95

2 执行“通道”面板菜单中的“新建专色通道”命令，打开“新专色通道”对话框，将“密度”设置为100%，单击“颜色”选项右侧的颜色块，如图11-96所示，打开“拾色器”，再单击“颜色库”按钮，切换到“颜色库”，选择一种专色，如图11-97所示。

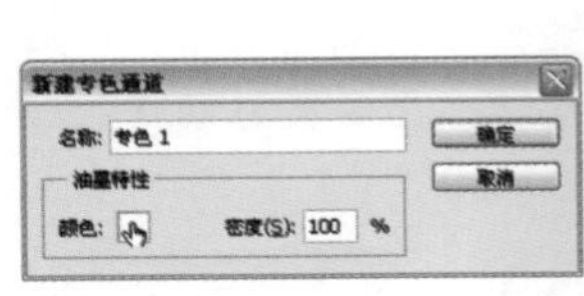

图11-96

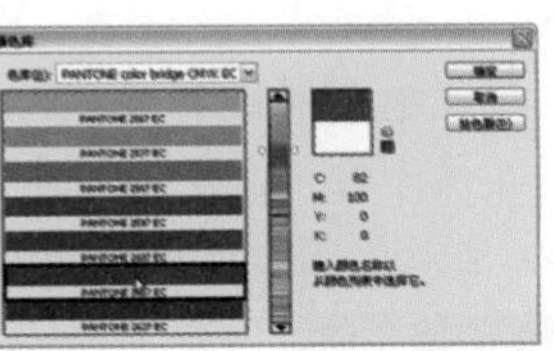
图11-97

3 单击“确定”按钮返回到“新建专色通道”对话框，不要修改“名称”，否则可能无法打印此文件；单击“确定”按钮，创建专色通道，如图11-98所示，即可用专色填充选中的图像，如图11-99所示。

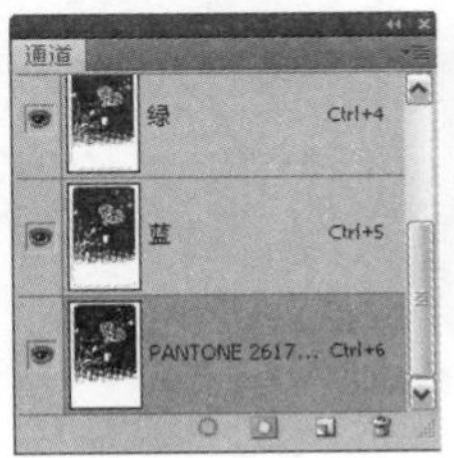

图11-98

图11-99

提示 “密度”值用于在屏幕上模拟印刷时专色的密度，100%可以模拟完全覆盖下层油墨的油墨（如金属质感油墨），0%可以模拟完全显示下层油墨的透明油墨（如透明光油）。

11.8.4 编辑与修改专色

选择专色通道以后，可以用绘画或编辑工具在图像中绘画，从而编辑专色。用黑色绘画可添加更多不透明度为100% 的专色；用灰色绘画可添加不透明度较低的专色；用白色涂抹的区域无专色。绘画或编辑工具选项中的“不透明度”选项决定了用于打印输出的实际油墨浓度。

如果要修改专色，可双击专色通道的缩览图，打开“专色通道选项”对话框进行设置。

11.8.5 重命名、复制与删除通道

重命名通道

双击“通道”面板中一个通道的名称，在显示的文本输入框中可以为它输入新的名称，如图11-100所示。但复合通道和颜色通道不能重命名。

复制和删除通道

将一个通道拖动到“通道”面板中的创建新通道按钮上，可以复制该通道，如图11-101所示。在“通道”面板中选择需要删除的通道，单击删除当前通道按钮，可将其删除，也可以直接将通道拖动到该按钮上进行删除。

复合通道不能被复制，也不能删除。颜色通道可以复制，但如果删除了，图像就会自动转换为多通道模式。如图11-102所示为删除蓝色通道后的效果。

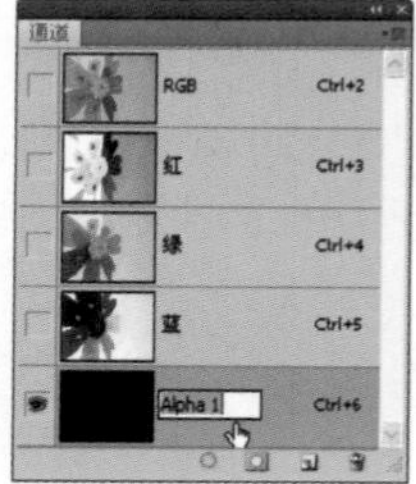

图11-100

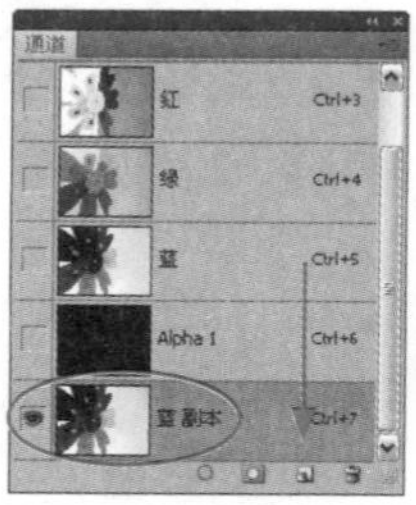

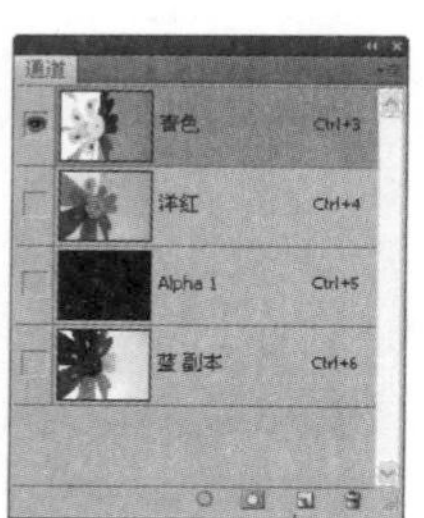

图11-101

图11-102

相关链接：默认状态下，“通道”面板中的颜色通道都显示为灰色，通过修改“首选项”可以用彩色显示通道，详细操作方法请参阅“20.3.2 界面”。

11.8.6 同时显示Alpha通道和图像

编辑Alpha通道时，文档窗口中只显示通道中图像，如图11-103所示，这使得我们的某些操作，如描绘图像边缘时会因看不到彩色图像而不够准确。遇到这种问题，可在复合通道前单击，显示眼睛图标，Photoshop会显示图像并以一种颜色替代Alpha通道的灰度图像，这种效果就类似于在快速蒙版状态下编辑选区一样，如图11-104所示。

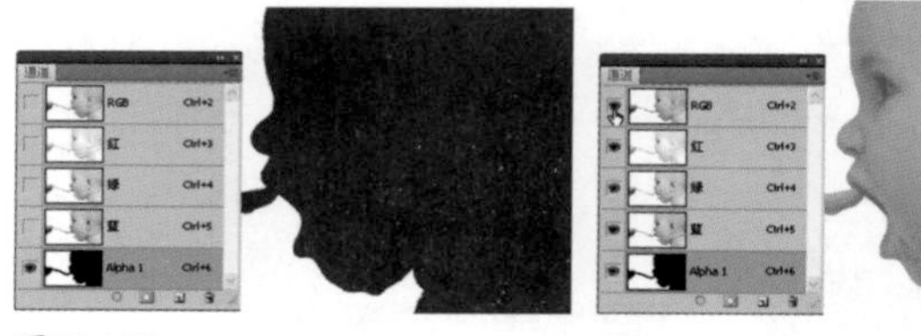

图11-103　　图11-104

11.8.7 实战——通过分离通道创建灰度图像

●实例门类：软件功能类　●视频位置：光盘>实例视频>11.8.7

1 按下Ctrl+O快捷键，打开一个文件（光盘>素材>11.8.7），如图11-105所示。

图11-105

2 执行“通道”面板菜单中的“分离通道”命令，可以将通道分离成为单独的灰度图像文件，如图11-106~图11-108所示。其标题栏中的文件名为原文件的名称加上该通道名称的缩写，原文件则被关闭。当需要在不能保留通道的文件格式中保留单个通道信息时，分离通道非常有用。但PSD格式分层图像不能进行分离通道的操作。

图11-106

图11-107

图11-108

11.8.8 实战——通过合并通道创建彩色图像

●实例门类：软件功能类　●视频位置：光盘>实例视频>11.8.8

在Photoshop中，多个灰度图像可以合并为一个图像的通道，创建为彩色图像。但图像必须是灰度模式，具有相

同的像素尺寸并且处于打开的状态。

1 按下Ctrl+O快捷键，打开三个灰度文件（光盘>素材>11.8.8a、11.8.8b、11.8.8c），如图11-109～图11-111所示。

图11-109

图11-110

图11-111

2 执行“通道”面板菜单中的“合并通道”命令，打开“合并通道”对话框。在“模式”下拉列表中选择“RGB颜色”，如图11-112所示；单击“确定”按钮，弹出“合并RGB通道”对话框，设置各个颜色通道对应的图像文件，如图11-113所示。

图11-112

合并 RGB 通道
指定通道:
红色(R): 11.8.8a.jpg
绿色(G): 11.8.8b.jpg
蓝色(B): 11.8.8c.jpg
确定
取消
模式(M)

图11-113

3 单击“确定”按钮，将它们合并为一个彩色的RGB图像，如图11-114、图11-115所示。如果在“合并RGB通道”对话框中改变通道所对应的图像，则合成后图像的颜色也不相同，如图11-116、图11-117所示。

图11-114

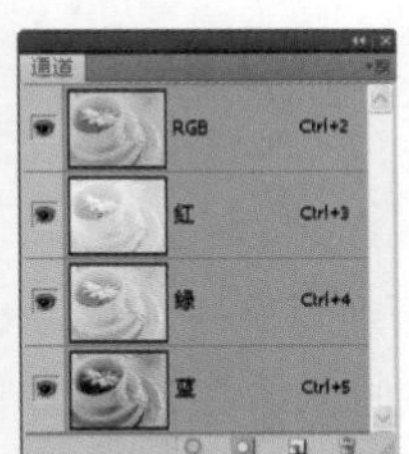

图11-115

图11-116

图11-117

11.8.9 实战——将通道中的图像粘贴到图层中

●实例门类：软件功能类 ●视频位置：光盘>实例视频>11.8.9

1 按下Ctrl+O快捷键，打开一个文件（光盘>素材>11.8.9），如图11-118所示。在“通道”面板中选择蓝色通道，如图11-119所示，画面中会显示该通道的灰度图像，按下Ctrl+A快捷键全选，按下Ctrl+C快捷键复制。

图11-118

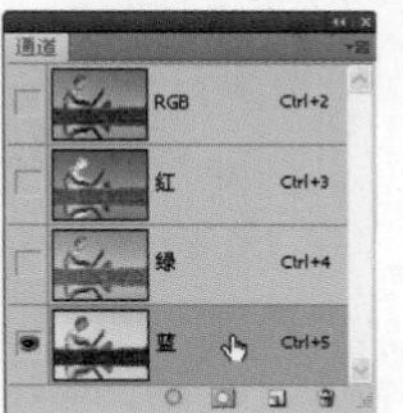

图11-119

2 按下Ctrl+2快捷键，返回到RGB复合通道，显示彩色的图像，按下Ctrl+V快捷键可以将复制的通道粘贴到一个新的图层中，如图11-120、图11-121所示。

图11-120

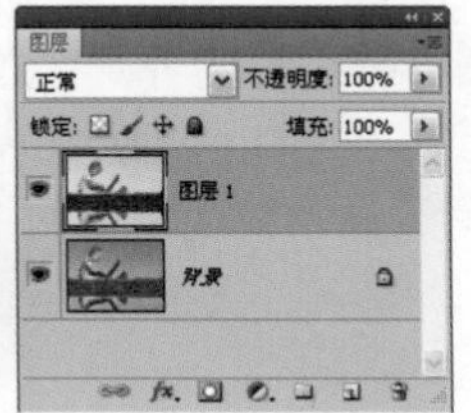

图11-121

11.8.10 实战——将图层中的图像粘贴到通道中

●实例门类：软件功能类 ●视频位置：光盘>实例视频>11.8.10

1 按下Ctrl+O快捷键，打开一个文件（光盘>素材>11.8.10），如图11-122所示。按下Ctrl+A快捷键全选，再按下Ctrl+C快捷键复制图像。

2 单击“通道”面板中的按钮，新建一个通道，如图11-123所示；按下Ctrl+V快捷键，即可将复制的图像粘贴到该通道中，如图11-124所示。

图11-122

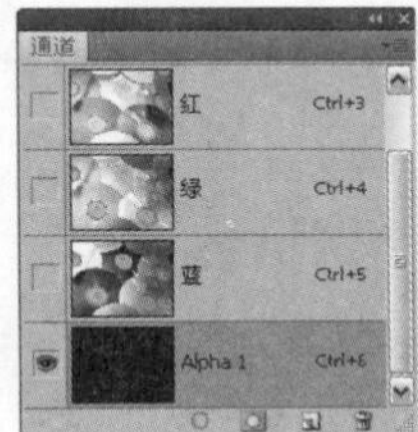

图11-123

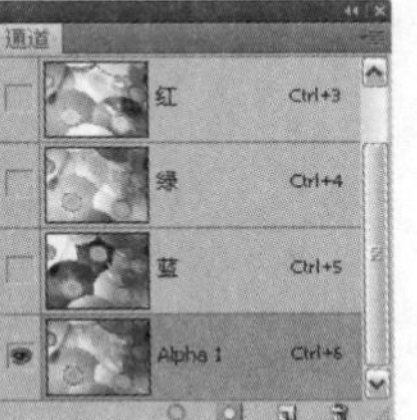

图11-124

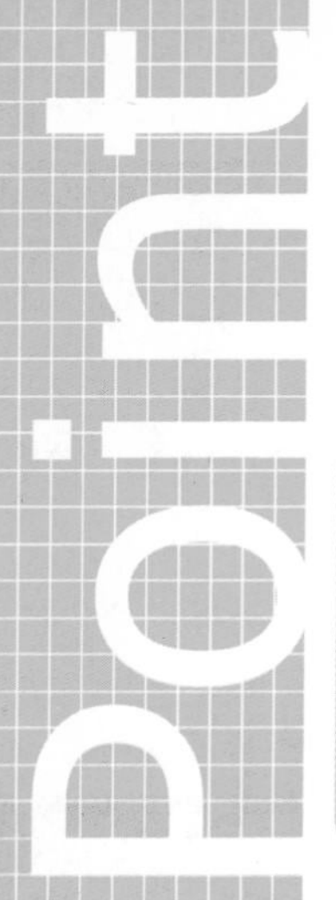

第12章 蒙版与通道的高级操作

Learning Objectives
学习重点

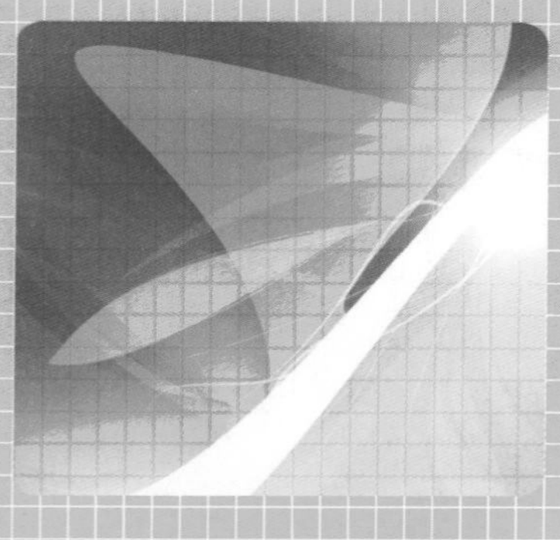

12.1 高级混合选项

选择一个图层，执行“图层>图层样式>混合选项”命令，或者双击该图层，可以打开“图层样式”对话框，显示“混合选项”设置内容。高级混合选项是用于控制图层蒙版、剪贴蒙版和矢量蒙版属性的重要功能，它还可以创建挖空效果。

12.1.1 常规混合与高级混合

在“图层样式”对话框中，常规混合与“图层”面板中的不透明度和混合模式相同，“高级混合”选项组中的“填充不透明度”与“图层”面板中的填充不透明度的作用相同，如图12-1所示。

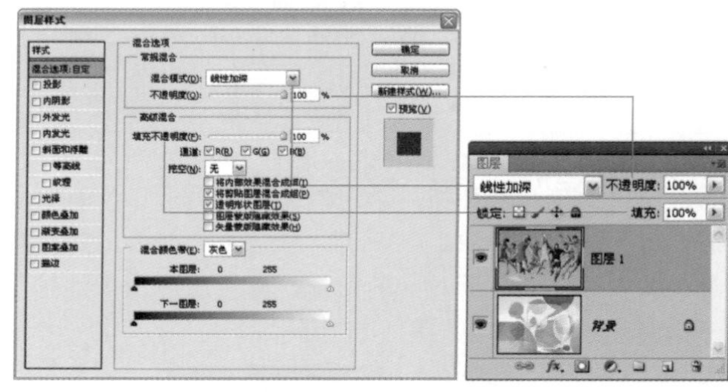

图12-1

12.1.2 限制混合通道

“通道”选项与“通道”面板中的各个通道一一对应。RGB图像包含红（R）、绿（G）和蓝（B）3个颜色通道，它们混合生成RGB复合通道，复合通道中的图像也就是我们在窗口中看到的彩色图像，如图12-2所示。如果取消一个通道的勾选，例如取消R的勾选，就会从复合通道中排除此通道，此时我们看到的彩色图像就只是G和B这两个通道混合生成的，如图12-3所示。

图12-2

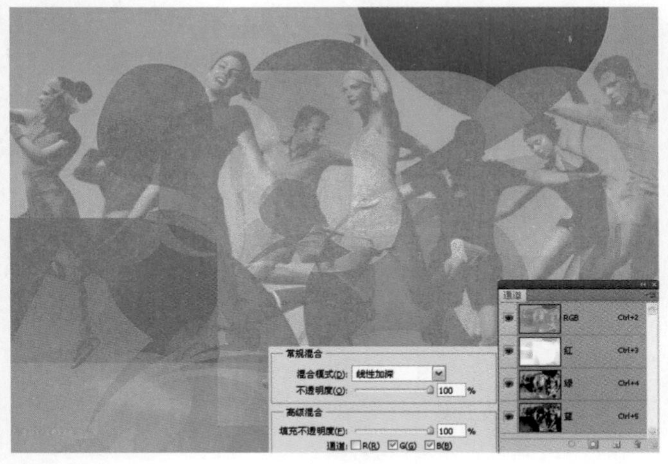

图12-3

12.1.3 挖空

挖空是指下面的图像穿透上面的图层显示出来。创建挖空时，首先要将被挖空的图层放到要被穿透的图层之上，然后将需要显示出来的图层设置为“背景”图层，如图12-4所示；双击要挖空的图层，打开“图层样式”对话框，降低“填充不透明度”值；最后在“挖空”下拉列表中选择一个选项，选择“无”表示不创建挖空，选择“浅”或“深”，都可以挖空到“背景”图层，如图12-5所示。如果文档中没有“背景”图层，则无论选择“浅”还是“深”，都会挖空到透明区域，图12-6所示。

图12-4

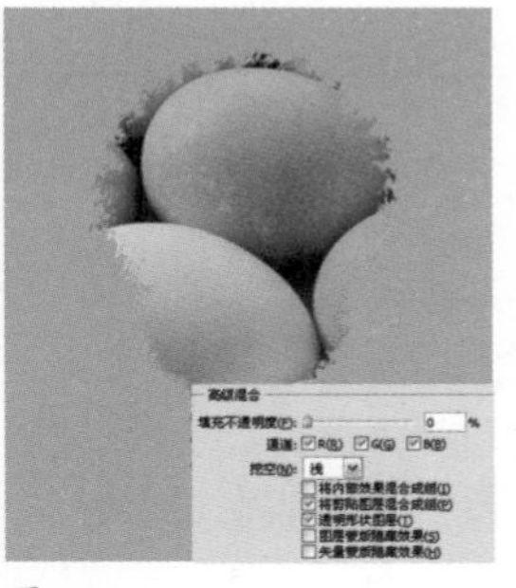

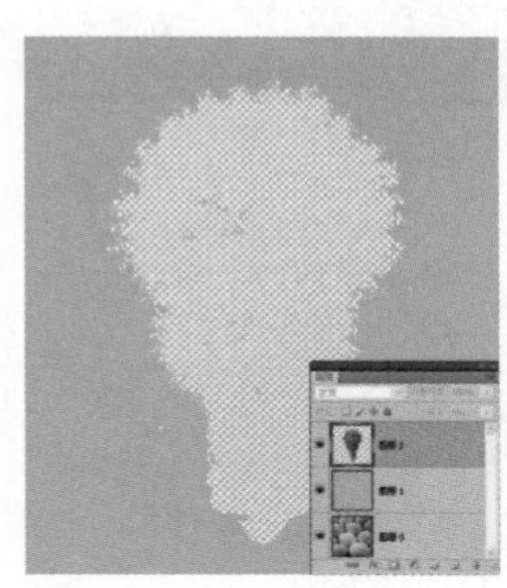

图12-5　图12-6

12.1.4 将内部效果混合成组

为添加了“内发光”、“颜色叠加”、“渐变叠加”和“图案叠加”效果的图层设置挖空时，如果勾选“将内部效果混合成组”，则添加的效果不会显示，如图12-7所示，图12-8所示为取消勾选时的挖空效果。

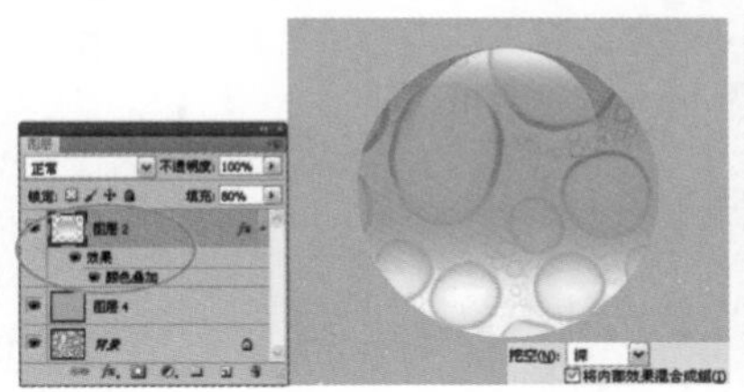

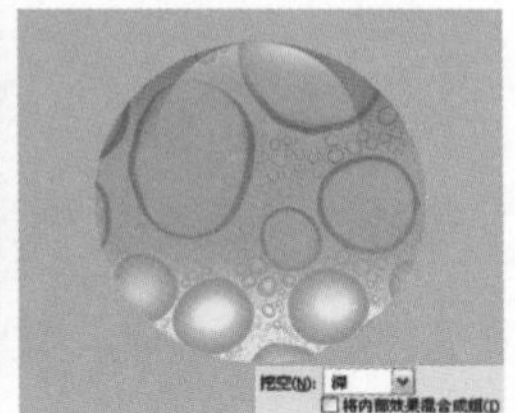

图12-7　图12-8

12.1.5 将剪贴图层混合成组

“将剪贴图层混合成组”选项用来控制剪贴蒙版组中基底图层的混合属性。默认情况下，基底图层的混合模式影响整个剪贴蒙版组，如图12-9所示。取消该选项的勾选，则基层图层的混合模式仅影响自身，不会对内容图层产生作用，如图12-10所示。

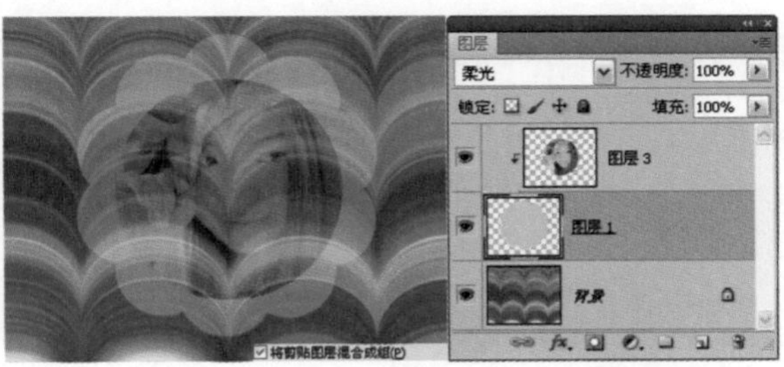

图12-9

图12-10

12.1.6 透明形状图层

“透明形状图层”选项可以限制图层样式和挖空范围。默认情况下，该选项为勾选状态，此时图层样式或挖空被限定在图层的不透明区域，如图12-11所示；取消勾选，则可在整个图层范围内应用这些效果，如图12-12所示。

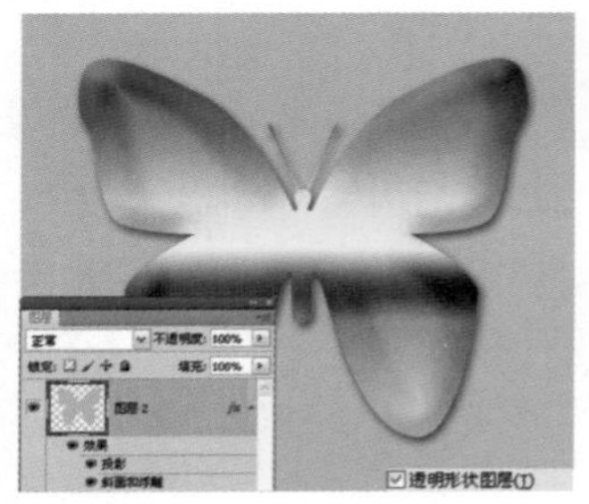

图12-11

图12-12

12.1.7 图层蒙版隐藏效果

如果为添加了图层蒙版的图层应用图层样式，勾选“图层蒙版隐藏效果”选项，蒙版中的效果不会显示，如图12-13所示；取消勾选，则效果也会在蒙版区域内显示，如图12-14所示。

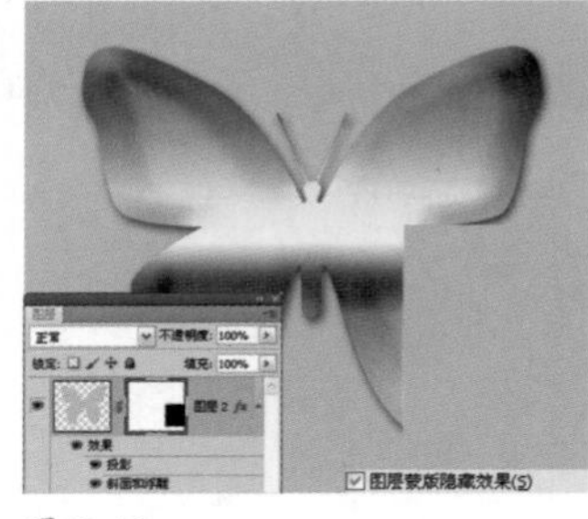

图12-13　图12-14

12.1.8 矢量蒙版隐藏效果

如果为添加了矢量蒙版的图层应用图层样式，勾选“矢量蒙版隐藏效果”选项，矢量蒙版中的效果不会显示，如图12-15所示；取消勾选，则效果也会在矢量蒙版区域内显示，如图12-16所示。

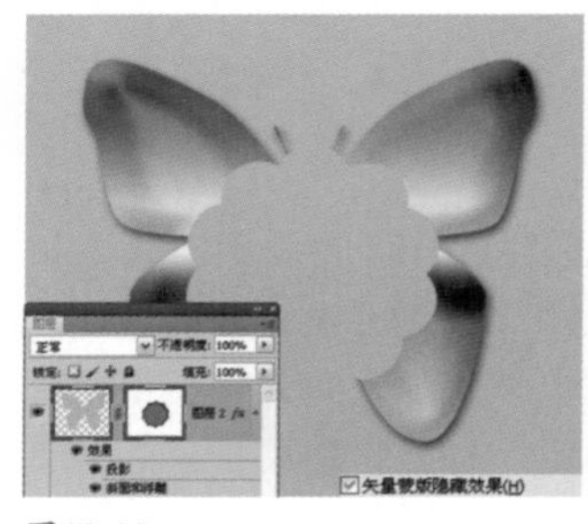

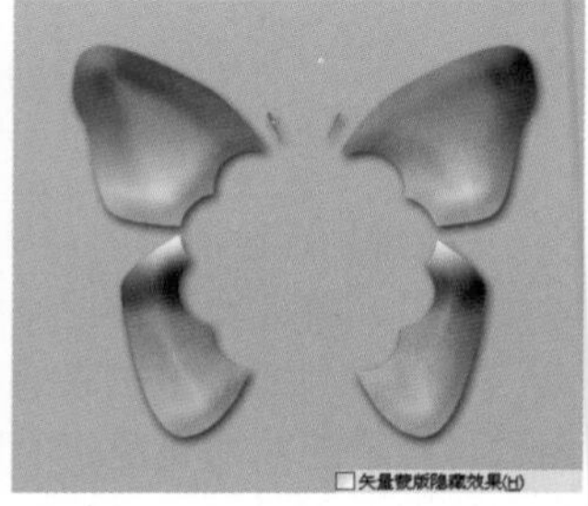

图12-15　图12-16

12.2 混合颜色带

混合颜色带是一种高级蒙版，它可以快速隐藏像素，创建图像混合效果，常用来隐藏火焰、烟花、云彩、闪电的背景。

12.2.1 解读混合颜色带

“混合颜色带”用来控制当前图层与它下面的图层混合时，在混合结果中显示哪些像素。打开一个文件，如图12-17所示，双击“图层1”，打开“图层样式”对话框。“混合颜色带”在对话框的底部，它包含一个“混合颜色带”下拉列表，“本图层”以及“下一图层”两组滑块，如图12-18所示。

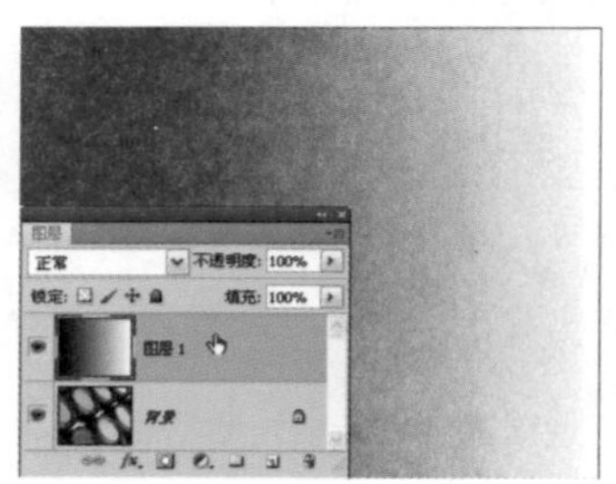

图12-17

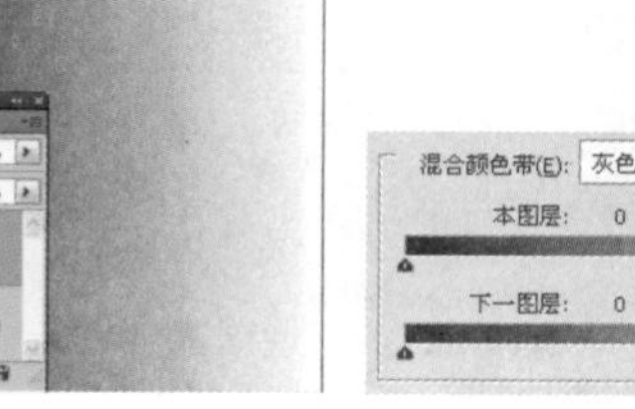

图12-18

- 本图层："本图层"是指我们当前正在处理的图层，拖动本图层滑块，可以隐藏当前图层中的像素，显示出下面图层中的内容。例如，将左侧的黑色滑块移向右侧时，当前图层中所有比该滑块所在位置暗的像素都会被隐藏，如图12-19所示；将右侧的白色滑块移向左侧时，当前图层中所有比该滑块所在位置亮的像素都会被隐藏，如图12-20所示。

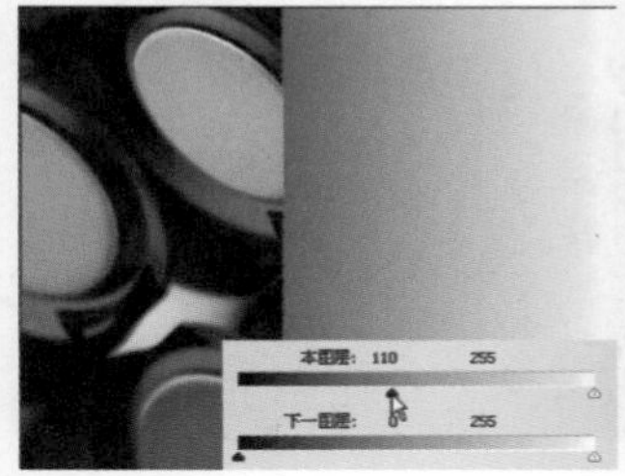
图12-19

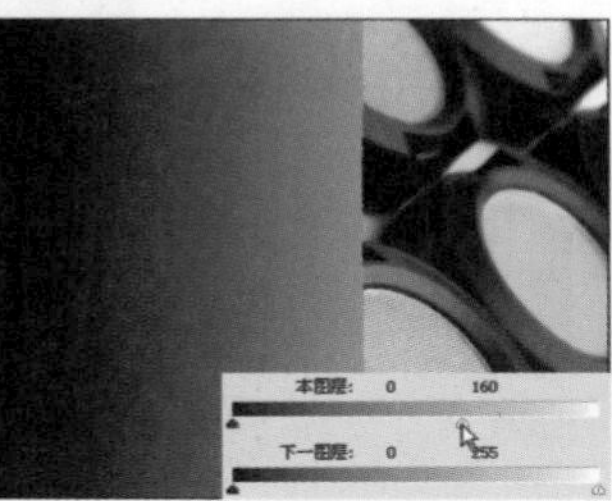
图12-20

- 下一图层："下一图层"是指当前图层下面的那一个图层，拖动下一图层中的滑块，可以使下面图层中的像素穿透当前图层显示出来。例如，将左侧的黑色滑块移向右侧时，可以显示下面图层中较暗的像素，如图12-21所示；将右侧的白色滑块移向左侧时，可以显示下面图层中较亮的像素，如图12-22所示。

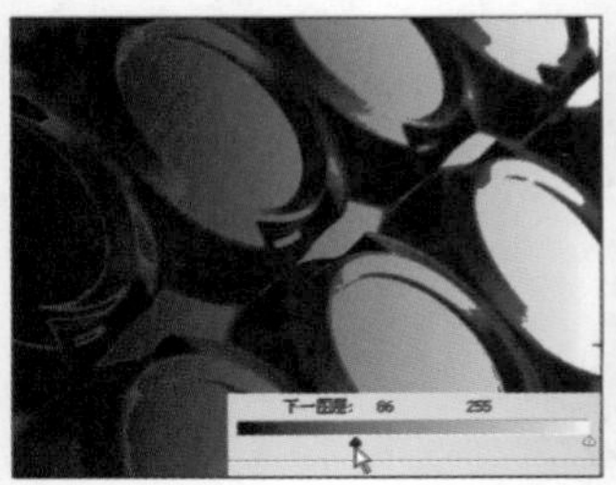
图12-21

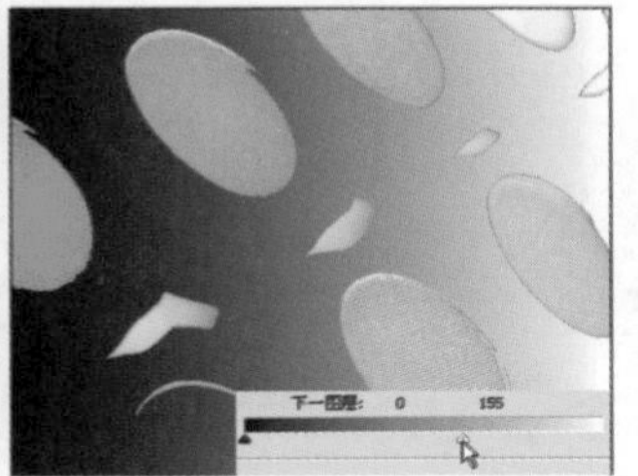
图12-22

- 混合颜色带：在该选项下拉列表中可以选择控制混合效果的颜色通道。选择"灰色"，表示使用全部颜色通道控制混合效果，也可以选择一个颜色通道来控制混合。

提示 使用混合滑块只能隐藏像素，而不是真正删除像素。重新打开"图层样式"对话框后，将滑块拖回原来的起始位置，便可以将隐藏的像素显示出来。

12.2.2 实战——烟花抠图

●实例门类：抠图+图像合成类 ●视频位置：光盘>实例视频>12.2.2

1 按下Ctrl+O快捷键，打开两个文件（光盘>素材>12.2.2a、12.2.2b），如图12-23、图12-24所示。下面我们来把烟花合成到夜景建筑照片中。

图12-23

图12-24

2 用多边形套索工具选择一处烟花，如图12-25所示，按住Ctrl键拖动到建筑照片中，如图12-26所示。

图12-25

图12-26

3 双击烟花图层，打开"图层样式"对话框。按住Alt键向右侧拖动本图层中的黑色滑块（它会分为两半），使烟花的黑色背景变为透明，如图12-27所示。单击"确定"按钮关闭对话框，合成效果如图12-28所示。

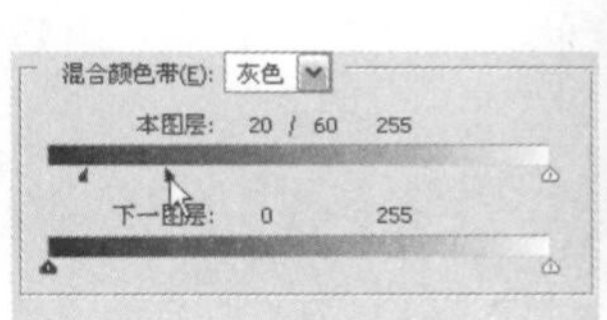

图12-27

图12-28

12.2.3 实战——烟雾抠图

●实例门类：抠图+图像合成类 ●视频位置：光盘>实例视频>12.2.3

1 按下Ctrl+O快捷键，打开两个文件（光盘>素材>12.2.3a、12.2.3b），如图12-29、图12-30所示。使用移动工具按住Shift键将烟雾图像拖动到人物文档中。

图12-29

图12-30

2 双击烟雾图层，打开“图层样式”对话框，设置混合模式为“滤色”，然后按住Alt键单击本图层中的黑色滑块，将它分开，再将右半边滑块向右侧拖动，使烟雾呈现透明效果，如图12-31、图12-32所示。单击“确定”按钮关闭对话框。

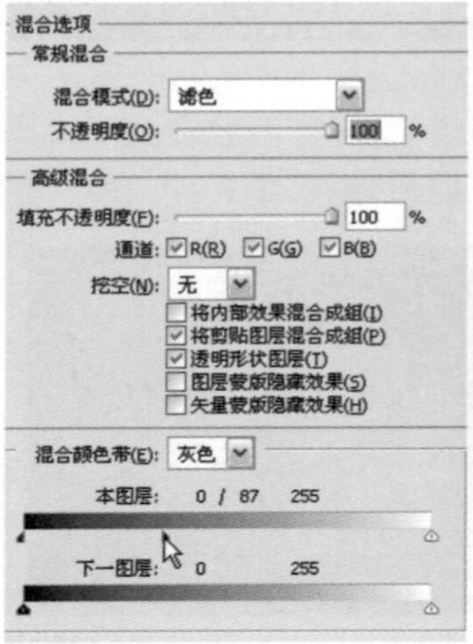

图12-31

图12-32

3 单击“图层”面板中的按钮，为烟雾图层添加图层蒙版。使用柔角画笔工具在烟雾的边缘涂抹黑色，将烟雾适当隐藏，如图12-33、图12-34所示。

图12-33

图12-34

提示 将滑块分开以后，可以在透明与非透明区域之间创建半透明的过渡区域。

12.3 应用图像命令

图层之间可以通过“图层”面板中的混合模式选项来相互混合，而通道之间则主要靠“应用图像”和“计算”来实现混合。这两个命令与混合模式的关系密切，常用来制作选区。“应用图像”命令还可以创建特殊的图像合成效果。

12.3.1 应用图像命令对话框

打开一个文件，如图12-35所示，执行“图像>应用图像”命令，打开“应用图像”对话框，如图12-36所示。

对话框中分为“源”、“目标”和“混合”3个选项设置区。其中，“源”是指参与混合的对象，“目标”是指被混合的对象（执行该命令前选择的图层或通道），“混合”用来控制“源”对象与“目标”对象如何混合。如图12-37所示为混合结果。

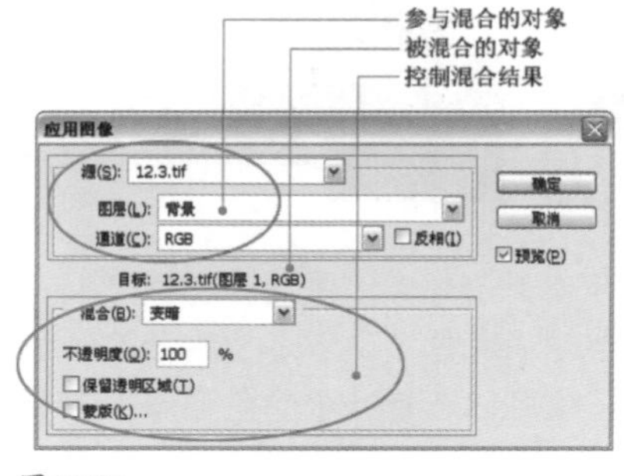

图12-36

图12-35

图12-37

12.3.2 设置参与混合的对象

在“应用图像”命令对话框中的“源”选项组中可以设置参与混合的源文件，如图12-38所示。源文件可以是图层，也可以是通道。

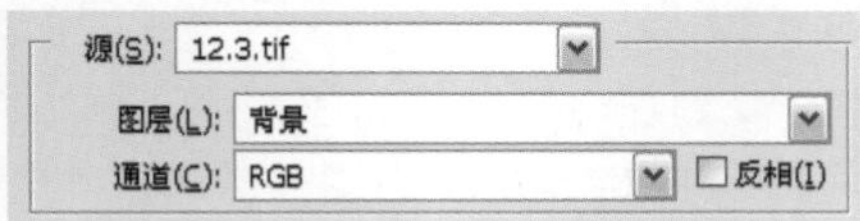

图12-38

- 源：默认为当前文件。也可以选择使用其他文件来与当前图像混合，但选择的文件必须打开，且与当前文件具有相同尺寸和分辨率的图像。
- 图层：如果源文件为分层的文件，可在该选项中选择源图像中的一个图层来参与混合。
- 通道：用来设置源文件中参与混合的通道。勾选“反相”，可将通道反相后再进行混合。

12.3.3 设置被混合的对象

“应用图像”命令的特别之处是必须在执行命令前选择被混合的目标文件。它可以是图层，也可以是通道，但无论是哪一种，都必须在执行该命令前首先将其选择。

12.3.4 设置混合模式和强度

选择混合模式

“应用图像”对话框的“混合”下拉列表中包含了可供选择的混合模式，只有设置混合模式才能混合通道或图层。该命令包含“图层”面板中没有的两个附加混合模式：“相加”和“减去”。“相加”模式可以增加两个通道中的像素值，如图12-39所示，这是在两个通道中组合非重叠图像的好方法；“减去”模式可以从目标通道中相应的像素上减去源通道中的像素值，如图12-40所示。

图12-39

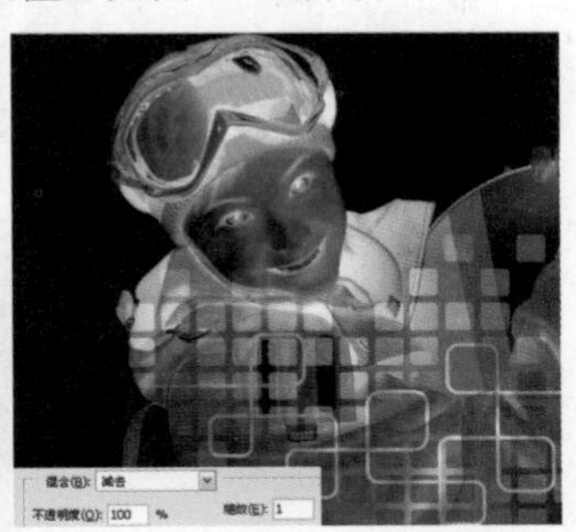

图12-40

控制混合强度

如果要控制通道或图层的混合强度，可以调整“不透明度”值，该值越高，混合的强度越大，如图12-41、图12-42所示。

图12-41

图12-42

12.3.5 控制混合范围

“应用图像”命令有两种控制混合范围的方法，一是勾选“保留透明区域”选项，将混合效果限定在图层的不透明区域的范围内，如图12-43所示。第二种方法是勾选“蒙版”选项，显示出隐藏的选项，如图12-44所示，然后选择包含蒙版的图像和图层。对于“通道”，可以选择任何颜色通道或 Alpha 通道以用作蒙版。也可使用基于现用选区或选中图层（透明区域）边界的蒙版。选择“反相”反转通道的蒙版区域和未蒙版区域。

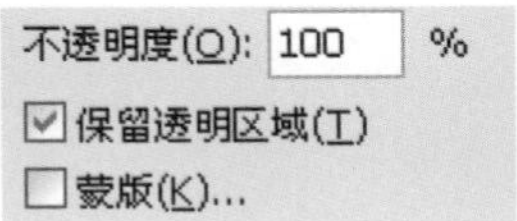

不透明度(O): 100 %
☑保留透明区域(T)
☐蒙版(K)...

图12-43

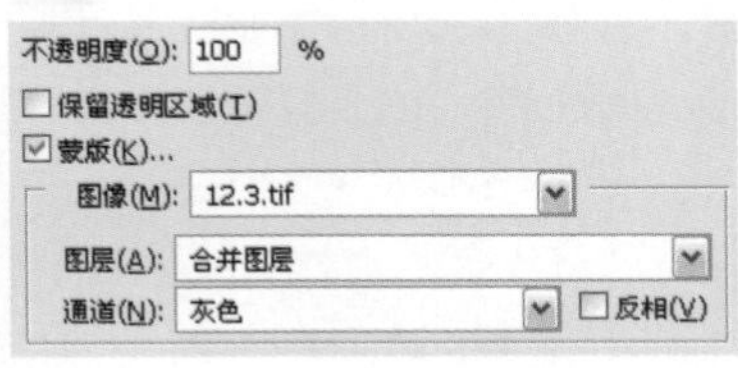

图12-44

12.4 计算命令

“计算”命令的工作原理与“应用图像”命令相同，它可以混合两个来自一个或多个源图像的单个通道。使用该命令可以创建新的通道和选区，也可生成新的黑白图像。

打开一个图像文件，如图12-45所示，执行“图像>计算”命令，打开“计算”对话框，如图12-46所示。

图12-45

图12-46

- 源1：用来选择第一个源图像、图层和通道。
- 源2：用来选择与“源1”混合的第二个源图像、图层和通道。该文件必须是打开的，并且与“源1”的图像具有相同尺寸和分辨率的图像。
- 结果：可以选择一种计算结果的生成方式。选择“通道”，可以将计算结果应用到新的通道中，参与混合的两个通道不会受到任何影响，如图12-47所示；选择“文档”，可得到一个新的黑白图像；选择“选区”，可得到一个新的选区，如图12-48所示。

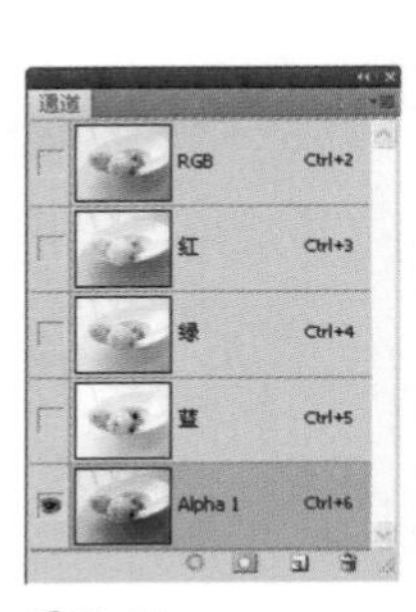

图12-47

图12-48

“计算”命令对话框中的“图层”、“通道”、“混合”、“不透明度”和“蒙版”等选项与“应用图像”命令相同。

12.5 通道与抠图

抠图是指将一个图像的部分内容准确地选取出来，使之与背景分离。在图像处理中，抠图是非常重要的工作，抠选的图像是否准确、彻底，是影响图像合成效果真实性的关键。

通道是非常强大的抠图工具，我们可以通过它将选区存储为灰度图像，再使用各种绘画工具、选择工具和滤镜来编辑通道，制作出精确的选区。由于可以使用许多重要的功能编辑通道，在通道中制作选区时，就要求操作者要具备全面的技术和融会贯通的能力。

例如，如图12-49所示为一个狗狗图像，它的毛发比较复杂，而且又分为深色和浅色两种。在制作毛发选区时，笔者用到了“通道混合器”、画笔工具和混合模式等功能，如图12-50所示为在通道中制作的选区，图12-51所示为抠出的图像，图12-52所示为加入新背景后的效果。

图12-49

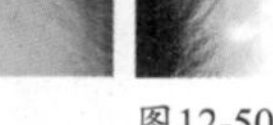
图12-50

图12-51

图12-52

对于像毛发类的细节较多且复杂的对象，烟雾、玻璃杯等带有一定透明度的对象，高速行驶的汽车、奔跑中的人物等模糊的对象，通道最佳的抠图工具。如图12-53、图12-54所示的冰雕是将选区与通道之间进行计算，得到更加准确的选区，进而抠选出来的。

相关链接：以上示例摘自笔者编著的《Photoshop CS2印象选择与抠像专业技法》。由于篇幅所限，本书没能对通道抠图做出详细讲解，如果要了解各种选择和抠图技法，可参阅此书。

原图像

图12-53

抠图后更换背景的效果

图12-54

12.6 通道与色彩

在“通道”面板中，颜色通道记录了图像的颜色信息，因此，对颜色通道进行的任何编辑都会影响图像的颜色。在第9章我们详细介绍过通道调色技术，这里就不再赘述了。我们重点来看一下色彩混合方式与通道的关系。

色彩混合分为加色混合与减色混合。加色混合是指将不同光源的辐射光投照在一起，产生出新的色光。我们在电脑、电视、幻灯片、网络、多媒体上接触的颜色就是通过这种方式合成的。由于所有的色彩都是由红（Red）、绿（Green）和蓝（Blue）三种光混合而成的，如图12-55所示，因此，这种模式称为RGB模式。而这三种光则分别存储在红、绿和蓝通道中，如图12-56所示。

颜料、染料、涂料、印刷油墨等属于减色混合。减色混合是指本身不能发光，却能吸收一部分投照来的光，并将余下的光反射出去的色料混合。例如，各种印刷颜色都是通过青（Cyan）、洋红（Magenta）、黄（Yellow）、黑（Black）四种油墨混合而成的，如图12-57所示。这几种油墨存储在CMYK模式的各个颜色通道中，如图12-58所示。

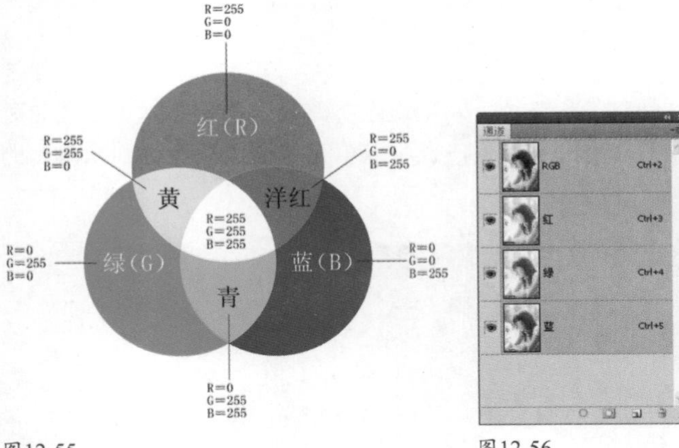

图12-55

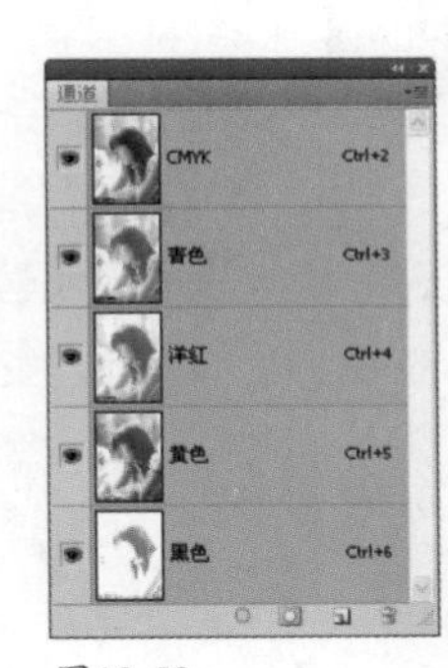

图12-56

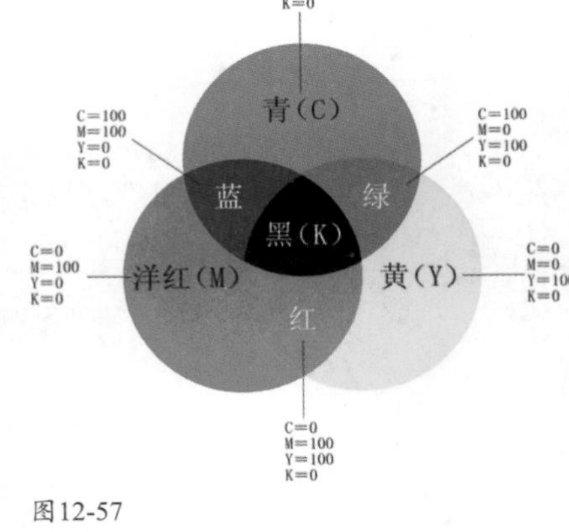

图12-57

图12-58

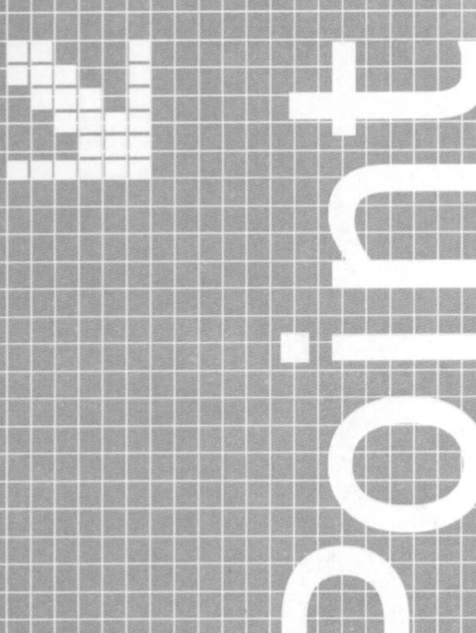

第13章 矢量工具与路径

Learning Objectives
学习重点

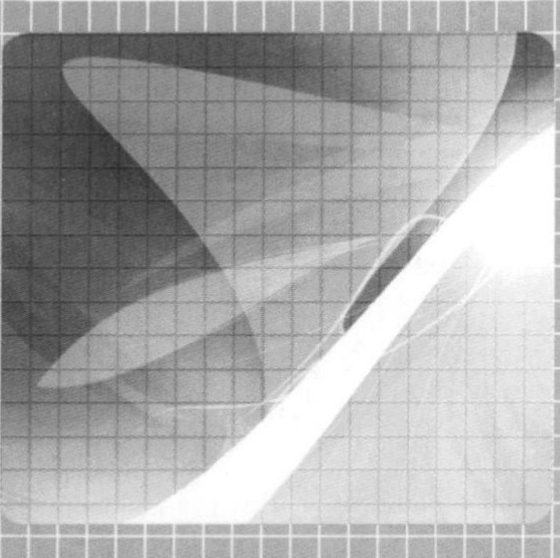

13.1 了解绘图模式

Photoshop中的钢笔和形状等矢量工具可以创建不同类型的对象，包括形状图层、工作路径和像素图形。选择一个矢量工具后，需要先在工具选项栏中按下相应的按钮，指定一种绘制模式，然后才能绘图。如图13-1所示为钢笔工具的选项栏中包含的绘制模式按钮。

图13-1

形状图层

按下形状图层按钮后，可在单独的形状图层中创建形状。形状图层由填充区域和形状两部分组成，填充区域定义了形状的颜色、图案和图层的不透明度，形状则是一个矢量蒙版，它定义了图像显示和隐藏区域。形状是路径，它出现在“路径”面板中，如图13-2所示。

图13-2

相关链接：关于矢量蒙版的详细内容，请参阅“11.3 矢量蒙版”。

工作路径

按下路径按钮后，可以创建工作路径，它出现在“路径”面板中，如图13-3所示。工作路径可以转换为选区、创建矢量蒙版，也可以填充和描边从而得到光栅化的图像。

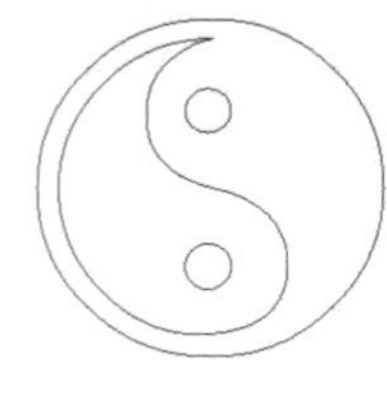

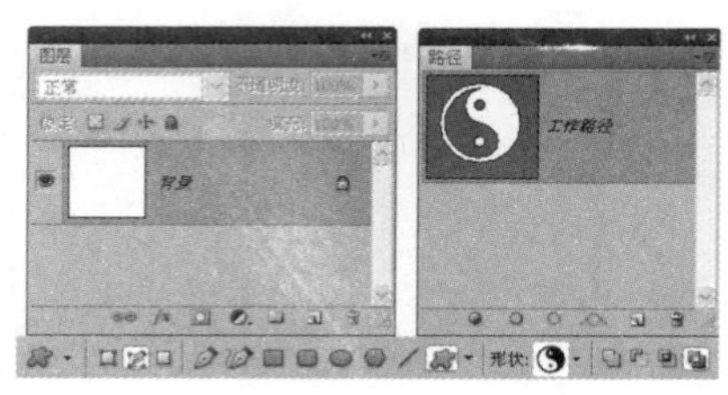

图13-3

PHOTOSHOP

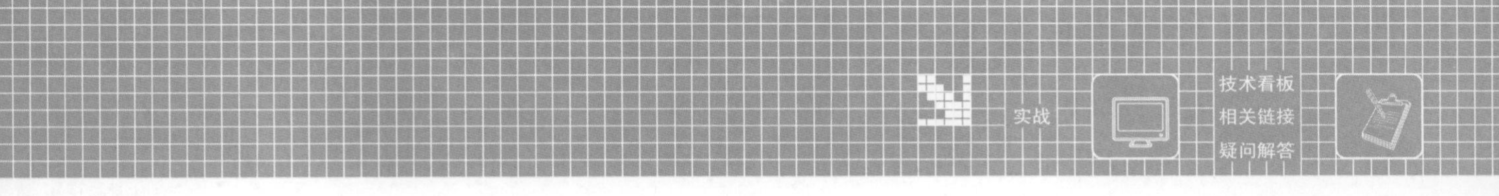

填充区域

按下填充像素按钮▢后，可以在当前图层上绘制栅格化的图形（图形的填充颜色为前景色）。由于不能创建矢量图形，因此，“路径”面板中也不会有路径，如图13-4所示。该选项不能用于钢笔工具。

图13-4

提示 Photoshop中可以保存矢量内容的文件格式为PSD、TIFF和PDF格式。

13.2 了解路径与锚点的特征

在使用矢量工具，尤其是钢笔工具时，必须了解路径与锚点的用途。我们下面就来了解路径与锚点的特征以及它们之间的关系。

13.2.1 认识路径

路径是可以转换为选区或使用颜色填充和描边的轮廓，它包括有起点和终点的开放式路径，如图13-5所示，以及没有起点和终点的闭合式路径两种，如图13-6所示。此外，路径也可以由多个相互独立的路径组件组成，这些路径组件称为子路径，如图13-7所示的路径中包含3个子路径。

图13-5

图13-6

图13-7

13.2.2 认识锚点

路径由直线路径段或曲线路径段组成，它们通过锚点连接。锚点分为两种，一种是平滑点，另外一种是角点，平滑点连接可以形成平滑的曲线，如图13-8所示；角点连接形成直线，如图13-9所示，或者转角曲线，如图13-10所示。曲线路径段上的锚点有方向线，方向线的端点为方向点，它们用于调整曲线的形状。

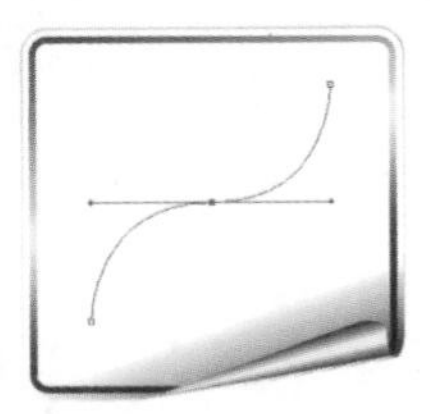

图13-8

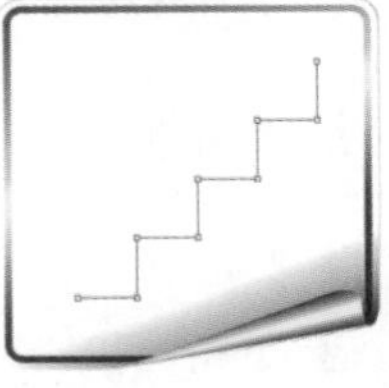
图13-9

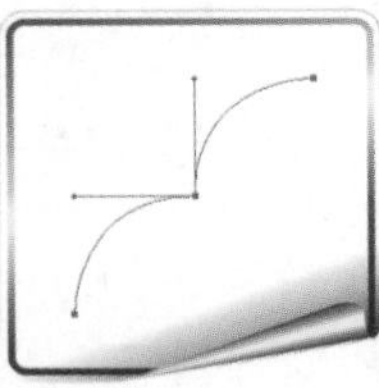
图13-10

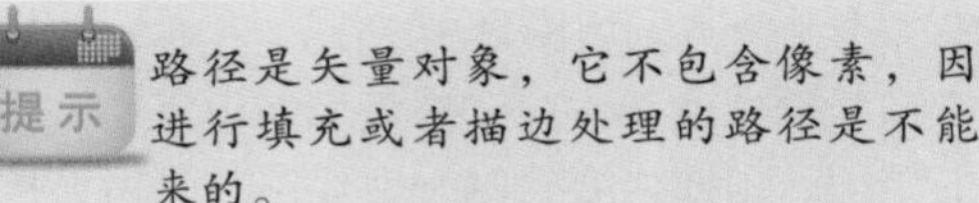
提示 路径是矢量对象，它不包含像素，因此，没有进行填充或者描边处理的路径是不能被打印出来的。

13.3 使用钢笔工具绘图

钢笔工具是Photoshop中最为强大的绘图工具，它主要有两种用途：一是绘制矢量图形，二是用于选取对象。在作为选取工具使用时，钢笔工具描绘的轮廓光滑、准确，将路径转换为选区就可以准确地选择对象。

13.3.1 实战——绘制直线

●实例门类：软件功能类 ●视频位置：光盘>实例视频>13.3.1

1 选择钢笔工具，在工具选项栏中按下路径按钮。将光标移至画面中（光标变为状），单击可创建一个锚点，如图13-11所示。

2 放开鼠标按键，将光标移至下一处位置单击，创建第二个锚点，两个锚点会连接成一条由角点定义的直线路径。在其他区域单击可继续绘制直线路径，如图13-12所示。

3 如果要闭合路径，可以将光标放在路径的起点，当光标变为状时，如图13-13所示，单击即可闭合路径，如图13-14所示。如果要结束一段开放式路径的绘制，可以按住Ctrl键（转换为直接选择工具）在画面的空白处单击，单击其他工具，或者按下Esc键也可以结束路径的绘制。

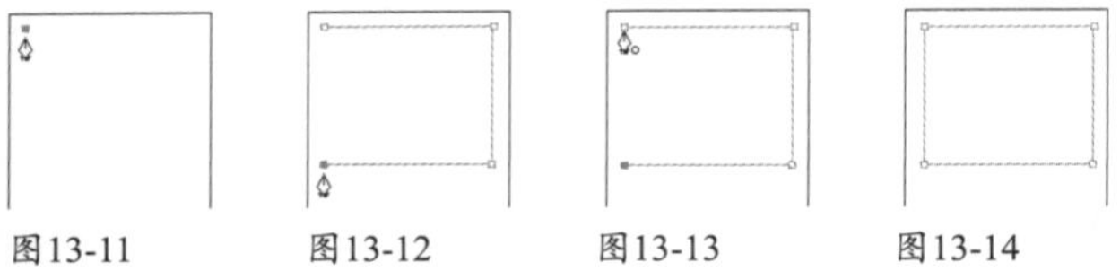

图13-11 图13-12 图13-13 图13-14

直线的绘制方法比较容易，在操作时只能单击，不要拖动鼠标，否则将创建曲线路径。如果要绘制水平、垂直或以45°角为增量的直线，可以按住Shift键操作。

13.3.2 实战——绘制曲线

●实例门类：软件功能类 ●视频位置：光盘>实例视频>13.3.2

1 选择钢笔工具，按下路径按钮，在画面中单击并向上拖动创建一个平滑点，如图13-15所示。

2 将光标移动至下一处位置，如图13-16所示，单击并向下拖动创建第二个平滑点，如图13-17所示。在拖动的过程中可以调整方向线的长度和方向，进而影响由下一个锚点生成的路径的走向，因此，要绘制好曲线路径，需要控制好方向线。

3 继续创建平滑点，可以生成一段光滑的曲线，如图13-18所示。

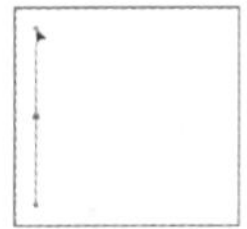

图13-15

图13-16

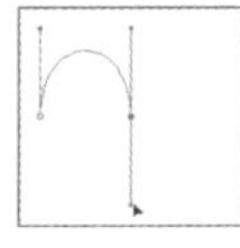

图13-17

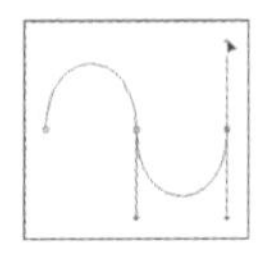

图13-18

技术看板 58 贝赛尔曲线

钢笔工具绘制的曲线叫做贝赛尔曲线。它是由法国计算机图形学大师Pierre E.Bézier在20世纪70年代早期开发的一种锚点调节方式，其原理是在锚点上加上两个控制柄，不论调整哪一个控制柄，另外一个始终与它保持成一直线并与曲线相切。贝塞尔曲线具有精确和易于修改的特点，被广泛地应用在计算机图形领域，如Illustrator、CorelDraw、FreeHand、Flash、3ds max等软件都包含绘制贝塞尔曲线的功能。

13.3.3 实战——绘制转角曲线

●实例门类：软件功能类 ●视频位置：光盘>实例视频>13.3.3

通过单击并拖动鼠标的方式可以绘制光滑流畅的曲线，但是如果想要绘制与上一段曲线之间出现转折的曲线（即转角曲线），就需要在创建锚点前改变方向线的方向。我们下面就通过转角曲线绘制一个心形图形。

1 新建一个大小为788×788像素，分辨率为100像素/英寸的文件。执行“视图>显示>网格”命令显示网格，通过网格辅助绘图很容易创建对称图形。当前的网格颜色为黑色，不利于观察路径，可执行“编辑>首选项>参考线、网格和切片”命令，将网格颜色改为灰色，如图13-19所示。

图13-19

2 选择钢笔工具，按下路径按钮。在网格点上单击并画面向右上方拖动鼠标，创建一个平滑点，如图13-20所示；将光标移至下一个锚点处，单击并向下拖动鼠标创建曲线，如图13-21所示；将光标移至下一个锚点处，单击但不要拖动鼠标，创建一个角点，如图13-22所示，这样就完成了右侧心形的绘制。

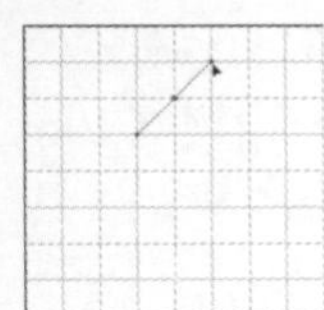
图13-20

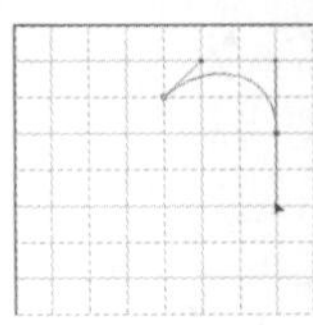
图13-21

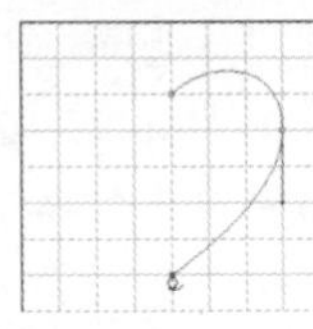
图13-22

3 在如图13-23所示的网格点上单击并向上拖动鼠标，创建曲线；将光标移至路径的起点上，单击鼠标闭合路径，如图13-24所示。

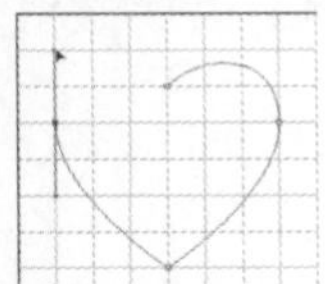
图13-23

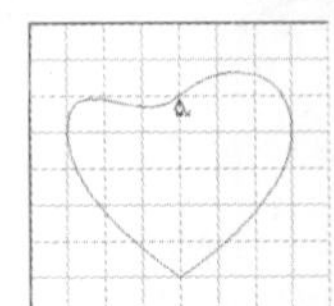
图13-24

4 按住Ctrl键切换为直接选择工具，在路径的起始处单击显示锚点，如图13-25所示，此时当前锚点上会出现两条方向线；将光标移至左下角的方向线上，按住Alt键切换为转换点工具，如图13-26所示；单击并向上拖动该方向线，使之与右侧的方向线对称，如图13-27所示。按下Ctrl+'快捷键隐藏网格，完成绘制，如图13-28所示。

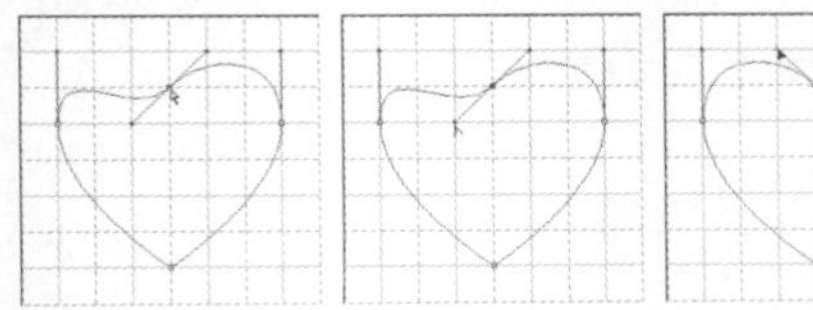
图13-25　图13-26

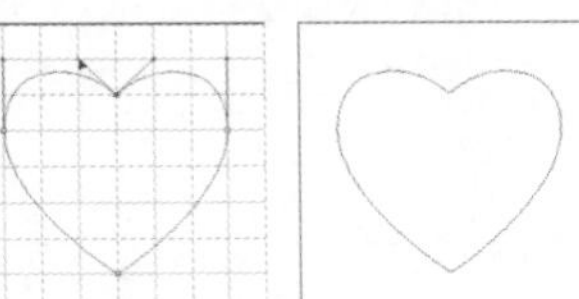
图13-27　图13-28

13.3.4 实战——创建自定义形状

●实例门类：软件功能类　●视频位置：光盘>实例视频>13.3.4

我们自己绘制的形状可以保存为自定义的形状，以后需要该形状时，便可以随时调用，而不必重新绘制。我们来进行下面的操作，将前面绘制的心形保存为自定义形状。

1 单击"路径"面板中的工作路径，选择该路径，画面中会显示心形图形，如图13-29、图13-30所示。

2 执行"编辑>定义自定形状"命令，打开"形状名称"对话框，输入名称，如图13-31所示，单击"确定"按钮保存。

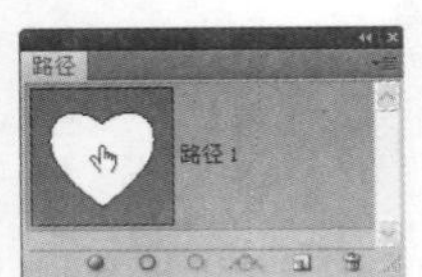

图13-29

图13-30

图13-31

3 需要使用该形状时，可选择自定形状工具，单击工具选项栏"形状"选项右侧的按钮，打开下拉面板就可以找到它，如图13-32所示。图13-33所示为心形的应用效果（添加了"内发光效果"）。

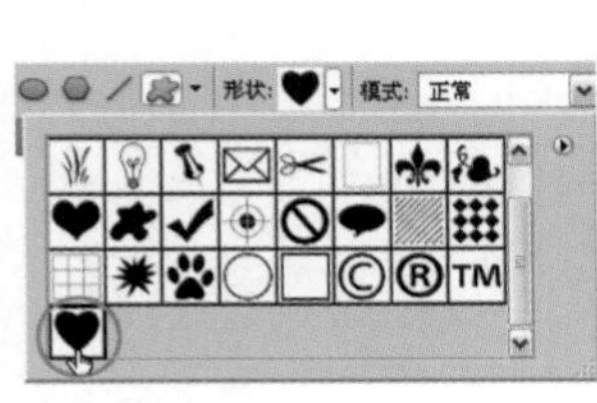

图13-32

图13-33

13.3.5 钢笔选项

选择钢笔工具，在工具选项栏中单击自定形状工具右侧的按钮，打开下拉面板，勾选"橡皮带"选项，如图13-34所示。绘制路径时，可以预先看到将要创建的路径段，从而判断出路径的走向，如图13-35、图13-36、图13-37所示。

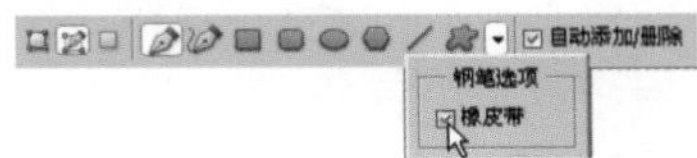

图13-34

图13-35

图13-36

图13-37

13.3.6 使用自由钢笔工具

自由钢笔工具用来绘制比较随意的图形，它的使用方法与套索工具非常相似。选择该工具后，在画面中单击并拖动鼠标即可绘制路径，路径的形状为光标运行的轨迹，Photoshop会自动为路径添加锚点。图13-38、图13-39所示为使用自由钢笔工具绘制的路径。

图13-38

图13-39

提示 如果当前使用的是钢笔工具或任意形状工具，可在工具选项栏中单击自由钢笔工具按钮，切换为自由钢笔工具。

13.3.7 使用磁性钢笔工具

选择自由钢笔工具后，在工具选项栏中勾选“磁性的”选项，可将自由钢笔工具转换为磁性钢笔工具。磁性钢笔与磁性套索工具非常相似，在使用时，只需在对象边缘单击，然后放开鼠标按键，沿边缘拖动即可创建路径。在绘制时，可按下Delete键删除锚点，双击则闭合路径。如图13-40、图13-41、图13-42所示为使用磁性钢笔工具绘制的路径。

单击工具选项栏中的按钮，可打开如图13-43所示的下拉面板。“曲线拟合”和“钢笔压力”是自由钢笔工具和磁性钢笔的共同选项，“磁性的”是控制磁性钢笔工具的选项。

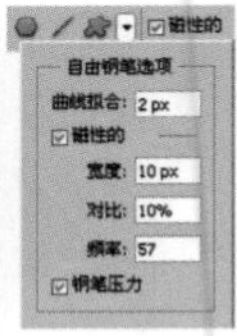

图13-40　图13-41　图13-42　图13-43

- 曲线拟合：控制最终路径对鼠标或压感笔移动的灵敏度，该值越高，生成的锚点越少，路径也越简单。
- 磁性的：“宽度”用于设置磁性钢笔工具的检测范围，该值越高，工具的检测范围就越广；“对比”用于设置工具对于图像边缘的敏感度，如果图像的边缘与背景的色调比较接近，可将该值设置得大一些；“频率”用于确定锚点的密度，该值越高，锚点的密度越大。
- 钢笔压力：如果计算机配置有数位板，则可以选择“钢笔压力”选项，通过钢笔压力控制检测宽度，钢笔压力的增加将导致工具的检测宽度减小。

13.4 编辑路径

使用钢笔工具绘图或者描摹对象的轮廓时，有时不能一次就绘制准确，而是需要在绘制完成后，通过对锚点和路径的编辑来达到目的。下面就让我们来了解如何编辑锚点和路径。

13.4.1 选择与移动锚点、路径段和路径

选择锚点、路径段和路径

使用直接选择工具单击一个锚点即可选择该锚点，选中的锚点为实心方块，未选中的锚点为空心方块，如图13-44所示。单击一个路径段时，可以选择该路径段，如图13-45所示。

图13-44

图13-45

使用路径选择工具单击路径即可选择路径，如图13-46所示。如果勾选工具选项栏中的“显示定界框”选项，则所选路径会显示定界框，如图13-47所示，拖动控制点可以对路径进行变换操作。如果要添加选择锚点、路径段或者路径，可以按住Shift键逐一单击需要选择的对象，也可以单击并拖动出一个选框，将需要选择的对象框选，如图13-48所示。如果要取消选择，可在画面空白处单击。

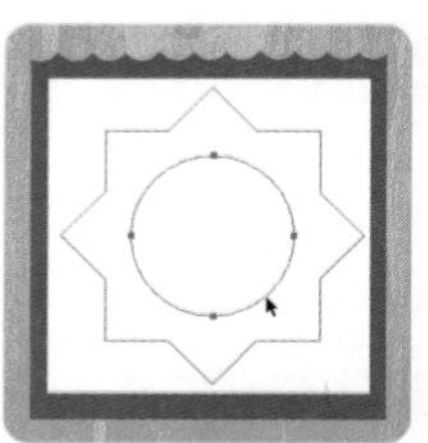
图13-46

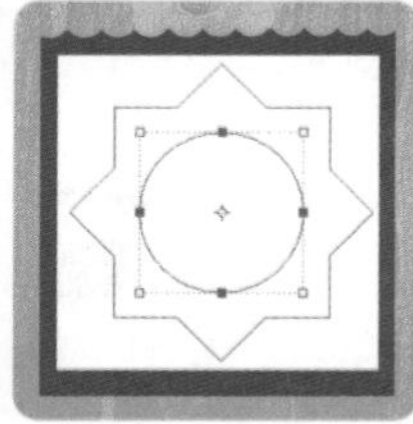
图13-47

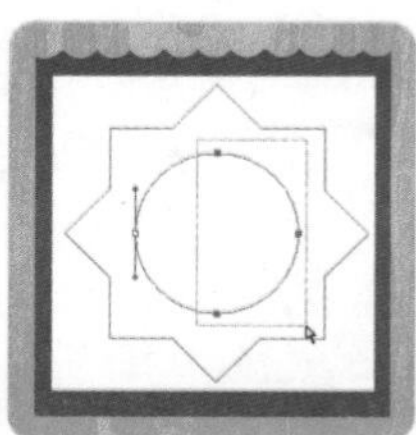
图13-48

移动锚点、路径段和路径

选择锚点、路径段和路径后，按住鼠标按键不放并拖动，即可将其移动。如果选择了锚点，光标从锚点上移开，这时又想移动锚点，则应将光标重新定位在锚点上，单击并拖动鼠标才能将其移动，否则，只能在画面中拖动出一个矩形框，可以框选锚点或者路径段，但不能移动锚点。路径也是如此，从选择的路径上移开光标后，需要重新将光标定位在路径上才能将其移动。

提示 按住Alt键单击一个路径段，可以选择该路径段及路径段上的所有锚点。

13.4.2 添加锚点与删除锚点

添加锚点

选择添加锚点工具，将光标放在路径上，如图13-49所示，当光标变为状时，单击即可添加一个角点，如图13-50所示；如果单击并拖动鼠标，则可以添加一个平滑点，如图13-51所示。

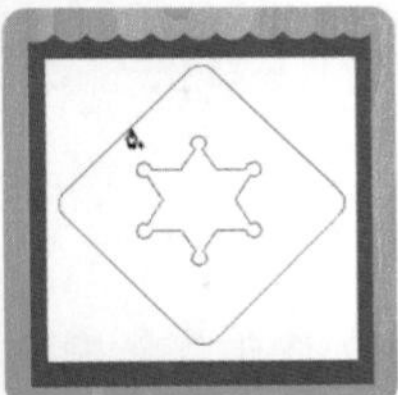
图13-49

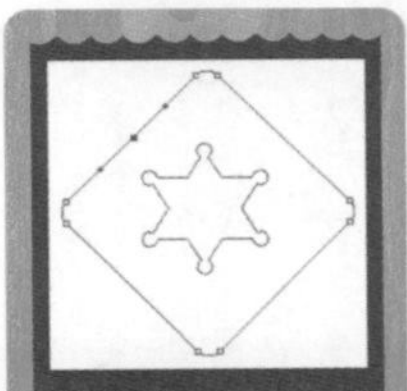
图13-50

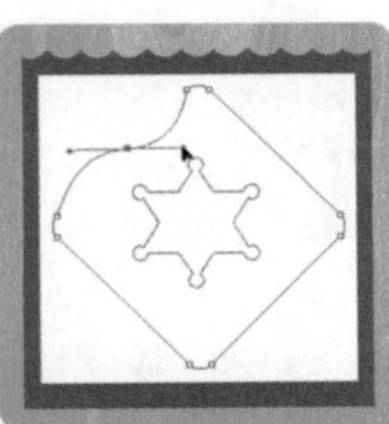
图13-51

删除锚点

选择删除锚点工具，将光标放在锚点上，如图13-52所示，当光标变为状时，单击即可删除该锚点，如图13-53所示。使用直接选择工具选择锚点后，按下Delete键也可以将其删除，但该锚点两侧的路径段也会同时删除。如果路径为闭合式路径，则会变为开放式路径，如图13-54所示。

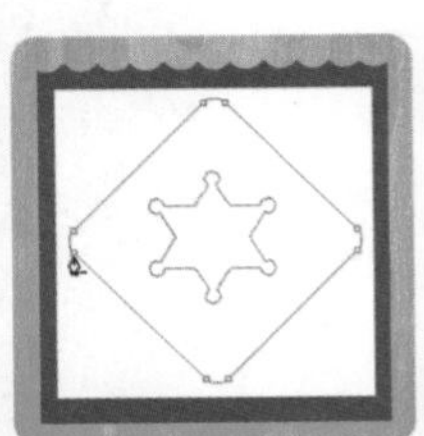
图13-52

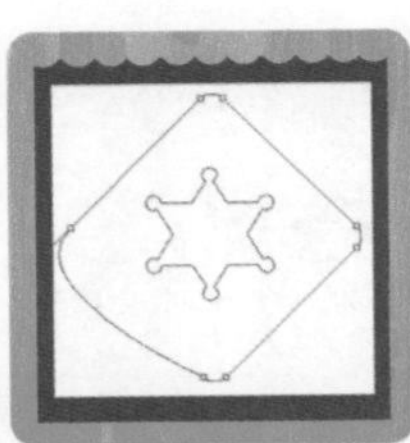
图13-53

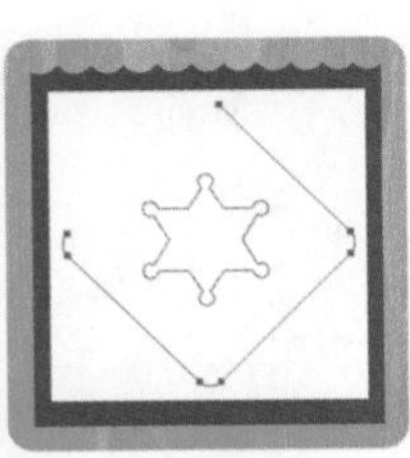
图13-54

钢笔工具的使用技巧

使用钢笔工具时，光标在路径和锚点上会有不同的显示状态，通过对光标的观察可以判断钢笔工具此时的功能，从而更加灵活地使用钢笔工具。

- ：当光标在画面中显示为状时，单击可以创建一个角点；单击并拖动鼠标可以创建一个平滑点。
- ：在工具选项栏中勾选了“自动添加/删除”选项后，当光标在路径上变为状时单击，单击可在路径上添加锚点。
- ：勾选了“自动添加/删除”选项后，当光标在锚点上变为状时，单击可删除该锚点。
- ：在绘制路径的过程中，将光标移至路径起始的锚点上，光标会变为状，此时单击可闭合路径。
- ：选择一个开放式路径，将光标移至该路径的一个端点上，光标变为状时单击，然后便可继续绘制该路径；如果在绘制路径的过程中将钢笔工具移至另外一条开放路径的端点上，光标变为状时单击，可以将这两段开放式路径连接成为一条路径。

13.4.3 转换锚点的类型

转换点工具用于转换锚点的类型。选择该工具后，将光标放在锚点上，如果当前锚点为角点，单击并拖动鼠标可将其转换为平滑点，如图13-55、图13-56所示；如果当前锚点为平滑点，则单击可将其转换为角点，如图13-57所示。

图13-55

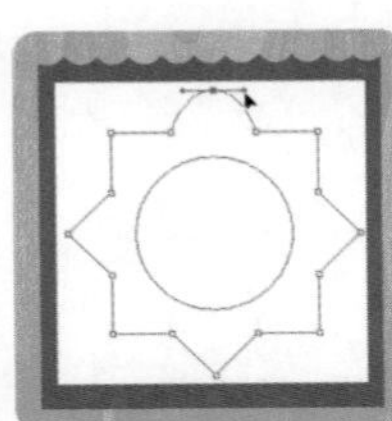
图13-56

图13-57

技术看板 59 锚点的转换技巧

使用直接选择工具时，按住Ctrl+Alt键（可切换为转换点工具）单击并拖动锚点，可将其转换为平滑点；按住Ctrl+Alt键单击平滑点可将其转换为角点。

使用钢笔工具时，将光标放在锚点上时，按住Alt键（可切换为转换点工具）单击并拖动角点可将其转换为平滑点；按住Alt键单击平滑点则可将其转换为角点。

13.4.4 调整路径形状

方向线和方向点的用途

在曲线路径段上，每个锚点都包含一条或两条方向线，方向线的端点是方向点，如图13-58所示，移动方向点能够调整方向线的长度和方向，从而改变曲线的形状。当移动平滑点上的方向线时，将同时调整该点两侧的曲线路径段，如图13-59所示；移动角点上的方向线时，则只调整与方向线同侧的曲线路径段，如图13-60所示。

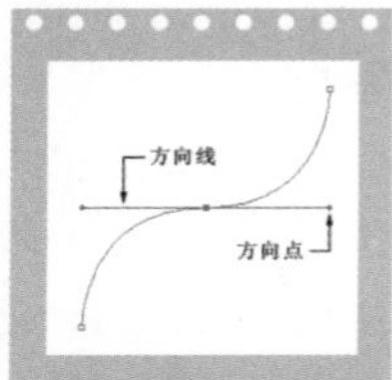

方向线和方向点

图13-58

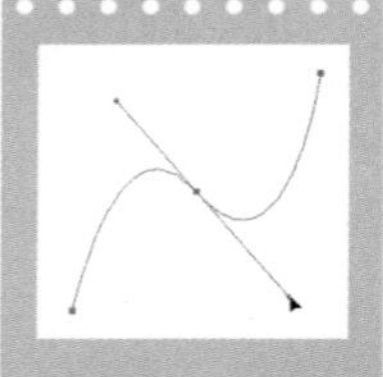
移动平滑点上的方向线

图13-59

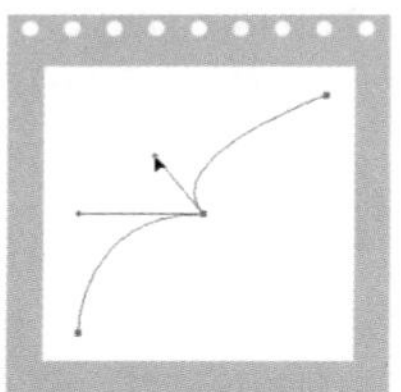
移动角点上的方向线

图13-60

调整方向线

直接选择工具和转换点工具都可以调整方向线。例如，如图13-61所示为原图形，使用直接选择工具拖动平滑点上的方向线时，方向线始终保持为一条直线状态，锚点两侧的路径段都会发生改变，如图13-62所示；使用转换点工具拖动方向线时，则可以单独调整平滑点任意一侧的方向线，而不会影响到另外一侧的方向线和同侧的路径段，如图13-63所示。

图13-61

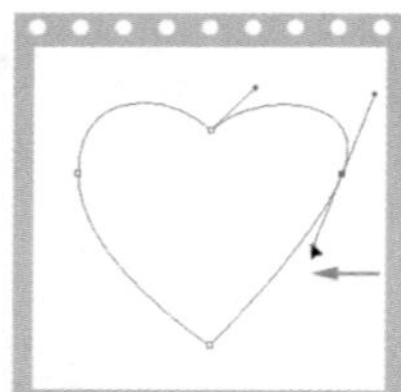
图13-62

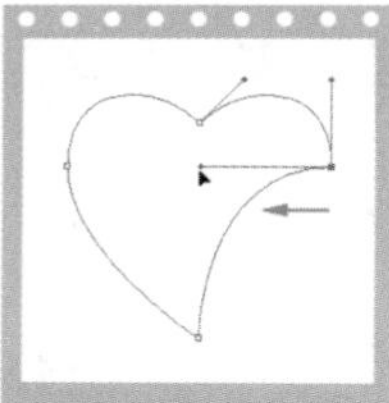
图13-63

使用钢笔工具时，按住Ctrl键单击路径可以显示锚点，单击锚点则可以选择锚点，按住Ctrl键拖动方向点可以调整方向线。

13.4.5 路径的运算方法

使用钢笔或形状工具创建多个子路径时，可以在工具选项栏按下相应的按钮，以确定子路径的重叠区域会产生怎样的交叉结果。下面我们就通过创建形状图层来了解路径运算的结果，我们将在一个邮票状图形上添加一个人物图形为来了解这两个路径之间运算会产生怎样的结果，如图13-64所示。

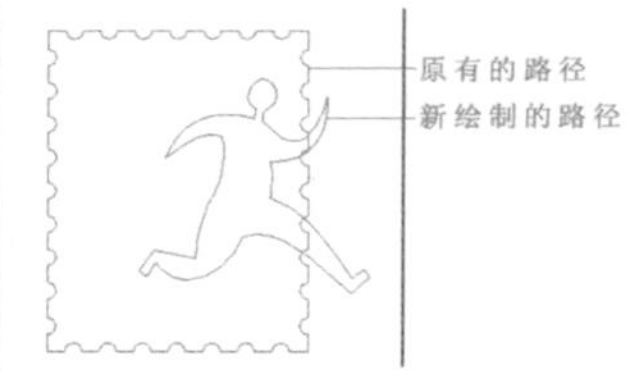

图13-64

- 添加到形状区域：按下该按钮，新绘制的图形会添加到现有的图形中，如图13-65所示。

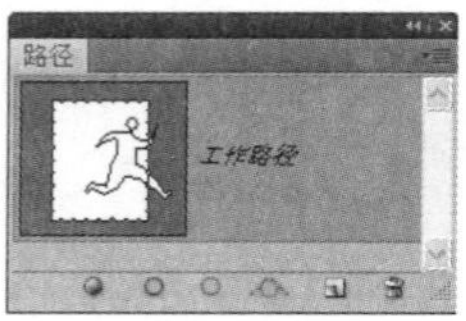

图13-65

- 从形状区域减去：按下该按钮，可从现有的图形中减去新绘制的图形，如图13-66所示。

图13-66

- 交叉形状区域：按下该按钮，得到的图形为新图形与现有图形的交叉区域，如图13-67所示。

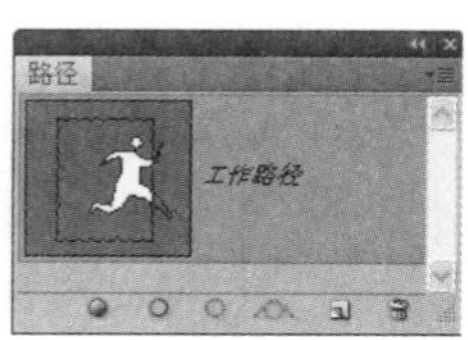

图13-67

- 重叠形状区域除外：按下该按钮，得到的图形为合并路径中排除重叠的区域，如图13-68所示。

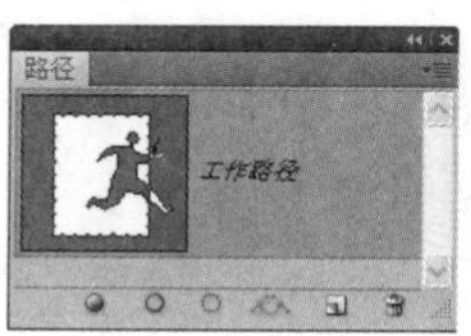

图13-68

如果选择了多锚点，则“编辑”菜单中“变换”命令会变为“变换点”命令。

提示 创建路径后，也可以使用路径选择工具选择多个子路径，然后通过单击工具选项栏中的运算按钮进行路径运算。如果按下“组合”按钮，则可以合并重叠的路径组件。

13.4.6 路径的变换操作

在“路径”面板中选择路径，执行“编辑>变换路径”下拉菜单中的命令可以显示定界框，拖动控制点即可对路径进行缩放、旋转、斜切、扭曲等变换操作。路径的变换方法与变换图像的方法相同，可参阅“3.15 图像的变换与变形操作”。

13.4.7 对齐与分布路径

使用路径选择工具选择多个子路径，单击工具选项栏中的对齐与分布按钮，即可对所选路径进行对齐与分布操作，如图13-69所示。

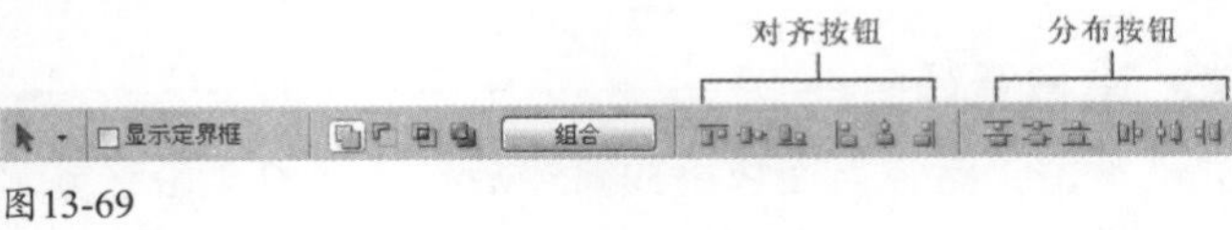

图13-69

对齐路径

对齐按钮包括顶对齐、垂直居中对齐、底对齐、左对齐、水平居中对齐和右对齐，如图13-70所示为按下不同按钮的对齐结果。

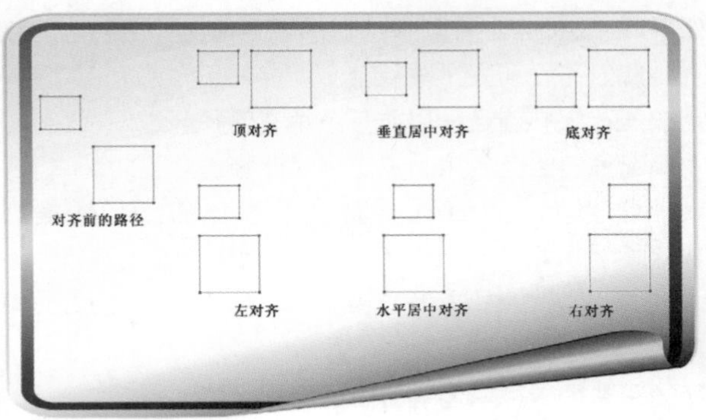

图13-70

分布路径

分布按钮包括按顶分布、垂直居中分布、按底分布、按左分布、水平居中分布和按右分布。要分布路径，应至少选择3个路径组件，如图13-71所示为按下不同按钮的分布结果。

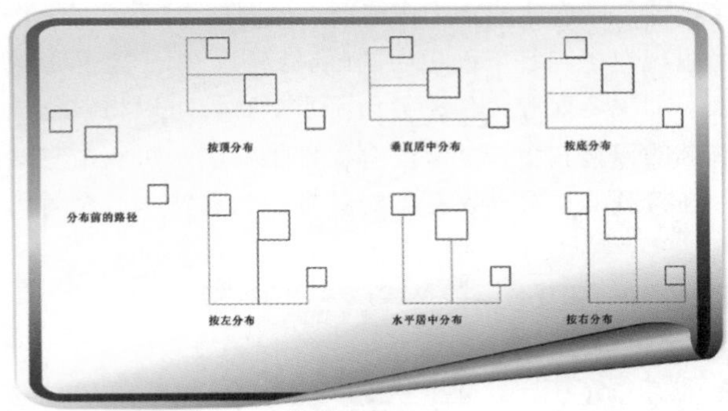

图13-71

13.5 路径面板

“路径”面板用于保存和管理路径，面板中显示了每条存储的路径，当前工作路径和当前矢量蒙版的名称和缩览图。下面来看一下怎样使用“路径”面板。

13.5.1 了解路径面板

执行“窗口>路径”命令，打开“路径”面板，如图13-72所示，图13-73所示为面板菜单。

图13-72

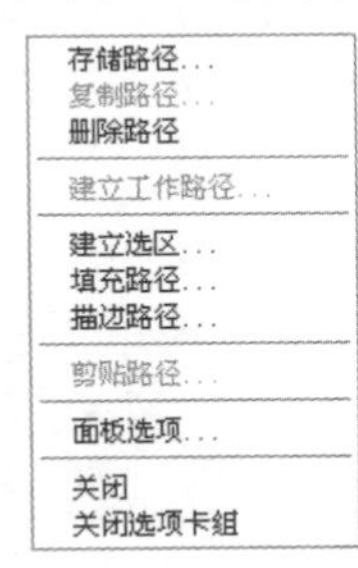

图13-73

- 路径/工作路径/矢量蒙版：显示了当前文件中包含的路径，临时路径和矢量蒙版。
- 用前景色填充路径：用前景色填充路径区域。
- 用画笔描边路径：用画笔工具对路径进行描边。
- 将路径作为选区载入：将当前选择的路径转换为选区。
- 从选区生成工作路径：从当前的选区中生成工作路径。
- 创建新路径：可创建新的路径层。
- 删除当前路径：可删除当前选择的路径。

13.5.2 了解工作路径

使用钢笔工具或形状工具绘图时，如果单击“路径”面板中的创建新路径按钮，新建一个路径层，然后再绘图，可以创建路径，如图13-74所示；如果没有按下按钮而直接绘图，则创建的是工作路径，如图13-75所示。工作路径是出现在“路径”面板中的临时路径，用于定义形状的轮廓。如果要保存工作路径而不重名称，可以将它拖至面板底部的按钮上；如果要存储并重命名，可双击它的名称，在打开的“存储路径”对话框中为它输入一个新名称。

图13-74

图13-75

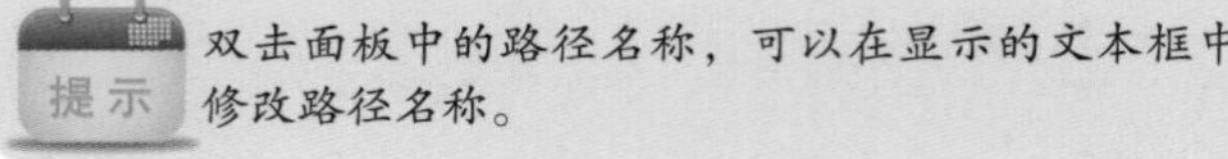

提示 双击面板中的路径名称，可以在显示的文本框中修改路径名称。

13.5.3 新建路径

单击“路径”面板中的创建新路径按钮，可以创建新路径层，如图13-76所示。如果要在新建路径时设置路径的名称，可以按住Alt键单击按钮，在打开的“新建路径”对话框中输入路径的名称，如图13-77、图13-78所示。

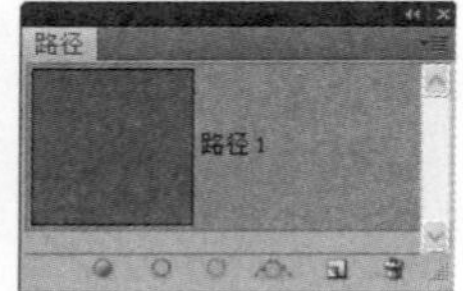

图13-76

图13-77

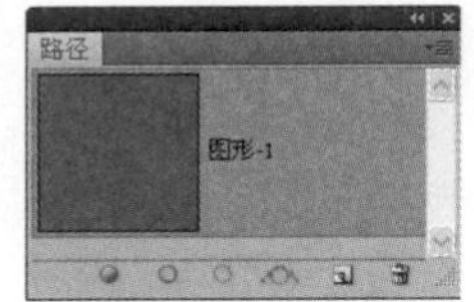

图13-78

13.5.4 选择路径与隐藏路径

选择路径

单击“路径”面板中的路径即可选择该路径，如图13-79所示。在面板的空白处单击，可以取消选择路径，如图13-80所示，同时也会隐藏文档窗口中的路径。

图13-79

图13-80

隐藏路径

单击“路径”面板中的路径后，画面中会始终显示该路径，即使是使用其他工具进行图像处理时也是如此。如果要保持路径的选择状态，但不希望路径对视线造成干扰，可按下Ctrl+H快捷键隐藏画面中的路径。再次按下该快捷键可以重新显示路径。

13.5.5 复制与删除路径

在“路径”面板中复制

在“路径”面板中将路径拖动到按钮上，可以复制该路径。如果要复制并重命名路径，可以选择路径，然后执行面板菜单中的“复制路径”命令，在打开“复制路径”对话框中输入新路径的名称。

通过剪贴板复制

使用路径选择工具选择画面中的路径，执行“编辑>拷贝”命令，可以将路径复制到剪贴板，执行“编辑>粘贴”命令，可以粘贴路径。如果在其他图像中执行“粘贴”命令，则可将路径粘贴到该图像中。如图13-81所示为复制的路径，图13-82所示为将它粘贴到另一个文件的效果。

图13-81

图13-82

用路径选择工具选择路径后，可直接将其拖动到其他图像中。

删除路径

在“路径”面板中选择路径，单击删除当前路径按钮，在弹出的对话框中单击“是”按钮即可将其删除，也可以将路径拖动到该按钮上直接删除。用路径选择工具选择路径时，按下Delete键也可以将其删除。

13.5.6 实战——路径与选区的相互转换

●实例门类：软件功能类　●视频位置：光盘>实例视频>13.5.6

1 打开一个文件（光盘>素材>13.5.6），如图13-83所示。选择魔棒工具，按住Shift键在背景上单击，选择背景，按下Shift+Ctrl+I快捷键反选，选择图案，如图13-84所示。

图13-83

图13-84

2 单击“路径”面板中的从选区生成工作路径按钮，可以将选区转换为路径，如图13-85、图13-86所示。

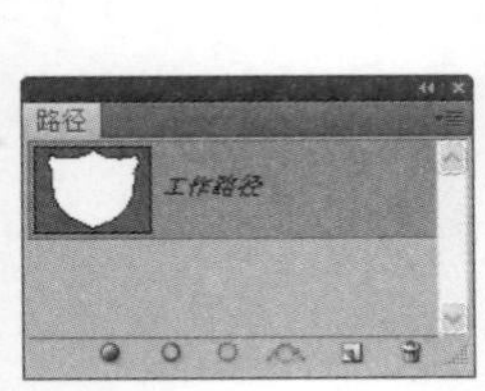

图13-85

图13-86

3 选择面板中的路径后，单击将路径作为选区载入按钮，可以载入路径中的选区，如图13-87、图13-88所示。在没有选择路径的情况下，按住Ctrl键单击面板中的路径，也可以载入选区。

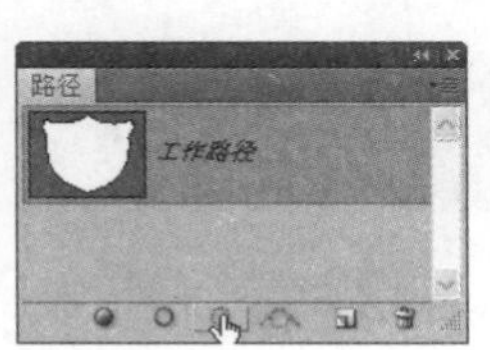

图13-87

图13-88

13.5.7 实战——用历史记录填充路径区域

●实例门类：软件功能类　●视频位置：光盘>实例视频>13.5.7

1 打开一个文件（光盘>素材>13.5.7），如图13-89所示。执行“滤镜>模糊>径向模糊”命令，设置参数如图13-90所示，效果如图13-91所示。

图13-89

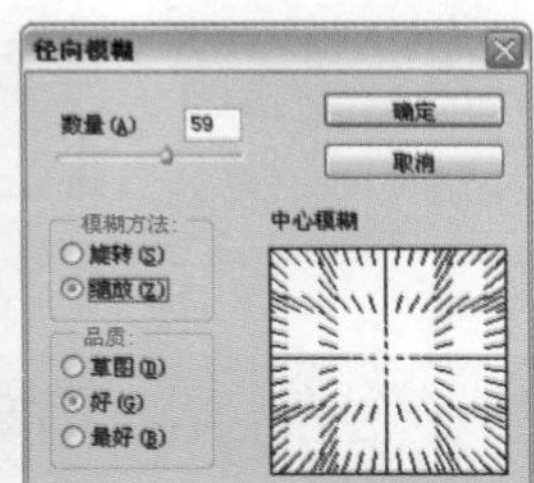

图13-90

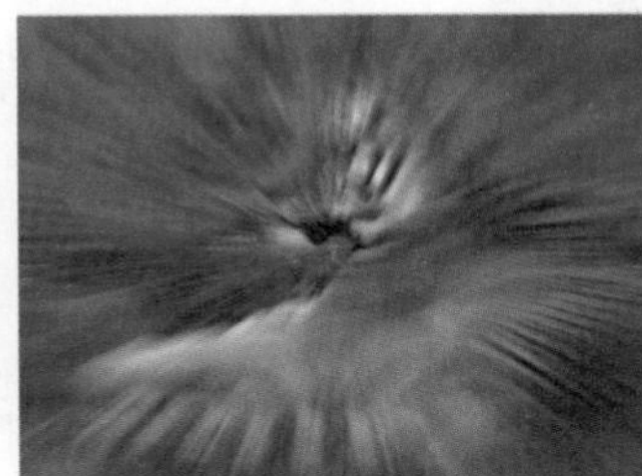

图13-91

2 打开“历史记录”面板，单击创建新快照按钮，基于当前的图像状态创建一个快照，如图13-92所示。在“快照1”前面单击，将历史记录的源设置为“快照1”，如图13-93所示。然后单击步骤“打开”，如图13-94所示，将图像恢复到打开时的状态，如图13-95所示。

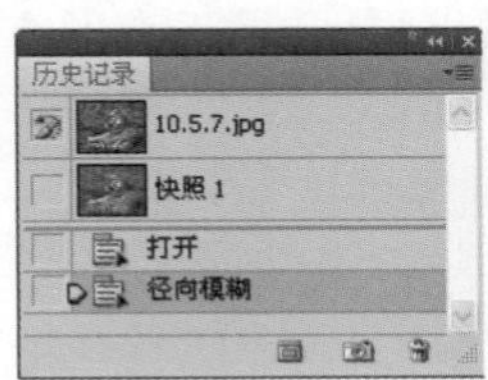

图13-92

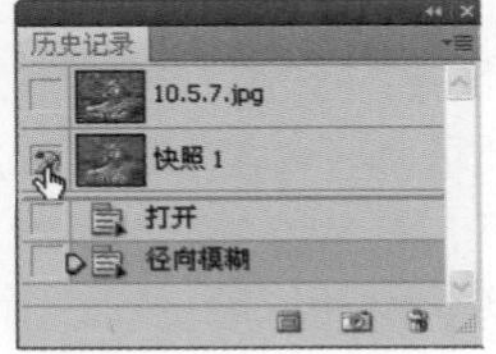

图13-93

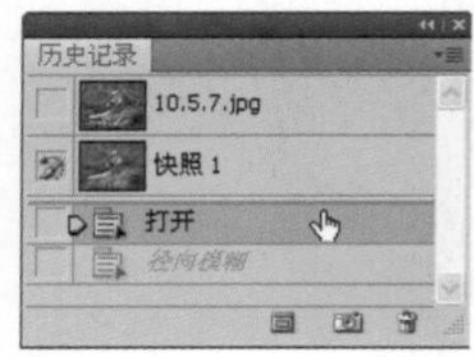

图13-94　　图13-95

3 打开“路径”面板，选择“路径1”，如图13-96所示。执行面板菜单中的“填充路径”命令，打开“填充路径”对话框。在“使用”下拉列表中选择“历史记录”，将“羽化半径”设置为5像素，如图13-97所示，单击“确定”按钮填充路径区域。在面板空白处单击隐藏路径，效果如图13-98所示。

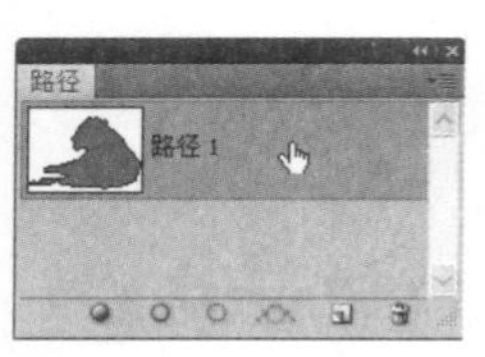

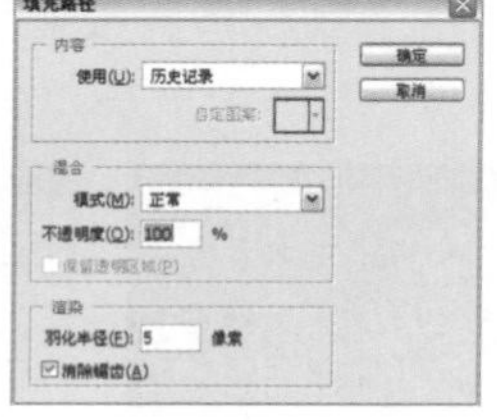

图13-96　　图13-97

图13-98

“填充路径”对话框

在“填充路径”对话框中可以设置填充内容和混合模式等选项。

- 使用：可选择用前景色、背景色、黑色、白色或其他颜色填充路径。如果选择“图案”，则可以在下面的“自定图案”下拉面板中选择一种图案来填充路径。
- 模式/不透明度：可以选择填充效果的混合模式和不透明度。
- 保留透明区域：仅限于填充包含像素的图层区域。
- 羽化半径：可为填充设置羽化。
- 消除锯齿：可部分填充选区的边缘，在选区的像素和周围像素之间创建精细的过渡。

技术看板 60　将文件输出到InDesign

如果要将Photoshop中的图像输出到专业的排版软件InDesign中，并且保持一个透明的背景，可以先在Photoshop中选取图像，将其背景图像删除，然后将文件保存为PSD格式，在InDesign中置入即可。

13.5.8 实战——用画笔描边路径

●实例门类：软件功能类　●视频位置：光盘>实例视频>13.5.8

1 打开一个文件（光盘>素材>13.5.8），如图13-99所示。单击“路径”面板中的“路径1”，如图13-100所示，在画面中显示路径，如图13-101所示。

图13-99

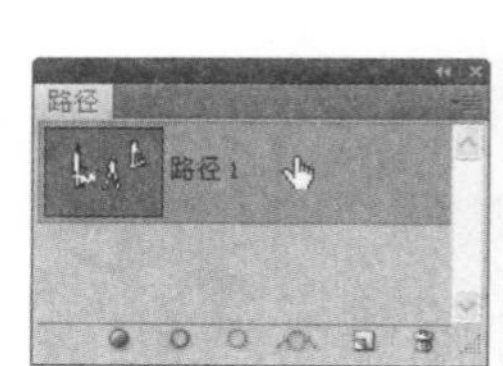

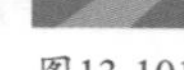

图13-100　　图13-101

2 选择画笔工具，在工具选项栏中设置画笔大小为尖角4px，如图13-102所示。

图13-102

3 单击“图层”面板底部的按钮，新建一个图层，如图13-103所示。将前景色设置为黄色（R255、G241、B0）。执行“路径”面板菜单中的“描边路径”命令，打开“描边路径”对话框，在下拉列表中选择“画笔”，如图13-104所示，单击“确定”按钮描边路径，在面板的空白处单击隐藏路径，效果如图13-105所示。

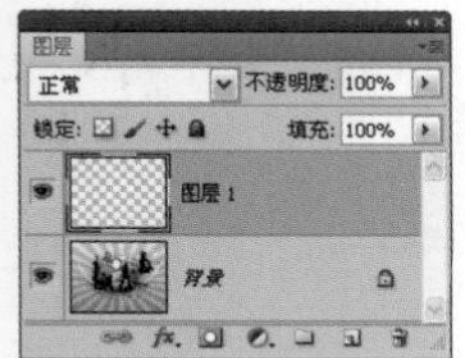
图13-103

图13-104

提示 在"描边路径"对话框中可以选择画笔、铅笔、橡皮擦、背景橡皮擦、仿制图章、历史记录画笔、加深和减淡等工具描边路径。如果勾选"模拟压力"选项，则可以使描边的线条产生粗细变化。在描边路径前，需要先设置好工具的参数。

图13-105

13.6 使用形状工具

Photoshop中的形状工具包括矩形工具、圆角矩形工具、椭圆工具、多边形工具、直线工具和自定形状工具。使用形状工具时，首先需要在工具选项栏中选择一种绘图模式，不同绘图模式所包含的选项也有所不同，如图13-106～图13-108所示。

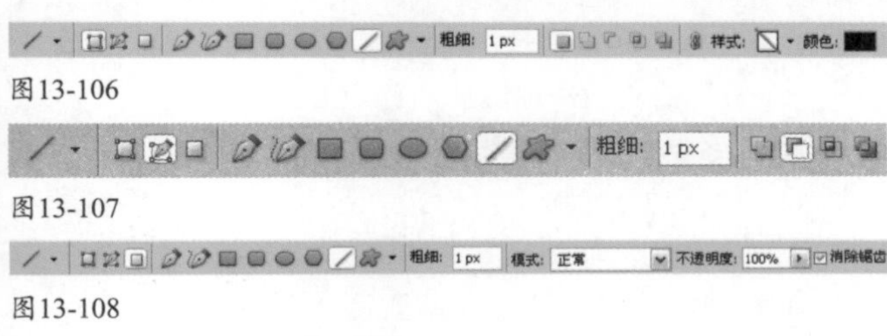
图13-106

图13-107

图13-108

13.6.1 矩形工具

矩形工具用来绘制矩形和正方形。选择该工具后，单击并拖动鼠标可以创建矩形；按住Shift键拖动则可以创建正方形；按住Alt键拖动会以单击点为中心向外创建矩形；按住Shift+Alt键会以单击点为中心向外创建正方形。单击工具选项栏中的按钮，打开一个下拉面板，如图13-109所示，在面板中可以设置矩形的创建方法。

- 不受约束：可通过拖动鼠标创建任意大小的矩形和正方形，如图13-110所示。
- 方形：拖动鼠标时只能创建任意大小的正方形，如图13-111所示。
- 从中心：以任何方式创建矩形时，鼠标在画面中的单击点即为矩形的中心，拖动鼠标时矩形将由中向外扩展。

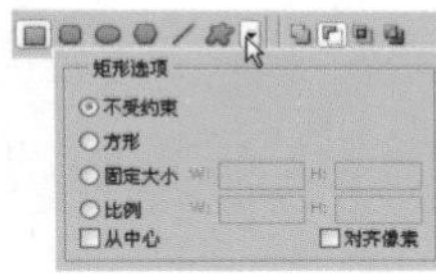
图13-109 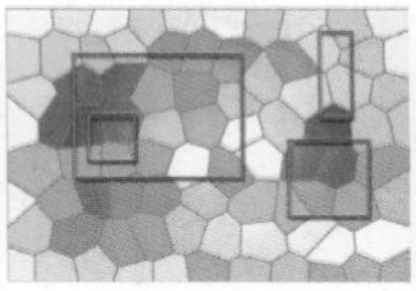 图13-110

图13-111

- 固定大小：勾选该项并在它右侧的文本框中输入数值（W为宽度，H为高度），此后单击鼠标时，只创建预设大小的矩形。如图13-112所示为创建的W5厘米、H10厘米的矩形。
- 比例：勾选该项并在它右侧的文本框中输入数值（W为宽度比例，H为高度比例），此后拖动鼠标时，无论创建多大的矩形，矩形的宽度和高度都保持预设的比例，如图13-113所示（W 1、H2）。

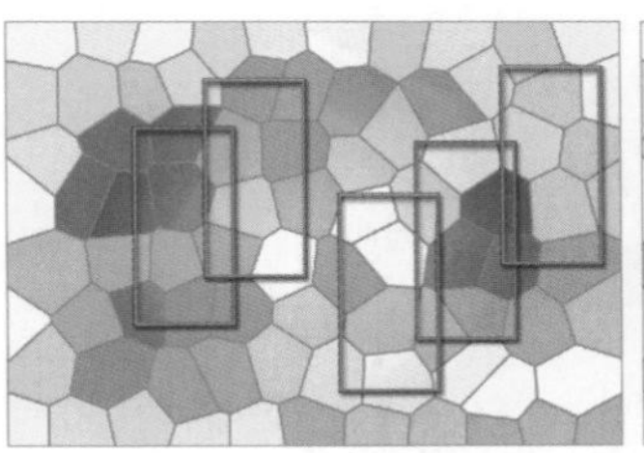
图13-112

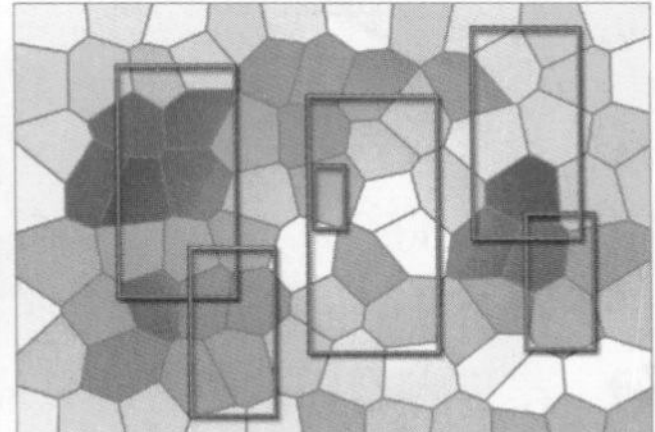
图13-113

- 对齐像素：矩形的边缘与像素的边缘重合，图形的边缘不会出现锯齿，如图13-114所示；取消勾选时，矩形边缘会出现模糊的像素，如图13-115所示。

图13-114

图13-115

13.6.2 圆角矩形工具

圆角矩形工具用来创建圆角矩形。它的使用方法以及选项都与矩形工具相同，只是多了一个“半径”选项。如图13-116所示。“半径”用来设置圆角半径，该值越高，圆角越广。如图13-117、图13-118所示分别设置该值为10px和50px创建的圆角矩形。

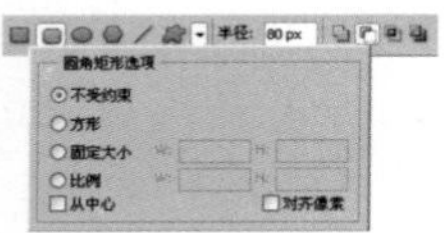
图13-116

图13-117

图13-118

13.6.3 椭圆工具

椭圆工具用来创建椭圆形和圆形，如图13-119、图13-120、图13-121所示。选择该工具后，单击并拖动鼠标可以创建椭圆形，按住Shift键拖动则可创建圆形。椭圆工具的选项及创建方法与矩形工具基本相同，我们可以创建不受约束的椭圆和圆形，也可以创建固定大小和固定比例的图形。

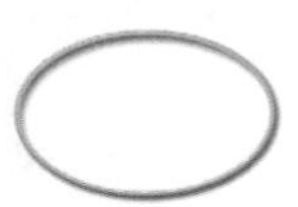
图13-119

图13-120

图13-121

13.6.4 多边形工具

多边形工具用来创建多边形和星形。选择该工具后，首先要在工具选项栏中设置多边形或星形的边数，范围为3～100。单击工具选项栏中的按钮打开一个下拉面板，在面板中可以设置多边形的选项，如图13-122所示。

- 半径：设置多边形或星形的半径长度，此后单击并拖动鼠标时将创建指定半径值的多边形或星形。
- 平滑拐角：创建具有平滑拐角的多边形和星形，如图13-123所示，图13-124所示为未勾选该项创建的多边形和星形。

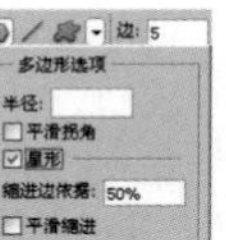
图13-122

图13-123

图13-124

- 星形：勾选该项可以创建星形。在“缩进边依据”选项中可以设置星形边缘向中心缩进的数量，该值越高，缩进量越大，如图13-125、图13-126所示。勾选“平滑缩进”，可以使星形的边平滑地向中心缩进，如图13-127所示。

图13-125

图13-126

图13-127

13.6.5 直线工具

直线工具用来创建直线和带有箭头的线段。选择该工具后，单击并拖动鼠标可以创建直线或线段，按住Shift键可创建水平、垂直或以45°角为增量的直线。它的工具选项栏中包含了设置直线粗细的选项，此外，下拉面板中还包含了设置箭头的选项，如图13-128所示。

- 起点/终点：勾选“起点”，可在直线的起点添加箭头，如图13-129所示；勾选“终点”，可在直线的终点添加箭头，如图13-130所示；两项都勾选，则起点和终点都会添加箭头，如图13-131所示。

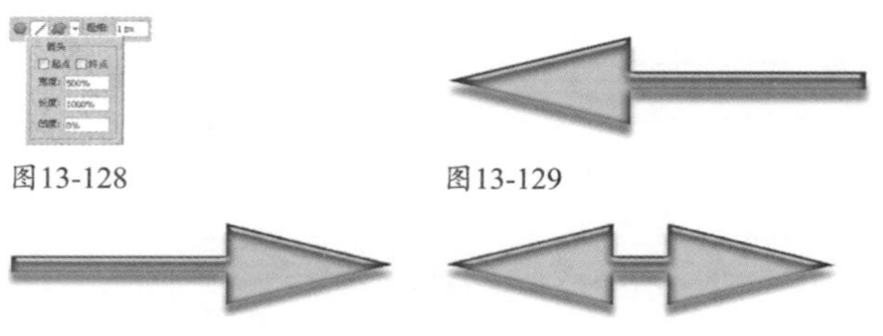
图13-128　图13-129　图13-130　图13-131

- 宽度：用来设置箭头宽度与直线宽度的百分比，范围为10%～1000%。图13-132、图13-133所示分别为使用不同宽度百分比创建的带有箭头的直线。

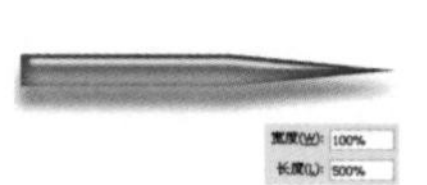
图13-132

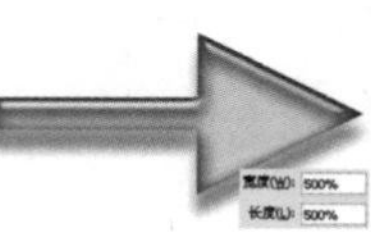
图13-133

- 长度：用来设置箭头长度与直线宽度的百分比，范围为10%～5000%。图13-134、图13-135所示分别为使用不同长度百分比创建的带有箭头的直线。

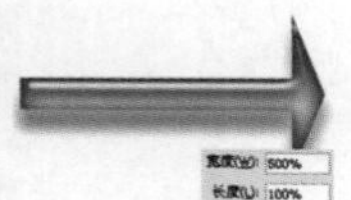

图13-134

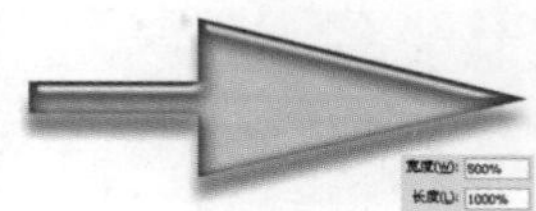

图13-135

- 凹度：用来设置箭头的凹陷程度，范围为-50%～50%。该值为0%时，箭头尾部平齐，如图13-136所示；该值大于0%时，向内凹陷，如图13-137所示；小于0%时，向外凸出，如图13-138所示。

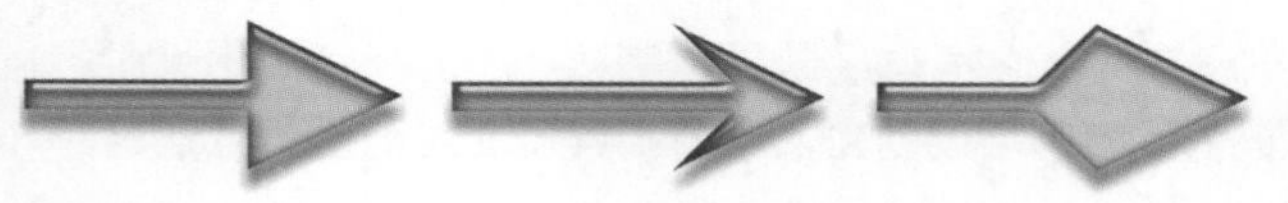

图13-136　　图13-137　　图13-138

13.6.6 自定形状工具

使用自定形状工具可以创建Photoshop预设的形状、自定义的形状或者是外部提供的形状。选择该工具后，需要单击工具选项栏中的按钮，在打开的形状下拉面板中选择一种形状，如图13-139所示，然后单击并拖动鼠标即可创建该图形。如果要保持形状的比例，可以按住 Shift 键绘制图形。

如果要使用其他方法创建图形，可以在“自定形状选项”下拉面板中设置，如图13-140所示。

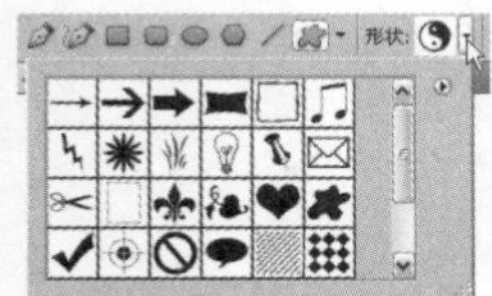

图13-139

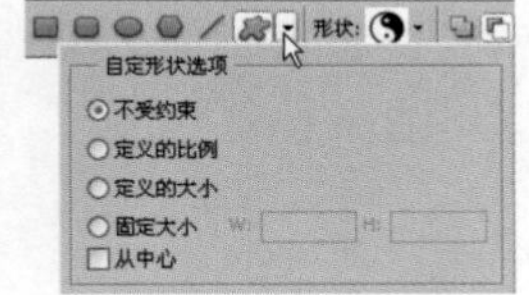

图13-140

技术看板 61 绘制图形的过程中移动图形

在绘制矩形、圆形、多边形、直线和自定义形状时，创建形状的过程中按下键盘中的空格键并拖动鼠标，可以移动形状。

13.6.7 实战——载入形状库

●实例门类：软件功能类　●视频位置：光盘>实例视频>13.6.7

1 选择自定形状工具，在工具选项栏中单击“形状”选项右侧的按钮，打开形状下拉面板，单击面板右上角的按钮，打开面板菜单，菜单底部是Photoshop提供的自定义形状，包括箭头、标识、指示牌等，如图13-141所示。

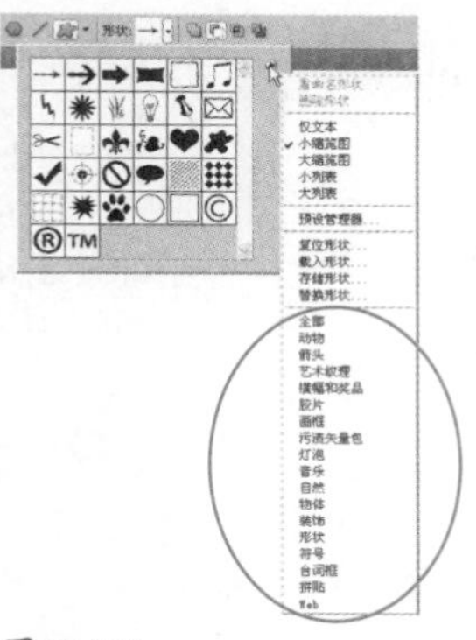

图13-141

2 选择“全部”命令，载入全部形状，此时会弹出一个提示对话框，如图13-142所示。单击“确定”按钮，载入的形状会替换面板中原有的形状；单击“追加”按钮，则可在原有形状的基础上添加载入的形状。如图13-143所示为载入的全部预设形状。

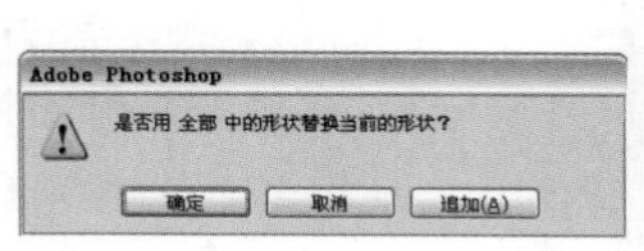

图13-142

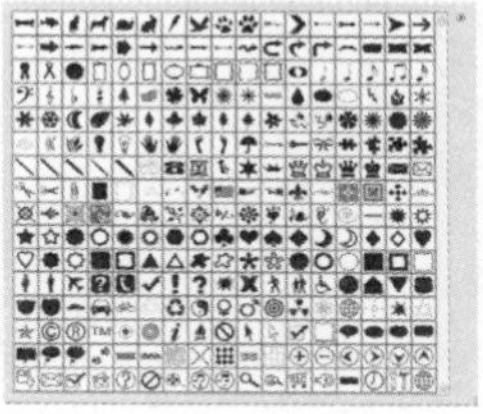

图13-143

3 下面我们来载入光盘中提供的形状。执行面板菜单中的“复位形状”命令，在弹出的对话框中单击“确定”按钮，将面板恢复为默认的形状。执行面板菜单中的“载入形状”命令，如图13-144所示，在打开的对话框中选择光盘中的“形状库”里的一个文件，如图13-145所示，单击“载入”按钮，即可将其载入到Photoshop中，如图13-146所示。

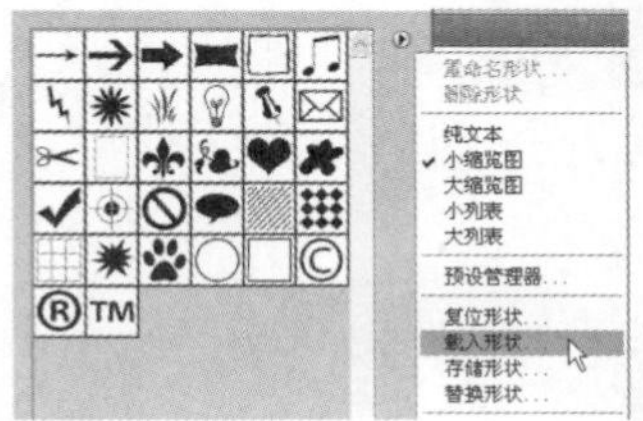

图13-144

图13-145

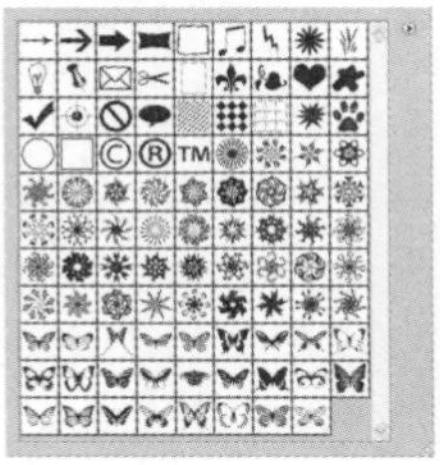

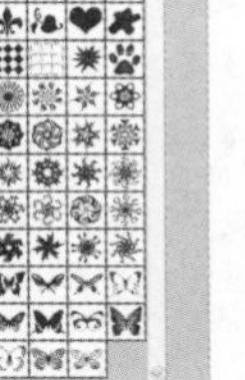

图13-146

相关链接：如果要将自己绘制的图形创建为自定义形状，可参阅“13.3.4 实战——创建自定义形状”。

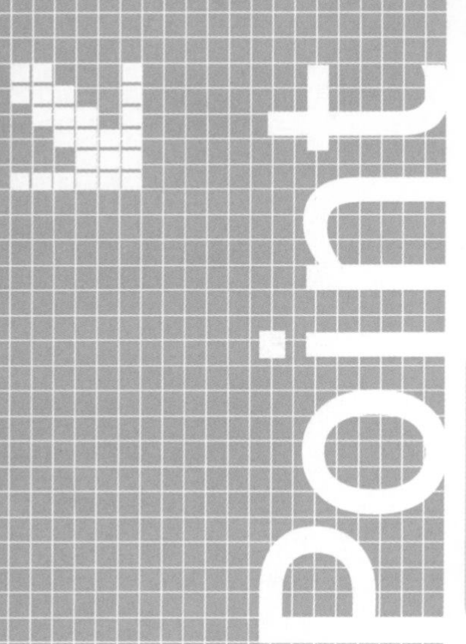

第14章 文字

14.1 解读Photoshop中的文字

文字是设计作品的重要组成部分，它不仅可以传达信息，还能起到美化版面、强化主题的作用。Photoshop提供了多个用于创建文字的工具，文字的编辑方法也非常灵活。在这一章中，我们就来详细了解文字的创建与编辑方法。

14.1.1 文字的类型

Photoshop 中的文字是由以数学方式定义的形状组成的，在将文字栅格化以前，Photoshop会保留基于矢量的文字轮廓，我们可以任意缩放文字，或调整文字大小而不会产生锯齿。

我们可以通过3种方法创建文字：在点上创建、在段落中创建和沿路径创建。Photoshop提供了四种文字工具，其中，横排文字工具T和直排文字工具IT用来创建点文字、段落文字和路径文字，横排文字蒙版工具和直排文字蒙版工具用来创建文字选区。

文字的划分方式有很多种，如果从排列方式上划分，可分为横排文字和直排文字；如果从文字的类型上划分，可分为文字和文字蒙版；如果从创建的内容上划分，可分为点文字、段落文字和路径文字；如果从样式上划分，可分为普通文字和变形文字。

14.1.2 文字工具选项栏

在使用文字工具输入文字之前，我们需要在工具选项栏或“字符”调板中设置字符的属性，包括字体、大小、文字颜色等，如图14-1所示为横排文字工具的工具选项栏。

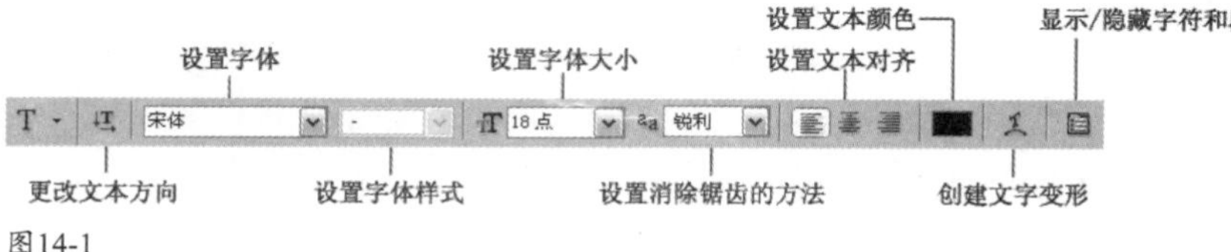

图14-1

- 更改文本方向：如果当前文字为横排文字，单击该按钮，可将其转换为直排文字；如果是直排文字，则可将其转换为横排文字。
- 设置字体：在该选项下拉列表中可以选择字体。
- 设置字体样式：用来为字符设置样式，包括Regular（规则的）、Italic（斜体）、Bold（粗体）和Bold Italic（粗斜体）等，如图14-2所示，图14-3所示为各种字体样式的效果。该选项只对部分英文字体有效。

Learning Objectives
学习重点

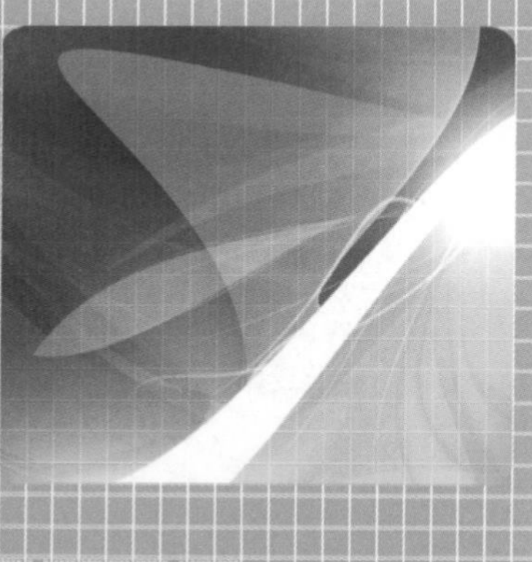

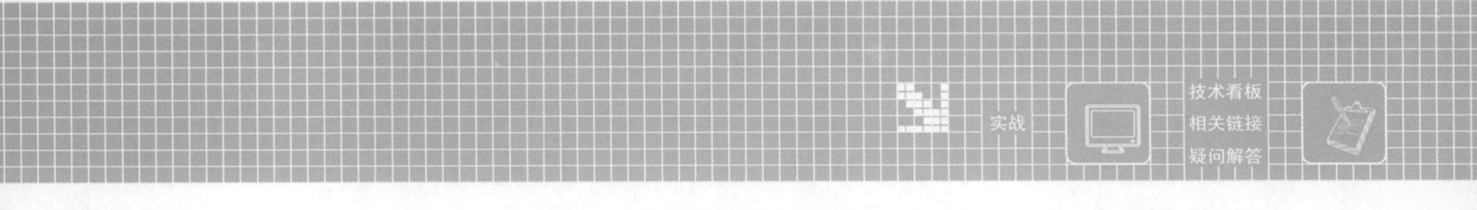

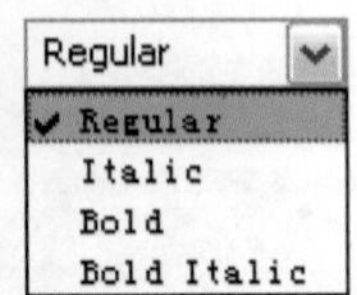

图14-2

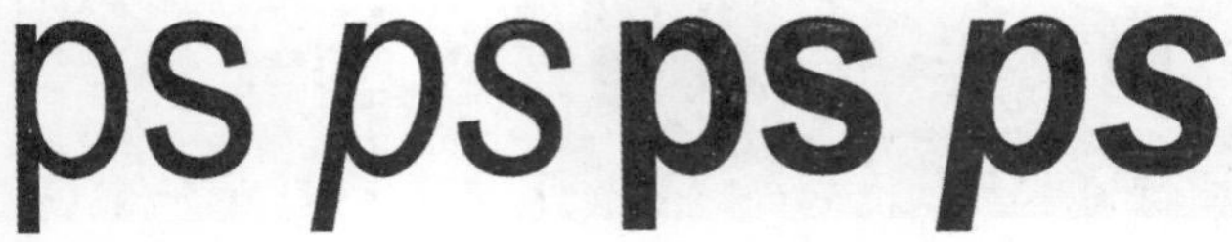

ps ps ps ps

规则的 斜体 粗体 粗斜体

图14-3

- 设置字体大小：可以选择字体的大小，或者直接输入数值来进行调整。
- 设置消除锯齿的方法：可以为文字消除锯齿选择一种方法，Photoshop会通过部分地填充边缘像素来产生边缘平滑的文字，使文字的边缘混合到背景中而看不出锯齿，如图14-4所示。

图14-4

消除锯齿的命令

Photoshop中的文字是使用PostScript信息从数学上定义的直线或曲线来表示的，如果没有设置消除锯齿，文字的边缘便会产生硬边和锯齿。输入文字后，也可以在“图层>文字>消除锯齿方式”下拉菜单中选择一种消除锯齿的方法，如图14-5所示。

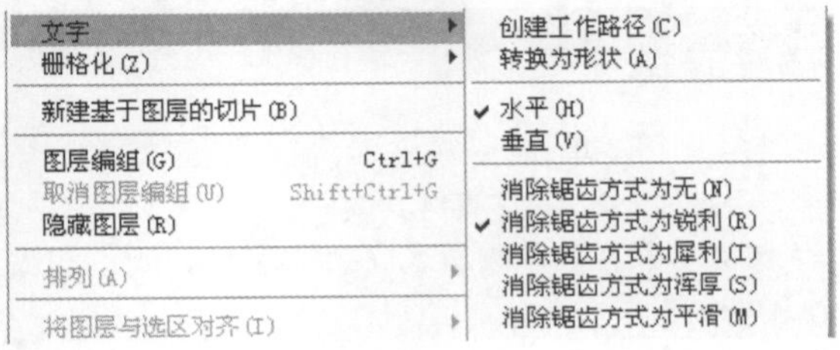

文字
栅格化(Z)
新建基于图层的切片(B)
图层编组(G) Ctrl+G
取消图层编组(U) Shift+Ctrl+G
隐藏图层(R)
排列(A)
将图层与选区对齐(I)

创建工作路径(C)
转换为形状(A)
✔水平(H)
垂直(V)
消除锯齿方式为无(N)
✔消除锯齿方式为锐利(R)
消除锯齿方式为犀利(I)
消除锯齿方式为浑厚(S)
消除锯齿方式为平滑(M)

图14-5

- 消除锯齿方式为无：不进行消除锯齿处理。
- 消除锯齿方式为锐利：轻微使用消除锯齿，文本的效果显得锐利。
- 消除锯齿方式为犀利：轻微使用消除锯齿，文本的效果显得稍微锐利。
- 消除锯齿方式为深厚：大量使用消除锯齿，文本的效果显得更粗重。
- 消除锯齿方式为平滑：大量使用消除锯齿，文本的效果显得更平滑。
- 设置文本对齐：根据输入文字时光标的位置来设置文本的对齐方式，包括左对齐文本、居中对齐文本和右对齐文本，如图14-6、图14-7、图14-8所示。

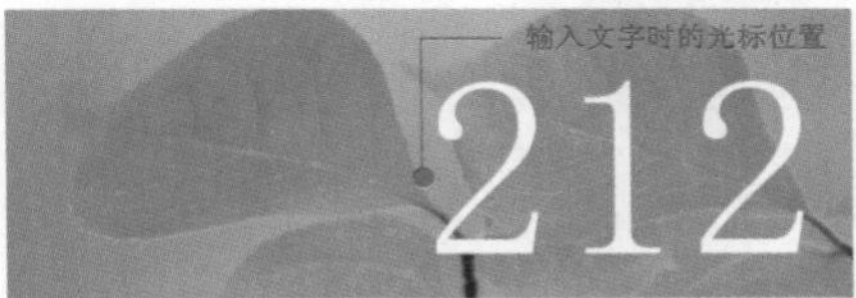

左对齐文本

图14-6

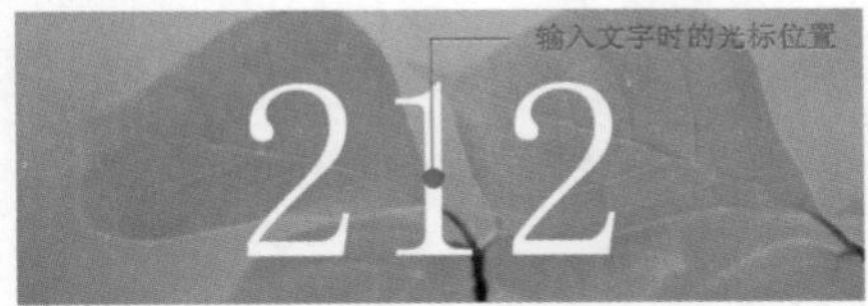

居中对齐文本

图14-7

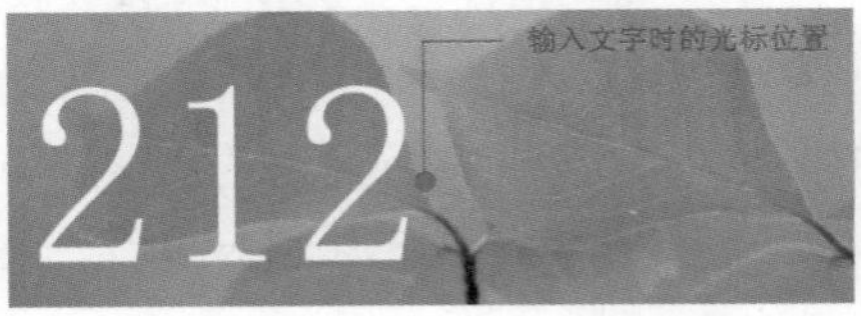

输入文字时的光标位置
212

右对齐文本

图14-8

- 设置文本颜色：单击颜色块，可以在打开的“拾色器”中设置文字的颜色。
- 创建文字变形：单击该按钮，可在打开的“变形文字”对话框中为文本添加变形样式，创建变形文字。
- 显示/隐藏字符和段落面板：单击该按钮，可以显示或隐藏“字符”和“段落”面板。

14.2 创建点文字和段落文字

点文字是一个水平或垂直的文本行，在处理标题等字数较少的文字时，可以通过点文字来完成。段落文字是在定界框内输入的文字，它具有自动换行、可调整文字区域大小等优势。在需要处理文字量较大的文本（如宣传手册）时，可以使用段落文字来完成。

14.2.1 实战——创建点文字

●实例门类：软件功能类 ●视频位置：光盘>实例视频>14.2.1

1 打开一个文件（光盘>素材>14.2.1），如图14-9所示。选择横排文字工具T（也可以选择直排文字工具IT，创建直排文字），在工具选项栏中设置字体、大小和颜色，如图14-10所示。

图14-9

图14-10

2 在需要输入文字的位置单击，设置插入点，画面中会出现一个闪烁的"I"形光标，如图14-11所示，输入文字，如图14-12所示。同时，"图层"面板中会生成一个文字图层。

图14-11

图14-12

提示：输入文字时如果要换行，可以按下回车键。如果要移动文字的位置，可以将光标放在字符以外，单击并拖动鼠标即可。

3 文字输入完成后，可单击工具选项栏中的✓按钮，或单击其他工具、按下数字键盘中的回车键、按下Ctrl+回车键来结束操作。在画面其他位置单击，可再次创建点文字，如图14-13所示，"图层"面板中会再生成一个文字图层，如图14-14所示。

图14-13

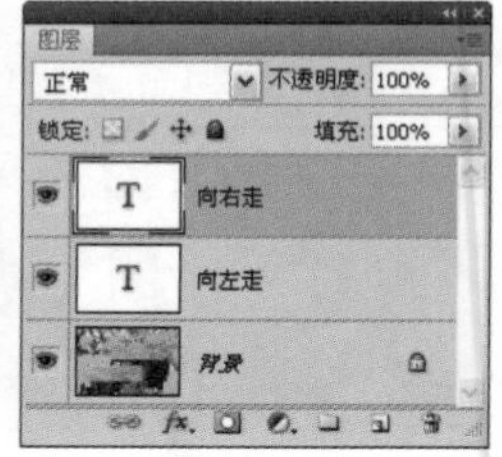

图14-14

14.2.2 实战——编辑文字内容

●实例门类：软件功能类 ●视频位置：光盘>实例视频>14.2.2

1 打开一个文件（光盘>素材>14.2.2），输入点文字，如图14-15所示。使用横排文字工具T在文字上单击设置文字插入点（按下方向键可以移动插入点），如图14-16所示。

图14-15

图14-16

2 输入文字可以在原文本中加入文字，如图14-17所示，在文字上单击并拖动鼠标选择文字，如图14-18所示。

图14-17

图14-18

3 在工具选项栏中可以修改所选文字的字体、颜色和大小，如图14-19所示。

图14-19

4 输入新的文字，可以替换所选文字，如图14-20所示；按下Delete键则删除所选文字，如图14-21所示。

图14-20

图14-21

在文本输入状态下，单击3下可以选择一行文字，单击4下可以选择整个段落，按下Ctrl+A快捷键可以选择全部的文本。

14.2.3 实战——创建段落文字

●实例门类：软件功能类 ●视频位置：光盘>实例视频>14.2.3

1 打开一个文件（光盘>素材>14.2.3），如图14-22所示。选择横排文字工具T，在工具选项栏中设置字体、字号和颜色等属性，如图14-23所示。

图14-22

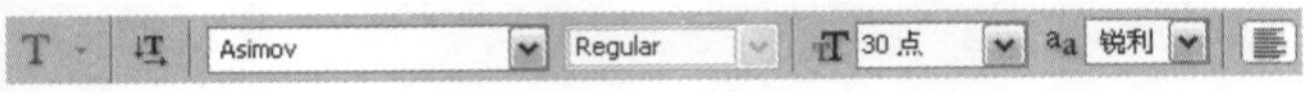

图14-23

2 在画面中单击并向右下角拖出一个定界框，如图14-24所示，放开鼠标时，画面中会出现闪烁的“I”形光标，此时可输入文字，当文字到达文本框边界时会自动换行，如图14-25所示。

图14-24

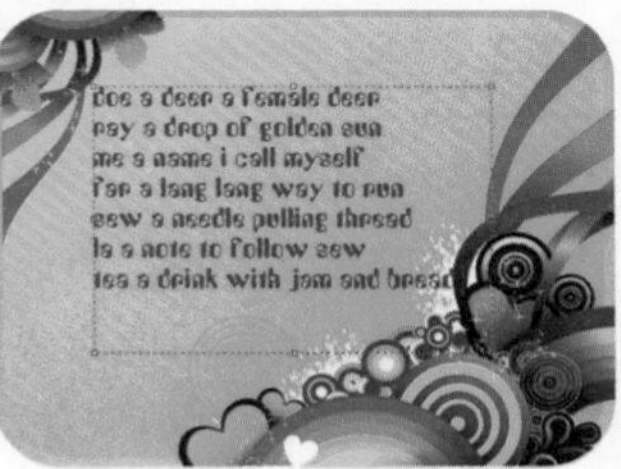

图14-25

3 输入完成后，按下Ctrl+回车键，即可创建段落文本，如图14-26、图14-27所示。

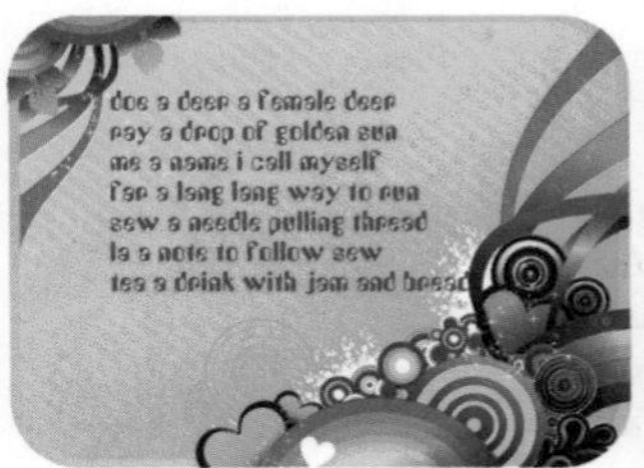

图14-26

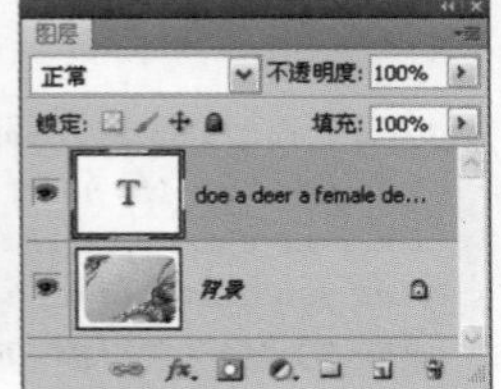

图14-27

在单击并拖动鼠标定义文字区域时，如果同时按住Alt键，会弹出“段落文字大小”对话框，在对话框中输入“宽度”和“高度”值，可以精确定义文字区域的大小。

技术看板 62 创建文字状选区

横排文字蒙版工具和直排文字蒙版工具用于创建文字状选区。选择其中的一个工具，在画面单击，然后输入文字即可创建文字选区，也可以使用创建段落文字的方法，单击并拖出一个矩形定界框，在定界框内输入文字创建文字选区。文字选区可以像任何其他选区一样移动、复制、填充或者描边。

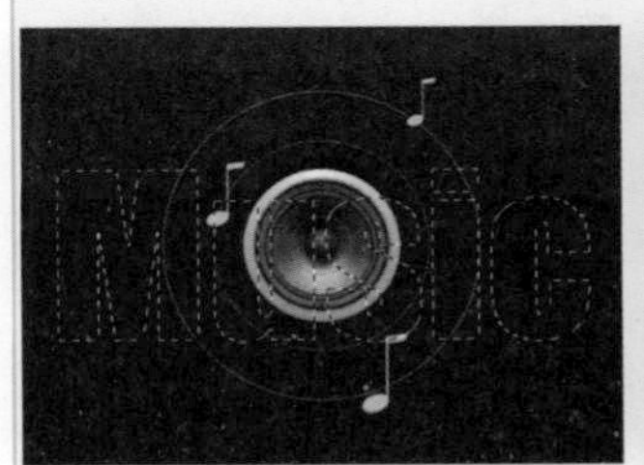

文字选区

选区描边效果

14.2.4 实战——编辑段落文字

●实例门类：软件功能类 ●视频位置：光盘>实例视频>14.2.4

创建段落文字后，可以根据需要调整定界框的大小，文字会自动在调整后的定界框内重新排列，通过定界框还可以旋转、缩放和斜切文字。

1 打开一个文件（光盘>素材>14.2.4），使用横排文字工具T在文字中单击，设置插入点，同时显示文字的定界框，如图14-28所示。

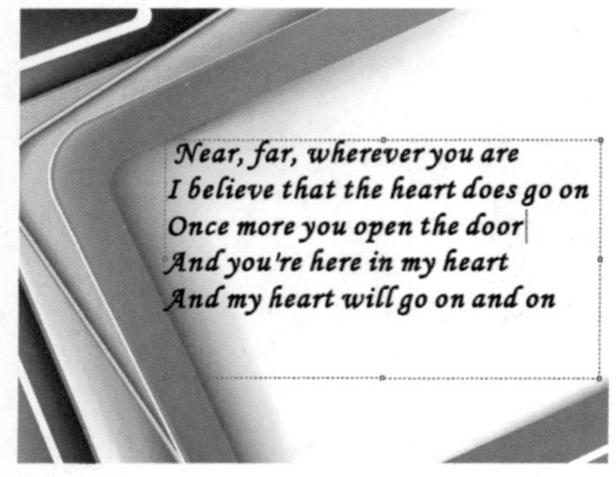

图14-28

2 拖动控制点调整定界框的大小，文字会在调整后的定界框内重新排列，如图14-29所示。当定界框内不能显示全部文字时，它右下角的控制点会变为⊞状，如图14-30所示。

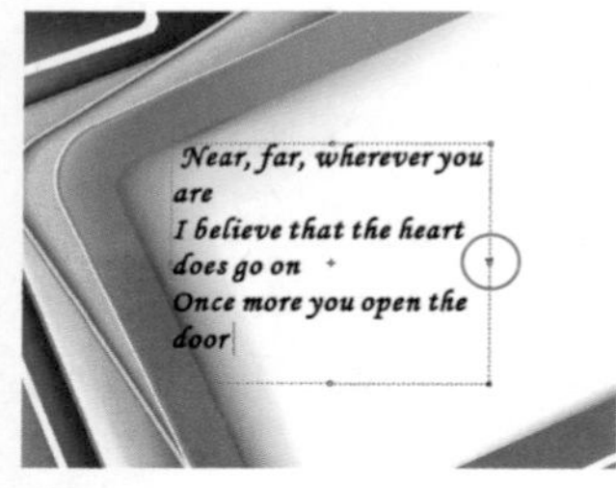

图14-29 图14-30

3 如果按住Ctrl键拖动控制点，可以等比缩放文字，如图14-31所示。将光标移至定界框外，当指针变为弯曲的双向箭头时拖动鼠标可以旋转文字，如图14-32所示。如果同时按住Shift 键，则能够以15° 角为增量进行旋转。

4 单击工具选项栏中的✔按钮，完成对文本的编辑操作。如果要放弃对文字的修改，可在编辑的过程中按下Esc键。

图14-31

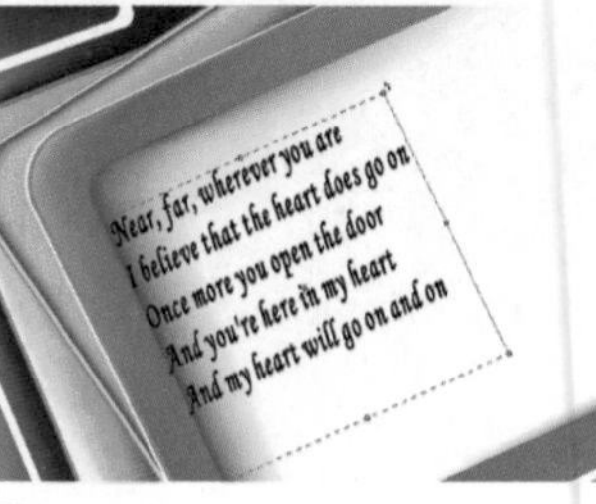

图14-32

14.2.5 转换点文本与段落文本

点文本和段落文本可以互相转换。如果是点文本，可执行“图层>文字>转换为段落文本”命令，将其转换为段落文本；如果是段落文本，可执行“图层>文字>转换为点文本”命令，将其转换为点文本。

提示 将段落文本转换为点文本时，所有溢出定界框的字符都会被删除。因此，为避免丢失文字，应首先调整定界框，使所有文字在转换前都显示出来。

14.2.6 转换水平文字与垂直文字

执行“图层>文字>水平/垂直”命令，或者单击工具选项栏中的更改文本方向按钮可以切换文本的方向，例如，如图14-33所示为水平方向排列的文字，图14-34所示为执行“垂直”命令后的文字效果。

图14-33

图14-34

14.3 创建变形文字

变形文字是指对创建的文字进行变形处理后得到的文字，例如可以将文字变形为扇形或波浪形。下面我们就来了解如何进行文字的变形操作。

14.3.1 实战——创建变形文字

●实例门类：软件功能类　●视频位置：光盘>实例视频>14.3.1

1 打开一个文件（光盘>素材>14.3.1），如图14-35所示，选择文字图层，如图14-36所示。

图14-35

图14-36

2 执行“图层>文字>文字变形”命令，打开“变形文字”对话框，在“样式”下拉列表中选择“旗帜”，创建鱼眼变形效果，将“弯曲”参数设置为78%，“水平扭曲”设置为-57%，如图14-37所示。变形文字的图层缩览图中会出现出一条弧线，如图14-38所示，文字效果如图14-39所示。

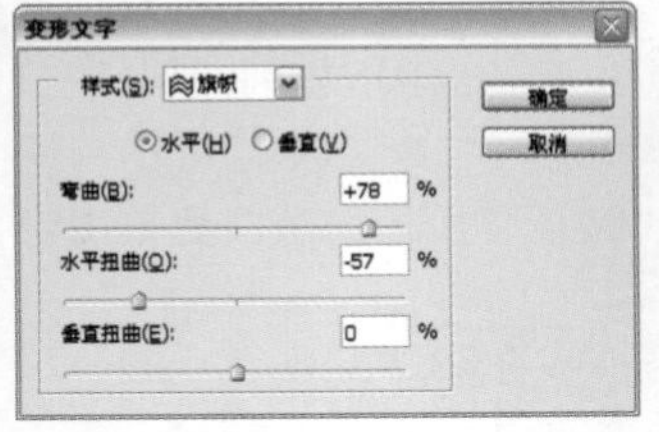

图14-37

图14-38

图14-39

3 要修改变形效果的话，可以单击工具选项栏中的按钮，打开“变形文字”对话框进行调整，如图14-40所示为使用“花冠”样式产生的效果。

图14-40

使用横排文字蒙版工具和直排文字蒙版工具创建选区时，在文本输入状态下同样可以进行变形操作，这样就可以得到变形的文字选区。

14.3.2 设置变形选项

“变形文字”对话框用于设置变形选项，包括文字的变形样式和变形程度，如图14-41所示。

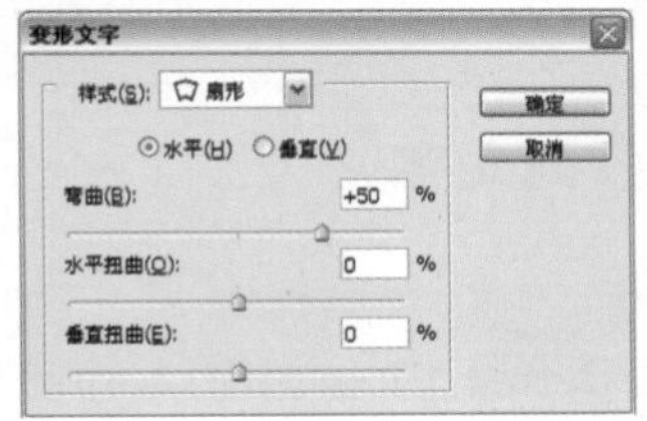

图14-41

- 样式：在该选项的下拉列表中可以选择15种变形样式，如图14-42所示，图14-43所示为各种样式的变形效果。

图14-42　图14-43

- 水平/垂直：选择“水平”，文本扭曲的方向为水平方向，如图14-44所示；选择“垂直”，文本扭曲的方向为垂直方向，如图14-45所示。

图14-44　　图14-45

- 弯曲：用来设置文本的弯曲程度。
- 水平扭曲/垂直扭曲：可以对文本应用透视。例如，如图14-46为未设置扭曲的变形文字，图14-47所示为设置了水平扭曲的文字，图14-48所示为设置了垂直扭曲的文字。

图14-46 　　图14-47　　图14-48

14.3.3 重置变形与取消变形

使用横排文字工具和直排文字工具创建的文本，在没有将其栅格化或者转换为形状前，可以随时重置与取消变形。

重置变形

选择一个文字工具，单击工具选项栏中的创建文字变形按钮，或执行“图层>文字>文字变形”命令，可以打开“变形文字”对话框修改变形参数，或者在“样式”下拉列表中选择另外一种样式。

取消变形

在“变形文字”对话框的“样式”下拉列表中选择“无”，然后单击“确定”关闭对话框，即可将文字恢复为变形前的状态。

14.4 创建路径文字

路径文字是指创建在路径上的文字，文字会沿着路径排列，改变路径形状时，文字的排列方式也会随之改变。一直以来，路径文字都是矢量软件才具有的功能，Photoshop CS中增加了路径文字功能后，文字的处理方式就变得更加灵活了。

14.4.1 实战——沿路径排列文字

●实例门类：软件功能类　●视频位置：光盘>实例视频>14.4.1

1 打开一个文件（光盘>素材>14.4.1），如图14-49所示。选择钢笔工具，在工具选项栏中按下路径按钮，沿手的轮廓绘制一条路径，如图14-50所示。

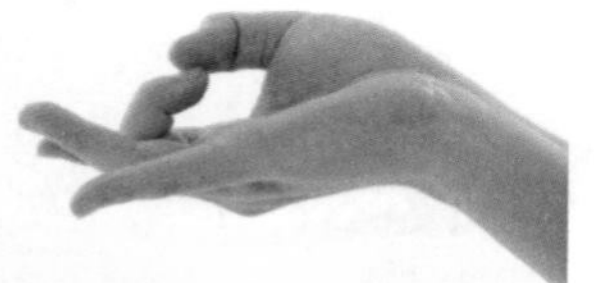

图14-49　　图14-50

提示　用于排列文字的路径可以是闭合式的，也可以是开放式的。

2 选择横排文字工具，设置字体、大小和颜色，如图14-51所示。

图14-51

3 将光标放在路径上，光标会变为状，如图14-52所示，单击设置文字插入点，画面中会出现闪烁的“I”形光标，此时输入文字即可沿着路径排列，如图14-53所示。按下Ctrl+回车键结束操作，在“路径”面板的空白处单击隐藏路径，如图14-54所示。

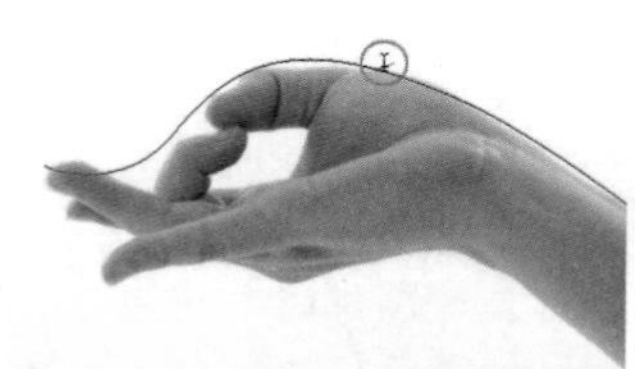

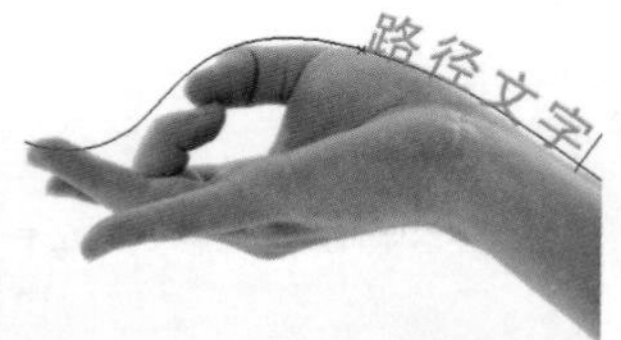

图14-52　　图14-53

图14-54

14.4.2 实战——移动与翻转路径文字

●实例门类：软件功能类 ●视频位置：光盘>实例视频>14.4.2

1 在“图层”面板中选择文字图层，如图14-55所示，画面中会显示路径，如图14-56所示。

图14-55

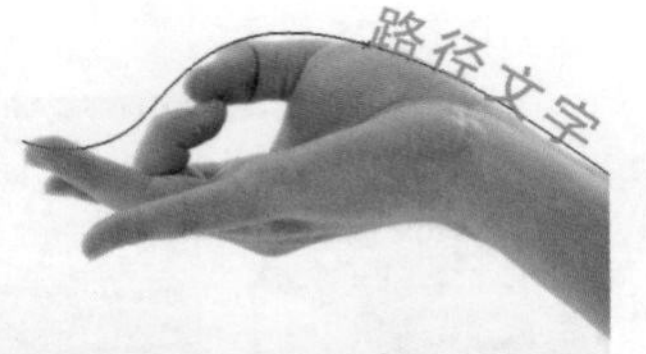

图14-56

2 选择直接选择工具或路径选择工具，将光标定位到文字上，光标会变为状，如图14-57所示，单击并沿路径拖动鼠标可以移动文字，如图14-58所示。

3 单击并朝路径的另一侧拖动文字，可以翻转文字，如图14-59所示。

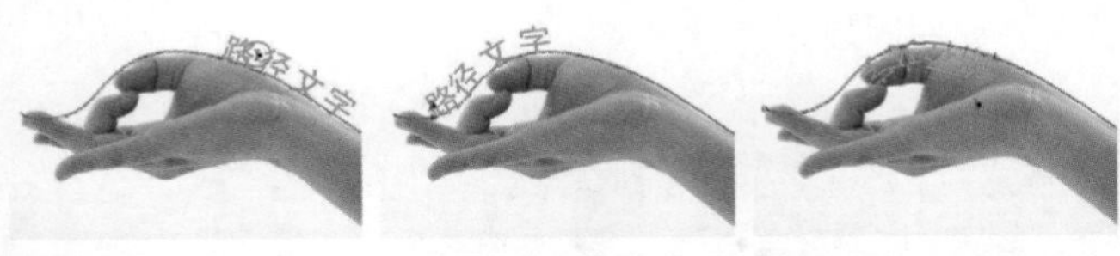

图14-57 图14-58 图14-59

14.4.3 实战——编辑文字路径

●实例门类：软件功能类 ●视频位置：光盘>实例视频>14.4.3

1 我们继续前面的操作，将文字重新翻转到路径上面，使用直接选择工具单击路径，显示锚点，如图14-60所示。

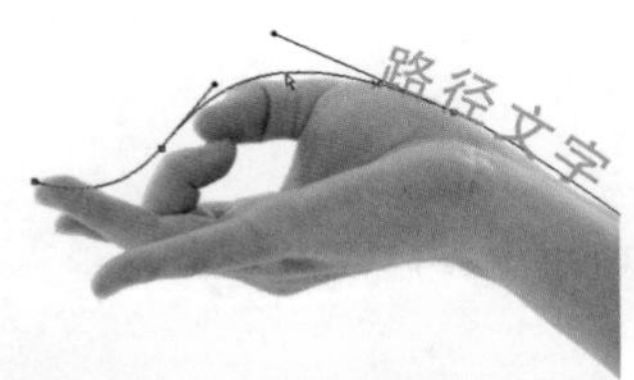

图14-60

2 移动锚点或者调整方向线修改路径的形状，文字会沿修改后的路径重新排列，如图14-61、图14-62所示。

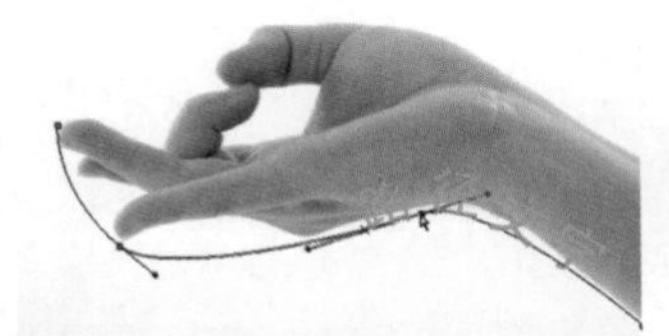

图14-61

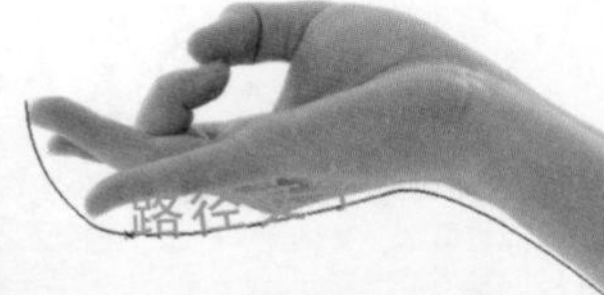

图14-62

14.5 格式化字符

格式化字符是指设置字符的属性。我们在前面介绍过，输入文字之前，可以在工具选项栏或“字符”面板中设置文字的字体、大小和颜色等属性，而创建文字之后，也可以通过以上两种方式修改字符的属性。默认情况下，设置字符属性时会影响所选文字图层中的所有文字，如果要修改部分文字，可以先用文字工具将它们选择，再进行编辑。

14.5.1 使用字符面板

“字符”面板提供了比工具选项栏更多的选项，如图14-63所示，图14-64所示为“字符”面板的面板菜单。字体系列、字体样式、字体大小、文字颜色和消除锯齿等都与工具选项栏中的相应选项相同，下面介绍其他选项。

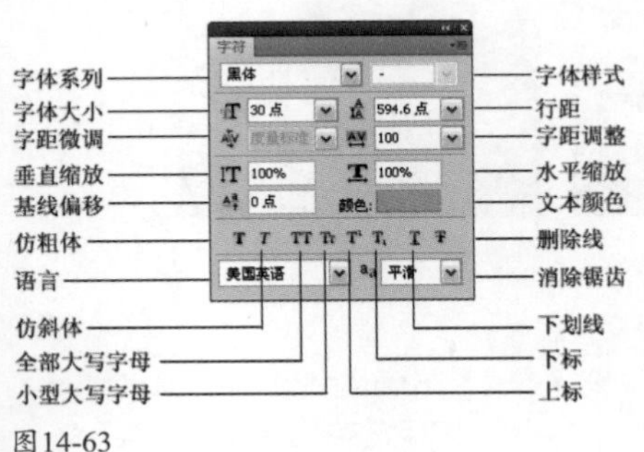

图14-63

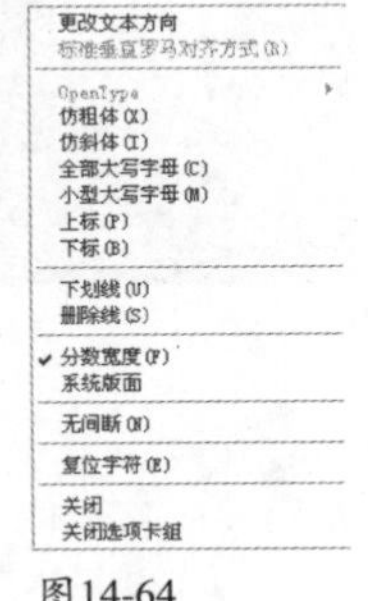

图14-64

- 行距：行距是指文本中各个文字行之间的垂直间距。同一段落的行与行之间可以设置不同的行距，但文字行中的最大行距决定了该行的行距。如图14-65所示是行距为72点的文本（文字大小为72点），图14-66所示是行距调整为100点的文本。

千里之行
始于足下

图14-65

千里之行
始于足下

图14-66

- 字距微调：用来调整两个字符之间的间距，在操作时首先在要调整的两个字符之间单击，设置插入点，如图14-67所示，然后再调整数值，如图14-68所示为增加该值后的文本，图14-69所示为减少该值后的文本。

图14-67　图14-68　图14-69

- 字距调整：选择了部分字符时，可调整所选字符的间距，如图14-70所示；没有选择字符时，可调整所有字符的间距，如图14-71所示。

图14-70　图14-71

- 水平缩放/垂直缩放：水平缩放用于调整字符的宽度，垂直缩放用于调整字符的高度。这两个百分比相同时，可进行等比缩放；不同时，则不等比缩放。
- 基线偏移：用来控制文字与基线的距离，它可以升高或降低所选文字，如图14-72所示。

图14-72

- 语言：可对所选字符进行有关连字符和拼写规则的语言设置，Photoshop 使用语言词典检查连字符连接。

技术看板 63 文字基线

当我们使用文字工具在图像中单击设置文字插入点时，会出现一个闪烁的“I”形光标，光标中的小线条标记的就是文字基线（文字所依托的假想线条）的位置。默认情况下，绝大部分文字位于基线之上，小写的g、p、q位于基线之下。调整字符的基线可以上升或下降字符，以满足一些特殊文本的需要。

14.5.2 实战——设置字体样式

●实例门类：软件功能类　●视频位置：光盘>实例视频>14.5.2

“字符”面板下面的一排“T”状按钮用来创建仿粗体、斜体等文字样式，以及为字符添加上下划线、或删除线，如图14-73所示（括号内的a为效果示意）。我们可以通过下面的操作来了解如何使用字体样式。

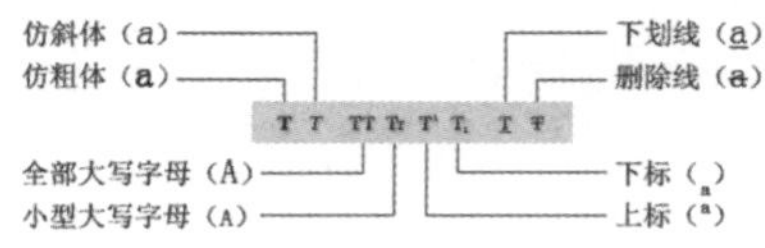

图14-73

1 打开一个文件（光盘>素材>13.5.2），如图14-74所示。选择横排文字工具，设置文字的字体、字号和颜色等属性，如图14-75所示。

图14-74　图14-75

2 切换到英文输入法，在画面中单击，按下Shift+$键，输入字符“＄”，然后继续输入数字，如图14-76所示。在字符“＄”上拖动鼠标将它选择，如图14-77所示，单击“字符”面板中的上标按钮，将字符的文字基线上移形成上标，如图14-78所示。

图14-76　图14-77

3 选择最后的两个数字0，单击“字符”面板中的上标按钮，如图14-79所示，然后再单击下划线按钮，为它添加下划线，如图14-80所示。按下Ctrl+回车键结束编辑，再调整一下文本的位置，效果如图14-81所示。

图14-78　图14-79

图14-80　图14-81

相关链接：文字的默认度量单位是“点”，也可以使用“像素”和“毫米”作为度量单位，如果要修改为其他单位，可参阅“20.3.7 单位与标尺”。

14.6 格式化段落

格式化段落是指设置文本中的段落属性，如设置段落的对齐、缩进和文字行的间距等。段落是末尾带有回车符的任何范围的文字，对于点文本来说，每行便是一个单独的段落；对于段落文本来说，由于定界框大小的不同，一段可能有多行。

14.6.1 使用段落面板

“段落”面板用来设置段落属性，如图14-82所示，图14-83所示为面板菜单。

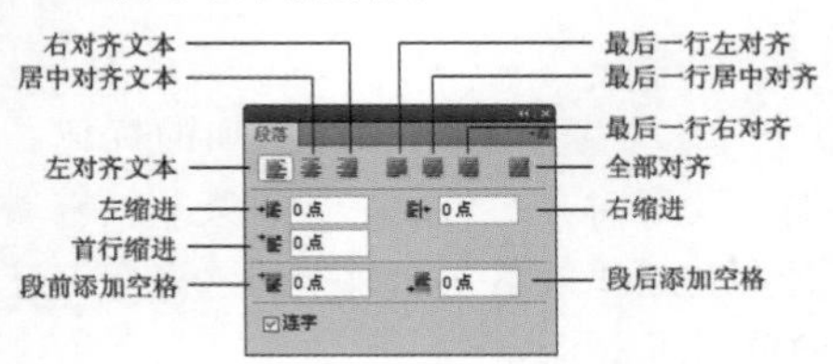

图14-82

罗马式溢出标点 (R)
对齐 (J)...
连字符连接 (Y)...
✔ Adobe 单行书写器 (S)
Adobe 多行书写器 (E)
复位段落 (P)
关闭
关闭选项卡组

图14-83

如果要设置单个段落的格式，可以用文字工具在该段落中单击，设置文字插入点并显示定界框，如图14-84所示；如果要设置多个段落的格式，先要选择这些段落，如图14-85所示。如果要设置全部段落的格式，则要在“图层”面板中选择该文本图层，如图14-86所示。

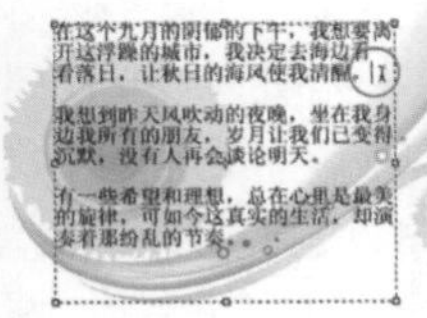

图14-84

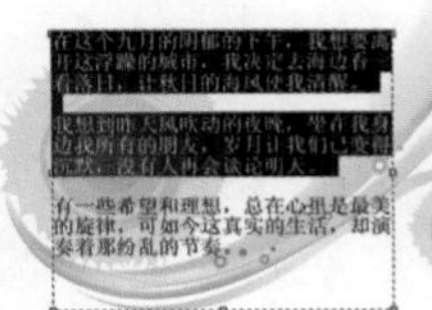

图14-85

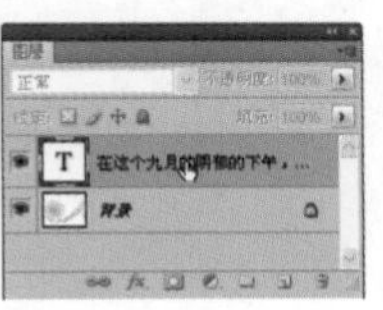

图14-86

提示 “字符”面板只能处理被选择的字符，“段落”面板则不论是否选择了字符都可以处理整个段落。

14.6.2 设置段落的对齐与缩进

段落对齐

“段落”面板最上面的一排按钮用来设置段落的对齐方式，它们可以将文字与段落的某个边缘对齐。

- 左对齐文本：文字左对齐，段落右端参差不齐，如图14-87所示。
- 居中对齐文本：文字居中对齐，段落两端参差不齐，如图14-88所示。
- 右对齐文本：文字右对齐，段落左端参差不齐，如图14-89所示。

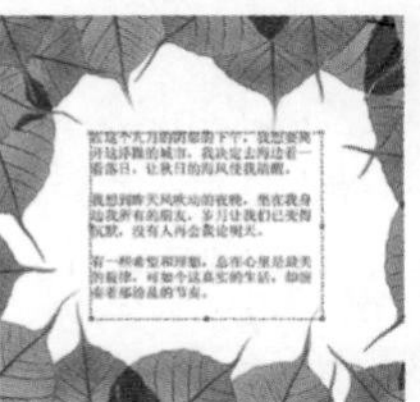

图14-87

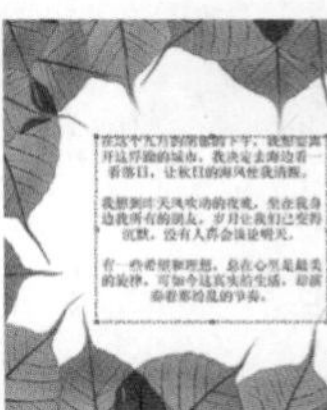

图14-88

图14-89

- 最后一行左对齐：最后一行左对齐，其他行左右两端强制对齐，如图14-90所示。
- 最后一行居中对齐：最后一行居中对齐，其他行左右两端强制对齐，如图14-91所示。

图14-90

图14-91

- 最后一行右对齐：最后一行右对齐，其他行左右两端强制对齐，如图14-92所示。
- 全部对齐：在字符间添加额外的间距，使文本左右两端强制对齐，如图14-93所示。

图14-92

图14-93

段落缩进

缩进用来指定文字与定界框之间或与包含该文字的行之间的间距量。

- 左缩进：横排文字从段落的左边缩进，直排文字从段落的顶端缩进，如图14-94所示。
- 右缩进：横排文字从段落的右边缩进，直排文字则从段落的底部缩进，如图14-95所示。
- 首行缩进：可缩进段落中的首行文字。对于横排文字，首行缩进与左缩进有关，如图14-96所示；对于直排文字，首行缩进与顶端缩进有关。如果将该值设置为负值，则可以创建首行悬挂缩进。

图14-94

图14-95

图14-96

缩进只影响选择的一个或多个段落，因此，我们可以为各个段落设置不同的缩进量。

14.6.3 设置段落的间距

“段落”面板中的段前添加空格按钮和段后添加空格按钮用于控制所选段落的间距。如图14-97所示为选择的段落，图14-98所示设置段前添加空格为30点的效果，图14-99所示设置段后添加空格为30点的效果。

图14-97

图14-98

图14-99

14.6.4 设置连字

连字符是在每一行末端断开的单词间添加的标记。在将文本强制对齐时，为了对齐的需要，会将某一行末端的单词断开至下一行，勾选“段落”面板中的“连字”选项，便可以在断开的单词间显示连字标记。

14.7 编辑文本

在Photoshop中，除了可以在“字符”和“段落”面板中编辑文本外，还可以通过命令编辑文字，如进行拼写检查、查找和替换文本等。

14.7.1 拼写检查

如果要检查当前文本中的英文单词拼写是否有误，可执行“编辑>拼写检查”命令，打开“拼写检查”对话框，检查到错误时，Photoshop会提供修改建议，如图14-100、图14-101所示。

图14-100

图14-101

- 不在词典中/建议/更改/更改全部：Photoshop会将查出错误单词显示在“不在词典中”列表内，并在“建议”列表中提供修改建议，可单击“更改”按钮进行替换。如果要使用正确的单词替换文本中所有错误的单词，可单击“更改全部”按钮。如图14-102、图14-103所示。

图14-102

图14-103

- 更改为：可输入用来替换错误单词的正确单词。
- 检查所有图层：检查所有图层中的文本。取消勾选时只检查所选图层中的文本。
- 完成：单击该按钮可结束检查并关闭对话框。
- 忽略/全部忽略：单击“忽略”按钮，表示忽略当前的检查结果；单击“全部忽略”按钮，则忽略所有检查结果。

- 添加：如果被查找到的单词拼写正确，可单击该按钮，将它添加到Photoshop词典中。以后再查找到该单词时，Photoshop会将其确认为正确的拼写形式。

14.7.2 查找和替换文本

使用“编辑>查找和替换文本”命令可以查找当前文本中需要修改的文字、单词、标点或字符，并将其替换为指定的内容，如图14-104所示为“查找和替换文本”对话框。在“查找内容”选项内输入要替换的内容，在“更改为”选项内输入用来替换的内容，然后单击“查找下一个”按钮，Photoshop会搜索并突出显示查找到的内容。如果要替换内容，可以单击“更改”按钮；如果要替换所有符合要求的内容，可单击“更改全部”按钮。

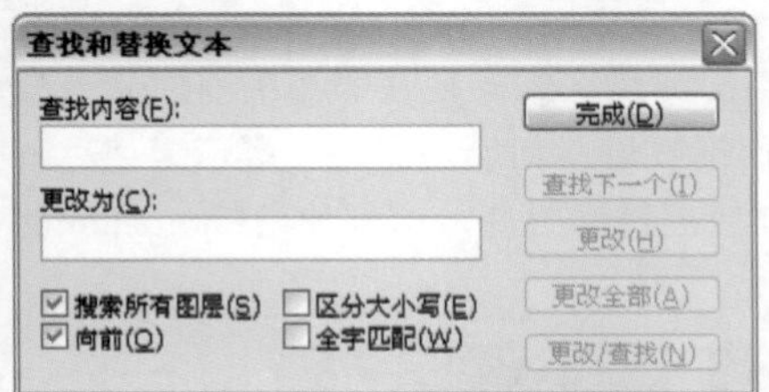

图14-104

已经栅格化的文字不能进行查找和替换操作。

14.7.3 将文字创建为工作路径

选择一个文字图层，如图14-105所示，执行“图层>文字>创建工作路径”命令，可以基于文字创建工作路径，原文字属性保持不变，如图14-106所示（为了观察路径，隐藏了文字图层）。生成的工作路径可以应用填充和描边，或者通过调整锚点得到变形文字，如图14-107所示。

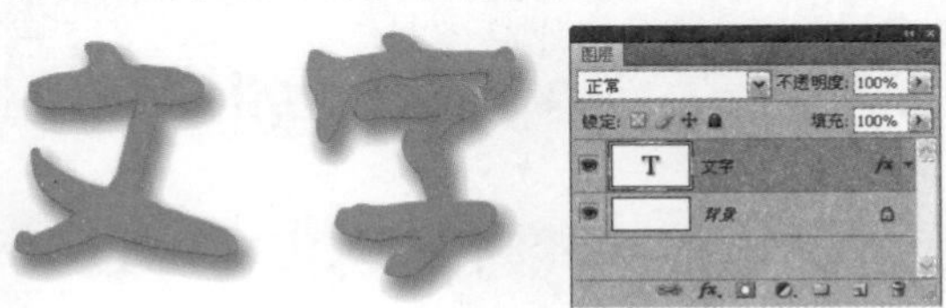

图14-105

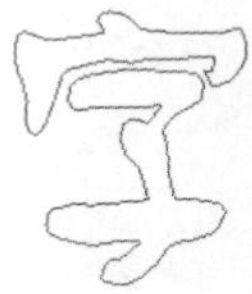
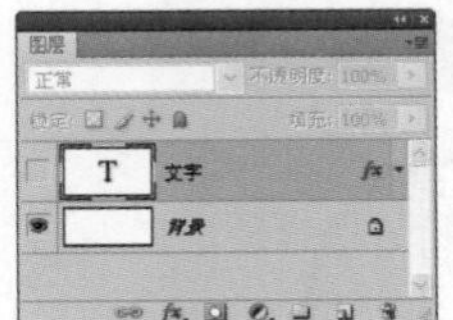

图14-106

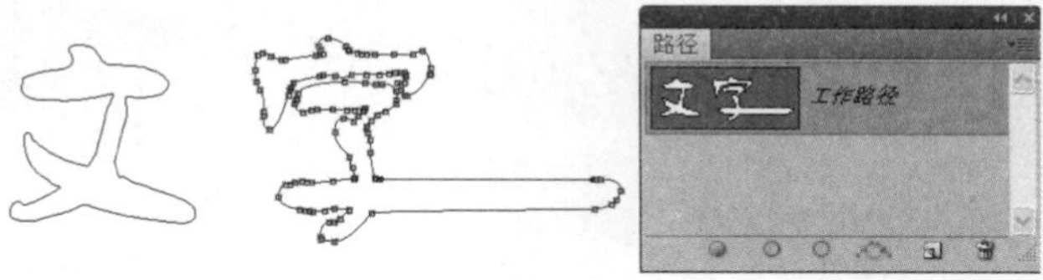

图14-107

14.7.4 将文字转换为形状

选择文字图层，如图14-108所示，执行“图层>文字>转换为形状”命令，可以将它转换为具有矢量蒙版的形状图层，如图14-109所示。执行该命令后，不会保留文字图层。

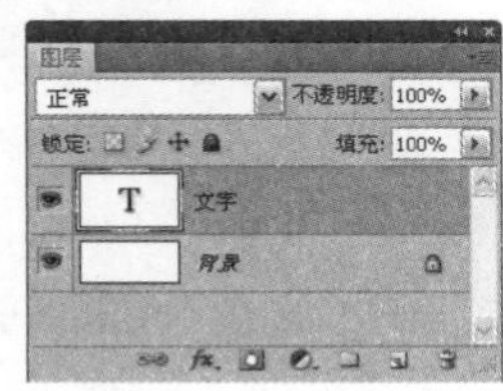

图14-108

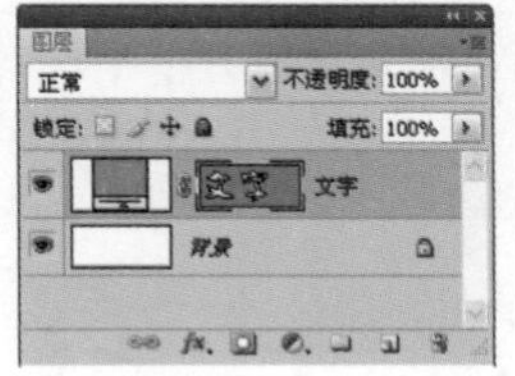

图14-109

14.7.5 更改所有文字图层

执行“图层>文字>更改所有文字图层”命令，可以更改当前文件中所有文字图层的属性。

14.7.6 替换所有欠缺字体

打开文件时，如果该文档中的文字使用了系统中没有的字体，会弹出一条警告信息，指明缺少哪些字体，出现这种情况时，可以执行“编辑>替换所有欠缺字体”命令，使用系统中安装的字体替换文档中欠缺的字体。

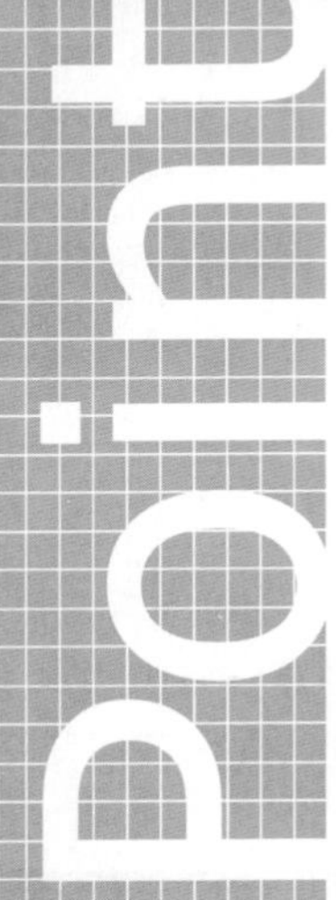

第15章 滤镜、外挂滤镜与增效工具

Learning Objectives
学习重点

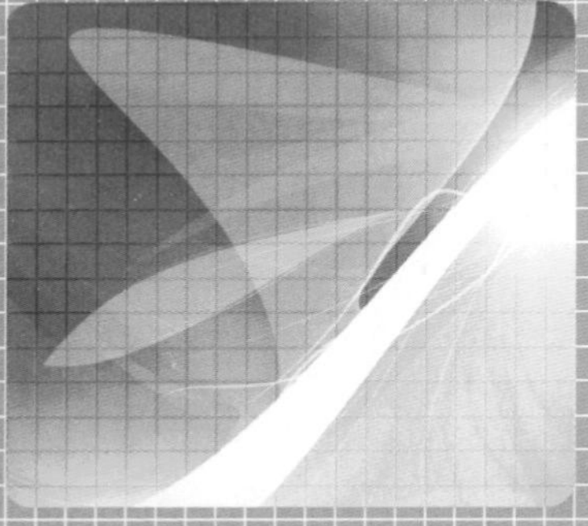

15.1 滤镜的原理与使用方法

滤镜是Photoshop中最具吸引力的功能之一，它就像是一个魔术师，可以把普通的图像变为非凡的视觉艺术作品。滤镜不仅可以制作各种特效，还能模拟素描、油画、水彩等绘画效果。在这一章中，我们就来详细了解各种滤镜的特点与使用方法。

15.1.1 什么是滤镜

滤镜原本是一种摄影器材，如图15-1所示；摄影师将它们安装在照相机前面来改变照片的拍摄方式，可以影响色彩或者产生特殊的拍摄效果。例如，图15-2所示为使用普通镜头拍摄的照片；图15-3所示是加装了柔光镜以后拍摄的照片，这与使用Photoshop的模糊滤镜处理后的效果非常相似。

图15-1

图15-2

图15-3

Photoshop滤镜是一种插件模块，它们能够操纵图像中的像素。我们在前面的章节中介绍过，位图（如照片、图像素材等）是由像素构成的，每一个像素都有自己的位置和颜色值，滤镜就是通过改变像素的位置或颜色来生成各种特殊效果的。例如，图15-4所示为原图像；图15-5所示是“染色玻璃”滤镜处理后的图像，从放大镜中我们可以看到像素的变化情况。

图15-4

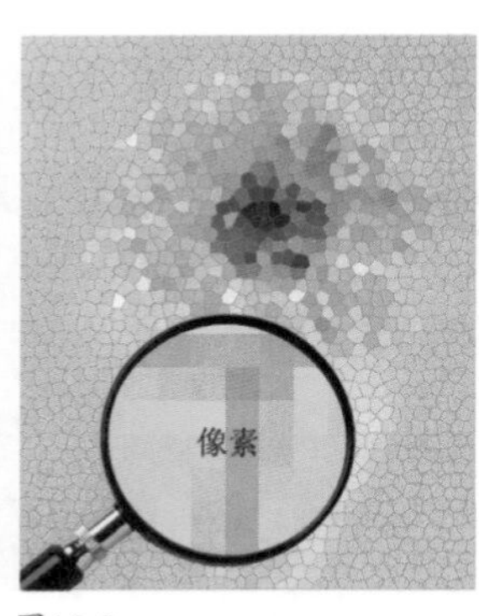

图15-5

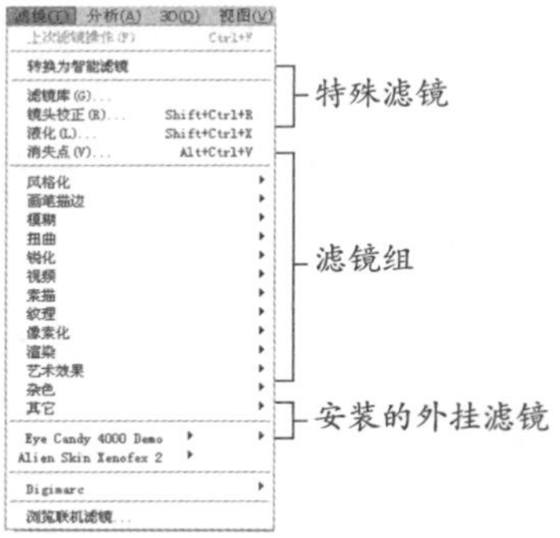

滤镜(T) 分析(A) 3D(D) 视图(V)
转换为智能滤镜
滤镜库(G)...
镜头校正(R)... Shift+Ctrl+R
液化(L)... Shift+Ctrl+X
消失点(V)... Alt+Ctrl+V
风格化
画笔描边
模糊
扭曲
锐化
视频
素描
纹理
像素化
渲染
艺术效果
杂色
其它
Eye Candy 4000 Demo
Alien Skin Xenofex 2
Digimarc
浏览联机滤镜...
特殊滤镜
滤镜组
安装的外挂滤镜

图15-6

15.1.2 滤镜的种类和主要用途

滤镜分为内置滤镜和外挂滤镜两大类。内置滤镜是Photoshop自身提供的各种滤镜，外挂滤镜则是由其他厂商开发的滤镜，它们需要安装在Photoshop中才能使用。

Photoshop的所有滤镜都在“滤镜”菜单中，如图15-6所示。其中“滤镜库”、“镜头校正”、“液化”和“消失点”等是特殊滤镜，被单独列出，而其他滤镜都依据其主要功能放置在不同类别的滤镜组中。如果安装了外挂滤镜，则它们会出现在“滤镜”菜单底部。

Photoshop的内置滤镜主要有两种用途。第一种用于创建具体的图像特效，如可以生成粉笔画、图章、纹理、波浪等各种效果。此类滤镜的数量最多，且绝大多数都在“风格化”、“画笔描边”、“扭曲”、“素描”、“纹理”、“像素化”、“渲染”、“艺术效果”等滤镜组中，除“扭曲”以及其他少数滤镜外，基本上都是通过“滤镜库”来管理和应用的。

第二种主要用于编辑图像，如减少图像杂色、提高清晰度等，这些滤镜在“模糊”、“锐化”、“杂色”等滤镜组中。此外，“液化”、“消失点”、“镜头校正”也属于此类滤镜。这3种滤镜比较特殊，它们功能强大，并且有自己的工具和独特的操作方法，更像是独立的软件。

相关链接：关于外挂滤镜的详细内容，请参阅“15.18 Photoshop外挂滤镜”。

15.1.3 滤镜的使用规则

- 使用滤镜处理图层中的图像时，需要选择该图层，并且图层必须是可见的（其缩览图前面有眼睛图标）。
- 如果创建了选区，滤镜只处理选区内的图像，如图15-7所示；没有创建选区，则处理当前图层中的全部图像，如图15-8所示。
- 滤镜的处理效果是以像素为单位进行计算的，因此，相同的参数处理不同分辨率的图像，其效果也会不同。

图15-7

图15-8

- 滤镜可以处理图层蒙版、快速蒙版和通道。
- 只有“云彩”滤镜可以应用在没有像素的区域，其他滤镜都必须应用在包含像素的区域，否则不能使用。但外挂滤镜除外。

疑问解答 为什么有些滤镜无法使用呢？

如果“滤镜”菜单中的某些滤镜命令显示为灰色，就表示它们不能使用。通常情况下，这是由于图像模式造成的问题。RGB模式的图像可以使用全部滤镜，一部分滤镜不能用于CMYK模式的图像，索引和位图模式的图像则不能使用任何滤镜。如果要对位图、索引或CMYK模式的图像应用滤镜，可以先执行“图像>模式>RGB颜色”命令，将它们转换为RGB模式，再用滤镜处理。

15.1.4 滤镜的使用技巧

- 我们执行完一个滤镜命令后，“滤镜”菜单的第一行便会出现该滤镜的名称，如图15-9所示；单击它或按下Ctrl+F快捷键可以快速应用这一滤镜。如果要对该滤镜的参数做出调整，可以按下Alt+Ctrl+F快捷键打开滤镜的对话框重新设置参数。

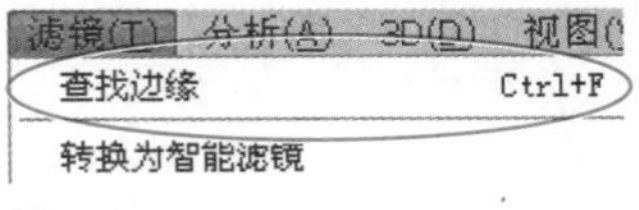

滤镜(T) 分析(A) 3D(D) 视图(
查找边缘 Ctrl+F
转换为智能滤镜

图15-9

- 在任意滤镜对话框中按住Alt键，“取消”按钮都会变成“复位”按钮，单击它可以将参数恢复到初始状态。
- 应用滤镜的过程中如果要终止处理，可以按下Esc键。
- 使用滤镜时通常会打开滤镜库或者相应的对话框，在预览框中可以预览滤镜效果，单击⊞或⊟按钮可以放大或缩小显示比例；单击并拖动预览框内的图像，可移动图像，如图15-10所示；如果想要查看某一区域内的图像，可在文档中单击，滤镜预览框中就会显示单击处的图像，如图15-11所示。

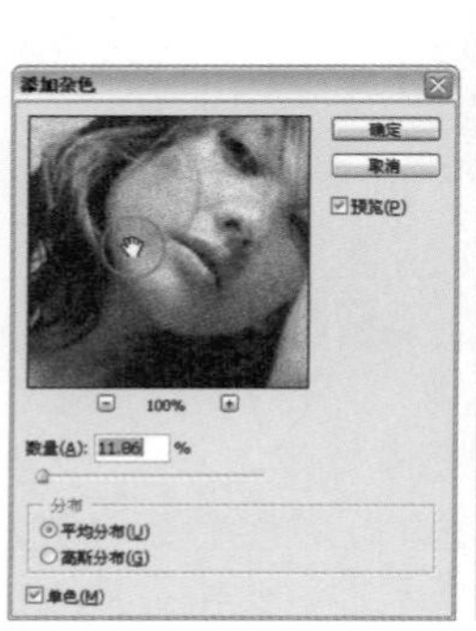

图15-10

图15-11

- 使用滤镜处理图像后，执行“编辑>渐隐”命令可以修改滤镜效果的混合模式和不透明度。图15-12所示为使用“添加杂色”滤镜处理的图像，图15-13所示为使用“渐隐”命令编辑后的效果。“渐隐”命令必须是在进行了编辑操作后立即执行，如果这中间又进行了其他操作，则无法执行该命令。

图15-12

图15-13

疑问解答 为什么选择多个图层以后，不能同时对它们应用滤镜？

在Photoshop中，滤镜、绘画工具、加深、减淡、涂抹、污点修复画笔等修饰工具只能处理当前选择的一个图层，而不能同时处理多个图层。而移动、缩放和旋转等变换操作，则可以对多个选定的图层同时处理。

15.1.5 查看滤镜的信息

“帮助>关于增效工具”下拉菜单中包含了Photoshop所有滤镜和增效工具的目录，选择任意一个，就会显示它的详细信息，如滤镜版本、制作者、所有者等。图15-14所示为“滤镜库”的相关信息。

图15-14

15.1.6 提高滤镜性能

Photoshop中一部分滤镜在使用时会占用大量的内存，如“光照效果”、“木刻”、“染色玻璃”等，特别是编辑高分辨率的图像时，Photoshop的处理速度会变得很慢。

如果遇到这种情况，可以先在一小部分图像上试验滤镜，找到合适的设置后，再将滤镜应用于整个图像。或者在使用滤镜之前先执行“编辑>清理”命令释放内存，也可以退出其他应用程序，为Photoshop提供更多的可用内存。

15.1.7 浏览联机滤镜

执行“滤镜”菜单中的“浏览联机滤镜”命令，可以链接到Adobe网站，查找需要的滤镜和增效工具，如图15-15所示。

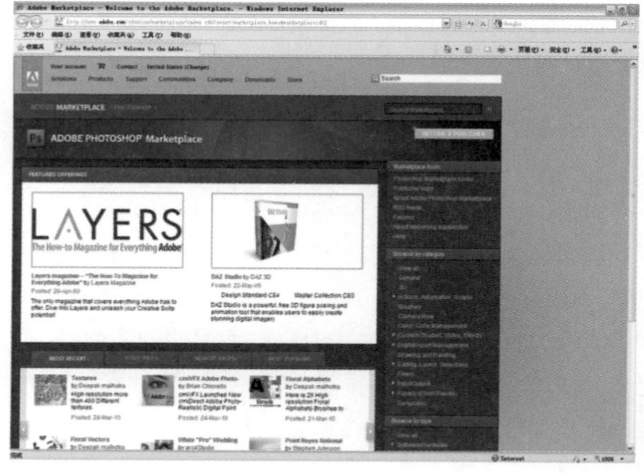

图15-15

15.2 滤镜库

滤镜库是一个整合了多种滤镜的对话框，它可以将一个或多个滤镜应用于图像，或者对同一图像多次应用同一滤镜，还可以使用对话框中的其他滤镜替换原有的滤镜。

15.2.1 滤镜库概览

执行“滤镜>滤镜库”命令，或者使用“风格化”、“画笔描边”、“扭曲”、“素描”、“纹理”、“艺术效果”滤镜组中滤镜时，都可以打开“滤镜库”，如图15-16所示。对话框的左侧是预览区，中间是6组可供选择的滤镜，右侧是参数设置区。

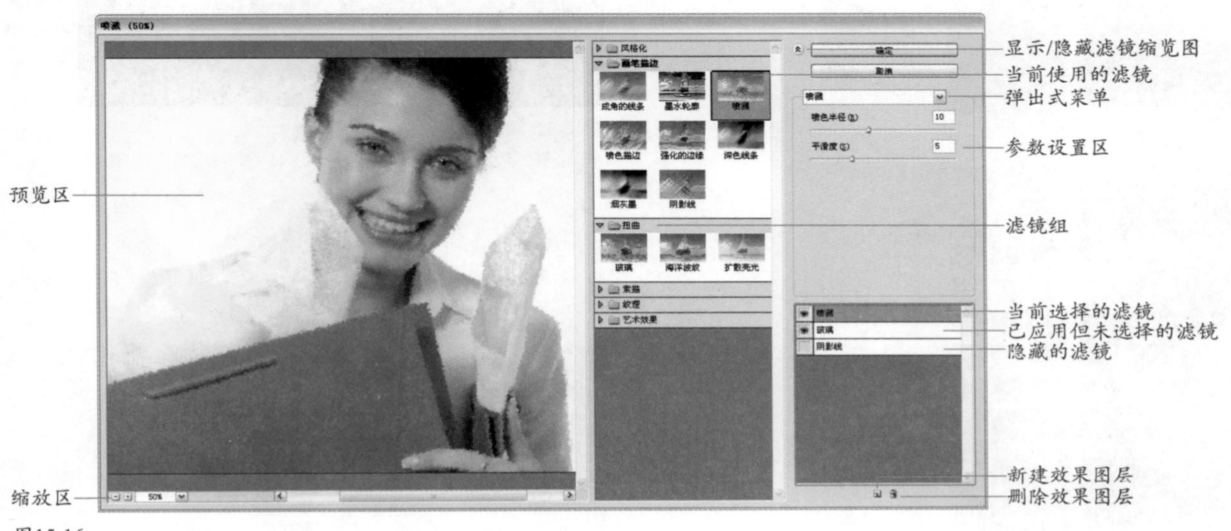

图15-16

- 预览区：用来预览滤镜效果。
- 滤镜组/参数设置区：“滤镜库”中共包含6组滤镜，单击一个滤镜组前的▶按钮，可以展开该滤镜组；单击滤镜组中的一个滤镜即可使用该滤镜，与此同时，右侧的参数设置区内会显示该滤镜的参数选项。
- 当前选择的滤镜缩览图：显示了当前使用的滤镜。
- 显示/隐藏滤镜缩览图⌃：单击该按钮，可以隐藏滤镜组，将窗口空间留给图像预览区。再次单击则显示滤镜组。
- 弹出式菜单：单击⌄按钮，可在打开的下拉菜单中选择一个滤镜。这些滤镜是按照滤镜名称汉语拼音的先后顺序排列的，如果想要使用某个滤镜，但不知道它在哪个滤镜组，便可以在该下拉菜单中查找。
- 缩放区：单击⊞按钮，可放大预览区图像的显示比例；单击⊟按钮，则缩小显示比例。

15.2.2 效果图层

在“滤镜库”中选择一个滤镜后，该滤镜就会出现在对话框右下角的已应用滤镜列表中，如图15-17所示。

图15-17

单击新建效果图层按钮，可以添加一个效果图层，如图15-18所示。添加效果图层后，可以选取要应用的另一个滤镜，重复此过程可添加多个滤镜，图像效果也会变得更加丰富，如图15-19所示。

图15-18

图15-19

滤镜效果图层与图层的编辑方法相同，上下拖动效果图层可以调整它们的堆叠顺序，滤镜效果也会发生改变，如图15-20所示。

图15-20

单击按钮可以删除效果图层。通过单击眼睛图标可以隐藏或显示滤镜。

15.2.3 实战——用滤镜库制作抽丝效果照片

●实例门类：数码照片处理类　●视频位置：光盘>实例视频>15.2.3

1. 按下Ctrl+O快捷键，打开一张照片（光盘>素材>15.2.3），如图15-21所示。

图15-21

2. 将前景色设置为蓝色（R35、G103、B138），背景色设置为白色。执行“滤镜>素描>半调图案”命令，打开“滤镜库”，将“图像类型”设置为“直线”，“大小”设置为3，“对比度”设置为8，如图15-22所示。单击“确定”按钮，关闭滤镜库，效果如图15-23所示。

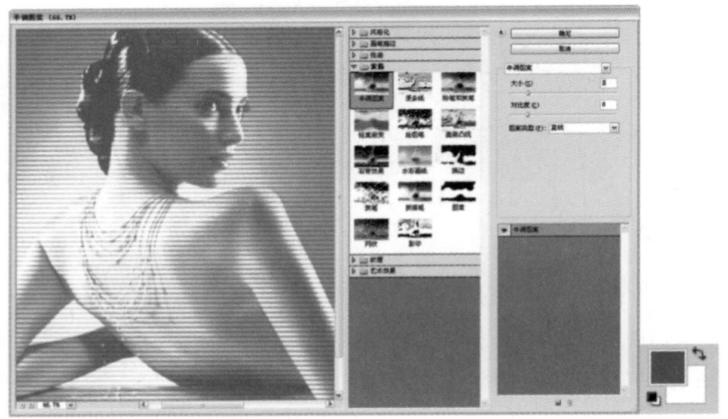
图15-22

图15-23

3. 执行“滤镜>镜头校正”命令，打开“镜头校正”对话框，单击“自定”选项卡，然后将“数量”选项组中的“晕影”滑块拖动到最左侧，如图15-24所示；为照片添加暗角效果，如图15-25所示。

图15-24

图15-25

4 执行“编辑>渐隐镜头校正”命令，在打开的对话框中，将滤镜的混合模式设置为“叠加”，如图15-26、图15-27所示。

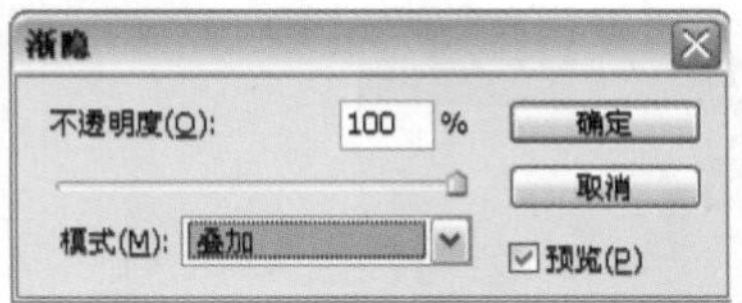

图15-26

图15-27

相关链接：如果用智能滤镜来应用抽丝效果，也可以修改滤镜的混合模式，详细操作方法请参阅“15.3.3 实战——修改智能滤镜”。

15.3 智能滤镜

智能滤镜是Photoshop CS3版本中出现的功能。我们在前面介绍过，滤镜需要修改像素才能呈现特效；而智能滤镜则是一种非破坏性的滤镜，可以达到与普通滤镜完全相同的效果，但它是作为图层效果出现在“图层”面板中的，因而不会真正改变图像中的任何像素，并且可以随时修改参数，或者删除掉。

15.3.1 智能滤镜与普通滤镜的区别

在Photoshop中，普通的滤镜是通过修改像素来生成效果的。例如，如图15-28所示为一个图像文件，图15-29所示是“染色玻璃”滤镜处理后的效果。从“图层”面板中可以看到，“背景”图层的像素被修改了，如果将图像保存并关闭，就无法恢复为原来的效果了。

疑问解答 什么样的滤镜可以用作智能滤镜？

除“液化”和“消失点”之外，任何滤镜都可以作为智能滤镜应用，这其中也包括支持智能滤镜的外挂滤镜。此外，“图像>调整”菜单中的“应用/高光”和“变化”命令也可以作为智能滤镜来应用。

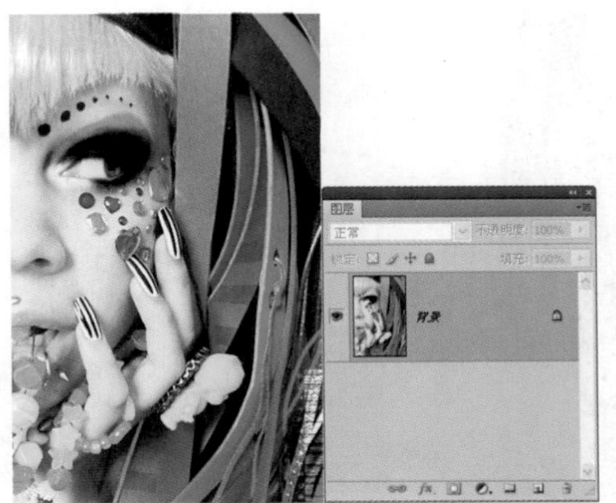

图15-28

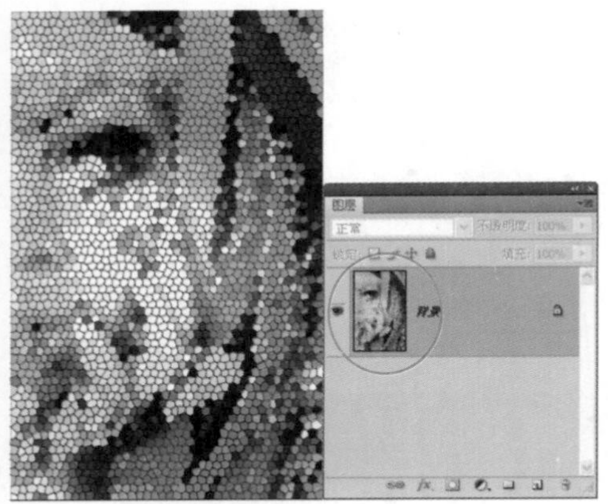

图15-29

智能滤镜则是一种非破坏性的滤镜，它将滤镜效果应用于智能对象上，不会修改图像的原始数据。图15-30所示为智能滤镜的处理结果，我们可以看到，它与普通“染色玻璃”滤镜的效果完全相同。

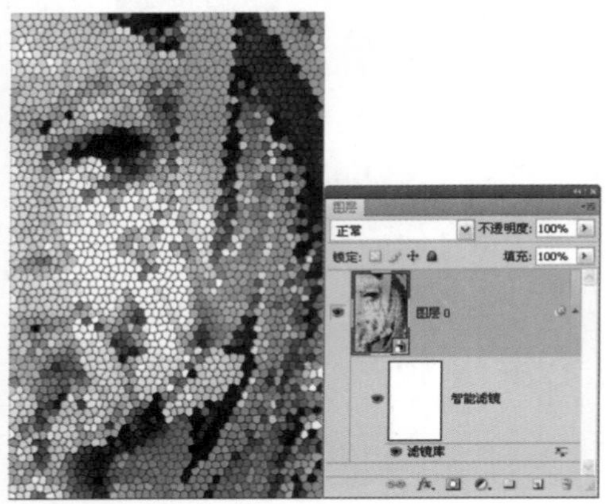

图15-30

智能滤镜包含一个类似于图层样式的列表，列表中显示了我们使用的滤镜，只要单击智能滤镜前面的眼睛图标，将滤镜效果隐藏，或者将它删除，即可恢复原始图像，如图15-31所示。

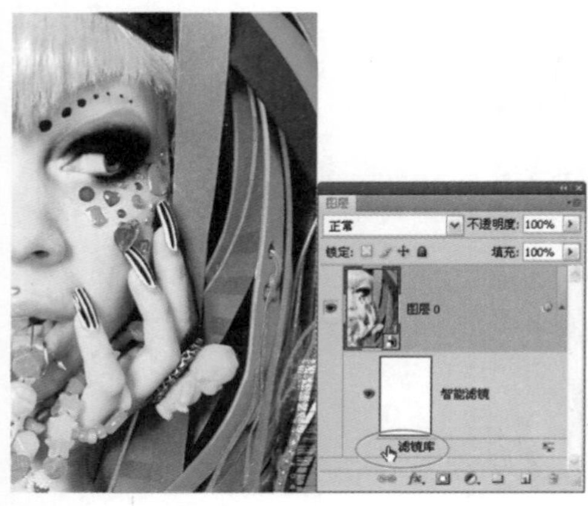

图15-31

15.3.2 实战——用智能滤镜制作网点照片

●实例门类：数码照片处理类 ●视频位置：光盘>实例视频>15.3.2

1 按下Ctrl+O快捷键，打开一张照片（光盘>素材>15.3.2），如图15-32所示。

图15-32

2 执行“滤镜>转换为智能滤镜”命令，弹出如图15-33所示的对话框，单击“确定”按钮，将“背景”图层转换为智能对象，如图15-34所示。

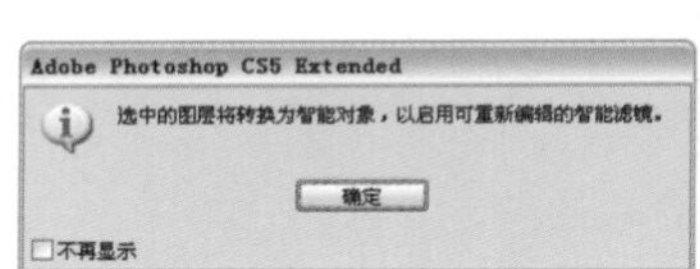

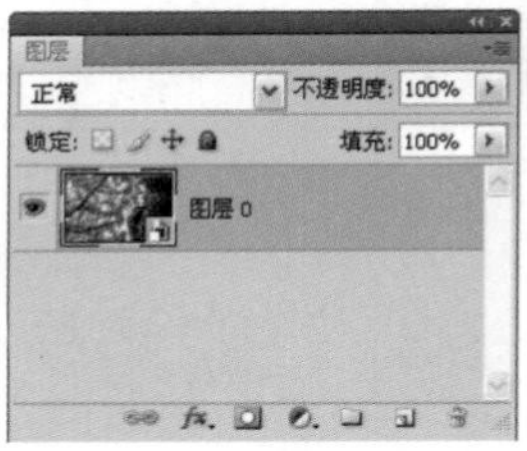

图15-33

图15-34

3 按下Ctrl+J快捷键，复制“图层0”，得到“图层0副本”。将前景色调整为普兰色（R91、G187、B201）。执行“滤镜>素描>半调图案”命令，打开“滤镜库”，将“图像类型”设置为“网点”，其他参数如图15-35所示；单击“确定”按钮，对图像应用智能滤镜，如图15-36、图15-37所示。

4 执行“滤镜>锐化>USM锐化”命令，对图像进行锐化，使网点变得清晰，如图15-38、图15-39所示。

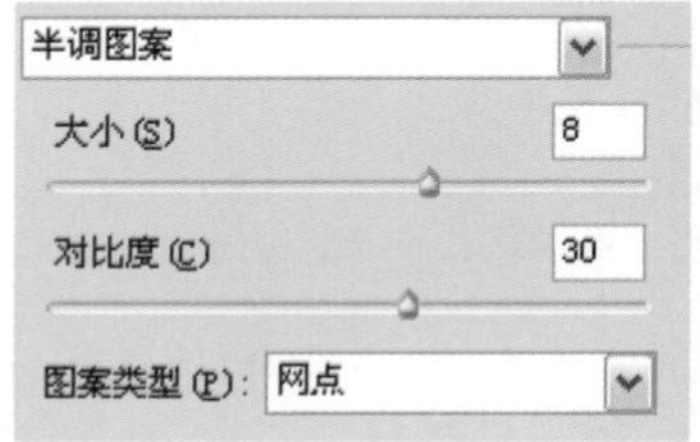

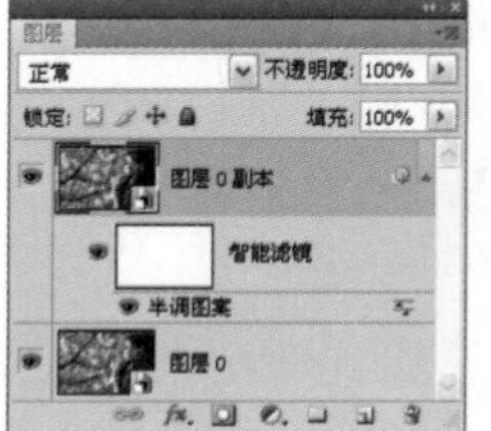

图15-35

图15-36

图15-37

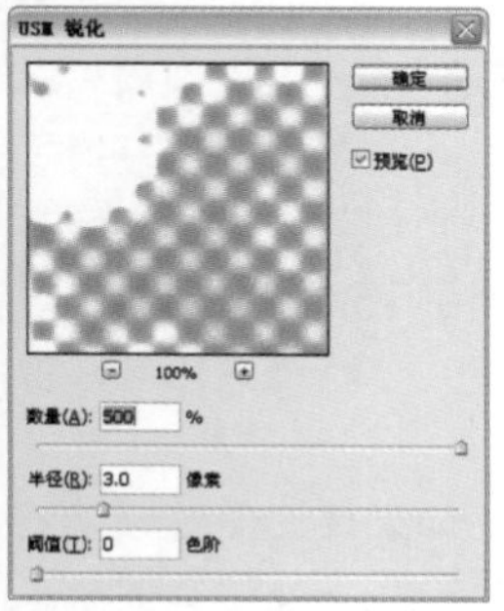

图15-38

图15-39

5 将“图层0副本”的混合模式设置为“正片叠底”，如图15-40所示。选择“图层0”，如图15-41所示。

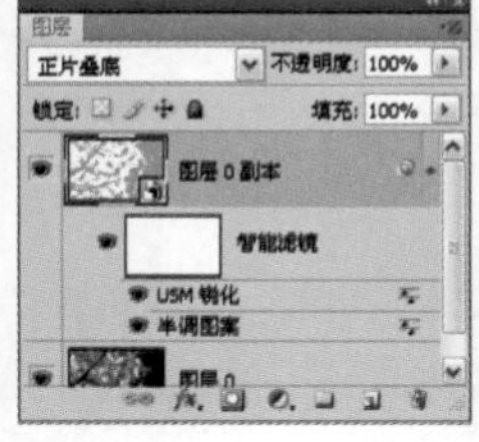

图15-40

图15-41

6 将前景色调整为洋红色（R173、G95、B198）。执行“滤镜>素描>半调图案”命令，打开“滤镜库”，使用默认的参数，将“图层0”中的图像处理为网点效果，如图15-42所示；再执行“滤镜>锐化>USM锐化”命令，锐化网点，如图15-43所示。

图15-42

图15-43

7 选择移动工具，按下←和↓键轻移图层，使上下两个图层中的网点错开。最后使用裁剪工具将照片的边缘裁齐，如图15-44所示。

图15-44

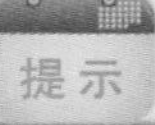

提示 应用于智能对象的任何滤镜都是智能滤镜，因此，如果当前图层为智能对象，可直接对其应用滤镜，而不必将其转换为智能滤镜。

15.3.3 实战——修改智能滤镜

●实例门类：软件功能类 ●视频位置：光盘>实例视频>15.3.3

1 我们使用前面的实例来看一下怎样修改智能滤镜。双击“半调图案”智能滤镜，如图15-45所示，重新打开“滤镜库”，我们来修改滤镜参数，将“图案类型”设置为“圆形”，如图15-46所示，单击“确定”按钮关闭对话框，即可更新滤镜效果，如图15-47所示。

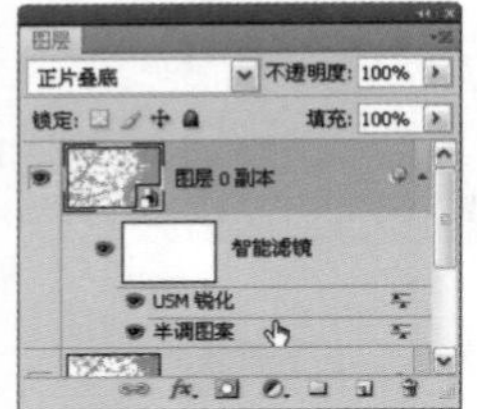

图15-45

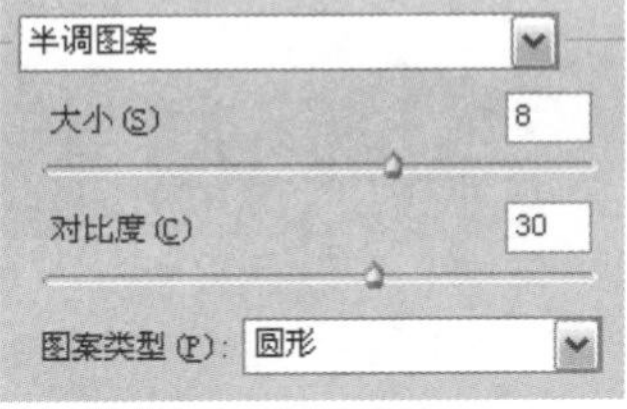

图15-46

图15-47

2 双击智能滤镜旁边的编辑混合选项图标，如图15-48所示，会弹出“混合选项”对话框，我们可以设置该滤镜的不透明度和混合模式，如图15-49、图15-50所示。

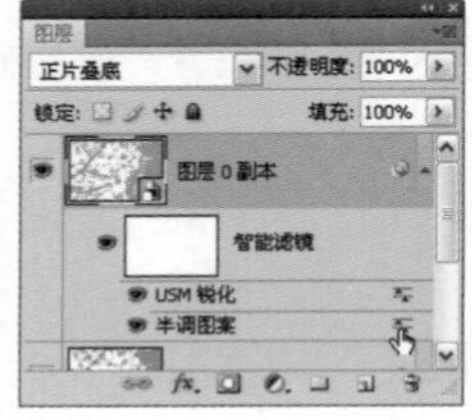

图15-48

图15-49

当我们使用一个滤镜以后，可以执行“编辑>渐隐”命令，修改滤镜的不透明度和混合模式。但该命令必须是在应用滤镜以后马上执行，否则将不能使用。而智能滤镜则不同，我们可以随时双击智能滤镜旁边的编辑混合选项图标来修改不透明度和混合模式。

图15-50

15.3.4 实战——遮盖智能滤镜

●实例门类：软件功能类 ●视频位置：光盘>实例视频>15.3.4

智能滤镜包含一个蒙版，它与图层蒙版完全相同，编辑蒙版可以有选择性地遮盖智能滤镜，使滤镜只影响图像的一部分。

1 单击智能滤镜的蒙版将它选择，如果要遮盖某一处滤镜效果，可以用黑色绘制；如果要显示某一处滤镜效果，则用白色绘制，如图15-51所示。

图15-51

2 如果要减弱滤镜效果的强度，可以用灰色绘制，滤镜将呈现不同级别的透明度。也可以使用渐变工具在图像中填充黑白渐变，渐变会应用到蒙版中，对滤镜效果进行遮盖，如图15-52所示。

遮盖智能滤镜时，蒙版会应用于当前图层中的所有的智能滤镜，因此，单个智能滤镜无法遮盖。执行“图层>智能滤镜>停用滤镜蒙版”命令，可以暂时停用智能滤镜的蒙版，蒙版上会出现一个红色的“×”；执行“图层>智能滤镜>删除滤镜蒙版”命令，可以删除蒙版。

图15-52

15.3.5 重新排列智能滤镜

当我们对一个图层应用了多个智能滤镜以后，如图15-53所示，可以在智能滤镜列表中上下拖动这些滤镜，重新排列它们的顺序，Photoshop会按照由下而上的顺序应用滤镜，因此，图像效果会发生改变，如图15-54所示。

图15-53

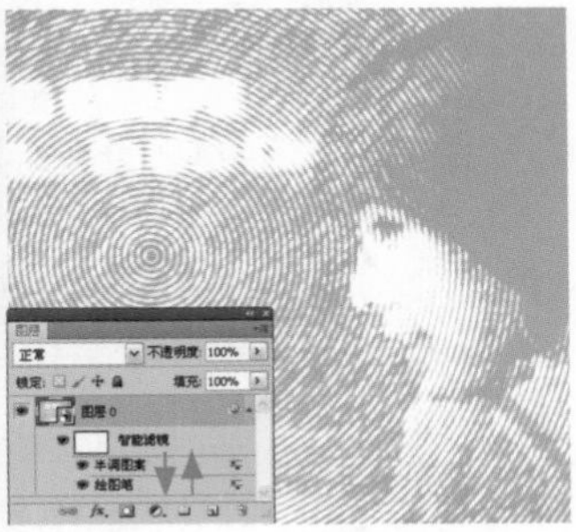

图15-54

15.3.6 显示与隐藏智能滤镜

如果要隐藏单个智能滤镜，可以单击该智能滤镜旁边的眼睛图标，如图15-55所示；如果要隐藏应用于智能对象图层的所有智能滤镜，则单击智能滤镜行旁边的眼睛图标，如图15-56所示，或者执行“图层>智能滤镜>停用智能滤镜”命令。如果要重新显示智能滤镜，可在滤镜的眼睛图标处单击。

15.3.7 复制智能滤镜

在“图层”面板中，按住 Alt 键，将智能滤镜从一个智能对象拖动到另一个智能对象上，或拖动到智能滤镜列表中的新位置，放开鼠标以后，可以复制智能滤镜，如图15-57、图15-58所示。如果要复制所有智能滤镜，可按住 Alt 键并拖动在智能对象图层旁边出现的智能滤镜图标，如图15-59所示。

图15-55

图15-56

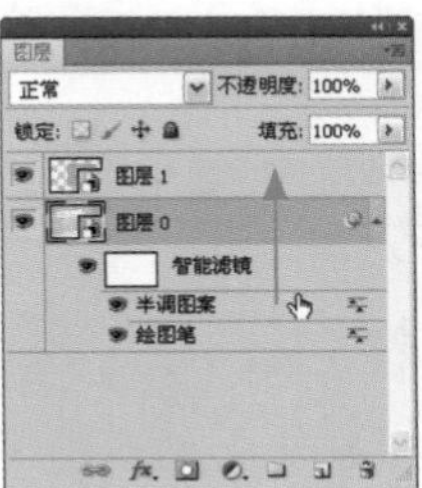

图15-57

图15-58

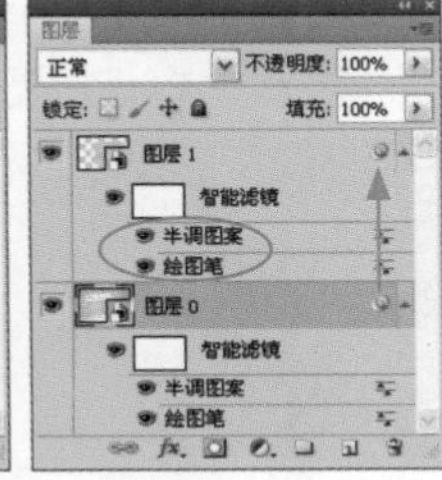

图15-59

15.3.8 删除智能滤镜

如果要删除单个智能滤镜，可以将它拖动到“图层”面板中的删除图层按钮上，如图15-60、图15-61所示；如果要删除应用于智能对象的所有智能滤镜，可以选择该智能对象图层，然后执行“图层>智能滤镜>清除智能滤镜”命令，如图15-62所示。

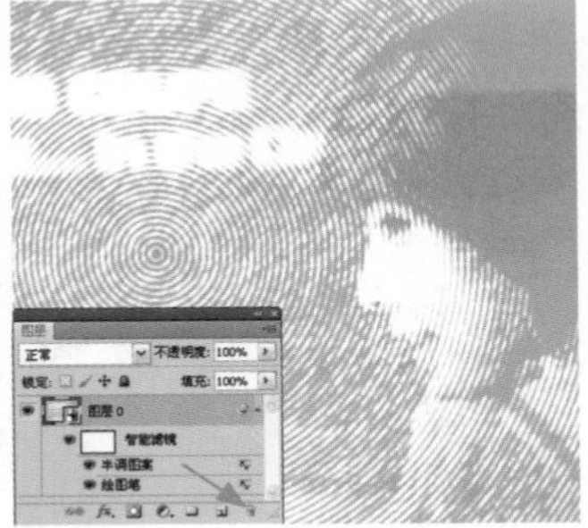

图15-60

图15-61

图15-62

15.4 风格化滤镜组

风格化滤镜组中包含9种滤镜，它们可以置换像素、查找并增加图像的对比度，产生绘画和印象派风格效果。

15.4.1 查找边缘

“查找边缘”滤镜能自动搜索图像像素对比度变化剧烈的边界，将高反差区变亮，低反差区变暗，其他区域则介于两者之间，硬边变为线条，而柔边变粗，形成一个清晰的轮廓。如图15-63所示为原图像，图15-64所示为滤镜效果，该滤镜无对话框。

图15-63

图15-64

15.4.2 等高线

“等高线”滤镜可以查找主要亮度区域的转换并为每个颜色通道淡淡地勾勒主要亮度区域的转换，以获得与等高线图中的线条类似的效果，如图15-65、图15-66所示为滤镜参数及效果。

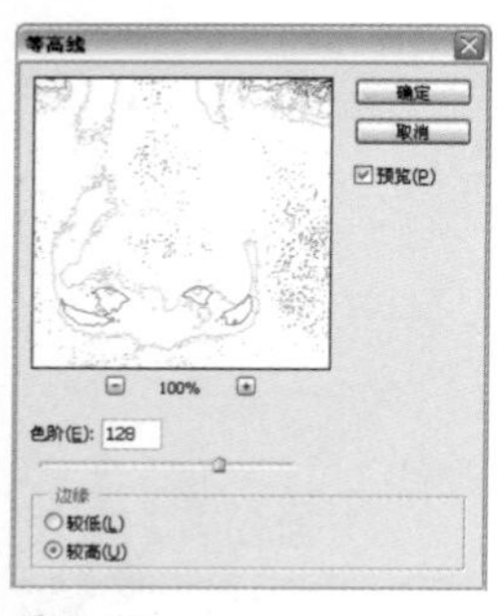

图15-65

图15-66

- 色阶：用来设置描绘边缘的基准亮度等级。
- 边缘：用来设置处理图像边缘的位置，以及边界的产生方法。选择“较低”时，可在基准亮度等级以下的轮廓上生成等高线；选择“较高”，则在基准亮度等级以上的轮廓上生成等高线。

15.4.3 风

“风”滤镜可在图像中增加一些细小的水平线来模拟风吹效果，如图15-67、图15-68所示。该滤镜只在水平方向起作用，要产生其他方向的风吹效果，需要先将图像旋转，然后再使用此滤镜。

图15-67

图15-68

- 方法：可选择3种类型的风，包括“风”、“大风”和“飓风”。
- 方向：用来设置风源的方向，即从右向左吹，还是从左向右吹。

15.4.4 浮雕效果

“浮雕效果”滤镜可通过勾划图像或选区的轮廓和降低周围色值来生成凸起或凹陷的浮雕效果，如图15-69、图15-70所示。

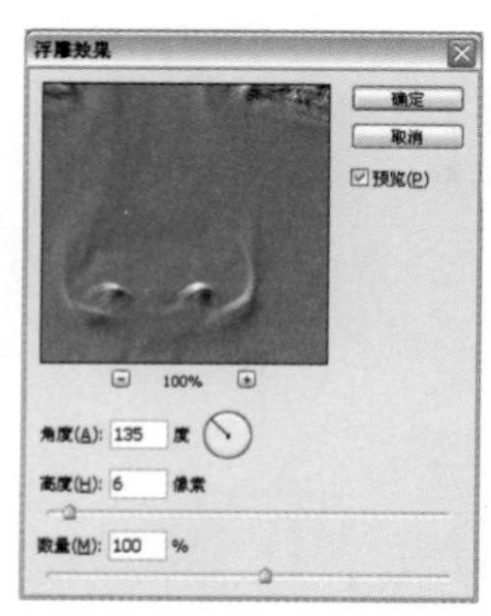

图15-69

图15-70

- 角度：用来设置照射浮雕的光线角度，光线角度会影响浮雕的凸出位置。
- 高度：用来设置浮雕效果凸起的高度，该值越高浮雕效果越明显。

- 数量：用来设置浮雕滤镜的作用范围，该值越高边界越清晰，小于40%时，整个图像会变灰。

15.4.5 扩散

“扩散”滤镜可以使图像中相邻的像素按规定的方式有机移动，使图像扩散，形成一种类似于透过磨砂玻璃观察对象时的分离模糊效果，如图15-71、图15-72所示。

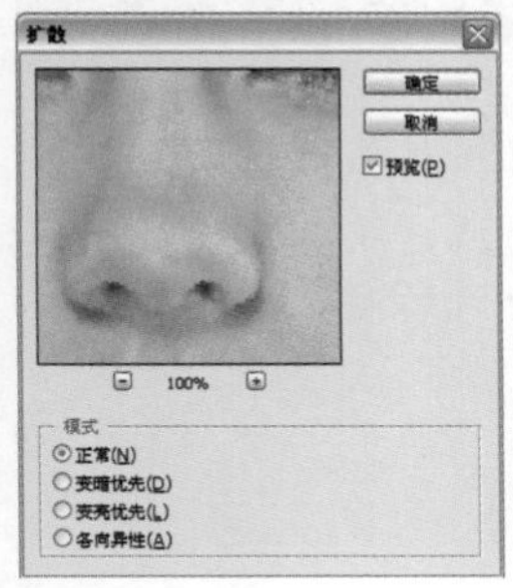

图15-71

图15-72

- 正常：图像的所有区域都进行扩散处理，与图像的颜色值没有关系。
- 变暗优先：用较暗的像素替换亮的像素，只有暗部像素产生扩散。
- 变亮优先：用较亮的像素替换暗的像素，只有亮部像素产生扩散。
- 各向异性：在颜色变化最小的方向上搅乱像素。

15.4.6 拼贴

“拼贴”滤镜可根据指定的值将图像分为块状，并使其偏离其原来的位置，产生不规则磁砖拼凑成的图像效果，如图15-73、图15-74所示。该滤镜会在各砖块之间生成一定的空隙，我们可以在“填充空白区域使用”选项组内选择空隙中使用什么样的内容填充。

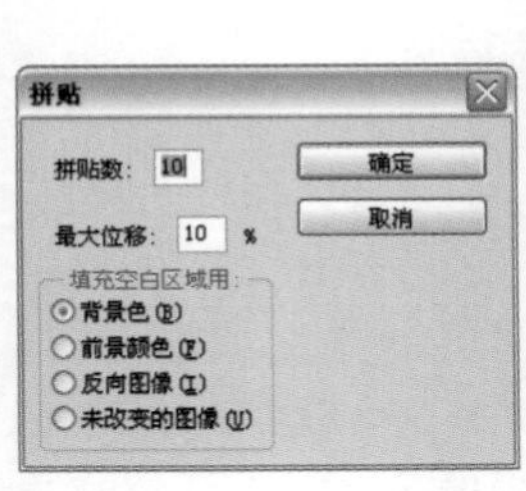

图15-73

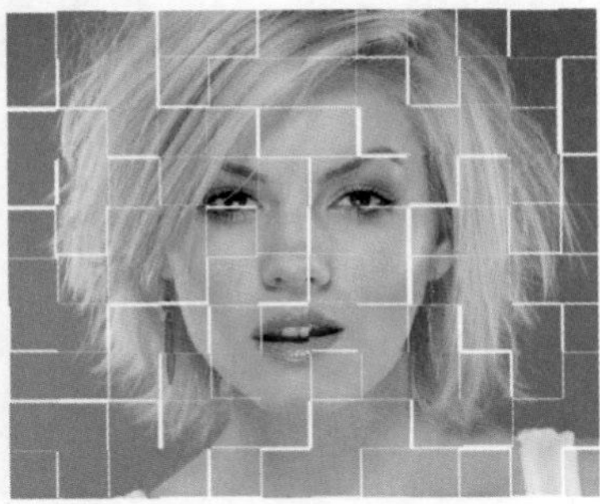

图15-74

- 拼贴数：设置图像拼贴块的数量。
- 最大位移：设置拼贴块的间隙。

当图像的拼贴数目达到99时，整个图像将被“填充空白区域”选项组中设定的颜色覆盖。

15.4.7 曝光过度

“曝光过度”滤镜可以混合负片和正片图像，模拟出摄影中增加光线强度而产生的过度曝光效果，如图15-75所示。该滤镜无对话框。

图15-75

15.4.8 凸出

“凸出”滤镜可以将图像分成一系列大小相同且有机重叠放置的立方体或锥体，产生特殊的3D效果，如图15-76、图15-77所示。

图15-76 图15-77

- 类型：用来设置图像凸起的方式。选择“块”，可以创建具有一个方形的正面和四个侧面的对象；选择“金字塔”，则创建具有相交于一点的四个三角形侧面的对象。
- 大小：用来设置立方体或金字塔底面的大小，该值越高，生成的立方体和锥体越大。
- 深度：用来设置凸出对象的高度，“随机”表示为每个块或金字塔设置一个任意的深度；“基于色阶”则表示使每个对象的深度与其亮度对应，越亮凸出得越多。
- 立方体正面：勾选该选项后，将失去图像整体轮廓，生成的立方体上只显示单一的颜色，如图15-78所示。

- 蒙版不完整块：隐藏所有延伸出选区的对象，如图15-79所示。

图15-78

图15-79

15.4.9 照亮边缘

“照亮边缘”滤镜可以搜索图像中颜色变化较大的区域，标识颜色的边缘，并向其添加类似霓虹灯的光亮，如图15-80、图15-81所示。

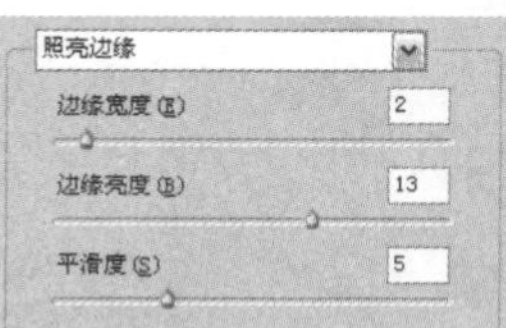

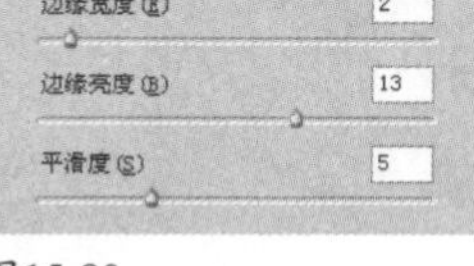
图15-80

图15-81

- 边缘宽度/边缘亮度：用来设置发光边缘的宽度和亮度。
- 平滑度：用来设置发光边缘的平滑程度。

15.5 画笔描边滤镜组

画笔描边滤镜组中包含8种滤镜，它们当中的一部分滤镜通过不同的油墨和画笔勾画图像产生绘画效果，有些滤镜可以添加颗粒、绘画、杂色、边缘细节或纹理。这些滤镜不能用于Lab和CMYK模式的图像。

15.5.1 成角的线条

“成角的线条”滤镜可以使用对角描边重新绘制图像，用一个方向的线条绘制亮部区域，再用相反方向的线条绘制暗部区域。如图15-82所示为原图像，图15-83、图15-84所示为滤镜参数及效果。

图15-82

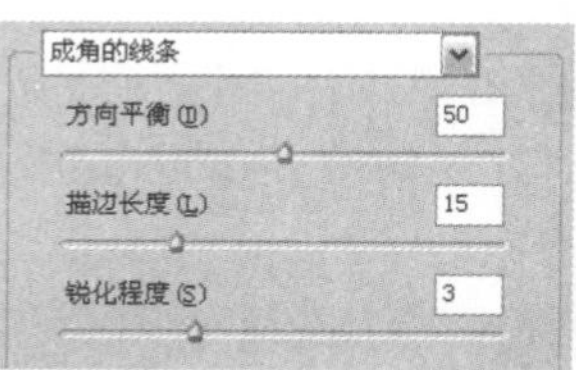

图15-83

图15-84

- 方向平衡：用来设置对角线条的倾斜角度。
- 描边长度：用来设置对角线条的长度。
- 锐化程度：用来设置对角线条的清晰程度。

15.5.2 墨水轮廓

“墨水轮廓”滤镜能够以钢笔画的风格，用纤细的线条在原细节上重绘图像，如图15-85、图15-86所示。

- 描边长度：用来设置图像中生成的线条的长度。
- 深色强度：用来设置线条阴影的强度，该值越高，图像越暗。

- 光照强度：用来设置线条高光的强度，该值越高，图像越亮。

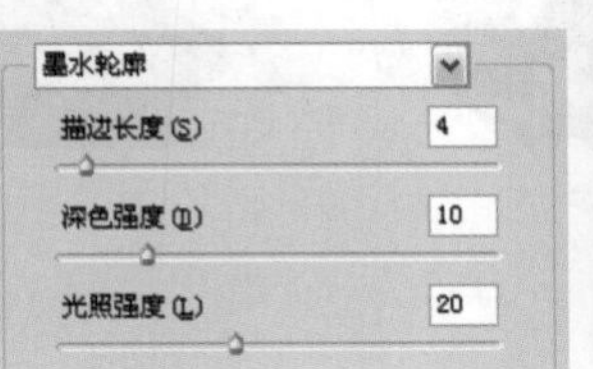

图15-85

图15-86

15.5.3 喷溅

“喷溅”滤镜能够模拟喷枪，使图像产生笔墨喷溅的艺术效果，如图15-87、图15-88所示。

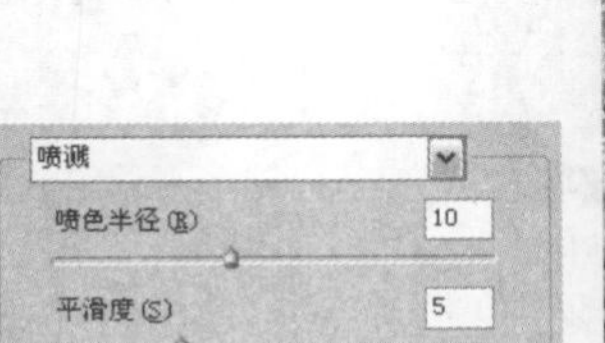

图15-87

图15-88

- 喷色半径：用来处理不同颜色的区域，数值越高颜色越分散。
- 平滑度：用来确定喷射效果的平滑程度。

15.5.4 喷色描边

“喷色描边”滤镜可以使用图像的主导色用成角的、喷溅的颜色线条重新绘画图像，产生斜纹飞溅效果，如图15-89、图15-90所示。

- 描边长度/描边方向：用来设置笔触的长度和线条方向。
- 喷色半径：用来控制喷洒的范围。

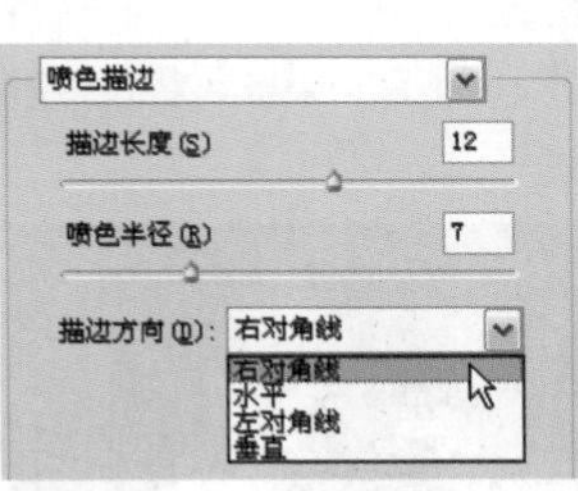

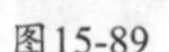

图15-89

图15-90

15.5.5 强化的边缘

“强化的边缘”滤镜可以强化图像的边缘。设置高的边缘亮度值时，强化效果类似白色粉笔，如图15-91、图15-92所示；设置低的边缘亮度值时，强化效果类似黑色油墨，如图15-93、图15-94所示。

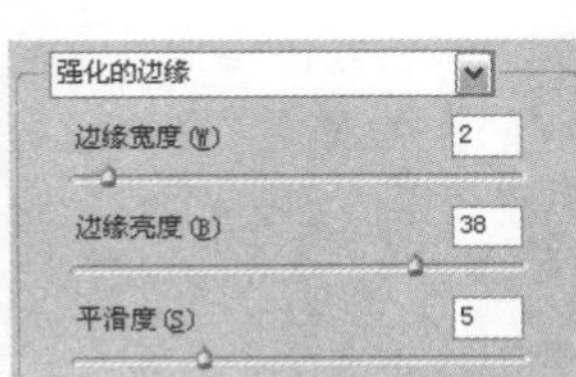

图15-91

图15-92

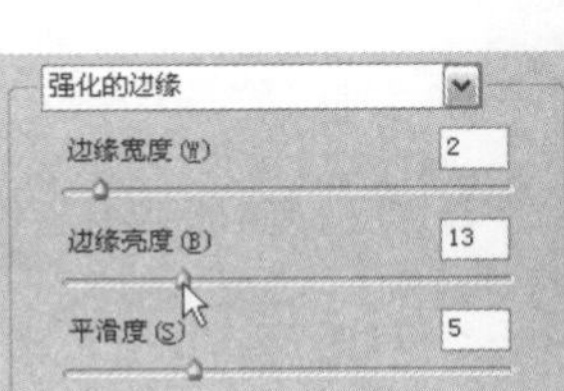

图15-93

图15-94

- 边缘宽度/边缘亮度：用来设置需要强化的边缘的宽度和亮度。
- 平滑度：用来设置边缘的平滑程度，该值越高，画面效果越柔和。

15.5.6 深色线条

“深色线条”滤镜用短而紧密的深色线条绘制暗部区域，用长的白色线条绘制亮区，如图15-95、图15-96所示。

图15-95

图15-96

- 平衡：用来控制绘制的黑白色调的比例。
- 黑色强度/白色强度：用来设置绘制的黑色调和白色调的强度。

15.5.7 烟灰墨

“烟灰墨”滤镜能够以日本画的风格绘画图像。它使用非常黑的油墨在图像中创建柔和的模糊边缘，使图像看起来像是用蘸满油墨的画笔在宣纸上绘画，如图15-97、图15-98所示。

- 描边宽度/描边压力：用来设置笔触的宽度和压力。
- 对比度：用来设置画面效果的对比程度。

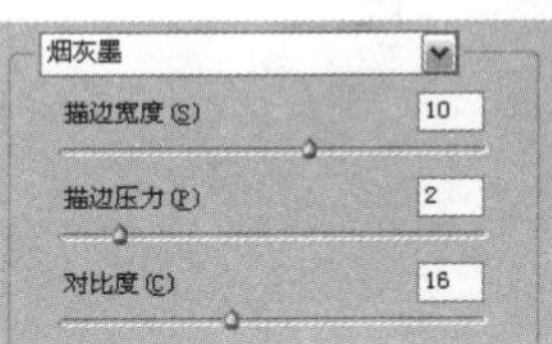

图15-97

图15-98

15.5.8 阴影线

“阴影线”滤镜可以保留原始图像的细节和特征，同时使用模拟的铅笔阴影线添加纹理，并使彩色区域的边缘变得粗糙，如图15-99、图15-100所示。

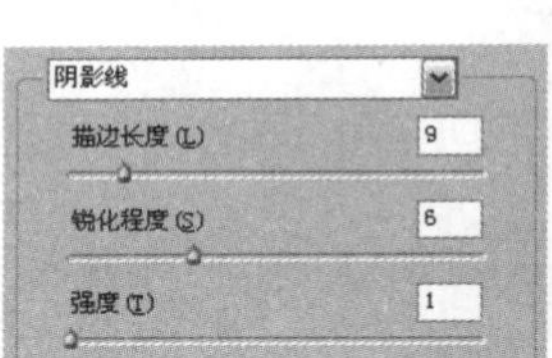

图15-99

图15-100

- 描边长度/锐化程度：用来设置线条的长度和清晰程度。
- 强度：用来设置线条的数量和强度。

15.6 模糊滤镜组

模糊滤镜组中包含11种滤镜，它们可以削弱相邻像素的对比度并柔化图像，使图像产生模糊效果。在去除图像的杂色，或者创建特殊效果时会经常用到此类滤镜。

15.6.1 表面模糊

“表面模糊”滤镜能够在保留边缘的同时模糊图像，可用来创建特殊效果并消除杂色或颗粒，用它为人像照片进行磨皮，效果非常好。如图15-101所示为滤镜对话框，图15-102、图15-103所示为原图及滤镜处理后的效果。

- 半径：用来指定模糊取样区域的大小。
- 阈值：用来控制相邻像素色调值与中心像素值相差多大时才能成为模糊的一部分，色调值差小于阈值的像素将被排除在模糊之外。

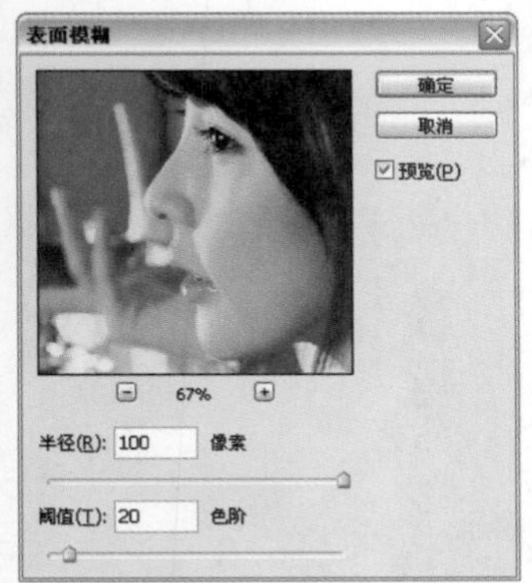

图15-101

图15-102

图15-103

15.6.2 动感模糊

“动感模糊”滤镜可以根据制作效果的需要沿指定方向（-360°～+360°）、以指定强度（1～999）模糊图像，产生的效果类似于以固定的曝光时间给一个移动的对象拍照。在表现对象的速度感时会经常用到该滤镜。如图15-104所示滤镜对话框，图15-105所示为选中右侧的图像，然后进行模糊所生成的动感效果。

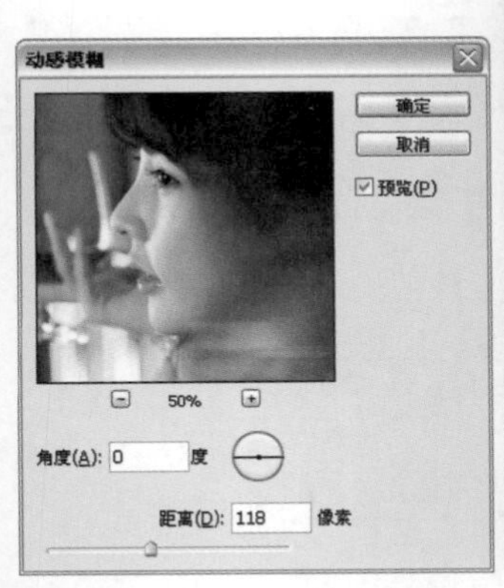

图15-104

图15-105

- 角度：用来设置模糊的方向。可输入角度数值，也可以拖动指针调整角度。
- 距离：用来设置像素移动的距离。

15.6.3 方框模糊

“方框模糊”滤镜可以基于相邻像素的平均颜色值来模糊图像，生成类似于方块状的特殊模糊效果。如图15-106、图15-107所示为滤镜参数及效果。“半径”值可以调整用于计算给定像素的平均值的区域大小。

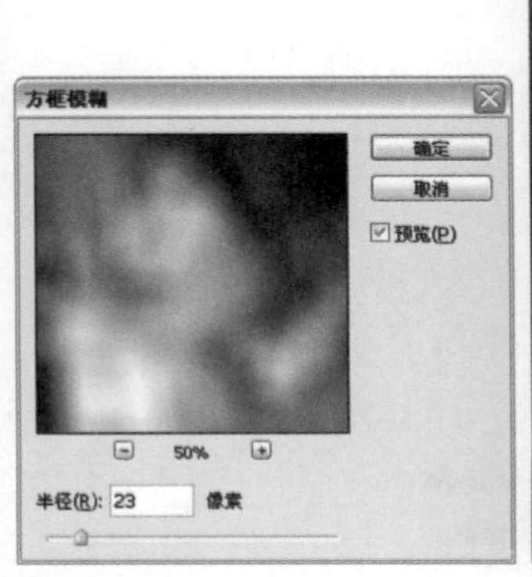

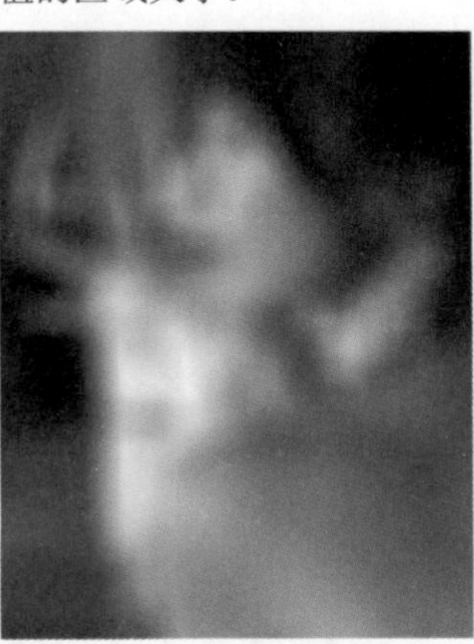

图15-106

图15-107

15.6.4 高斯模糊

“高斯模糊”滤镜可以添加低频细节，使图像产生一种朦胧效果。如图15-108、图15-109所示为滤镜参数及效果。通过调整“半径”值可以设置模糊的范围，它以像素为单位，数值越高，模糊效果越强烈。

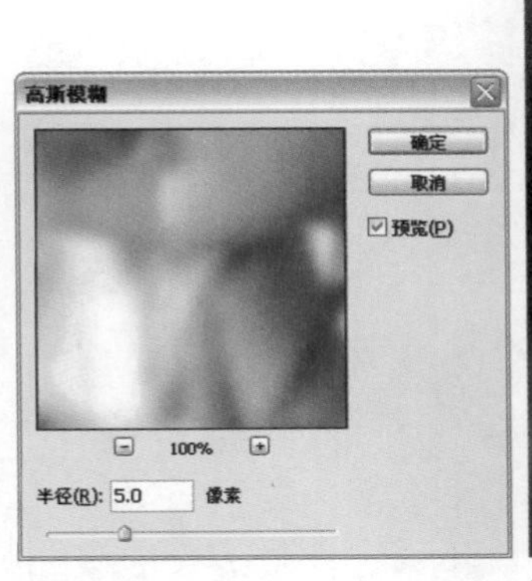

图15-108

图15-109

15.6.5 模糊与进一步模糊

“模糊”和“进一步模糊”都是对图像进行轻微模糊的滤镜，它们可以在图像中有显著颜色变化的地方消除杂色。

其中，“模糊”滤镜对于边缘过于清晰，对比度过于强烈的区域进行光滑处理，生成极轻微的模糊效果；“进一步模糊”滤镜所产生的效果要比“模糊”滤镜强三到四倍。这两个滤镜都没有对话框。

15.6.6 径向模糊

“径向模糊”滤镜可以模拟缩放或旋转的相机所产生的模糊效果，如图15-110所示为原图像，图15-111所示为“径向模糊”对话框。

图15-110

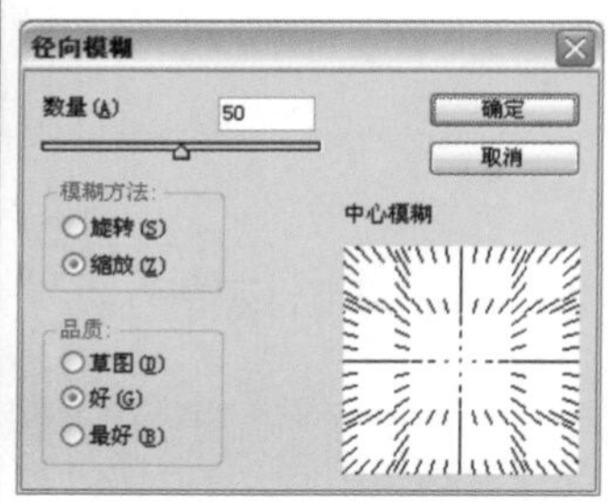

图15-111

- 模糊方法：选择“旋转”时，图像会沿同心圆环线产生旋转的模糊效果，如图15-112所示；选择“缩放”，则会产生放射状模糊效果，如图15-113所示。

图15-112

图15-113

- 中心模糊：在该设置框内单击，可以将单击点定义为模糊的原点，原点位置不同，模糊中心也不相同，如图15-114、图15-115所示为不同原点的模糊效果（模糊方法为“缩放”）。

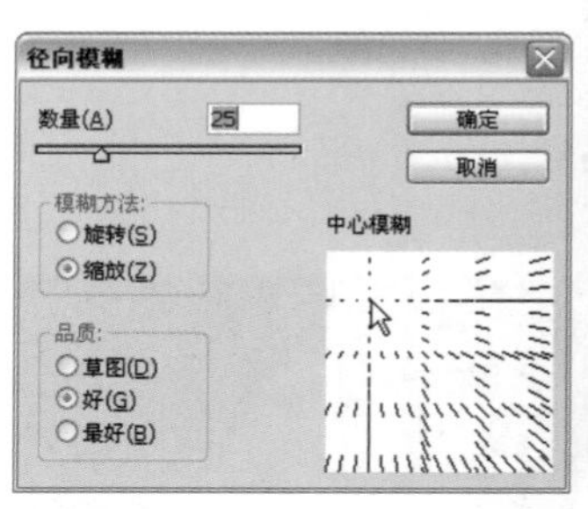

图15-114

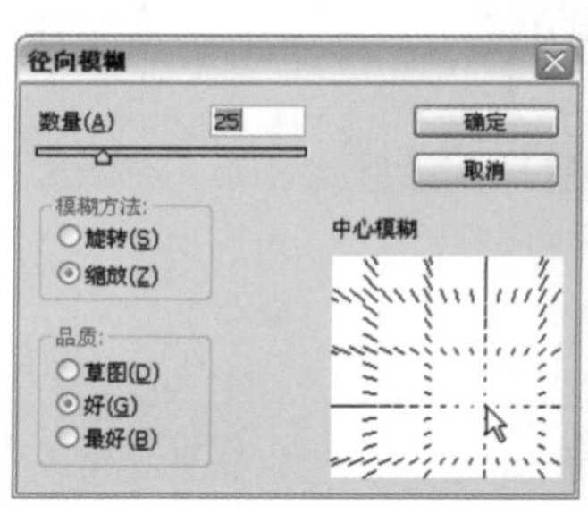

图15-115

- 数量：用来设置模糊的强度，该值越高，模糊效果越强烈。
- 品质：用来设置应用模糊效果后图像的显示品质。选择“草图”，处理的速度最快，但会产生颗粒状效果；选择“好”和“最好”都可以产生较为平滑的效果，但除非在较大的图像上，否则看不出这两种品质的区别。

技术看板 64 “径向模糊”滤镜使用技巧

使用“径向模糊”滤镜处理图像时，需要进行大量的计算，如果图像的尺寸较大，可以先设置较低的“品质”来观察效果，在确认最终效果后，再提高“品质”来处理。

15.6.7 镜头模糊

“镜头模糊”滤镜可以向图像中添加模糊以产生更窄的景深效果，使图像中的一些对象在焦点内，另一些区域变模糊。用它处理照片，可以创建景深效果。但需要用Alpha通道或图层蒙版的深度值来映射图像中像素的位置。

例如，如图15-116所示为一张普通照片，我们要模糊雕塑后面的图像，需要先选中雕像，再将选区保存为Alpha通道，如图15-117所示；使用“镜头模糊”滤镜时，在“源”下拉列表中选择该通道，便可以用通道对模糊范围加以控制，如图15-118、图15-119所示。

图15-116

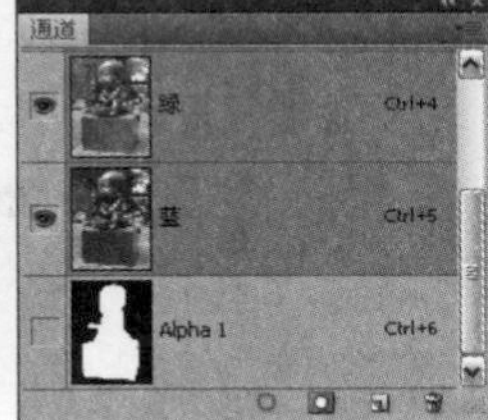

图15-117

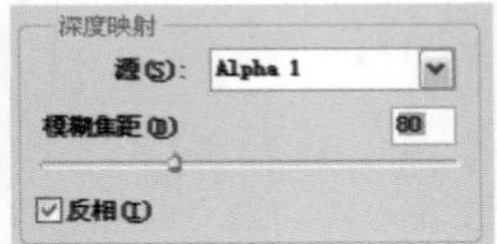

图15-118

图15-119

如图15-120所示为“镜头模糊”对话框。

图15-120

- 更快：可提高预览速度。
- 更加准确：可查看图像的最终效果，但需要较长的预览时间。
- 深度映射：在“源”选项下拉列表中可以选择使用Alpha 通道和图层蒙版来创建深度映射。如果图像包含Alpha 通道并选择了该项，则Alpha 通道中的黑色区域被视为位于照片的前面，白色区域被视为位于远处的位置。“模糊焦距”选项用来设置位于焦点内的像素的深度。如果勾选“反相”，可以反转蒙版和通道，然后再将其应用。
- 光圈：用来设置模糊的显示方式。在“形状”选项下拉列表中可以设置光圈的形状；通过“半径”值可调整模糊的数量；拖动“叶片弯度”滑块可对光圈边缘进行平滑处理；拖移“旋转”滑块则可旋转光圈。
- 镜面高光：用来设置镜面高光的范围。“亮度”选项用来设置高光的亮度；“阈值”选项用来设置亮度截止点，比该截止点值亮的所有像素都被视为镜面高光。
- 杂色：拖动“数量”滑块可以在图像中添加或减少杂色。
- 分布：用来设置杂色的分布方式，包括“平均分布”和“高斯分布”。
- 单色：在不影响颜色的情况下向图像添加杂色。

15.6.8 平均

“平均”滤镜可以查找图像的平均颜色，然后以该颜色填充图像，创建平滑的外观，如图15-121、图15-122所示。该滤镜无对话框。

图15-121

图15-122

15.6.9 特殊模糊

“特殊模糊”滤镜提供了半径、阈值和模糊品质等设置选项，可以精确地模糊图像。如图15-123所示为原图像，图15-124所示为“特殊模糊”对话框。

图15-123

图15-124

- 半径：设置模糊的范围，该值越高，模糊效果越明显。
- 阈值：确定像素具有多大差异后才会被模糊处理。
- 品质：设置图像的品质，包括“低”、“中等”和“高”三种。
- 模式：在该选项的下拉列表中可以选择产生模糊效果的模式。在“正常”模式下，不会添加特殊效果，如图15-125所示；在“仅限边缘”模式下，会以黑色显示图像，以白色描绘出图像边缘像素亮度值变化强烈的区域，如图15-126所示；在“叠加边缘”模式下，则以白色描绘出图像边缘像素亮度值变化强烈的区域，如图15-127所示。

图15-125

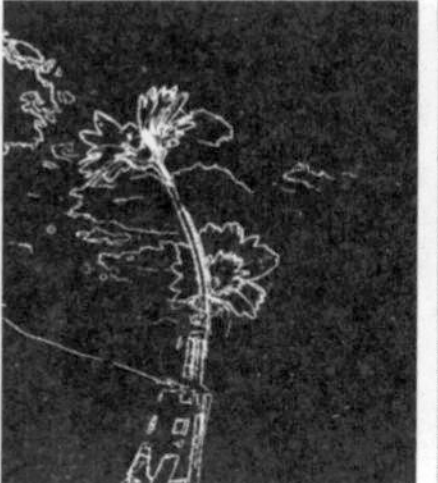
图15-126

图15-127

15.6.10 形状模糊

“形状模糊”滤镜可以使用指定的形状创建特殊的模糊效果，如图15-128、图15-129所示。

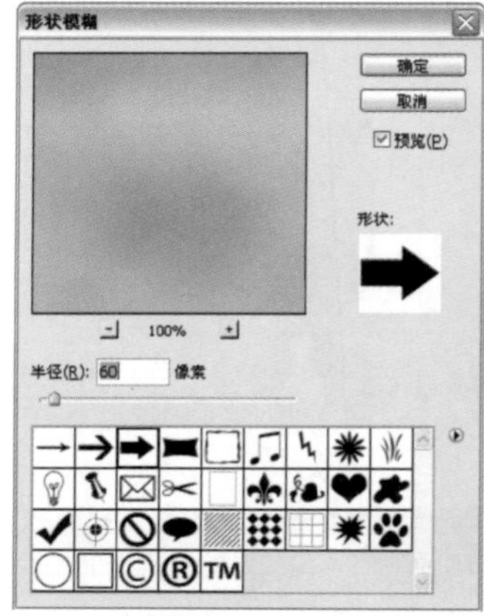

图15-128

图15-129

- 半径：用来设置形状的大小，该值越高，模糊效果越好。
- 形状列表：单击列表中的一个形状即可使用该形状模糊图像。单击列表右侧的按钮，可以在打开的下拉菜单中载入其他形状库，如图15-130所示。

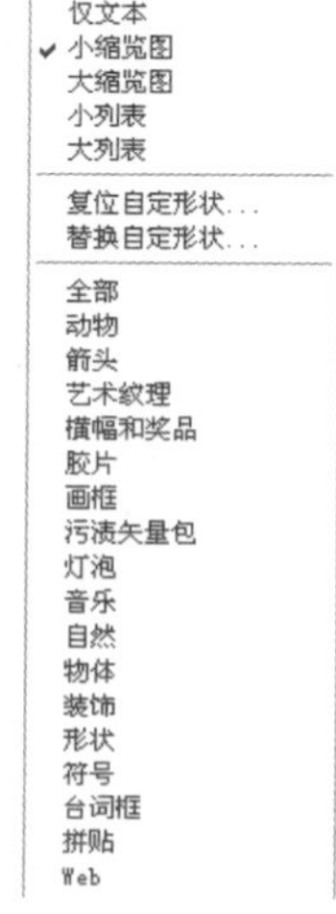

图15-130

15.7 扭曲滤镜组

扭曲滤镜组中包含13种滤镜，它们可以对图像进行几何扭曲，创建3D或其他整形效果。在处理图像时，这些滤镜会占用大量内存，如果文件较大，可以先在小尺寸的图像上试验。

15.7.1 波浪

“波浪”滤镜可以在图像上创建波状起伏的图案，生成波浪效果。如图15-131所示为原图像，图15-132所示为滤镜对话框。

图15-131

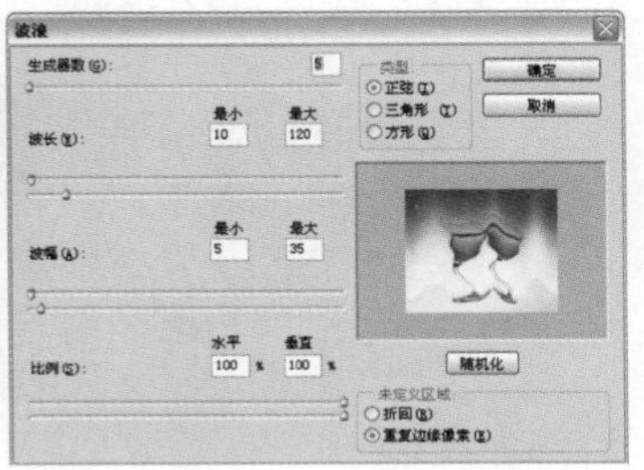
图15-132

- 生成器数：用来设置产生波纹效果的震源总数。
- 波长：用来设置相邻两个波峰的水平距离，它分为最小波长和最大波长两部分，最小波长不能超过最大波长。
- 波幅：用来设置最大和最小的波幅，其中最小的波幅不能超过最大的波幅。
- 比例：用来控制水平和垂直方向的波动幅度。
- 类型：用来设置波浪的形态，包括“正弦”、“三角形”和“方形”，如图15-133所示。

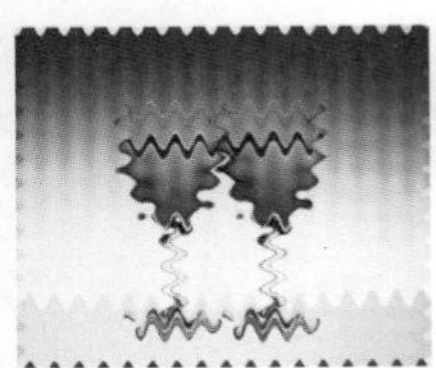
正弦

三角形

方形

图15-133

- 随机化：单击该按钮可随机改变在前面设定下的波浪效果。如果对当前产生的效果不满意，可单击此该按钮，生成新的波浪效果。
- 未定义区域：用来设置如何处理图像中出现的空白区域，选择“折回”，可在空白区域填入溢出的内容；选择“重复边缘像素”，可填入扭曲边缘的像素颜色。

15.7.2 波纹

“波纹”滤镜与“波浪”滤镜的工作方式相同，但提供的选项较少，只能控制波纹的数量和波纹大小，如图15-134、图15-135所示。

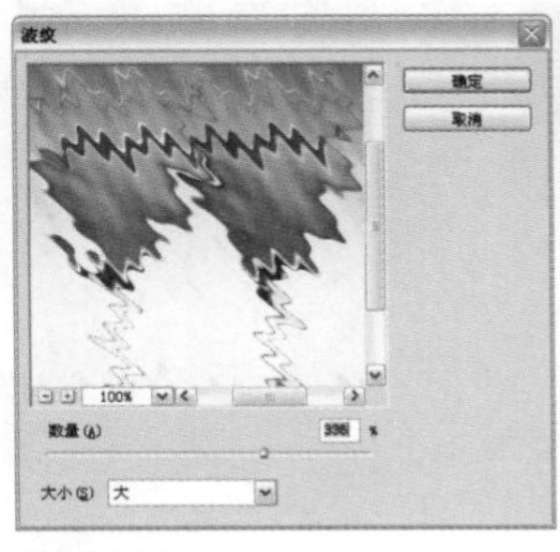
图15-134

图15-135

15.7.3 玻璃

“玻璃”滤镜可以制作细小的纹理，使图像看起来像是透过不同类型的玻璃观察的。如图15-136所示为该滤镜的参数选项。

图15-136

- 扭曲度：用来设置扭曲效果的强度，该值越高，图像的扭曲效果越强烈。
- 平滑度：用来设置扭曲效果的平滑程度，该值越低，扭曲的纹理越细小。
- 纹理：在下拉列表中可以选择扭曲时产生的纹理，包括“块状”、“画布”、“磨砂”和“小镜头”，如图15-137~图15-140所示。单击“纹理”右侧的按钮，选择“载入纹理”选项，可以载入一个PSD格式的文件作为纹理文件来扭曲当前的图像。

- 缩放：用来设置纹理的缩放程度。
- 反相：选择该选项，可以反转纹理效果。

块状

图15-137

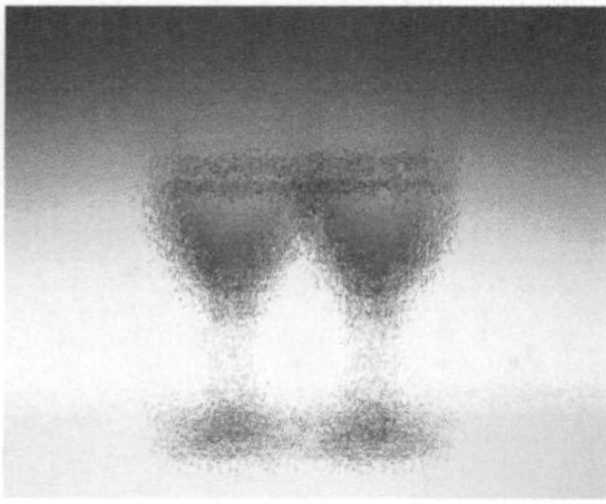

画布

图15-138

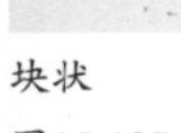

磨砂

图15-139

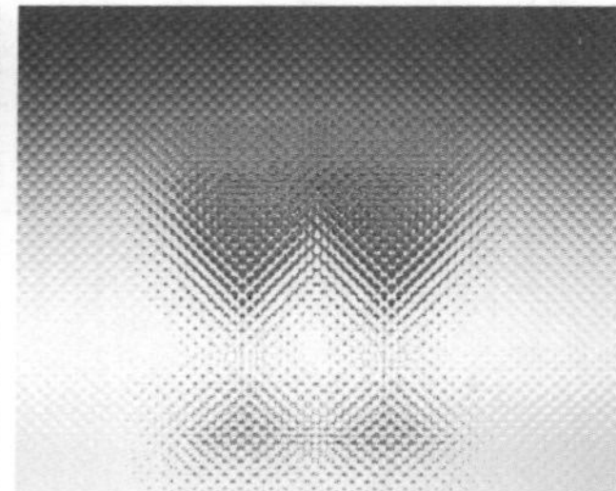

小镜头

图15-140

15.7.4 海洋波纹

“海洋波纹”滤镜可以将随机分隔的波纹添加到图像表面，它产生的波纹细小，边缘有较多抖动，图像看起来就像是在水下面，如图15-141、图15-142所示。

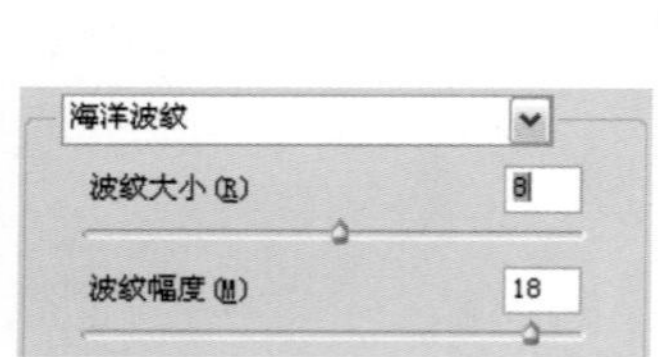

图15-141

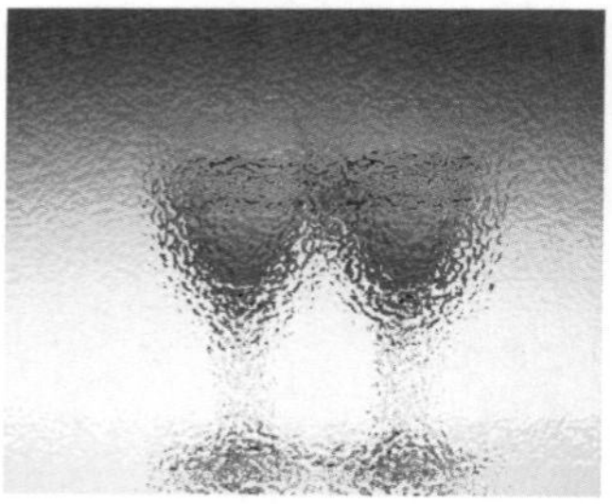

图15-142

- 波纹大小：控制图像中生成的波纹的大小。
- 波纹幅度：控制波纹的变形程度。

15.7.5 极坐标

“极坐标”滤镜可以将图像从平面坐标转换为极坐标，或者从极坐标转换为平面坐标。使用该滤镜可以创建18世纪流行的曲面扭曲效果。如图15-143所示为滤镜对话框，图15-144、图15-145所示为两种极坐标效果。

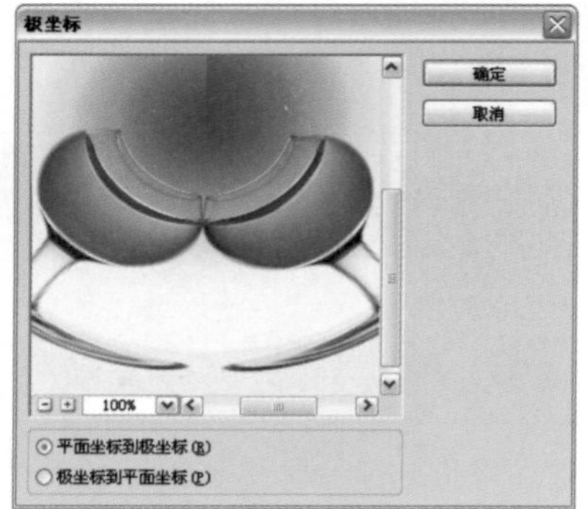

图15-143

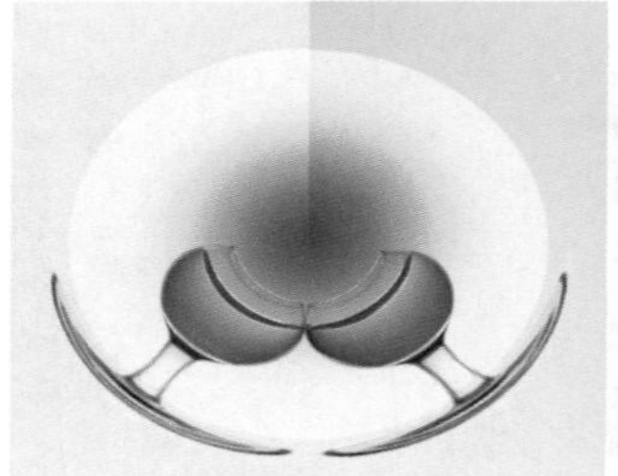

平面坐标到极坐标

图15-144

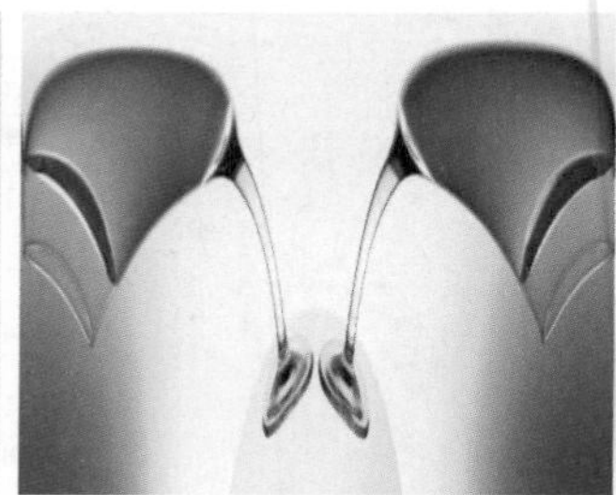

极坐标到平面坐标

图15-145

15.7.6 挤压

“挤压”滤镜可以将整个图像或选区内的图像向内或向外挤压。如图15-146所示为“挤压”对话框。“数量”用于控制挤压程度，该值为负值时图像向外凸出，如图15-147所示；为正值时图像向内凹陷，如图15-148所示。

图15-146

图15-147

图15-148

15.7.7 扩散亮光

“扩散亮光”滤镜可以在图像中添加白色杂色，并从图像中心向外渐隐亮光，使其产生一种光芒漫射的效果。如图15-149所示为原图像，图15-150所示为滤镜参数。使用该滤镜可以将照片处理为柔光照，亮光的颜色由背景色决定，选择不同的背景色，可以产生不同的视觉效果，如图15-151、图15-152所示分别为使用白色和黄色作为背景色时的滤镜效果。

图15-149

扩散亮光
粒度(G) 3
发光量(L) 10
清除数量(C) 15

图15-150

图15-151

图15-152

- 粒度：用来设置在图像中添加的颗粒的密度。
- 发光量：用来设置图像中生成的辉光的强度。
- 清除数量：用来限制图像中受到滤镜影响的范围，该值越高，滤镜影响的范围就越小。

15.7.8 切变

“切变”滤镜是比较灵活的滤镜，我们可以按照自己设定的曲线来扭曲图像。如图15-153所示为原图像。打开“切变”对话框以后，在曲线上单击可以添加控制点，通过拖动控制点改变曲线的形状即可扭曲图像，如图15-154所示。如果要删除某个控制点，将它拖至对话框外即可。单击“默认”按钮，则可将曲线恢复到初始的直线状态。

图15-153

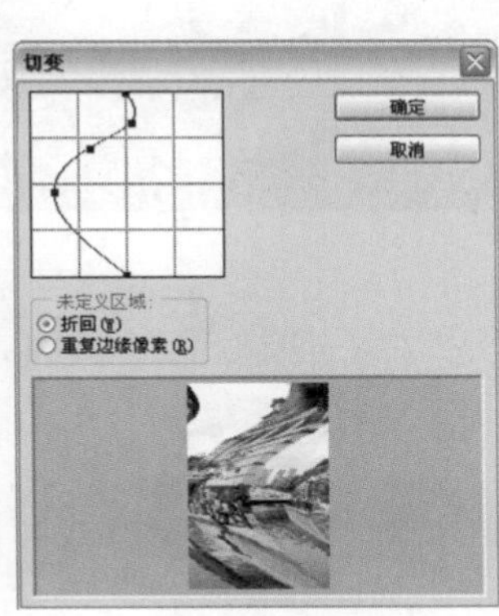

图15-154

- 折回：在空白区域中填入溢出图像之外的图像内容，如图15-155所示。
- 重复边缘像素：在图像边界不完整的空白区域填入扭曲边缘的像素颜色，如图15-156所示。

图15-155

图15-156

15.7.9 球面化

“球面化”滤镜通过将选区折成球形，扭曲图像以及伸展图像以适合选中的曲线，使图像产生3D效果。如图15-157所示为原图像（创建了一个圆形选区），图15-158所示为“球面化”对话框。

图15-157

图15-158

- 数量：用来设置挤压程度，该值为正值时，图像向外凸起，如图15-159所示；为负值时向内收缩，如图15-160所示。

图15-159

图15-160

- 模式：在该选项的下拉列表中可以选择挤压方式，包括“正常”、“水平优先”和“垂直优先”。

15.7.10 水波

“水波”滤镜可以模拟水池中的波纹，在图像中产生类似于向水池中投入石子后水面的变化形态。如图15-161所示为在图像中创建的选区，图15-162所示为“水波”对话框。

- 数量：用来设置波纹的大小，范围为-100~100。负值产生下凹的波纹，正值产生上凸的波纹。
- 起伏：用来设置波纹数量，范围为1~20。该值越高，产生的波纹越多。
- 样式：用来设置波纹形成的方式。选择“围绕中心”，可以围绕图像的中心产生波纹，如图15-163所示；选择“从中心向外”，波纹从中心向外扩散，如图15-164所示；选择“水池波纹”，可以产生同心状波纹，如图15-165所示。

图15-161

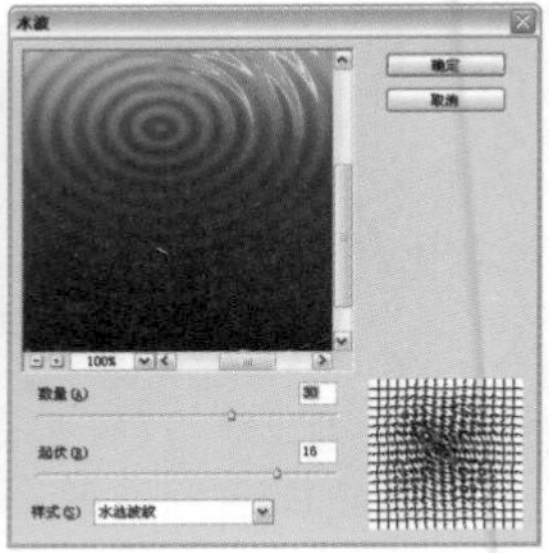
图15-162

图15-163

图15-164

图15-165

15.7.11 旋转扭曲

“旋转扭曲”滤镜可以使图像产生旋转的风轮效果，旋转会围绕图像中心进行，中心旋转的程度比边缘大，如图15-166、图15-167所示为原图像和滤镜对话框。“角度”值为正值时沿顺时针方向扭曲，如图15-168所示；为负值时沿逆时针方向扭曲，如图15-169所示。

图15-166

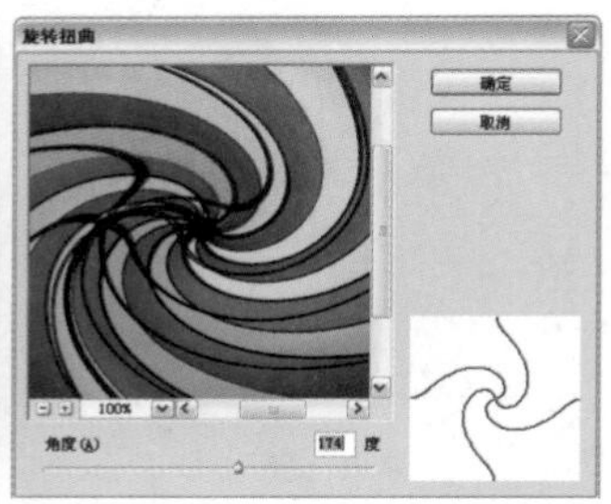
图15-167

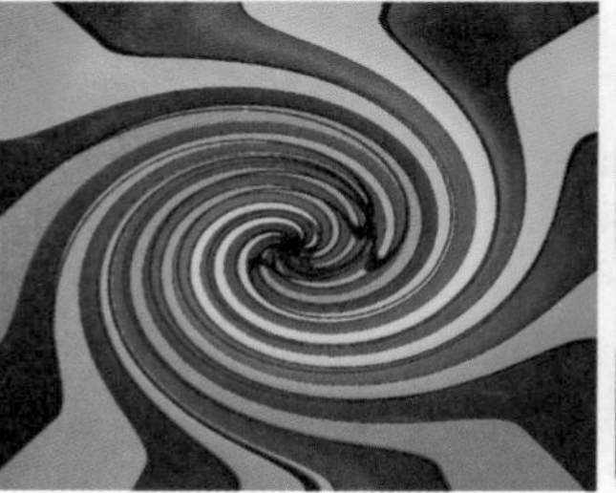
图15-168

图15-169

15.7.12 置换

“置换”滤镜可以根据另一张图片的亮度值使现有图像的像素重新排列并产生位移。在使用该滤镜前需要准备好一张用于置换的PSD格式图像。例如，如图15-170所示为一个渐变图像（文件大小为400×400像素），图15-171所示为用于置换的PSD图，对渐变图像应用“置换”滤镜时，可以打开“置换”对话框，如图15-172所示，单击“确定”按钮，弹出“选择一个置换图”对话框，选择置换图并单击“打开”按钮，即可使用该它扭曲渐变图像，如图15-173所示。

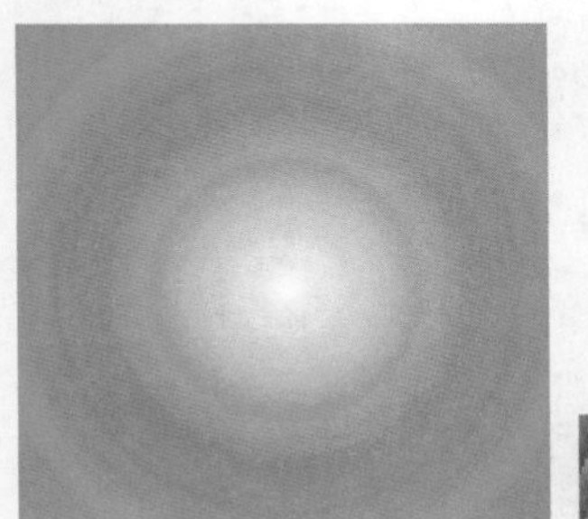

图15-170

图15-171

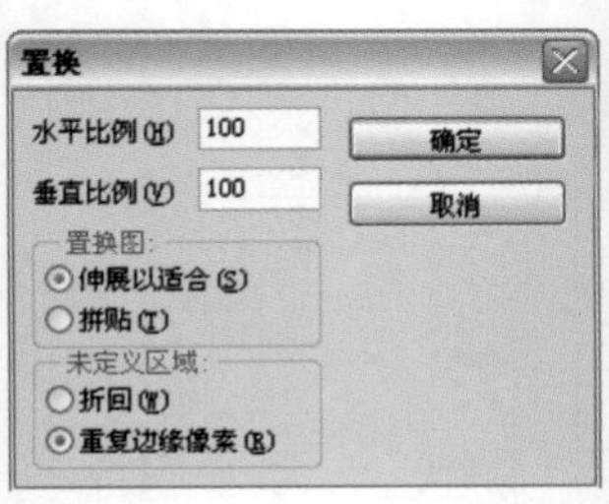

图15-172

图15-173

- 水平比例/垂直比例：用来设置置换图在水平和垂直方向上的变形比例。
- 置换图：当置换图与当前图像大小不同时，选择“伸展以适合”，置换图的尺寸会自动调整为与当前图像相同大小；选择“拼贴”，则以拼贴的方式来填补空白区域。
- 未定义区域：可以选择一种方式，在图像边界不完整的空白区域填入边缘的像素颜色。

技术看板 65 使用预设的置换图

Photoshop应用程序安装文件夹的“增效工具>置换图”文件夹内包含了预设的“蜂巢”、“金属版效果”、“五边形”等置换图。

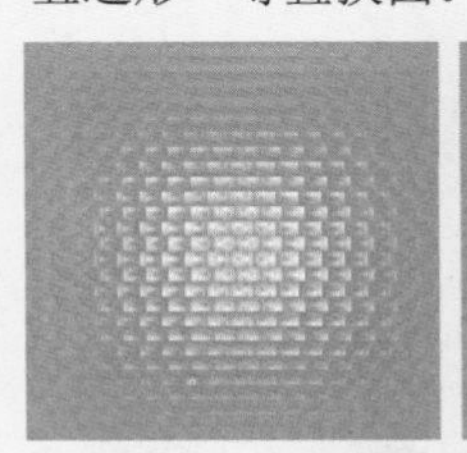

C字扭曲效果

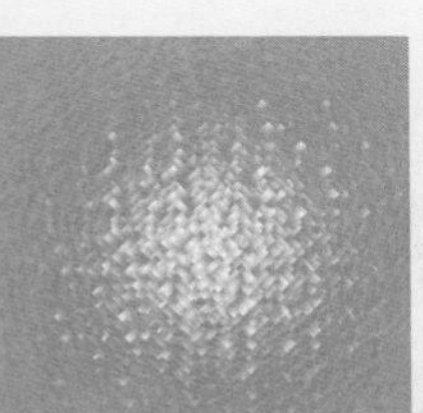

矩形拼贴扭曲效果

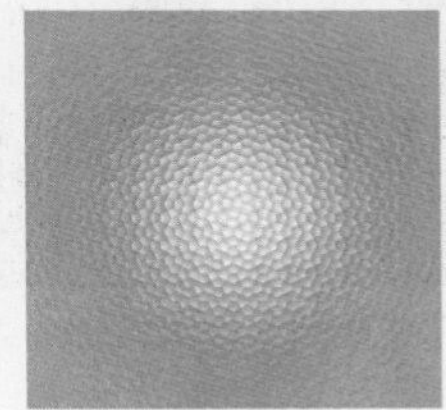

五边形扭曲效果

15.8 锐化滤镜组

锐化滤镜组中包含5种滤镜，它们可以通过增强相邻像素间的对比度来聚焦模糊的图像，使图像变得清晰。

15.8.1 锐化与进一步锐化

“锐化”滤镜通过增加像素间的对比度使图像变得清晰，锐化效果不是很明显。“进一步锐化”比“锐化”滤镜的效果强烈些，相当于应用了2～3次“锐化”滤镜。

15.8.2 锐化边缘与USM锐化

“锐化边缘”与“USM锐化”滤镜都可以查找图像中颜色发生显著变化的区域，然后将其锐化。“锐化边缘”滤镜只锐化图像的边缘，同时保留总体的平滑度。“USM锐化”滤镜则提供了选项，如图15-174所示，对于专业的色彩校正，可以使用该滤镜调整边缘细节的对比度。

如图15-175所示为原图像，图15-176所示为使用“锐化边缘”滤镜锐化的效果，图15-177所示为使用“USM锐化”滤镜锐化的效果。

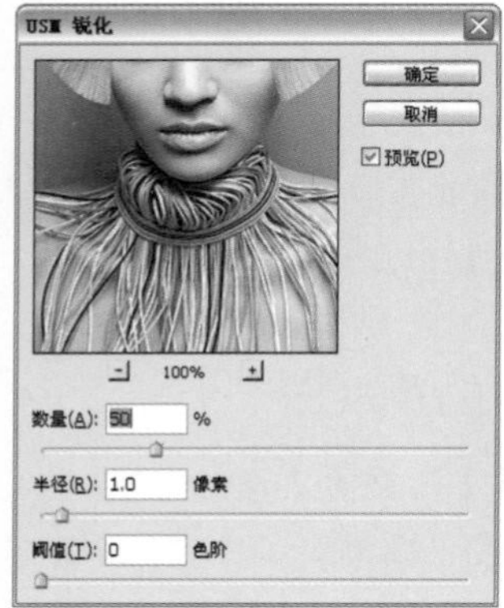

图15-174

图15-175

锐化边缘
图15-176

USM锐化
图15-177

- 数量：用来设置锐化效果的强度。该值越高，锐化效果越明显。
- 半径：用来设置锐化的范围。
- 阈值：只有相邻像素间的差值达到该值所设定的范围时才会被锐化，因此，该值越高，被锐化的像素就越少。

技术看板 66 图像的锐化原理

锐化图像时，Photoshop会提高图像中两种相邻颜色（或灰度层次）交界处的对比度，使它们的边缘更加明显，令其看上去更加清晰，造成锐化的错觉。

15.8.3 智能锐化

“智能锐化”与“USM 锐化”滤镜比较相似，但它具有独特的锐化控制选项，可以设置锐化算法、控制阴影和高光区域的锐化量。如图15-178所示为原图像，图15-179所示为“智能锐化”对话框，它包含基本和高级两种锐化方式。我们在操作时，最好将窗口缩放到 100%，以便精确查看锐化效果。

图15-178

图15-179

设置基本选项

勾选对话框中的“基本”选项，可以设置基本的锐化功能。

- 设置：单击按钮，可以将当前设置的锐化参数保存为一个预设的参数，此后需要使用它锐化图像时，可在“设置”下拉列表中将其选择。单击按钮可以删除当前选择的自定义锐化设置。
- 更加准确：勾选该项，使锐化的效果更精确，但需要

15.10.2 便条纸

“便条纸”滤镜可以简化图像，创建像是用手工制作的纸张构建的图像，图像的暗区显示为纸张上层中的洞，使背景色显示出来，如图15-193、图15-194所示。

图15-193

图15-194

- 图像平衡：设置高光区域和阴影区域面积的大小。
- 粒度/凸现：设置图像中的颗粒数量和显示程度。

15.10.3 粉笔和炭笔

“粉笔和炭笔”滤镜可以重绘高光和中间调，并使用粗糙粉笔绘制纯中间调的灰色背景。阴影区域用黑色对角炭笔线条替换，炭笔用前景色绘制，粉笔用背景色绘制，如图15-195、图15-196所示。

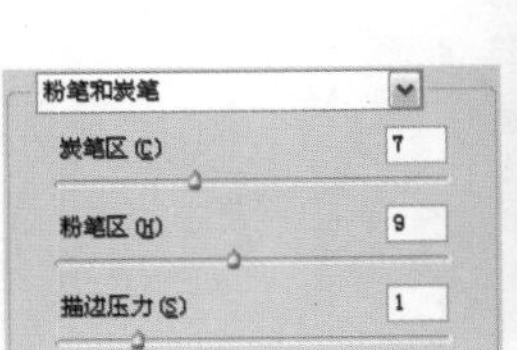

图15-195

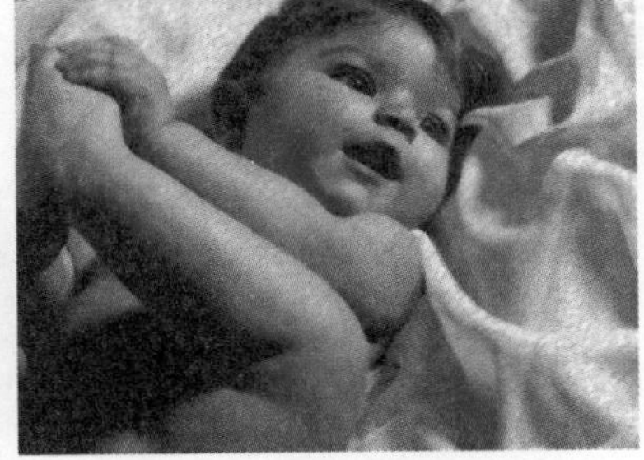

图15-196

- 炭笔区/粉笔区：用来设置炭笔区域和粉笔区域的范围。
- 描边压力：用来设置画笔的压力。

15.10.4 铬黄

“铬黄”滤镜可以渲染图像，创建如擦亮的铬黄表面般的金属效果，高光在反射表面上是高点，阴影是低点。应用该滤镜后，可以使用“色阶”命令增加图像的对比度，使金属效果更加强烈。如图15-197、图15-198所示为滤镜参数及效果。

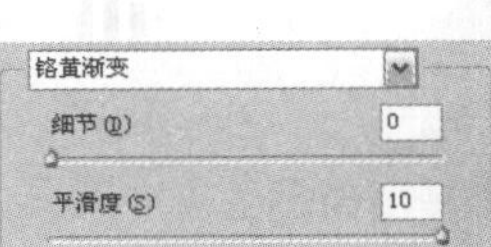

图15-197

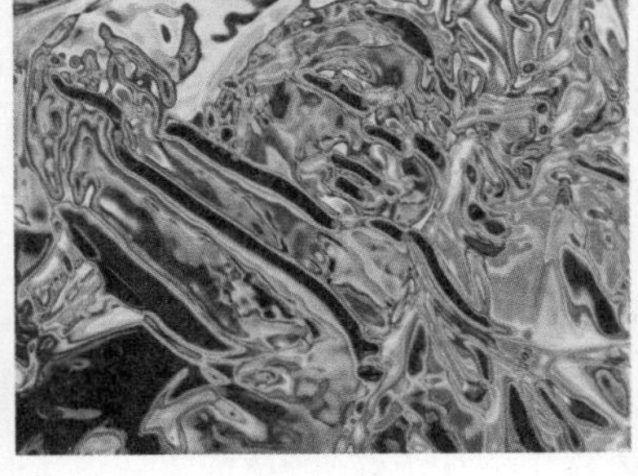

图15-198

- 细节：用来设置图像细节的保留程度。
- 平滑度：用来设置图像效果的光滑程度。

15.10.5 绘图笔

“绘图笔”滤镜使用细的、线状的油墨描边来捕捉原图像中的细节，前景色作为油墨，背景色作为纸张，以替换原图像中的颜色，如图15-199、图15-200所示。

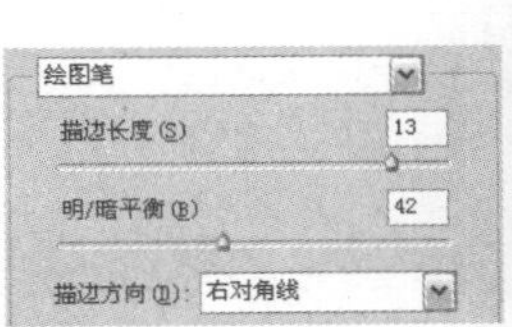

图15-199

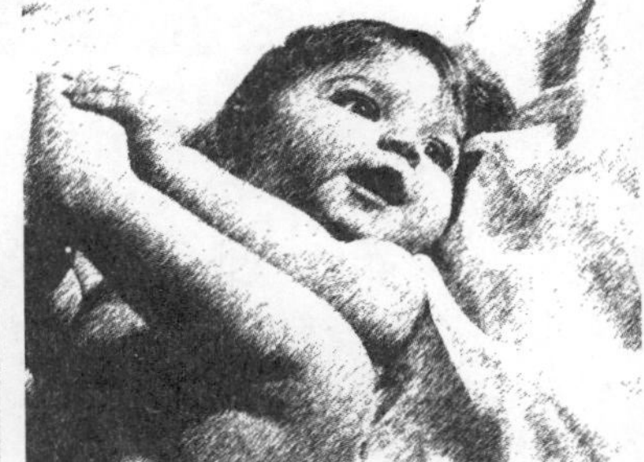

图15-200

- 描边长度/描边方向：用来设置图像中生成的线条的长度和线条方向。
- 明/暗平衡：用来设置图像的亮调与暗调的平衡。

15.10.6 基底凸现

“基底凸现”滤镜可以变换图像，使之呈现浮雕的雕刻状和突出光照下变化各异的表面。图像的暗区将呈现前景色，而浅色使用背景色，如图15-201、图15-202所示。

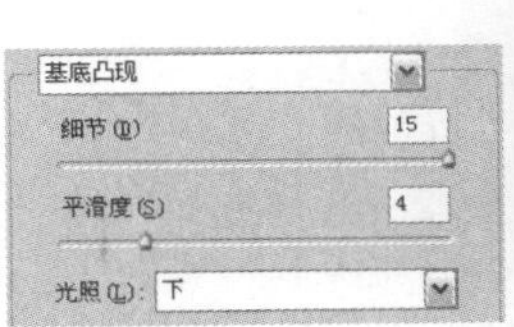

图15-201

图15-202

- 细节：用来设置图像细节的保留程度。
- 平滑度：用来设置浮雕效果的平滑程度。
- 光照：在下拉列表中可以设定一个光照方向。使用不同方向的光照时，浮雕效果也会有所变化。

15.10.7 石膏效果

"石膏效果"滤镜可以按 3D 效果塑造图像，然后使用前景色与背景色为结果图像着色，图像中的暗区凸起，亮区凹陷，如图15-203、图15-204所示。

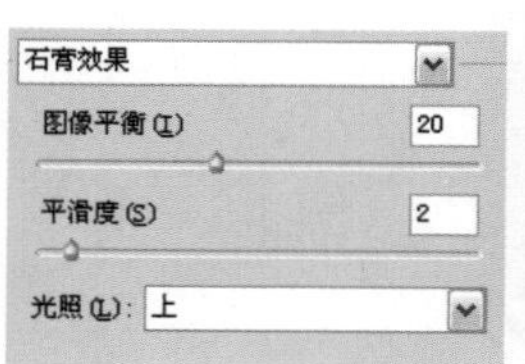

图15-203

图15-204

- 图像平衡：用来设置高光区域和阴影区域相对面积的大小。
- 平滑度：用来设置图像效果的平滑程度。
- 光照：在下拉列表中可以选择光照方向。

15.10.8 水彩画纸

"水彩画纸"滤镜可以用有污点的、像画在潮湿的纤维纸上的涂抹，使颜色流动并混合，如图15-205、图15-206所示。

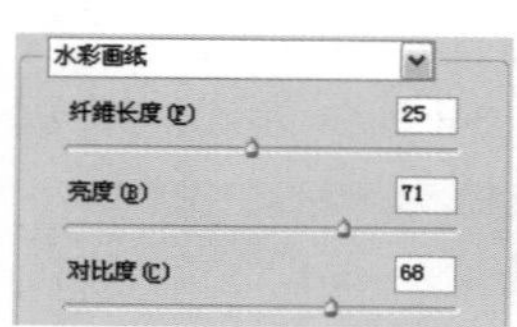

图15-205

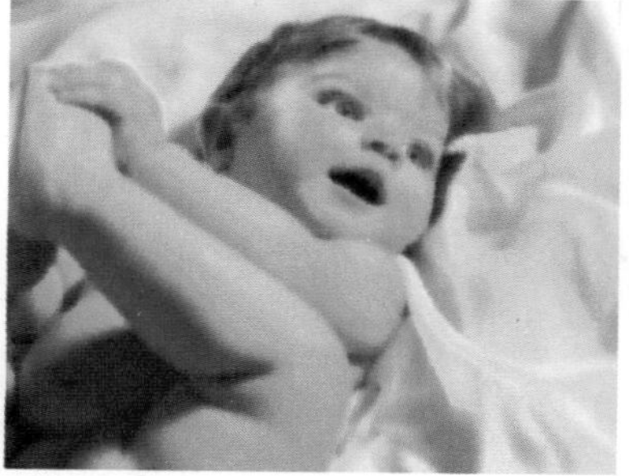
图15-206

- 纤维长度：用来设置图像中生成的纤维的长度。
- 亮度/对比度：用来设置图像的亮度和对比度。

提示 "水彩画纸"是素描滤镜组中唯一能够保留原图像颜色的滤镜。

15.10.9 撕边

"撕边"滤镜可以重建图像，使之像是由粗糙、撕破的纸片组成的，然后使用前景色与背景色为图像着色，如图15-207、图15-208所示。对于文本或高对比度对象，该滤镜尤其有用。

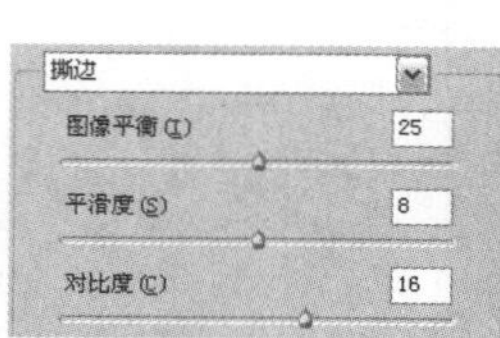

图15-207

图15-208

- 图像平衡：用来设置图像前景色和背景色的平衡比例。
- 平滑度：用来设置图像边界的平滑程度。
- 对比度：用来设置画面效果的对比强度。

15.10.10 炭笔

"炭笔"滤镜可以产生色调分离的涂抹效果。图像的主要边缘以粗线条绘制，而中间色调用对角描边进行素描，炭笔是前景色，背景是纸张颜色，如图15-209、图15-210所示。

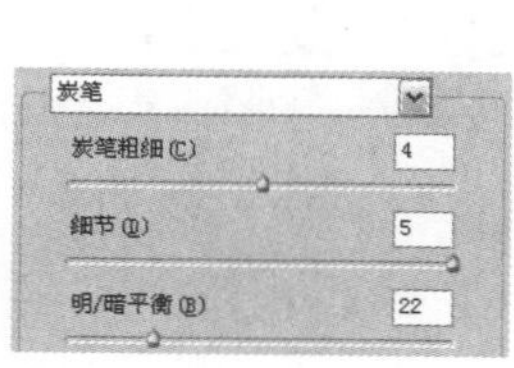

图15-209

图15-210

- 炭笔粗细：用来设置炭笔笔画的宽度。
- 细节：用来设置图像细节的保留程度。
- 明/暗平衡：可调整图像中亮调与暗调的平衡关系。

15.10.11 炭精笔

"炭精笔"滤镜可以在图像上模拟浓黑和纯白的炭精笔纹理，暗区使用前景色，亮区使用背景色。为了获得更逼真的效果，可以在应用滤镜之前将前景色改为常用的炭精笔颜色，如黑色、深褐色和血红色。要获得减弱的效果，可以将背景色改为白色，在白色背景中添加一些前景色，然后再应用滤镜。如图15-211所示为滤镜参数选项，图15-212所示是前景色为黑色的滤镜效果，图15-213所示是前景色为深褐色的滤镜效果。

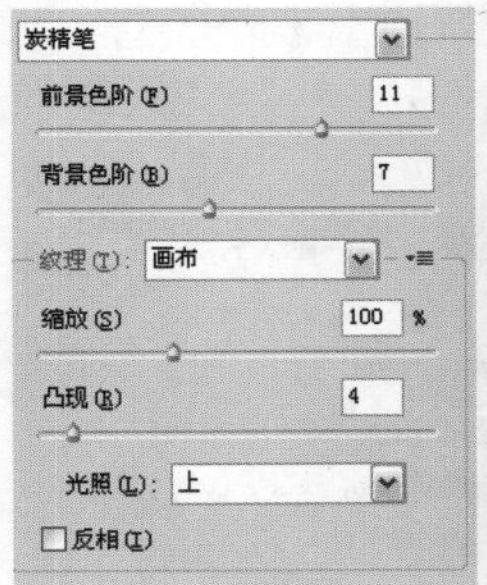

图15-211

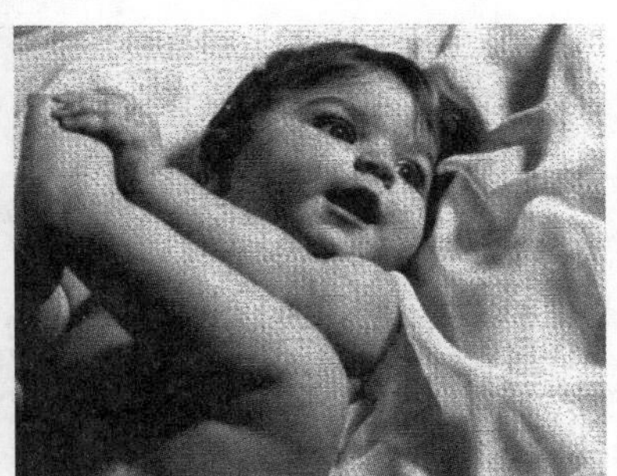
图15-212

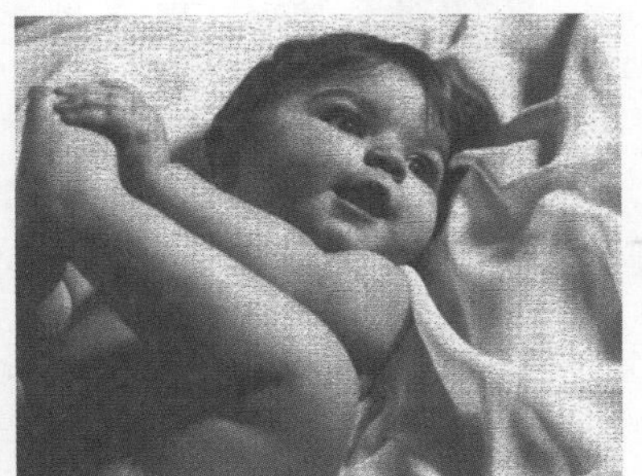
图15-213

- 前景色阶/背景色阶：用来调节前景色和背景色的平衡关系，哪一个色阶的数值越高，它的颜色就越突出。
- 纹理：可以选择一种预设纹理，也可以单击选项右侧的▾≡按钮，载入一个PSD格式文件作为产生纹理的模板。
- 缩放/凸现：用来设置纹理的大小和凹凸程度。
- 光照：在该选项的下拉列表中可以选择光照方向。
- 反相：可反转纹理的凹凸方向。

15.10.12 图章

“图章”滤镜可以简化图像，使之看起来就像是用橡皮或木制图章创建的一样，如图15-214、图15-215所示。该滤镜用于黑白图像时效果最佳。

- 明/暗平衡：可调整图像中亮调与暗调区域的平衡关系。
- 平滑度：用来设置图像效果的平滑程度。

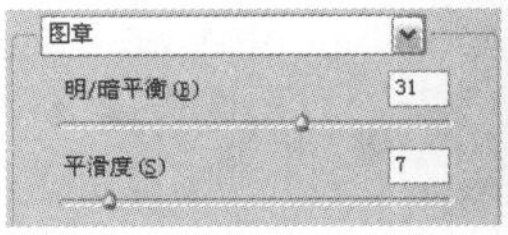

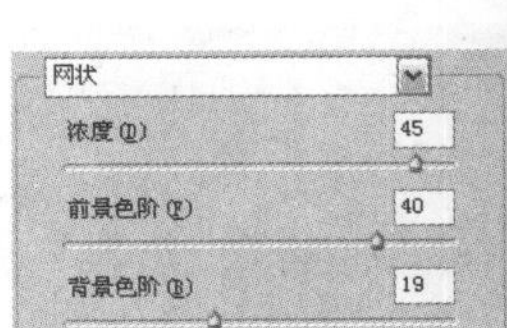

图15-214

图15-215

15.10.13 网状

“网状”滤镜可以模拟胶片乳胶的可控收缩和扭曲来创建图像，使之在阴影处结块，在高光处呈现轻微的颗粒化，如图15-216、图15-217所示。

图15-216

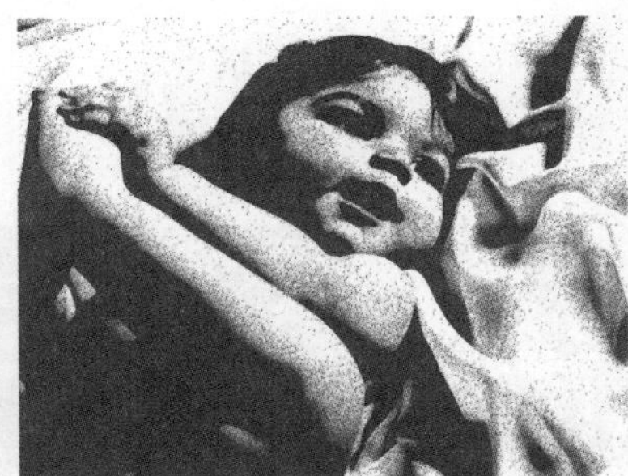
图15-217

- 浓度：用来设置图像中产生的网纹的密度。
- 前景色阶/背景色阶：用来设置图像中使用的前景色和背景色的色阶数。

15.10.14 影印

“影印”滤镜可以模拟影印图像的效果，大的暗区趋向于只复制边缘四周，而中间色调要么纯黑色，要么纯白色，如图15-218、图15-219所示。

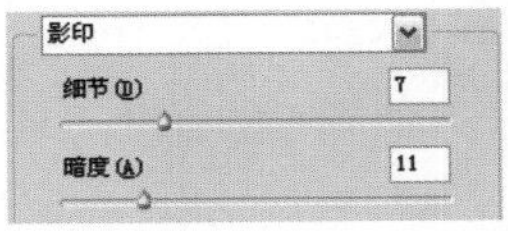

图15-218

图15-219

- 细节：用来设置图像细节的保留程度。
- 暗度：用来设置图像暗部区域的强度。

15.11 纹理滤镜组

纹理滤镜组中包含6种滤镜，它们可以模拟具有深度感或物质感的外观，或者添加一种器质外观。

15.11.1 龟裂缝

“龟裂缝”滤镜可以将图像绘制在一个高凸现的石膏表面上，以循着图像等高线生成精细的网状裂缝。使用该滤镜可以对包含多种颜色值或灰度值的图像创建浮雕效果。如图15-220所示为滤镜参数选项，图15-221、图15-222所示为原图像及滤镜效果。

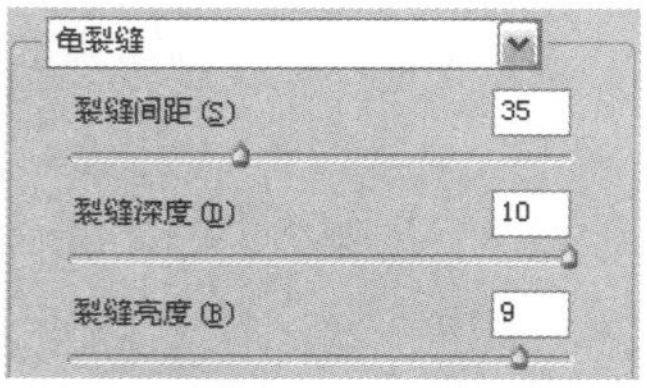

图15-220

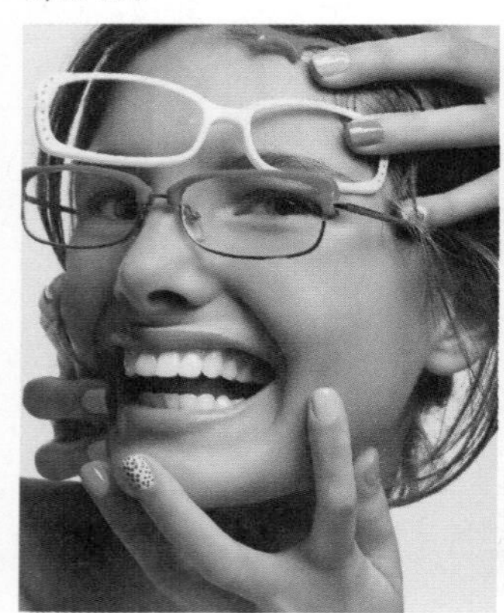

图15-221

图15-222

- 裂缝间距：用来设置图像中生成的裂缝的间距，该值越小，裂缝越细密。
- 裂缝深度/裂缝亮度：用来设置裂缝的深度和亮度。

15.11.2 颗粒

“颗粒”滤镜可以使用常规、软化、喷洒、结块、斑点等不同种类的颗粒在图像中添加纹理。如图15-223、图15-224所示为滤镜参数及效果。

- 强度/对比度：用来设置图像中加入的颗粒的强度和对比度。
- 颗粒类型：在该选项的下拉列表中可以选择颗粒的类型。

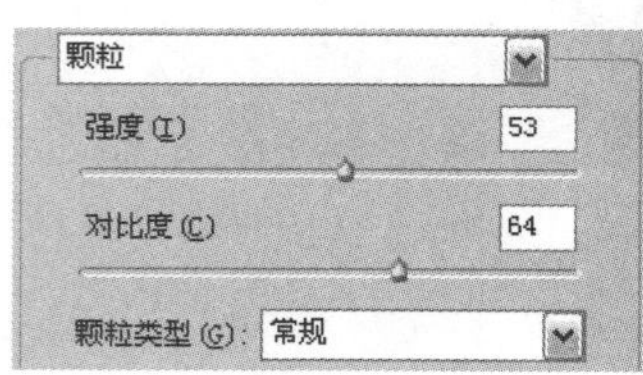

图15-223

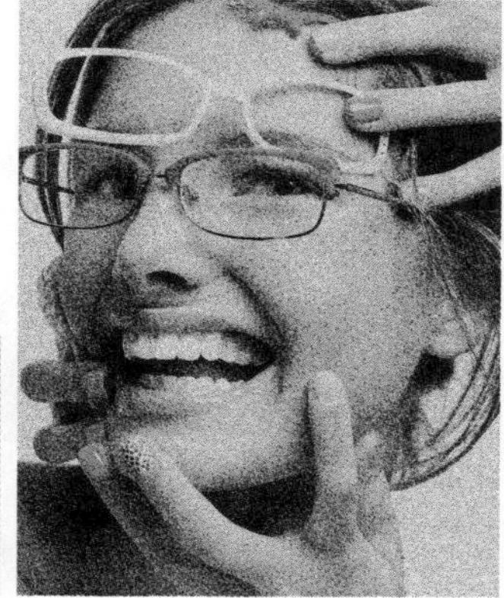

图15-224

15.11.3 马赛克拼贴

“马赛克拼贴”滤镜可以渲染图像，使它看起来像是由小的碎片或拼贴组成，然后加深拼贴之间缝隙的颜色，如图15-225、图15-226所示。

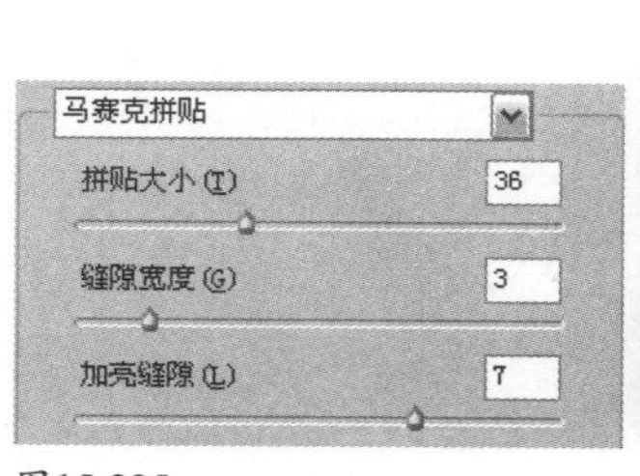

图15-225

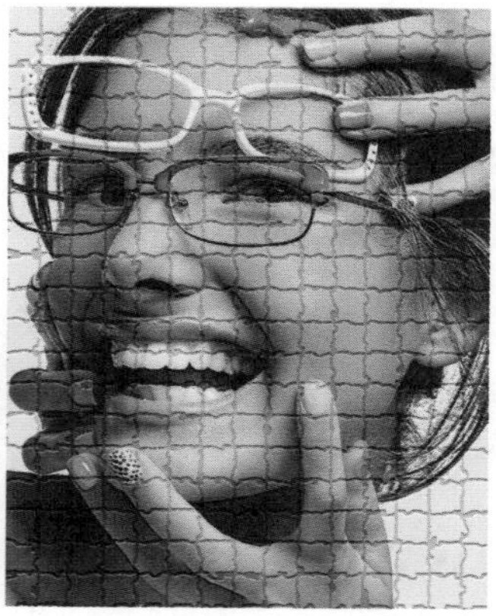

图15-226

- 拼贴大小：用来设置图像中生成的块状图形的大小。
- 缝隙宽度：用来设置块状图形单元间的裂缝宽度。
- 加亮缝隙：用来设置图形间缝隙的亮度。

疑问解答 “马赛克拼贴”滤镜与“马赛克”滤镜有什么不同？

“像素化”滤镜组中也有一个“马赛克”滤镜，它可以将图像分解成各种颜色的像素块，而“马赛克拼贴”滤镜则用于将图像创建为拼贴块。

15.11.4 拼缀图

“拼缀图”滤镜可以将图像分成规则排列的正方形块，每一个方块使用该区域的主色填充。该滤镜可随机减小或增大拼贴的深度，以模拟高光和阴影，如图15-227、图15-228所示。

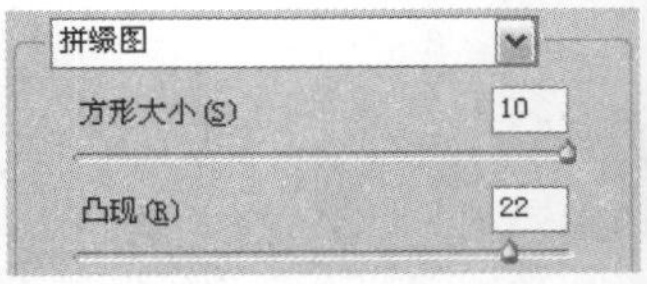

图15-227

图15-228

- 方形大小：用来设置生成的方块的大小。
- 凸现：用来设置方块的凸出程度。

15.11.5 染色玻璃

“染色玻璃”滤镜可以将图像重新绘制为单色的相邻单元格，色块之间的缝隙用前景色填充，使图像看起来像是彩色玻璃，如图15-229、图15-230所示。

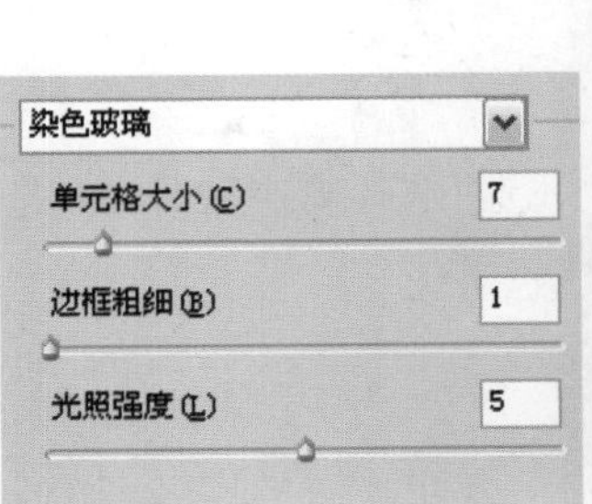

图15-229

图15-230

- 单元格大小：用来设置在图像中生成的色块的大小。
- 边框粗细：用来设置色块边界的宽度，Photoshop会使用前景色作为边界的填充颜色。
- 光照强度：用来设置图像中心的光照强度。

15.11.6 纹理化

“纹理化”滤镜可以生成各种纹理，在图像中添加纹理质感，可选择的纹理包括“砖形”、“粗麻布”、“画布”和“砂岩”，也可以单击“纹理”选项右侧的▾≡按钮，载入一个PSD格式的文件作为纹理文件。如图15-231所示为滤镜参数，图15-232～图15-234所示分别为“砖形”、“粗画布”和“画布”纹理的效果。

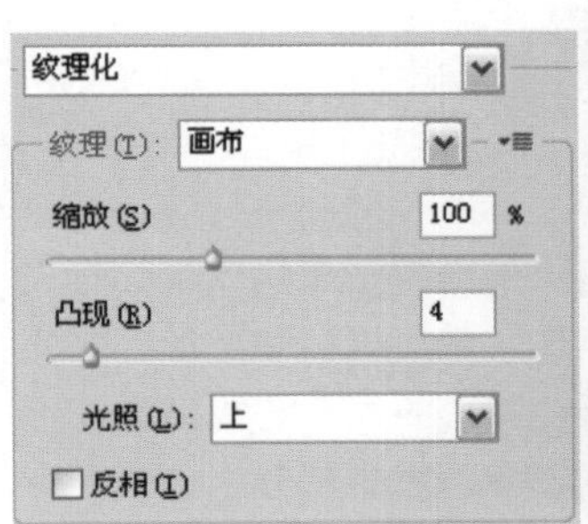

滤镜参数选项

图15-231

砖形

图15-232

粗麻布

图15-233

画布

图15-234

- 缩放：设置纹理的缩放比例。
- 凸现：用来设置纹理的凸出程度。
- 光照：在该选项的下拉列表中可以选择光线照射的方向。
- 反相：可以反转光线照射的方向。

15.12 像素化滤镜组

像素化滤镜组中包含7种滤镜，它们可以通过使单元格中颜色值相近的像素结成块来清晰地定义一个选区，可用于创建彩块、点状、晶格和马赛克等特殊效果。

15.12.1 彩块化

“彩块化”滤镜可以使纯色或相近颜色的像素结成像素块。使用该滤镜处理扫描的图像时，可以使其看起来像手绘的图像，也可以使现实主义图像产生类似抽象派的绘画效果。

15.12.2 彩色半调

“彩色半调”滤镜可以使图像变为网点状效果。它先将图像的每一个通道划分出矩形区域，再以和矩形区域亮度成比例的圆形替代这些矩形，圆形的大小与矩形的亮度成比例，高光部分生成的网点较小，阴影部分生成的网点较大。如图15-235所示为原图像，图15-236、图15-237所示为滤镜参数及效果。

图15-235

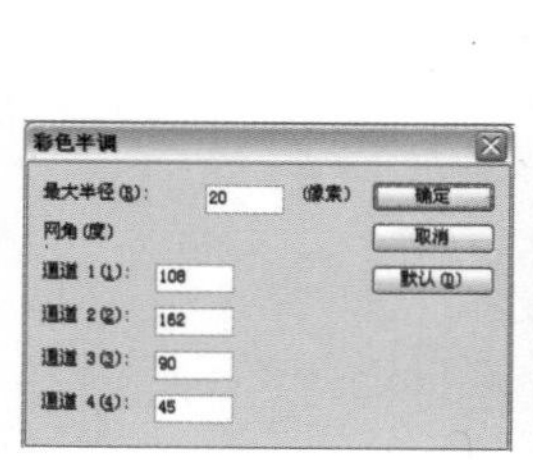

图15-236　图15-237

- 最大半径：用来设置生成的最大网点的半径。
- 网角（度）：用来设置图像各个原色通道的网点角度。如果图像为灰度模式，只能使用“通道1”；图像为RGB模式，可以使用3个通道；图像为CMYK模式，可以使用所有通道。当各个通道中的网角设置的数值相同时，生成的网点会重叠显示出来。

15.12.3 点状化

“点状化”滤镜可以将图像中的颜色分散为随机分布的网点，如同点状绘画效果，背景色将作为网点之间的画布区域。使用该滤镜时，可通过“单元格大小”来控制网点的大小，如图15-238、图15-239所示。

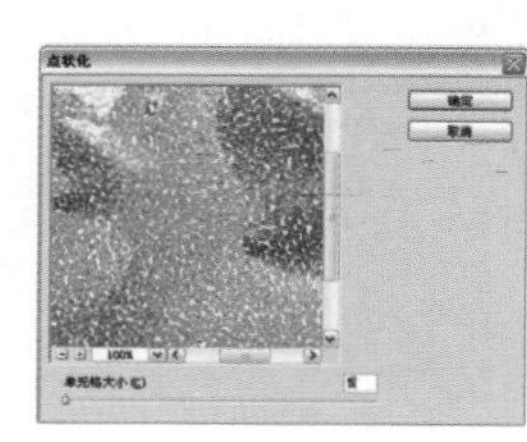

图15-238　图15-239

15.12.4 晶格化

“晶格化”滤镜可以使图像中相近的像素集中到多边形色块中，产生类似结晶的颗粒效果。使用该滤镜时，可通过“单元格大小”来控制多边形色块的大小，如图15-240、图15-241所示。

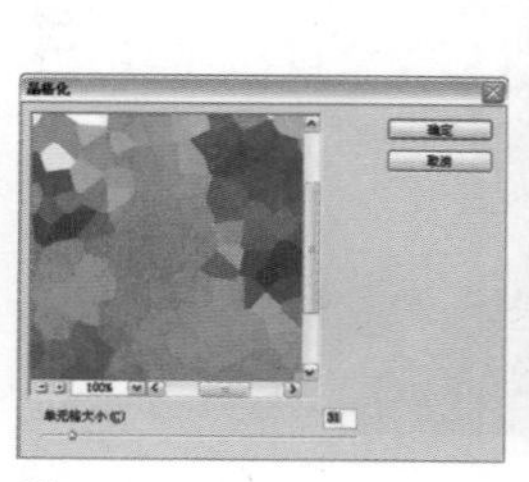

图15-240　图15-241

15.12.5 马赛克

“马赛克”滤镜可以使像素结为方形块，再给块中的像素应用平均的颜色，创建出马赛克效果。使用该滤镜时，可通过“单元格大小”调整马赛克的大小，如图

15-242、图15-243所示。如果在图像中创建一个选区，再应用该滤镜，则可以生成电视中的马赛克画面效果。

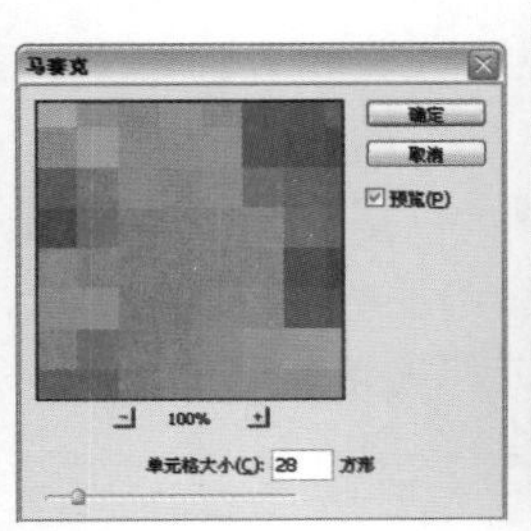

图15-242

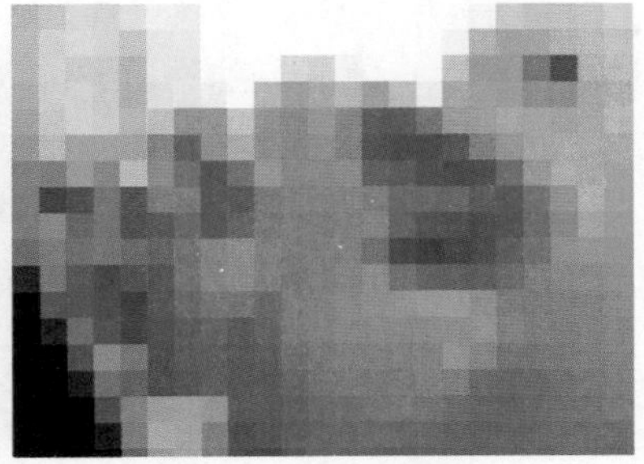

图15-243

15.12.6 碎片

“碎片”滤镜可以把图像的像素进行4次复制，再将它们平均，并使其相互偏移，使图像产生一种类似于相机没有对准焦距所拍摄出的效果模糊的照片，如图15-244所示。

图15-244

15.12.7 铜版雕刻

“铜版本雕刻”滤镜可以在图像中随机生成各种不规则的直线、曲线和斑点，使图像产生年代久远的金属板效果，如图15-245所示为滤镜对话框，我们可以在“类型”下拉列表中选择一种网点图案，效果如图15-246、图15-247所示。

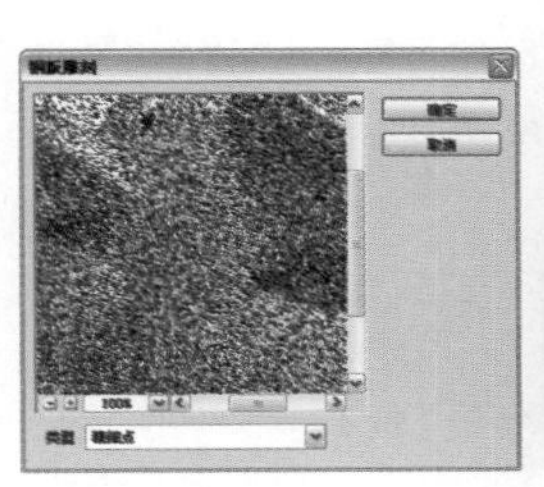

滤镜参数选项

图15-245

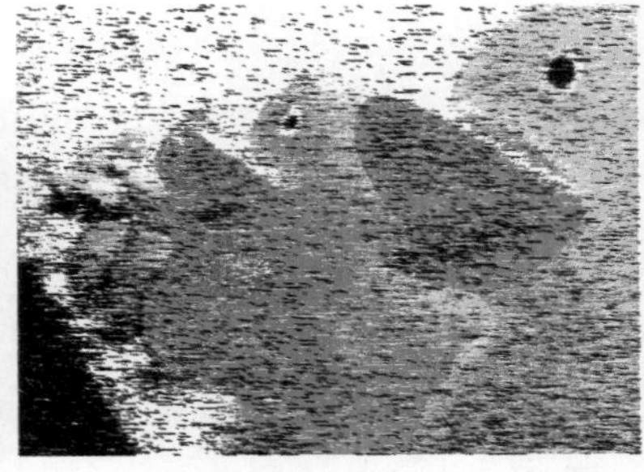

“类型”为“短线”

图15-246

“类型”为“长线”

图15-247

15.13 渲染滤镜组

渲染滤镜组中包含5种滤镜，这些滤镜可以在图像中创建 3D 形状、云彩图案、折射图案和模拟的光反射，是非常重要的特特效制作滤镜。

15.13.1 云彩和分层云彩

“云彩”滤镜可以使用介于前景色与背景色之间的随机值生成柔和的云彩图案。如果按住Alt 键，然后执行“云彩”命令，则可以生成色彩更加鲜明的云彩图案。

“分层云彩”滤镜可以将云彩数据和现有的像素混合，其方式与“差值”模式混合颜色的方式相同。第一次使用滤镜时，图像的某些部分被反相为云彩图案，多次应用滤镜之后，就会创建出与大理石纹理相似的凸缘与叶脉图案。如图15-248所示为使用“云彩”滤镜生成的图像，图15-249所示为多次应用“分层云彩”滤镜处理，所生成的大理石状纹理。

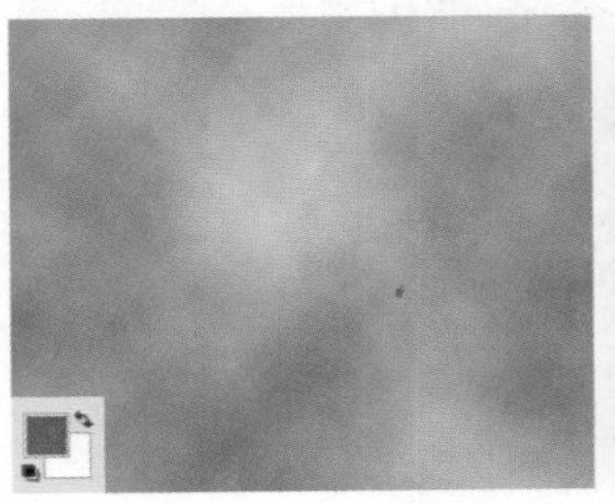

图15-248

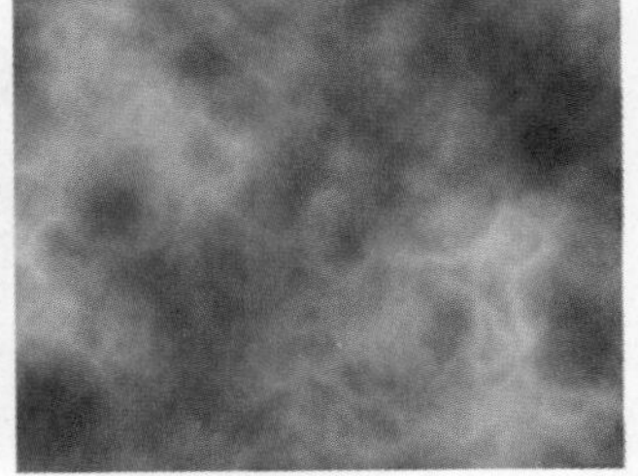

图15-249

15.13.2 光照效果

“光照效果”是一个强大的灯光效果制作滤镜，它包含17 种光照样式、3 种光照类型和 4 套光照属性，可以在RGB 图像上产生无数种光照效果，还可以使用灰度文件的纹理（称为凹凸图）产生类似 3D 效果。

使用预设的光源

如图15-250所示为“光照效果”对话框，在“样式”选项下拉列表中可以选择一种预设的灯光样式。如图4-251所示为原图像，图4-252所示为各种预设的灯光效果。

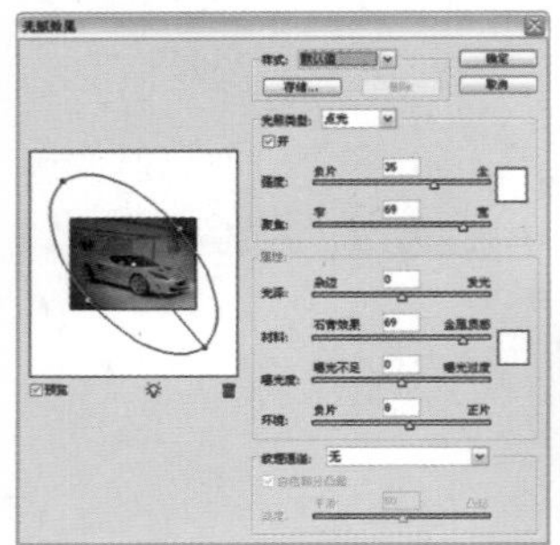

图15-250

图15-251

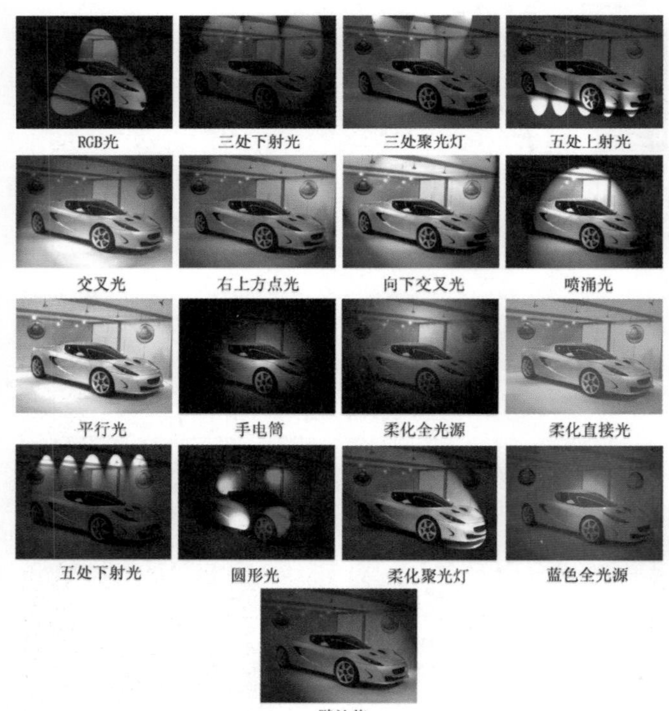

图15-252

使用自定义的光源

Photoshop提供了3种光源：“全光源”、“平行光”和“点光源”，我们在“光照类型”选项下拉列表中选择一种光源以后，就可以在对话框左侧调整它的位置和照射范围，或者添加多个光源。

- 调整全光源：“全光源”可以使光在图像的正上方向各个方向照射，就像一张纸上方的灯泡一样，如图15-253所示。拖动中央圆圈可以移动光源，如图15-254所示；拖动定义效果边缘的手柄，可以增加或减少光照的大小，就像是移近或移远光照一样，如图15-255所示。

图15-253

图15-254

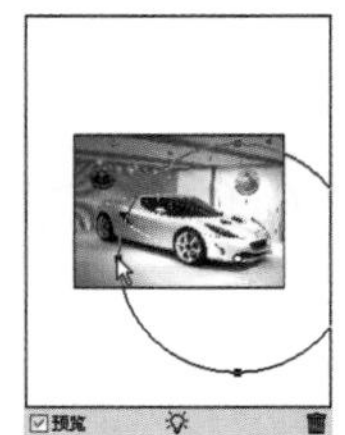

图15-255

- 调整平行光：“平行光”是从远处照射的光，这样光照角度不会发生变化，就像太阳光一样，如图15-256所示。拖动中央圆圈可以移动光源，如图15-257所示；拖动线段末端的手柄可以旋转光照角度和高度，如图15-258、图15-259所示。

图15-256

图15-257

图15-258

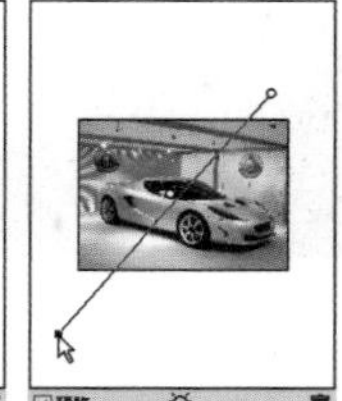

图15-259

- 调整点光：“点光”可以投射一束椭圆形的光柱，如图15-260所示。拖动中央的圆圈可以移动光源，如图15-261所示；拖动手柄可以增大光照强度或旋转光照，如图15-262、图15-263所示。

图15-260

图15-261

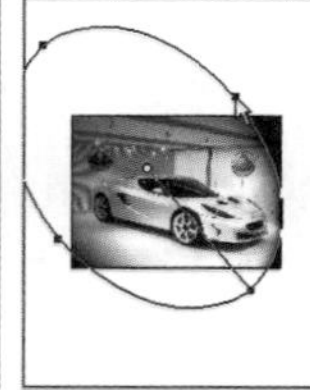

图15-262

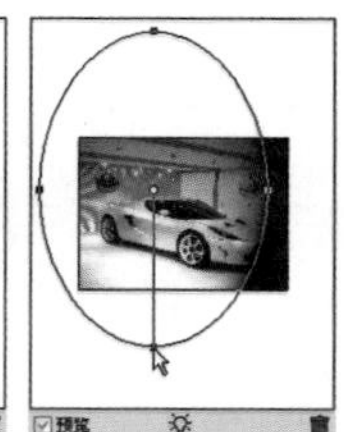

图15-263

- 添加新光源：将对话框底部的光源图标拖动到预览区域的图像上，可以添加光源，如图15-264、图15-265所示，最多可以添加16个光源。如图15-266、图15-267所示为分别调整两个光源的颜色和角度后的效果。

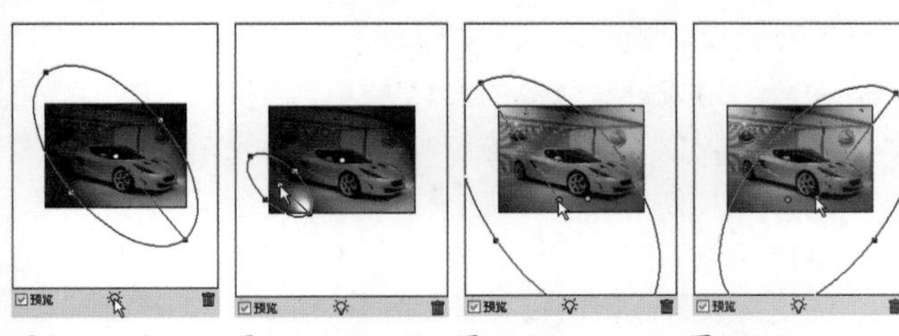

图15-264 图15-265 图15-266 图15-267

- 删除光源：单击光源的中央圆圈，然后将它拖动到预览区域右下角的图标上，可删除光源。

设置纹理通道

“纹理通道”选项可以通过一个通道中的灰度图像来控制光从图像反射的方式，从而生成立体效果。如图15-268~图15-270所示。

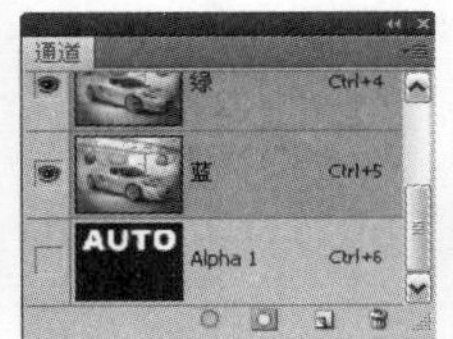

图15-268

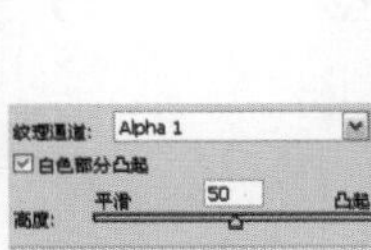

图15-269

图15-270

- 纹理通道：可以选择用于改变光照的通道。
- 白色部分凸出：勾选该项，通道的白色部分将凸出表面，取消勾选则黑色部分凸出。在“纹理通道”中选择“无”以外的其他项时，“白色突出”选项可用。
- 高度：拖动“高度”滑块可以将纹理从“平滑”(0) 改变为“凸起”(100)。

设置光源属性

- 强度/颜色：用来调整灯光的强度，该值越高光线越强。单击该选项右侧的颜色块，可在打开的“拾色器”中调整灯光的颜色。
- 聚焦：可以调整灯光的照射范围。
- 光泽：用来设置灯光在图像表面的反射程度。
- 材料：用来设置反射的光线是光源色彩，还是图像本身的颜色。滑块越靠近“塑石膏效果”，反射光越接近光源色彩；反之越靠近“金属质感”，反射光越接近反射体本身的颜色。
- 曝光度：该值为正值时，可增加光照；为负值时，则减少光照。
- 环境：单击该选项右侧的颜色块，可以在打开的“拾色器”中设置环境光的颜色。当滑块越接近“阴片”时，环境光越接近色样的互补色；滑块接近“正片”时，则环境光越接近于颜色框中设定的颜色。

提示

“光照效果”滤镜只能用于RGB图像。

15.13.3 镜头光晕

“镜头光晕”滤镜可以模拟亮光照射到像机镜头所产生的折射，常用来表现玻璃、金属等反射的反射光，或用来增强日光和灯光效果。如图15-271所示为原图像，图15-272所示为滤镜对话框。

图15-271

图15-272

- 光晕中心：在对话框中的图像缩览图上单击或拖动十字线，可以指定光晕的中心。
- 亮度：用来控制光晕的强度，变化范围为10%~300%。
- 镜头类型：用来选择产生光晕的镜头类型，效果如图15-273～图15-276所示。

50~300毫米变焦

图15-273

35毫米聚焦

图15-274

105毫米聚焦

图15-275

电影镜头

图15-276

15.13.4 纤维

"纤维"滤镜可以使用前景色和背景色随机创建编织纤维效果。如图15-277所示为滤镜对话框，图15-278、图15-279所示为原图像及滤镜效果。

- 差异：用来设置颜色的变化方式，该值较低时会产生较长的颜色条纹；该值较高时会产生较短且颜色分布变化更大的纤维。
- 强度：用来控制纤维的外观，该值较低时会产生松散的织物效果，该值较高时会产生短的绳状纤维。
- 随机化：单击该按钮可随机生成新的纤维外观。

图15-277

图15-278

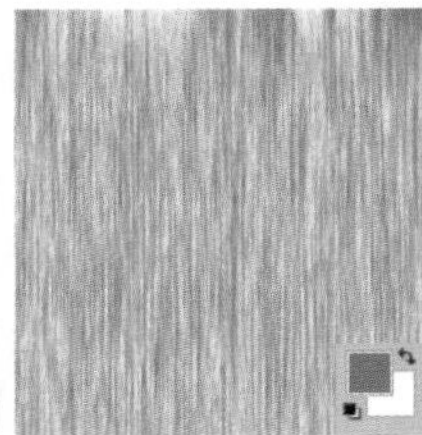

图15-279

15.14 艺术效果滤镜组

艺术效果滤镜组中包含15种滤镜，它们可以模仿自然或传统介质效果，使图像看起来更贴近绘画或艺术效果。

15.14.1 壁画

"壁画"滤镜使用短而圆的、粗略涂抹的小块颜料，以一种粗糙的风格绘制图像，使图像呈现一种古壁画般的效果。如图15-280所示为原图像，图15-281、图15-282所示为滤镜参数及效果。

图15-280

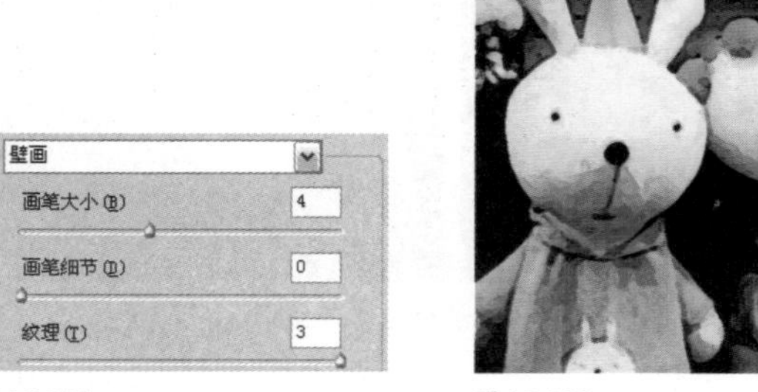

图15-281

图15-282

- 画笔大小：用来设置画笔的大小。
- 画笔细节：用来设置图像细节的保留程度。
- 纹理：用来设置添加的纹理的数量，该值越高，绘制的效果越粗犷。

15.14.2 彩色铅笔

"彩色铅笔"滤镜用彩色铅笔在纯色背景上绘制图像，可保留重要边缘，外观呈粗糙阴影线，纯色背景色会透过平滑的区域显示出来，如图15-283、图15-284所示。

图15-283

图15-284

- 铅笔宽度：用来设置铅笔线条的宽度，该值越高，铅笔线条越粗。
- 描边压力：用来设置铅笔的压力效果，该值越高，线条越粗犷。

- 纸张亮度：用来设置画纸纸色的明暗程度，该值越高，纸的颜色越接近背景色。

15.14.3 粗糙蜡笔

“粗糙蜡笔”滤镜可以在带纹理的背景上应用粉笔描边，在亮色区域，粉笔看上去很厚，几乎看不见纹理，在深色区域，粉笔似乎被擦去了，纹理会显露出来，如图15-285、图15-286所示。

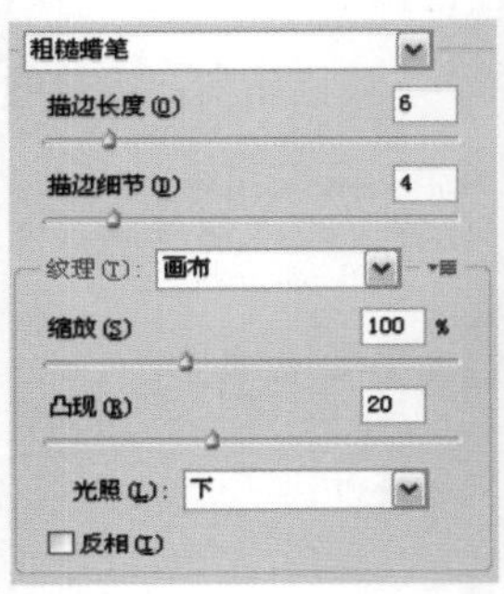

图15-285

图15-286

- 描边长度：用来设置画笔线条的长度。
- 描边细节：用来设置线条刻画细节的程度。
- 纹理：在该选项的下拉列表中可以选择一种纹理样式，也可以单击选项右侧的按钮，载入一个PSD格式的文件作为纹理文件。
- 缩放/凸现：用来设置纹理的大小和凸出程度。
- 光照/反相：在“光照”下拉列表中可以选择光照的方向。勾选“反相“，可反转光照方向。

15.14.4 底纹效果

“底纹效果”滤镜可以在带纹理的背景上绘制图像，然后将最终图像绘制在该图像上。如图15-287、图15-288所示。它的“纹理”等选项与“粗糙蜡笔”滤镜相应选项的作用相同。

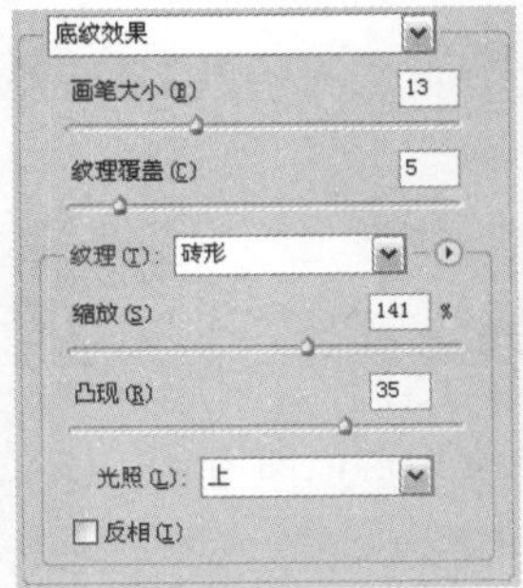

图15-287

图15-288

- 画笔大小：用来设置产生底纹的画笔的大小，该值越高，绘画效果越强烈。
- 纹理覆盖：用来设置纹理的覆盖范围。

15.14.5 调色刀

“调色刀”滤镜可以减少图像的细节以生成描绘得很淡的画布效果，并显示出下面的纹理，如图15-289、图15-290所示。

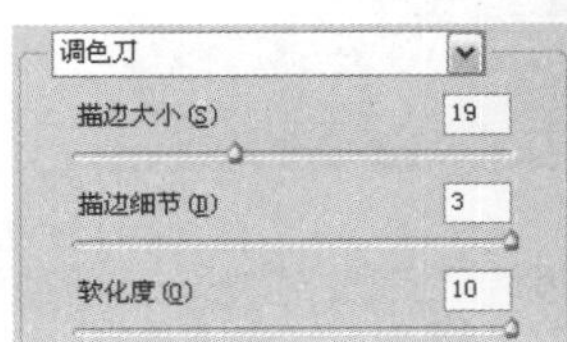

图15-289

图15-290

- 描边大小：用来设置图像颜色混合的程度，该值越高，图像越模糊；该值越小，图像越清晰。
- 描边细节：该值越高，图像的边缘越明确。
- 软化度：该值越高，图像越模糊。

15.14.6 干画笔

“干画笔”滤镜使用干画笔技术（介于油彩和水彩之间）绘制图像边缘，并通过将图像的颜色范围降到普通颜色范围来简化图像，如图15-291、图15-292所示。

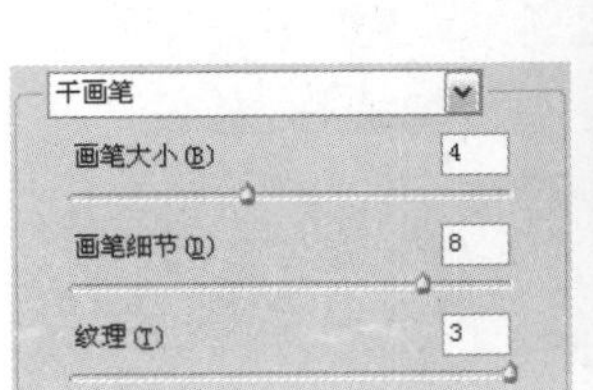

图15-291

图15-292

- 画笔大小：用来设置画笔的大小，该值越小，绘制的效果越细腻。
- 画笔细节：用来设置画笔的细腻程度，该值越高，效果与原图像越接近。
- 纹理：用来设置画笔纹理的清晰程度，该值越高，画笔的纹理越明显。

15.14.7 海报边缘

“海报边缘”滤镜可以按照设置的选项自动跟踪图像中颜色变化剧烈的区域，在边界上填入黑色的阴影，大而宽的区域有简单的阴影，而细小的深色细节遍布图像，使图像产生海报效果，如图15-293、图15-294所示。

图15-293

图15-294

- 边缘厚度：用来设置图像边缘像素的宽度，该值越高，轮廓越宽。
- 边缘强度：用来设置图像边缘的强化程度。
- 海报化：用来设置颜色的浓度。

15.14.8 海绵

“海绵”滤镜用颜色对比强烈、纹理较重的区域创建图像，模拟海绵绘画效果，如图15-295、图15-296所示。

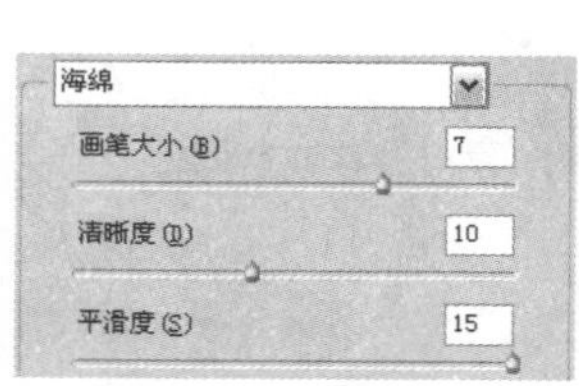

图15-295

图15-296

- 画笔大小：可设置用于模拟海绵的画笔的大小。
- 清晰度：可调整海绵上的气孔的大小，该值越高，气孔的印记越清晰。
- 平滑度：用来模拟海绵的压力，该值越高，画面的浸湿感越强，图像越柔和。

15.14.9 绘画涂抹

“绘画涂抹”滤镜可以使用简单、未处理光照、暗光、宽锐化、宽模糊和火花等不同类型的画笔创建绘画效果，如图15-297、图15-298所示。

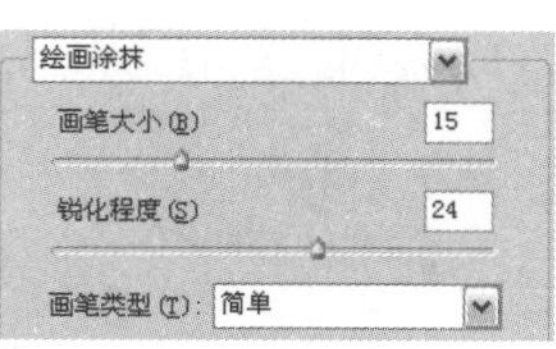

图15-297

图15-298

- 画笔大小：用来设置画笔的大小，该值越高，涂抹的范围越广。
- 锐化程度：用来设置图像的锐化程度，该值越高，效果越锐利。
- 画笔类型：在下拉列表中可以选择一种画笔。

15.14.10 胶片颗粒

“胶片颗粒”滤镜将平滑的图案应用于阴影和中间色调，将一种更平滑、饱和度更高的图案添加到亮区，如图15-299、图15-300所示。在消除混合的条纹和将各种来源的图像在视觉上进行统一时，该滤镜非常有用。

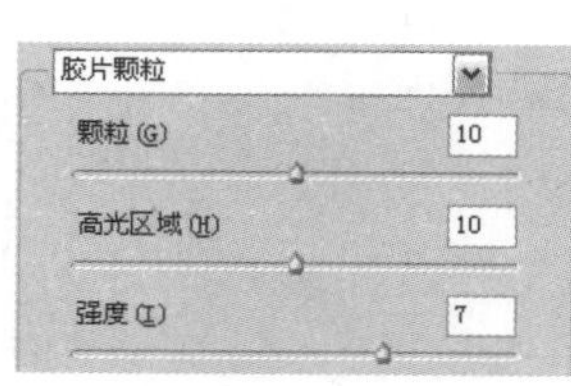

图15-299

图15-300

- 颗粒：用来设置生成的颗粒的密度。
- 高光区域：用来设置图像中高光的范围。
- 强度：用来设置颗粒效果的强度，该值较小时，会在整个图像上显示颗粒；该值较高时，只在图像的阴影部分显示颗粒。

15.14.11 木刻

“木刻”滤镜可以使图像看上去像是由从彩纸上剪下的边缘粗糙的剪纸片组成的，高对比度的图像看起来呈剪影状，而彩色图像看上去是由几层彩纸组成的，如图15-301、图15-302所示。

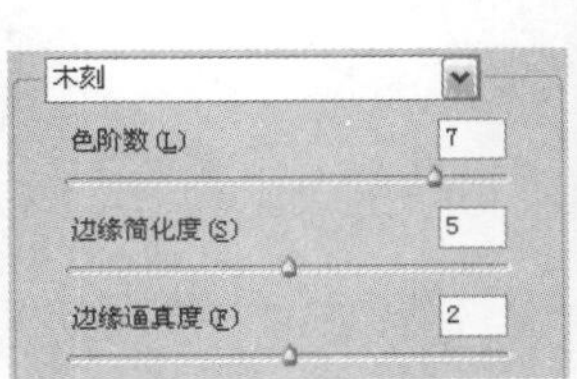

图15-301

图15-302

- 色阶数：用来设置简化后的图像的色阶数量，该值越高，图像的颜色层次越丰富；该值越小，图像的简化效果越明显。
- 边缘简化度：用来设置图像边缘的简化程度。
- 边缘逼真度：用来设置图像边缘的精确度。

15.14.12 霓虹灯光

“霓虹灯光”滤镜可以在柔化图像外观时给图像着色，在图像中产生彩色氖光灯照射的效果，如图15-303、图15-304所示。

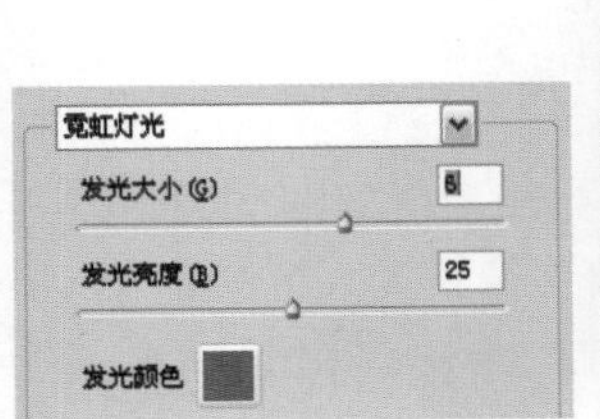

图15-303

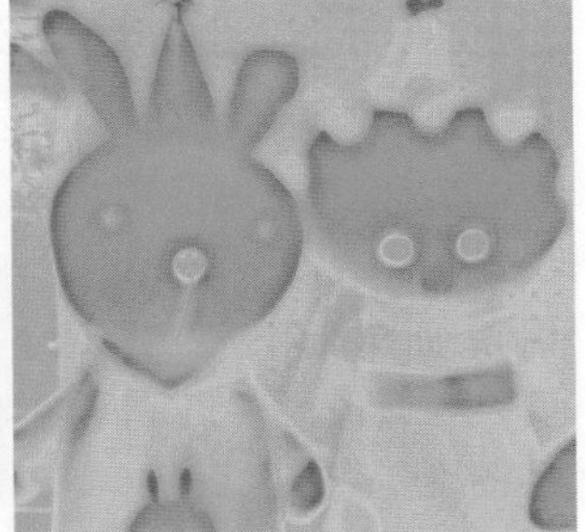

图15-304

- 发光大小：用来设置发光范围的大小，该值为正值时，光线向外发射；为负值时，光线向内发射。
- 发光亮度：用来设置光的亮度。
- 发光颜色：单击该选项右侧的颜色块，可以在打开的对话框中设置发光颜色。

15.14.13 水彩

“水彩”滤镜能够以水彩的风格绘制图像，它使用蘸了水和颜料的中号画笔绘制以简化细节，当边缘有显著的色调变化时，该滤镜会使颜色饱满，如图15-305、图15-306所示。

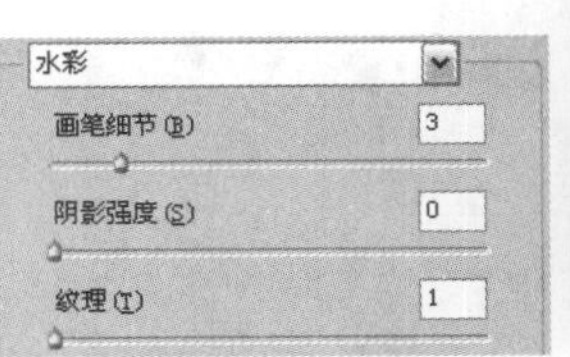

图15-305

图15-306

- 画笔细节：用来设置画笔的精确程度，该值越高，画面越精细。
- 阴影强度：用来设置暗调区域的范围，该值越高，暗调范围越广。
- 纹理：用来设置图像边界的纹理效果，该值越高，纹理效果越明显。

15.14.14 塑料包装

“塑料包装”滤镜可以给图像涂上一层光亮的塑料，以强调表面细节，如图15-307、图15-308所示。

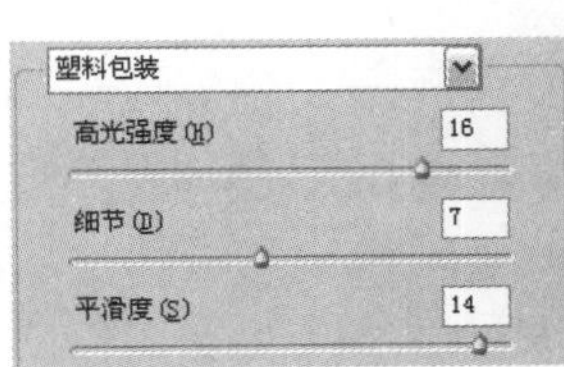

图15-307

图15-308

- 高光强度/细节：用来设置高光区域的亮度，以及高光区域细节的保留程度。
- 平滑度：用来设置塑料效果的平滑程度，该值越高，塑料质感越强。

15.14.15 涂抹棒

“涂抹棒”滤镜使用较短的对角线条涂抹图像中的暗部区域，从而柔化图像，亮部区域会因变亮而丢失细节，整个图像显示出涂抹扩散的效果，如图15-309、图15-310所示。

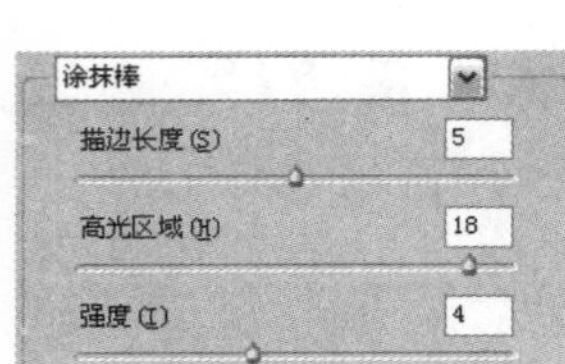

图15-309

图15-310

- 描边长度：用来设置图像中生成的线条的长度。
- 高光区域：用来设置图像中高光范围的大小，该值越高，被视为高光区域的范围就越广。
- 强度：用来设置高光强度。

15.15 杂色滤镜组

杂色滤镜组中包含5种滤镜，它们可以添加或去除杂色或带有随机分布色阶的像素，创建与众不同的纹理，也用于去除有问题的区域。

15.15.1 减少杂色

图像的杂色显示为随机的无关像素，这些像素不是图像细节的一部分。“减少杂色”滤镜可基于影响整个图像或各个通道的用户设置保留边缘，同时减少杂色。如图15-311所示为“减少杂色”对话框，图15-312、图15-313所示为原图像及减少杂色后的效果。

图15-311

图15-312

图15-313

设置基本选项

“基本”选项用来设置滤镜的基本参数，包括“强度”、“保留细节”和“减少杂色”等。

- 设置：单击按钮，可以将当前设置的调整参数保存为一个预设，以后需要使用该参数调整图像时，可在“设置”下拉列表中将它选择，从而对图像自动调整。如果要删除创建的自定义预设，可单击按钮。
- 强度：用来控制应用于所有图像通道的亮度杂色减少量。
- 保留细节：用来设置图像边缘和图像细节的保留程度。当该值为100%时，可保留大多数图像细节，但会将亮度杂色减到最少。
- 减少杂色：用来消除随机的颜色像素，该值越高，减少的杂色越多。
- 锐化细节：用来对图像进行锐化。
- 移去 JPEG 不自然感：勾选该项，可以去除由于使用低 JPEG 品质设置存储图像而导致的斑驳的图像伪像和光晕。

设置高级选项

勾选对话框中的“高级”选项后，可以显示“高级”选项。其中，“基本”选项卡与基本调整方式中的选项完全相同。“每通道”选项卡可以对各个颜色通道进行处理。如果亮度杂色在一个或两个颜色通道中较明显，便可以从“通道”菜单中选取颜色通道，拖动“强度”和“保留细节”滑块来减少该通道中的杂色，如图15-314、图15-315、图15-316所示。

图15-314

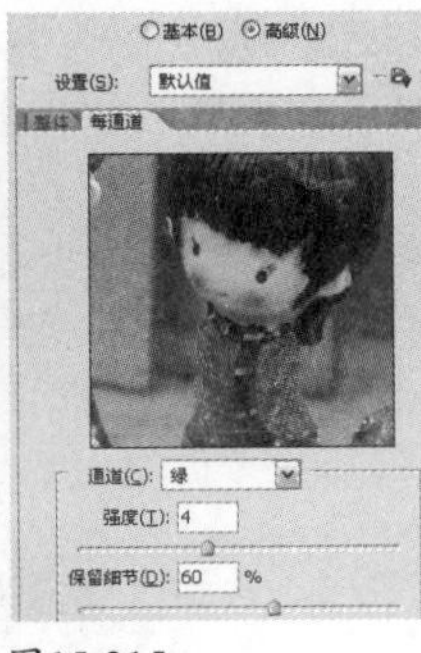
图15-315

图15-316

使用数码相机拍照时，如果用很高的 ISO 设置、曝光不足或者用较慢的快门速度在黑暗区域中拍照，就可能会导致出现杂色。“减少杂色”滤镜对于除去照片中的杂色非常有效。

15.15.2 蒙尘与划痕

“蒙尘与划痕”滤镜可通过更改相异的像素来减少杂色，该滤镜对于去除扫描图像中的杂点和折痕特别有效。如图15-317所示为“蒙尘与划痕”对话框，为了在锐化图像和隐藏瑕疵之间取得平衡，可尝试“半径”与“阈值”设置的各种组合。“半径”值越高，模糊程度越强；“阈值”则用于定义像素的差异有多大才能被视为杂点，该值越高，去除杂点的效果就越弱。如图15-318所示为滤镜效果。

图15-317

图15-318

15.15.3 去斑

“去斑”滤镜可以检测图像边缘发生显著颜色变化的区域，并模糊除边缘外的所有选区，消除图像中的斑点，同时保留细节。对于扫描的图像，可以使用该滤镜进行去网处理。

15.15.4 添加杂色

“添加杂色”滤镜可以将随机的像素应用于图像，模拟在高速胶片上拍照的效果，如图15-319、图15-320所示。该滤镜也可以用来减少羽化选区或渐变填充中的条纹，或使经过重大修饰的区域看起来更加真实。或者在一张空白的图像上生成随机的杂点，制作成杂纹或其他底纹。

图15-319

图15-320

- 数量：用来设置杂色的数量。
- 分布：用来设置杂色的分布方式。选择“平均分布”，会随机地在图像中加入杂点，生成的效果比较柔和；选择“高斯分布”，会沿一条钟形曲线分布的方式来添加杂点，杂点效果较为强烈。
- 单色：勾选该项，杂点只影响原有像素的亮度，像素的颜色不会改变。

15.15.5 中间值

“中间值”滤镜通过混合选区中像素的亮度来减少图像的杂色，如图15-321、图15-322所示。该滤镜可以搜索像素选区的半径范围以查找亮度相近的像素，扔掉与相邻像素差异太大的像素，并用搜索到的像素的中间亮度值替换中心像素，在消除或减少图像的动感效果时非常有用。

图15-321

图15-322

15.16 其它滤镜组

其它滤镜组中包含5种滤镜，在它们当中，有允许用户自定义滤镜的命令，也有使用滤镜修改蒙版、在图像中使选区发生位移和快速调整颜色的命令。

15.16.1 高反差保留

“高反差保留”滤镜可以在有强烈颜色转变发生的地方按指定的半径保留边缘细节，并且不显示图像的其余部分。该滤镜对于从扫描图像中取出艺术线条和大的黑白区域非常有用。如图15-323所示为原图像，图15-324、图15-325所示为滤镜参数及效果。通过“半径”值可调整原图像保留的程度，该值越高，保留的原图像越多。如果该值为0，则整个图像会变为灰色。

图15-323

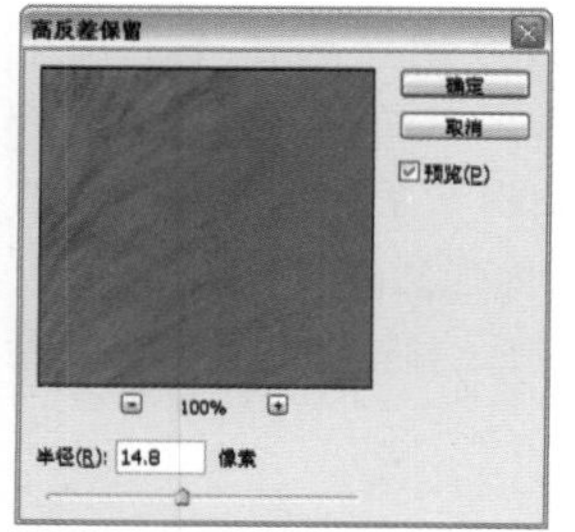

图15-324

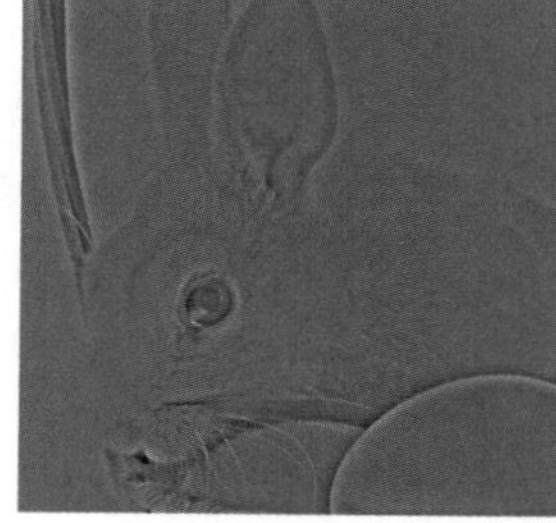

图15-325

15.16.2 位移

“位移”滤镜可以水平或垂直偏移图像，对于由偏移生成的空缺区域，还可以用不同的方式来填充。如图15-326所示为“位移”对话框。

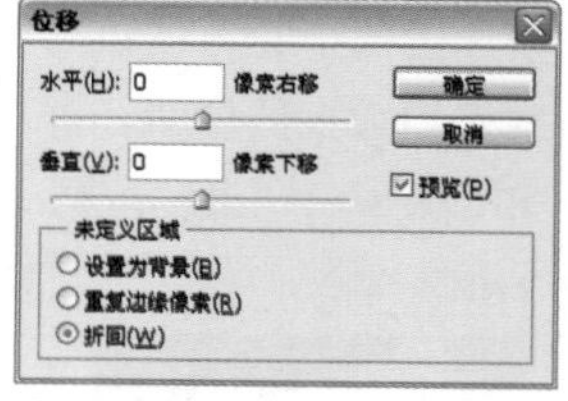

图15-326

- 水平：用来设置水平偏移的距离。正值向右偏移，左侧留下空缺；负值向左偏移，右侧出现空缺。如图15-327所示为水平位移效果。
- 垂直：用来设置垂直偏移的距离。正值向下偏移，在上侧留下空缺；负值向上偏移，在下侧留下空缺。如图15-328所示为垂直位移效果。

图15-327　图15-328

- 未定义区域：用来设置偏移图像后产生的空缺部分的填充方式。选择“设置为背景”，以背景色填充空缺部分；选择“重复边缘像素”，在图像边界不完整的空缺部分填入扭曲边缘的像素颜色，如图15-329所示；选择“折回”，则在空缺部分填入溢出图像之外的图像内容，如图15-330所示。

图15-329

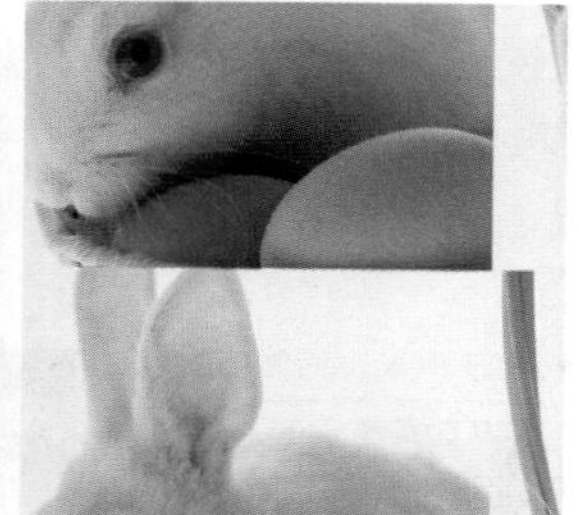

图15-330

15.16.3 自定

“自定”滤镜是Photoshop为我们提供的可以自定义滤镜效果的功能。它根据预定义的数学运算（称为卷积）更改图像中每个像素的亮度值，这种操作与通道的加、减计算类似。用户可以存储创建的自定滤镜，并将它们用于其它 Photoshop 图像。如图15-331所示为“自定”对话框。

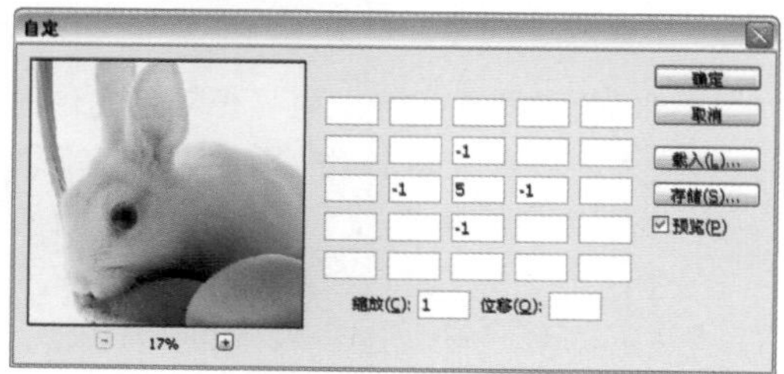

图15-331

15.16.4 最大值与最小值

“最大值”和“最小值”滤镜可以在指定的半径内，用周围像素的最高或最低亮度值替换当前像素的亮度值。其中，“最大值”滤镜具有应用阻塞的效果，可以扩展白色区域、阻塞黑色区域，如图15-332、图15-333所示。

图15-332

图15-333

“最小值”滤镜具有伸展的效果，可以扩展黑色区域、收缩白色区域，如图15-334、图15-335所示。

图15-334

图15-335

“最大值”滤镜和“最小值”滤镜常用来修改通道和图层蒙版，“最大值”滤镜用于收缩蒙版，“最小值”滤镜用于扩展蒙版。

15.17 Digimarc滤镜组

Digimarc滤镜可以将数字水印嵌入到图像中以储存版权信息，使图像的版权通过Digimarc ImageBridge 技术的数字水印受到保护。水印是一种以杂色方式添加到图像中的数字代码，我们的肉眼是看不到这些代码的。添加数字水印后，无论进行通常的图像编辑，或是文件格式转换，水印仍然存在。经过拷贝带有嵌入水印的图像时，水印和与水印相关的任何信息也会被拷贝。

15.17.1 嵌入水印

“嵌入水印”滤镜可以在图像中加入著作权信息。在嵌入水印前，用户必须首先向Digimarc Corporationa公司注册，取得一个Digimarc ID，然后将这个ID号码随同著作权信息一并嵌入到图像中，但需要支付一定的费用。如图15-336所示为“嵌入水印”对话框。

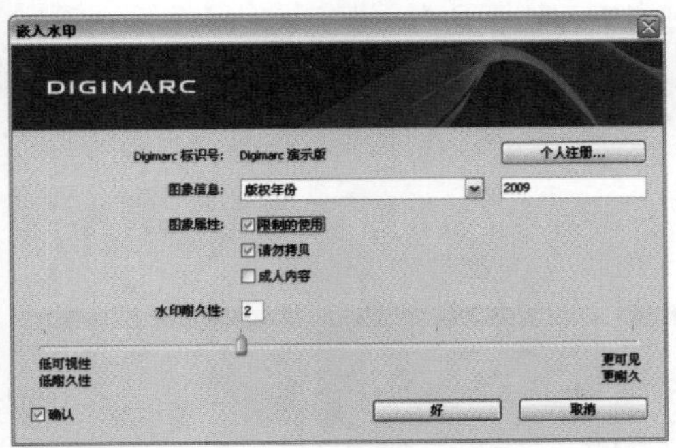

图15-336

- Digimarc标识号：设置创建者的个人信息。可单击“个人注册”按钮启动 Web 浏览器并访问位于 www.digimarc.com 的 Digimarc Web 站点进行注册。
- 图像信息：用来填写版权的申请年份等信息。
- 图像属性：用来设置图像的使用范围。
- 目标输出：指定图像是用于显示器显示、Web 显示或是打印显示。
- 水印耐久性：设置水印的耐久性和可视性。

“嵌入水印”滤镜只能用于CMYK、RGB、Lab或灰度图像。

15.17.2 读取水印

“读取水印”滤镜主要是用来阅读图像中的数字水印内容。当一个图像中含有数字水印时，则在图像窗口标题栏和状态栏上会显示出一个“C”状符号。

执行该命令时，Photoshop即对图像内容进行分析，并找出内含的数字水印数据。若找到了ID及相关数据，可以连接到Digimarc公司的站点，依据ID号码，找到作者的联络资料以及租片（即租用这个拥有著作权的图像）费用等。若在图像中找不到数字水印效果，或者是数字水印已因过度的编辑而损坏，则Photoshop会弹出提示对话框，提示用户该图像中没有数字水印或是已经遭受破坏的信息。

15.18 Photoshop外挂滤镜

Photoshop提供了一个开放的平台，我们可以将第三方厂商开发的滤镜以插件的形式安装在Photoshop中使用，这些滤镜称为“外挂滤镜”。外挂滤镜不仅可以轻松完成各种特效，还能够创造出Photoshop内置滤镜无法实现的神奇效果，因而倍受广大Photoshop爱好者的青睐。

15.18.1 安装外挂滤镜

外挂滤镜与一般程序的安装方法基本相同，只是要注意应将其安装在Photoshop CS5的Plug-in目录下，如图15-337所示，否则将无法直接运行滤镜。有些小的外挂滤镜只需手动复制到plug-in文件夹中即可使用。安装完成以后，重新运行Photoshop，在“滤镜”菜单的底部便可以看到它们，如图15-338所示。

图15-337

图15-338

疑问解答　怎样获得外挂滤镜？

有许多知名的软件公司曾经制作过独具特色的滤镜插件，例如Ulead、Extensis等。外挂滤镜有的用于出售，有的免费发放，有些还提供了试用版。我们可以到网上下载一些试用版，或者购买这些滤镜。

15.18.2 KPT 3

KPT 3包含19种滤镜，可制作渐变填充效果、创建三维图像、添加杂质以及生成各种材质。如图15-339所示为KPT3对话框，图15-340所示为原图像，图15-341、图15-342所示为滤镜效果。

图15-339

图15-340

图15-341

图15-342

15.18.3 KPT 5

KPT 5是继KPT 3之后Meta Tools公司的又一个力作，它包含10种滤镜，可以创建网页3D按钮、在图像上生成无数的球体、给图像加上令人惊奇的真实羽毛效果等。如图15-343所示为KPT5的操作界面。以后的KPT6和KPT7都采用此界面。

图15-343

15.18.4 KPT 6

KPT 6包含均衡器、凝胶、透镜光斑、天空特效、投影机、粘性物、场景建立、湍流等10种特色滤镜。

15.18.5 KPT 7

KPT 7是KPT系列滤镜的最高版本，也是名气最大的Photoshop外挂滤镜。它包含9种特色滤镜，可以创建墨水滴、闪电、流动、撒播、高级贴图、渐变等超炫特效。如图15-344、图15-345所示为部分滤镜效果。

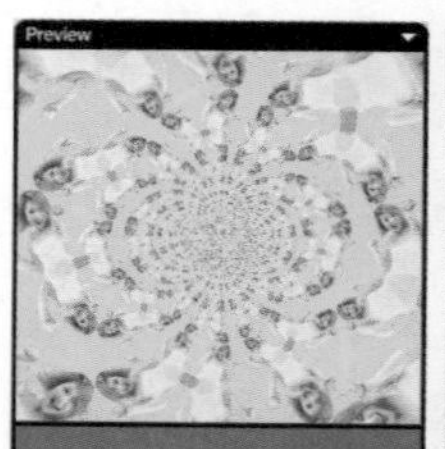

KPT Hypertiling

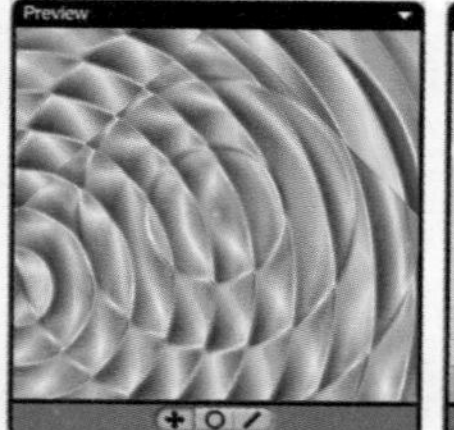

KPT Gradient Lab

KPT Lightning

图15-344

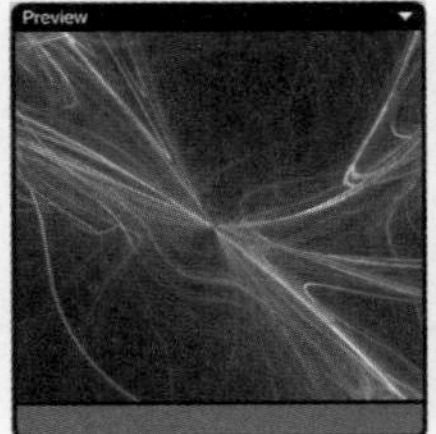

KPT FraxFlame Ⅱ　　KPT Scatter　　KPT Channel Surfing

图15-345

15.18.6 Ulead Particle.Plugin

Ulead（友丽）公司的Ulead Particle.Plugin是用于制作自然环境的强大插件。它能够模拟自然界的粒子而创建诸如雨、雪、烟、火、云和星等特效。对于大多数粒子，我们不仅可以修改其参数值、设定颜色，还可以通过拖拽一个或全部粒子来改变它们的位置。

15.18.7 NeatImage

随着数码相机的普及，数码照片的后期处理也越来越重要。NeatImage可以减少人像照片的杂色和噪点，使人物皮肤洁白、细腻（这一过程称为“磨皮”），同时保持头发、眼眉、眼睫毛的细节，是一款更加强大的磨皮插件。

15.18.8 Mask Pro 2.0

Mask Pro 2.0（抠像大法）是专门用于抠图的滤镜，它可以把复杂的图像，如人的头发、动物的毛发等轻易地选取出来。该插件与磨皮插件NeatImage是影楼照片后期处理人员的两个好帮手。

15.18.9 Eye Candy 4000

Eye Candy 4000是Alien Skin公司出品的滤镜，它包含23种滤镜，可以制作铬合金、闪耀、发光、水滴、玻璃、烟幕、漩涡、毛发、木纹、编织、星星、溶化、火焰等精彩特效。如图15-346所示为部分滤镜效果。

Water Drops(水迹)　　Weave（编织）　　Fire（火焰）

图15-346

15.18.10 Xenofex

Xenofex也是Alien Skin公司出品的滤镜，它操作方法简单，但生成的效果却非常精彩。Xenofex包含14种滤镜，可以制作出燃烧、闪电、触电、旗帜、拼图、卷边等特效。这是一款非常值得收藏的滤镜。如图15-347所示为部分滤镜效果。

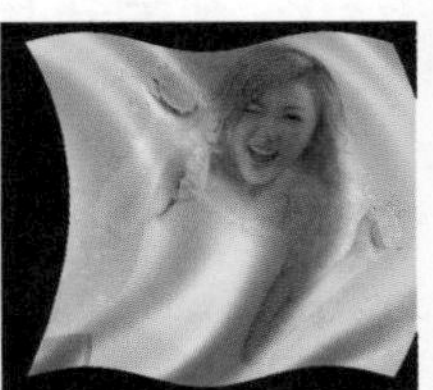

Rip Open（卷边）　　Puzzle（拼图）　　Flag（旗帜）

Burnt Edges（燃烧边缘）　　Constellation（星座）　　Crumple（折皱）

图15-347

疑问解答 哪里有关于外挂滤镜的参数解读？

本书的配套光盘中提供了《Photoshop外挂滤镜使用手册》，包含KPT7、Eye Candy 4000、Xenofex等经典外挂滤镜的详细参数设置方法和具体的效果展示。

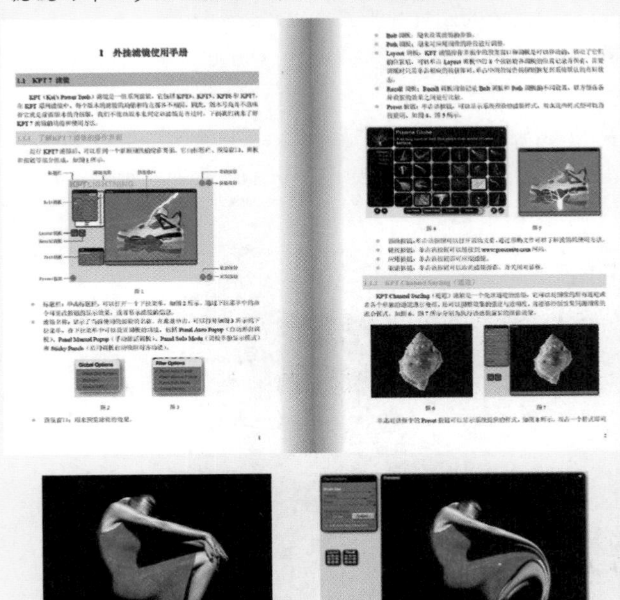

15.19 Photoshop增效工具

增效工具也称为“插件”，这是一种遵循一定规范的应用程序接口编写出来的程序，可以帮助我们完成重要工作。常见的有游戏插件、IE浏览器插件、3D渲染插件等等。Adobe对Photoshop进行了精简，将以前版本中的Web照片画廊、联系表、图片包、抽出滤镜、图案生成器等以插件的形式提供给用户，我们可以根据需要来决定是否安装它们。

15.19.1 下载与安装增效工具

Photoshop CS5的应用程序DVD安装盘中提供了各种增效工具。我们也可以登录到http://www.adobe.com/support/downloads/detail.jsp?ftpID=4279下载。

下载增效工具以后，可以看到一个压缩包文件，如图15-348所示，双击它将其解压，然后将“简体中文>实用组件>可选增效工具>增效工具（32 位）”文件夹中的各个插件复制到Photoshop CS5安装程序文件夹下面的“Plug-ins”文件夹中即可。

图15-348

15.19.2 实战——制作幻灯片式PDF演示文稿

●实例门类：软件功能类　●视频位置：光盘>实例视频>15.19.2

Adobe将两个常用的插件“PDF演示文稿”和“Web照片画廊”放在了Bridge中。下面我们就来用Bridge制作一个可以自动播放的幻灯片形式的PDF演示文稿。

1 单击程序栏中的Br按钮运行Bridge，导航到“光盘>素材>15.19.2”文件夹。

2 单击窗口右上角的“输出”选项卡，再单击“PDF”按钮，显示设置选项，按下Ctrl+A快捷键，选中列表中的四个图像，如图15-349所示。

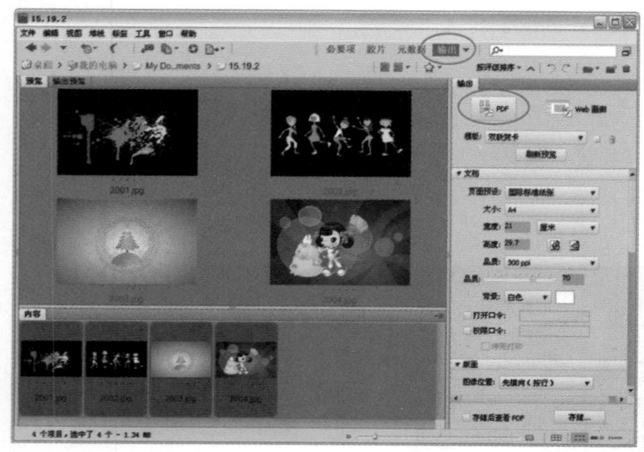

图15-349

3 在右侧的面板中将“背景”设置为黑色，“列数”和“行数”都设置为1，“持续时间”设置为3秒。如果要循环播放演示文稿，可勾选“在最后一页之后循环”，将过渡效果设置为“随机”，其他参数如图15-350～图15-352所示。如果要为PDF文件加密，可勾选“打开口令”，并输入密码；或者勾选“权限口令”，设置修改权限。也可以在“水印”选项组中为文件添加数字水印。还可以为文件添加页眉和页角作为装饰。

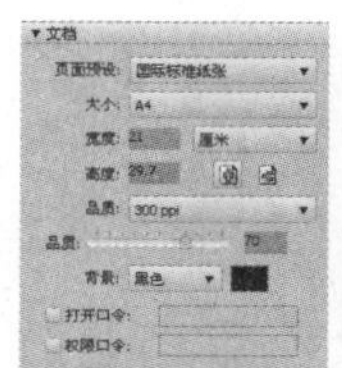

图15-350

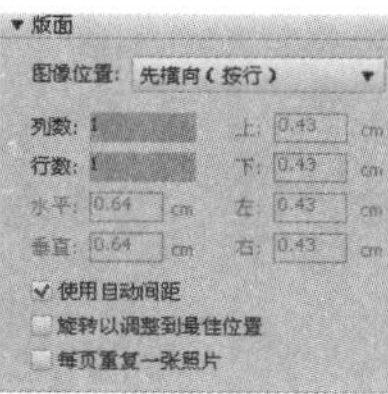

图15-351

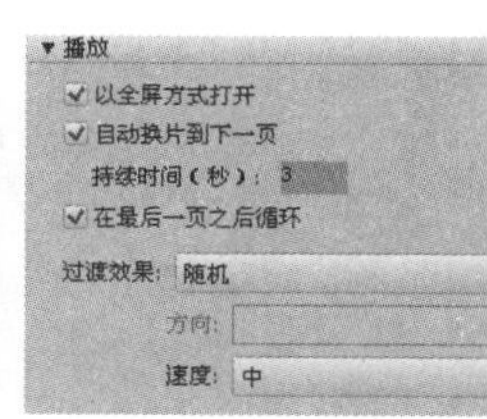

图15-352

4 设置完成后，单击“刷新预览”按钮预览效果，没有问题了，单击“存储”按钮，将PDF文件保存到本地硬盘。这样以后我们双击该文件，就会以幻灯片的形式连续播放图像，并且每一次图像的切换方式都有变化，如图15-353所示。

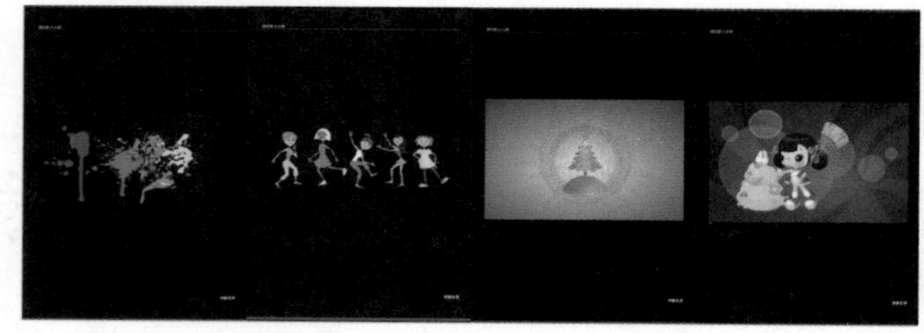

图15-353

提示：PDF演示文稿需要用Adobe Reader播放。如果读者没有安装该程序，可以到www.myadobe.com网站上下载。该软件是免费使用的。

15.19.3 实战——制作个性化网络照片画廊

●实例门类：软件功能类　●视频位置：光盘>实例视频>15.19.3

1 运行Bridge，导航到“光盘>素材>15.19.3 ”文件夹，单击窗口右上角的“输出”选项卡，再单击“Web画廊”

按钮，显示设置选项。按下Ctrl+A快捷键，选中列表中的图像，它们会添加到“预览”窗口中，如图15-354所示。

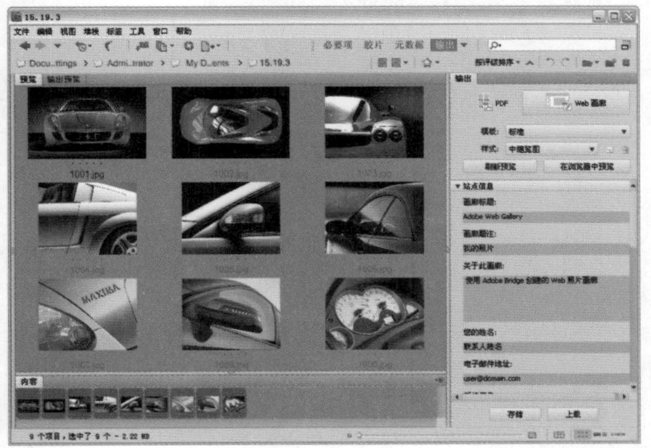

图15-354

2 在“模板”选项下拉列表中选择“HTML画廊”，然后输入站点信息，包括画廊标题、邮箱等内容，如图15-355所示。设置完成后，单击“刷新预览”按钮，预览画廊效果，如图15-356所示。

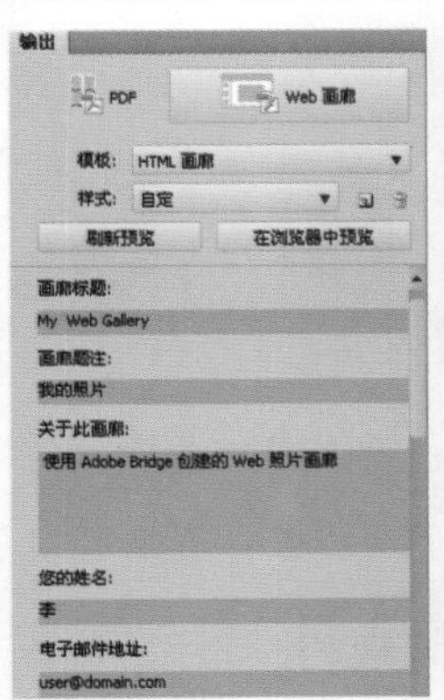

图15-355

图15-356

3 如果发现问题可重新调整，然后再单击“刷新预览”按钮预览效果，没有问题了，就单击“存储位置”选项中的“浏览”选钮，如图15-357所示，在打开的对话框中将画廊文件保存到本地硬盘中，如图15-358所示。也可以单击“上载”按钮，将画廊上载到FTP上，与朋友共享。

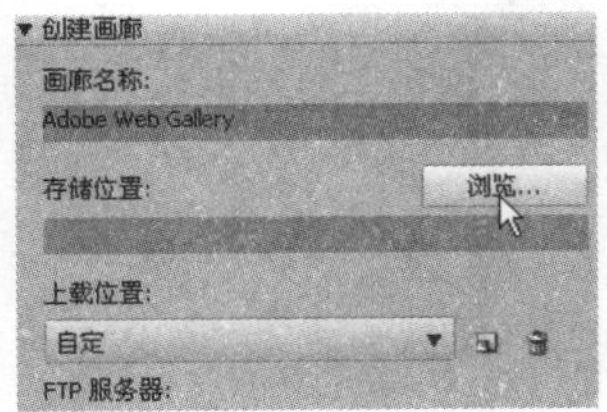

图5-357

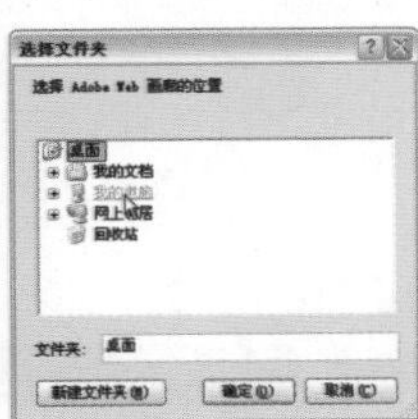

图15-358

4 在保存画廊的文件夹中双击图标，打开计算机中的浏览器登录到Web照片画廊，单击缩览图即可浏览各个图像，如图15-359所示。

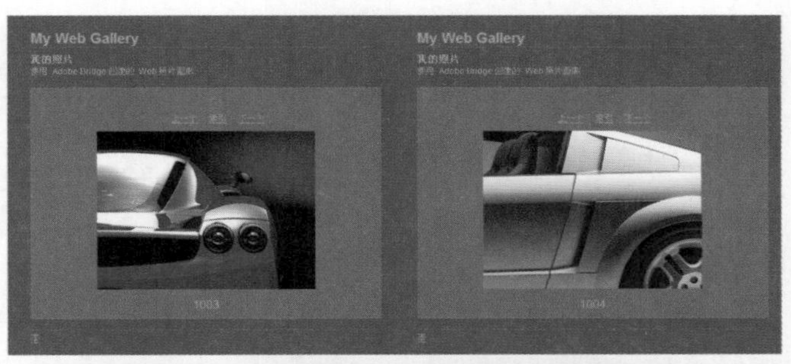

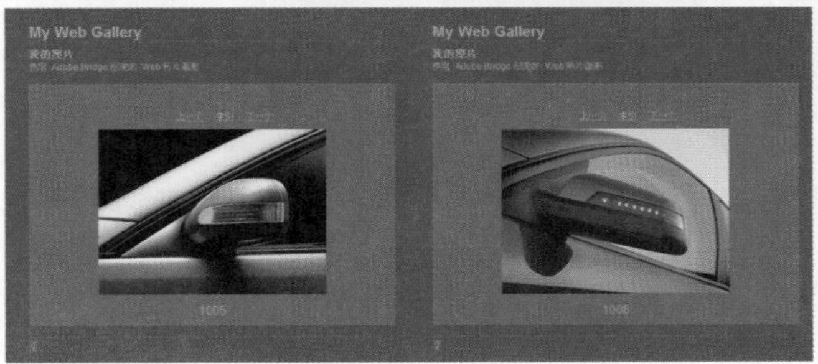

图15-359

技术看板 67 Web照片画廊的预设风格

“模板”下拉列表中包含了11种画廊模板，选择一个模板后，还可以“样式”列表中选择一种样式，创建不同风格的照片画廊。

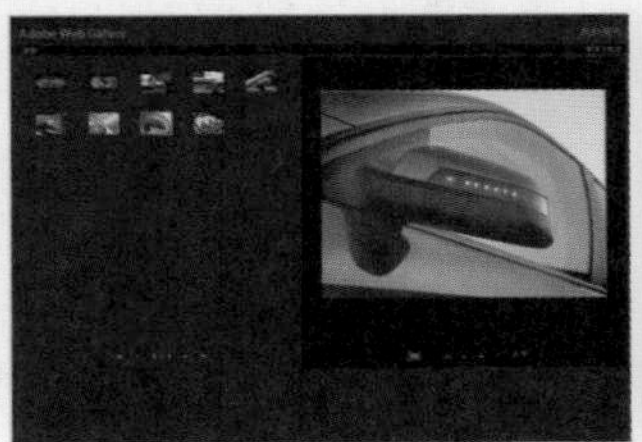

标准

Lightroom Flash画廊（苔覆岩石）

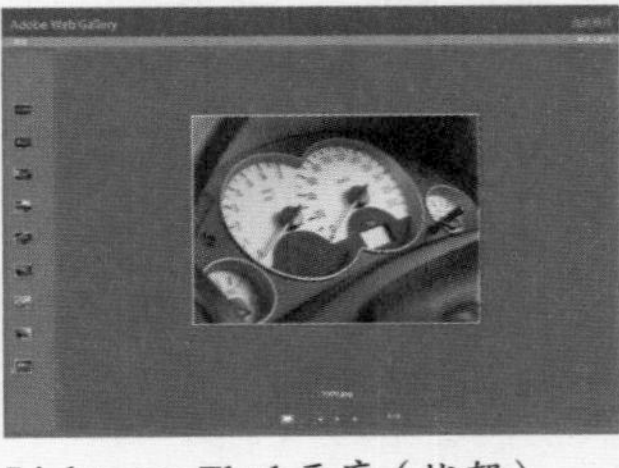

Lightroom Flash画廊（忧郁）

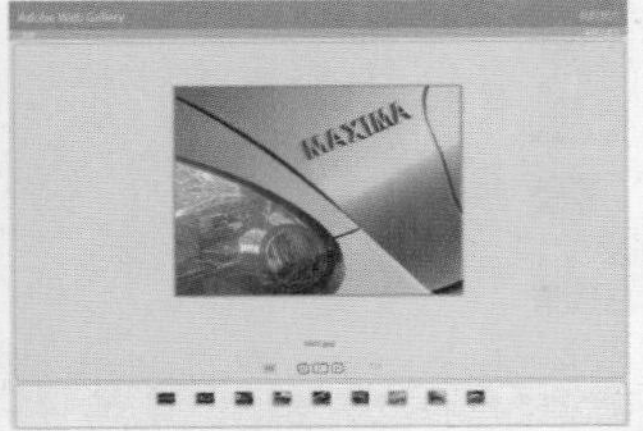

Lightroom Flash画廊（温暖）

Airtight AutoViewer

Airtight SimpleViewer

Point

第16章 Web图形

16.1 使用Web图形

使用 Photoshop 的 Web 工具可以帮助我们设计和优化单个Web 图形或整个页面布局，轻松创建网页的组件。例如，使用图层和切片可以设计网页和网页界面元素；使用图层复合可以试验不同的页面组合或导出页面的各种变化形式；使用Adobe Bridge 创建 Web 照片画廊，可以将一组图像快速转变为交互式网站；创建可用于导入到Dreamweaver 或 Flash 中的翻转文本或按钮图形等。

Learning Objectives
学习重点

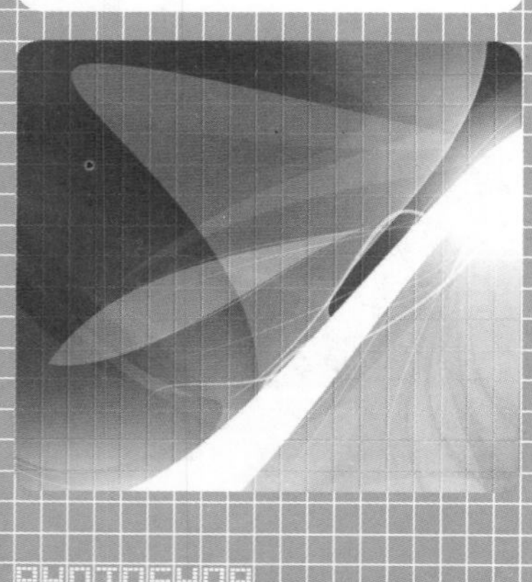

PHOTOSHOP

16.1.1 Web 安全色

颜色是网页设计的重要内容，然而，我们在电脑屏幕上看到的颜色却不一定都能够在其他系统上的 Web 浏览器中以同样的效果显示。为了使Web图形的颜色能够在所有的显示器上看起来一模一样，在制作网页时，就需要使用Web安全颜色。

在“颜色”面板或“拾色器”中调整颜色时，如果出现警告图标，如图16-1所示，可单击该图标，将当前颜色替换为最与其最为接近的 Web 安全颜色，如图16-2所示。

图16-1

图16-2

在设置颜色时，也可以选择“颜色”面板菜单或者“拾色器”中的选项，以便始终在Web 安全颜色模式下工作，如图16-3、图16-4所示。

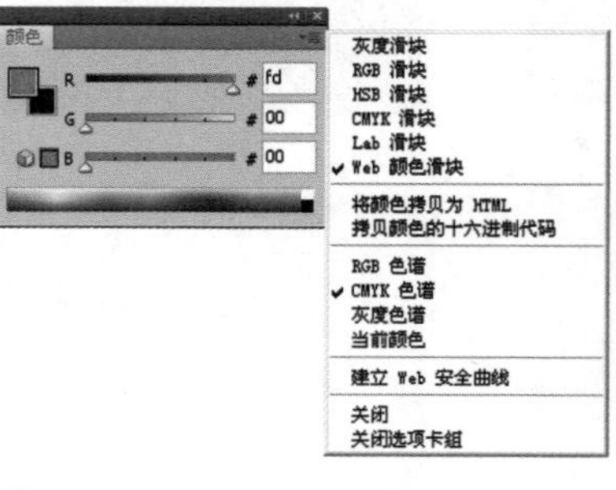

图16-3

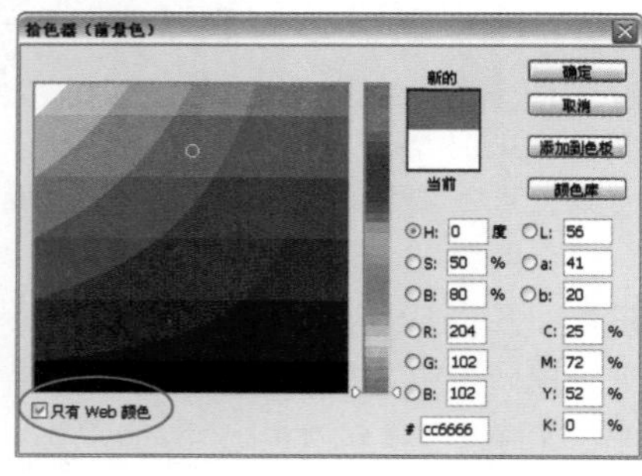

图16-4

16.1.2 实战——创建翻转

●实例门类：软件功能类 ●视频位置：光盘>实例视频>16.1.2

翻转是网页上的一个按钮或图像，当鼠标移动到它上方时会发生变化，如图16-5、图16-6所示。下面我们就来制作一个用于网页的翻转按钮。

图16-5

图16-6

1 要创建翻转，至少需要两个图像，主图像表示处于正常状态的图像，次图像表示处于更改状态的图像。打开一个文件（光盘>素材>16.1.2），如图16-7所示，这是一个正常状态下的按钮。使用椭圆选框工具按住Shift键创建一个圆形选区（可以同时按住空格键移动选区），选择按钮中间的图形，如图16-8所示。

图16-7

图16-8

2 按下Ctrl+U快捷键，打开“色相/饱和度”对话框，拖动色相滑块，如图16-9所示，将选中的图形调整为蓝色，如图16-10所示。按下回车键确认，然后按下Ctrl+D快捷键取消选择。

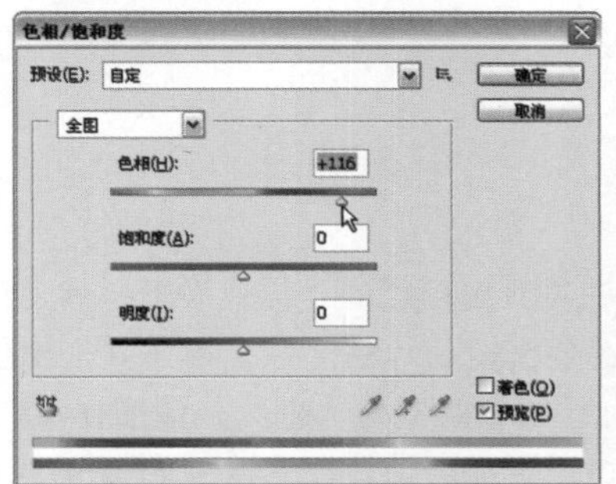

图16-9

图16-10

3 按下Shift+Ctrl+S将图像存储为另外的名称，格式保持不变。在 Photoshop 中创建翻转图像之后，就可以使用 Dreamweaver 将这些图像置入网页中并自动为翻转动作添加 JavaScript 代码。有关使用Photoshop和Dreamweaver设计网站的视频，可以访问 www.adobe.com/go/vid0200_cn。

16.2 创建切片

在制作网页时，通常要对页面进行分割，即制作切片。通过优化切片可以对分割的图像进行不同程度的压缩，以便减少图像的下载时间。另外，还可以为切片制作动画，链接到URL地址，或者使用它们制作翻转按钮。

16.2.1 了解切片的类型

在Photoshop中，使用切片工具创建的切片称作用户切片，通过图层创建的切片称作基于图层的切片。

创建新的用户切片或基于图层的切片时，会生成附加的自动切片来占据图像的其余区域，自动切片可填充图像中用户切片或基于图层的切片未定义的空间。每次添加或编辑用户切片或基于图层的切片时，都会重新生成自动切片。用户切片和基于图层的切片由实线定义，而自动切片则由虚线定义，如图16-11所示。

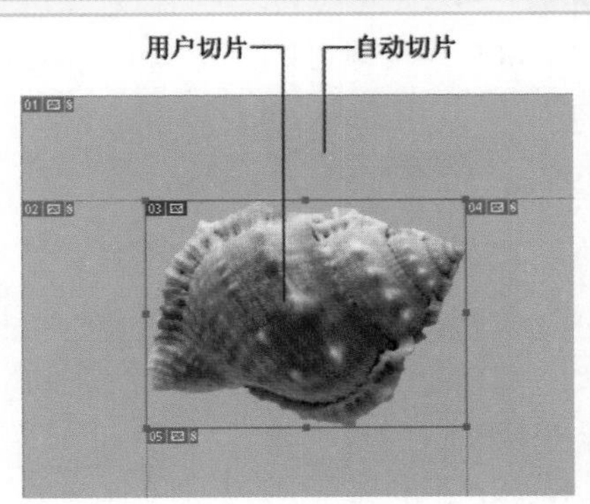

图16-11

16.2.2 实战——使用切片工具创建切片

●实例门类：软件功能类 ●视频位置：光盘>实例视频>16.2.2

1 打开一个文件（光盘>素材>16.2.2），如图16-12所示。

图16-12

2 选择切片工具，在工具选项栏的“样式”下拉列表中选择“正常”，然后在要创建切片的区域上单击并拖出一个矩形框（可同时按住空格键移动定界框），如图16-13所示，放开鼠标即可创建一个用户切片，它以外的部分会生成自动切片，如图16-14所示。如果按住Shift键拖动，则可以创建正方形切片；按住Alt键拖动，可以从中心向外创建切片。

图16-13

图16-14

切片工具选项栏

在切片工具选项栏的“样式”下拉列表中可以选择切片的创建方法，包括“正常”、“固定长宽比”和“固定大小”，如图16-15所示。

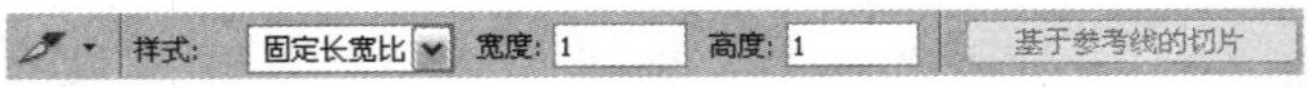

样式：固定长宽比 宽度：1 高度：1 基于参考线的切片

图16-15

- 正常：通过拖动鼠标确定切片的大小。
- 固定长宽比：输入切片的高宽比，可创建具有固定长宽比的切片。例如，要创建一个宽度是高度两倍的切片，可输入宽度 2 和高度 1。
- 固定大小：输入切片的高度和宽度值，然后在画面单击，即可创建指定大小的切片。

16.2.3 实战——基于参考线创建切片

●实例门类：软件功能类 ●视频位置：光盘>实例视频>16.2.3

1 打开一个文件（光盘>素材>16.2.3），如图16-16所示。按下Ctrl+R快捷键显示标尺，如图16-17所示。

图16-16

图16-17

2 分别从水平标尺和垂直标尺上拖出参考线，定义切片的范围，如图16-18所示。

3 选择切片工具，单击工具选项栏中的“基于参考线的切片”按钮，即可基于参考线的划分方式创建切片，如图16-19所示。

图16-18

图16-19

16.2.4 实战——基于图层创建切片

●实例门类：软件功能类 ●视频位置：光盘>实例视频>16.2.4

1 打开一个文件（光盘>素材>16.2.4），如图16-20、图16-21所示。

图16-20

图16-21

2 在“图层”面板中选择“图层1”，如图16-22所示，执行“图层>新建基于图层的切片”命令，基于图层创建切片，切片会包含该图层中的所有像素，如图16-23所示。

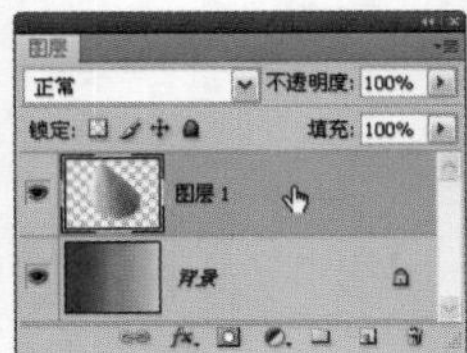

图16-22

图16-23

3 移动图层内容时，切片区域会随之自动调整，如图16-24所示。编辑图层内容，如缩放时也是如此，如图16-25所示。

图16-24

图16-25

16.3 修改切片

创建切片以后，可以移动切片或组合多个切片，也可以复制切片或者删除切片，或者为切片设置输出选项，指定输出内容，为图像指定URL链接信息等。

16.3.1 实战——选择、移动与调整切片

●实例门类：软件功能类　●视频位置：光盘>实例视频>16.3.1

1 打开一个文件（光盘>素材>16.3.1）。使用切片选择工具单击一个切片将它选择，如图16-26所示；按住Shift键单击其他切片，可以选择，如图16-27所示。

图16-26

图16-27

2 选择切片后，拖动切片定界框上的控制点可以调整切片大小，如图16-28所示。

3 拖动切片则可以移动切片，如图16-29所示；按住 Shift 键可将移动限制在垂直、水平或 45 °对角线的方向上；按住Alt键拖动，可以复制切片。

图16-28

图16-29

提示　创建切片后，为防止切片和切片选择工具修改切片，可以执行“视图>锁定切片”命令，锁定所有切片。再次执行该命令可取消锁定。

切片选择工具选项栏

在切片选择工具选项栏中可以调整切片的堆叠顺序，对切片进行对齐与分布，如图16-30所示。

图16-30

- 调整切片堆叠顺序：在创建切片时，最后创建的切片是堆叠顺序中的顶层切片。当切片重叠时，可单击该选项中的按钮，改变切片的堆叠顺序，以便能够选择到底层的切片。单击置为顶层按钮，可将所选切片调整到所有切片之上；单击前移一层按钮，可将所选切片向上层移动一个顺序；单击后移一层按钮，可将所选切片向下层移动一个顺序；单击置为底层按钮，可将所选切片移动到所有切片之下。
- 提升：单击该按钮，可以将所选的自动切片或图层切片转换为用户切片。
- 划分：单击该按钮，可以打开“划分切片”对话框对所选切片进行划分。
- 对齐与分布切片：选择多个切片后，可单击该选项中的按钮来对齐或分布切片，这些按钮的使用方法与对齐和分布图层的按钮相同。
- 隐藏自动切片：单击该按钮，可以隐藏自动切片。
- 设置切片选项：单击该按钮，可在打开的“切片选项”对话框中设置切片的名称、类型并指定URL地址等。

16.3.2 划分切片

使用切片选择工具选择切片，如图16-31所示，单击工具选项栏中的"划分"按钮，打开"划分切片"对话框，如图16-32所示，在对话框中可以沿水平、垂直方向或同时沿这两个方向重新划分切片。

图16-31

图16-32

- 水平划分为：勾选该选项后，可在长度方向上划分切片。有两种划分方式，选择"个纵向切片，均匀分隔"，可输入切片的划分数目；选择"像素/切片"，可输入一个数值，基于指定数目的像素创建切片，如果按该像素数目无法平均地划分切片，则会将剩余部分划分为另一个切片。例如，如果将 100 像素宽的切片划分为 3 个 30 像素宽的新切片，则剩余的 10 像素宽的区域将变成一个新的切片。如图16-33所示为选择"个纵向切片，均匀分隔"后，设置数值为3的划分结果；图16-34所示为选择"像素/切片"后，输入数值为200像素的划分结果。

图16-33

图16-34

- 垂直划分为：勾选该项后，可在宽度方向上划分切片。它也包含两种划分方法。如图16-35所示为选择"个横向切片，均匀分隔"选项后，设置数值为3的划分结果，图16-36所示为选择"像素/切片"选项后，设置数值为200像素的划分结果。

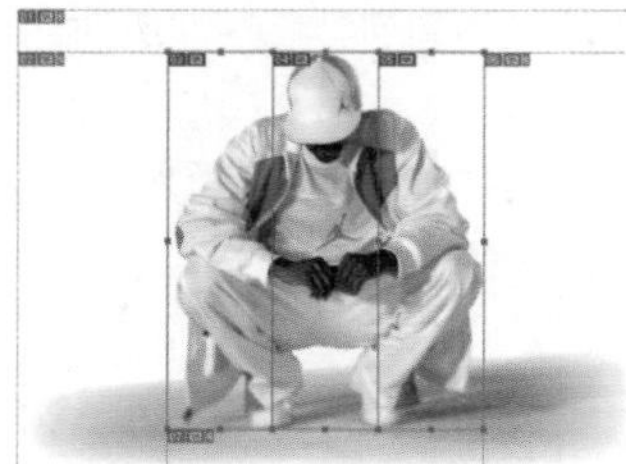
图16-35

图16-36

- 预览：在画面中预览切片划分结果。

16.3.3 组合切片与删除切片

组合切片

使用切片选择工具选择两个或更多的切片，如图16-37所示，单击右键，选择"组合切片"命令，可以将所选切片组合为一个切片，如图16-38所示。

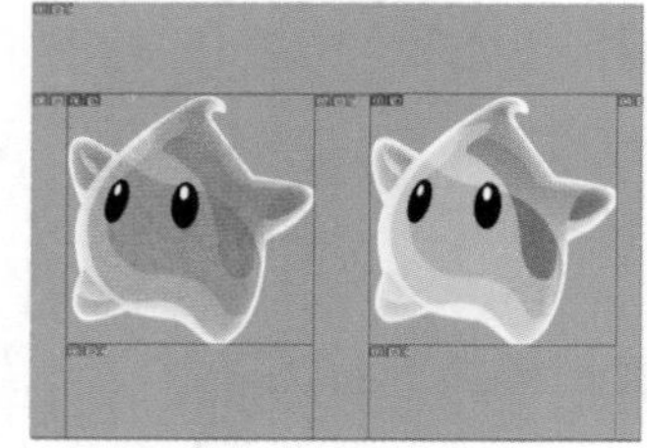
图16-37

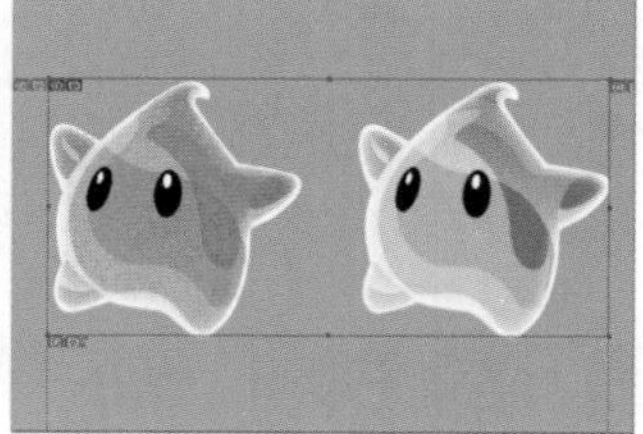
图16-38

删除切片

选择一个或多个切片，按下Delete 键可将其删除。如果要删除所有用户切片和基于图层的切片，可执行"视图>清除切片"命令。

16.3.4 转换为用户切片

基于图层的切片与图层的像素内容相关联，因此，在对切片进行移动、组合、划分、调整大小和对齐等操作时，唯一方法是编辑相应的图层。如果想使用切片工具完成以上操作，则需要先将这样的切片转换为用户切片。此外，在图像中，所有自动切片都链接在一起并共享相同的优化设置，如果要为自动切片设置不同的优化设置，也必须将其提升为用户切片。

使用切片选择工具选择要转换的切片，如图16-39所示，单击工具选项栏中的"提升"按钮，即可将其转换为用户切片，如图16-40所示。

图16-39

图16-40

16.3.5 设置切片选项

使用切片选择工具双击切片，或者选择切片，然后单击工具选项栏中的按钮，可以打开“切片选项”对话框，如图16-41所示。

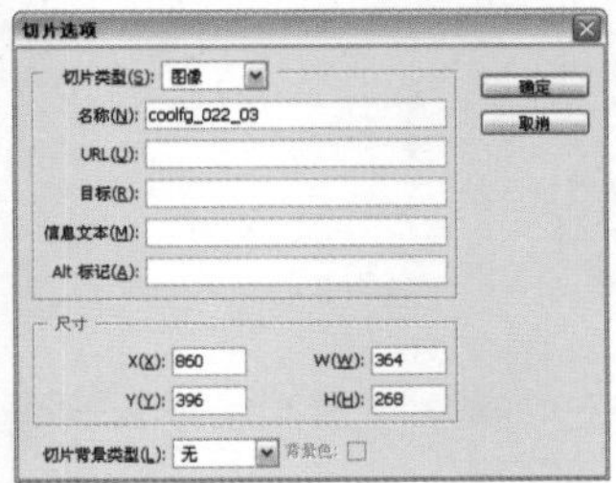

图16-41

- 切片类型：可以选择要输出的切片的内容类型，即在与HTML文件一起导出时，切片数据在Web浏览器中的显示方式。“图像”为默认的类型，切片包含图像数据；选择“无图像”，可以在切片中输入HTML文本，但不能导出为图像，并且无法在浏览器中预览；选择“表”，切片导出时将作为嵌套表写入到HTML文本文件中。
- 名称：用来输入切片的名称。
- URL：输入切片链接的Web地址，在浏览器中单击切片图像时，即可链接到此选项设置的网址和目标框架。该选项只能用于“图像”切片。
- 目标：输入目标框架的名称。
- 信息文本：指定哪些信息出现在浏览器中。这些选项只能用于图像切片，并且只会在导出的HTML文件中出现。
- Alt标记：指定选定切片的Alt标记。Alt文本在图像下载过程中取代图像，并在一些浏览器中作为工具提示出现。
- 尺寸：X和Y选项用于设置切片的位置，W和H选项用于设置切片的大小。
- 切片背景类型：可以选择一种背景色来填充透明区域（适用于“图像”切片）或整个区域（适用于“无图像”切片）。

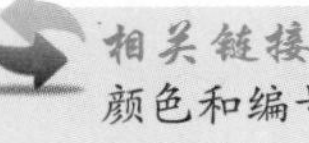
相关链接：在“首选项”对话框中可以修改切片的颜色和编号，详细内容请参阅“20.3.8 参考线、网格和切片”。

16.4 优化图像

创建切片后，需要对图像进行优化，以减小文件的大小。在Web上发布图像时，较小的文件可以使Web服务器更加高效地存储和传输图像，用户则能够更快地下载图像。

执行“文件>存储为Web和设备所用格式”命令，打开“存储为Web和设备所用格式”对话框，如图16-42所示，使用对话框中的优化功能可以对图像进行优化和输出。

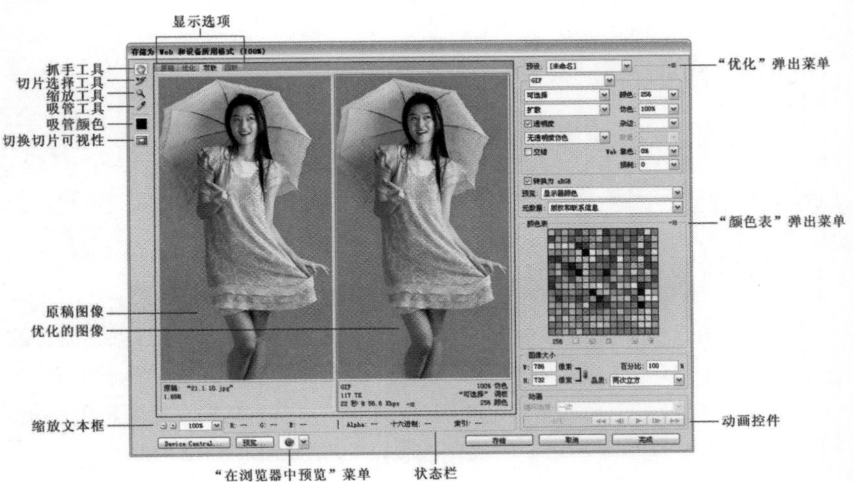

图16-42

- 显示选项：单击“原稿”标签，窗口中只显示没有优化的图像；单击“优化”标签，窗口中只显示应用了当前优化设置的图像；单击“双联”标签，并排显示图像的两个版本，即优化前和优化后的图像；单击“四联”标签，并排显示图像的四个版本，如图16-43所示，原稿外的其他三个图像可以进行不同的优化，每个图像下面都提供了优化信息，如优化格式、文件大小、图像估计下载时间等，我们通过对比选择出最佳的优化方案。
- 缩放工具/抓手工具/缩放文本框：使用缩放工具单击可以放大图像的显示比例，按住Alt键单击则缩小显示比例，也可以在缩放文本框中输入显示百分比。使用抓手工具可以移动查看图像。
- 切片选择工具：当图像包含多个切片时，可使用该工具选择窗口中的切片，以便对其进行优化。
- 吸管工具/吸管颜色：使用吸管工具在图像中单击，可以拾取单击点的颜色，并显示在吸管颜色图标中。
- 切换切片可视性：单击该按钮可以显示或隐藏切片的定界框。
- “优化”弹出菜单：包含“存储设置”、“链接切片”、“编辑输出设置”等命令，如图16-44所示。
- “颜色表”弹出菜单：包含与颜色表有关的命令，可新建颜色、删除颜色以及对颜色进行排序等，如图16-45所示。
- 颜色表：将图像优化为GIF、PNG-8和WBMP格式时，可在“颜色表”中对图像颜色进行优化设置。
- 图像大小：将图像大小调整为指定的像素尺寸或原稿大小的百分比。
- 状态栏：显示光标所在位置的图像的颜色值等信息。
- “在浏览器中预览”菜单：单击按钮，可在系统上默认的Web 浏览器中预览优化后的图像。预览窗口中会显示图像的题注，其中列出了图像的文件类型、像素尺寸、文件大小、压缩规格和其他 HTML 信息，如图16-46所示。如果要使用其他浏览器，可以在此菜单中选择“其他”。
- 在Adobe Device Central中测试：单击该按钮，可以切换到Adobe Device Central中对优化的图像进行测试。

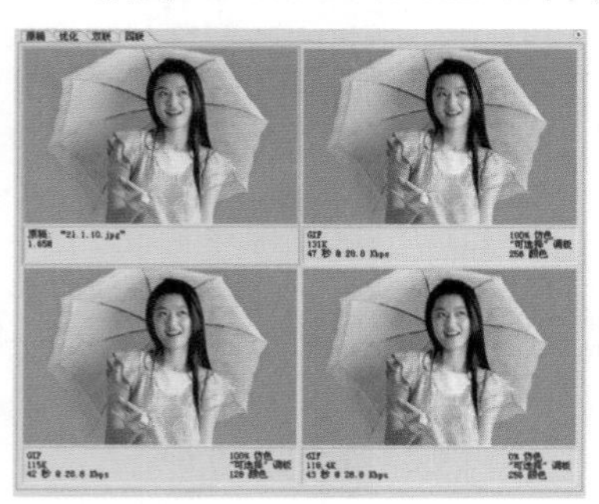
图16-43

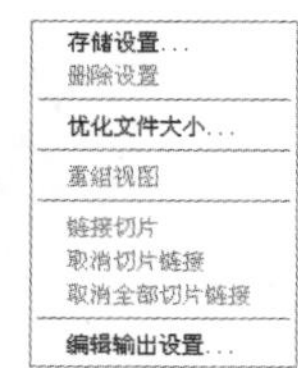

图16-44

图16-45

图16-46

16.5 Web图形优化选项

在“存储为 Web 和设备所用格式”对话框中选择需要优化的切片以后，可在右侧的文件格式下拉列表中选择一种文件格式，并设置优化选项，对所选切片进行优化。

16.5.1 优化为GIF和PNG-8格式

GIF 是用于压缩具有单调颜色和清晰细节的图像（如艺术线条、徽标或带文字的插图）的标准格式，它是一种无损的压缩格式。PNG-8 格式与 GIF 格式一样，也可以有效地压缩纯色区域，同时保留清晰的细节。这两种格式都支持 8 位颜色，因此它们可以显示多达 256 种颜色。在“存储为 Web 和设备所用格式”对话框中的文件格式下拉列表中选择“GIF”或“PNG-8”，可以显示它们的优化选项，如图16-47、图16-48所示。

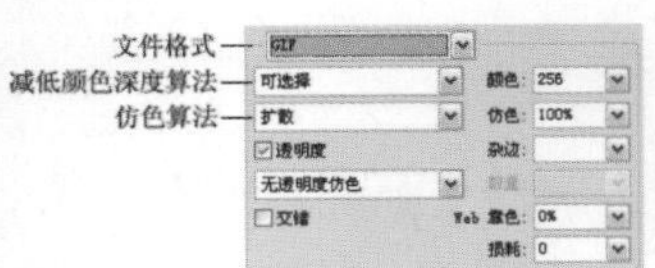

图16-47　　图16-48

- **损耗**：通过有选择地扔掉数据来减小文件大小，可以将文件减小 5% 到 40%。通常情况下，应用 5-10 的“损耗”值不会对图像产生太大影响，如图16-49所示，数值较高时，文件虽然会更小，但图像的品质就会变差，如图16-50所示。

图16-49

图16-50

- **减低颜色深度算法/颜色**：指定用于生成颜色查找表的方法，以及想要在颜色查找表中使用的颜色数量。如图16-51、图16-52所示为不同颜色数量的图像效果。

图16-51

图16-52

- **仿色算法/仿色**：“仿色”是指通过模拟计算机的颜色来显示系统中未提供的颜色的方法。较高的仿色百分比会使图像中出现更多的颜色和细节，但也会增大文件大小。如图16-53所示是设置“颜色”为50，“仿色”为0%的GIF图像，图16-54所示是设置“仿色”为100%的效果。

图16-53

图16-54

- **透明度/杂边**：确定如何优化图像中的透明像素。如图16-55所示为一个背景是透明像素的图像，图16-56所示为勾选“透明度”选项，并设置杂边颜色为绿色的效果；图16-57所示为勾选“透明度”选项，但未设置杂边颜色的效果；图16-58所示为未勾选“透明度”选项，设置杂边颜色为绿色的效果。

图16-55

图16-56

图16-57

图16-58

- 交错：当图像文件正在下载时，在浏览器中显示图像的低分辨率版本，使用户感觉下载时间更短。但会增加文件的大小。
- Web 靠色：指定将颜色转换为最接近的 Web 面板等效颜色的容差级别（并防止颜色在浏览器中进行仿色）。该值越高，转换的颜色越多。

16.5.2 优化为JPEG格式

JPEG 是用于压缩连续色调图像（如照片）的标准格式。将图像优化为 JPEG 格式时采用的是有损压缩，它会有选择性地扔掉数据以减小文件大小。如图16-59所示为JPEG选项。

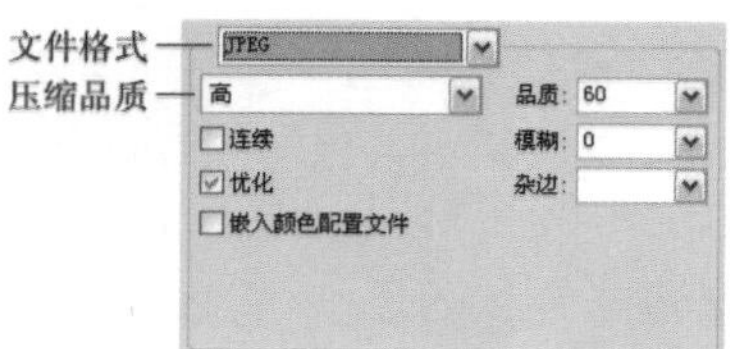

图16-59

- 压缩品质/品质：用来设置压缩程度。“品质”设置越高，图像的细节越多，但生成的文件也越大，如图16-60、图16-61所示。

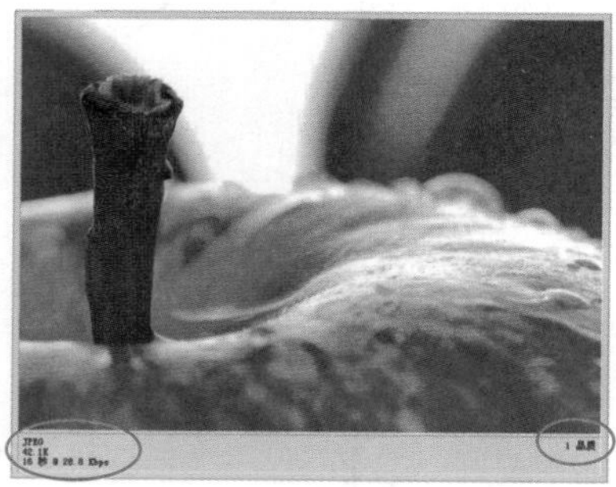

图16-60

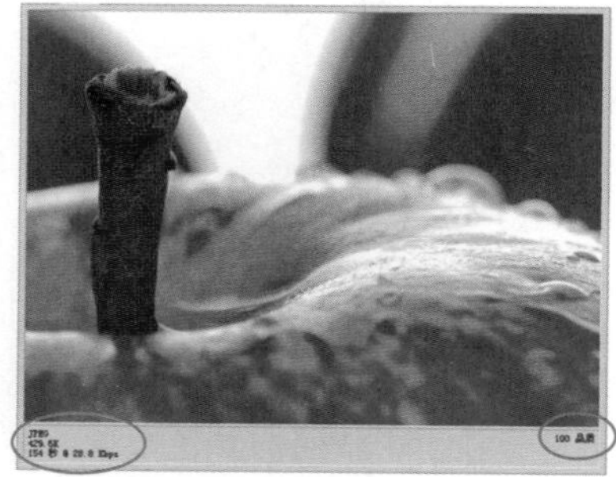

图16-61

- 连续：在 Web 浏览器中以渐进方式显示图像。
- 优化：创建文件大小稍小的增强 JPEG。如果要最大限度地压缩文件，建议使用优化的 JPEG 格式。
- 嵌入颜色配置文件：在优化文件中保存颜色配置文件。某些浏览器会使用颜色配置文件进行颜色的校正。
- 模糊：指定应用于图像的模糊量。可创建与“高斯模糊”滤镜相同的效果，并允许进一步压缩文件以获得更小的文件。建议使用 0.1 到 0.5 之间的设置。
- 杂边：为原始图像中透明的像素指定一个填充颜色。

16.5.3 优化为PNG-24格式

PNG-24 适合于压缩连续色调图像，它的优点是可在图像中保留多达 256 个透明度级别，但生成的文件要比JPEG 格式生成的文件要大得多。如图16-62所示为PNG-24优化选项，其设置方法可参考GIF格式的相应选项。

图16-62

16.5.4 优化为WBMP格式

WBMP 格式是用于优化移动设备（如移动电话）图像的标准格式。如图16-63所示为它的优化选项，图16-64所示为原图像，使用该格式优化后，图像中只包含黑色和白色像素，如图16-65所示。

图16-63　图16-64

图16-65

16.6 Web图形的输出设置

优化Web图形后，在“存储为 Web 和设备所用格式”对话框的“优化”菜单中选择“编辑输出设置”命令，如图16-66所示，打开“输出设置”对话框，如图16-67所示。在对话框中可以控制如何设置 HTML 文件的格式、如何命名文件和切片，以及在存储优化图像时如何处理背景图像。

如果要使用预设的输出选项，可以在“设置”选项的下拉列表中选择一个选项；如果要自定义输出选项，则可在如图16-68所示的选项下拉列表中选择“HTML”、“切片”、“背景”或“存储文件”，对话框中就会显示详细的设置内容。

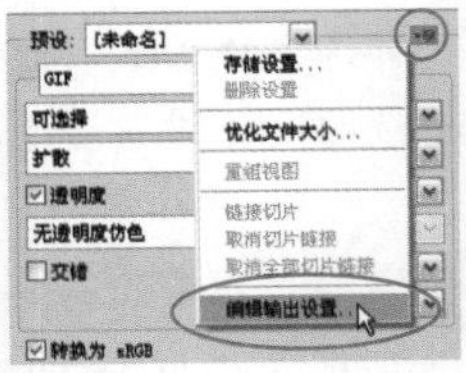

图16-66

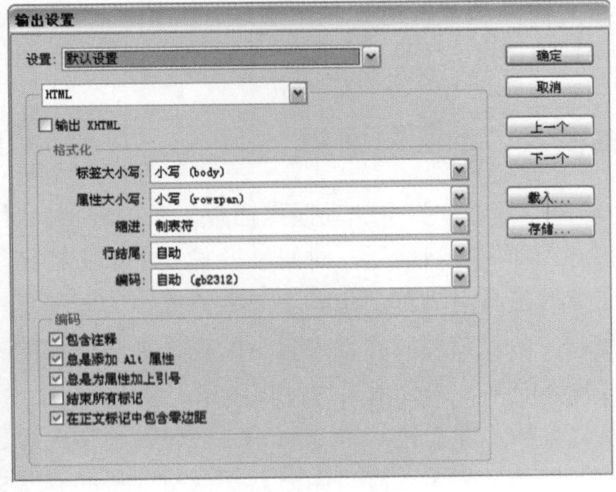

图16-67

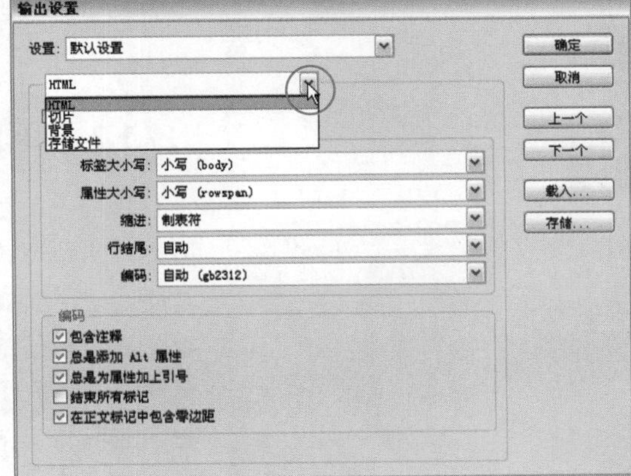

图16-68

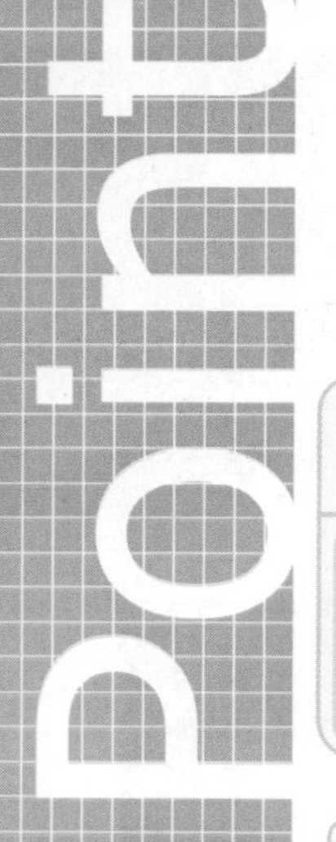

第17章 视频与动画

Learning Objectives
学习重点

PHOTOSHOP

17.1 了解视频功能

Photoshop CS5 Extended可以编辑视频的各个帧和图像序列文件，包括使用任意Photoshop 工具在视频上进行编辑和绘制、应用滤镜、蒙版、变换、图层样式和混合模式。

17.1.1 视频图层

在 Photoshop CS5 Extended 中打开视频文件或图像序列时，会自动创建视频图层（视频图层带有■状图标），帧包含在视频图层中，如图17-1、图17-2所示。我们可以使用画笔工具和图章工具在视频文件的各个帧上进行绘制和仿制，如图17-3所示，也可以创建选区或应用蒙版以限定对帧的特定区域进行编辑。

图17-1

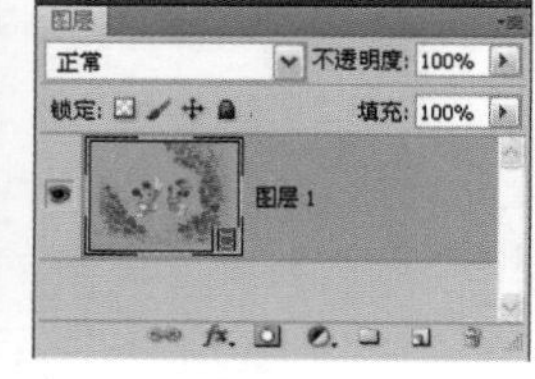

图17-2

图17-3

此外，还可以像编辑常规图层一样调整混合模式、不透明度、位置和图层样式。也可以在“图层”面板中为视频图层分组，或者将颜色和色调调整应用于视频图层。视频图层参考的是原始文件，因此，对视频图层进行的编辑不会改变原始视频或图像序列文件。

17.1.2 时间轴模式“动画”面板

执行“窗口>动画”命令，打开“动画”面板，单击转换为时间轴动画按钮■，切换为时间轴模式状态，如图17-4所示。时间轴模式显示了文档图层的帧持续时间和动画属性。使用面板底部的工具可浏览各个帧，放大或缩小时间显示，切换洋葱皮模式，删除关键帧和预览视频。可以使用时间轴上自身的控件调整图层的帧持续时间，设置图层属性的关键帧并将视频的某一部分指定为工作区域。

- 注释轨道：从“面板”菜单中选择“编辑时间轴注释”，可以在当前时间处插入注释。注释在注释轨道中显示为■状图标，并当指针移动到图标上方时作为工具提示出现。
- 时间码或帧号显示：显示当前帧的时间码或帧号（取决于面板选项）。
- 当前时间指示器■：拖动当前时间指示器可导航帧或更改当前时间或帧。

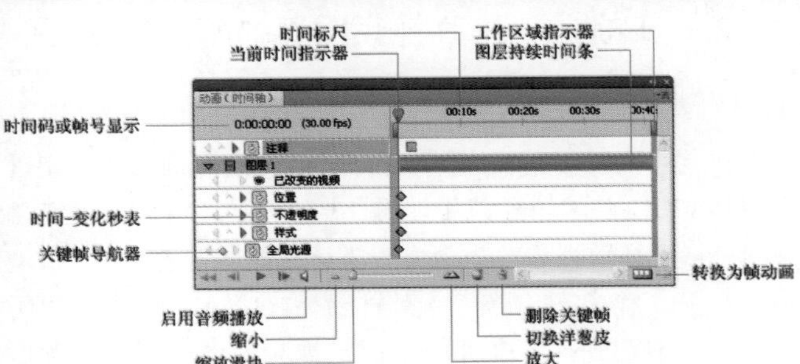

图17-4

- 全局光源轨道：显示要在其中设置和更改图层效果，如投影、内阴影以及斜面和浮雕的主光照角度的关键帧。
- 关键帧导航器◀◇▶：轨道标签左侧的箭头按钮用于将当前时间指示器从当前位置移动到上一个或下一个关键帧。单击中间的按钮可添加或删除当前时间的关键帧。
- 图层持续时间条：指定图层在视频或动画中的时间位置。要将图层移动到其他时间位置，可拖动该条。要裁切图层（调整图层的持续时间），可拖动该条的任一端。
- 已改变的视频轨道：对于视频图层，为已改变的每个帧显示一个关键帧图标。要跳转到已改变的帧，应使用轨道标签左侧的关键帧导航器。
- 时间标尺：根据文档的持续时间和帧速率，水平测量持续时间（或帧计数），从“面板”菜单中选择“文档设置”可更改持续时间或帧速率、刻度线和数字沿标尺出现，并且其间距会随时间轴的缩放设置的变化而改变。
- 时间-变化秒表：启用或停用图层属性的关键帧设置。选择此选项可插入关键帧并启用图层属性的关键帧设置。取消选择可移去所有关键帧并停用图层属性的关键帧设置。
- 工作区域指示器：拖动位于顶部轨道任一端的蓝色标签，可标记要预览或导出的动画或视频的特定部分。
- 切换洋葱皮：按下该按钮可切换到洋葱皮模式。洋葱皮模式将显示在当前帧上绘制的内容以及在周围的帧上绘制的内容。这些附加描边将以指定的不透明度显示，以便与当前帧上的描边区分开。洋葱皮模式对于绘制逐帧动画很有用，因为该模式可以为我们提供描边位置的参考点。
- 转换为帧动画：单击该按钮，可以将“动画”面板切换为帧动画模式。

在时间轴模式状态下，“动画”面板将显示文档中的每个图层（除背景图层之外），只要在“图层”面板中添加、删除、重命名、分组、复制图层或为图层分配颜色，就会在该面板中更新。

17.2 创建与编辑视频图层

在 Photoshop CS5 Extended 中，我们可以打开多种QuickTime视频格式的文件，包括MPEG-1、MPEG-4、MOV和AVI；如果计算机上安装了Adobe Flash 8，则可支持 QuickTime 的 FLV 格式；如果安装了 MPEG-2 编码器，可以支持MPEG-2 格式。打开视频文件以后，即可对其进行编辑。

17.2.1 创建视频图层

- 创建视频图像：执行“文件>新建”命令，打开“新建”对话框，在“预设”下拉列表中选择“胶片和视频”，然后在“大小”下拉列表中选择一个文件大小选项，如图17-5所示，即可创建一个空白的视频图像文件。
- 新建视频图层：打开一个文件，执行“图层>视频图层>新建空白视频图层”命令，可以新建一个空白的视频图层，如图17-6所示。

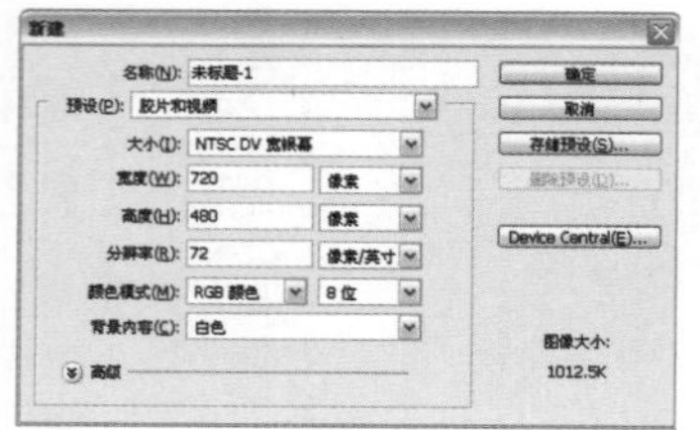
图17-5

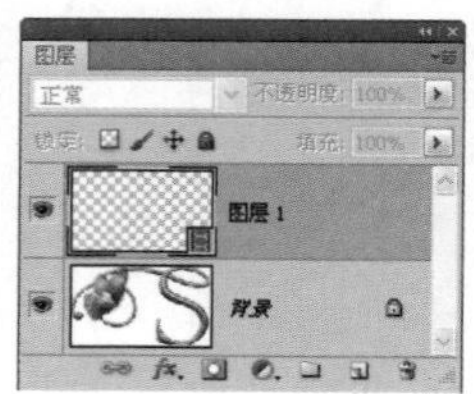
图17-6

- 打开视频文件：执行“文件>打开”命令，选择一个视频文件，然后单击“打开”按钮可将其打开。
- 导入视频文件：执行“图层>视频图层>从文件新建视频图层”命令，可以将视频导入到打开的文档中。

17.2.2 实战——将视频帧导入图层

●实例门类：软件功能类 ●视频位置：光盘>实例视频>17.2.2

1 执行“文件>导入>视频帧到图层”命令，打开“载入”对话框，选择一个视频文件（光盘>素材>17.2.2）。

2 单击“载入”按钮，打开“将视频导入图层”对话框，如图17-7所示。选择“仅限所选范围”选项，然后按住Shift键拖动时间滑块，设置导入的帧的范围，如图17-8所示。如果要导入所有帧，可以选择“从开始到结束”选项。

图17-7

3 单击“确定”按钮，即可将指定范围内的视频帧导入为图层，如图17-9所示。

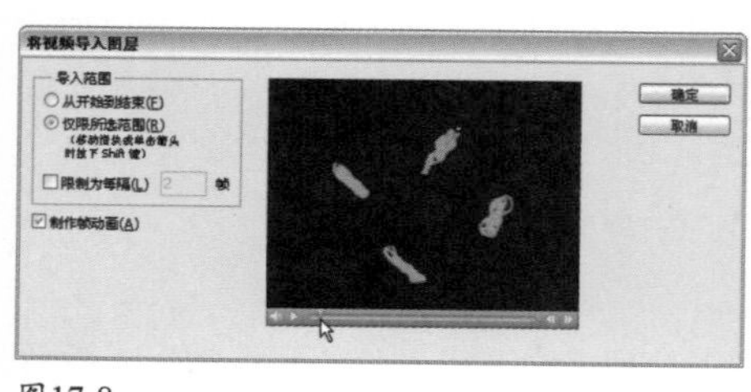
图17-8

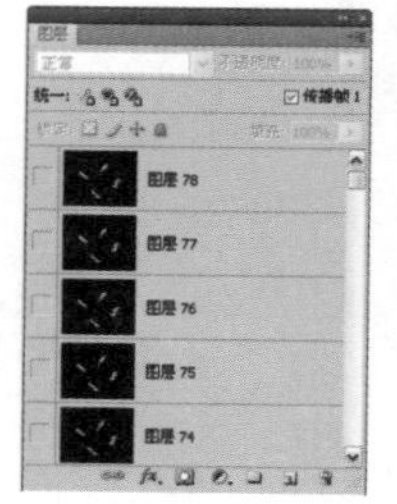
图17-9

提示：要在 Photoshop CS5 Extended 中处理视频，必须在计算机上安装 QuickTime 7.1（或更高版本）。可以从 Apple Computer 网站上免费下载 QuickTime。

17.2.3 实战——修改视频图层的不透明度

●实例门类：软件功能类 ●视频位置：光盘>实例视频>17.2.3

1 执行“文件>打开”命令，打开前面的视频文件（光盘>素材>17.2.2），如图17-10、图17-11所示。可以按下键盘中的空格键播放视频，先观看一下该视频的内容。

2 打开一个文件（光盘>素材>17.2.3），如图17-12所示。将它拖动到视频文件中，放在视频图层的下面，然后选择视频图层，如图17-13所示。

图17-10

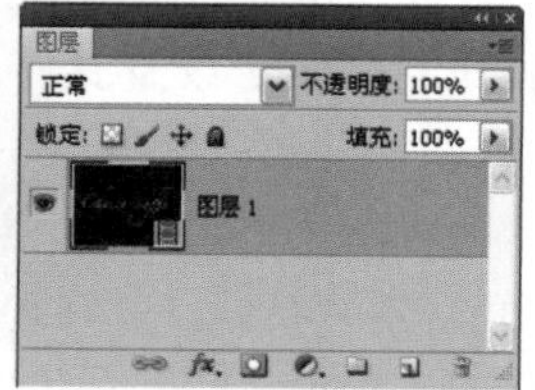
图17-11

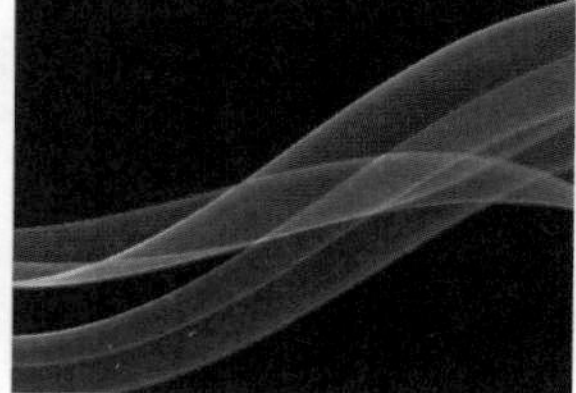
图17-12

图17-13

3 打开“动画”面板。单击“图层1”前面的▶按钮，展开列表，将当前指示器拖至如图17-14所示的位置（时间0：00：03：05），此时画面的效果如图17-15所示。

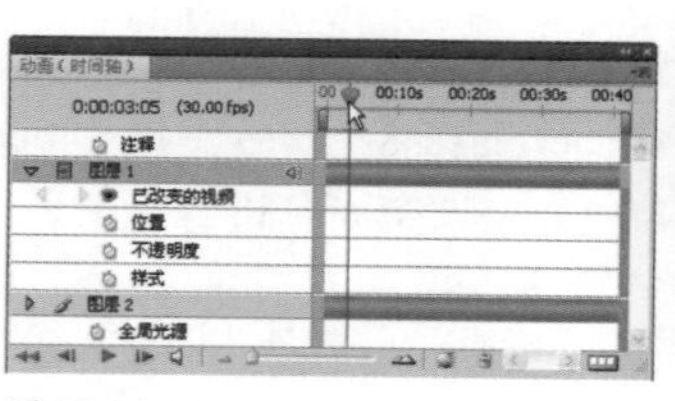
图17-14

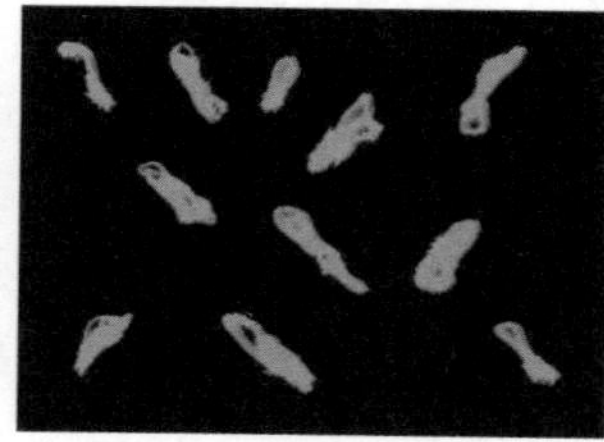
图17-15

4 单击“不透明度”轨道前的时间-变化秒表，显示出关键帧导航器◀◆▶，并添加一个关键帧，如图17-16所示。将当前指示器拖至如图17-17所示的位置，画面效果如图17-18所示。

图17-16

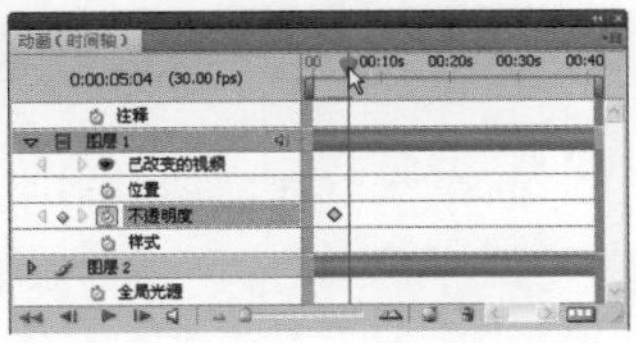

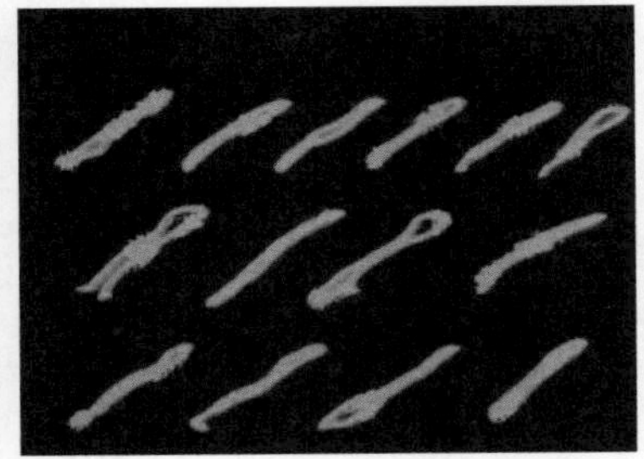
图17-17

图17-18

5 设置视频图层的不透明度为0%，如图17-19所示，画面效果如图17-20所示。修改图层的不透明度后，可以在当前的时间段添加一个关键帧，如图17-21所示。

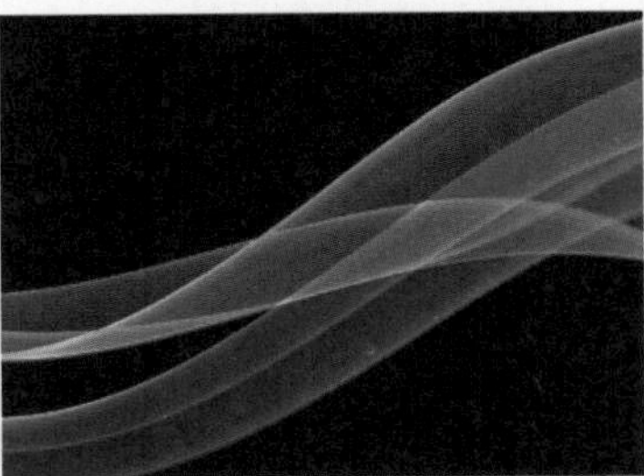
图17-19

图17-20

图17-21

6 将当前指示器拖至如图17-22所示的位置，将视频图层的不透明度恢复为100%，如图17-23所示。此时画面的效果如图17-24所示，该时间段也会添加了一个关键帧。

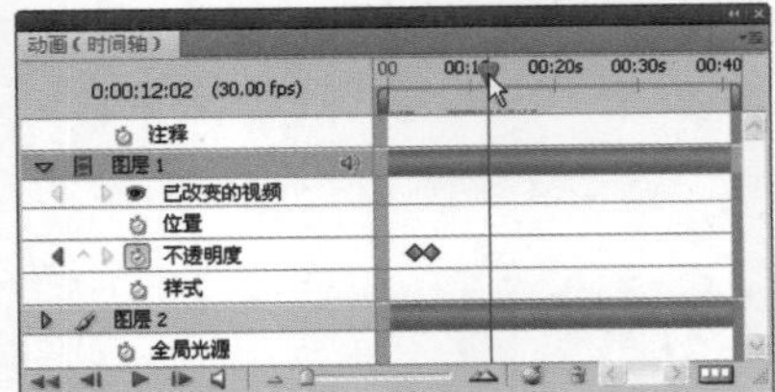
图17-22

图17-23

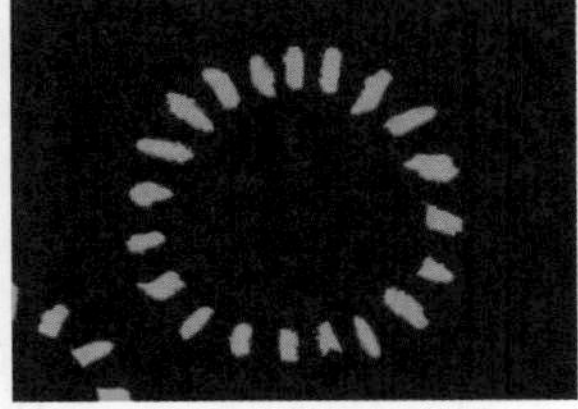
图17-24

7 按下选择第一帧按钮，切换到视频的起始点。按下播放按钮，播放视频文件，可以看到，在第一个关键帧处，视频图层逐渐变得透明，到了第二个关键帧处，会完全显示“图层2”中的图像，此后又逐渐恢复，到第三个关键帧时，“图层2”中的图像完全消失。如图17-25～图17-27所示为视频播放过程中的几个画面。

图17-25

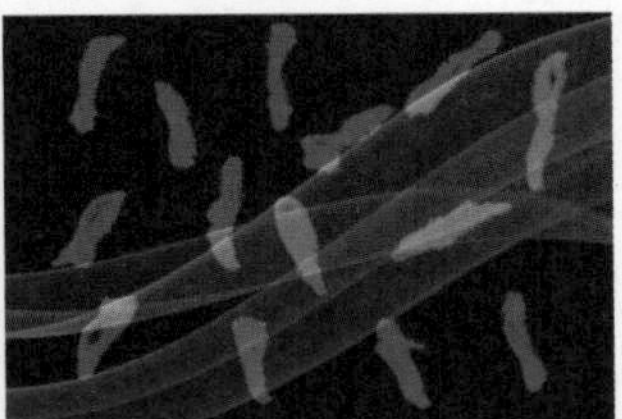
图17-26

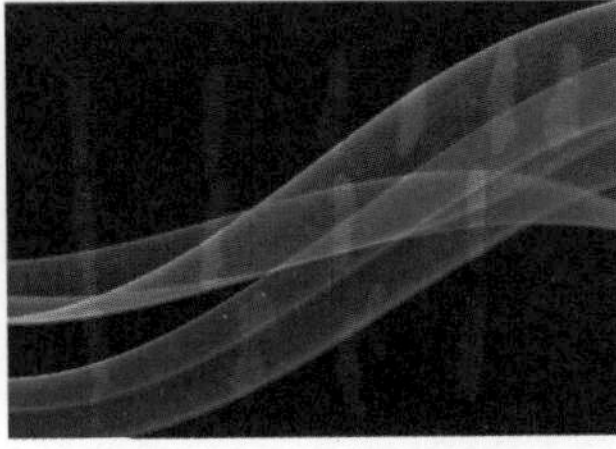
图17-27

17.2.4 实战——为视频图层添加效果

●实例门类：软件功能类 ●视频位置：光盘>实例视频>17.2.4

1 打开一个文件（光盘>素材>17.2.4），如图17-28、图17-29所示。我们下面来为视频图层添加效果，使视频在播放时，画面呈现为立体按钮状。

图17-28

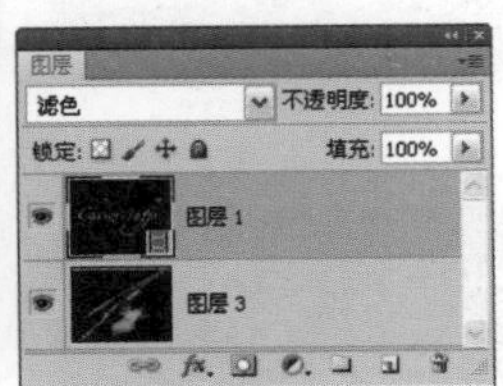
图17-29

2 打开“动画”面板，单击“样式”轨道前的时间-变化秒表，添加一个关键帧，如图17-30所示。将当前指示器拖动到如图17-31所示的位置。

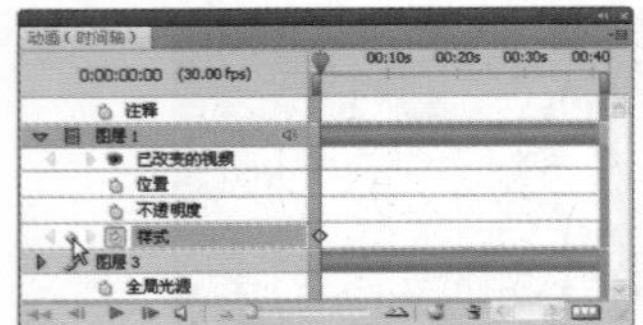

图17-30

图17-31

3 单击“图层”面板中的fx按钮，选择“斜面和浮雕”命令，打开“图层样式”对话框，添加斜面和浮雕效果，如图17-32、图17-33所示，画面效果如图17-34所示。该时间段会自动添加一个关键帧。

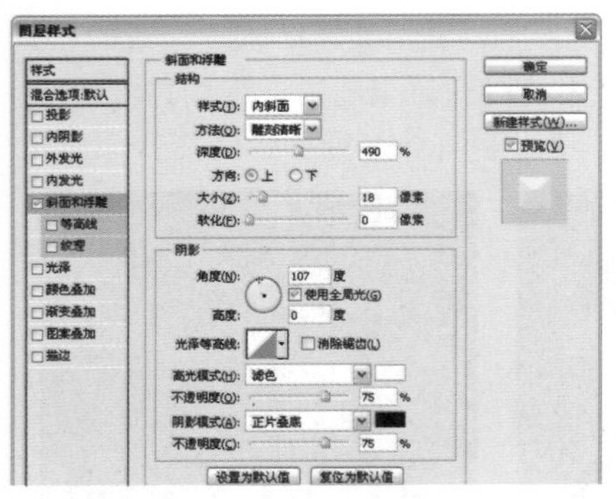

图17-32

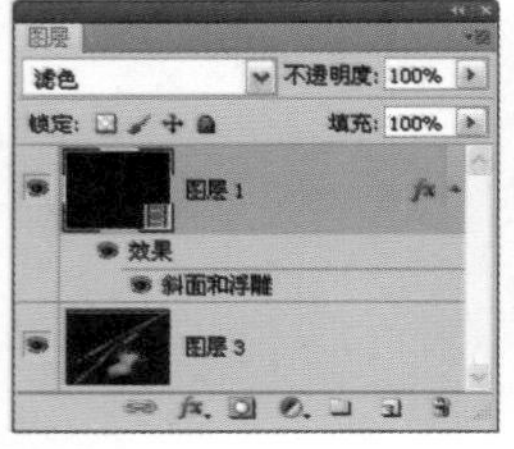

图17-33

图17-34

4 按下播放按钮▶，播放视频文件，可以看到，播放到关键帧处，整个画面就变成了立体按钮，如图17-35～图17-37所示。

图17-35

图17-36

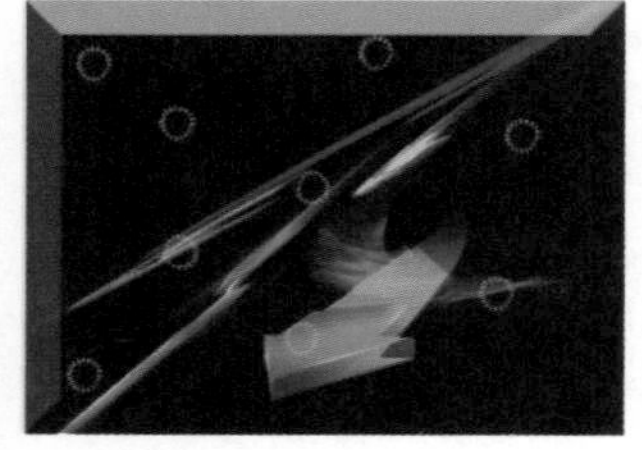

图17-37

17.2.5 插入、复制和删除空白视频帧

创建空白视频图层以后，可在“动画”面板中选择它，然后将当前时间指示器拖动到所需帧处，执行“图层>视频图层>插入空白帧”命令，即可在当前时间处插入空白视频帧；执行“图层>视频图层>删除帧”命令，则会删除当前时间处的视频帧；执行“图层>视频图层>复制帧”命令，可以添加一个处于当前时间的视频帧的副本。

17.2.6 进行像素长宽比校正

计算机显示器上的图像是由方形像素组成的，而视频编码设备则为非方形像素组成的，这就导致在两者之间交换图像时会由于像素的不一致而造成图像扭曲，如图17-38所示。执行“视图>像素长宽比校正”命令可以校正图像，如图17-39所示。这样我们就可以在显示器的屏幕上准确地查看DV和D1视频格式的文件，就像是在Premier等视频软件中查看文件一样。

图17-38

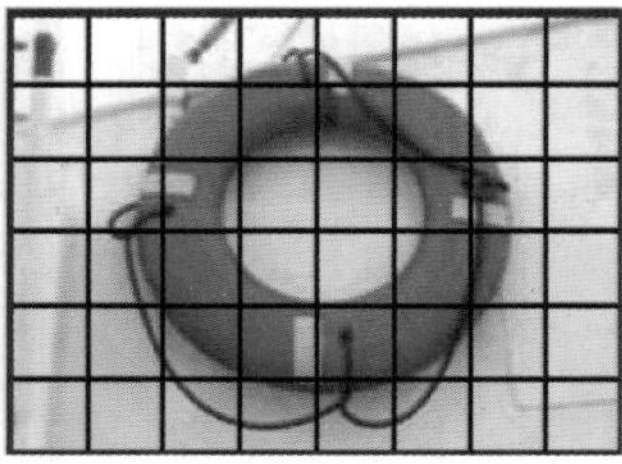

图17-39

提示

打开文档以后，可以在“视图>像素长宽比”下拉菜单中选择与将用于Photoshop文件的视频格式兼容的像素长宽比，然后再执行“视图>像素长宽比校正”命令进行校正。

17.2.7 解释视频素材

如果我们使用了包含Alpha通道的视频，就需要指定Photoshop Extended如何解释Alpha通道，以便获得所需结果。在“动画”面板或“图层”面板中选择视频图层，执行“图层>视频图层>解释素材”命令，打开“解释素材”对话框，如图17-40所示。

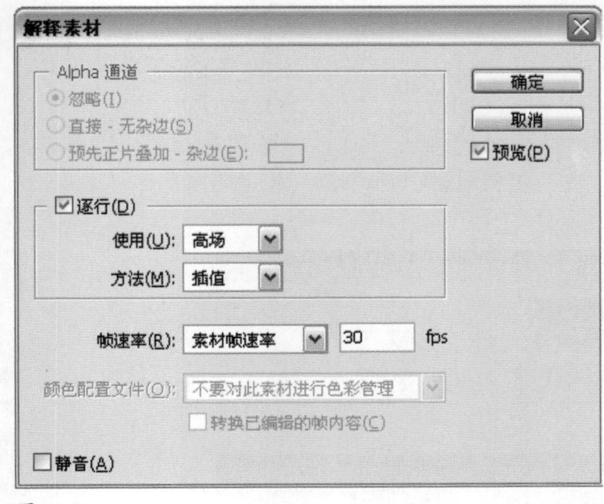

图17-40

- Alpha通道：当视频素材包含 Alpha 通道时，选择“忽略”，表示忽略Alpha 通道；选择“直接 - 无杂边”，表示将 Alpha 通道解释为直接 Alpha透明度；选择“预先正片叠加 - 杂边”，表示使用Alpha 通道来确定有多少杂边颜色与颜色通道混合。
- 帧速率：以指定每秒播放的视频帧数。
- 颜色配置文件：可以选择一个配置文件，对视频图层中的帧或图像进行色彩管理。

如果在不同的应用程序中修改了视频图层的源文件，则需要在Photoshop Extended中执行“图层>视频图层>重新载入帧”命令，在“动画”面板中重新载入和更新当前帧。

17.2.8 在视频图层中替换素材

如果由于某种原因导致视频图层和源文件之间的链接断开，“图层”面板中的视频图层上就会显示出一个警告图标。出现这种情况时，可在“动画”或“图层”面板中选择要重新链接到源文件或替换内容的视频图层，执行“图层>视频图层>替换素材”命令，在打开的“替换素材”对话框中选择视频或图像序列文件，单击“打开”按钮重新建立链接。

“替换素材”命令还可以将视频图层中的视频或图像序列帧替换为不同的视频或图像序列源中的帧。

17.2.9 在视频图层中恢复帧

如果要放弃对帧视频图层和空白视频图层所做的修改，可在“动画”面板中选择视频图层，然后将当前时间指示器移动特定的视频帧上，再执行“图层>视频图层>恢复帧”命令恢复特定的帧。如果要恢复视频图层或空白视频图层中的所有帧，则可以执行“图层>视频图层>恢复所有帧”命令。

17.2.10 保存视频文件

我们对视频文件进行了编辑之后，可以执行“文件>导出>渲染视频”命令，将视频存储为 QuickTime 影片。如果还没有对视频进行渲染更新，则最好使用“文件>存储”命令，将文件存储为 PSD格式，因为该格式可以保留我们所做的编辑，并且，该文件可以在其他类似于Premiere Pro和After Effects这样的Adobe应用程序中播放，或在其他应用程序中作为静态文件。

执行“图层>视频图层>栅格化”命令，可以栅格化视频图层。

17.2.11 导出视频预览

如果将显示设备（如视频显示器）通过 FireWire 连接到计算机上，我们就可以在该设备上预览视频文档。如果要在预览之前设置输出选项，可执行“文件>导出>视频预览”命令。如果想要在视频设备上查看文档，但不想设置输出选项，可执行“文件>导出>将视频预览发送到设备”进行操作。

17.2.12 渲染视频

执行“文件>导出>渲染视频”命令，可以将视频导出为QuickTime 影片。在 Photoshop CS5 Extended 中，还可以将时间轴动画与视频图层一起导出。

17.3 动画

动画是在一段时间内显示的一系列图像或帧，当每一帧较前一帧都有轻微的变化时，连续、快速地显示这些帧就会产生运动或其他变化的视觉效果。我们下面就来学习如何在Photoshop中创建和编辑动画。

17.3.1 帧模式“动画”面板

打开“动画”面板，如果面板为时间轴模式，可单击按钮，切换为帧模式，如图17-41所示。“动画”面板会显示动画中的每个帧的缩览图，使用面板底部的工具可浏览各个帧，设置循环选项，添加和删除帧以及预览动画。

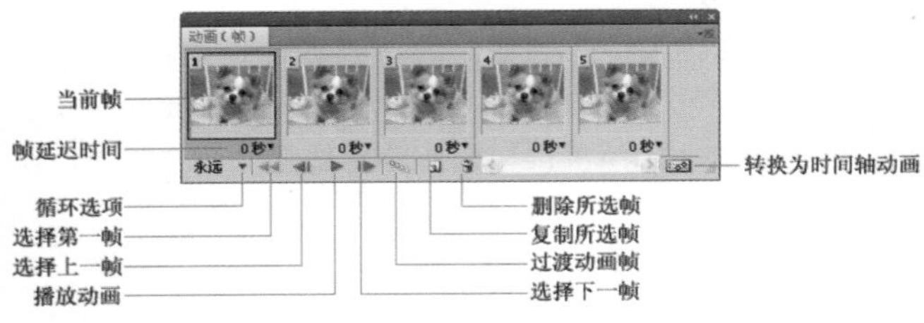

图17-41

- 当前帧：当前选择的帧。
- 帧延迟时间：设置帧在回放过程中的持续时间。
- 循环选项：设置动画在作为动画 GIF 文件导出时的播放次数。
- 选择第一帧：单击该按钮，可自动选择序列中的第一个帧作为当前帧。
- 选择上一帧：单击该按钮，可选择当前帧的前一帧。
- 播放动画：单击该按钮，可在窗口中播放动画，再次单击则停止播放。
- 选择下一帧：单击该按钮，可选择当前帧的下一帧。
- 过渡动画帧：如果要在两个现有帧之间添加一系列帧，并让新帧之间的图层属性均匀变化，可单击该按钮，打开“过渡”对话框来设置，如图17-42所示，图17-43、图17-44所示为添加帧前后的面板状态。

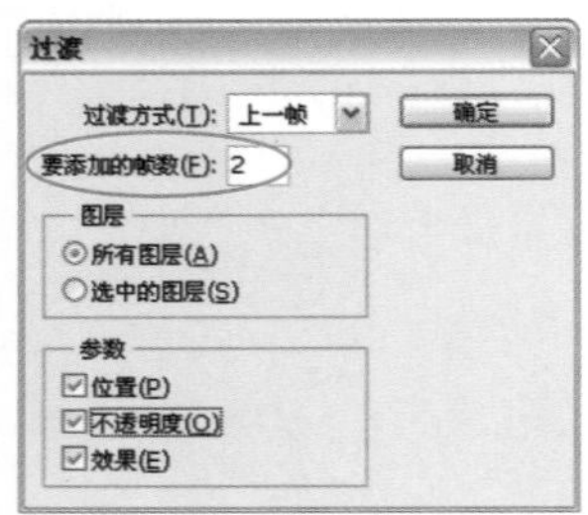

图17-42

图17-43

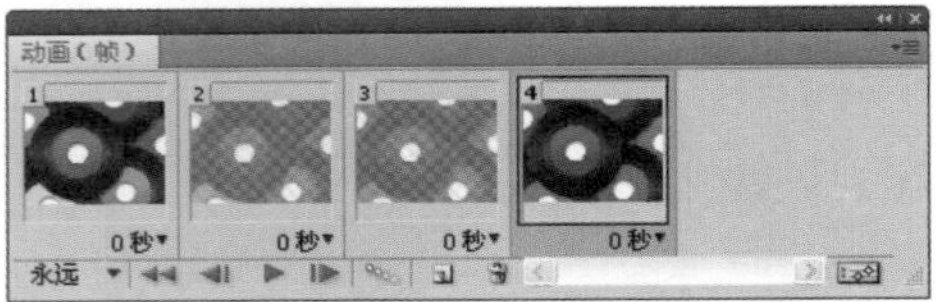

图17-44

- 复制所选帧：单击该按钮，可向面板中添加帧。
- 删除所选帧：可删除选择的帧。

17.3.2 实战——制作蝴蝶飞舞动画

●实例门类：软件功能类 ●视频位置：光盘>实例视频>17.3.2

1 打开一个文件（光盘>素材>17.3.2），如图17-45、图17-46所示。

图17-45

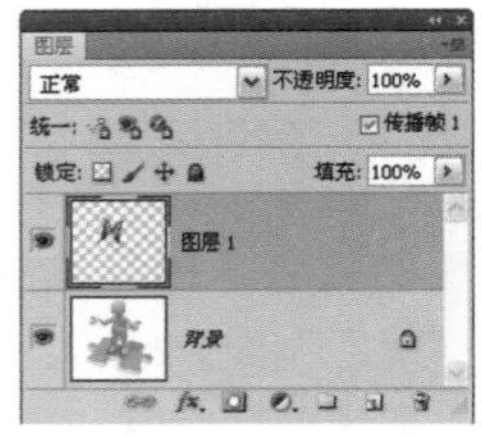

图17-46

2 打开“动画”面板，在帧延迟时间下拉列表中选择0.2秒，将循环次数设置为“永远”，如图17-47所示。单击复制所选帧按钮，添加一个动画帧，如图17-48所示。将“图层1”拖至创建新图层按钮上复制，然后隐藏该图层，如图17-49所示。

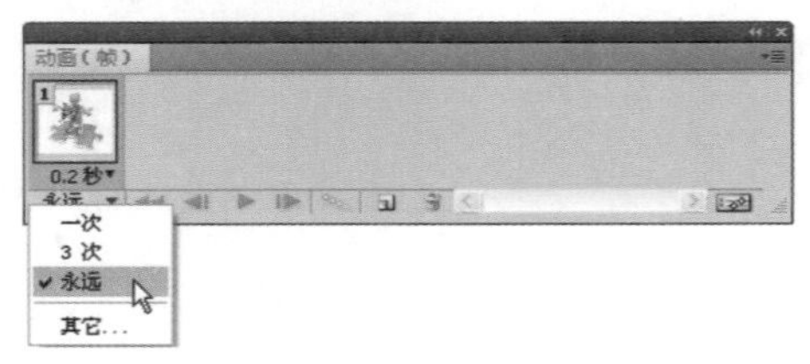

图17-47

图17-48

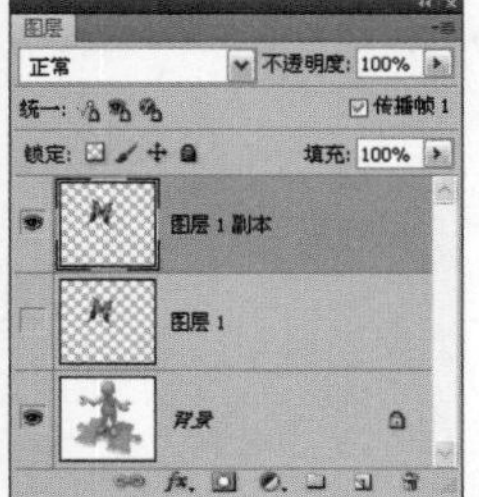
图17-49

按下Ctrl+T快捷键显示定界框，如图17-50所示。按住Shift+Alt键拖动中间的控制点，将蝴蝶向中间压扁，如图17-51所示；再按住Ctrl键拖动左上角和右下角的控制点，调整蝴蝶的透视，如图17-52所示，然后按下回车键确认。

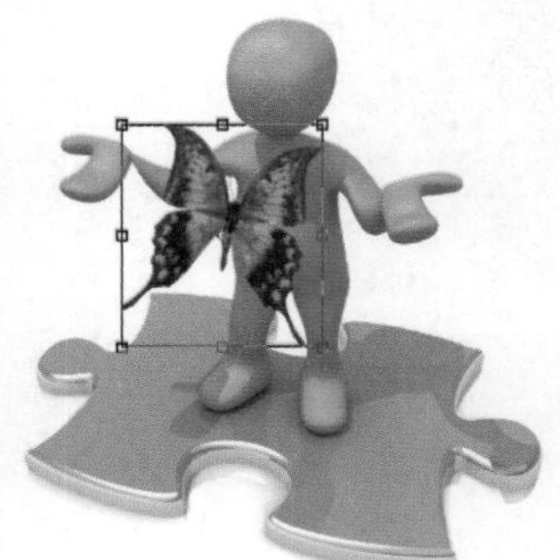
图17-50

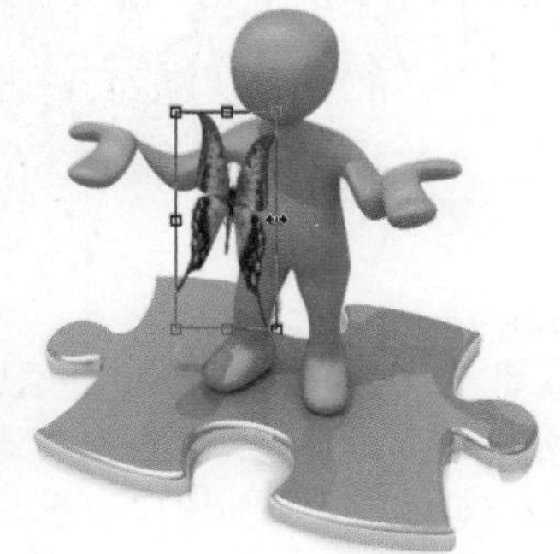
图17-51

图17-52

单击播放动画按钮▶，播放动画，画面中的蝴蝶会不停地煽动翅膀，如图17-53、图17-54、图17-55所示。再次单击该按钮可停止播放，也可以按下空格键切换。

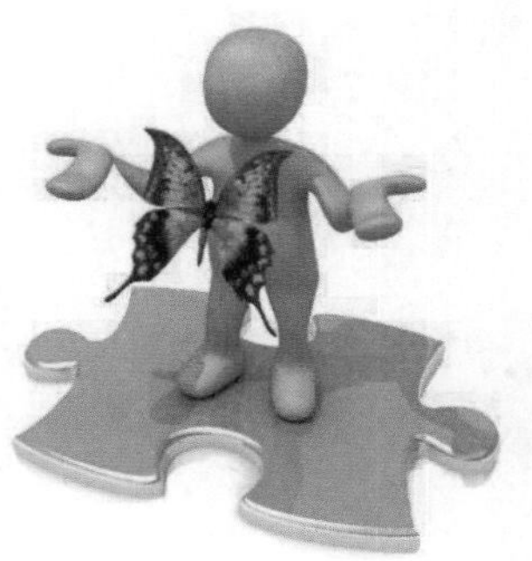
图17-53

图17-54

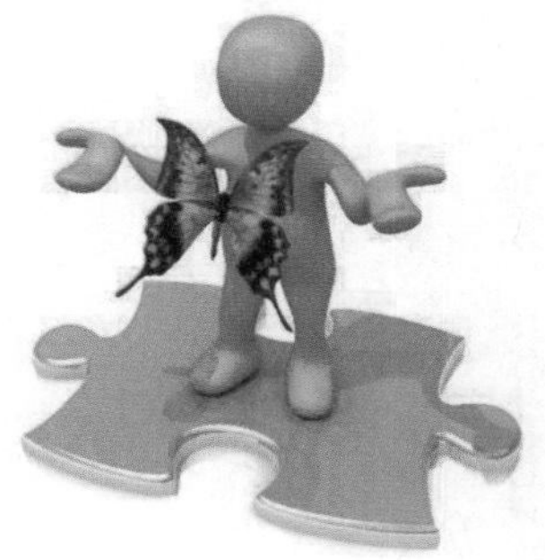
图17-55

提示 动画文件制作完成后，可以使用“存储为Web和设备所用格式”命令将它存储为GIF格式，并进行适当的优化。也可以用Photoshop (PSD) 格式存储动画，以便以后能够对动画进行更多的修改。例如，可以移动蝴蝶的位置，使蝴蝶从画面中飞过。

17.3.3 实战——制作图层样式动画

●实例门类：软件功能类 ●视频位置：光盘>实例视频>17.3.3

打开一个文件（光盘>素材>17.3.3），如图17-56、图17-57所示。

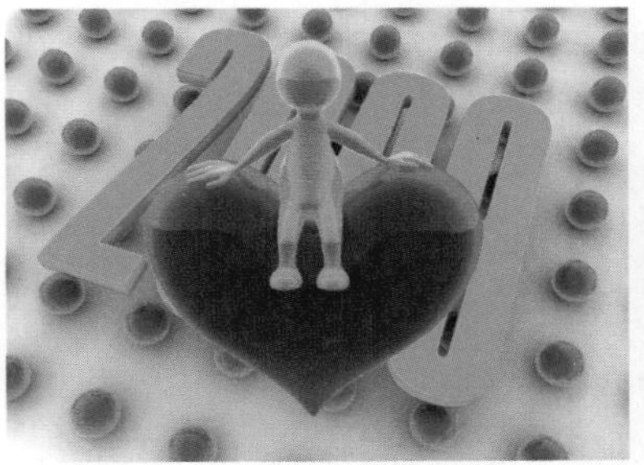
图17-56

图17-57

单击“图层”面板中的fx按钮，选择“外发光”命令，打开“图层样式”对话框，为图层添加渐变样式的外发光，如图17-58、图17-59所示。

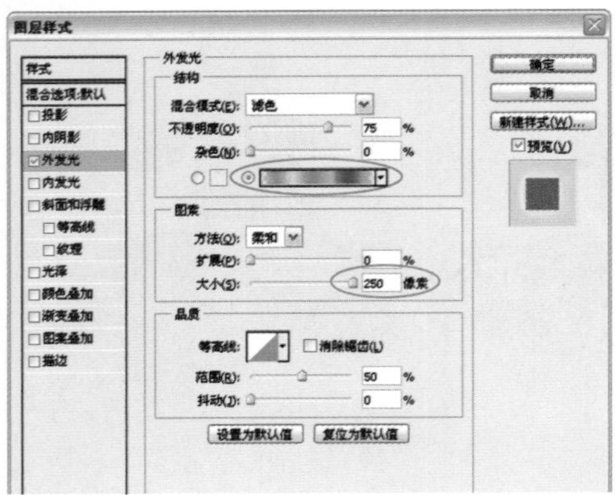

图17-58

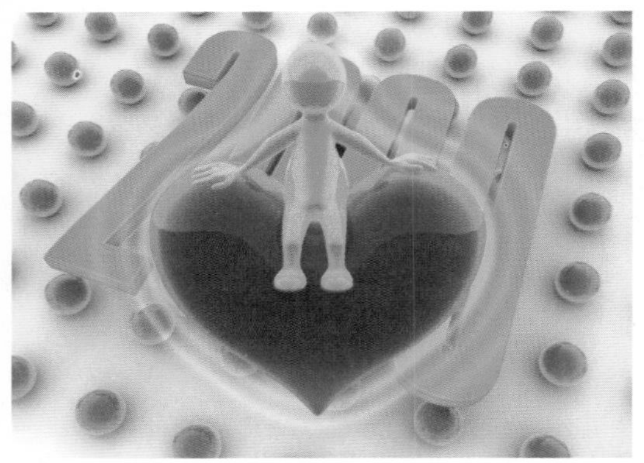

图17-59

3 打开“动画”面板，在帧延迟时间下拉列表中选择0.2秒，循环次数设置为“永远”，如图17-60所示。单击“动画”面板中的复制所选帧按钮，添加一个动画帧，如图17-61所示。

图17-60

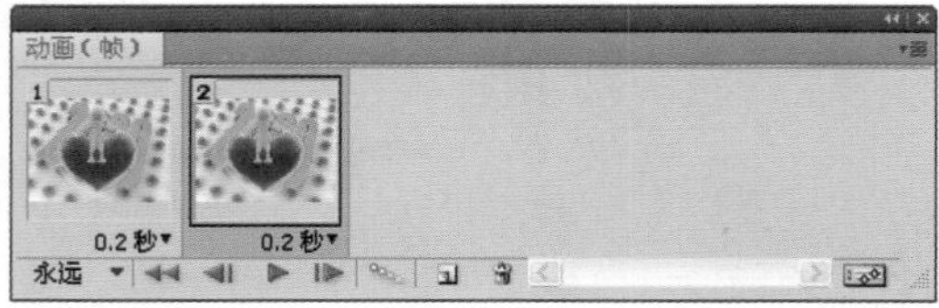

图17-61

4 在“图层”面板中双击“图层1”的外发光效果，在打开的对话框中修改发光参数，如图17-62所示。单击“确定”按钮关闭对话框，如图17-63所示。

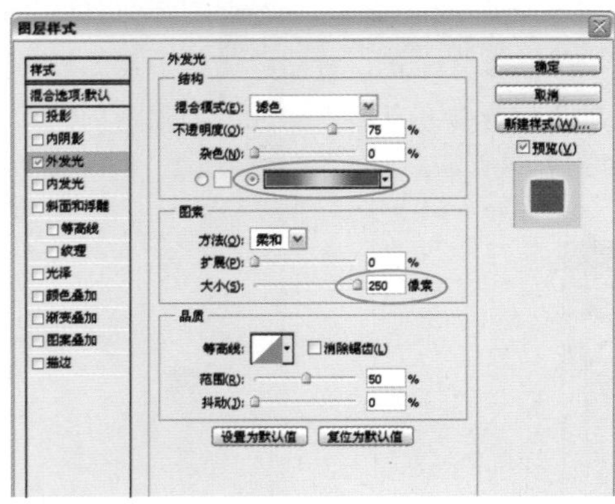

图17-62

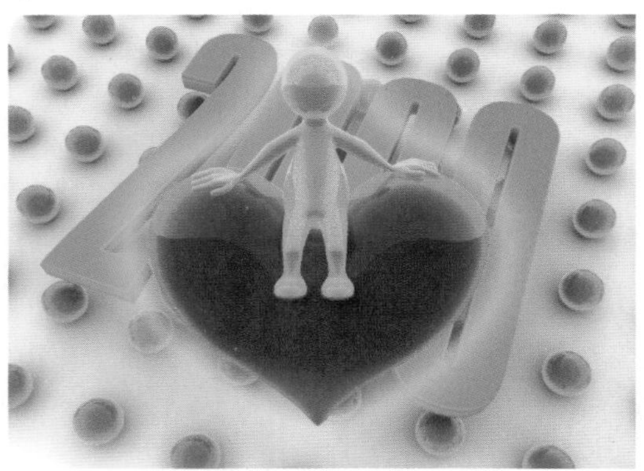

图17-63

5 在“动画”面板中再添加一个动画帧，如图17-64所示，然后重新打开“图层样式”对话框，选择另外一种外发光样式，效果如图17-65所示。

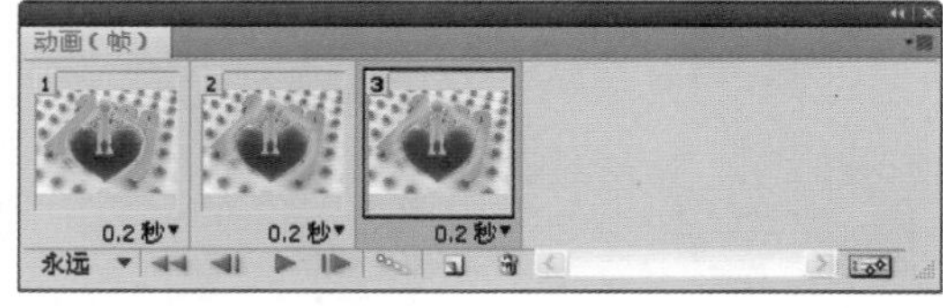

图17-64

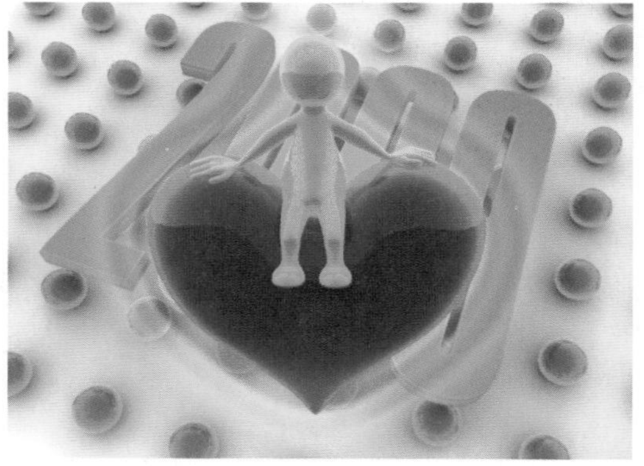

图17-65

6 通过这种方式再添加几个动画帧，然后选择不同的发光样式，也可以自己修改样式。最后单击播放动画按钮▶播放动画，小人儿的身体和红心就会向外发出绚烂的颜色，如图17-66～图17-68所示。

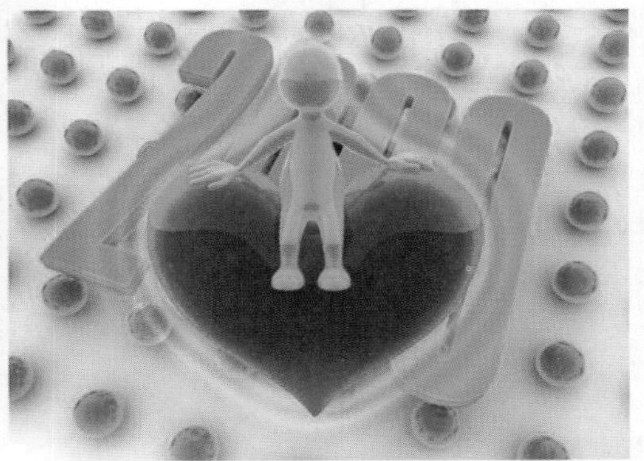

图17-66

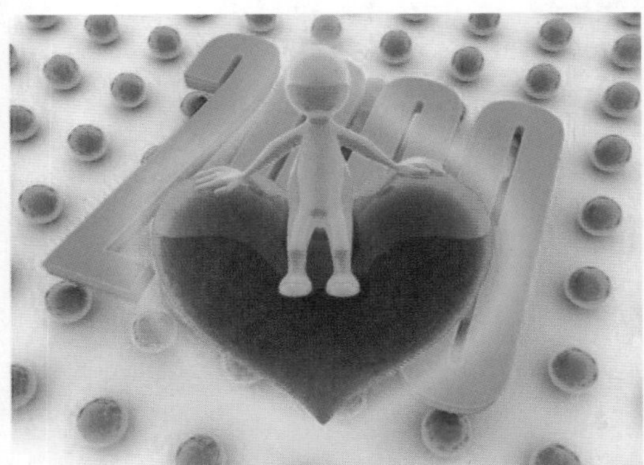

图17-67

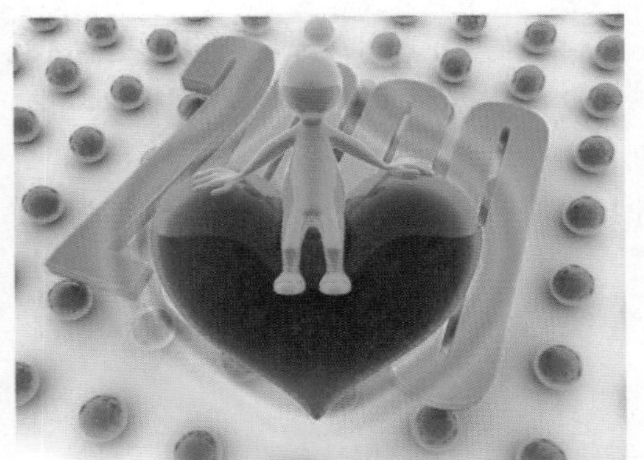

图17-68

7 动画文件制作完成后，执行“文件>存储为 Web 和设备所用格式”命令，将它存储为GIF格式，并进行适当的优化，如图17-69所示。单击“存储”按钮将文件保存，然后在浏览器窗口中查看图像效果，如图17-70所示。

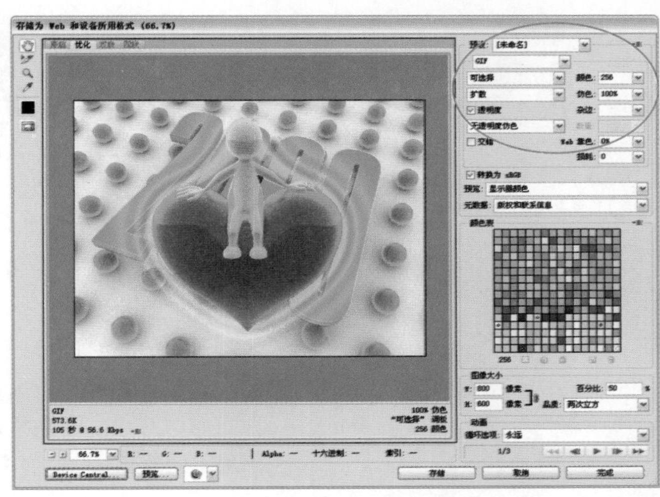

图17-69

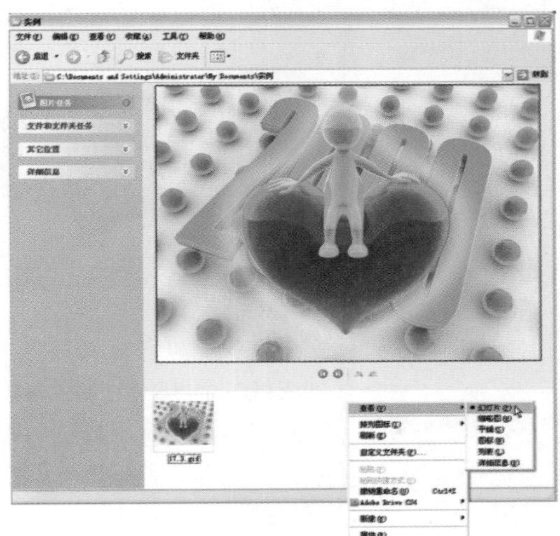

图17-70

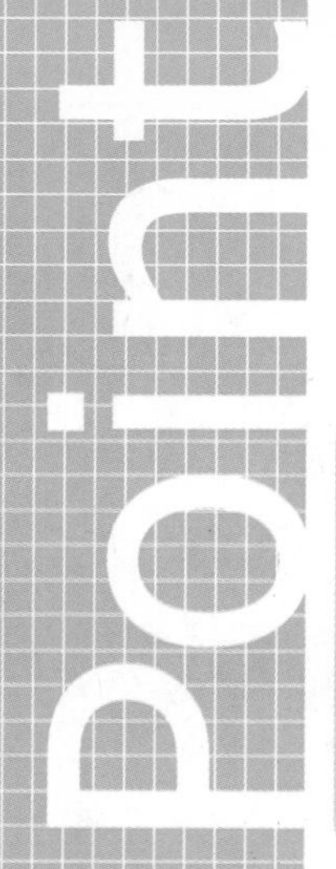

第18章 3D与技术成像

18.1 3D功能概述

Photoshop可以打开和处理由 Adobe Acrobat 3D Version 8、3D Studio Max、Alias、Maya 以及 GoogleEarth 等程序创建的 3D 文件。打开一个3D文件时，可以保留它们的纹理、渲染和光照信息，3D模型放在3D 图层上，3D对象的纹理出现在3D图层下面的条目中，如图18-1、图18-2所示。

Learning Objectives
学习重点

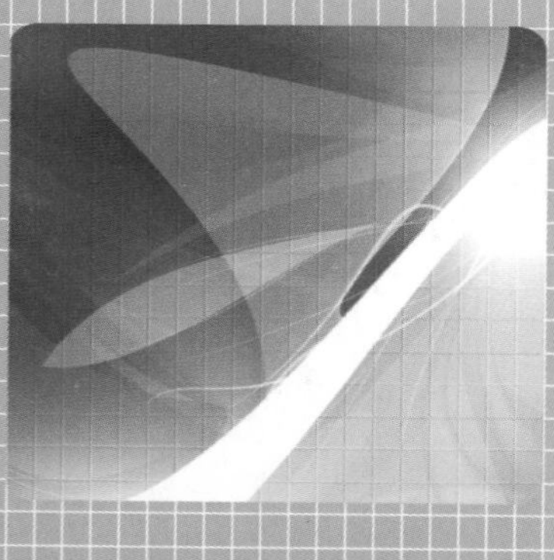

图18-1

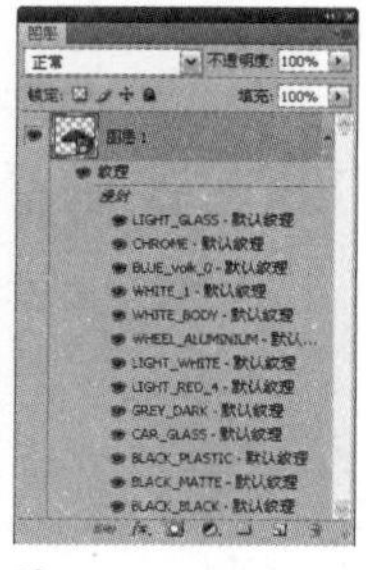
图18-2

我们可以移动3D模型，或对其进行动画处理、更改渲染模式、编辑或添加光照，或将多个 3D 模型合并为一个 3D 场景。此外，还可以基于一个2D图层创建3D内容，如立方体、球面、圆柱、3D明信片、3D网格等。

以前我们编辑3D贴图时，需要在Photoshop中处理贴图图片，然后再进入三维软件中进行更新和应用，在Photoshop中调整时无法直接看到修改对三维对象的影响结果。而现在这种情况则完全改变了，在Photoshop中我们可以直接看到修改贴图后对三维对象最终效果的影响，还可以将纹理作为独立的 2D 文件打开并编辑，或使用 Photoshop 画图和调整工具，直接在模型上编辑纹理。

提示 Photoshop支持U3D、3DS、OBJ、KMZ、DAE格式的3D 文件。

18.2 使用3D工具

使用 3D 对象工具可以修改3D模型的位置或大小，使用3D相机工具则可以修改3D场景视图。如果用户的系统支持 OpenGL，还可以使用3D轴来操控3D模型。

18.2.1 移动、旋转和缩放模型

使用 3D 对象编辑工具可以移动、旋转和缩放3D 模型。当操作 3D 模型时，相机视图保持固定。打开一个3D文件，如图18-3所示，图18-4所示为3D对象编辑工具，图18-5所示为工具选项栏。

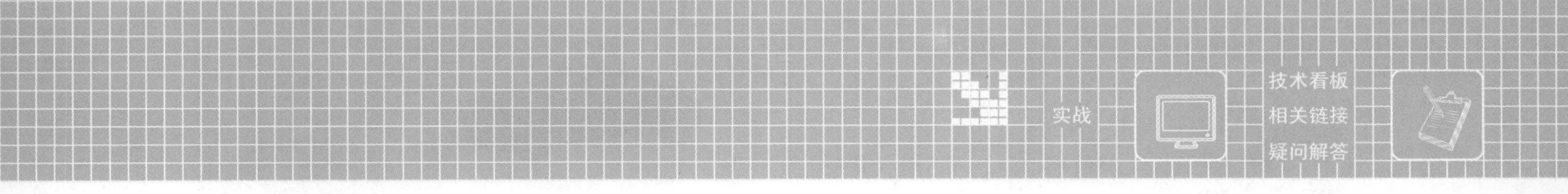

图18-3

图18-4

图18-5

- 旋转：使用3D对象旋转工具上下拖动可以使模型围绕其 *x* 轴旋转，如图18-6所示；两侧拖动可围绕其 *y* 轴旋转，如图18-7所示；按住 Alt键的同时拖动则可以滚动模型。

图18-6

图18-7

- 滚动：使用3D对象滚动工具在两侧拖动可以使模型围绕其 *z* 轴旋转，如图18-8所示。

图18-8

- 平移：使用3D对象平移工具在两侧拖动可沿水平方向移动模型；上下拖动可沿垂直方向移动模型；按住Alt键的同时拖动可沿 *x*/*z* 方向移动。
- 滑动：使用3D对象滑动工具在两侧拖动可沿水平方向移动模型，如图18-9所示；上下拖动可将模型移近或移远，如图18-10所示；按住Alt键的同时拖动可沿 *x*/*y* 方向移动。

图18-9

图18-10

- 比例：使用3D比例工具上下拖动可放大或缩小模型；按住Alt键的同时拖动可沿 *z* 方向缩放。
- 返回到初始对象位置：单击返回到初始对象位置按钮，可以将视图恢复为文档打开时的状态。
- 使用预设位置：在工具选项栏的“位置”下拉列表中可以选择一个预设的位置。单击按钮，可以将模型的当前位置保存为预设的视图，可在“位置”下拉列表中选择该视图，包括“左视图”，如图18-11所示，“仰视图”，如图18-12所示，“后视图”等，如图18-13所示。如果要根据数字精确定义模型的位置、旋转和缩放，可在选项栏右侧的文本框中输入数值。

图18-11

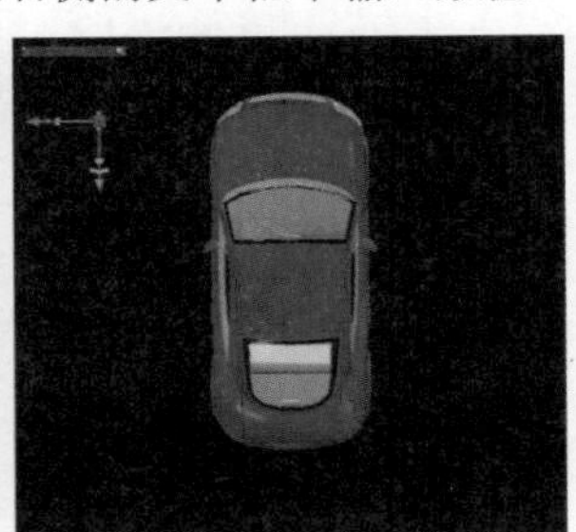

图18-12

图18-13

提示：按住Shift键进行拖动，可以将旋转、拖移、滑动或缩放工具限制为沿单一方向运动。

技术看板 68

使用3D轴移动、旋转和缩放模型

执行“视图>显示>3D轴”命令，可以显示或隐藏3D轴。显示3D轴以后，将光标放在3D轴的不同位置，单击并拖动鼠标即可移动、旋转和缩放3D对象。

- 如果要沿着 x、y或 z 轴移动模型，可将光标放在任意轴的锥尖上，然后向相应的方向拖动。
- 如果要将移动限制在某个对象平面，可以将光标放在两个轴交叉的区域，两个轴之间会出现一个黄色的平面图标，此时向任意方向拖动即可。
- 如果要旋转模型，可单击轴尖内弯曲的旋转线段，此时会出现旋转平面的黄色圆环，围绕 3D 轴中心沿顺时针或逆时针方向拖动圆环即可旋转模型。要进行幅度更大的旋转，可将鼠标向远离3D轴的方向移动。

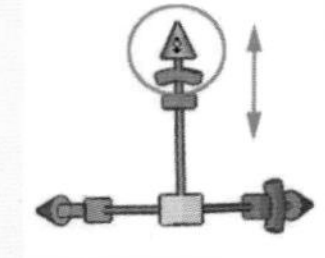

移动

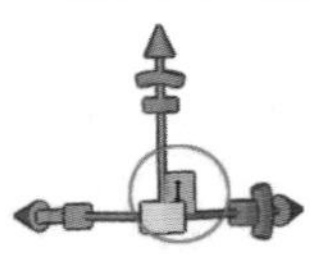

限制平面移动

旋转

- 如果要调整模型的大小，可向上或向下拖动 3D 轴中的中心立方体。
- 如果要沿轴压扁或拉长模型，可以将某个彩色的变形立方体朝中心立方体拖动，或向远离中心立方体的位置拖动。

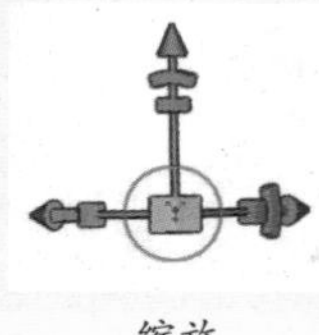

缩放

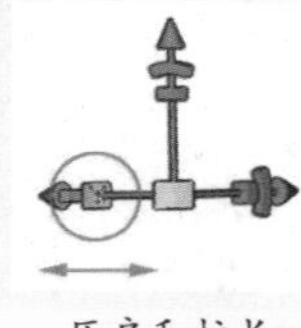

压扁和拉长

18.2.2 移动3D相机

使用3D相机工具可以移动相机视图，同时保持3D对象的位置不变。如图18-14所示为3D模型在原始相机位置的效果，图18-15所示为3D相机工具，图18-16所示为工具选项栏。

图18-14

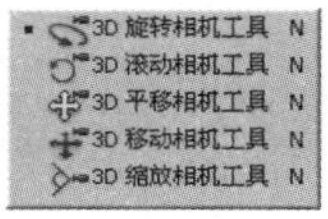

3D 旋转相机工具 N
3D 滚动相机工具 N
3D 平移相机工具 N
3D 移动相机工具 N
3D 缩放相机工具 N

图18-15

视图: 默认视图 方向: X: -101.23 Y: 0 Z: -112.48

图18-16

- 旋转：使用3D旋转相机工具拖动鼠标可以将相机沿 x 或 y 方向环绕移动，如图18-17所示；按住 Ctrl键的同时进行拖移可以滚动相机。
- 滚动：使用3D滚动相机工具拖动可以滚动相机，如图18-18所示。

图18-17

图18-18

- 平移：使用3D平移相机工具拖动可以将相机沿x或y方向平移，如图18-19所示；按住 Ctrl键的同时拖动可沿x或z方向平移。
- 移动：使用3D移动相机工具拖动可以步进相机（z转换和y旋转），如图18-20所示；按住Ctrl键的同时拖动可沿z/x方向步览（z平移和x旋转）。
- 缩放：使用3D缩放相机工具拖动可以更改3D相机的视角，如图18-21所示。最大视角为180。

图18-19

图18-20

图18-21

- 返回到初始位置：按下返回到初始相机位置按钮后，可以将相机恢复为初始的位置，即打开文档时的状态。
- 使用预设视图：在工具选项栏的“视图”下拉列表中可以选择一个预设的视图。如果单击按钮，则可将相机的当前位置保存为预设的视图，可在“位置”下拉列表中选择该视图。如果要根据数字精确定义相机位置，可在右侧的文本框中输入3D相机在x、y和z轴上的位置。

18.3 3D面板

选择3D图层后，“3D”面板中会显示与之关联的3D文件组件，面板顶部列出了文件中的网格、材料和光源，面板底部显示了在面板顶部选择的3D组件的相关选项。

18.3.1 3D场景设置

使用3D场景设置可以设置渲染模式、选择要在其上绘制的纹理或创建横截面。打开一个3D模型，如图18-22所示，单击“3D”面板中的场景按钮，然后在面板顶部选择一个“场景”条目，如图18-23所示。

图18-22

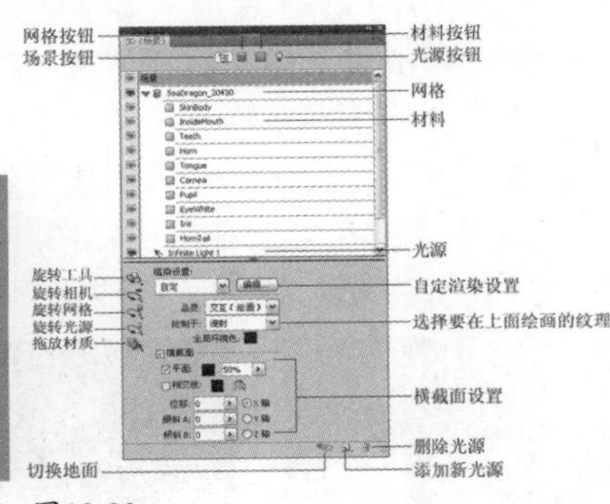

图18-23

- 渲染设置：可在下拉列表中指定模型的渲染预设，如果要自定选项，可单击“编辑”按钮。
- 品质：用来设置3D模型的显示品质。品质越高，屏幕的刷新速度越慢。
- 绘制于：直接在 3D 模型上绘画时，可使用该菜单选择要在其上绘制的纹理映射。
- 全局环境色：设置在反射表面上可见的全局环境光的颜色。该颜色与用于特定材料的环境色相互作用。
- 横截面设置：选择“横截面”选项后，可创建以所选角度与模型相交的平面横截面。这样，可以切入模型内部，查看里面的内容，如图18-24所示。此时，下面的选项可以使用。选择“平面”，可显示创建横截面的相交平面，并设置平面颜色和不透明度；选择“相交线”，会以高亮显示横截面平面相交的模型区域，单击颜色块可以选择高光颜色；按下翻转横截面按钮，可将模型的显示区域更改为相交平面的反面，如图18-25所示；“位移”可沿平面的轴移动平面，而不更改平面的斜度，如图18-26所示；“倾斜”设置可以将平面朝其任一可能的倾斜方向旋转至 360度。
- 切换地面：地面是反映相对于3D模型的地面位置的网格，单击该按钮，可以在下拉菜单中选择显示或隐藏地面、3D轴、3D光源等。

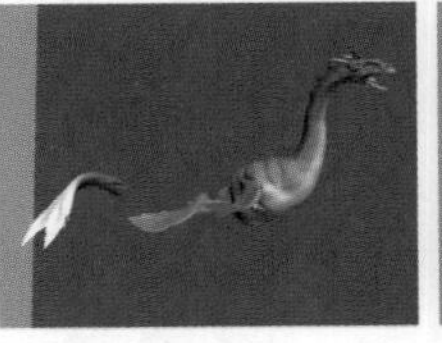

图18-24

图18-25

图18-26

面板中的工具右下角都有一个黑色的小三角，在工具上按下鼠标可以显示隐藏工具。使用这些工具可以移动、旋转或缩放对象，操作方式与工具箱中的主要 3D位置工具相同。

18.3.2 3D网格设置

单击“3D”面板顶部的网格按钮，面板中会显示如图18-27所示的选项。

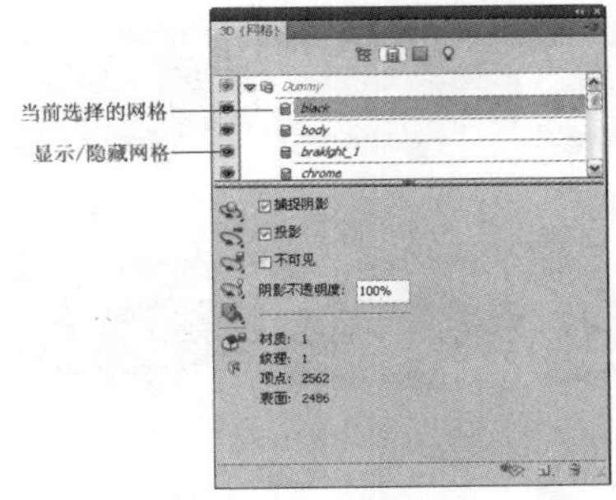

图18-27

- 当前选择的网格：3D 模型中的每个网格都会出现在“3D”面板顶部的单独线条上，单击一个网格时，在面板底部显示网格信息，包括应用于网格的材料和纹理数量，以及其中所包含的顶点和表面的数量。
- 显示/隐藏网格：单击网格名称旁边的眼睛图标可以显示或隐藏网格。
- 捕捉阴影：在“光线跟踪”渲染模式下，控制选定的网格是否在其表面显示来自其他网格的阴影。
- 投影：在“光线跟踪”渲染模式下，控制选定的网格是否在其他网格表面产生投影。但必须设置光源才能产生阴影。
- 不可见：隐藏网格，但显示其表面的所有阴影。
- 阴影不透明度：设置阴影的透明度。

18.3.3 3D材料设置

单击“3D”面板顶部的材质按钮▦，面板中会列出在3D文件中使用的材料，如图18-28所示。如果模型包含多个网格，则每个网格可能会有与之关联的特定材料。单击▾按钮可以打开一个下拉面板，选择材质，如图18-29所示。图18-30所示材质效果图。

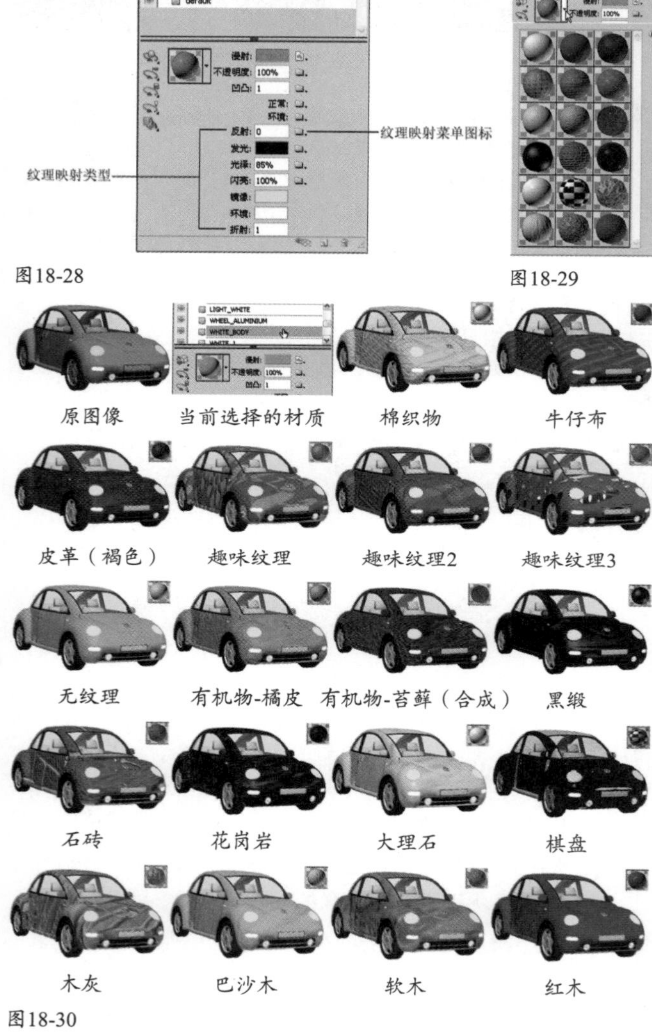

图18-28

图18-29

图18-30

- 当前选择的材质：单击一个材质名称，面板底部会显示该材质所使用的特定纹理映射。某些纹理映射（如“漫射”和“凹凸”），通常依赖于2D文件来提供创建纹理的特定颜色或图案。材质所使用的 2D 纹理映射也会作为“纹理”出现在“图层”面板中。
- 纹理映射菜单图标▭.：单击该图标，可以打开一个下拉菜单，我们可以选择菜单中的命令来创建、载入、打开、移去或编辑纹理映射的属性。
- 漫射：材质的颜色，它可以是实色或任意的2D内容，如图18-31所示。图18-32所示为单击▭.按钮，然后载入一个图像文件贴在模型表面的效果。

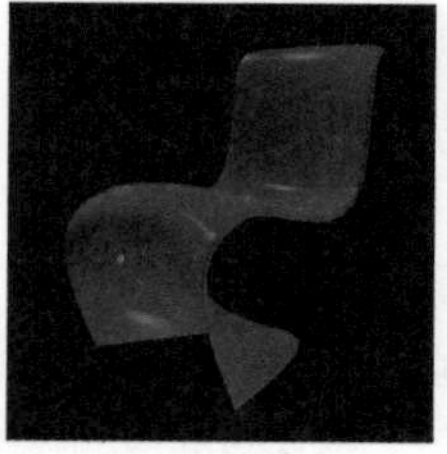
图18-31

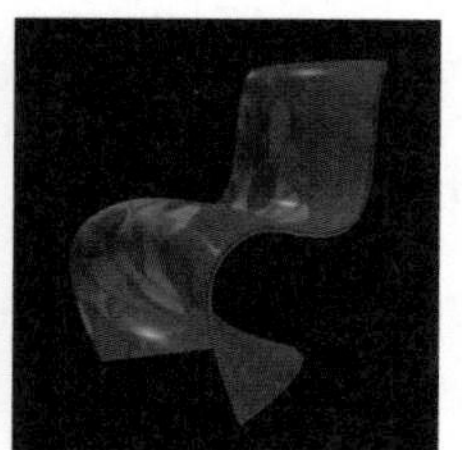
图18-32

- 不透明度：用来增加或减少材质的不透明度。
- 凹凸：通过灰度图像在材质表面创建凹凸效果，而并不实际修改网格。灰度图像中较亮的值可创建突出的表面区域，较暗的值可创建平坦的表面区域。例如，如图18-33所示为使用的贴图文件，图18-34所示为它在模型表面生成的凹凸效果。

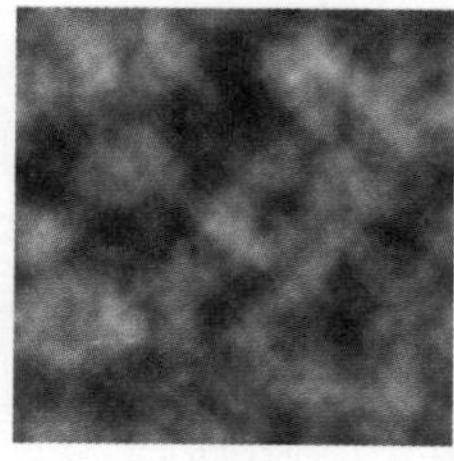
图18-33

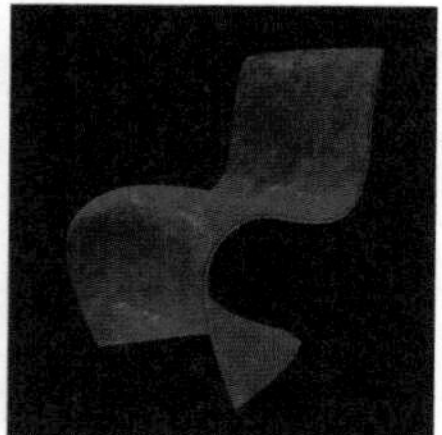
图18-34

- 正常：像凹凸映射纹理一样，正常映射会增加表面细节。
- 环境：设置在反射表面上可见的环境光的颜色。该颜色与用于整个场景的全局环境色相互作用。
- 反射：设置反射率，当两种反射率不同的介质（如空气和水）相交时，光线方向发生改变，即产生反射。新材料的默认值是1.0（空气的近似值）。
- 发光：定义不依赖于光照即可显示的颜色，可创建从内部照亮 3D 对象的效果。
- 光泽：定义来自光源的光线经表面反射，折回到人眼中的光线数量。
- 闪亮：定义“光泽度”设置所产生的反射光的散射。低反光度（高散射）产生更明显的光照，而焦点不足；高反光度（低散射）产生较不明显、更亮、更耀眼的高光。
- 镜像：可以为镜面属性设置显示的颜色，例如，高光光泽度和反光度。
- 环境：可储存 3D 模型周围环境的图像。环境映射会作为球面全景来应用，可以在模型的反射区域中看到环境映射的内容。

- 折射：可增加 3D 场景、环境映射和材质表面上其他对象的反射。

18.3.4 3D光源设置

单击“3D”面板顶部的光源按钮，面板中会显示如图18-35所示的选项。3D 光源可以从不同角度照亮模型，从而添加逼真的深度和阴影。

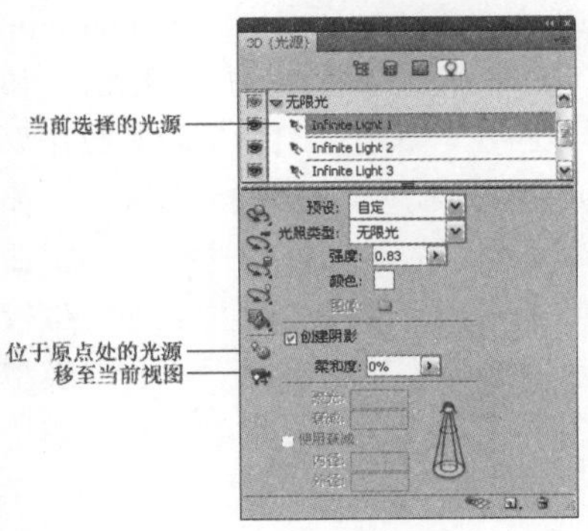

图18-35

- 预设：可在下拉列表中选择光照样式，如图18-36所示，图18-37所示为选择“狂欢节”样式的效果。

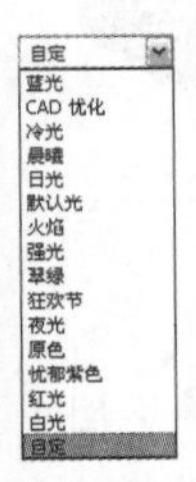

图18-36 图18-37

- 光照类型：可在下拉列表中选择光照类型，包括点光、聚光灯、无限光和基于图像。点光显示为小球、聚光灯显示为锥形、无限光显示为直线，如图18-38所示。

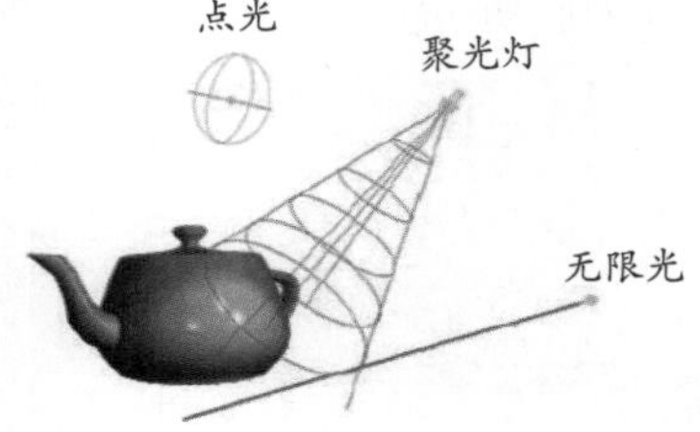

图18-38

> **提示** 点光像灯泡一样，可以向各个方向照射；聚光灯能照射出可调整的锥形光线；无限光像太阳光，可以从一个方向平面照射。

- 强度/颜色：选择列表中的光源后，可调整它的亮度，单击颜色块，可以打开“拾色器”设置光源的颜色，如图18-39、图18-40所示。

图18-39

图18-40

- 创建阴影：创建从前景表面到背景表面、从单一网格到其自身或从一个网格到另一个网格的投影。取消选择时可稍微改善性能。
- 柔和度：可以模糊阴影边缘，产生逐渐的衰减。
- 聚光：（仅限聚光灯）设置光源明亮中心的宽度。
- 衰减：（仅限聚光灯）设置光源的外部宽度。
- 使用衰减：“内径”和“外径”选项决定衰减锥形，以及光源强度随对象距离的增加而减弱的速度。对象接近“内径”限制时，光源强度最大；对象接近“外径”限制时，光源强度为零；处于中间距离时，光源从最大强度线性衰减为零。如果将光标放在“聚光”、“衰减”、“内径”和“外径”选项上，右侧图标中的红色轮廓会指示受影响的光源元素，如图18-41～图18-44所示。

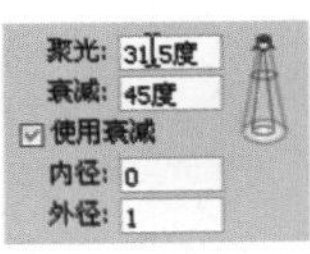

图18-41 图18-42 图18-43

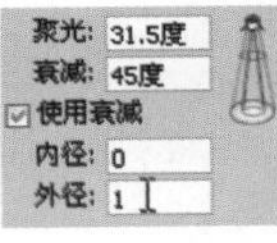

图18-44

> **提示** 必须启用 OpenGL 绘图才能显示 3D 轴、地面和光源，可执行“编辑>首选项>性能”命令，在打开的对话框中勾选“启用OpenGL 绘图”选项来启用该功能。

18.4 创建和编辑3D模型的纹理

在Photoshop中打开3D文件时，纹理作为 2D 文件与 3D 模型一起导入，它们的条目显示在“图层”面板中，嵌套于 3D 图层下方，并按照散射、凹凸、光泽度等类型编组。我们可以使用绘画工具和调整工具来编辑纹理，也可以创建新的纹理。

18.4.1 实战——为笔记本屏幕贴图

●实例门类：软件功能类 ●视频位置：光盘>实例视频>18.4.1

1 执行“文件>打开”命令，打开一个3D文件（光盘>素材>18.4.1a），如图18-45所示。在“图层”面板中双击纹理，如图18-46所示，纹理会作为智能对象打开，如图18-47所示。

图18-45

图18-46

图18-47

2 执行“文件>打开”命令，打开一个贴图文件（光盘>素材>18.4.1b），如图18-48所示。使用移动工具将该图像拖动到3D纹理文档中，如图18-49所示。

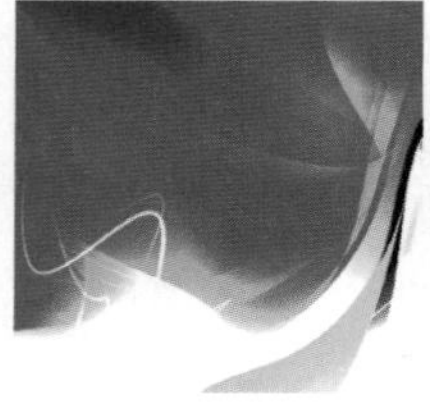

图18-48

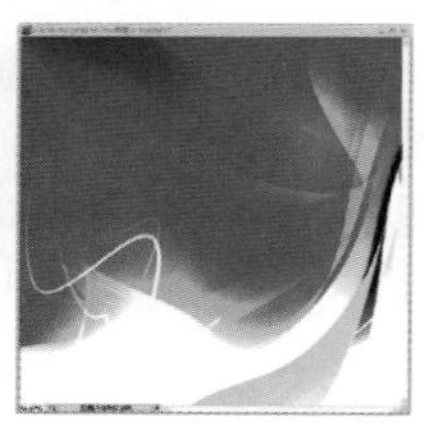

图18-49

3 关闭“智能对象”窗口，会弹出一个对话框，如图18-50所示，单击“是”按钮，存储对纹理所做的修改并应用到模型中，如图18-51所示。

图18-50

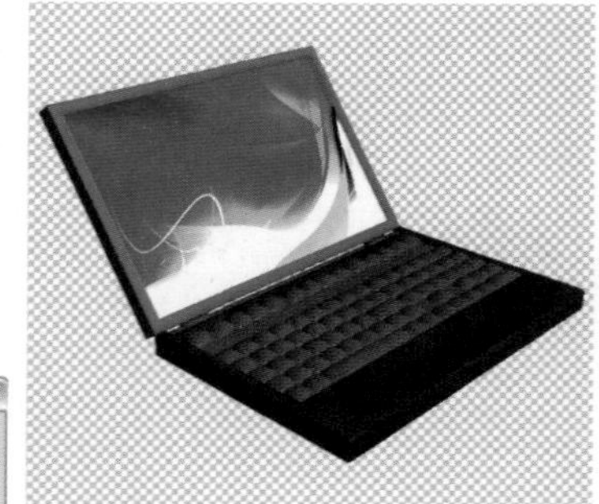

图18-51

18.4.2 重新参数化纹理映射

如果3D模型的纹理没有正确映射到网格，在Photoshop中打开这样的文件时，纹理会在模型表面产生扭曲，如多余的接缝、图案拉伸或挤压。执行“3D>重新参数化”命令，可以将纹理重新映射到模型，从而校正扭曲。如图18-52所示为执行该命令弹出的对话框，选择“低扭曲度”，可以使纹理图案保持不变，但会在模型表面产生较多接缝，如图18-53所示；选择“较少接缝”，会使模型上出现的接缝数量最小化，这会产生更多的纹理拉伸或挤压，如图18-54所示。

图18-52

图18-53 图18-54

18.4.3 创建UV叠加

3D 模型上多种材料所使用的漫射纹理文件可将应用于模型上不同表面的多个内容区域编组，这个过程叫做 UV 映射，它将 2D纹理映射中的坐标与 3D 模型上的特定坐标相匹配，使 2D 纹理可正确地绘制在 3D 模型上。

双击“图层”面板中的纹理，如图18-55所示，打开纹理文件，执行“3D>创建UV叠加”下拉菜单中的命令，如图18-56所示，UV 叠加将作为附加图层添加到纹理文件的“图层”面板中。

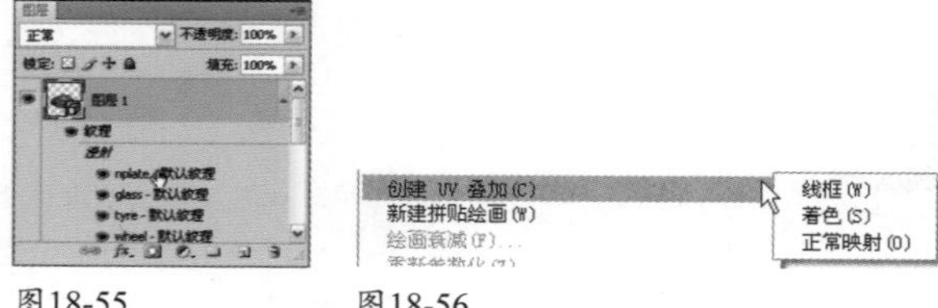

图18-55 图18-56

- 线框：显示 UV 映射的边缘数据。
- 着色：显示使用实色渲染模式的模型区域。
- 正常映射：显示转换为 RGB 值的几何常值，R=X、G=Y、B=Z。

18.4.4 实战——创建并使用重复的纹理拼贴

●实例门类：软件功能类　●视频位置：光盘>实例视频>18.4.4

重复纹理由网格图案中完全相同的拼贴构成。重复纹理可以提供更逼真的模型表面覆盖、使用更少的存储空间，并且可以改善渲染性能。

1 打开一个文件（光盘>素材>18.4.4a），如图18-57所示，选择要创建为重复拼贴的图层，如图18-58所示。

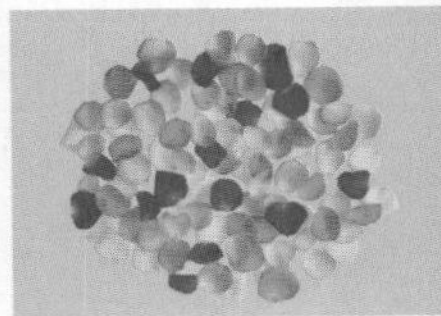

图18-57

图层
正常
不透明度: 100%
锁定:
填充: 100%
图层 1
背景

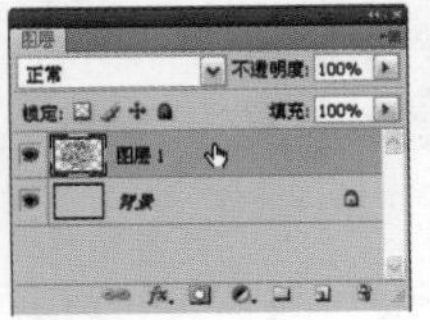

图18-58

2 执行“3D>新建拼贴绘画”命令，可创建包含九个完全相同的拼贴的图案，图像尺寸保持不变，如图18-59所示。下面我们来将单个拼贴存储为可重复拼贴的纹理文件。单击“3D”面板中的材质按钮，单击“漫射”右侧的图标，选择“打开纹理”命令，如图18-60所示，会弹出单个拼贴的纹理文件，如图18-61所示，按下Ctrl+S快捷键将该文件保存。

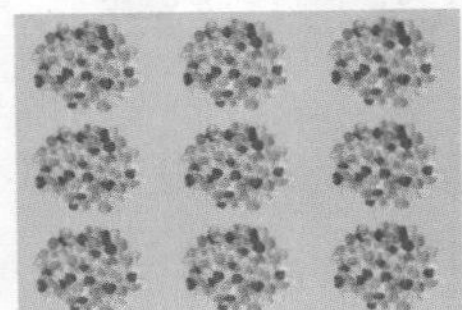

图18-59

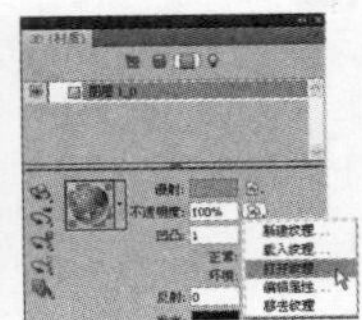

图18-60

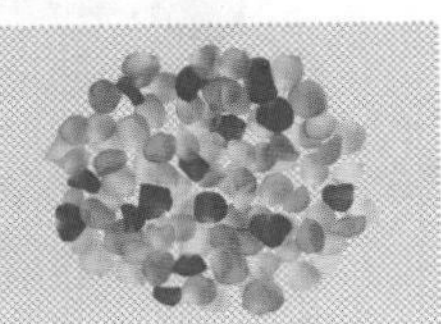

图18-61

3 打开一个3D石膏像（光盘>素材>18.4.4b），如图18-62所示。单击“3D”面板中的材质按钮，然后在列表中选择要贴图的表面（Room5），再单击“漫射”右侧的图标，如图18-63所示，选择“载入纹理”命令载入我们保存的纹理，将它贴在模型表面，如图18-64、图18-65、图18-66所示。如果要设置重复纹理的网格，则需要使用3D程序，效果如图18-67所示。

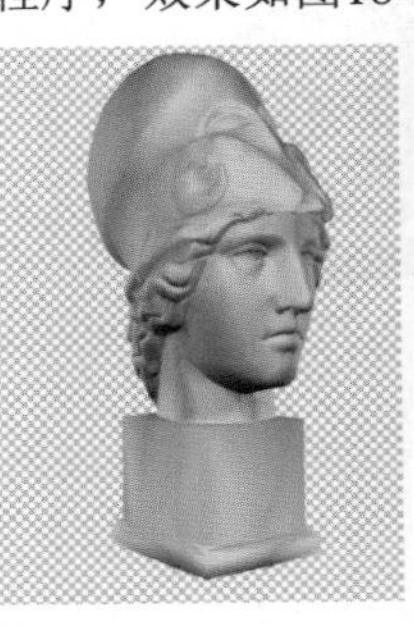

图18-62

新建纹理...
载入纹理...
打开纹理
编辑属性...
移去纹理

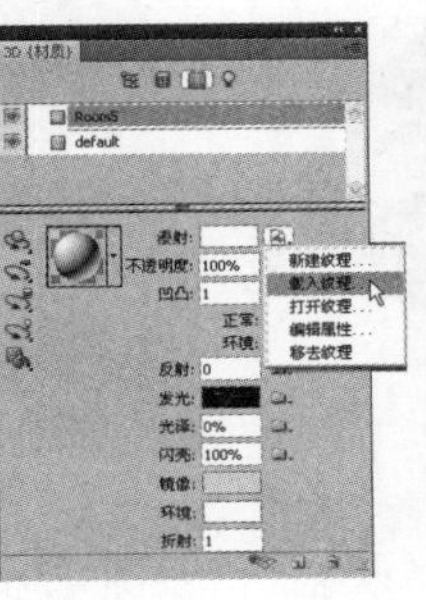

图18-63

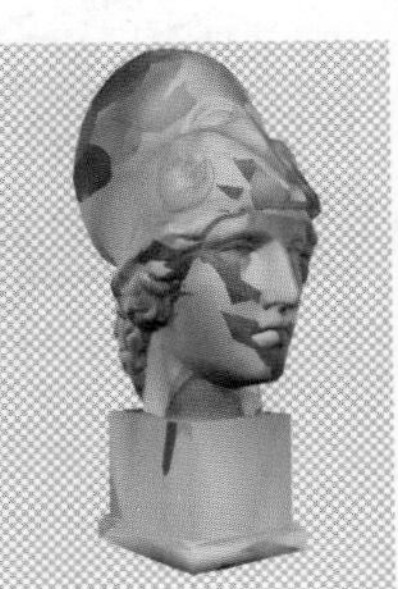

图18-64

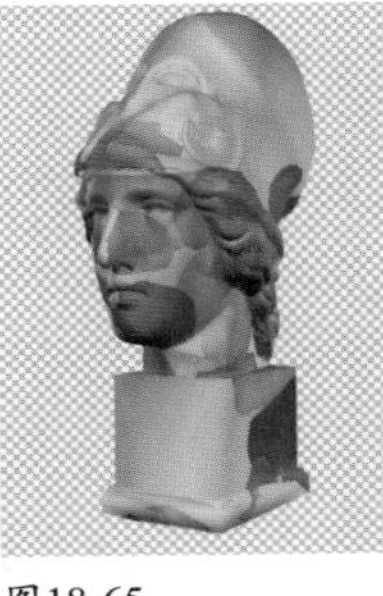

图18-65

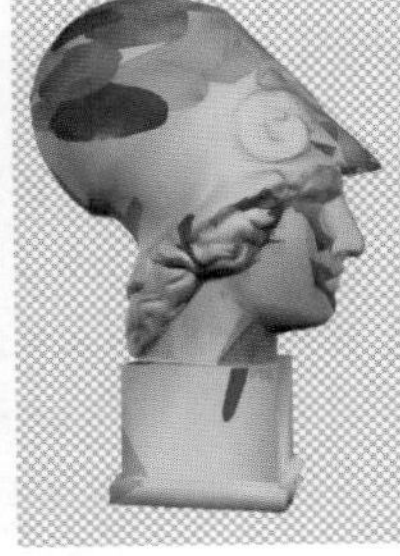

图18-66

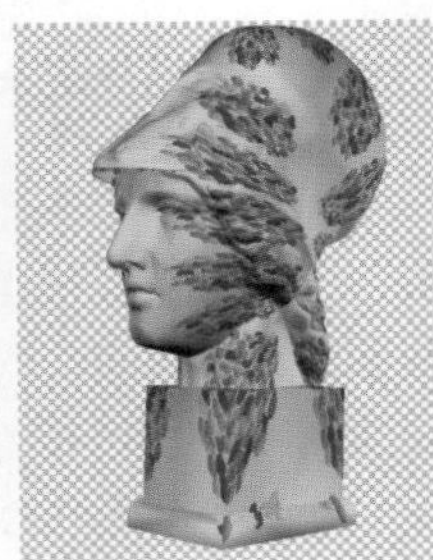

图18-67

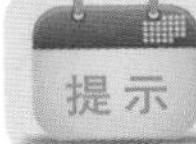

提示　使用绘画工具、滤镜或其他技术编辑拼贴时，对一个拼贴所做的修改会自动出现在其他拼贴中。

18.5 在3D模型上绘画

可以使用任何 Photoshop 绘画工具直接在 3D 模型上绘画，使用选择工具将特定的模型区域设为目标，或让 Photoshop 识别并高亮显示可绘画的区域。使用 3D 菜单命令可清除模型区域，从而访问内部或隐藏的部分，以便进行绘画。

18.5.1 选择要绘画的表面

对于内部包含隐藏区域，或者结构复杂的模型，可以使用任意选择工具在 3D 模型上创建选区，限定要绘画的区域，如图18-68所示，然后从“3D”菜单中选择一个命令，将其他部分隐藏，如图18-69所示。

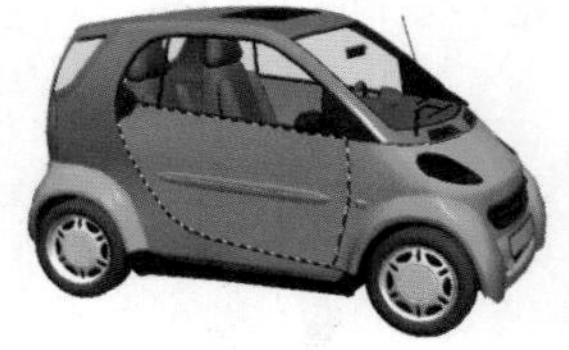

图18-68

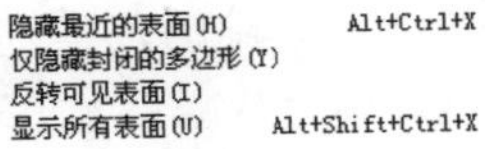

隐藏最近的表面(H)　Alt+Ctrl+X
仅隐藏封闭的多边形(Y)
反转可见表面(I)
显示所有表面(V)　Alt+Shift+Ctrl+X

图18-69

- **隐藏最近的表面**：只隐藏2D选区内的模型多边形的第一个图层，如图18-70所示。
- **仅隐藏封闭的多边形**：选择该命令后，“隐藏最近的表面”命令只会影响完全包含在选区内的多边形，如图18-71所示。取消选择，将隐藏选区所接触到的所有多边形。

图18-70

图18-71

- **反转可见表面**：使当前可见表面不可见，不可见表面可见。
- **显示所有表面**：使所有隐藏的表面再次可见。

18.5.2 标识可绘画区域

由于模型视图不能提供与 2D 纹理之间一一对应的关系，所以直接在模型上绘画与直接在 2D 纹理映射上绘画是不同的，因此，只观看3D模型，无法明确判断是否可以成功地在某些区域绘画。执行“3D>选择可绘画区域”命令，可以选择模型上可以绘画的最佳区域。

18.5.3 设置绘画衰减角度

在模型上绘画时，绘画衰减角度控制表面在偏离正面视图弯曲时的油彩使用量。执行“3D>绘画衰减”命令，打开“3D绘画衰减”对话框，如图18-72所示。

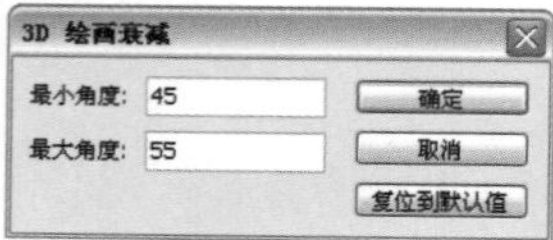

图18-72

- **最大角度**：最大绘画衰减角度在0～90度之间。0 度时，绘画仅应用于正对前方的表面，没有减弱角度；90 度时，绘画可沿弯曲的表面（如球面）延伸至其可见边缘。
- **最小角度**：最小衰减角度设置绘画随着接近最大衰减角度而渐隐的范围。例如，如果最大衰减角度是45度，最小衰减角度是30度，那么在30和45度的衰减角度之间，绘画不透明度将会从100减少到0。

提示　如果要编辑3D模型本身的网格，需要使用3D程序。

18.5.4 实战——在3D汽车模型上涂鸦

●实例门类：软件功能类　●视频位置：光盘>实例视频>18.5.4

1 打开一个3D文件（光盘>素材>18.5.4），如图18-73所示，从“3D>3D绘画模式”下拉菜单中选择一种映射类型，如图18-74所示。

图18-73

3D 绘画模式(3)
选择可绘画区域(B)
创建 UV 叠加(C)
新建拼贴绘画(W)
绘画衰减(F)...
重新参数化(Z)...
合并 3D 图层(D)
漫射
凹凸
光泽度
不透明度
反光度
自发光
反射

图18-74

2 选择画笔工具，将前景色设置为黄色，在模型上涂抹进行绘画，如图18-75、图18-76所示。也可以使用工具箱第二部分中的其他工具，如油漆桶、涂抹、减淡、加深或模糊工具在模型上绘画。

图18-75

图18-76

3 使用3D对象旋转工具旋转模型，继续涂抹颜色（可调整前景色），如图18-77、图18-78所示。

图18-77

图18-78

4 在工具选项栏的“位置”下拉列表中选择“俯视图”，在俯视图状态下对汽车的顶部和前后车盖涂抹颜色，如图18-79、图18-80所示。

图18-79

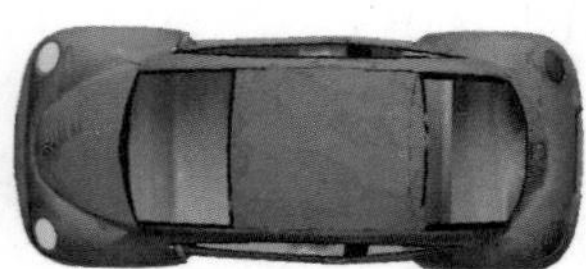
图18-80

5 下面我们来修改玻璃窗的不透明度，执行“3D>3D绘画模式>不透明度”命令，编辑不透明度映射。在玻璃风挡上单击，如图18-81所示，弹出一个对话框，如图18-82所示，单击“确定”按钮，新建一个不透明度纹理文件，如图18-83所示。

图18-81

图18-82

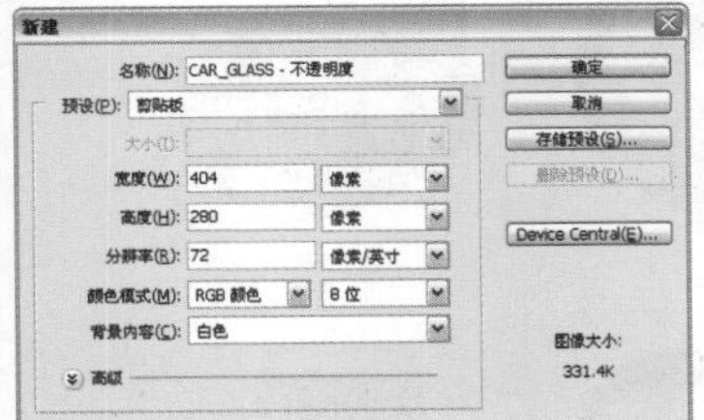

图18-83

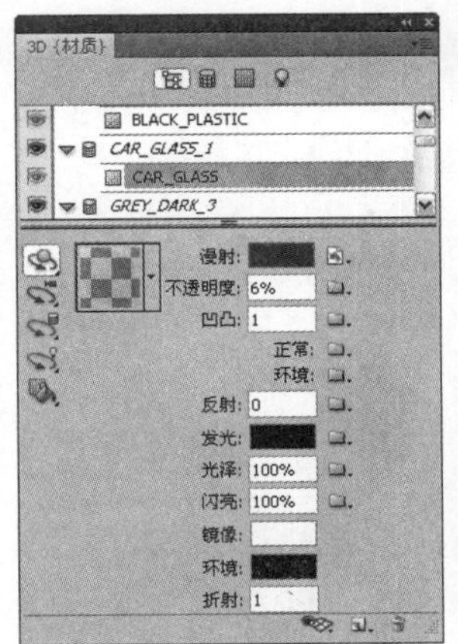

图18-84

图18-85

6 在“3D”面板中，选择“CAR GLASS”，然后将玻璃的不透明度调整为100%，如图18-84、图18-85所示。按下D键，将前景色设置为黑色，使用一个柔角画笔工具在玻璃上涂抹黑色，黑色会使玻璃完全透明，灰色会使其呈现出半透明效果，如图18-86所示。可以旋转模型的角度，再处理其他玻璃，如图18-87所示。

图18-86

图18-87

18.6 从2D图像创建3D对象

Photoshop 可以基于2D 对象，如图层、文字、路径等生成各种基本的 3D 对象。创建 3D 对象后，可以在 3D 空间移动它、更改渲染设置、添加光源或将其与其他 3D 图层合并。

18.6.1 实战——制作3D明信片

●实例门类：软件功能类 ●视频位置：光盘>实例视频>18.6.1

1 打开一个文件（光盘>素材>18.6.1），如图18-88所示，选择要转换为3D对象的图层，如图18-89所示。

图18-88

图18-89

2 执行“3D>从图层新建3D明信片”命令，即可创建3D明信片。原始的2D图层会作为3D明信片对象的“漫射”纹理映射出现在“图层”面板中，如图18-90所示。

图18-90

3 使用3D对象旋转工具旋转明信片，可以从不同的透视角度观察它，如图18-91～图18-93所示。

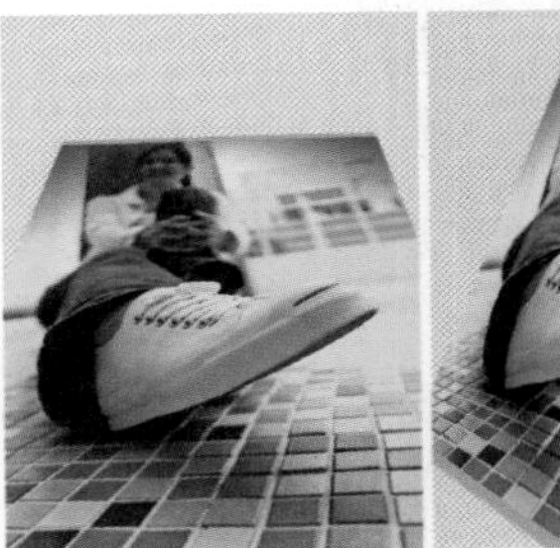

图18-91

图18-92

图18-93

18.6.2 实战——制作3D易拉罐

●实例门类：软件功能类 ●视频位置：光盘>实例视频>18.6.2

1 打开一个文件（光盘>素材>18.6.2），如图18-94所示，选择要转换为3D对象的“背景”图层。在“3D>从图层新建形状”下拉菜单中选择一个形状，即可创建3D形状，如图18-95所示，同时，2D图层也会转换为3D图层。

图18-94

图18-95

2 使用3D对象旋转工具旋转易拉罐，如图18-96所示。在“3D”面板中选择“标签材质”，增加它的光泽度和反光度，使模型呈现金属质感，如图18-97所示。选择“无限光2”，增加它的强度，使场景变亮，如图18-98、图18-99所示。其他两个灯光的强度也可以适当增加一些，这样可以使模型的立体感更强。

图18-96

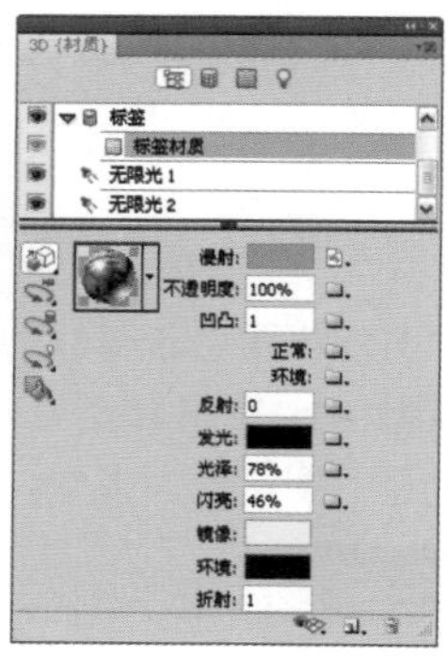

图18-97

图18-98

图18-99

3 在“3D>从图层新建形状”下拉菜单中还可以选择创建锥形、立方体、圆柱体等3D形状，如图18-100所示。

图18-100

相关链接：将多个图像通过Photomerge命令拼合成为全景图后，可执行“3D>从图层新建形状>球面全景”命令将全景图转换为 3D 图层。转换为 3D 对象后，可以在通常难以触及的全景区域上绘画，如极点或包含直线的区域。有关拼合图像内容，请参阅“5.12.1 实战—将多个照片合成为全景图”。

18.6.3 实战——制作3D网格

●实例门类：软件功能类 ●视频位置：光盘>实例视频>18.6.3

“从灰度新建网格”命令可以将灰度图像转换为深度映射，基于图像的明度值转换出深度不一的表面。较亮的值生成表面上凸起的区域，较暗的值生成凹下的区域，进而生成3D模型。我们可以通过该命令制作3D山脉。

1 打开一个文件（光盘>素材>18.6.3），如图18-101所示。

图18-101

2 执行“滤镜>模糊>高斯模糊”命令，对图像进行模糊，如图18-102、18-103所示。使用模糊后的图像制作山脉时，不会生成尖锐的山峰。

图18-102

图18-103

3 在“3D>从灰度新建网格”下拉菜单中选择一个命令，选择“平面”，可以将深度映射数据（黑、白和灰色）应用于平面表面，从而创建3D山脉，如图18-104所示。选择“双面平面”，可创建两个沿中心轴对称的平面，并将深度映射数据应用于两个平面，如图18-105所示。

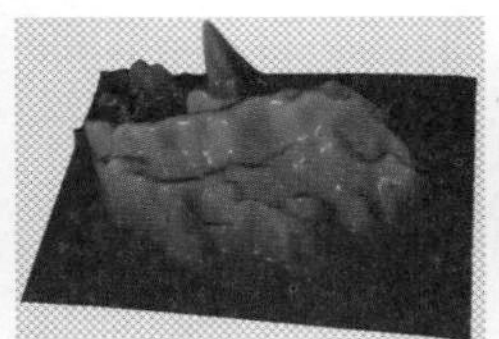

图18-104

图18-105

4 选择“圆柱体”，可以从垂直轴中心向外应用深度映射数据，如图18-106所示。选择“球体”，可以从中心点向外呈放射状地应用深度映射数据，如图18-107所示。

图18-106

图18-107

18.6.4 实战——制作3D立体字

●实例门类：软件功能类 ●视频位置：光盘>实例视频>18.6.4

1 打开一个文件（光盘>素材>18.6.4），如图18-108所示。使用横排文字工具 T 输入文字，如图18-109所示。

图18-108

图18-109

2 执行“3D>凸纹>文本图层”命令，弹出如图18-110所示的对话框，单击“是”按钮，将文字栅格化。在弹出的“凸纹”对话框中，设置凸出深度为10，如图18-111所示，文字产生立体效果，如图18-112所示。

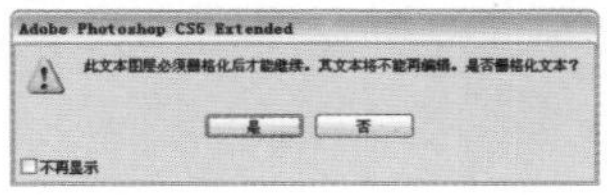

图18-110

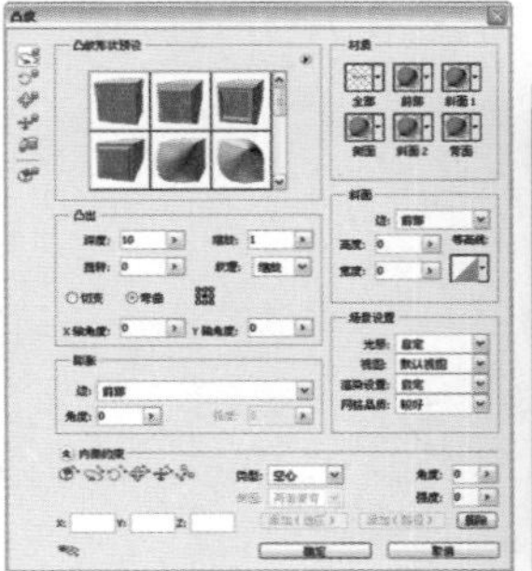

图18-111

图18-112

3 将光标放在画面左上角的3D轴上拖动，调整文字的角度，如图18-113、图18-114所示。单击“确定”按钮关闭对话框，效果如图18-115所示。

图18-113

图18-114

图18-115

提示 “3D>凸纹”下拉菜单中包含“图层蒙版”、“所选路径”、“当前选区”等命令，使用这些命令可以从图层蒙版、路径以及选区中创建3D对象。

18.7 创建3D体积

使用 Photoshop Extended 可以打开和处理医学上的DICOM图像（.dc3、.dcm、.dic 或无扩展名）文件，并根据文件中的帧生成三维模型。

使用“文件>打开”命令可以打开一个DICOM 文件，Photoshop会读取文件中所有的帧，并将它们转换为图层。选择要转换为 3D 体积的图层以后，执行“3D>从图层新建体积”命令，就可以创建 DICOM 帧的 3D 体积。我们可以使用 Photoshop 的 3D 位置工具从任意角度查看 3D 体积，或更改渲染设置以更直观地查看数据。

18.8 存储和导出3D文件

在Photoshop中编辑3D对象时，可以栅格化3D图层、将其转换为智能对象，或者与2D图层合并，也可以将3D图层导出。

18.8.1 存储3D文件

编辑3D文件后，如果要保留文件中的3D内容，包括位置、光源、渲染模式和横截面，可执行“文件>存储”命令，选择PSD、PDF或TIFF作为保存格式。

18.8.2 导出3D图层

在“图层”面板中选择要导出的3D图层，执行“3D>导出3D图层”命令，打开“存储为”对话框，在“格式”下拉列表中可以选择将文件导出为Collada DAE、Wavefront/OBJ、U3D 和 Google Earth 4 KMZ格式。

18.8.3 合并3D图层

执行“3D>合并3D图层”命令可以合并一个场景中的多个3D模型，合并后，可以单独处理每一个模型，或者同时在所有模型上使用位置工具和相机工具。

18.8.4 合并3D图层和2D图层

打开一个2D文档，执行“3D>从3D文件新建图层”命令，在打开的对话框中选择一个3D文件，并将其打开，即可将3D文件与2D文件合并。

如果图层数量较多，为了在编辑对象时快速进行屏幕渲染，可执行“3D>自动隐藏图层以改善性能”命令，此后我们使用工具编辑3D对象时，所有2D图层会暂时隐藏，放开鼠标按键时，它们又会恢复显示。

18.8.5 栅格化3D图层

在“图层”面板中选择3D图层，执行“3D>栅格化”命令，可以将3D图层转换为普通的2D图层。

18.8.6 将3D图层转换为智能对象

在“图层”面板中选择3D图层，在面板菜单中选择“转换为智能对象”命令，可以将3D图层转换为智能对象。转换后，可保留3D图层中的3D信息，我们可以对它应用智能滤镜，或者双击智能对象图层，重新编辑原始的3D场景。

18.8.7 联机浏览3D内容

执行“3D>联机浏览3D内容”内容，可链接到Adobe网站浏览与3D有关的内容，下载3D插件。

提示　如果同时打开了一个2D文件和一个3D文件，则可以直接将一个图层拖入另一个文件中。

18.9 3D模型的渲染

执行“3D>渲染设置”命令，打开“3D渲染设置”对话框，在对话框中可以指定如何绘制3D模型。如果指定每一半横截面的唯一设置，可单击横截面按钮 。设置选项后，如果要将其保存为自定义的预设，可单击存储按钮，需要使用时，可在“预设”下拉列表中选择。如果要删除自定义预设，则单击删除按钮。

18.9.1 渲染设置

单击“3D渲染设置”对话框左侧的复选框启用“表面”、“边缘”、“顶点”、“体积”或“立体”渲染，如图18-116所示，然后可以调整以下选项。

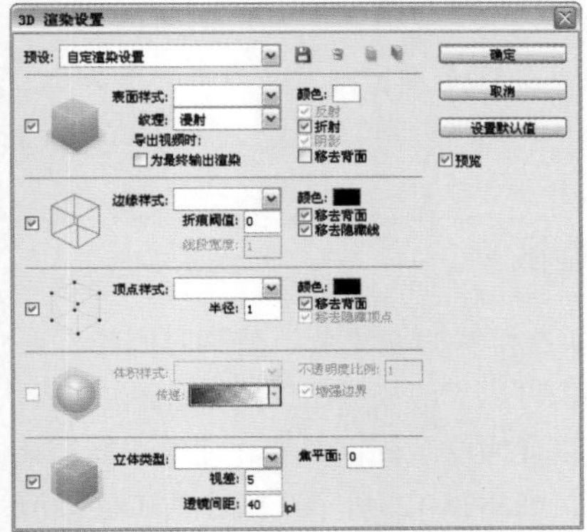

图18-116

选择渲染预设

“预设”选项下拉列表中包含了各种渲染预设。标准渲染预设为“实色”，即显示模型的可见表面。“线框”和“顶点”预设会显示底层结构。要合并实色和线框渲染，可选择“实色线框”预设。要以反映其最外侧尺寸的简单框来查看模型，可选择“外框”预设。如图18-117所示为不同选项的效果。

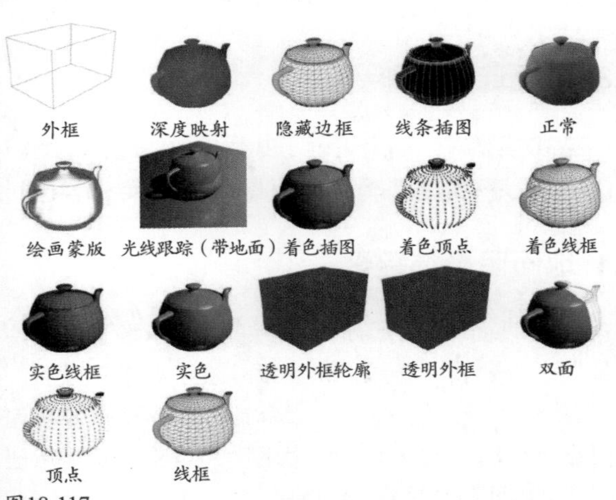

图18-117

表面选项

“表面”选项决定了如何显示模型的表面，如图18-118所示。

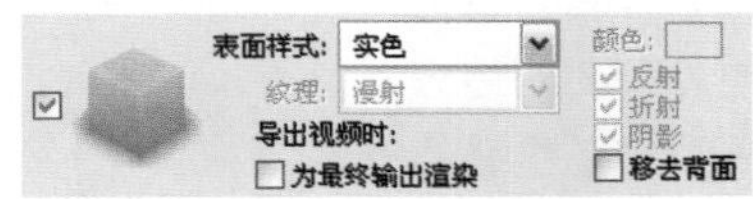

图18-118

- 表面样式：可选择以何种方式绘制表面。选择“实色”，可使用 OpenGL 显卡上的 GPU 绘制没有阴影或反射的表面；选择“光线跟踪”，可使用计算机主板上的 CPU 绘制具有阴影、反射和折射的表面；选择“未照亮的纹理”，绘制没有光照的表面，而不仅仅显示选中的“纹理”选项；选择“平滑”，可对表面的所有顶点应用相同的表面标准，创建刻面外观；选择“常数”，用当前指定的颜色替换纹理；选择“外框”，可显示反映每个组件最外侧尺寸的对话框；选择“正常”，以不同的 RGB 颜色显示表面标准的 X、Y 和 Z 组件；选择“深度映射”，可显示灰度模式，使用明度显示深度；选择“绘画蒙版”，可绘制区域将以白色显示，过度取样的区域以红色显示，取样不足的区域则以蓝色显示。
- 纹理：当“表面样式”设置为“未照亮的纹理”时，可指定纹理映射。
- 为最终输出渲染：对于已导出的视频动画，可产生更平滑的阴影和逼真的颜色出血（来自反射的对象和环境），但需要较长的处理时间。
- 颜色：如果要调整表面的颜色，可单击颜色块。如果要调整边缘或顶点颜色，可单击相应选项中的颜色块。
- 反射/折射/阴影：可显示或隐藏这些光线跟踪特定的功能。
- 移去背面：隐藏双面组件背面的表面。

边缘选项

“边缘”选项决定了线框线条的显示方式，如图18-119所示。

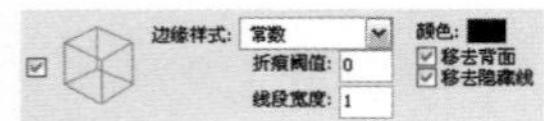

图18-119

- 边缘样式：反映用于以上“表面样式”的“常数”、“平滑”、“实色”和“外框”选项。
- 折痕阈值：当模型中的两个多边形在某个特定角度相接时，会形成一条折痕或线，该选项可调整模型中的结构线条数量。如果边缘在小于该值设置(0-180)的某个角度相接，则会移去它们形成的线。若设置为0，则显示整个线框。
- 线段宽度：指定宽度（以像素为单位）。
- 移去背面：隐藏双面组件背面的边缘。
- 移去隐藏线：移去与前景线条重叠的线条。

顶点选项

“顶点”选项用于调整顶点的外观，即组成线框模型的多边形相交点，如图18-120所示。

图18-120

- 顶点样式：反映用于以上“表面样式”的“常数”、“平滑”、“实色”和“外框”选项。
- 半径：决定每个顶点的像素半径。
- 移去背面：隐藏双面组件背面的顶点。
- 移去隐藏顶点：移去与前景顶点重叠的顶点。

体积选项

“体积”选项用于DICOM图像的体积设置，如图18-121所示。

图18-121

- 体积样式：可选择一种体积样式，在不同的渲染模式下查看3D体积。
- 传递/不透明度比例：使用传递函数的渲染模式，使用Photoshop渐变来渲染体积中的值。渐变颜色和不透明度值与体积中的灰度值合并，以优化或高亮显示不同类型的内容。传递函数渲染模式只适用于灰度DICOM图像。
- 增强边界：保持边界不透明度的同时，降低同质区域的不透明度。

立体选项

“立体”选项用于调整图像的设置，该图像将透过红蓝色玻璃查看，或打印成包括透镜镜头的对象，如图18-122所示。

图18-122

- 立体类型：可以为透过彩色玻璃查看的图像指定“红色/蓝色”，或为透镜打印指定“垂直交错”。
- 视差：调整两个立体相机之间的距离。较高的设置会增大三维深度，减小景深，使焦点平面前后的物体呈现在焦点之外。
- 透镜间距：对于垂直交错的图像，指定“透镜镜头”每英寸包含多少线条数。
- 焦平面：确定相对于模型外框中心的焦平面的位置。输入负值可将平面向前移动，输入正值可将其向后移动。

如果文档包含多个3D图层，则需要为每个图层分别指定渲染设置。

18.9.2 连续渲染选区

3D模型的结构、灯光和贴图越复杂、渲染时间越长。为了提高工作效率，我们可以只渲染模型的局部，从中判断整个模型的最终效果，以便为修改提供参考。使用选框工具在模型上创建一个选区，如图18-123所示，执行“3D连续渲染选区”命令，即可渲染选中的内容，如图18-124所示。

图18-123

图18-124

18.9.3 恢复连续渲染

在渲染3D模型时，如果进行了其他操作，就会中断渲染，执行“恢复连续渲染”命令可以重新恢复渲染3D模型。

18.9.4 地面阴影捕捉器

单击“3D”面板中的场景按钮，显示场景选项，在“场景”下拉列表中选择“光线跟踪最终效果”以后，可执行“3D>地面阴影捕捉器”命令，捕捉模型投射在地面上的阴影。移动3D对象以后，执行“3D>将对象紧贴地面”命令，可以使其紧贴到3D地面上。

18.10 测量

使用Photoshop中的测量功能，可以测量用标尺工具或选择工具定义的任何区域，包括用套索工具、快速选择工具或魔棒工具选定的不规则区域。也可以计算高度、宽度、面积和周长，或跟踪一个或多个图像的测量。

18.10.1 设置测量比例

设置测量比例会在图像中设置一个与比例单位（如英寸、毫米或微米）数相等的指定像素数。创建比例之后，就可以用选定的比例单位测量区域并接收计算和记录结果。执行“分析>设置测量比例>自定”命令，可以打开“测量比例”对话框，如图18-125所示。

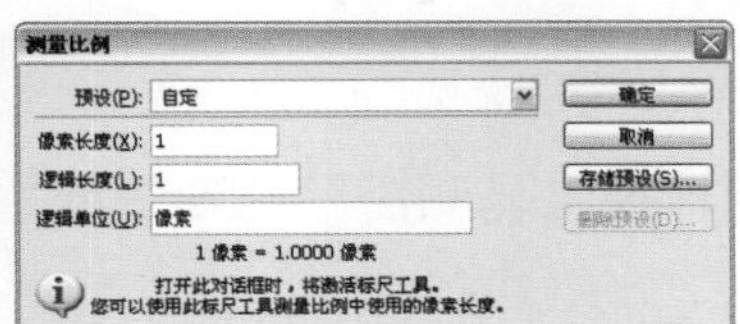

图18-125

- 预设：如果创建了自定义的测量比例预设，可在该选项的下拉列表中将其选择。
- 像素长度：可拖动标尺工具测量图像中的像素距离，或在该选项中输入一个值。关闭“测量比例”对话框时，将恢复当前工具设置。
- 逻辑长度/逻辑单位：可输入要设置为与像素长度相等的逻辑长度和逻辑单位。例如，如果像素长度为50，并且要设置的比例为 50 像素/微米，则应输入 1 作为逻辑长度，并使用微米作为逻辑单位。
- 存储预设/删除预设：单击该按钮，可将当前设置的测量比例保存。需要使用时，可在“预设”下拉列表中选择。如果要删除自定义的预设，可单击“删除预设”按钮。

执行“分析>设置测量比例>默认值”命令，可以返回到默认的测量比例，即1像素＝1像素。

18.10.2 创建比例标记

执行“分析>置入比例标记”命令，打开“测量比例标记”对话框，设置选项并单击“确定”按钮，可创建测量比例标记，如图18-126、图18-127所示。同时文档中会添加一个测量比例标记图层组，它包含文本图层和图形图层，如图18-128所示。

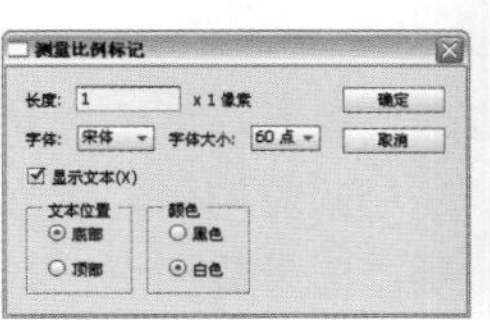

图18-126

图18-127

图18-128

“测量比例标记”对话框的选项内容

- 长度：可输入一个值以设置比例标记的长度（以像素为单位）。
- 字体/字体大小：可选择字体并设置字体的大小。
- 显示文本：勾选该项，可显示比例标记的逻辑长度和单位。
- 文本位置：可选择在比例标记的上方或下方显示题注。
- 颜色：可设置比例标记和题注的颜色（黑色或白色）。

18.10.3 编辑比例标记

如果在文档中创建了测量比例标记，如图18-129所示，可以使用移动工具移动比例标记，使用文字工具编辑题注或修改文本的大小、字体和颜色，如图18-130所示。

图18-129

图18-130

如果要添加新的比例标记，可执行“分析>置入比例标记”命令，弹出一个对话框，如图18-131所示。单击“移去”按钮，可替换现有的标记；单击“保留”按钮，可新建比例标记并保留原有的比例标记，如图18-132所示。如果新的比例标记和原有的标记彼此遮盖，可在“图层”面板中隐藏原来的比例标记，查看新的比例标记。

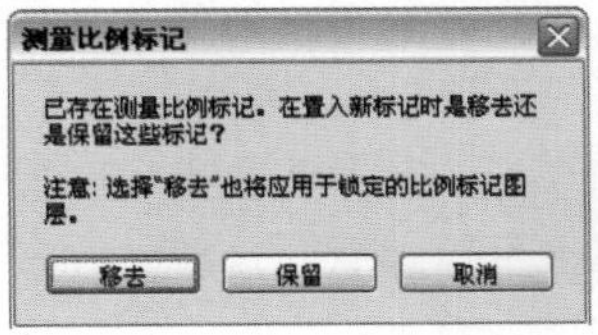

图18-131

图18-132

如果要删除比例标记，可以将测量比例标记图层组拖至删除图层按钮上删除。

相关链接：关于图层的显示、隐藏和删除等操作方法，请参阅“6.3 编辑图层”。

18.10.4 选择数据点

数据点会向测量记录添加有用信息，例如，可添加要测量的文件的名称、测量比例和测量的日期/时间等。执行“分析>选择数据点>自定”命令，打开“选择数据点”对话框，如图18-133所示。在对话框中，数据点将根据可以测量它们的测量工具进行分组，“通用”数据点适用于所有工具，此外，我们还可以单独设置选区、标尺工具和计数工具的数据点，各个选项的具体功能如下。

图18-133

- 标签：标识每个测量并自动将每个测量编号为测量1、测量2等。
- 日期和时间：应用表示测量发生时间的日期/时间戳。
- 文档：标识测量的文档（文件）。
- 源：测量的源，即标尺工具、计数工具或选择工具。
- 比例：源文档的测量比例（例如，100 像素 = 3 英里）。
- 比例单位：测量比例的逻辑单位。
- 比例因子：分配给比例单位的像素数。
- 计数：根据使用的测量工具发生变化。使用选择工具时，表示图像上不相邻的选区的数目；使用计数工具时，表示图像上已计数项目的数目；使用标尺工具时，表示可见的标尺线的数目（1或2）。
- 面积：用方形像素或根据当前测量比例校准的单位（如平方毫米）表示的选区的面积。
- 周长：选区的周长。
- 圆度：4pi(面积/周长2)。若值为 1.0，则表示一个完全的圆形，当值接近 0.0 时，表示一个逐渐拉长的多边形。
- 高度：选区的高度 (max y - min y)，其单位取决于当前的测量比例。
- 宽度：选区的宽度 (max x - min x)，其单位取决于当前的测量比例。
- 灰度值：这是对亮度的测量。
- 累计密度：选区中的像素值的总和。此值等于面积（以像素为单位）与平均灰度值的乘积。
- 直方图：为图像中的每个通道生成直方图数据，并记录 0 到 255之间的每个值所表示的像素的数目。对于一次测量的多个选区，将为整个选定区域生成一个直方图文件，并为每个选区生成附加的直方图文件。
- 长度：标尺工具在图像上定义的直线距离，其单位取决于当前的测量比例。
- 角度：标尺工具的方向角度 (±0-180)。

18.10.5 实战——使用标尺工具测量距离和角度

●实例门类：软件功能类　●视频位置：光盘>实例视频>18.10.5

1 标尺工具可以测量两点间的距离、角度和坐标。打开一个文件（光盘>素材>18.10.5），执行“分析>标尺工具”命令，或选择标尺工具。将光标放在需要测量的起点处，光标会变为状，如图18-134所示；单击并拖动鼠标至测量的终点处，测量结果会显示在工具选项栏和“信息”面板中，如图18-135所示。

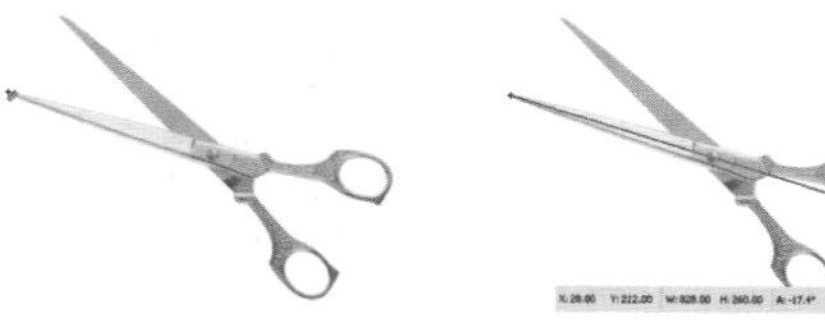

图18-134　图18-135

2 我们下面来测量剪刀夹角的角度。单击工具选项栏中的“清除”按钮，清除画面中的测量线。将光标放在角度的起点处，如图18-136所示，单击并拖动至夹角处，然后放开鼠标，如图18-137所示。

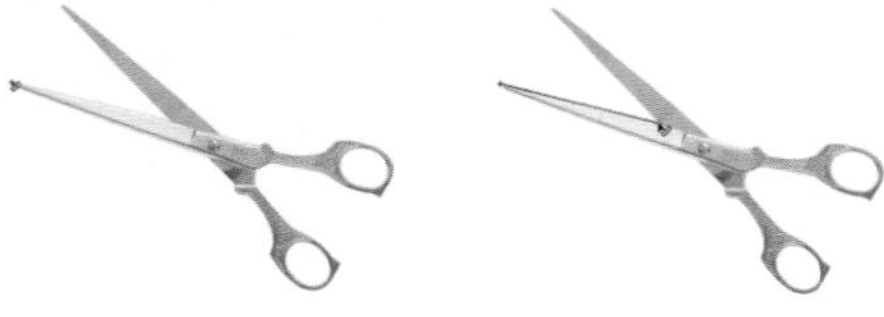

图18-136　图18-137

提示：如果要创建水平、垂直或以45°角为增量的测量线，可按住Shift键拖动鼠标。创建测量线后，将光标放在测量线的一个端点上，拖动鼠标可以移动测量线。

3 按住Alt键，光标会变为⊾状，如图18-138所示，单击并拖动鼠标至测量的终点处，放开鼠标后，角度的测量结果便显示在工具选项栏中，如图18-139所示。

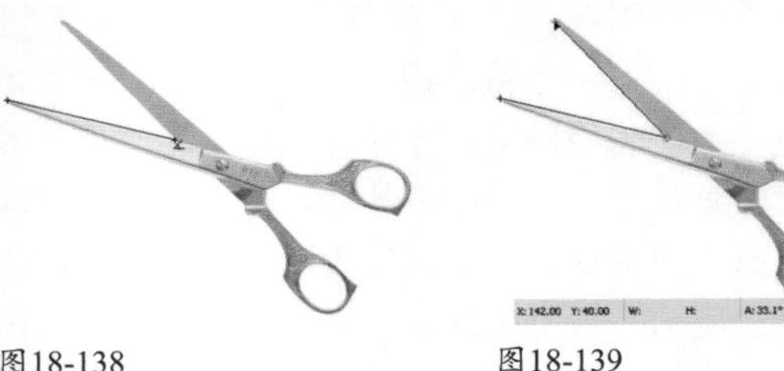

图18-138　　图18-139

识别测量结果

测量完成后，标尺工具的选项栏中会显示测量的结果，各个选项的含义如下。

- X/Y：起始位置（X 和 Y）
- W/H：在x和y轴上移动的水平（W）和垂直（H）距离。
- A：相对于轴测量的角度 (A)。
- L1/L2：使用量角器时移动的两个长度（L1 和 L2）。

技术看板 69 使用标尺工具调整图像的角度

使用标尺工具在图像上单击并拖出一条直线，放开鼠标后，执行“图像>旋转画布>任意角度”命令，打开“旋转画布”对话框，对话框中显示了测量的角度，如果单击“确定”按钮，图像就以该角度为基准旋转，通过这种方法可以校正倾斜的照片。

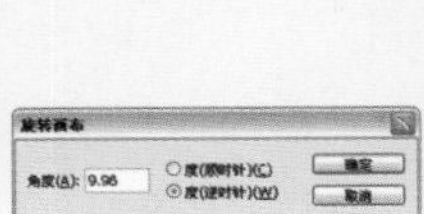

18.11 对图像进行计数

在Photoshop中，我们可以使用计数工具对图像中的对象计数，也可以自动对图像中的多个选定区域计数。下面我们就来了解如何进行计数操作。

18.11.1 实战——对图像中的项目手动计数

●实例门类：软件功能类　●视频位置：光盘>实例视频>18.11.1

1 打开一个文件（光盘>素材>18.11.1），如图18-140所示。执行“分析>计数工具”命令，或选择计数工具$1_2{}^3$，单击图像，Photoshop会跟踪单击次数，并将计数数目显示在项目上和“计数工具”选项栏中，如图18-141所示。

图18-140

图18-141

2 执行“分析>记录测量命令”，可以将计数数目记录到“测量记录”面板中，如图18-142所示。

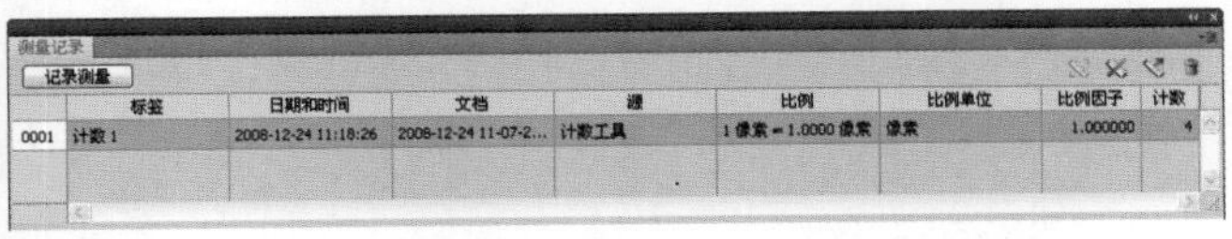

测量记录

记录测量

	标签	日期和时间	文档	源	比例	比例单位	比例因子	计数
0001	计数 1	2008-12-24 11:18:26	2008-12-24 11-07-2...	计数工具	1 像素 = 1.0000 像素	像素	1.000000	4

图18-142

如果要移动计数标记，可以将光标放在标记或数字上方，当光标变成方向箭头时，再进行拖动；按住 Shift 键可限制为沿水平或垂直方向拖动；按住Alt键单击标记，可删除标记。

计数工具选项栏

选择计数工具后，在工具选项栏中会显示计数数目、颜色、标记大小等选项，如图18-143所示。各个选项的含义如下。

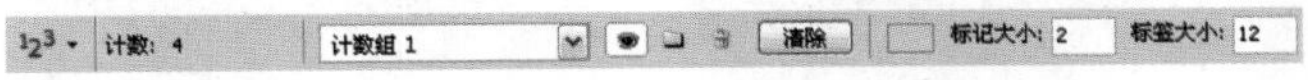

$1_2{}^3$ ▾ 计数：4　计数组 1　清除　标记大小：2　标签大小：12

图18-143

- 计数：显示了总的计数数目。
- 计数组：类似于图层组，可包含计数，每个计数组都可以有自己的名称、标记和标签大小以及颜色。单击文件夹图标可以创建计数组；单击眼睛图标可以显示或隐藏计数组；单击删除图标可以删除计数组。
- 清除：单击该按钮，可将计数复位到 0。
- 颜色：单击颜色块，可以打开“拾色器”设置计数组的颜色，如图18-144所示为设置为红色的效果。

- 标记大小：可输入1~10的值，定义计数标记的大小，如图18-145所示。
- 标签大小：可输入8~72的值，定义计数标签的大小，如图18-146所示。

图18-144

图18-145

图18-146

18.11.2 实战——使用选区自动计数

●实例门类：软件功能类 ●视频位置：光盘>实例视频>18.11.2

1 打开一个文件（光盘>素材>18.11.2），如图18-147所示。我们来创建一个选区以包含图像中要计数的对象。使用快速选择工具在彩蛋上单击并拖动鼠标，选择部分内容，如图18-148所示。

图18-147

图18-148

2 执行“分析>选择数据点>自定”命令，打开“选择数据点”对话框，在对话框中可以设置计算高度、宽度、面积和周长等内容，我们采用默认的设置，即选择所有数据点，单击“确定”按钮关闭对话框。

3 执行“窗口>测量记录”命令，打开“测量记录”面板。执行“分析>记录测量”命令，或按下“测量记录”面板中的“记录测量”按钮，Photoshop 会对选区计数，如图18-149所示。

图18-149

4 创建测量记录后，可以将数据导出到逗号分隔的文本文件中，可以在电子表格应用程序中打开该文本文件，并利用这些测量数据执行统计或分析计算。单击面板顶部的导出按钮，打开“存储”对话框，设置文件名和保存位置，如图18-150所示，单击“保存”按钮导出文件。如图18-151所示为使用Excel打开的该文件。

图18-150

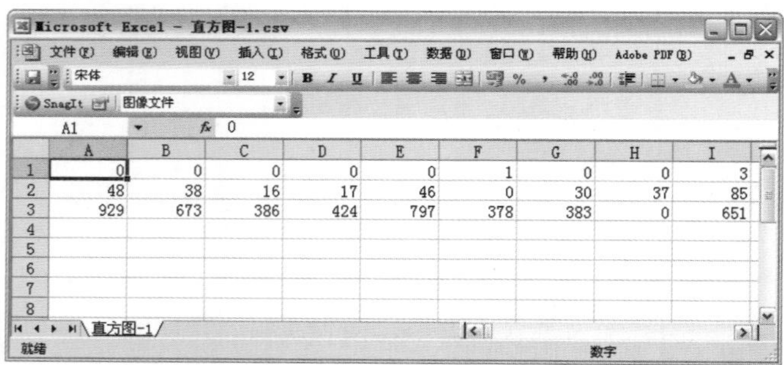

	A	B	C	D	E	F	G	H	I
1	0	0	0	0	0	1	0	0	3
2	48	38	16	17	46	0	30	37	85
3	929	673	386	424	797	378	383	0	651

图18-151

“测量记录”面板选项

- 记录测量：单击该按钮，可在面板中添加测量记录。
- 选择所有测量/取消选择所有测量：单击按钮，可选择面板中所有的测量记录。选择后，单击按钮，可取消选择。
- 导出所选测量；单击该按钮，可以将测量记录导出。
- 删除所选测量：在面板中选择一个测量记录后，单击该按钮可将其删除。

18.12 图像堆栈

图像堆栈可以将一组参考帧相似、但品质或内容不同的图像组合在一起。将多个图像组合到堆栈中之后，我们就可以对它们进行处理，生成一个复合视图，以消除不需要的内容或杂色。图像堆栈可用于减少法学、医学或天文图像中的图像杂色和扭曲，或者从一系列静止照片或视频帧中移去不需要的或意外的对象。例如，移去从图像中走过的人物，或移去在拍摄的主题前面经过的汽车。

18.12.1 创建图像堆栈

为了获得最佳结果，图像堆栈中包含的图像应具有相同的尺寸和极其相似的内容，例如，从固定视点拍摄的一组静态图像或静态视频摄像机录制的一系列帧。图像的内容应非常相似，以便我们能够将它们与组中的其他图像套准或对齐。

如果要创建图像堆栈，可以选择所有图层，如图18-152、图18-153所示（这是一组猎户座的星空图像），执行“编辑>自动对齐图层”命令，打开“自动对齐图层”对话框，选择“自动”作为对齐选项，如图18-154所示，单击“确定”按钮关闭对话框。

图18-152

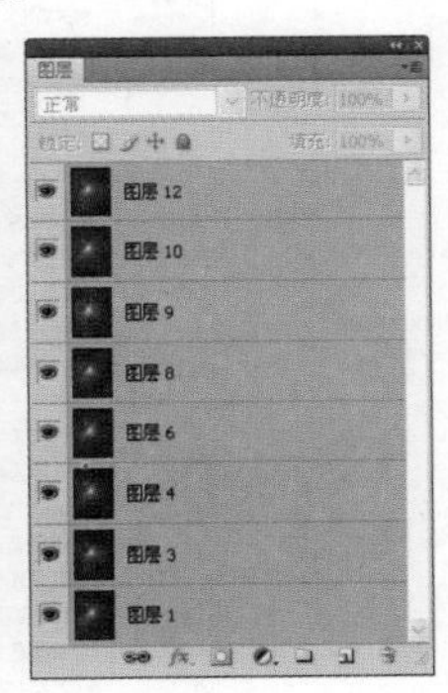

图18-153

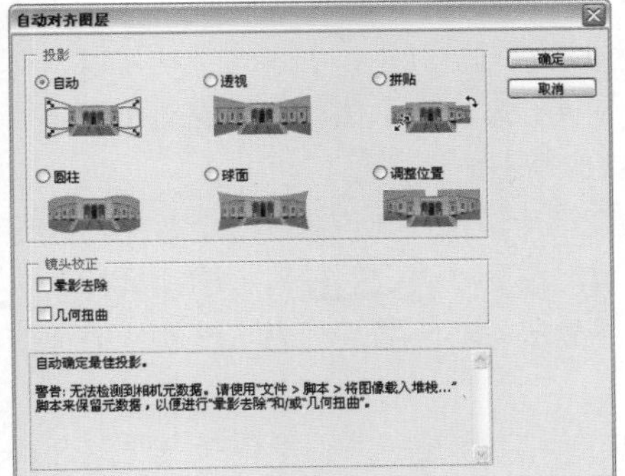

图18-154

执行“图层>智能对象>转换为智能对象”命令，将所选图层创建为一个智能对象，如图18-155所示，然后在“图层>智能对象>堆栈模式”下拉菜单中选择一个堆栈模式，如图18-156所示。如果要减少杂色，可选择“平均值”或“中间值”模式；如果要从图像中移去对象，可选择“中间值”模式。如图18-157所示为选择“中间值”模式的效果。

图18-155

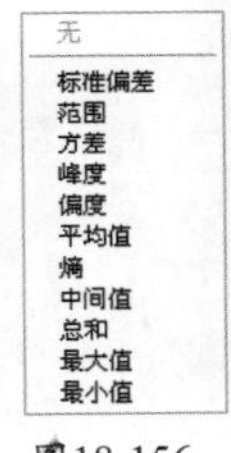

图18-156

图18-157

18.12.2 编辑图像堆栈

图像堆栈是智能对象，在“图层”面板中双击它的缩览图，可以重新打开构成堆栈图层的原始图像，对其进行编辑并存储后，可以自动更新文档中的对象。如果要将图像堆栈转换为普通图层，可执行“图层”>“智能对象>栅格化”命令。

提示：对堆栈应用的处理选项称作堆栈模式，更改堆栈模式可以产生不同的效果，但堆栈中的原始图像信息保持不变。

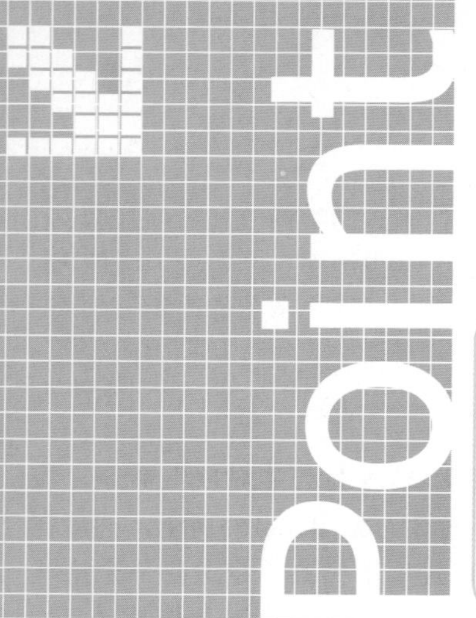

第19章 动作与任务自动化

19.1 使用动作实现自动化

动作是用于处理单个文件或一批文件的一系列命令。在Photoshop中，我们可以将图像的处理过程通过动作记录下来，以后对其他图像进行相同的处理时，执行该动作便可以自动完成操作任务。下面我们就来详细了解如何创建和使用动作。

19.1.1 了解动作面板

“动作”面板用于创建、播放、修改和删除动作，如图19-1所示。如图19-2所示为面板菜单，菜单底部包含了Photoshop预设的一些动作，选择一个动作，可将其载入到面板中，如图19-3所示。如果选择“按钮模式”命令，则所有的动作会变为按钮状，如图19-4所示。

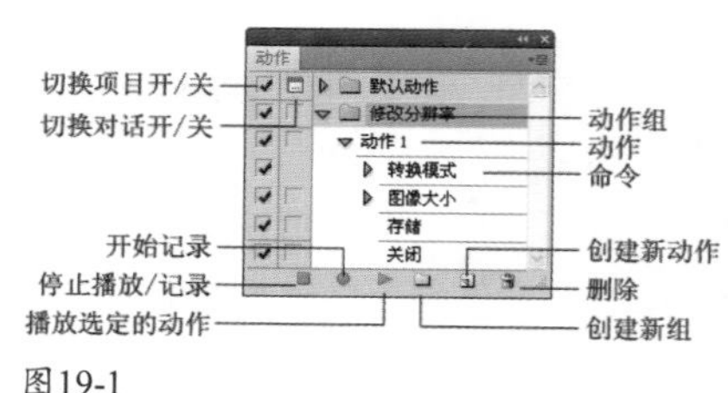

图19-1

按钮模式
新建动作...
新建组...
复制
删除
播放
开始记录
再次记录...
插入菜单项目...
插入停止...
插入路径
动作选项...
回放选项...
清除全部动作
复位动作
载入动作...
替换动作...
存储动作...
命令
画框
图像效果
LAB - 黑白技术
制作
流星
文字效果
纹理
视频动作

图19-2

图19-3

动作
淡出效果（选区）
画框通道 - 50 像素
木质画框 - 50 像素
投影（文字）
水中倒影（文字）
自定义 RGB 到灰度
熔化的铅块
制作剪贴路径（选区）
棕褐色调（图层）
四分颜色
存储为 Photoshop PDF
渐变映射
动作 1
滴溅形画框
笔刷形画框
浪花形画框
波形画框
投影画框
照片卡角
裁切（选区）
下陷画框（选区）

图19-4

- 切换项目开/关✔：如果动作组、动作和命令前显示有该标志，表示这个动作组、动作和命令可以执行；如果动作组或动作前没有该标志，表示该动作组或动作不能被执行；如果某一命令前没有该标志，则表示该命令不能被执行。
- 切换对话开/关▭：如果命令前显示该标志，表示动作执行到该命令时会暂停，并打开相应命令的对话框，此时可修改命令的参数，按下“确定”按钮可继续执行后面的动作；如果动作组和动作前出现该标志，并显示为红色▭，则表示该动作中有部分命令设置了暂停。
- 动作组/动作/命令：动作组是一系列动作的集合，动作是一系列操作命令的集合。单击命令前的▶按钮可以展开命令列表，显示命令的具体参数。
- 停止播放/记录■：用来停止播放动作和停止记录动作。
- 开始记录●：单击该按钮，可录制动作。

Learning Objectives
学习重点

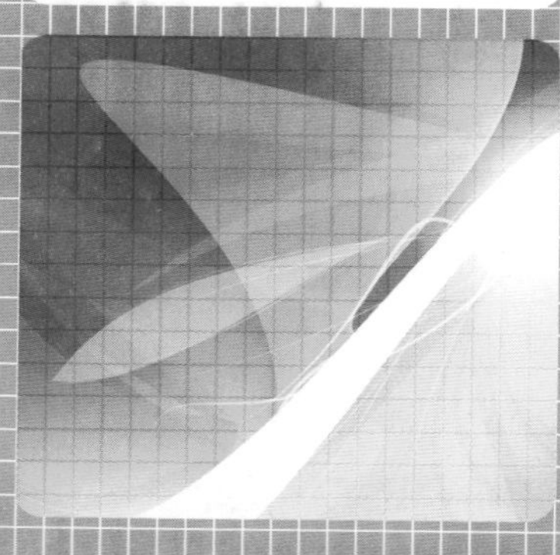

- 播放选定的动作▶：选择一个动作后，单击该按钮可播该动作。
- 创建新组：可创建一个新的动作组，以保存新建的动作。
- 创建新动作：单击该按钮，可创建一个新的动作。
- 删除：选择动作组、动作和命令后，单击该按钮，可将其删除。

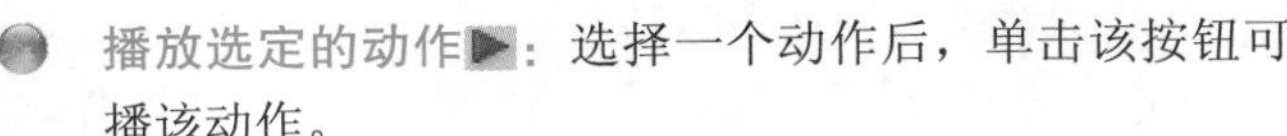

19.1.2 实战——录制用于处理照片的动作

●实例门类：软件功能类 ●视频位置：光盘>实例视频>19.1.2

下面我们来录制一个将照片处理为反冲效果的动作，并用该动作处理其他照片。

1 打开一个文件（光盘>素材>19.1.2a），如图19-5所示。打开“动作”面板，单击创建新组按钮，打开“新建组”对话框，输入动作组的名称，如图19-6所示，单击“确定”按钮，新建一个动作组，如图19-7所示。

图19-5

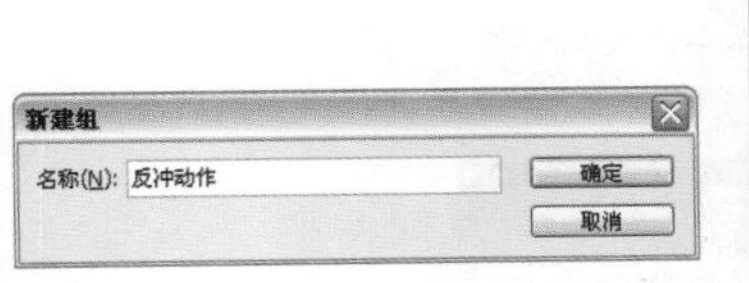

图19-6

图19-7

提示 录制动作前首先应新建一个动作组，以便将动作保存在该组中。如果没有创建新的动作组，则录制的动作会保存在当前选择的动作组中。

2 单击创建新动作按钮，打开“新建动作”对话框，输入动作名称，将颜色设置为蓝色，如图19-8所示。单击“记录”按钮，开始录制动作，此时，面板中的开始记录按钮会变为红色●，如图19-9所示。

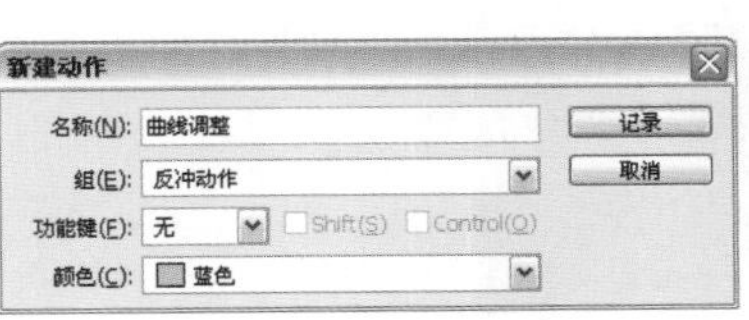

图19-8

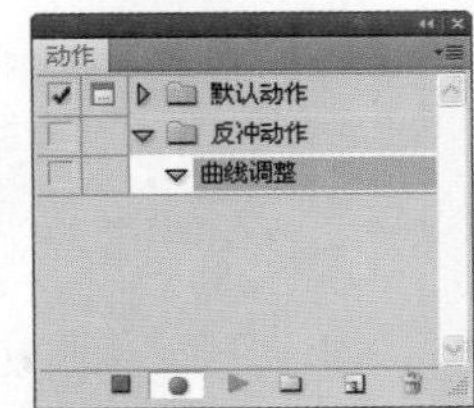

图19-9

3 按下Ctrl+M快捷键，打开“曲线”对话框，在“预设”下拉列表中选择“反冲（RGB）”，如图19-10所示，单击“确定”按钮关闭对话框，将该命令记录为动作，如图19-11所示，图像效果如图19-12所示。

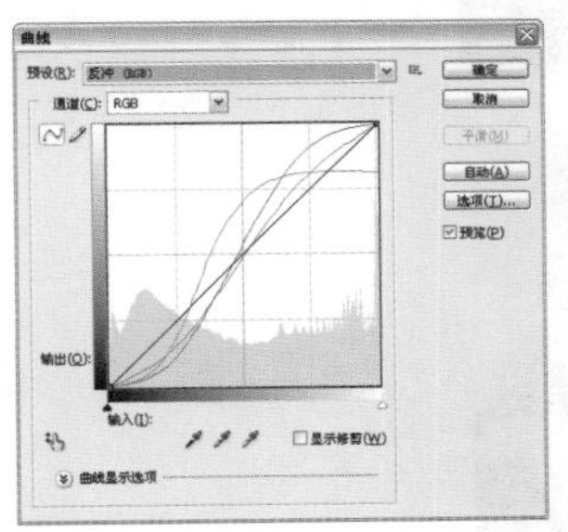

图19-10

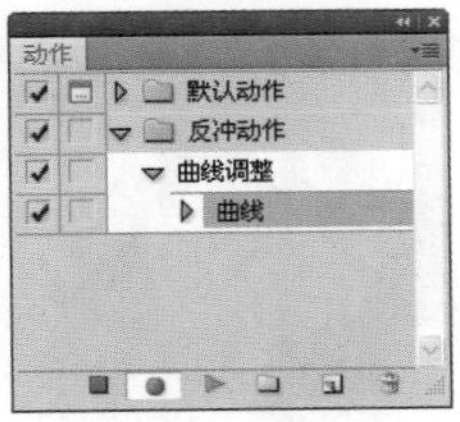

图19-11

图19-12

4 按下Shiift+Ctrl+S快捷键，将文件另存，然后关闭文件。单击“动作”面板中的停止播放/记录按钮，完成动作的录制，如图19-13所示。由于我们在“新建动作”对话框中将动作设置为蓝色，因此，按钮模式下新建的动作便会显示为蓝色，如图19-14所示。为动作设置颜色只是便于在按钮模式下区分动作，并没有其他用途。

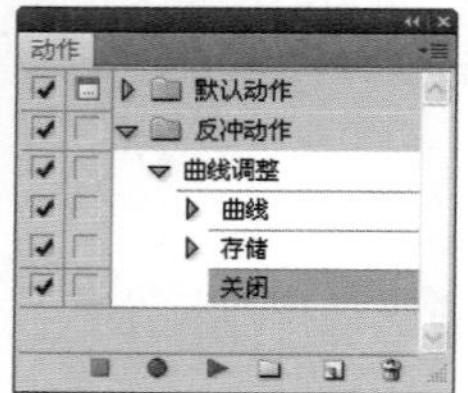

图19-13

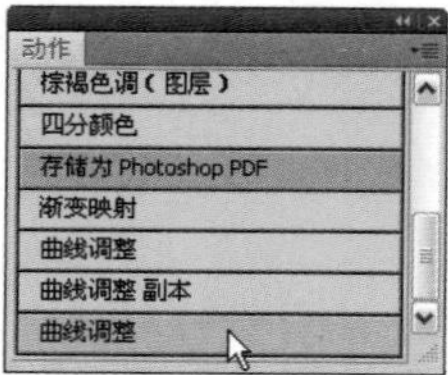

图19-14

5 下面我们来使用录制的动作处理其他图像。打开一个文件（光盘>素材>19.1.2b），如图19-15所示。选择“曲线调整”动作，如图19-16所示，单击▶按钮播放该动作，经过动作处理的图像效果如图19-17所示。“动作”面板为按钮模式时，可单击一个按钮播放该动作。

图19-15

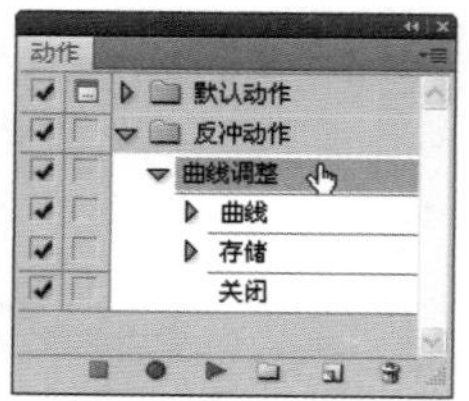

图19-16

图19-17

技术看板 70 可以录制为动作的操作内容

在Photoshop中，使用选框、移动、多边形、套索、魔棒、裁剪、切片、魔术橡皮擦、渐变、油漆桶、文字、形状、注释、吸管和颜色取样器等工具进行的操作均可录制为动作。另外，在“色板”、“颜色”、“图层”、“样式”、“路径”、“通道”、“历史记录”和“动作”面板中进行的操作也可以录制为动作。对于有些不能被记录的操作，可以插入菜单项目或者停止命令，我们会在后面详细讲解。

技术看板 71 动作的播放技巧

- 按照顺序播放全部动作：选择一个动作，单击播放选定的动作按钮▶，可按照顺序播放该动作中的所有命令。
- 从指定命令开始播放动作：在动作中选择一个命令，单击播放选定的动作按钮▶，可以播放该命令及后面的命令，它之前的命令不会播放。
- 播放单个命令：按住Ctrl键双击面板中的一个命令，可单独播放该命令。
- 播放部分命令：当动作组、动作和命令前显示有切换项目开关✔时，表示可以播放该动作组、动作和命令。如果取消某些命令前的勾选，这些命令便不能够播放；如果取消某一动作前的勾选，该动作中的所有命令都不能够播放；如果取消某一动作组前的勾选，则该组中的所有动作和命令都不能够播放。

19.1.3 实战——在动作中插入命令

●实例门类：软件功能类　●视频位置：光盘>实例视频>19.1.3

1 打开任意一个图像文件。单击“动作”面板中的“曲线”命令，将该命令选择，如图19-18所示。我们将在该命令后面添加新的命令。

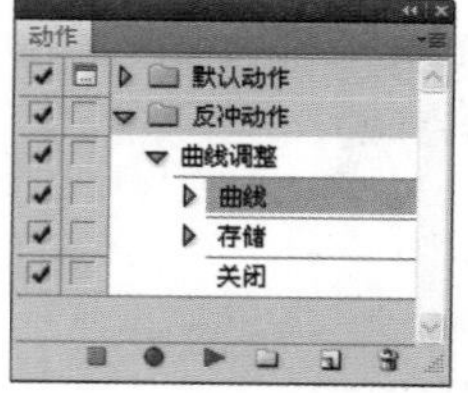

图19-18

2 单击开始记录按钮●录制动作，执行“滤镜>锐化>USM锐化”命令，设置参数如图19-19所示，然后关闭对话框。

3 单击停止播放/记录按钮■，停止录制，即可将锐化图像的操作插入到“曲线”命令的后面，如图19-20所示。

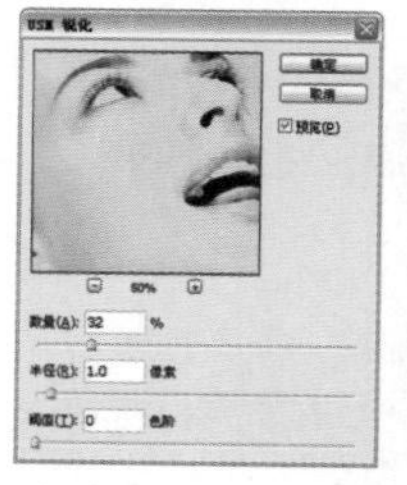
图19-19

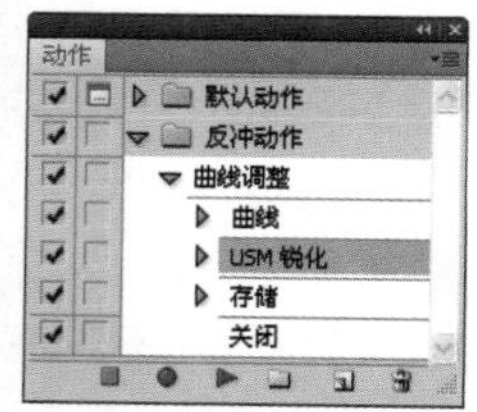

图19-20

19.1.4 实战——在动作中插入菜单项目

●实例门类：软件功能类 ●视频位置：光盘>实例视频>19.1.4

插入菜单项目是指在动作中插入菜单中的命令，这样的话就可以将许多不能录制的命令插入到动作中，如绘画和色调工具、工具选项、“视图”菜单和“窗口”菜单中的命令等。

1 选择“动作”面板中的“USM锐化”命令，如图19-21所示，我们将在该命令后面插入菜单项目。

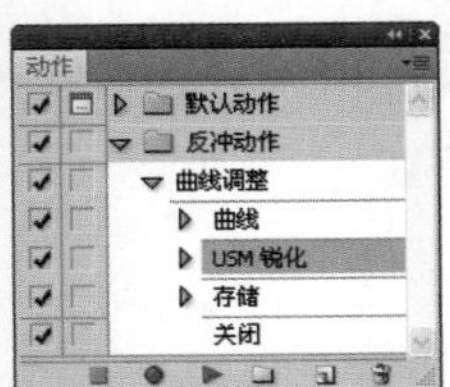

图19-21

2 执行面板菜单中的“插入菜单项目”命令，打开“插入菜单项目”对话框，如图19-22所示。执行“视图>显示>网格”命令。然后单击“插入菜单项目”对话框中的“确定”按钮，显示网格的命令便可以插入到动作中，如图19-23所示。

图19-22

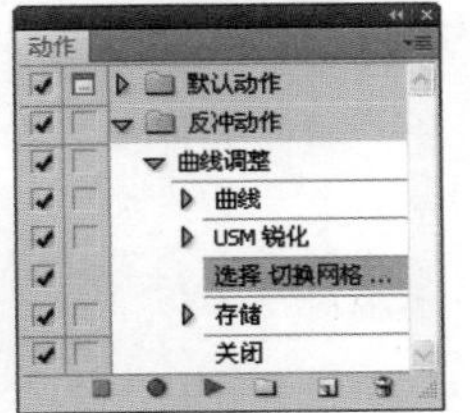

图19-23

19.1.5 实战——在动作中插入停止

●实例门类：软件功能类 ●视频位置：光盘>实例视频>19.1.5

插入停止是指让动作播放到某一步时自动停止，这样就可以手动执行无法录制为动作的任务，如使用绘画工具进行绘制等。

1 选择“动作”面板中的“曲线”命令，如图19-24所示，我们将在该命令后面插入停止。

2 执行面板菜单中的“插入停止”命令，打开“记录停止”对话框，输入提示信息，并勾选“允许继续”选项，如图19-25所示。单击“确定”按钮关闭对话框，可将停止插入到动作中，如图19-26所示。

3 播放动作时，执行完“曲线”命令后，动作就会停止，并弹出我们在“记录停止”对话框中输入的提示信息，如图19-27所示。单击“停止”按钮停止播放，就可以使用绘画工具等编辑图像，编辑完成后，可单击播放选定的动作按钮▶继续播放后面的命令；如果单击对话框中的“继续”按钮，则不会停止，而是继续播放后面的动作。

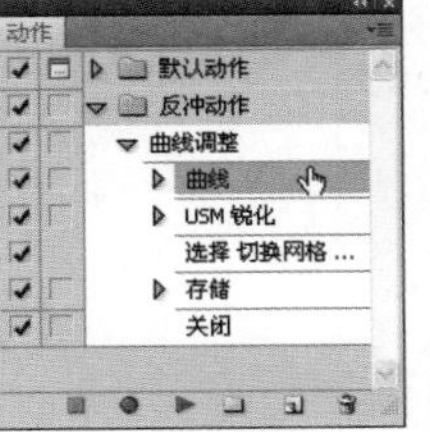

图19-24

记录停止
信息:
用画笔工具处理
确定
取消
允许继续

图19-25

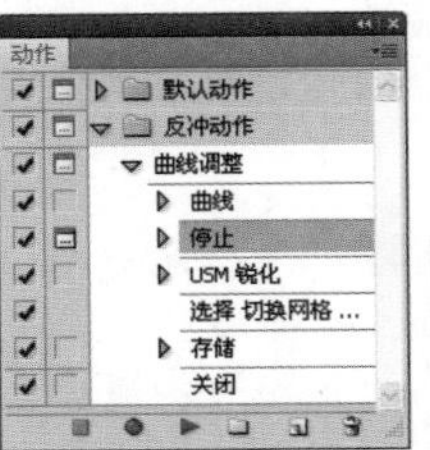

图19-26

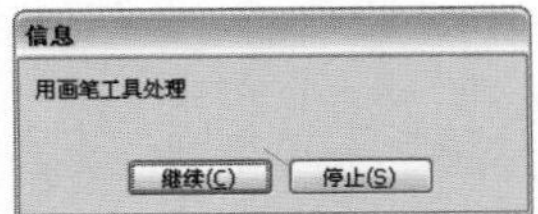

图19-27

19.1.6 实战——在动作中插入路径

●实例门类：软件功能类 ●视频位置：光盘>实例视频>19.1.6

插入路径指的是将路径作为动作的一部分包含在动作内。插入的路径可以是用钢笔和形状工具创建的路径，或者是从Illustrator中粘贴的路径。

1 打开一个文件（光盘>素材>19.1.6），如图19-28所示。选择自定形状工具，在工具选项栏中按下路径按钮，选择太极图形，如图19-29所示，在画面中绘制该图形，如图19-30所示。

图19-28

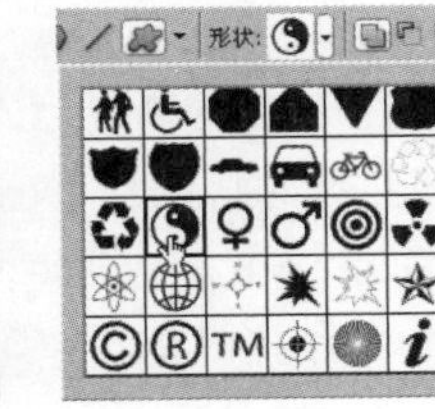

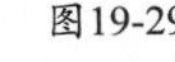

图19-29

图19-30

2 在“动作”面板中选择“USM锐化”命令，如图19-31所示，执行面板菜单中的“插入路径”命令，在该命令后插入路径，如图19-32所示。播放动作时，工作路径将被设置为所记录的路径。

图19-31

图19-32

如果要在一个动作中记录多个“插入路径”命令，需要在记录每个“插入路径”命令之后，都执行“路径”面板菜单中的“存储路径”命令。否则，每记录的一个路径都会替换掉前一个路径。

19.1.7 重排、复制与删除动作

在“动作”面板中，将动作或命令拖移至同一动作或另一动作中的新位置，即可重新排列动作和命令，如图19-33、图19-34所示。按住Alt键移动动作和命令，或者将动作和命令拖至创建新动作按钮上，可以将其复制。

图19-33

图19-34

将动作或命令拖至“动作”面板中的删除按钮上，可将其删除，执行面板菜单中的“清除全部动作”命令，可删除所有动作。需要将面板恢复为默认的动作，可执行面板菜单中的“复位动作”命令。

19.1.8 修改动作的名称和参数

如果要修改动作组或动作的名称，可以将它选择，如图19-35所示，然后执行面板菜单中的“组选项”或“动作选项”命令，打开选项对话框进行设置，如图19-36所示。如果要修改命令的参数，可以双击命令，如图19-37所示，打开该命令的对话框修改参数，如图19-38所示。

图19-35

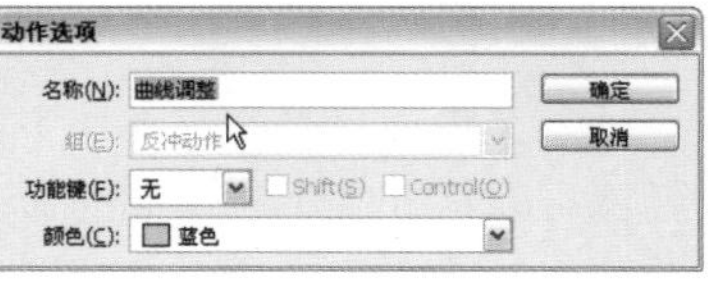

图19-36

图19-37

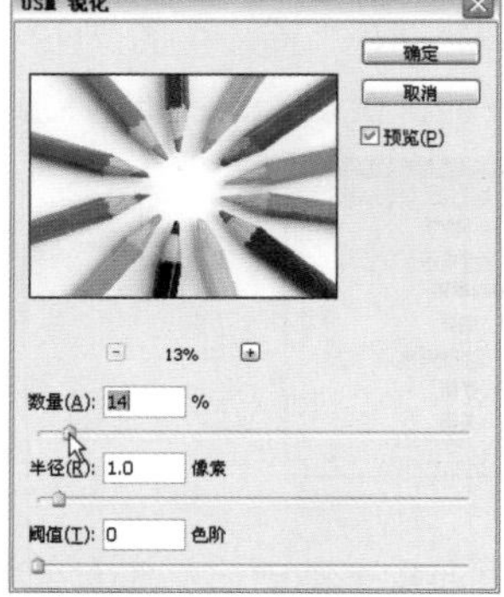

图19-38

19.1.9 指定回放速度

执行“动作”面板菜单中的“回放选项”命令，打开“回放选项”对话框，如图19-39所示，在对话框中可以设置动作的播放速度，也可以将其暂停，以便对动作进行调试。

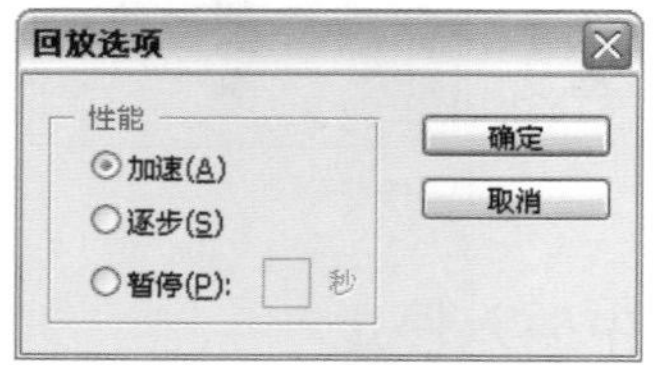

图19-39

- 加速：默认的选项，以正常的速度播放动作。
- 逐步：显示每个命令的处理结果，然后再转入下一个命令，动作的播放速度较慢。
- 暂停：勾选该项并输入时间，可指定播放动作时各个命令的间隔时间。

19.1.10 载入外部动作库

执行“动作”面板菜单中的“载入动作”命令，打开“载入”对话框，选择光盘“动作库”文件夹中的一个动作，如图19-40所示，单击“载入”按钮，可将其载入到“动作”面板中，如图19-41所示。

图19-40

图19-41

19.1.11 实战——载入外部动作制作拼贴照片

●实例门类：软件功能类 ●视频位置：光盘>实例视频>19.1.11

1 按下Ctrl+O快捷键，打开一张照片（光盘>素材>19.1.11），如图19-42所示。

图19-42

2 打开“动作”面板，单击面板右上角的按钮，在打开的菜单中选择“载入动作”命令，选择光盘中提供的拼贴动作，如图19-43所示。单击“载入”按钮，将它载入到“动作”面板中，如图19-44所示。

图19-43

图19-44

3 选择“拼贴”动作，如图19-45所示。单击播放选定的动作按钮播放动作，用该动作处理照片，处理过程需要一定的时间，如图19-46所示为创建的拼贴效果。

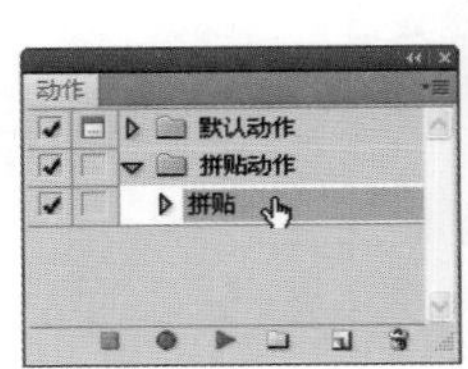

图19-45

图19-46

19.2 批处理

批处理是指将动作应用于所有的目标文件。我们可以通过批处理来完成大量相同的、重复性的操作，以节省时间，提高工作效率，并实现图像处理的自动化。

19.2.1 实战——处理一批图像文件

●实例门类：软件功能类 ●视频位置：光盘>实例视频>19.2.1

批处理是非常实用的功能，我们可以使用它批量处理照片，如调整照片的大小和分辨率，或者对照片进行锐化、模糊等处理。在进行批处理前，首先应该将需要批处理的文件保存到一个文件夹中（光盘>素材>19.2.1），如图19-47所示，然后在“动作”面板中录制好动作。我们可以使用前面录制的动作来完成此次练习，但需要整理一下动作。

图19-47

1 打开“动作”面板，如图19-48所示，将“反冲”动作组中的停止、工作路径、网格等命令拖动到删除动作按钮上删除，如图19-49所示。

图19-48

图19-49

2 执行“文件>自动>批处理”命令，打开“批处理”对话框。在“播放”选项中选择要播放的动作，然后单击“选择”按钮，如图19-50所示，打开“浏览文件夹”对话框，选择图像所在的文件夹，如图19-51所示。

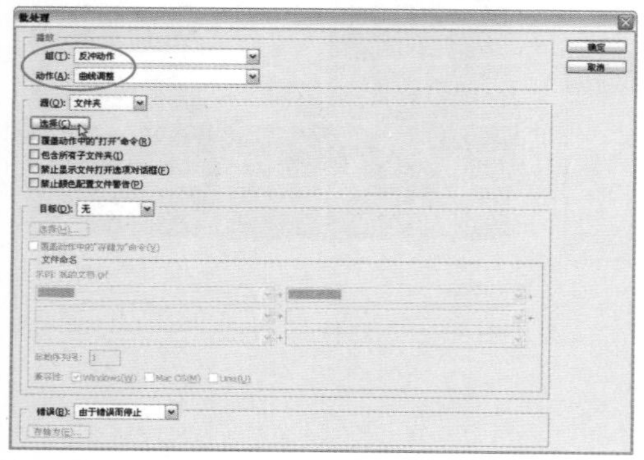

图19-50

图19-51

3 在“目标”下拉列表中选择“文件夹”，然后单击“选择”按钮，如图19-52所示，在打开的对话框中指定完成批处理后文件的保存位置，然后关闭对话框，勾选“覆盖动作中的存储为命令”选项，如图19-53所示。

4 接下来便可以进行批处理操作了，按下“确定”按钮，Photoshop就会使用所选动作将文件夹中的所有图像都处理为反冲效果，如图19-54所示。在批处理的过程中，如果要中止操作，可以按下Esc键。

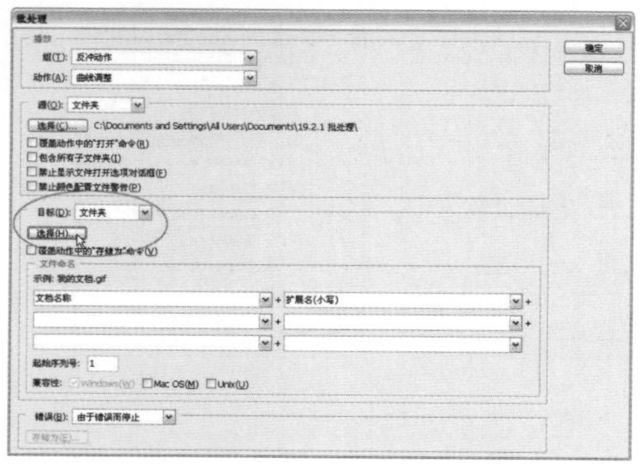

图19-52

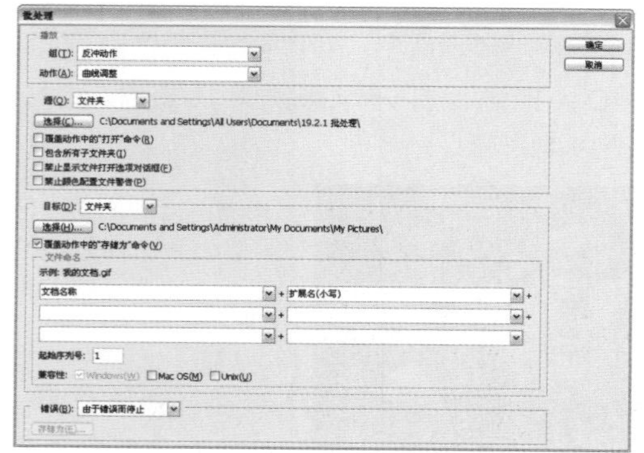

图19-53

图19-54

“批处理”对话框的主要选项

源：在“源”下拉列表中可以指定要处理的文件。选择“文件夹”并单击下面的“选择”按钮，可在打开的对话框中选择一个文件夹，批处理该文件夹中的所有文件；选择“导入”，可以处理来自数码相机、扫描仪或PDF 文档的图像；选择“打开的文件”，可以处理当前所有打开的文件；选择“Bridge”，可以处理 Adobe Bridge 中选定的文件。

- 覆盖动作中的打开命令：在批处理时忽略动作中记录的“打开”命令。
- 包含所有子文件夹：将批处理应用到所选文件夹中包含的子文件夹。
- 禁止显示文件打开选项对话框：批处理时不会打开文件选项对话框。
- 禁止颜色配置文件警告：关闭颜色方案信息的显示。
- 目标：在“目标”下拉列表中可以选择完成批处理后文件的保存位置。选择“无”，表示不保存文件，文件仍为打开状态；选择“存储并关闭”，可以将文件保存在原文件夹中，并覆盖原始文件。选择“文件夹”并单击选项下面的“选择”按钮，可指定用于保存文件的文件夹。
- 覆盖动作中的存储为命令：如果动作中包含“存储为”命令，则勾选该项后，在批处理时，动作中的“存储为”命令将引用批处理的文件，而不是动作中指定的文件名和位置。
- 文件命名：将“目的”选项设置为“文件夹”后，可以在该选项组的6个选项中设置文件的命名规范，指定文件的兼容性，包括Windows、Mac OS和Unix。

19.2.2 实战——创建一个快捷批处理程序

●实例门类：软件功能类 ●视频位置：光盘>实例视频>19.2.2

快捷批处理是一个能够快速完成批处理的小的应用程序，它可以简化批处理操作的过程。创建快捷批处理之前，也需要在“动作”面板中创建所需的动作。

1. 执行“文件>自动>创建快捷批处理”命令，打开“创建快捷批处理”对话框，它与“批处理”对话框非常相似，选择一个动作，然后在“将快捷批处理存储于”选项组中单击“选择”按钮，如图19-55所示，打开“存储”对话框，为即将创建的快捷批处理设置名称和保存位置。
2. 单击“保存”按钮关闭对话框，返回到“创建快捷批处理”对话框中，此时“选择”按钮的右侧会显示快捷批处理程序的保存位置，如图19-56所示。单击“确定”按钮，即可创建快捷批处理程序并保存到指定位置。

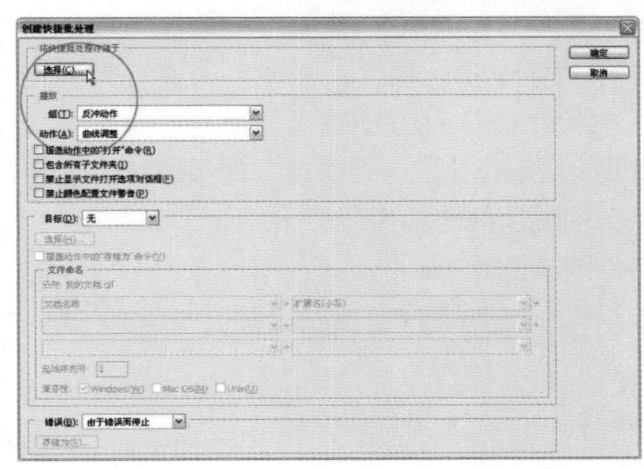

图19-55

图19-56

3. 快捷批处理程序显示为状图标，只需将图像或文件夹拖动到该图标上，便可以直接对图像进行批处理，即使没有运行Photoshop，也可以完成批处理操作。

19.3 脚本

Photoshop 通过脚本支持外部自动化。在 Windows 中，可以使用支持 COM 自动化的脚本语言，这些语言不是跨平台的，但可以控制多个应用程序，例如 Adobe Photoshop、Adobe Illustrator 和 Microsoft Office。“文件>脚本”下拉菜单中包含各种脚本命令，如图19-57所示。

可以利用 JavaScript 支持编写能够在 Windows上运行的 Photoshop 脚本。使用事件（如在 Photoshop 中打开、存储或导出文件）来触发 JavaScript 或 Photoshop 动作。Photoshop 提供了很多个默认事件，也可以使用任何可编写脚本的 Photoshop 事件来触发脚本或动作。

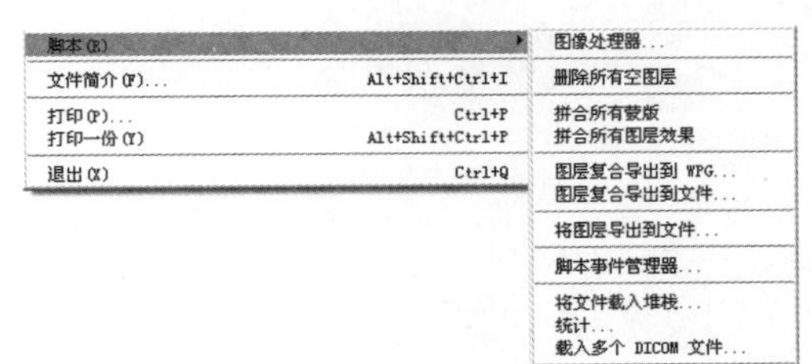

图19-57

19.4 数据驱动图形

利用数据驱动图形，我们可以快速准确地生成图像的多个版本以用于印刷项目或 Web 项目。例如，以模板设计为基础，使用不同的文本和图像可以制作100种不同的Web横幅。

19.4.1 定义变量

变量用来定义模板中的哪些元素将发生变化。在Photoshop中可以定义三种类型的变量：可见性变量、像素替换变量和文本替换变量。要定义变量，需要首先创建模板图像，然后执行“图像>变量>定义”命令，打开“变量”对话框，如图19-58所示。在“图层”选项中可以选择一个包含要定义为变量的内容的图层。

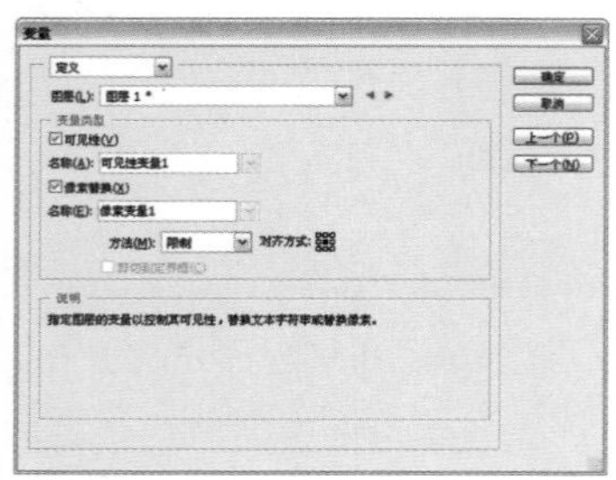

图19-58

可见性变量

可见性变量用来显示或隐藏图层中的内容。

像素替换变量

像素替换变量可以使用其他图像文件中的像素替换图层中的像素。勾“像素替换”选项后，可在下面的“名称”选项中输入变量的名称，然后在“方法”选项中选择缩放替换图像的方法。选择“限制”，可缩放图像以将其限制在定界框内；选择“填充”，可缩放图像以使其完全填充定界框；选择“保持原样”，不会缩放图像；选择“一致”，将不成比例地缩放图像以将其限制在定界框内。如图19-59～图19-62所示为选择不同方法的效果。

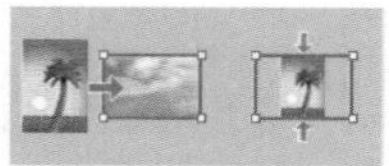

限制

图19-59

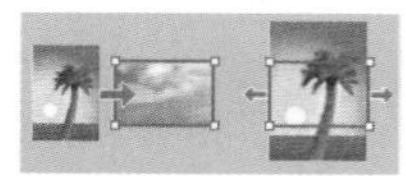

填充

图19-60

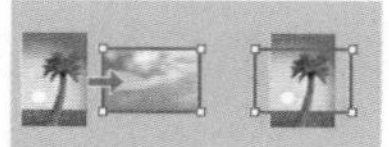

保持原样

图19-61

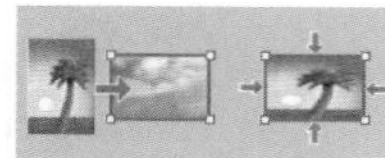

一致

图19-62

单击对齐图标上的手柄，可以选取在定界框内放置图像的对齐方式。选择“剪切到定界框”则可以剪切未在定界框内的图像区域。

文本替换变量

可替换文字图层中的文本字符串，在操作时首先要在“图层”选项中选择文本图层。

19.4.2 定义数据组

数据组是变量及其相关数据的集合，执行“图像>变量>数据组”命令，可以打开“变量”对话框设置数据组选项，如图19-63所示。

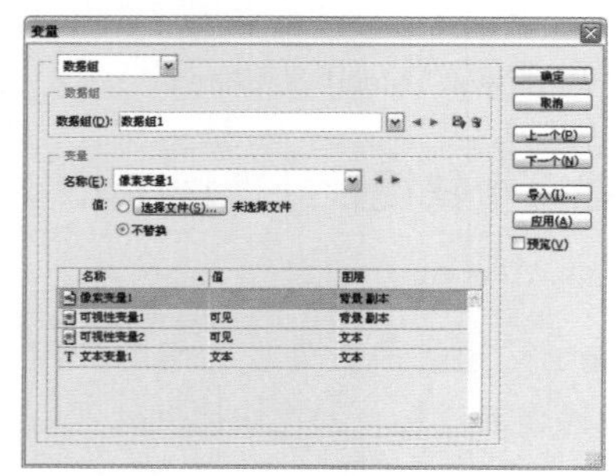

图19-63

- 数据组：单击按钮可以创建数据组。如果创建了多个数据组，可单击◄ ►按钮切换数据组。选择一个数据组后，单击按钮可将其删除。
- 变量：在该选项内可以编辑变量数据。对于“可见性”变量，选择“可见”，可以显示图层的内容，选择“不可见”，则隐藏的图层内容；对于“像素替换”变量，单击选择文件，然后选择替换图像文件，如果在应用数据组前选择“不替换”，将使图层保持其当前状态；对于“文本替换”变量T，可在“值”文本框中输入一个文本字符串。

19.4.3 预览与应用数据组

创建模板图像和数据组后，执行“图像>应用数据组”命令，打开“应用数据组”对话框，如图19-64所示。从列表中选择数据组，勾选“预览”选项，可在文档窗口中预览图像。单击“应用”按钮，可以数据组的内容应用于基本图像，同时所有变量和数据组保持不变。

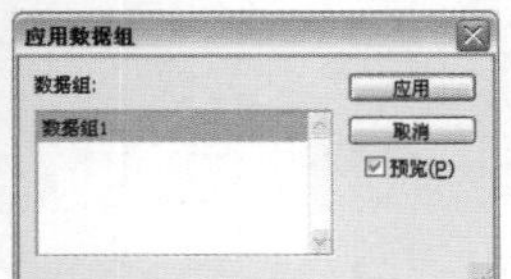

图19-64

19.4.4 导入与导出数据组

除了可以在Photoshop中创建数据组外，如果在其他程序，如文本编辑器或电子表格程序（Microsoft Excel）中创建了数据组，可以执行“文件>导入>变量数据组”命令，将其导入到Photoshop。定义变量及一个或多个数据组后，可执行“文件>导出>数据组作为文件”命令，按批处理模式使用数据组值将图像输出为 PSD 文件。

19.4.5 实战——用数据驱动图形创建多版本图像

●实例门类：软件功能类 ●视频位置：光盘>实例视频>19.4.5

使用模板和数据组来创建图形时，首先要创建用作模板的基本图形，并将图像中需要更改的部分分离为一个个单独的图层；然后在图形中定义变量，通过变量指定在图像中更改的部分；接下来创建或导入数据组，用数据组替换模板中相应的图像部分；最后再将图形与数据一起导出来生成图形（PSD 文件）。下面，我们就通过数据驱动图形来创建多个版本的图像。

1 打开一个文件（光盘>素材>19.4.5a），如图19-65、图19-66所示。

图19-65 图19-66

2 执行“图像>变量>定义”命令，打开“变量”对话框，在“图层”下拉列表中选择“图层0”，然后勾选“像素替换”选项，“名称”、“方法”和“限制”都使用默认的设置，如图19-67所示。在对话框左上角的下拉列表中选择“数据组”，切换到“数据组”选项设置面板。单击基于当前数据组创建新数据组按钮，创建新的数据组，当前的设置内容为“像素变量1”，如图19-68所示。

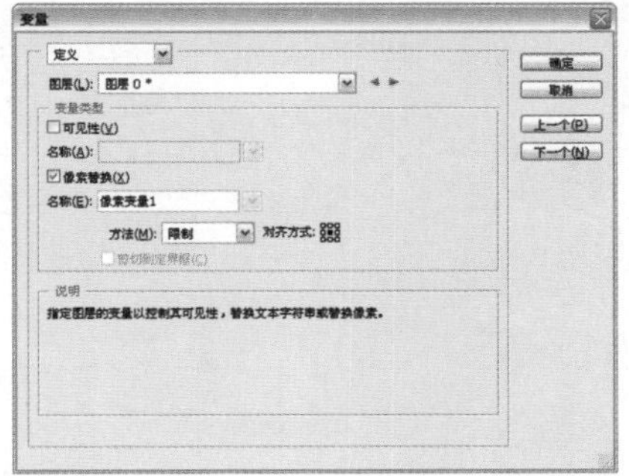

图19-67

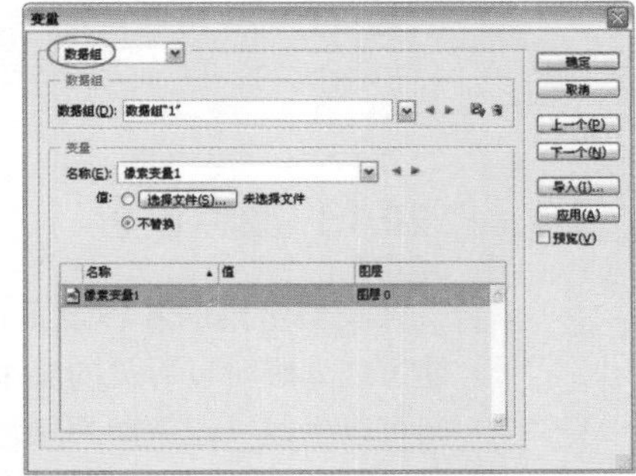

图19-68

3 单击“选择文件”按钮，在打开的对话框中选择一个文件（光盘>素材>19.4.5b），如图19-69所示；单击“打开”按钮，返回到“变量”对话框，如图19-70所示，关闭对话框。

图19-69

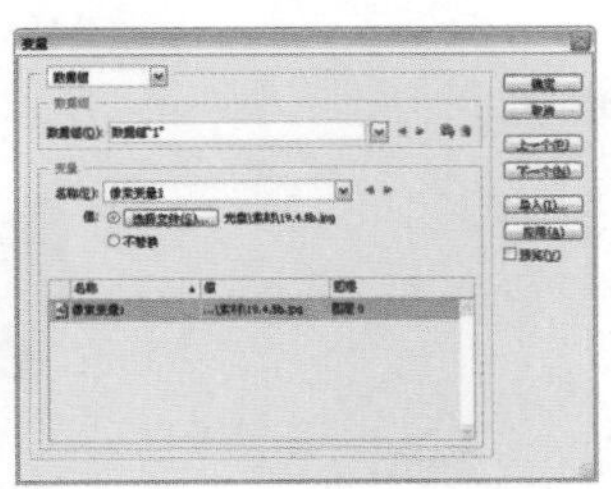

图19-70

4 选择“图像>应用数据组”命令，打开“应用数据组”对话框，如图19-71所示。选择“预览”选项，可以看到，文档中背景（“图层0”）图像被替换为我们指定的另一个背景，如图19-72所示。最后可以单击“应用”按钮关闭对话框。

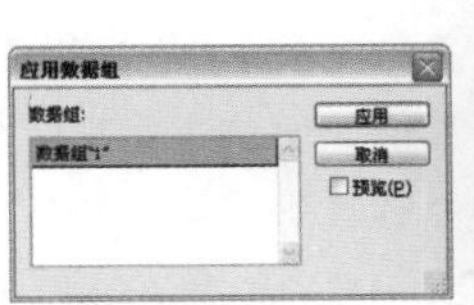

图19-71

图19-72

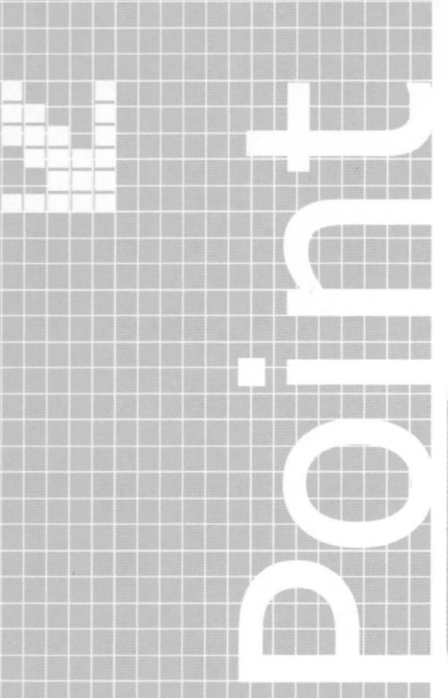

第20章 色彩管理与系统预设

20.1 色彩管理

使用Photoshop调整的色彩，以及用ACDSee等图片浏览器或网络上看到的图片色彩有时会出现差别，这是由于Photoshop的色彩空间与其他环境的色彩空间不一致所造成的。进行色彩管理可以避免出现这种情况。

Learning Objectives
学习重点

20.1.1 颜色设置

我们常用的各种设备，如照相机、扫描仪、显示器、打印机以及印刷设备等都不能重现人眼可以看见的整个范围的颜色。每种设备都使用特定的色彩空间，这种色彩空间可以生成一定范围的颜色（即色域），由于色彩空间不同，在不同设备之间传递文档时，颜色在外观上会发生改变，如图20-1所示。为了解决这个问题，就需要有一个可以在设备之间准确解释和转换颜色的系统，使不同的设备所表现的颜色尽可能一致。

Photoshop提供了这种色彩管理系统，它借助于ICC颜色配置文件来转换颜色。ICC配置文件是一个用于描述设备怎样产生色彩的小文件，其格式由国际色彩联盟规定。把它提供给Photoshop，Photoshop就能在每台设备上产生一致的颜色。要生成这种预定义的颜色管理选项，可以执行“编辑>颜色设置”命令，打开“颜色设置”对话框，如图20-2所示，在“工作空间”选项组的“RGB”下拉列表中选择一个色彩空间。

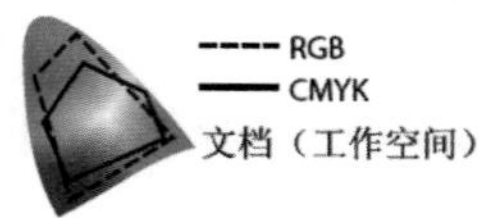

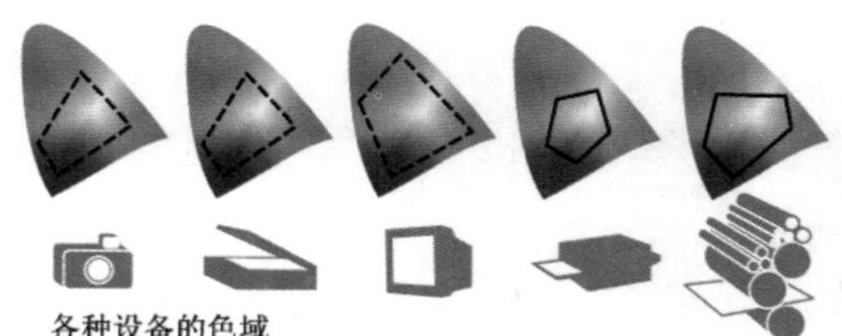

图20-1

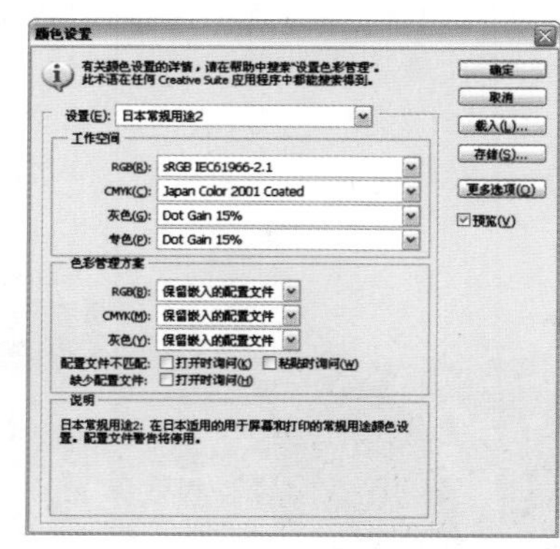

图20-2

- 设置：在下拉列表中可以选择一个颜色设置，所选的设置决定了应用程序使用的颜色工作空间，用嵌入的配置文件打开和导入文件时的情况，以及色彩管理系统转换颜色的方式。
- 工作空间.：用来为每个色彩模型指定工作空间配置文件（色彩配置文件定义颜色的数值如何对应其视觉外观）。
- 色彩管理方案：指定如何管理特定的颜色模型中的颜色。它处理颜色配置文件的读取和嵌入，嵌入颜色配置文件和工作区的不匹配，还处理从一个文件到另一个文档间的颜色移动。

- 说明：将光标放在选项上，可以显示相关说明。

技术看板 72 在屏幕上预览印刷效果

在创建用于商业印刷机上输出的图像，如小册子、海报、杂志封面等时，可执行“视图>校样颜色”命令启动电子校样，在电脑屏幕上查看这些图像将来印刷后的效果会是怎样的。具体操作方法请参阅“9.3.4 在电脑屏幕上模拟印刷”。

20.1.2 指定配置文件

打开图像以后，单击窗口底部状态栏中的三角按钮，在打开的菜单中选择“文档配置文件”命令，状态栏中就会显示该图像所使用的配置文件。如果出现“未标记的RGB”，则意味着该图像没有正确显示，如图20-3所示，这表示系统不知道如何按照原设备的意图来显示颜色。

图20-3

这时可以执行“编辑>指定配置文件”命令，在打开的对话框中选择一个配置文件，如图20-4所示，使图像显示为最佳效果。

- 不对此文档应用色彩管理：从文档中删除现有配置文件，颜色外观由应用程序工作空间的配置文件确定。
- 工作中的RGB：给文档指定工作空间配置文件。
- 配置文件：可以选择一个配置文件。应用程序为文档指定了新的配置文件，而不将颜色转换到配置文件空间，这可能大大改变颜色在显示器上的显示外观。

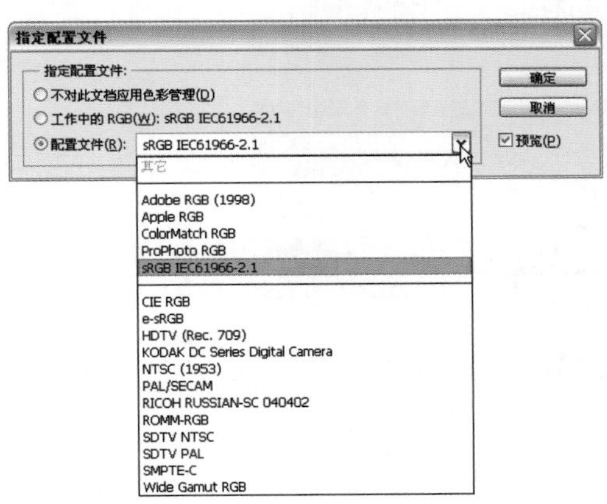

图20-4

技术看板 73 配置文件选择技巧

为 Web 准备图像时，建议使用 sRGB，因为它定义了用于查看 Web 上图像的标准显示器的色彩空间。处理来自家用数码相机的图像时，sRGB 也是一个不错的选择，因为大多数相机都将sRGB 用作其默认色彩空间。在准备打印文档时，建议使用 Adobe RGB，因为 Adobe RGB 的色域包括一些无法使用 sRGB 定义的可打印颜色（特别是青色和蓝色），并且很多专业级数码相机也都将 Adobe RGB用作默认色彩空间。

20.1.3 转换为配置文件

如果要将以某种色彩空间保存的图像调整为另外一种色彩空间，可以执行“编辑>转换为配置文件”命令，打开“转换为配置文件”对话框，如图20-5所示，在“目标空间”选项组的“配置文件”下拉列表中选择所需的色彩空间，然后单击“确定”按钮即可转换。

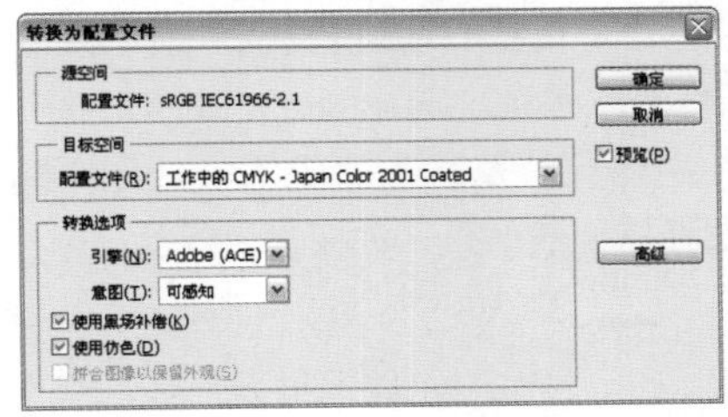

图20-5

20.2 Adobe PDF预设

Adobe PDF 预设是一个预定义的设置集合，这些设置旨在平衡文件大小和品质。使用它可以创建一致的 Photoshop PDF 文件，并且可以在 Adobe Creative Suite 组件，如InDesign、Illustrator、GoLive 和 Acrobat之间共享。执行“编辑>Adobe PDF预设”命令，打开 “Adobe PDF” 预设对话框，如图20-6所示，在对话框中可以创建自定义的Adobe PDF预设文件。

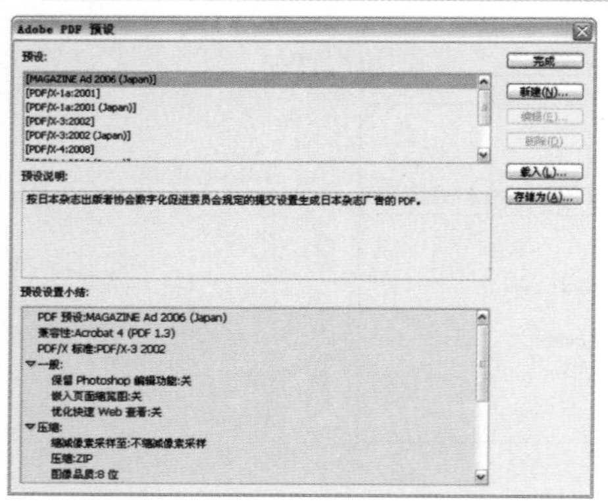

图20-6

- 预设/预设说明：显示了系统中的Adobe PDF预设文件，单击一个预设文件，可以显示它的相关说明。
- 预设设置小结：显示当前预设文件的详细设置说明。
- 新建：单击该按钮，可以在打开的“编辑PDF预设”对话框中创建一个新的预设文件，该文件会显示在“Adobe PDF预设”对话框的“预设”选项内。
- 编辑：新建了一个Adobe PDF预设文件后，在“预设”选项中选择该文件，然后单击“编辑”按钮，可以在打开的“编辑PDF预设”对话框中修改此文件。
- 删除：选择创建的自定义Adobe PDF预设文件，单击该按钮可将其删除。
- 载入：可载入其他程序的Adobe PDF预设文件。
- 存储为：可以将创建的自定义的Adobe PDF预设文件另存。

提示　将自定义的Adobe PDF 预设文件保存在“Documents and Settings>All Users>共享文档>Adobe PDF>Settings”文件夹内，该文件便可以在其他 Adobe Creative Suite 应用程序中共享。

20.3 设置Photoshop首选项

“编辑>首选项”下拉菜单中包含用于设置光标显示方式、参考线与网格的颜色、透明度、暂存盘和增效工具等项目的命令，我们可以根据自己的使用习惯来修改Photoshop的首选项。

20.3.1 常规

执行“编辑>首选项>常规”命令，打开“首选项”对话框，如图20-7所示。左侧列表中是各个首选项的名称，单击一个名称，对话框中就会显示相关设置内容，也可以单击“上一个”或“下一个”按钮来切换。

- 拾色器：可以选择使用Adobe拾色器，或是Windows拾色器。Adobe拾色器可根据4种颜色模型从整个色谱和PANTONE等颜色匹配系统中选择颜色，如图20-8所示；Windows的拾色器仅涉及基本的颜色，只允许根据两种色彩模型选择需要的颜色，如图20-9所示。

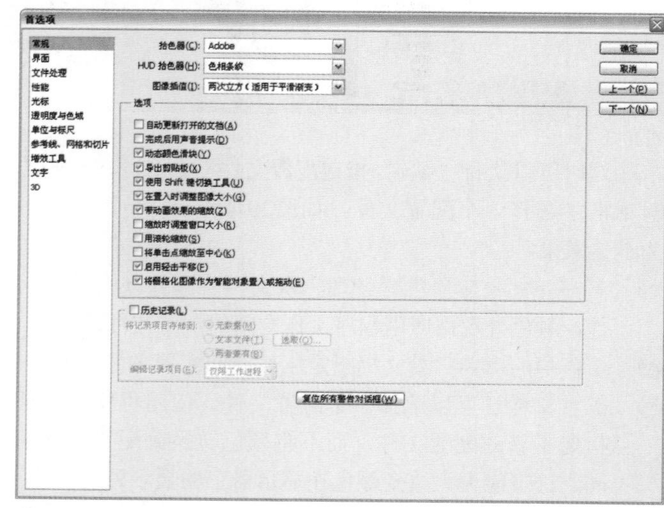

图20-7

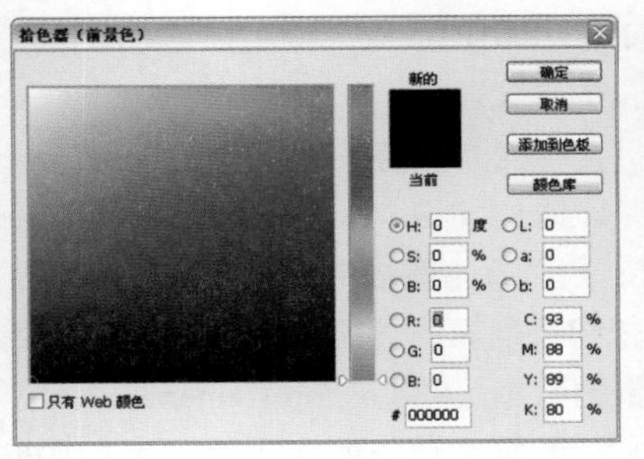
图20-8

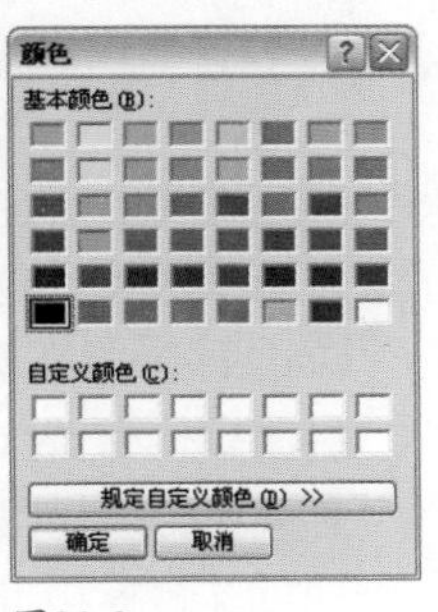
图20-9

- 图像插值：在改变图像的大小时（这一过程称为重新取样），Photoshop会遵循一定的图像插值方法来增加或删除像素。选择该选项中的“邻近”，表示以一种低精度的方法生成像素，速度快，但容易产生锯齿；选择“两次线性”，表示以一种通过平均周围像素颜色值的方法来生成像素，可生成中等品质的图像；选择“两次立方”，表示以一种将周围像素值分析作为依据的方法生成像素，速度较慢，但精度高。
- 自动更新打开的文档：勾选该项后，如果当前打开的文件被其他程序修改并保存，文件会在Photoshop中自动更新。
- 完成后用声音提示：完成操作时，程序会发出提示音。
- 动态颜色滑块：设置在移动“颜色”面板中的滑块时，颜色是否随着滑块的移动而实时改变。
- 导出剪贴板：在退出Photoshop时，复制到剪贴板中的内容仍然保留，可以被其他程序使用。
- 使用Shift键切换工具：选择该选项时，在同一组工具间切换需要按下工具快捷键+Shift键；取消勾选时，只需按下工具快捷键便可以切换。
- 在置入时调整图像大小：置入图像时，图像会基于当前文件的大小而自动调整其大小。
- 带动画效果的缩放：使用缩放工具缩放图像时，会产生平滑的缩放效果。
- 缩放时调整窗口大小：使用键盘快捷键缩放图像时，自动调整窗口的大小。
- 用滚轮缩放：可以通过鼠标的滚轮缩放窗口。
- 将单击点缩放至中心：使用缩放工具时，可以将单击点的图像缩放到画面的中心。
- 启用轻击平移：使用抓手工具移动画面时，放开鼠标按键，图像也会滑动。

提示 如果要启用“带动画效果的缩放”和“启用轻击平移”功能，需要计算机配置有OpenGL。

- 历史记录：指定将历史记录数据存储在何处，以及历史记录中所包含信息的详细程度。选择“元数据”，历史记录存储为嵌入在文件中的元数据；选择“文本文件”，历史记录存储为文本文件；选择“两者兼有”，历史记录存储为元数据，并保存在文本文件中。在“编辑记录项目”选项中可以指定历史记录信息的详细程度。
- 复位所有警告对话框：在执行一些命令时，会弹出警告对话框，如图20-10所示。选择“不再显示”选项时，下一次进行相同的操作便不会显示警告。如果要重新显示这些警告，可单击此按钮。

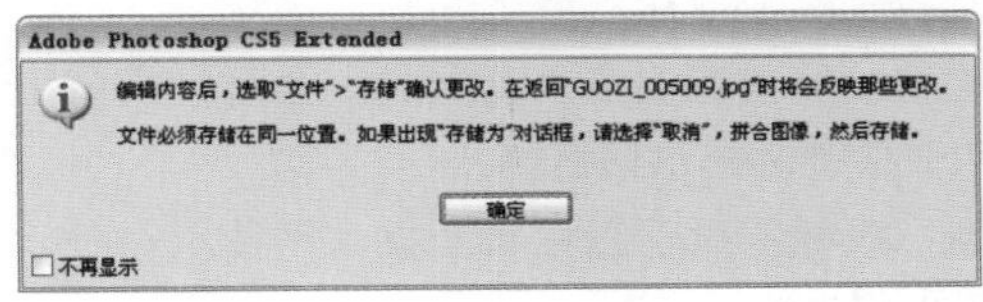

图20-10

20.3.2 界面

执行“编辑>首选项>界面”命令，或者在“首选项”对话框中可以切换到“界面”设置面板，如图20-11所示。

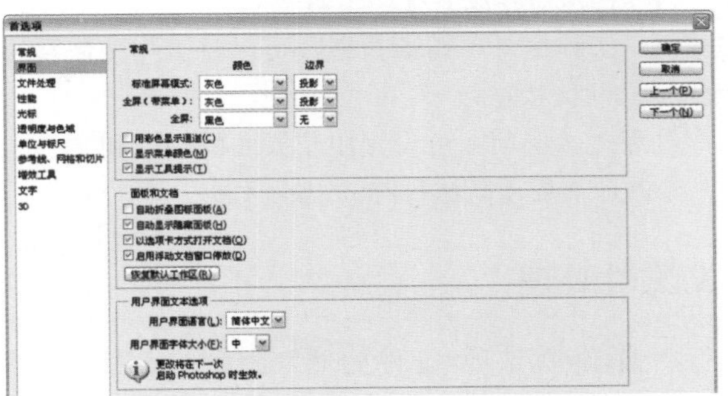
图20-11

- 标准屏幕模式/全屏（带菜单）/全屏：用于设置这3种屏幕模式下，屏幕的颜色和边界效果。
- 用彩色显示通道：默认情况下，RGB、CMYK 和 Lab图像的各个通道以灰度显示，如图20-12所示。勾选该项，可以用相应的颜色显示颜色通道，如图20-13所示。

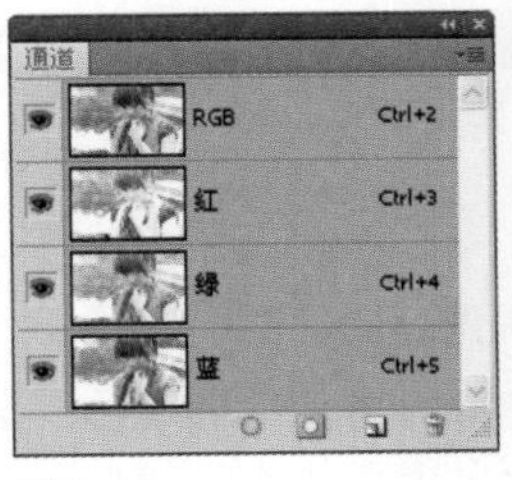
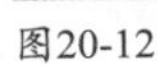

图20-12

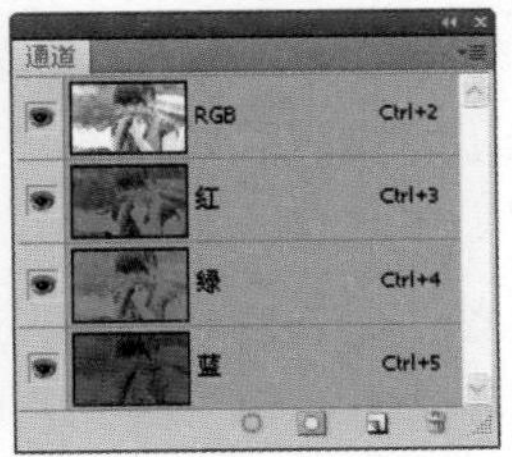

图20-13

- 显示菜单颜色：使菜单中的某些命令显示为彩色，如图20-14所示。

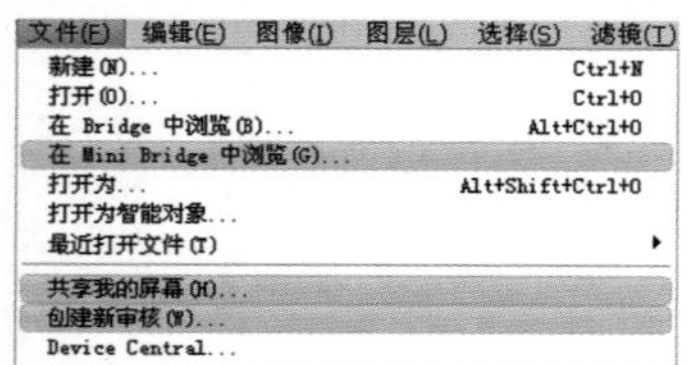

图20-14

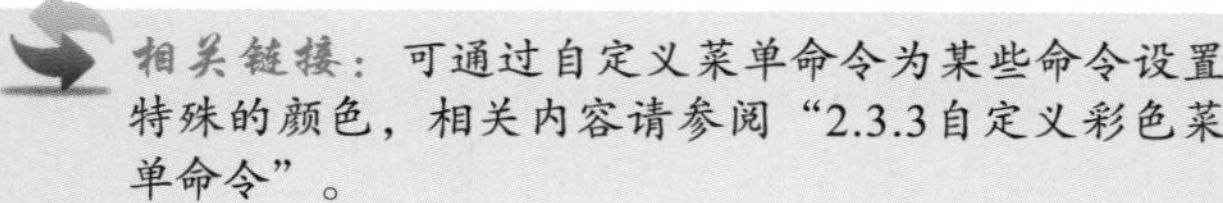

相关链接：可通过自定义菜单命令为某些命令设置特殊的颜色，相关内容请参阅“2.3.3自定义彩色菜单命令”。

- 显示工具提示：将光标放在工具上时，会显示当前工具的名称和快捷键等提示信息。
- 自动折叠图标面板：对于图标状面板，不使用它时，面板会重新折叠为图标状。
- 自动显示隐藏面板：可以暂时显示隐藏的面板。
- 以选项卡方式打开文档：打开文档时，全屏显示一个图像，其他图像最小化到选项卡中。
- 启用浮动文档窗口停放：选择该项后，可以拖动标题栏，将文档窗口停放到程序窗口中。
- 恢复默认工作区：单击该按钮，可以将工作区恢复为Photoshop默认状态。
- 用户界面文本选项：可设置用户界面的语言和文字大小，修改后需要重新运行Photoshop才能生效。

20.3.3 文件处理

执行“编辑>首选项>文件处理”命令，或者在“首选项”对话框中可以切换到“文件处理”设置面板，如图20-15所示。

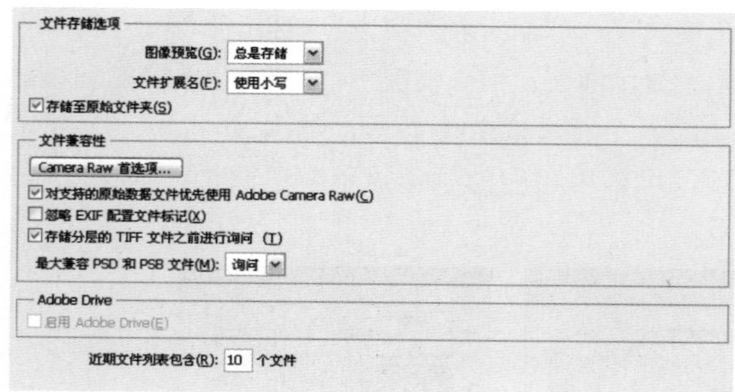

图20-15

- 图像预览：设置存储图像时是否保存图像的缩览图。
- 文件扩展名：文件扩展名为“大写”或是“小写”。
- 存储至原始文件：保存对原始文件所做的修改。
- Camera Raw首选项：单击该按钮，可在打开的对话框中设置Camera Raw的首选项。
- 对支持的原始数据文件优先使用Adobe Camera Raw：在打开支持原始数据的文件时，优先使用Adobe Camera Raw处理。相机原始数据文件包含来自数码相机图像传感器且未经处理和压缩的灰度图片数据以及有关如何捕捉图像的信息。Photoshop Camera Raw 软件可以解释相机原始数据文件，该软件使用有关相机的信息以及图像元数据来构建和处理彩色图像。
- 忽略EXIF配置文件标记：保存文件时忽略关于图像色彩空间的EXIF配置文件标记。
- 存储分层的TIFF文件之前进行询问：保存分层的文件时，如果存储为TIFF格式，会弹出讯问对话框。
- 最大兼容PSD和PSB文件：可设置存储PSD和PSB文件时，是否提高文件的兼容性。选择“总是”，可在文件中存储一个带图层图像的复合版本，其他应用程序便能够读取该文件；选择“询问”，存储时会弹出询问是否最大程度提高兼容性的对话框；选择“总不”，在不提高兼容性的情况下存储文档。
- 启用Version Cue：启用Version Cue工作组。
- 近期文件列表包含：设置“文件>最近打开文件”下拉菜单中能够保存的文件数量。

20.3.4 性能

执行“编辑>首选项>性能”命令，或者在“首选项”对话框中可以切换到“性能”设置面板，如图20-16所示。

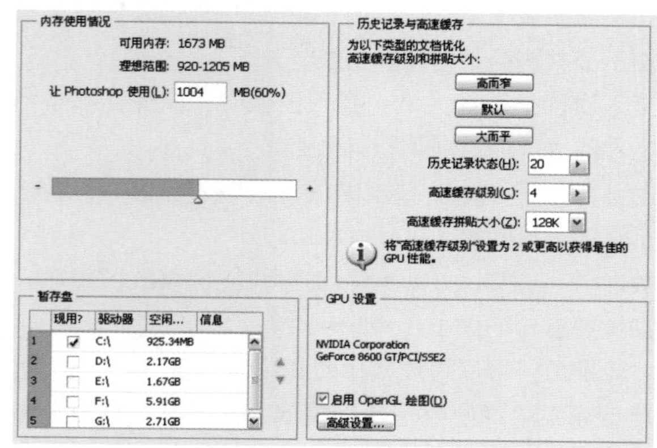

图20-16

- 内存使用情况：显示了计算机内存的使用情况，可拖动滑块或在“让Photoshop使用”选项内输入数值，调整分配给Photoshop的内存量。修改后，需要重新运行Photoshop才能生效。
- 暂存盘：如果系统没有足够的内存来执行某个操作，

则 Photoshop 将使用一种专有的虚拟内存技术（也称为暂存盘）。暂存盘是任何具有空闲内存的驱动器或驱动器分区。默认情况下，Photoshop 将安装了操作系统的硬盘驱动器用作主暂存盘，可在该选项中将暂存盘修改到其他驱动器上。另外，包含暂存盘的驱动器应定期进行碎片整理。

- 历史记录与高速缓存：用来设置“历史记录”面板中可以保留的历史记录的最大数量，以及图像数据的高速缓存级别。高速缓存可以提高屏幕重绘和直方图显示速度。
- GPU设置：显示了计算机的显卡，并可以启用OpenGL绘图。启用后，在处理大型或复杂图像（如 3D 文件）时可加速处理过程。并且，旋转视图高级、像素网格、取样环等功能都需要启用OpenGL绘图。

20.3.5 光标

执行“编辑>首选项>光标”命令，或者在“首选项”对话框中可以切换到“光标”设置面板，如图20-17所示。

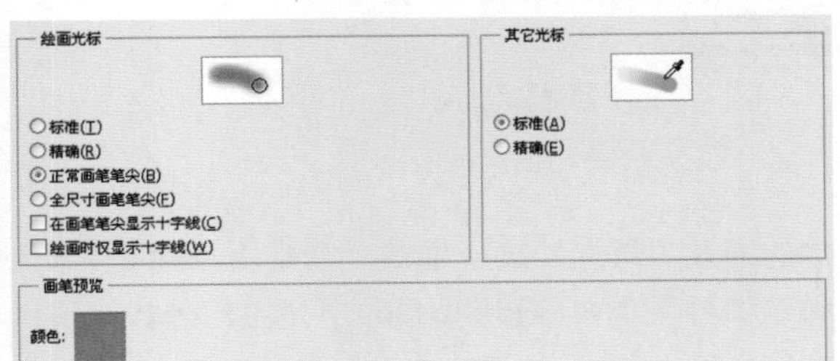

图20-17

- 绘画光标：用于设置使用绘画工具时，光标在画面中的显示状态，以及光标中心是否显示十字线，如图20-18所示。

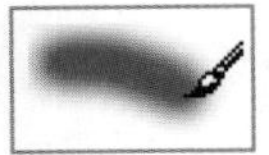

标准　　精确

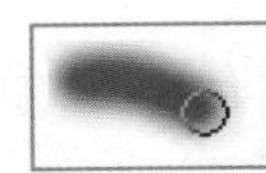

正常画笔笔尖

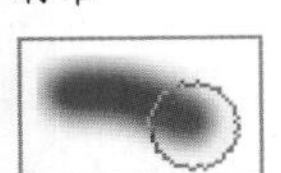

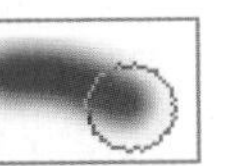

全尺寸画笔笔尖

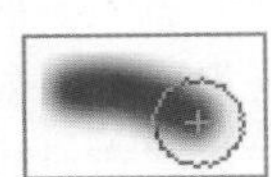

在画笔笔尖显示十字线

图20-18

- 其他光标：设置使用其他工具时，光标在画面中的显示状态。如图20-19所示为吸管工具的光标状态。

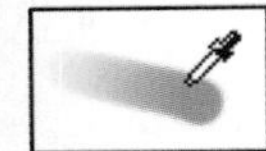

标准

精确

图20-19

- 画笔预览：定义用于画笔预览的颜色。

20.3.6 透明度与色域

执行“编辑>首选项>透明度与色域”命令，或者在“首选项”对话框中可以切换到“透明度与色域”设置面板，如图20-20所示。

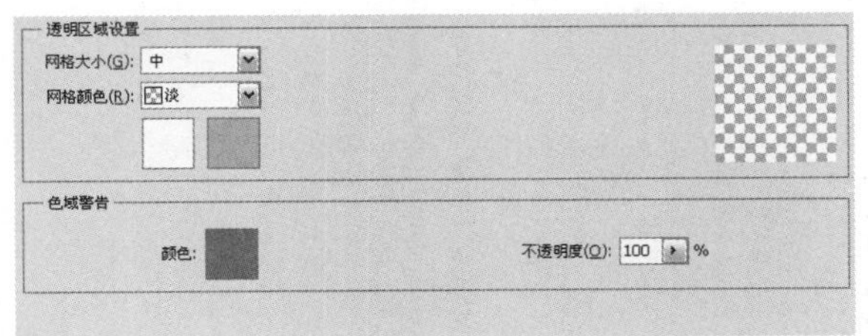

图20-20

- 透明区域设置：当图像中的背景为透明区域时，会显示为棋盘格状，如图20-21所示，在“网格大小”选项中可以设置棋盘格的大小；在“网格颜色”选项中可以设置棋盘格的颜色，如图20-22所示是网格颜色为紫色的效果。

图20-21

图20-22

- 色域警告：当图像中的色彩过于鲜艳而出现溢色时，执行“视图>色域警告”命令，溢色会显示为灰色，如图20-23所示。我们可在该选项中修改溢色的颜色，如图20-24所示，也可以调整溢色的不透明度。

图20-23

图20-24

相关链接：溢色是不能被准确打印出来的颜色，关于溢色的更多内容，请参阅“9.3 色域和溢色”。

20.3.7 单位与标尺

执行“编辑>首选项>单位与标尺”命令，或者在“首选项”对话框中可以切换到“单位与标尺”设置面板，如图20-25所示。

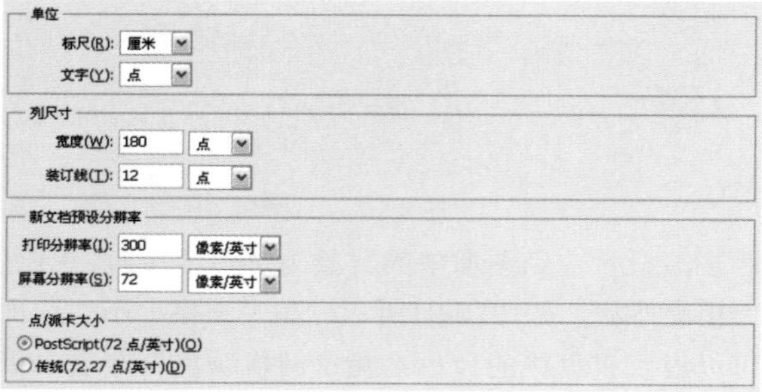

图20-25

- 单位：可以设置标尺和文字的单位。
- 列尺寸：如果要将图像导入到排版程序（如InDesign），并用于打印和装订时，可在该选项设置“宽度”和“装订线”的尺寸，用列来指定图像的宽度，使图像正好占据特定数量的列。
- 新文档预设分辨率：用来设置新建文档时预设的打印分辨率和屏幕分辨率。
- 点/派卡大小：设置如何定义每英寸的点数。选择“PostScript（72点/英寸）”，设置一个兼容的单位大小，以便打印到 PostScript 设备；选择“传统（72.27点/英寸）”，则使用 72.27 点/英寸（打印中传统使用的点数）。

20.3.8 参考线、网格和切片

执行“编辑>首选项>参考线、网格和切片”命令，或者在“首选项”对话框中可以切换到“参考线、网格和切片”设置面板，如图20-26所示。对话框右侧的颜色块中分别显示了修改后的参考线、智能参考线和网格的颜色。

- 参考线：用来设置参考线的颜色和样式，包括直线和虚线两种样式。
- 智能参考线：用来设置智能参考线的颜色。
- 网格：可以设置网格的颜色和样式。对于“网格线间隔”，可以输入网格间距的值。在“子网格”选项中输入一个值，则可基于该值重新细分网格。

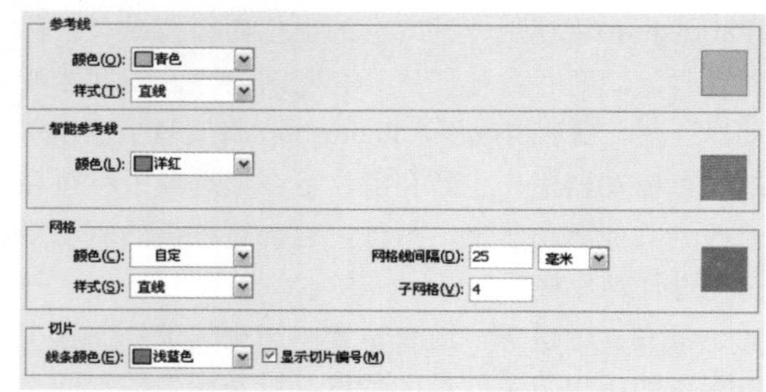

图20-26

- 切片：用来设置切片边界框的颜色。勾选“显示切片编号”选项，可以显示切片的编号。

20.3.9 增效工具

执行“编辑>首选项>增效工具”命令，或者在“首选项”对话框中可以切换到“增效工具”设置面板，如图20-27所示。

图20-27

- 附加的增效工具文件夹：增效工具是由Adobe和第三方经销商开发的可在Photoshop中使用的外挂滤镜或者插件。Photoshop自带的滤镜保存在Plug-Ins文件夹中，如果将外挂滤镜或者插件安装在了其他文件内，可勾选该选项，在打开的对话框中选择这一文件夹，并重新启动Photoshop，外挂滤镜便可以在Photoshop中使用了。
- 扩展面板：勾选“允许扩展连接到Internet”选项，表示允许Photoshop扩展面板连接到Internet获取新内容，以及更新程序；勾选“载入扩展面板”选项，启动时可以载入已安装的扩展面板；勾选“在应用程序栏显示CS Live选项”，可以在窗口的程序栏中显示CS Live选项面板。

20.3.10 文字

执行“编辑>首选项>文字”命令，或者在“首选项”对话框中可以切换到“文字”设置面板，如图20-28所示。

图20-28

- 使用智能引号：智能引号也称为印刷引号，它会与字体的曲线混淆。勾选该项后，输入文本时可使用弯曲的引号替代直引号。
- 显示亚洲字体选项：默认情况下，非中文、日文或朝鲜语版本的 Photoshop 会隐藏“字符”和“段落”面板中出现的亚洲文字的选项，勾选该项，可以显示以上文字的字体选项。
- 启用丢失字形保护：选择该项后，如果文档使用了系统上未安装的字体，在打开该文档时会出现一条警告信息，Photoshop 会指明缺少哪些字体，我们可以使用可用的匹配字体替换缺少的字体。
- 以英文显示字体名称：在“字符”面板和文字工具选项栏的字体下拉列表中以英文显示亚洲字体的名称，如图20-29所示；取消勾选时，则以中文显示，如图20-30所示。

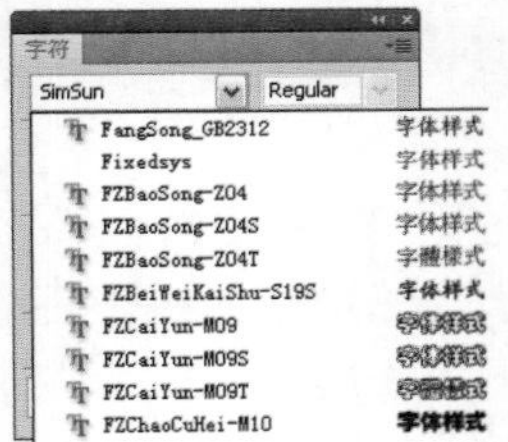
图20-29

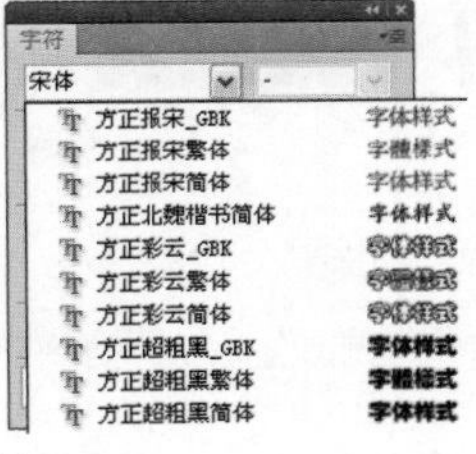
图20-30

- 字体预览大小：设置“字符”面板和文字工具选项栏的字体下拉列表中预览字体时，字体的大小。

20.3.11 3D

执行“编辑>首选项>文字”命令，或者在“首选项”对话框中可以切换到“文字”设置面板，如图20-31所示。

- 可用于3D的VRAM：显示了Photoshop 3D Forge（3D引擎）可以使用的显存量（VRAM）。我们可以单击滑块，调整分配给Photoshop的显存。较大的VRAM有助于进行快速的3D交互，尤其是处理高分辨率的网格和纹理时。但这会导致与其他启用GPU的应用程序争夺资源。要调整该选项，需要先在“首选项”对话框的“性能”面板中启用OpenGL绘图。

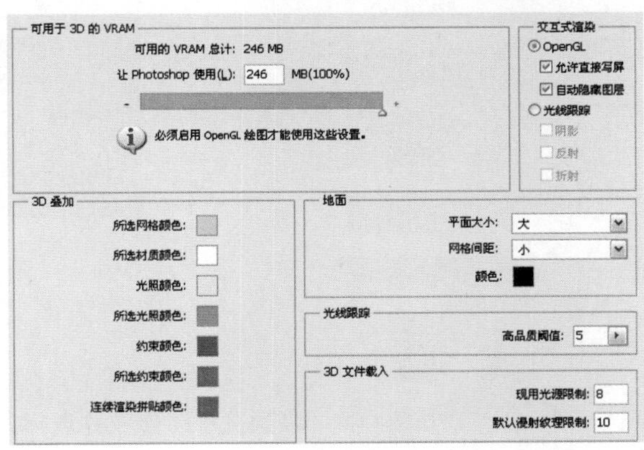

图20-31

- 3D叠加：单击各个颜色块，可以指定各种参考线的颜色，以便在进行3D操作时高亮显示可用的3D组件。在“视图>显示”下拉菜单中，可以选择显示或者隐藏这些额外内容。
- 交互式渲染：指定进行3D对象交互（鼠标事件）时Photoshop渲染选项的首选项。设置为“OpenGL”以后，可在与3D对象交互时，始终使用硬件加速；设置为“光线跟踪”以后，在与3D对象交互时，使用Adobe Ray Tracer。如果要在交互期间查看阴影、反射或折射，只需启用相应的选项即可，但它们会降低性能。
- 地面：用来设置进行3D操作时，可用的地面参考线参数，包括平面的大小、网格间距的大小和网格颜色。执行“视图>显示>3D地面”命令，可以显示或者隐藏地面。
- 光线跟踪：当3D场景面板中的“品质”菜单设置为“光线跟踪最终效果”时，可通过该选项定义光线跟踪渲染的图像品质阈值。如果使用较小的值，则在某些区域（柔和阴影、景深模糊）中的图像品质降低时，将立即停止光线跟踪。渲染时始终可以通过单击鼠标或按键盘上的键手动停止光线跟踪。
- 3D文件载入：用于指定3D文件载入时的行为。“现用光源限制”用来设置现用光源的初始限制。如果即将载入的3D文件中的光源数量超过该限制，则某些光源一开始会被关闭。但可以单击“场景”视图中光源对象旁边的眼睛图标，在3D面板中打开这些光源。“默认漫射纹理限制”用来设置漫射纹理不存在时，Photoshop将在材质上自动生成的漫射纹理的最大数量。如果3D文件具有的材质超过该数量，则Photoshop不会自动生成纹理。

第21章 打印与输出

21.1 打印

执行“文件>打印”命令，打开“打印”对话框，如图21-1所示。在对话框中可以预览打印作业并选择打印机、打印份数、输出选项和色彩管理选项。

Learning Objectives
学习重点

21.1.1 设置基本打印选项

图21-1

- 打印机：在该选项的下拉列表中可以选择打印机。
- 份数：设置打印份数。
- 打印设置：单击该按钮，可以打开一个对话框设置纸张的方向、页面的打印顺序和打印页数。
- 位置：勾选“图像居中”，可以将图像定位于可打印区域的中心；取消勾选，则可在“顶”和“左”选项中输入数值定位图像，从而只打印部分图像。
- 缩放后的打印尺寸：如果勾选“缩放以适合介质”选项，可自动缩放图像至适合纸张的可打印区域，如图21-2所示；取消勾选，则可在“缩放”选项中输入图像的缩放比例，或者在“高度”和“宽度”选项中设置图像的尺寸。

图21-2

图21-3

图21-4

- 定界框：未选择“图像居中”及“缩放以适合介质”时，勾选该项可调整定界框来移动或者缩放图像，如图21-3、图21-4所示。

21.1.2 指定色彩管理

“打印”对话框右侧是色彩管理选项组，它们可以设置如何调整色彩管理设置以获得尽可能最好的打印效果。

- 文档/校样：勾选“文档”，可打印当前文档；勾选“校样”，可打印印刷校样。印

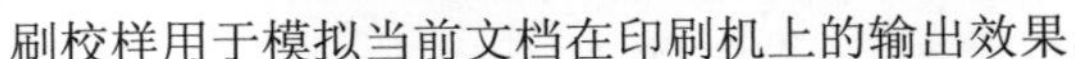

刷校样用于模拟当前文档在印刷机上的输出效果。

- 颜色处理：用来确定是否使用色彩管理，如果使用，则需要确定将其用在应用程序中，还是打印设备中。
- 打印机配置文件：可选择适用于打印机和将要使用的纸张类型的配置文件。
- 渲染方法：指定 Photoshop 如何将颜色转换为打印机颜色空间。对于大多数照片而言，“可感知”或“相对比色”是适合的选项。
- 黑场补偿：通过模拟输出设备的全部动态范围来保留图像中的阴影细节。
- 校样设置/模拟纸张颜色/模拟黑色油墨：当选择“校样”选项时，可在该选项中选择以本地方式存在于硬盘驱动器上的自定校样，以及模拟颜色在模拟设备的纸张上的显示效果，模拟设备的深色的亮度。

21.1.3 指定印前输出

如果要将图像直接从 Photoshop 中进行商业印刷，可单击“打印”对话框右上角的按钮，选择“输出”选项，然后指定页面标记和其他输出内容，如图21-5所示。

- 打印标记：可在图像周围添加各种打印标记，如图21-6所示。
- 函数：单击“函数”选项中的“背景”、“边界”、“出血”等按钮，即可打开相应的选项设置对话框，其中“背景”用于选择要在页面上的图像区域外打印的背景色；“边界”用于在图像周围打印一个黑色边框；“出血”用于在图像内而不是在图像外打印裁切标记；“网屏”用于为印刷过程中使用的每个网屏设置网频和网点形状；“传递”用于调整传递函数，传递函数传统上用于补偿将图像传递到胶片时出现的网点补正或网点丢失情况。

图21-5

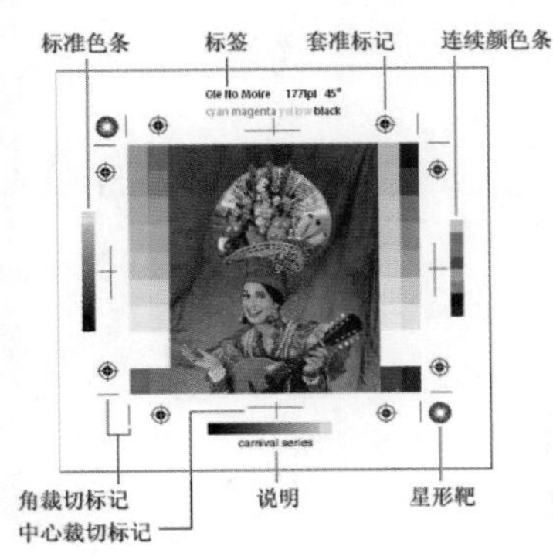

图21-6

- 插值：通过在打印时自动重新取样，减少低分辨率图像的锯齿状外观。
- 包含矢量数据：如果图像包含矢量图形，如形状和文字，勾选该项时，Photoshop 可以将矢量数据发送到 PostScript 打印机。

21.1.4 打印一份

如果要使用当前的打印选项打印一份文件，可执行“文件>打印一份”命令来操作，该命令无对话框。

21.2 陷印

在叠印套色版时，如果套印不准、相邻的纯色之间没有对齐，便会出现小的缝隙，如图21-7所示。出现这种情况，通常都采用一种叠印技术（即陷印）来进行纠正，如图21-8所示。

执行“图像>陷印”命令，打开“陷印”对话框，如图21-9所示，“宽度”代表了印刷时颜色向外扩张的距离。该命令仅用于CMYK模式的图像。图像是否需要陷印一般由印刷商确定，如果需要陷印，印刷商会告知用户要在“陷印”对话框中输入的数值。

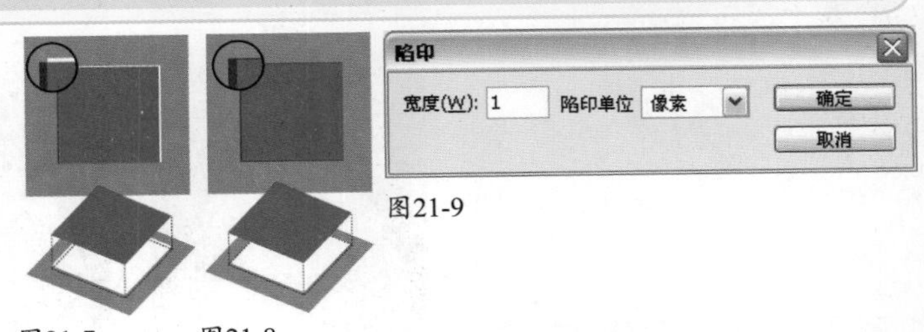

图21-7　图21-8　图21-9

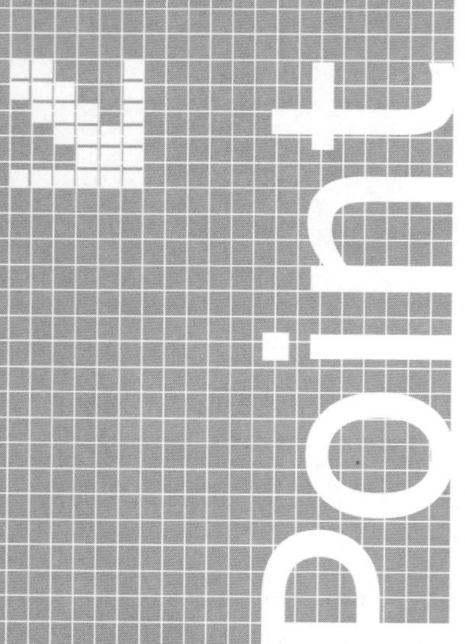

第22章 综合实例

Learning Objectives

学习重点

PHOTOSHOP

22.1 精通变形：制作超现实主义人像

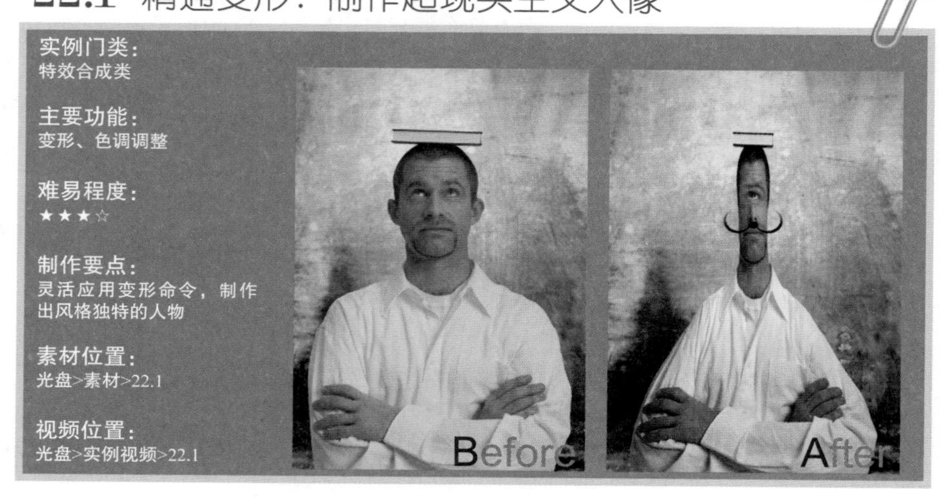

1 按下Ctrl+O快捷键，打开一个文件，如图22-1、图22-2所示。执行“编辑>变换>变形”命令，在人物图像上显示变形网格，拖动控制点，使图像产生弯曲，如图22-3和图22-4所示。

图22-1

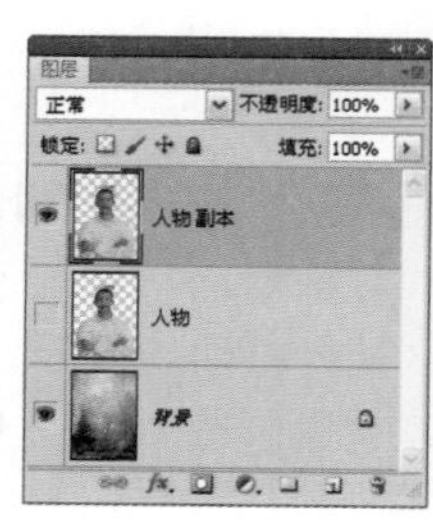

图22-2

图22-3

图22-4

2 分别拖动左上角和右上角的控制点，使人物头部变得细长，如图22-5、图22-6所示。将光标放在网格内轻轻移动，使肩膀收缩，如图22-7所示；按下回车键确认操作，如图22-8所示。

图22-5

图22-6

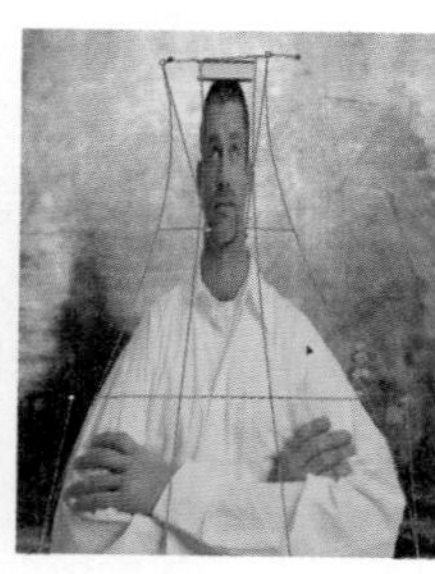

图22-7

图22-8

3 使用橡皮擦工具（尖角）将人物的耳朵擦除，如图22-9所示。

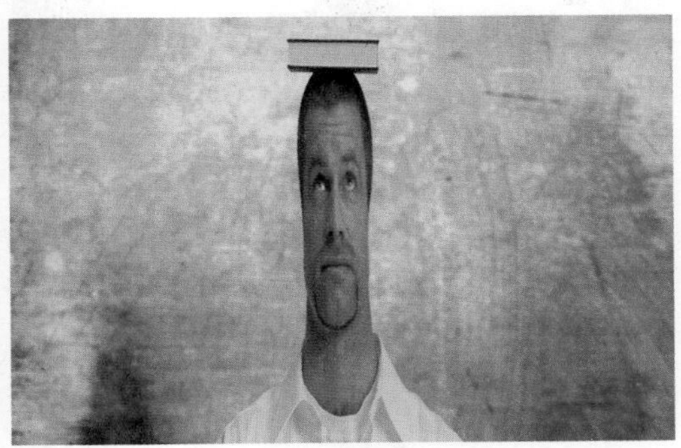

图22-9

4 单击“人物副本”图层前面的眼睛图标，隐藏该图层，选择“人物”图层，如图22-10所示。使用矩形选框工具在嘴部创建选区，如图22-11所示。

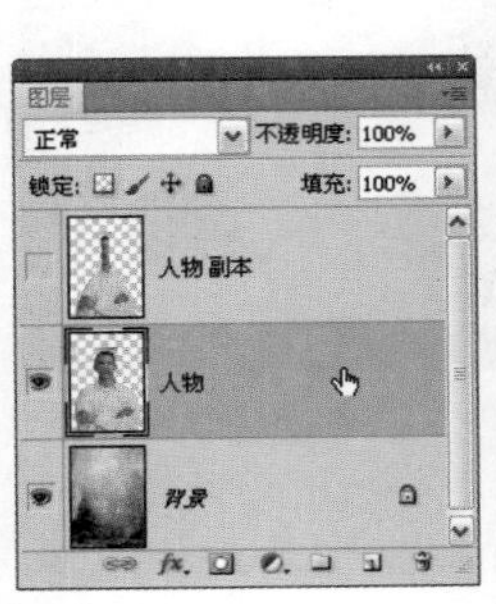

图22-10

图22-11

5 按下Ctrl+J快捷键将选区内的图像复制到新的图层中，为了便于区分，将图层重新命名，如图22-12所示。再次选择“人物”图层，如图22-13所示。

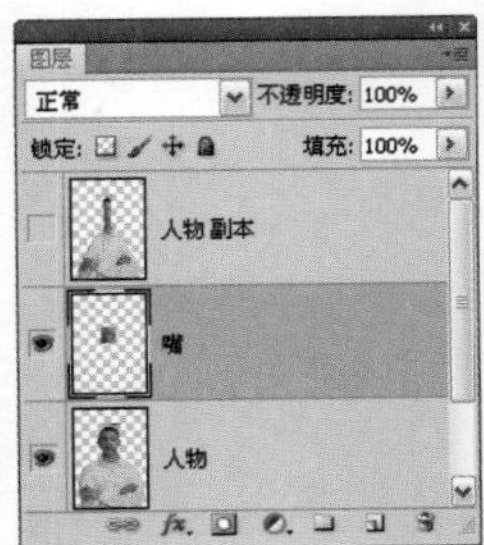

图22-12

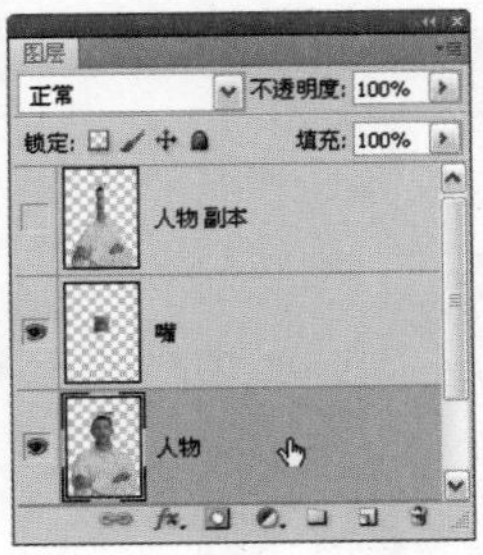

图22-13

6 在眼睛上面创建选区，如图22-14所示；按下Ctrl+J快捷键进行复制，如图22-15所示。

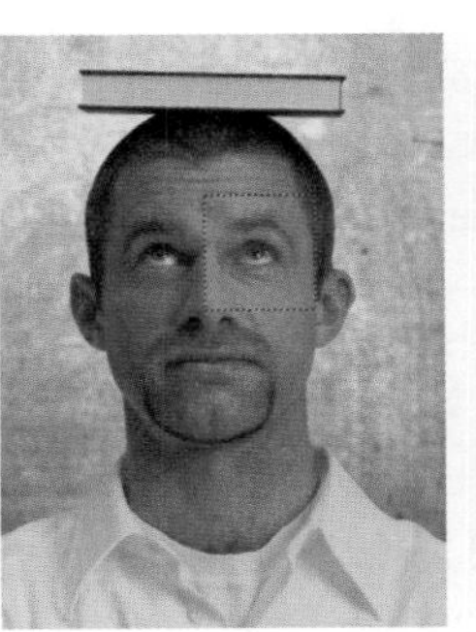

图22-14

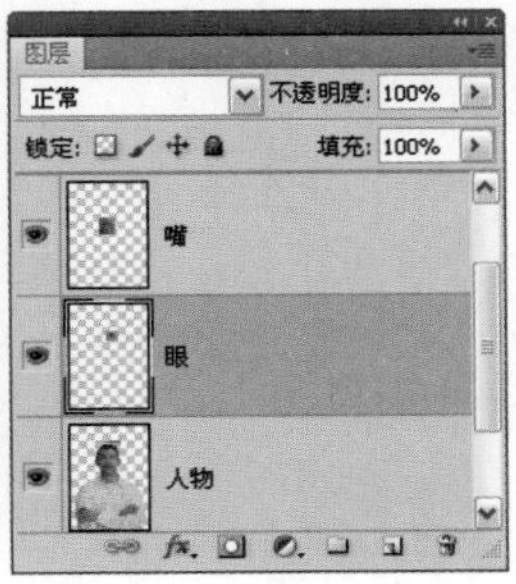

图22-15

7 显示“人物副本”图层，并将其拖动到“眼”图层下方，如图22-16所示，图像效果如图22-17所示。

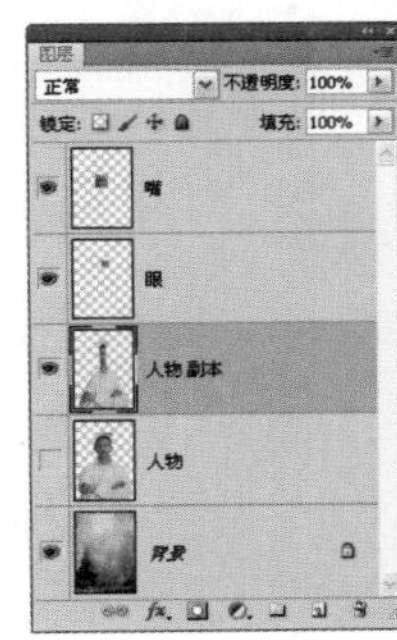

图22-16

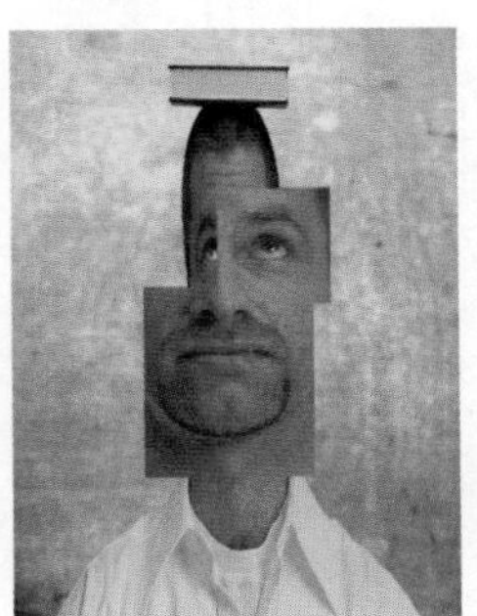

图22-17

8 分别将“眼”和“嘴”图层的不透明度设置为90%，以便能够观察到底层图像。按下Ctrl+T快捷键调整这两个图像的大小，如图22-18所示。使用橡皮擦工具（柔角）将图像的边缘擦除，看起来与底层图像中的人物自然融合，将图像的不透明度恢复为100%，如图22-19所示。

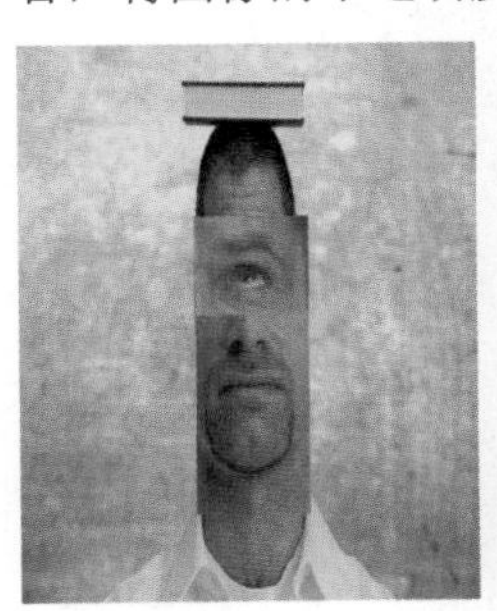

图22-18

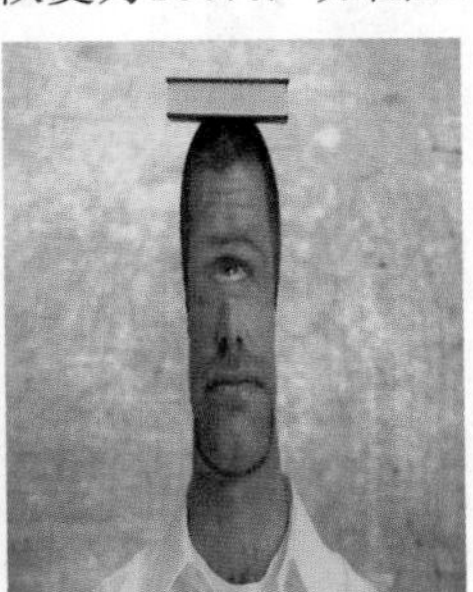

图22-19

9 按住Shift键单击“人物副本”图层，选取这3个图层，如图22-20所示；按下Ctrl+E快捷键合并图层，如图22-21所示。可将隐藏的“人物”图层删除。

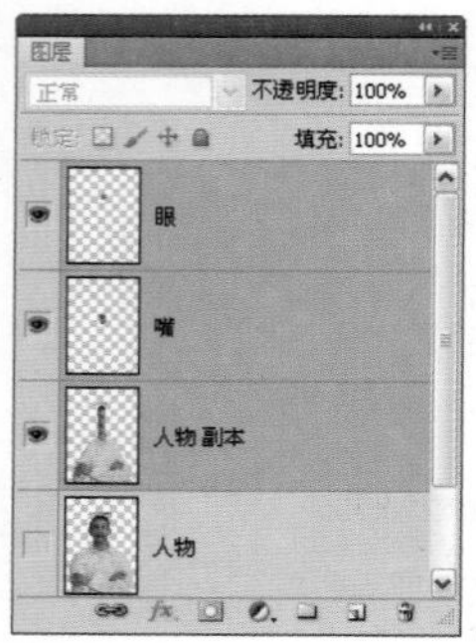
图22-20

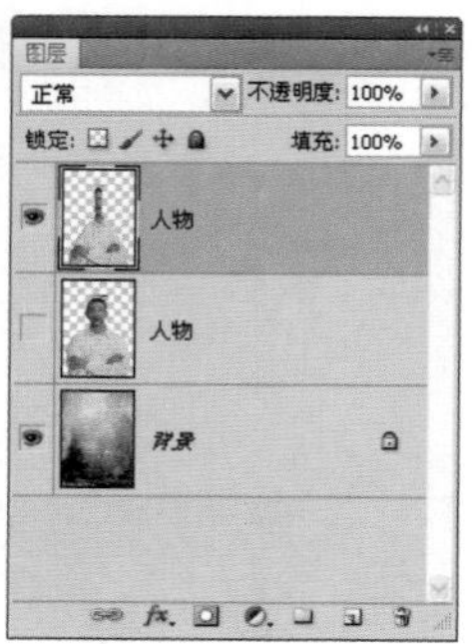
图22-21

10 将前景色设置为黑色。选择渐变工具，在渐变下拉面板中选择“前景色到透明渐变”，如图22-22所示。新建一个图层，设置混合模式为“柔光”，不透明度为55%，在画面底部填充线性渐变，如图22-23、图22-24所示。按下Ctrl+E快捷键向下合并图层，如图22-25所示。

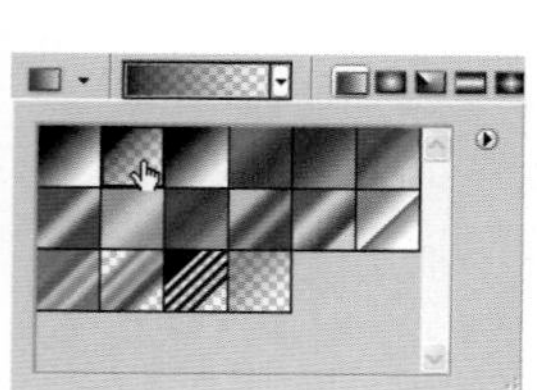
图22-22

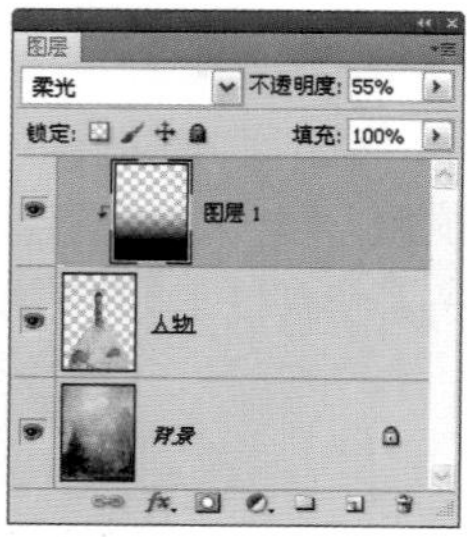

图22-23

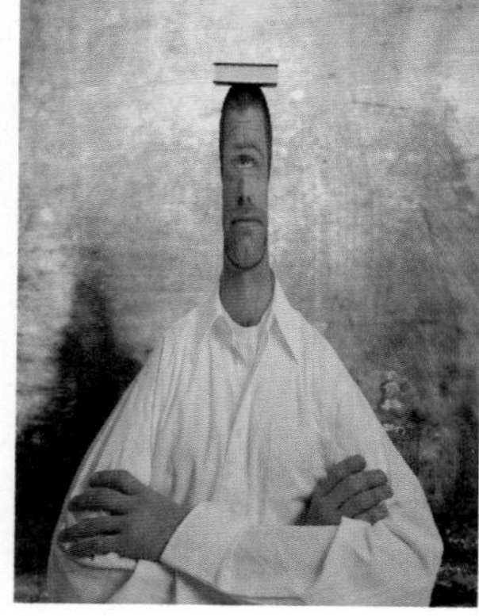
图22-24

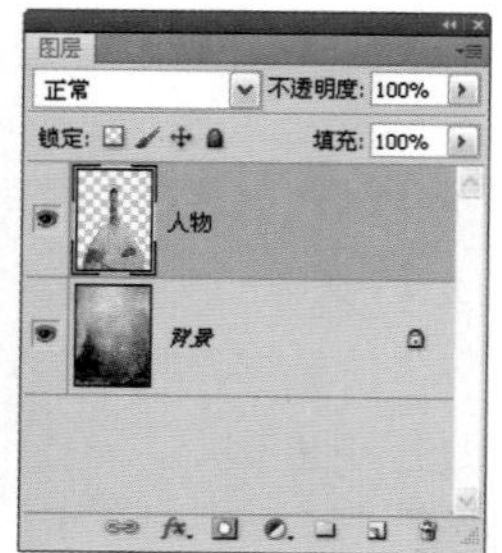
图22-25

11 按下Ctrl+B快捷键打开“色彩平衡”对话框，分别调整“中间调”、“阴影”和“高光”的参数，如图22-26～图22-28所示，效果如图22-29所示。

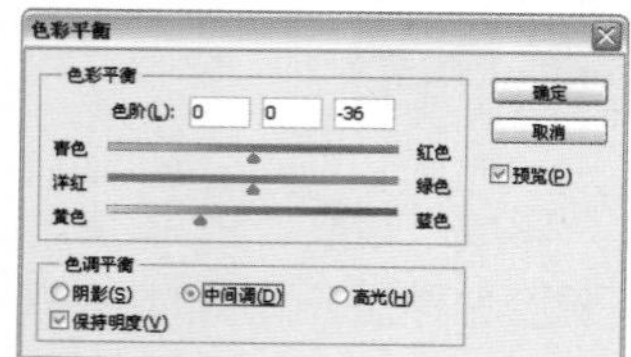
图22-26

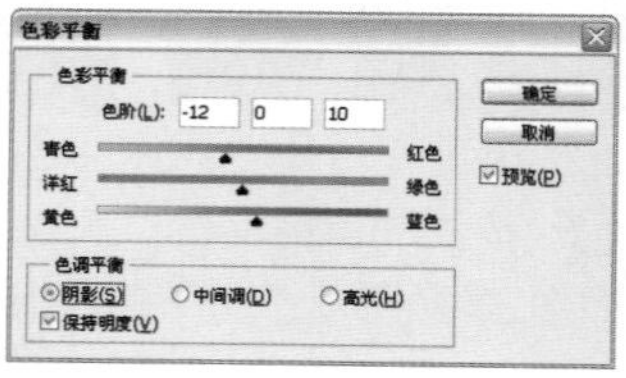

图22-27

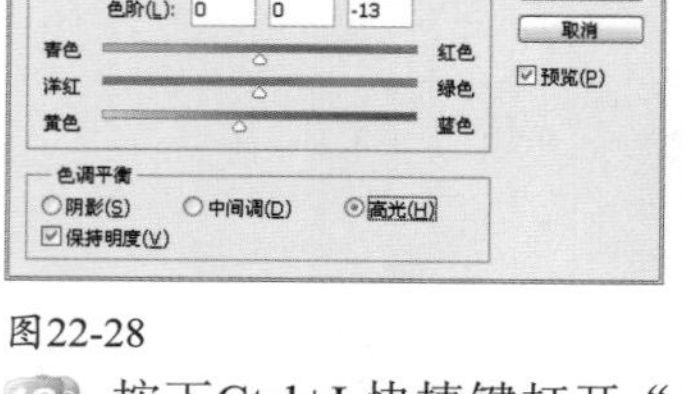
图22-28

图22-29

12 按下Ctrl+L快捷键打开“色阶”对话框，分别将阴影滑块和高光滑块向中间拖动，增加色调的对比度，如图22-30、图22-31所示。

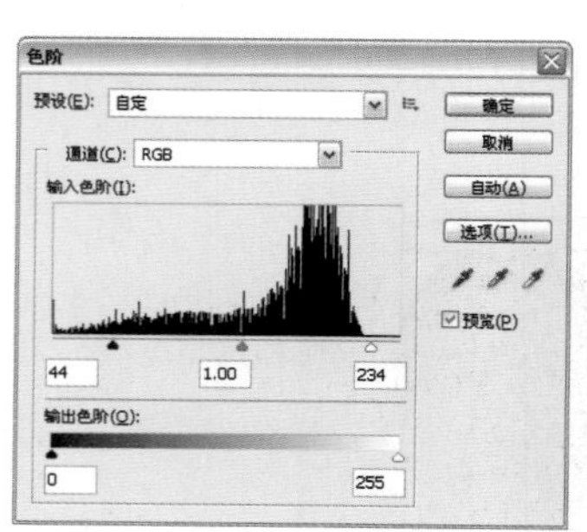
图22-30

图22-31

13 画面中人物双臂交叉，专注地看着头顶的书，形成一个三角形构图，给人以安定和平衡的感觉。可以再为人物绘制两撇小胡子做点缀，打破这种僵硬的稳定感，使画面变得有趣，如图22-32所示。

图22-32

22.2 精通画笔应用：时尚界面设计

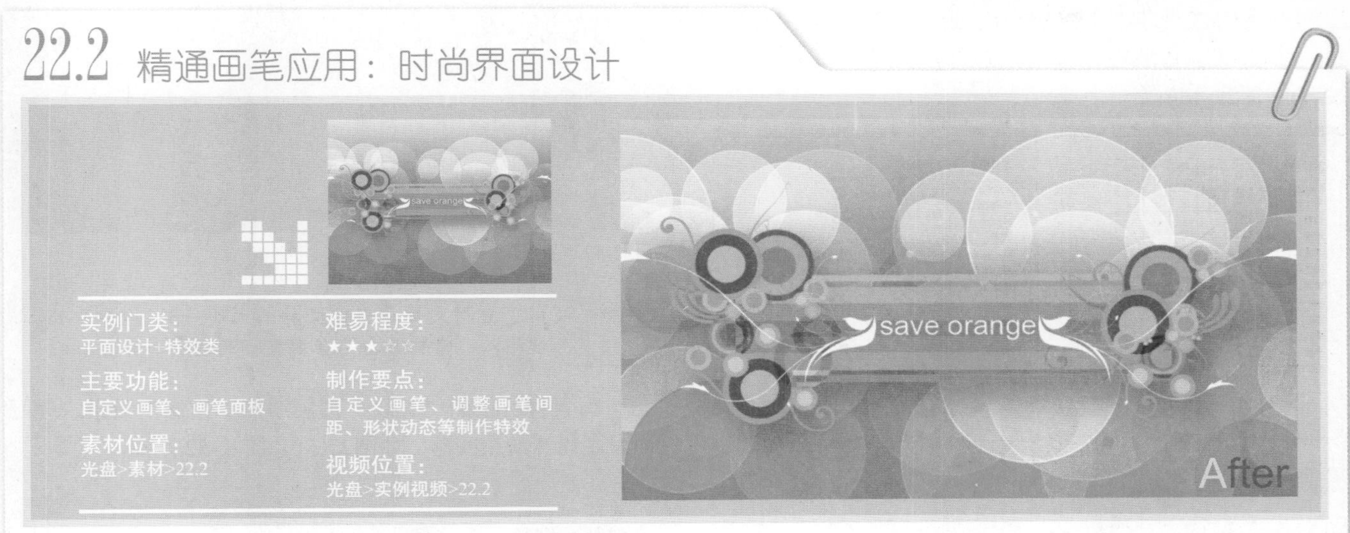

1 按下Ctrl+N快捷键，打开“新建”对话框，在“预设”下拉列表中选择“Web”选项，设置大小为1024×768像素，创建一个Web文档。

2 将前景色设置为50%灰，如图22-33所示。新建一个图层，使用画笔工具（尖角、290像素）单击，创建一个灰色的圆形，如图22-34所示。

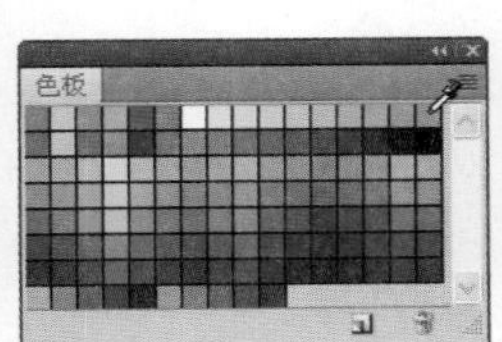
图22-33

图22-34

提示 采用50%灰绘制圆点来定义画笔，能很好地保证画笔的半透明性。

3 双击该图层，打开“图层样式”对话框，添加“描边”效果，如图22-35、图22-36所示。

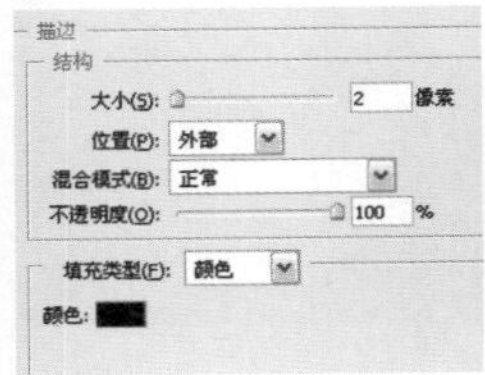
图22-35

图22-36

4 使用矩形选框工具选择圆形，如图22-37所示；执行“编辑>定义画笔预设”命令，打开“画笔名称”对话框，输入画笔名称，如图22-38所示，按下回车键完成画笔的定义。

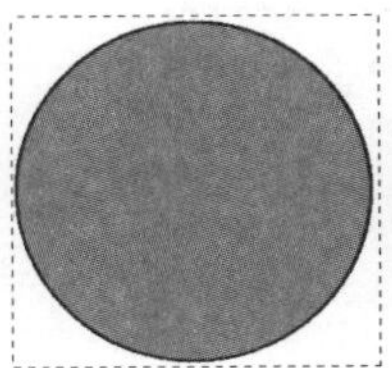
图22-37

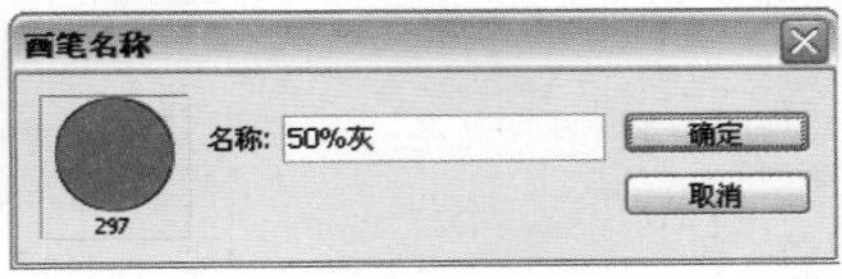

图22-38

5 将“图层1”删除。选择渐变工具，打开“渐变编辑器”设置渐变颜色，如图22-39所示；按住Shift键锁定水平方向拖动鼠标填充线性渐变，如图22-40所示。

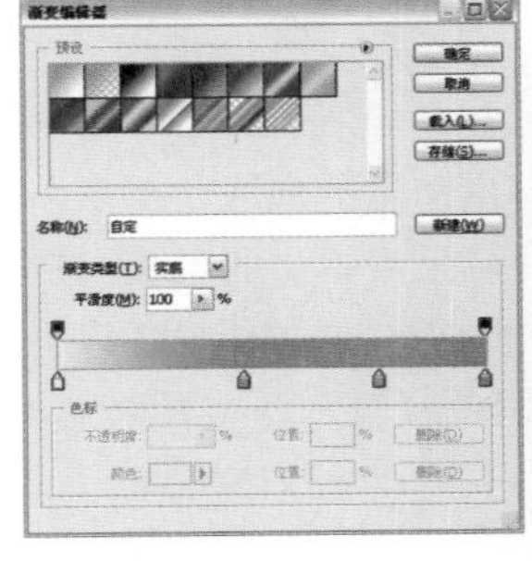
图22-39

图22-40

6 新建一个图层，如图22-41所示。将前景色设置为青色（R0、G161、B233），选择画笔工具，在工具选项栏中选择新建的画笔，如图22-42所示。

图22-41

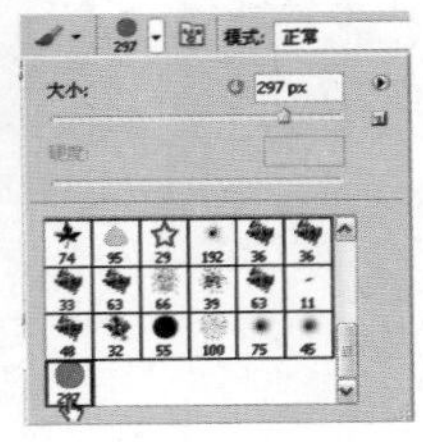
图22-42

7 按下F5快捷键打开“画笔”面板，分别对画笔的间距、形状动态、散布和颜色动态等选项进行调整，如图22-43～图22-46所示。

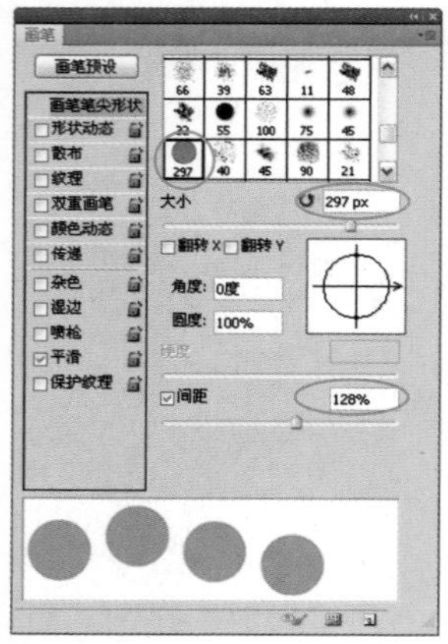
图22-43

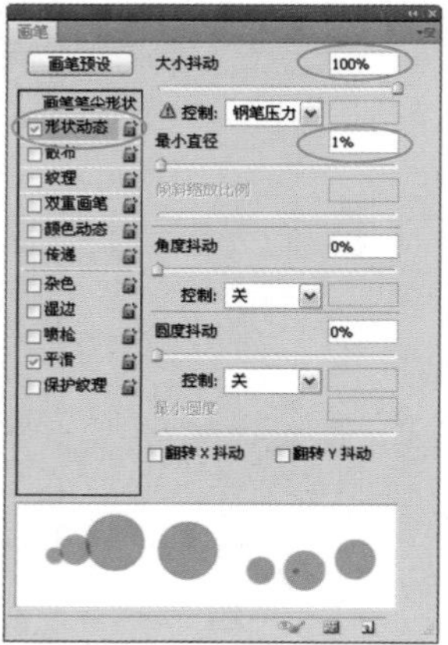
图22-44

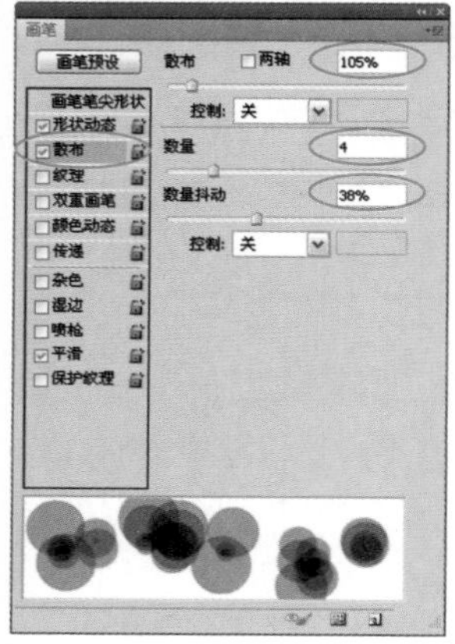
图22-45

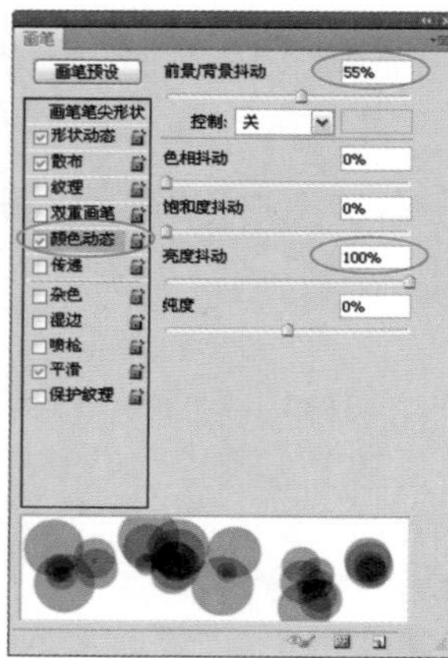
图22-46

8 在窗口中水平拖动鼠标，绘制出随意的泡泡状图形，绘制时要注意圆形的大小和层次，可采用单击的方法，在个别区域添加圆形来调整图形的分布状态，如图22-47所示。将图层的混合模式设置为“颜色减淡”，如图22-48所示。

图22-47

图22-48

9 打开一个文件，如图22-49所示；使用移动工具按住Shift键将该它拖入当前文档，如图22-50所示。

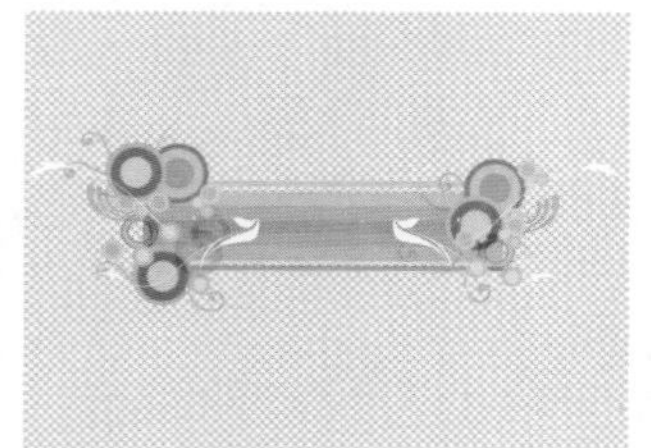
图22-49

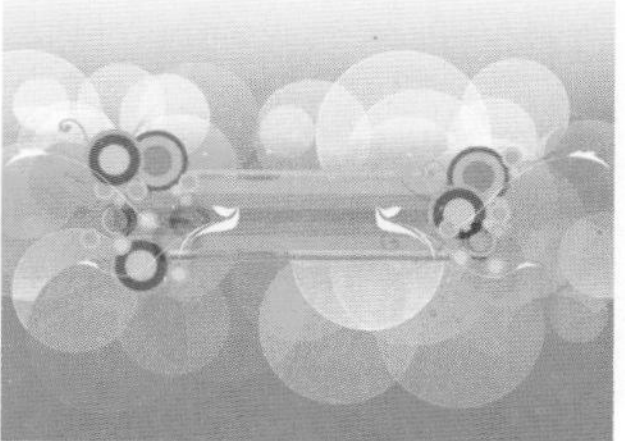
图22-50

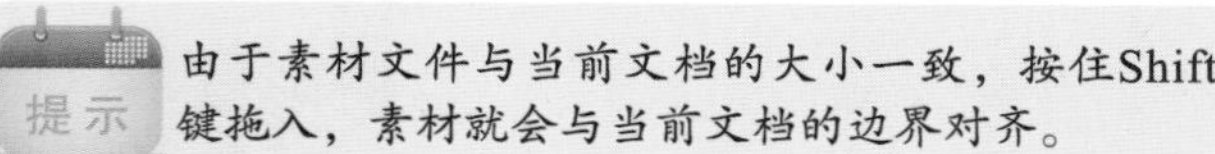
提示 由于素材文件与当前文档的大小一致，按住Shift键拖入，素材就会与当前文档的边界对齐。

10 为素材所在的“花纹”图层添加“投影”效果，使画面呈现纵深的空间感，如图22-51、图22-52所示。

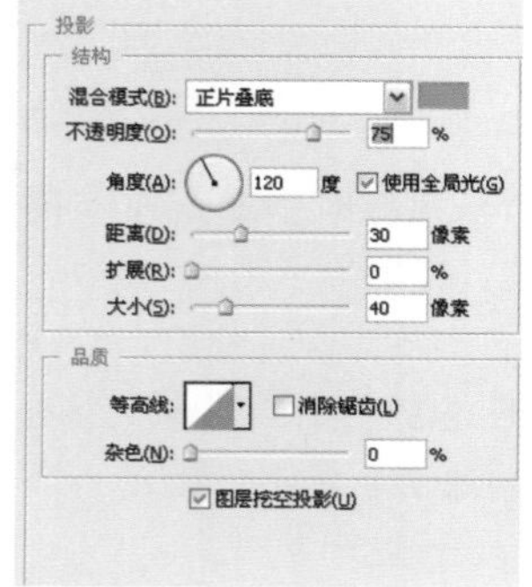

图22-51

图22-52

11 使用横排文字工具T（字体Arial，大小40点）输入主题文字，完成制作，如图22-53所示。

图22-53

22.3 精通选区：制作 Mix & Match 风格插画

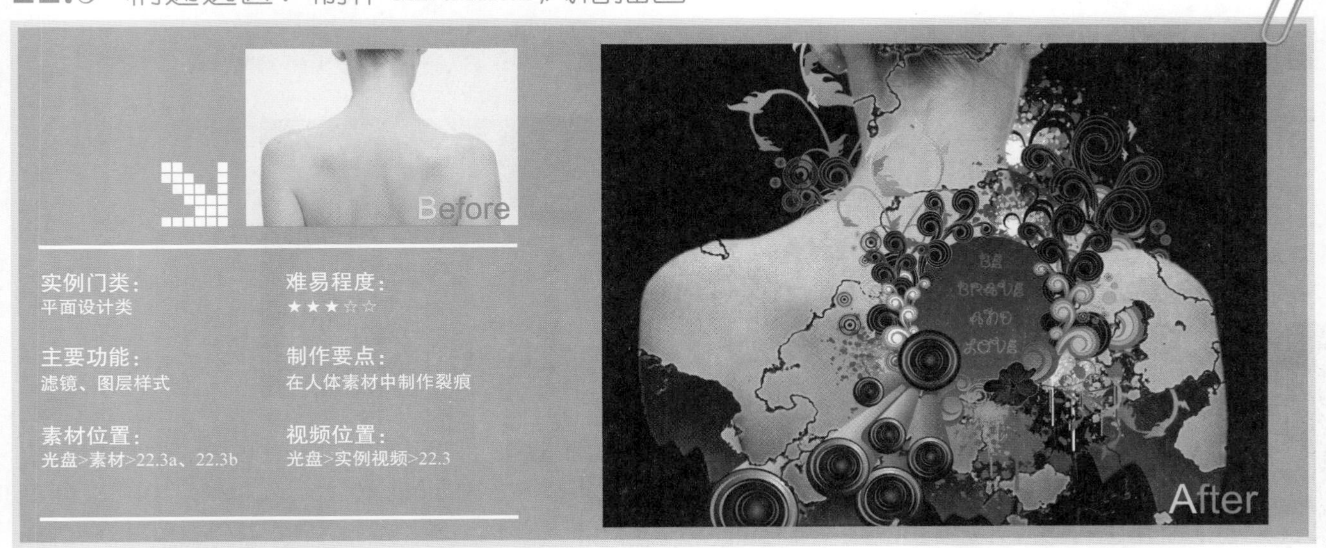

1 按下Ctrl+O快捷键，打开一个文件，如图22-54所示。

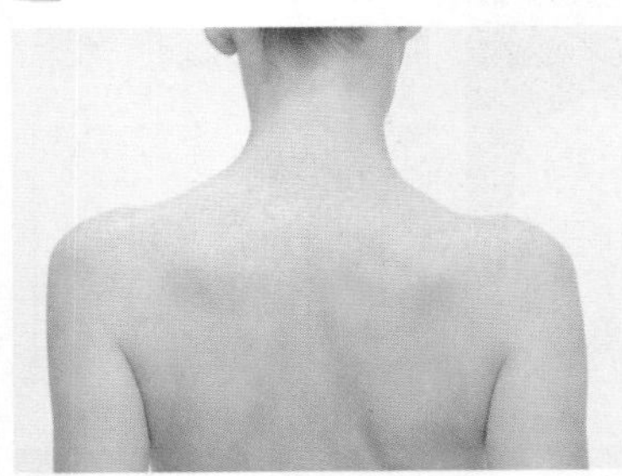
图22-54

2 选择魔棒工具（容差为20），按住Shift键连续单击背景，将背景选取，按下工具选项栏中的“调整边缘”按钮，打开“调整边缘”对话框，设置参数如图22-55所示；单击“确定”按钮后，再按下Ctrl+Shift+I快捷键反选，选择人体，如图22-56所示。

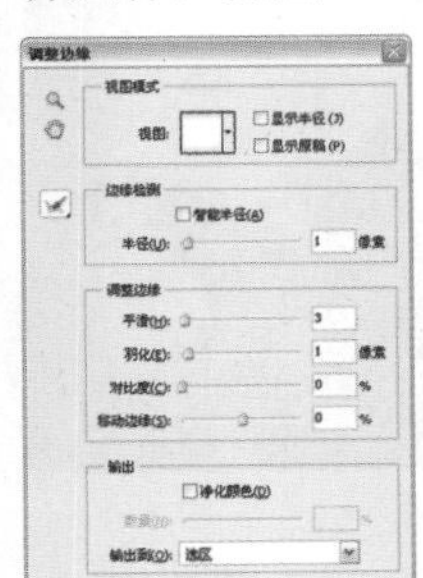
图22-55

图22-56

3 按下Ctrl+J快捷键复制，如图22-457所示。选择“背景”图层并填充黑色，如图22-58、图22-59所示。

图22-57

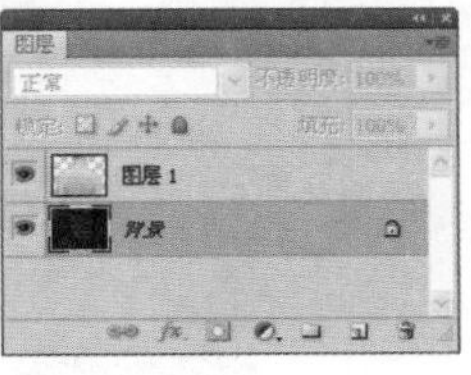
图22-58

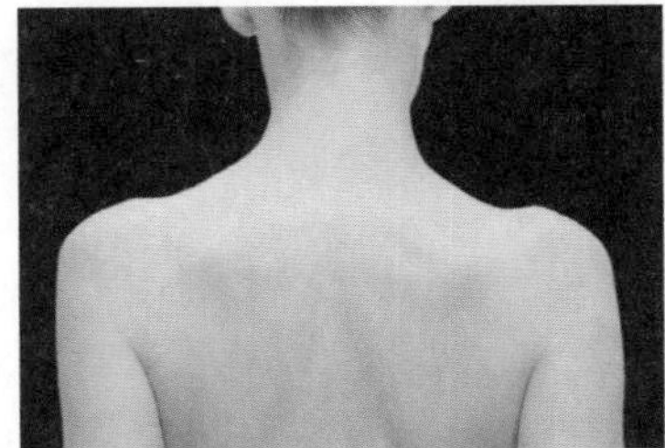
图22-59

4 在“图层”面板顶部新建一个图层。执行“滤镜>渲染>云彩”命令，随机制作云彩图案，如图22-60所示。再执行“滤镜>渲染>分层云彩”命令，效果如图22-61所示。

图22-60

图22-61

5 按下Ctrl+L快捷键打开“色阶”对话框，向左侧拖动高光滑块，扩展图像的亮部区域，使图像形成强烈反差，如图22-62、图22-63所示。

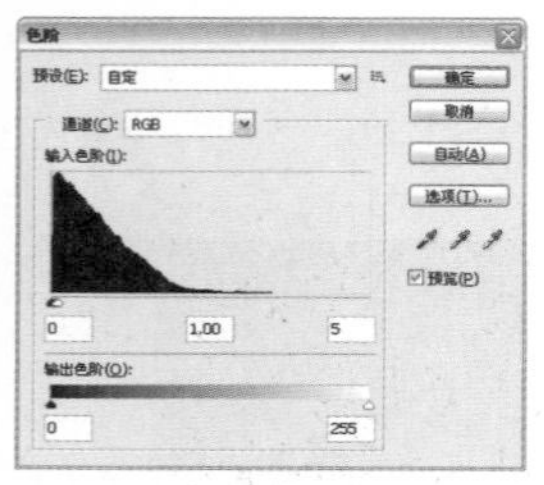

图22-62

图22-63

6 在“通道”面板中按下◌按钮，将白色区域选中，按下Delete键删除，只保留黑色区域，然后取消选择，如图22-64所示。

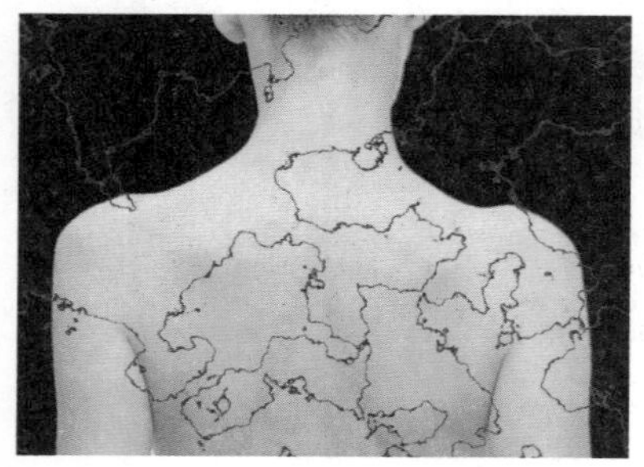

图22-64

7 按下Ctrl+Alt+G快捷键创建剪贴蒙版，如图22-65所示。按下□按钮锁定透明像素，将纹理填充为深褐色，如图22-66所示。

图22-65

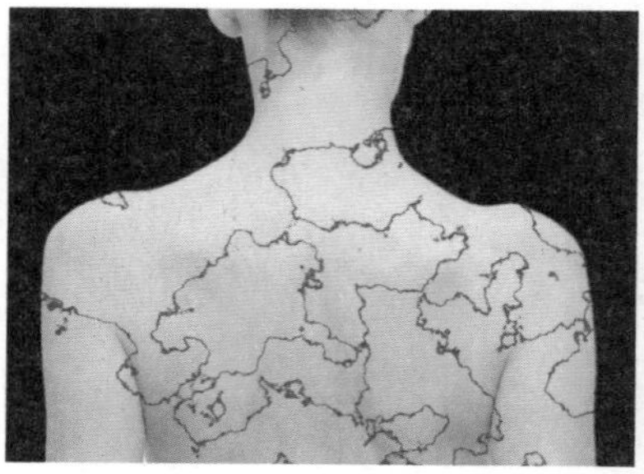

图22-66

8 为图层添加“外发光”效果，如图22-67所示。选择左侧列表中的“斜面和浮雕”选项，设置参数如图22-68所示；再选择“等高线”和“纹理”选项，使用系统默认参数，如图22-69、图22-70所示，效果如图22-71所示。

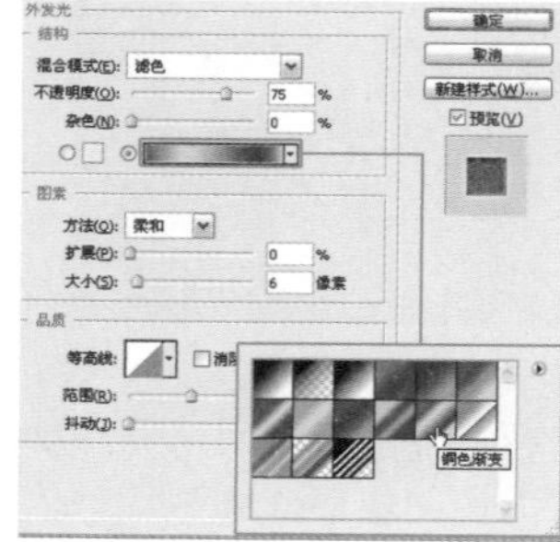

图22-67

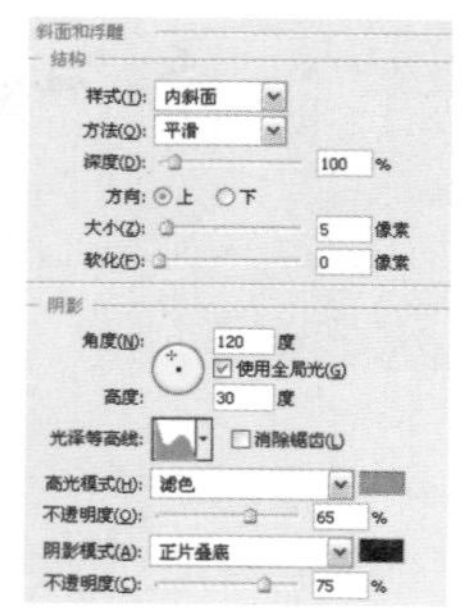

图22-68

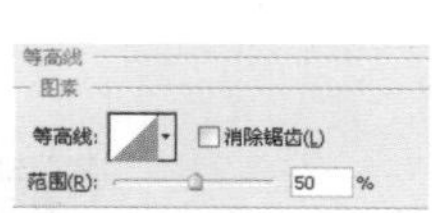

图22-69

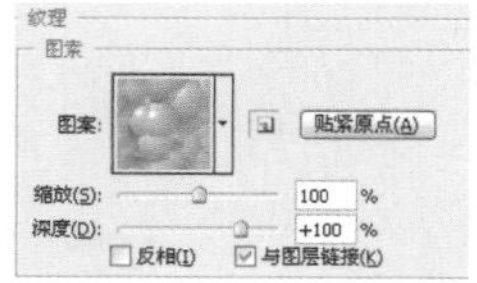

图22-70

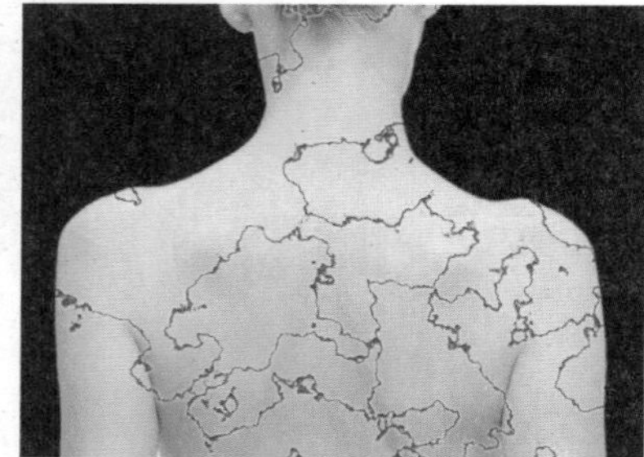

图22-71

9 选择魔棒工具，按住Shift键选择如图22-72所示的区域，再按下Ctrl+Shift+I快捷键反选。选择“图层1”，单击□按钮，基于选区创建蒙版，如图22-73、图22-74所示。

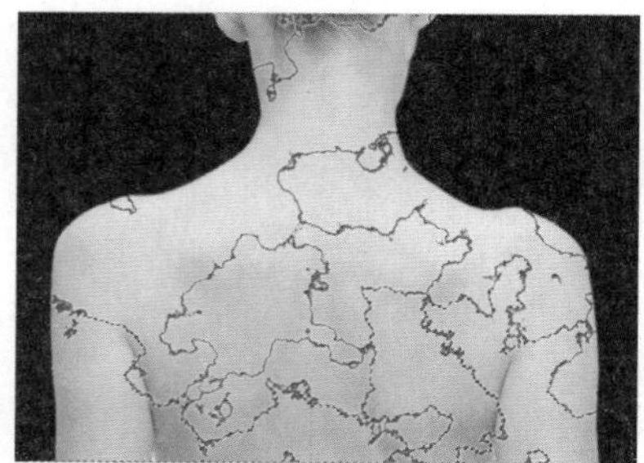

图22-72

图22-73

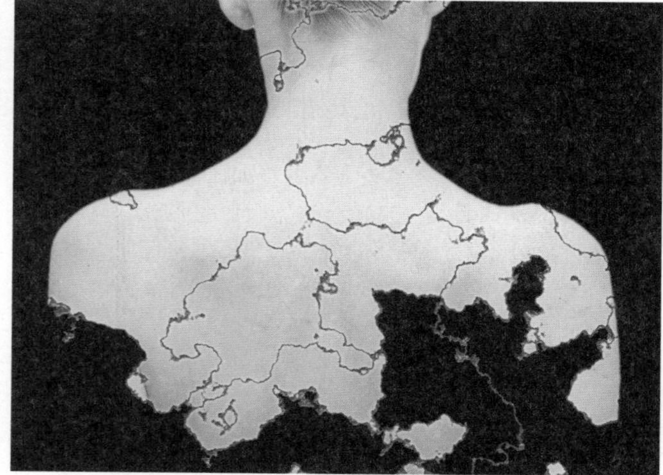

图22-74

10 添加一个“色阶”调整图层，设置参数如图22-75所示；按下Ctrl+] 快捷键将它向上移动一个堆叠顺序，如图22-76所示，效果如图22-77所示。

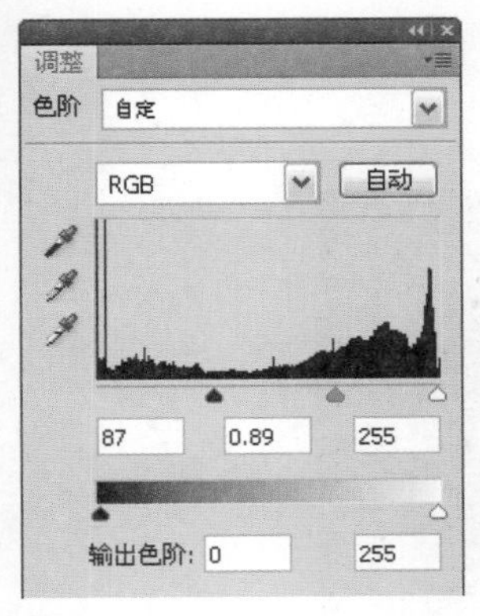
图22-75

图22-76

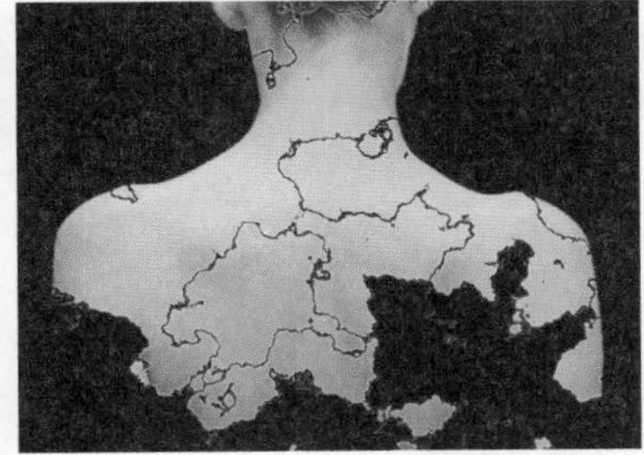
图22-77

11 在“背景”图层上方新建一个图层。使用套索工具创建一个比较随意的选区，如图22-78所示。

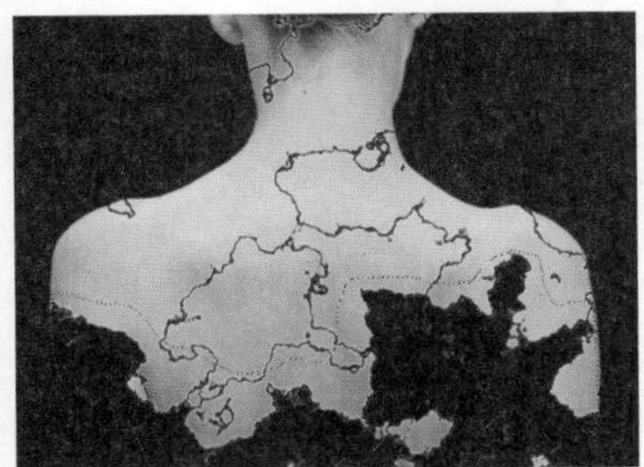
图22-78

12 按下Alt+Delete键填充前景色，如图22-79所示。使用画笔工具涂抹黑色，表现出人体内部的阴影，塑造出立体效果，然后取消选择，如图22-80所示。

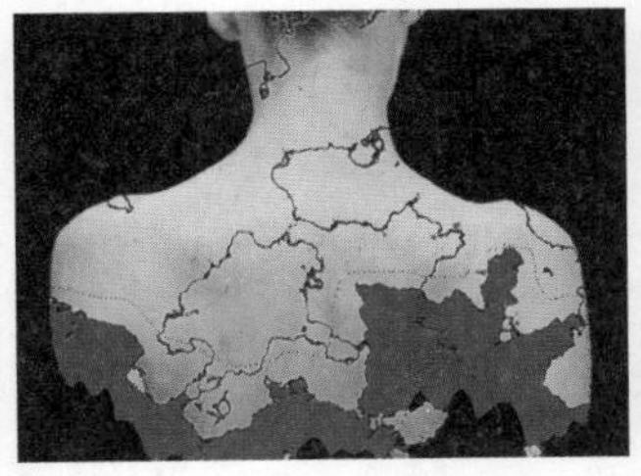
图22-79

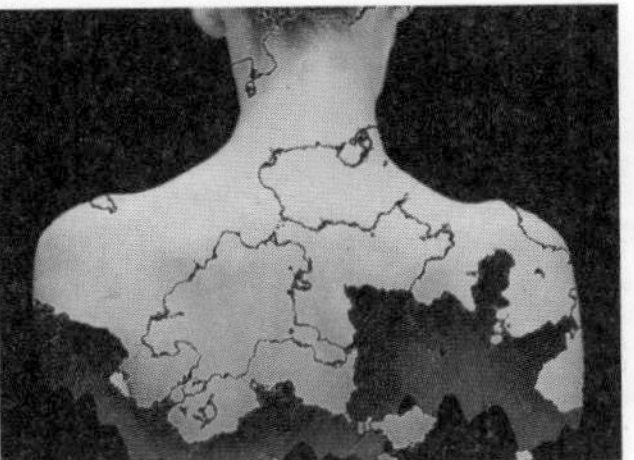
图22-80

13 添加“斜面和浮雕”效果，为该区域增加厚度，如图22-81、图22-82所示。

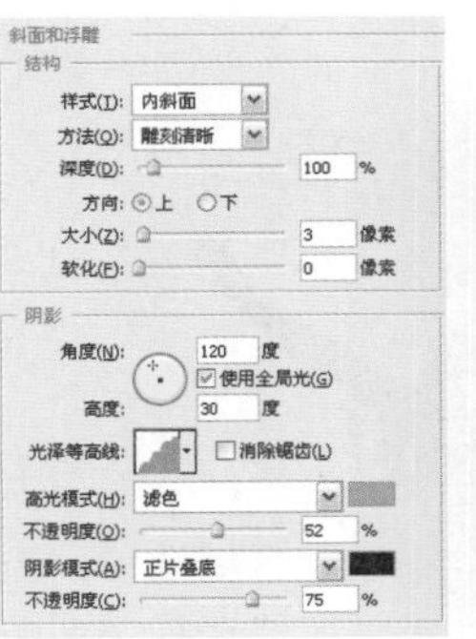
图22-81

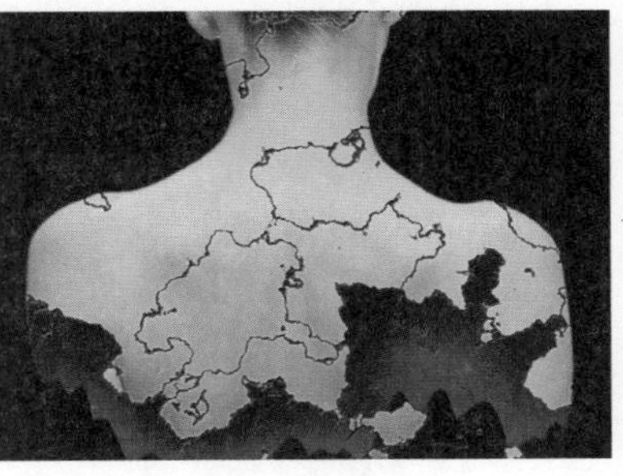
图22-82

14 打开一个文件，拖入到人物文档中，如图22-83所示。

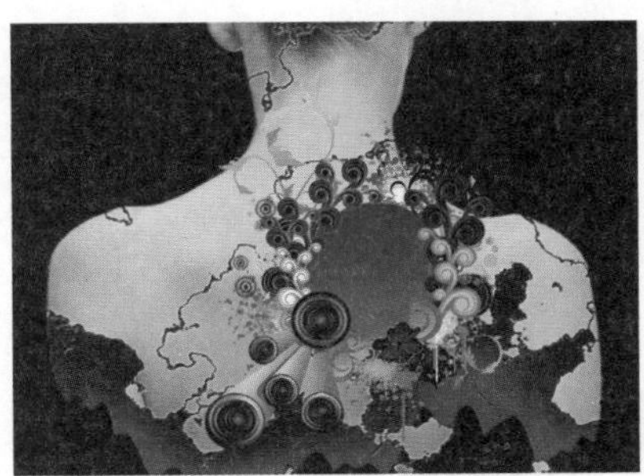
图22-83

15 将图层复制，并调整到“图层1”与“图层3”之间，如图22-84所示；然后调整它的大小，如图22-85所示。

图22-84

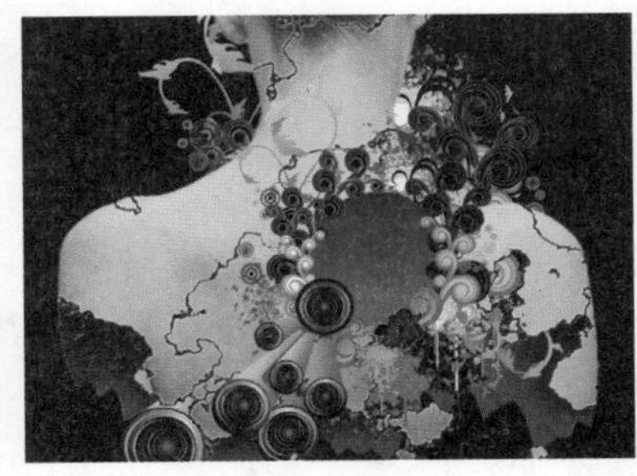
图22-85

16 使用文字工具T输入文字，设置文字图层的混合模式为“叠加”，完成制作，效果如图22-86所示。

图22-86

22.4 精通色彩调整：制作当代艺术作品

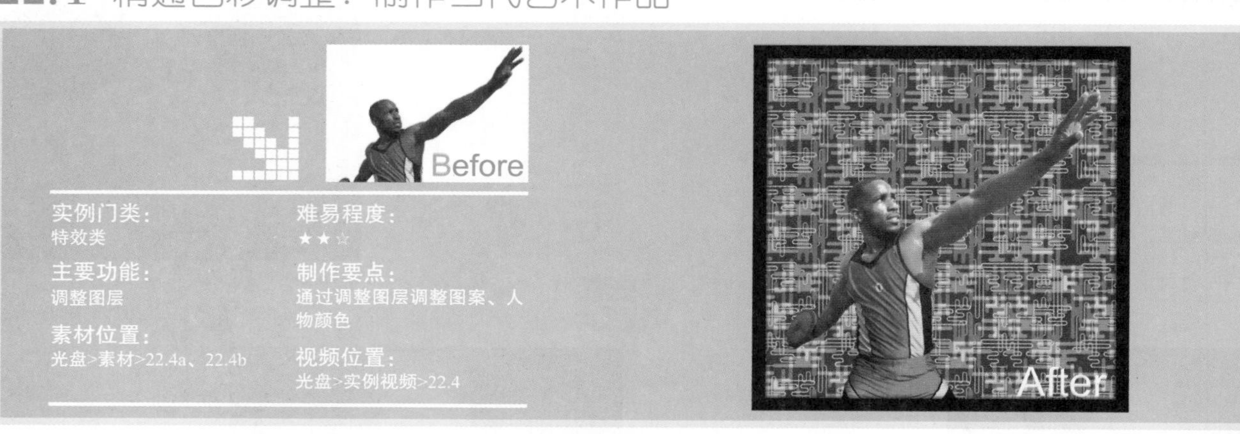

1 按下Ctrl+O快捷键，打开一个文件，如图22-87所示。按下Ctrl+J快捷键复制“背景”图层，执行“编辑>变换>旋转90度（顺时针）”命令，将图像旋转，如图22-88所示。

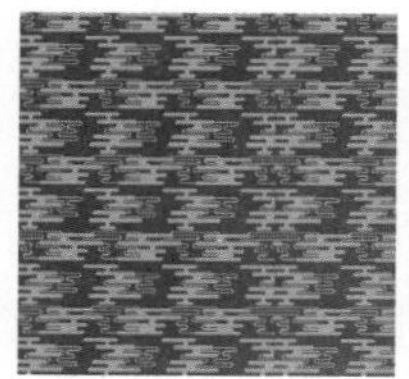
图22-87

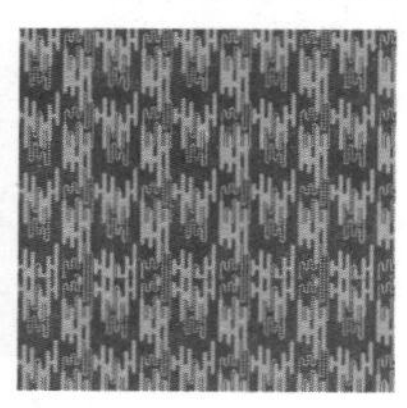
图22-88

2 设置该图层的混合模式为“实色混合”，不透明度为60%，效果如图22-89所示。单击“调整”面板中的按钮，创建“色相/饱和度”调整图层，设置参数如图22-90所示，将画面调整为红色，如图22-91所示。

图22-89

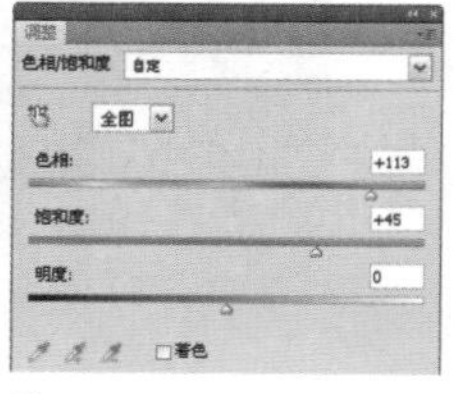
图22-90

图22-91

3 打开一个文件，如图22-92所示。使用魔棒工具在白色背景上单击，将背景选取，按下Shift+Ctrl+I快捷键反选，选中人物，按下Ctrl键将选区内的人物拖动图案文档中，如图22-93所示。

4 单击“调整”面板中的按钮，创建“可选颜色”调整图层，在“颜色”下拉列表中选择“黑色”，设置参数如图22-94所示。使用柔角画笔工具在人物的衣服上涂抹黑色，使调整图层不影响衣服的颜色，设置调整图层的混合模式为“颜色减淡”，单击面板底部的按钮，创建剪贴蒙版，如图22-95、图22-96所示。

图22-92

图22-93

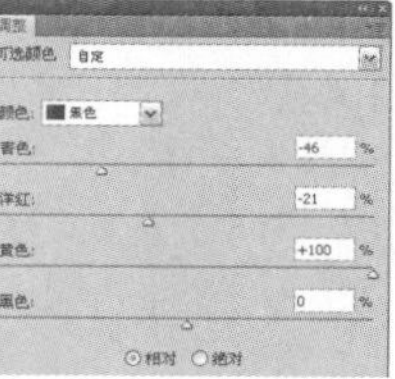
图22-94

图22-95

图22-96

5 新建一个图层。按下Ctrl+A快捷键全选，执行“选择>变换选区”命令，在选区上显示定界框，将定界框调小，使选区变小，按下回车键确认操作。按下Shift+Ctrl+I快捷键反选，在选区内填充黑色，按下Ctrl+D快捷键取消选择，形成一个黑色的边框，如图22-97所示。

6 双击该图层，打开“图层样式”对话框，在左侧列表选择“外发光”效果，设置参数如图22-98所示，效果如图22-99所示。

图22-97

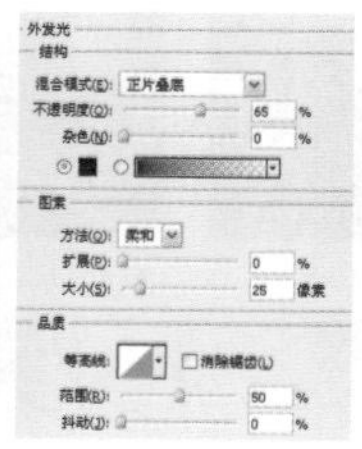
图22-98

图22-99

22.5 精通混合模式：制作设计类主题海报

1 按下Ctrl+O快捷键，打开两个文件，如图22-100、图22-101所示。

图22-100　图22-101

2 选择移动工具，按住Shift键将红色素材拖到绿叶文档中，设置混合模式为“叠加”，如图22-102、图22-103所示。使用橡皮擦工具（柔角）将图像中呈现直线的区域擦除，如图22-104所示。

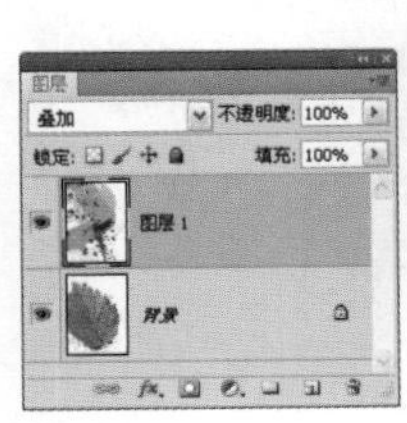

图22-102　图22-103　图22-104

3 将“背景”图层拖动到按钮上进行复制，再将复制后的图层拖至顶层。执行“滤镜>风格化>查找边缘”命令，效果如图22-105所示。

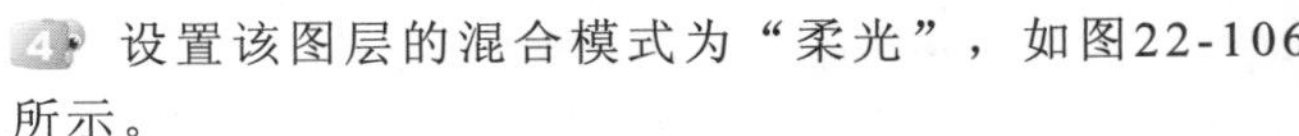

4 设置该图层的混合模式为“柔光”，如图22-106所示。

图22-105　图22-106

5 按下Ctrl+T快捷键显示定界框，拖动定界框将图像朝逆时针方向旋转，如图22-107所示。按下回车键确认操作。使用画笔工具绘制一些黑色的图形，在上面输入文字，效果如图22-108所示。

图22-107　图22-108

22.6 精通图层样式：制作光感气泡

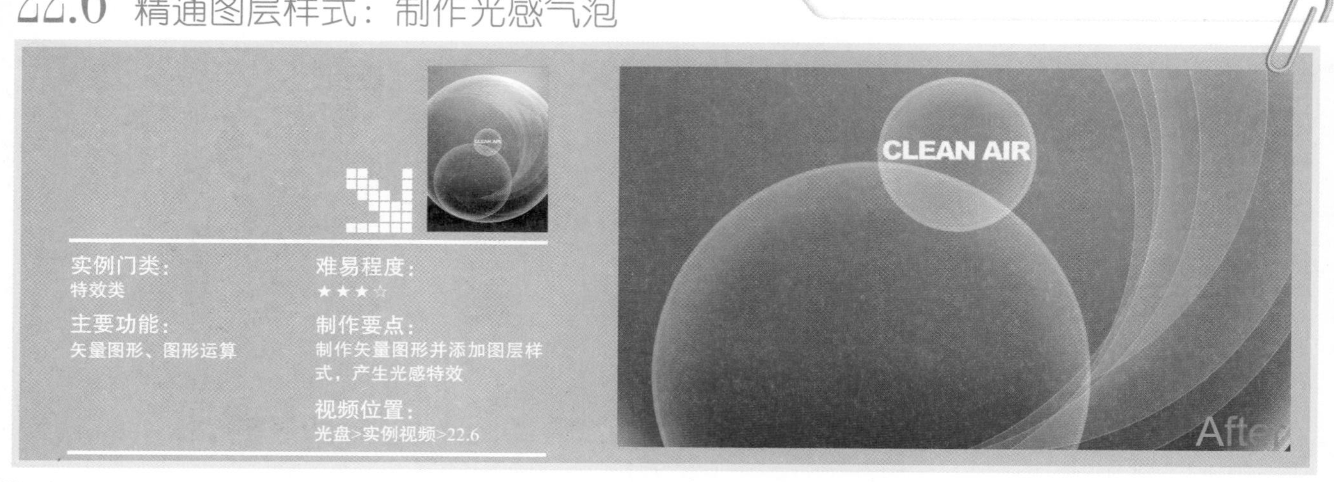

1 按下Ctrl+N快捷键打开“新建”对话框，使用预设的选项创建一个A4大小，分辨率为300像素/英寸的文件。

2 将背景图层填充为灰色。选择椭圆工具，在工具选项栏中按下形状图层按钮，按住Shift键绘制一个圆形，如图22-109所示，“图层”面板中会生成一个形状图层，如图22-110所示。

图22-109

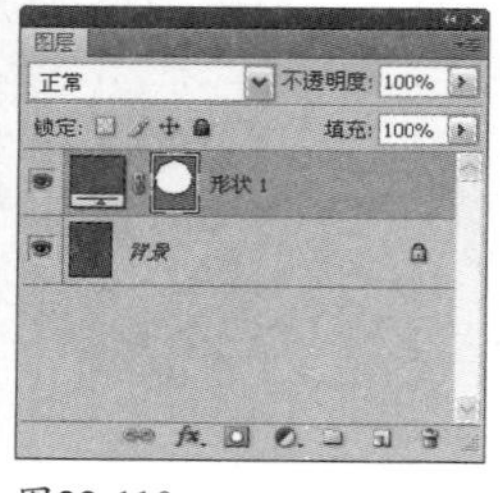

图22-110

3 按住Alt键在它上面绘制一个圆形（绘制过程中再按住Shift键），两个圆形相减会形成一个月牙状图形，如图22-111、图22-112所示。

图22-111

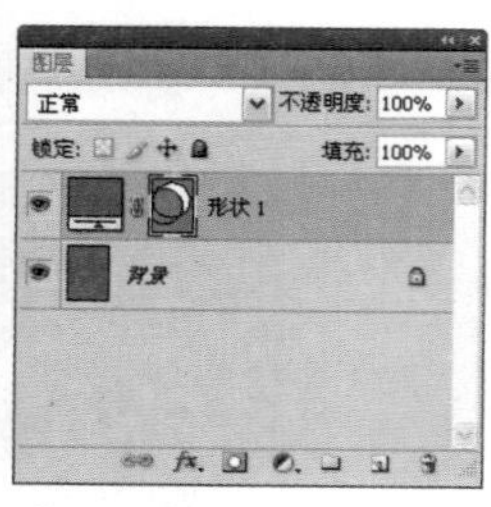

图22-112

4 双击该图层，打开“图层样式”对话框，分别选择“内发光”和“描边”效果，设置参数如图22-113、图22-114所示。在“图层”面板中将图层的填充不透明度调整为0%，使形状变为透明，只显示添加的效果，如图22-115所示。

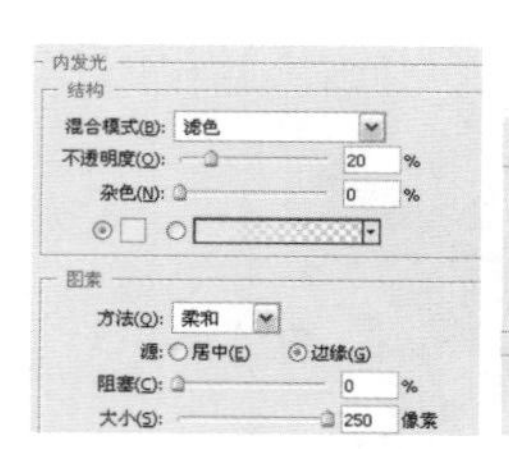

图22-113

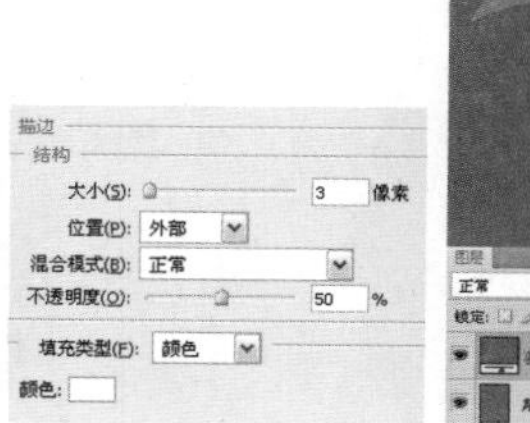

图22-114

图22-115

5 按下Ctrl+J快捷键复制图层，如图22-116所示。按下Ctrl+T快捷键显示定界框，拖动控制点将图形缩小并适当旋转，按下回车键确认，如图22-117所示。采用同样的方法再复制两个形状图层，并将它们分别旋转，使4个形状形成一种递进关系，如图22-118所示。

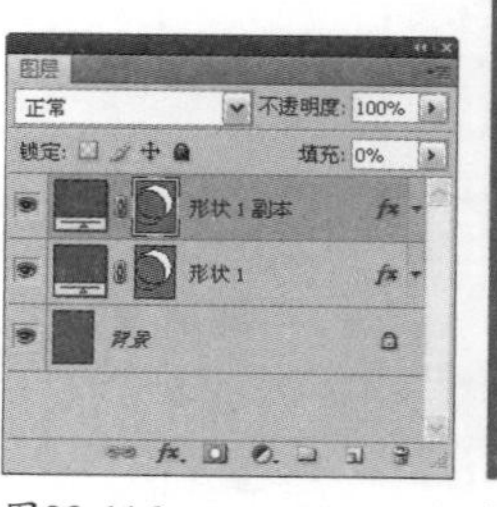

图22-116

图22-117

图22-118

6 使用椭圆工具按住Shift绘制一个圆形，新的形状图层会自动添加与其他形状图层相同的效果，如图22-119、图22-120所示。

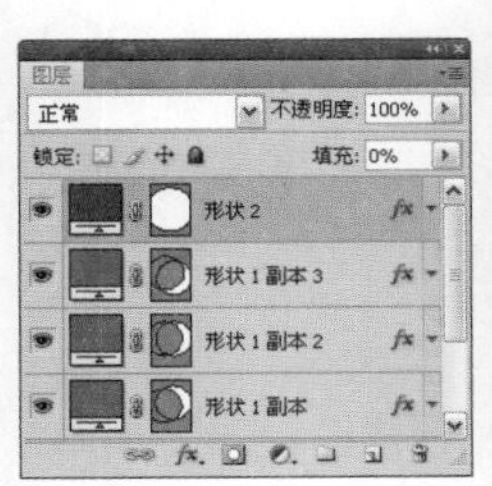

图22-119 图22-120

7 双击该形状图层，打开“图层样式”对话框，修改参数，如图22-121、图22-122、图22-123所示。

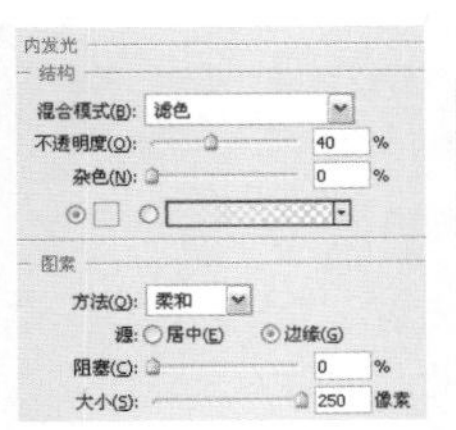

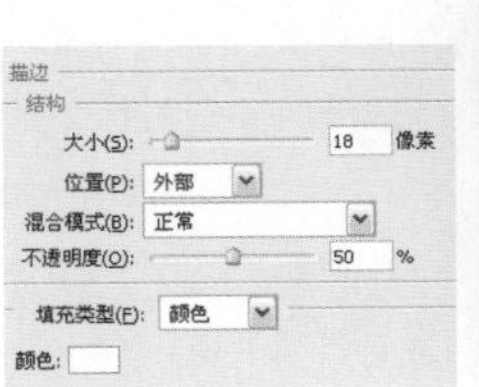

图22-121 图22-122 图22-123

8 连续按3次Ctrl+J快捷键，复制出3个图层，如图22-124所示。按下Ctrl+T快捷键显示定界框，按住Alt+Shift键拖动定界框顶角的控制点，基于圆心缩小图形，然后再向上移动，如图22-125所示，按下回车键确认。

9 选择“形状2副本2”图层，按下Ctrl+T快捷键显示定界框，按Shift键缩放并适当移动位置，使它与“形状2副本”图层叠加，以增加大圆的亮度，如图22-126所示。

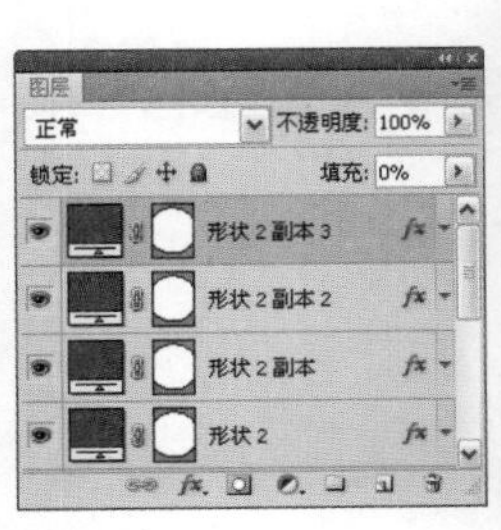

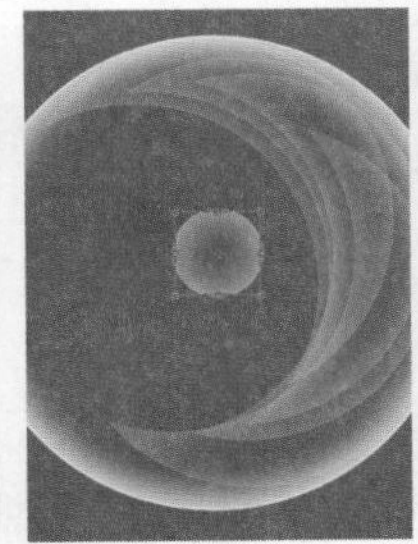

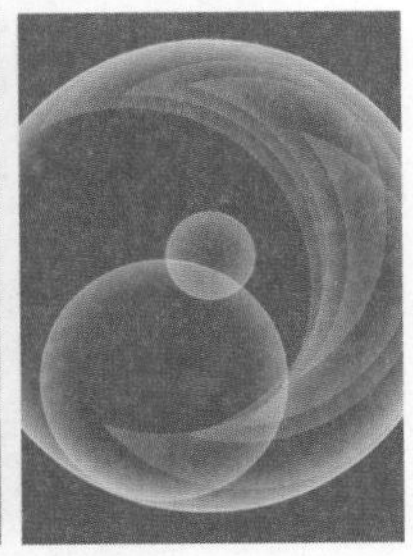

图22-124 图22-125 图22-126

10 按住Alt键单击“图层”面板中的按钮，在“形状2副本3”图层的上面新建一个名称为“颜色”，“叠加”模式的图层，如图22-127、图22-128所示。

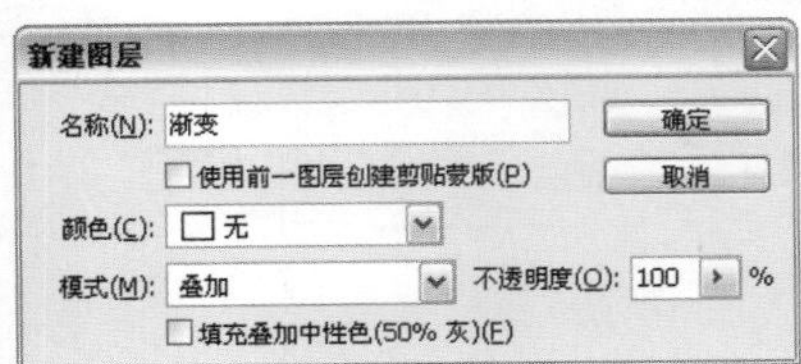

图22-127 图22-128

11 选择渐变工具，调整渐变颜色，如图22-129所示，按Shift键锁定垂直方填充线性渐变，如图22-130所示。

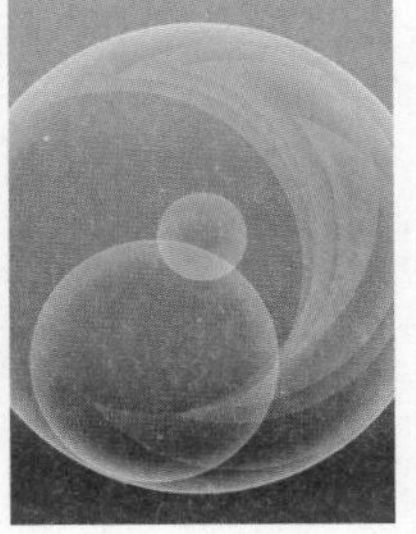

图22-129 图22-130

12 新建一个模式为“颜色”的图层。将前景色设置为粉红色，使用画笔工具（柔角，不透明度为20%）在圆形的底部涂抹，进行着色，如图22-131、图22-132所示。

13 新建一个模式为“叠加”的图层。将前景色设置为白色，选择渐变工具，按下径向渐变按钮，在右上角填充前景色到透明渐变，如图22-133所示。

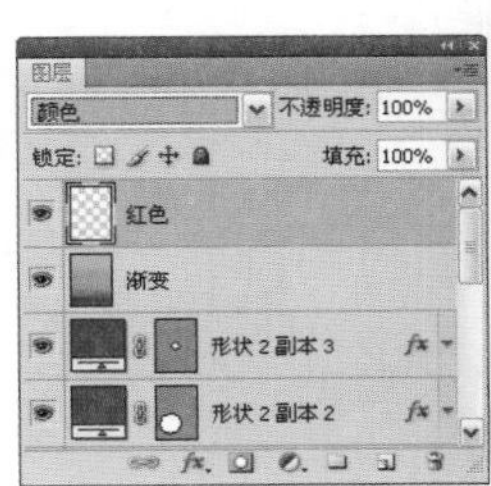

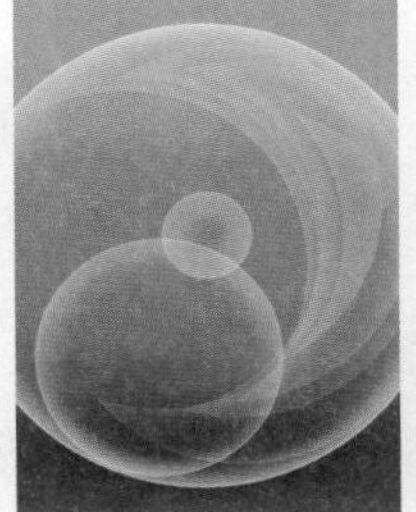

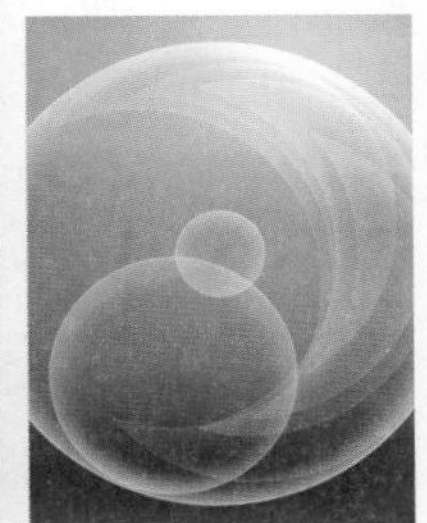

图22-131 图22-132 图22-133

14 最后使用横排文字工具T在中间的小圆内输入一行文字（字体为“Arial Black”，文字大小24点，颜色为白色），如图22-134所示。

图22-134

22.7 精通蒙版：瓶子里的风景

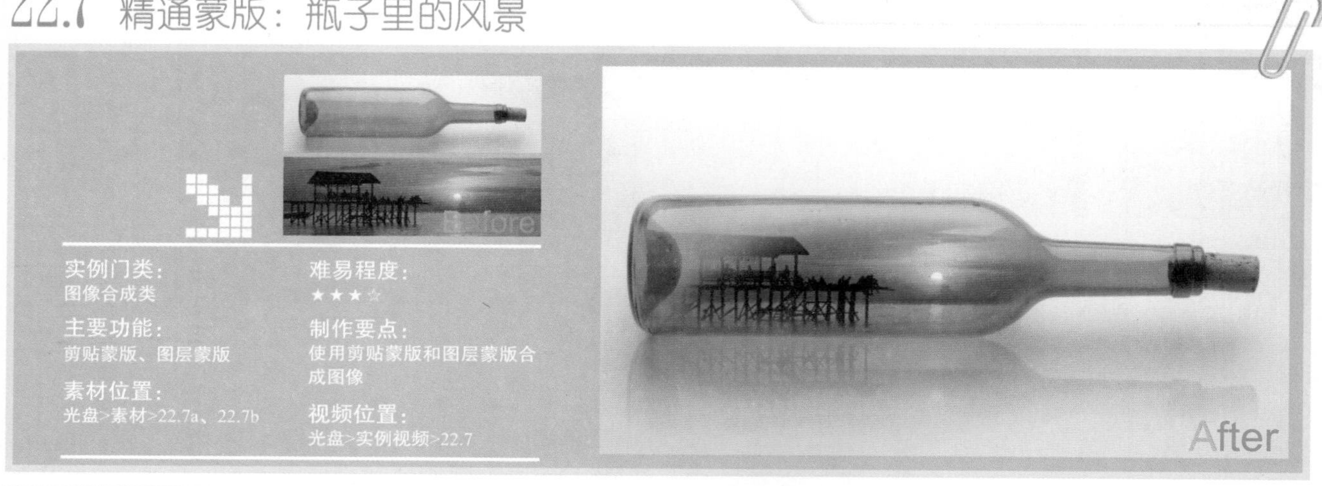

1 打开一个文件，如图22-135所示，下面我们就以这张图片为基础，通过剪贴蒙版，将一幅风景图像合成到瓶子中。

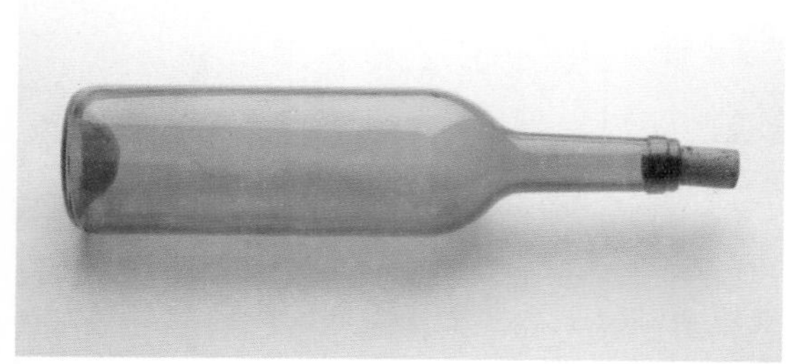

图22-135

2 先来调整一下瓶子的颜色。按下“调整”面板中的色相/饱和度按钮，分别调整“绿色”和“全图”参数如图22-136、图22-137所示，图像效果如图22-138所示。

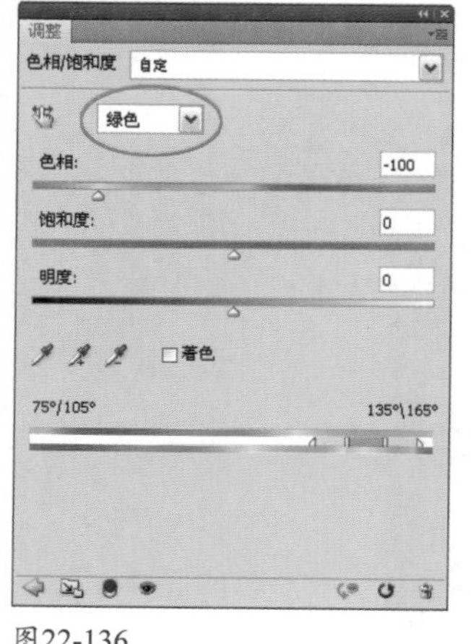

图22-136

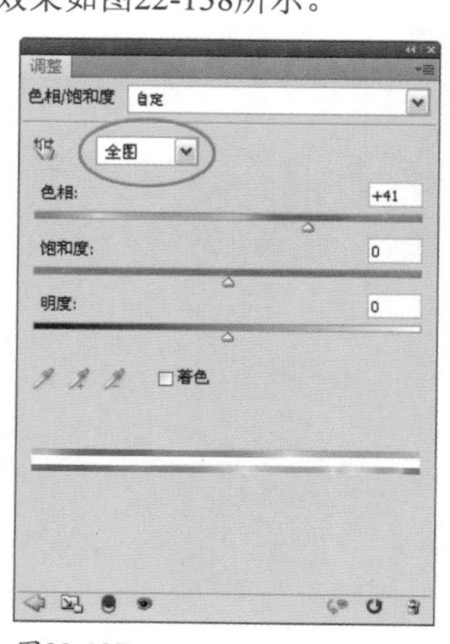

图22-137

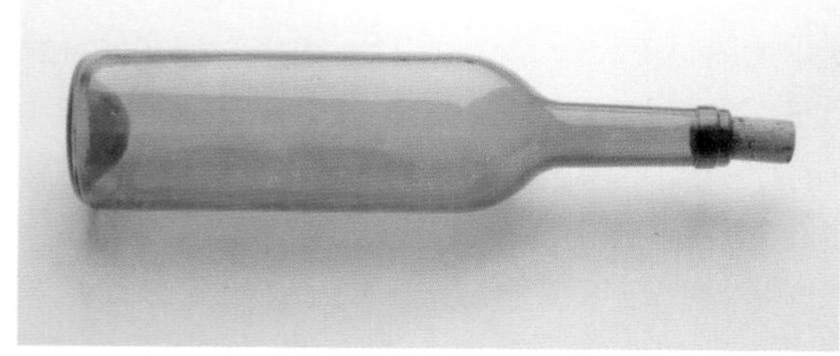

图22-138

3 使用画笔工具（柔角，不透明度为30%）在瓶子的暗部区域和瓶塞上涂抹黑色，通过修改调整图层的蒙版，使涂抹过的图像区域恢复为原来的颜色，如图22-139、图22-140所示。

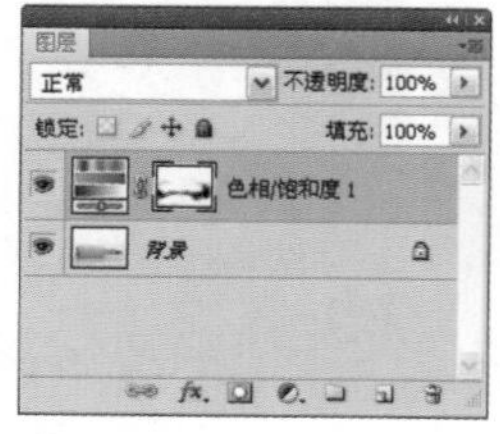

图22-139

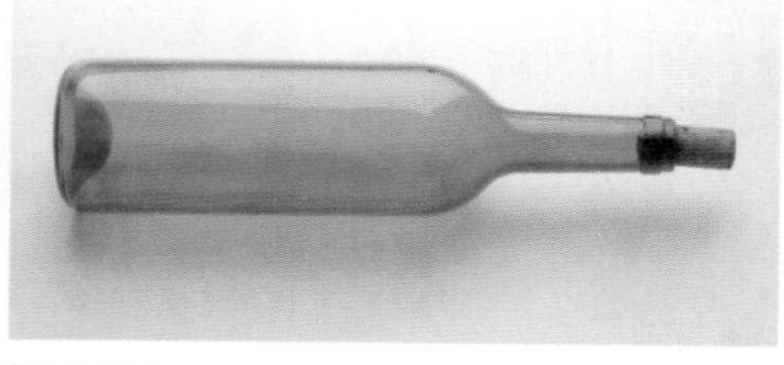

图22-140

4 选择魔棒工具（容差为32），按住Shift键在背景上单击，将背景全部选中，如图22-141所示，然后按下Shift+Ctrl+I快捷键反选，将瓶子选中。按下Shift+Ctrl+C快捷键合并拷贝选区内的图像，再按下Ctrl+V快捷键粘贴到一个新的图层中，如图22-142所示。

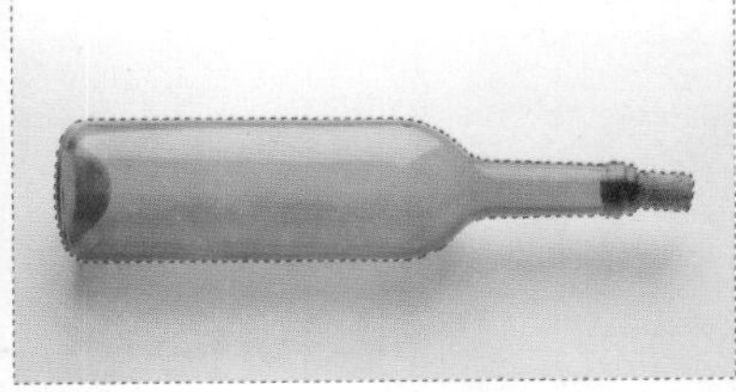
图22-141

图22-142

提示

选择瓶子时，如果选区内包含背景图像，可以使用选框工具按住Alt键选择它们，通过选区的运算，将这些内容从选区中排除。

5 打开一个文件，将它拖入到瓶子文档中，如图22-143所示。按下Alt+Ctrl+G快捷键，将它与瓶子图像创建为一个剪贴蒙版，隐藏瓶子之外的风景图像，如图22-144、图22-145所示。

图22-143

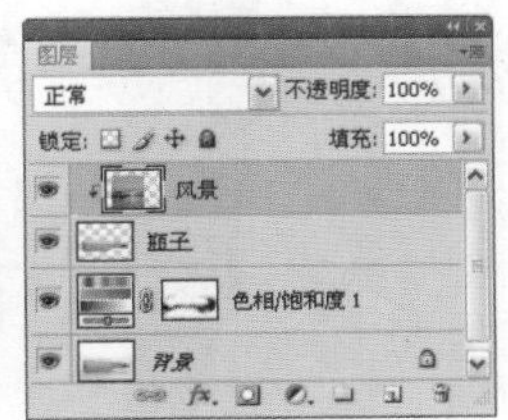
图22-144

图22-145

6 单击面板中的添加图层蒙版按钮，为风景图层添加一个蒙版。使用画笔工具（柔角，不透明度为30%）在瓶子的两边和风景图片的左右两边涂抹，将这些部分图像隐藏，使风景与瓶子地融合更加自然、真实，如图22-146、图22-147所示。

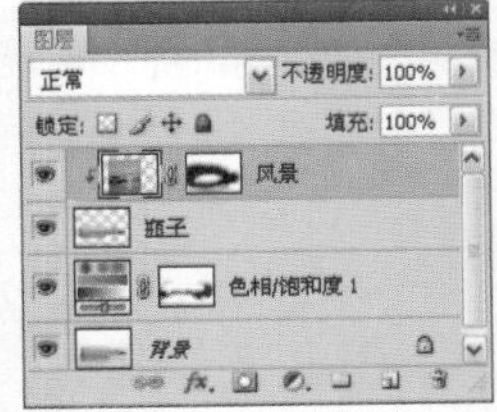
图22-146

图22-147

7 按住Ctrl键单击“瓶子”和“风景”图层，将它们选择，按下Alt+Ctrl+E快捷键，将图像盖印到一个新的图层中，如图22-148所示。按下Ctrl+T快捷键显示定界框，单击右键选择“垂直翻转”命令，将盖印图像翻转，并移动到瓶子的下面成为瓶子的倒影，如图22-149所示。

图22-148

图22-149

8 设置该图层的不透明度为30%。单击面板中的按钮，为它添加一个蒙版。选择渐变工具，填充默认的“前景色到背景色”线性渐变，将图像的下半部分隐藏，使制作出来的倒影更加真实，如图22-150、图22-151所示。

图22-150

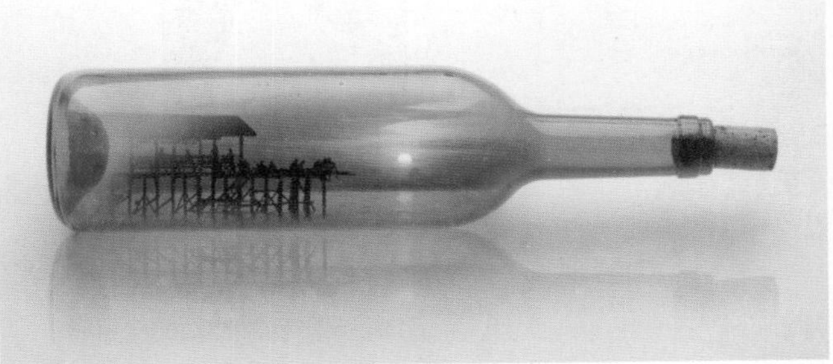
图22-151

22.8 精通通道抠图：为婚纱换背景

1 打开一个文件，如图22-152所示。按下Ctrl+A快捷键全选，按下Ctrl+C快捷键复制选区内的图像。单击“通道”面板中的按钮，新建一个Alpha通道，按下Ctrl+V快捷键将复制的图像粘贴到通道中，如图22-153、图22-154所示，然后取消选择。

图22-152

图22-153

图22-154

2 按下Ctrl+I快捷键反相，按下Ctrl+L快捷键键打开“色阶”对话框，向左侧拖动高光滑块，使人物轮廓内的图像变为白色，如图22-155、图22-156所示。

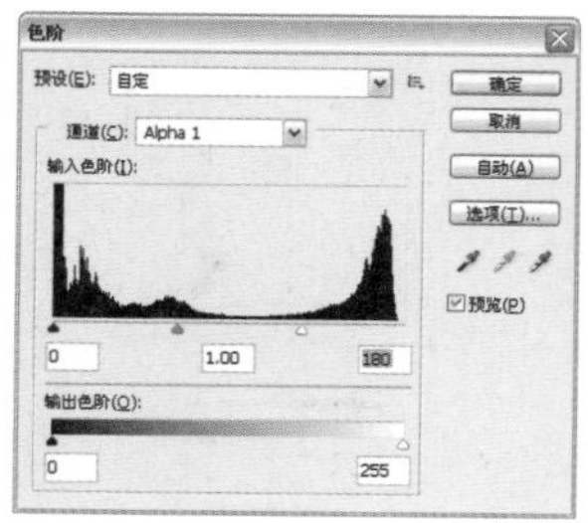
图22-155

图22-156

3 选择画笔工具，在工具选项栏中设置模式为“叠加”，不透明度为“30%”，将前景色设置为白色，在人物的衣领、下摆和婚纱的重叠部分涂抹，如图22-157所示。按住Ctrl 键单击“Alpha 1”通道，载入我们制作的选区，如图22-158所示。

图22-157

图22-158

4 按下Ctrl+2快捷键返回RGB复合通道，显示彩色图像。按住Alt键双击“背景”图层，将它转换为普通图层，单击按钮基于选区创建蒙版，将背景隐藏，如图22-159、图22-160所示。打开一个文件，按住Shift键将它拖动到人物文档中，按下Ctrl+[键将该图层向下移动作为背景，效果如图22-161所示。

图22-159

图22-160

图22-161

在通道中制作选区时，应将背景部分处理为黑色，人物部分为白色，婚纱则为灰色。通道中的灰色部分所选择出来的图像具有一定透明度，灰色越深，对象的透明度越高。设置适当的灰色，可使选取的婚纱保持半透明效果。

22.9 精通路径文字：制作奔跑的人形字

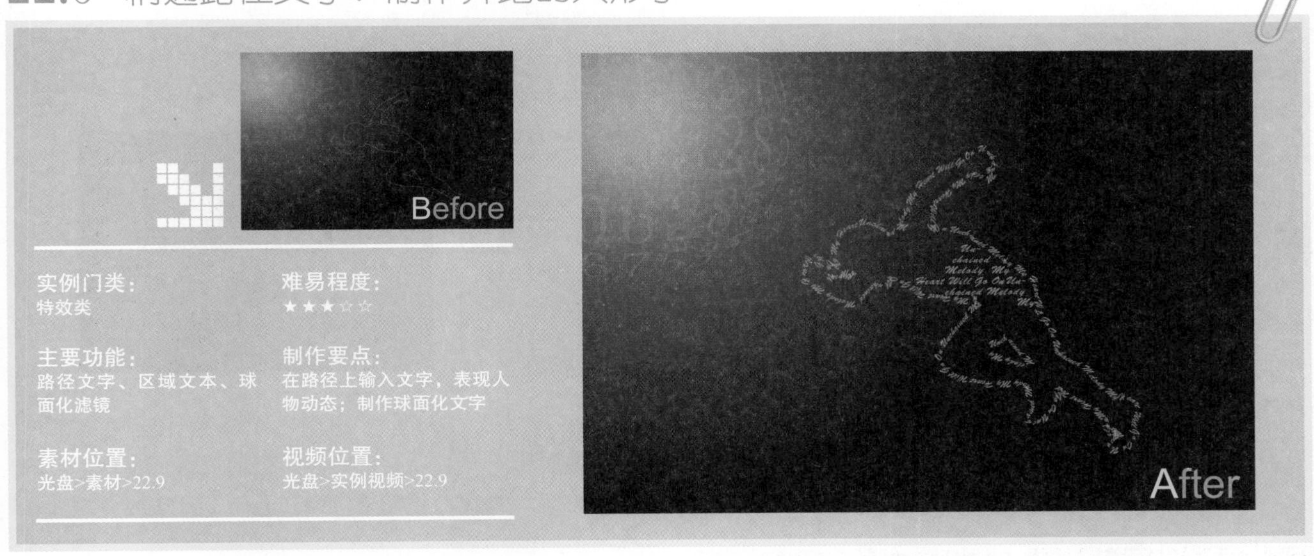

1 按下Ctrl+O快捷键，打开一个文件，单击“路径”面板中的“路径 1”，在画面中显示路径，如图22-162、图22-163所示。

图22-162

图22-163

2 将前景色设置为蓝色（R38、G164、B253）。选择横排文字工具T，按下工具选项栏中的按钮，打开“字符”面板，设置字体、大小及间距，按下T按钮使字体产生倾斜，如图22-164所示。将光标放在路径上，当光标变显示为形状时，如图22-165所示，单击鼠标设置插入点，然后输入文字，如图22-166所示。

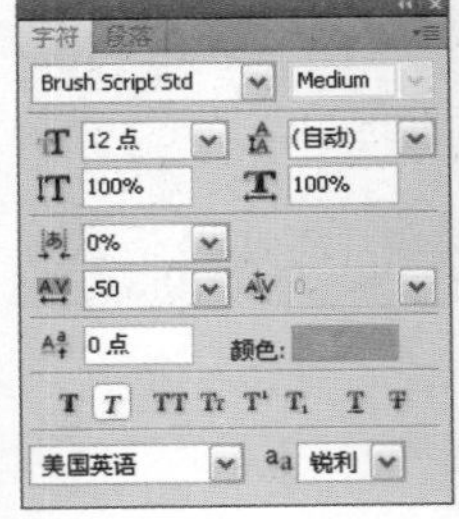

图22-164

图22-165

图22-166

3 单击工具选项栏中的✓按钮，结束文字的输入。单击文字图层前面的眼睛图标，隐藏图层，如图22-167所示。再次单击“路径1”，显示路径，如图22-168所示。将光标放在人物腿部的小路径上单击，在路径上输入文字，将路径文字全部显示的效果，如图22-169所示。

图22-167

图22-168

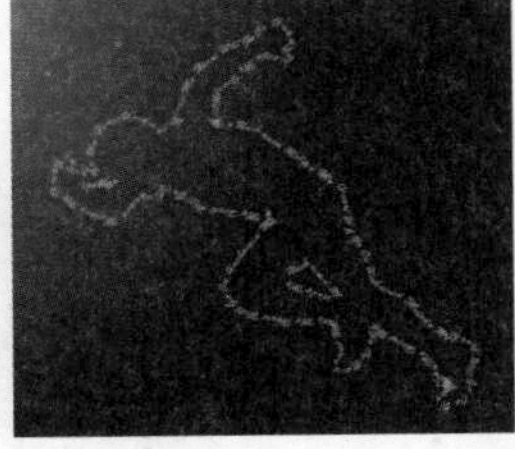

图22-169

“路径1”中包括两个闭合式路径。要在小路径上制作路径文字时，由于小路径包含在大路径内，系统会自动将插入点设置在大路径上，如果我们先将大路径文字图层隐藏，则能避免这种情况发生，可以继续制作其他路径文字。

4 人物轮廓区域的路径文字制作完成后，将两个路径文字图层隐藏，如图22-170所示。单击“路径”面板中的“路径2”，显示该路径，如图22-171、图22-172所示。

图22-170

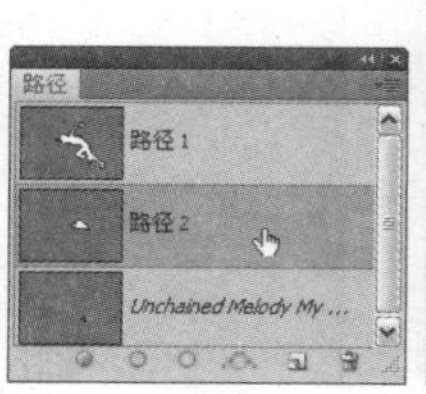
图22-171

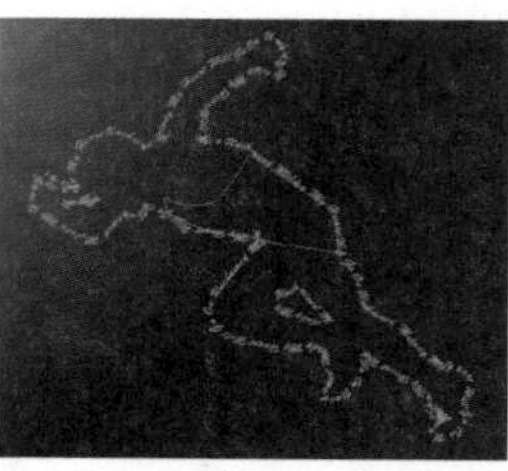
图22-172

5 我们要在“路径2”内部制作一个区域文本，文字按照路径的区域进行排列。将光标放入在路径内，显示为形状时单击，输入文字，如图22-173、图22-174所示。显示全部文字的效果如图22-175所示。使用移动工具将区域文字的位置略向上调整，避免与路径文字之间产生重叠，如图22-176所示。

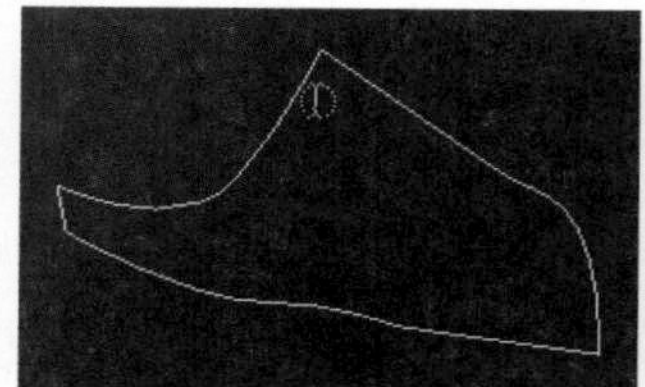
图22-173

图22-174

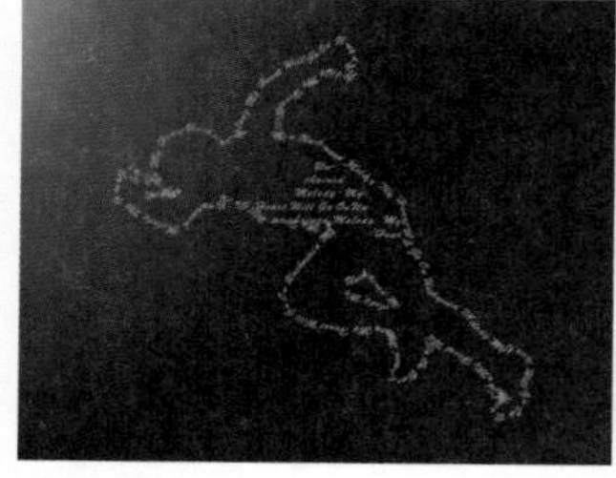
图22-175

图22-176

6 在画面空白位置单击，输入一组数字，按下Ctrl+A快捷键将数字全部选取，在工具选项栏中设置字体、大小及颜色，如图22-177所示。

图22-177

7 执行“图层>栅格化>文字”命令，将文本图层转换为普通图层，如图22-178所示。选择椭圆选框工具，按住Shift键创建一个圆形选区，将数字选取，将光标放在选区内拖动，可移动选区的位置，使数字位于选区的右下方，如图22-179所示。

图22-178

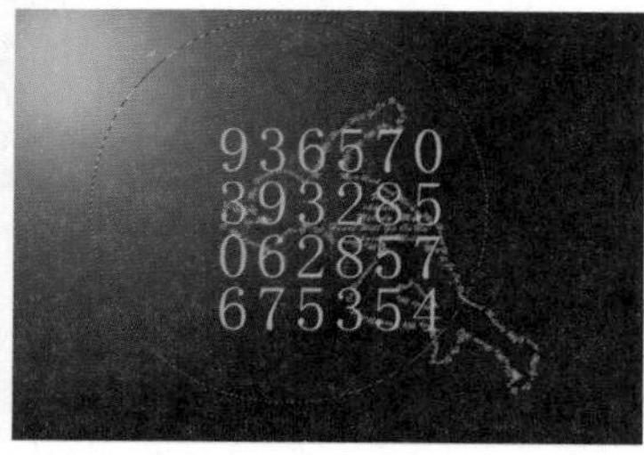

图22-179

8 执行“滤镜>扭曲>球面化”命令，设置参数如图22-180所示，使文字产生球面膨胀的效果，如图22-181所示。为了增强球面化效果，可以按下Ctrl+F快捷键，再次应用该滤镜。

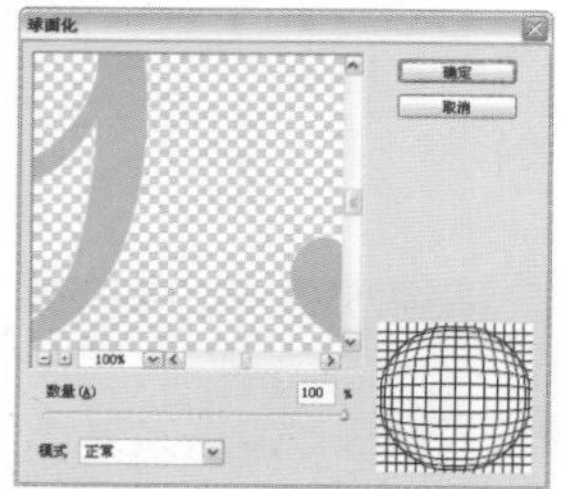
图22-180

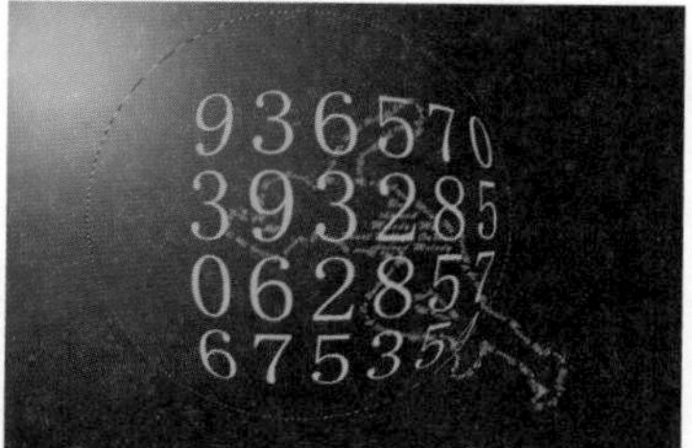
图22-181

9 按下Ctrl+D快捷键取消选择。设置该图层的不透明度为20%，使用移动工具将数字拖到画面左上角，如图22-182所示。

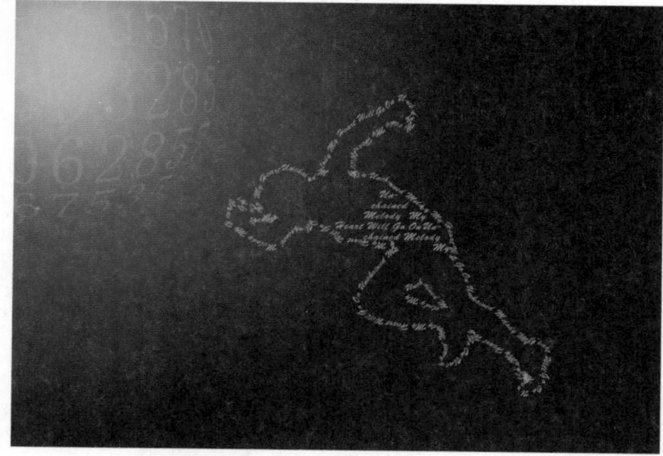
图22-182

22.10 精通特效字：制作网状字

1 打开一个文件，如图22-183所示。复制“背景”图层，执行“滤镜>像素化>晶格化”命令，设置参数如图22-184所示，效果如图22-185所示。

图22-183

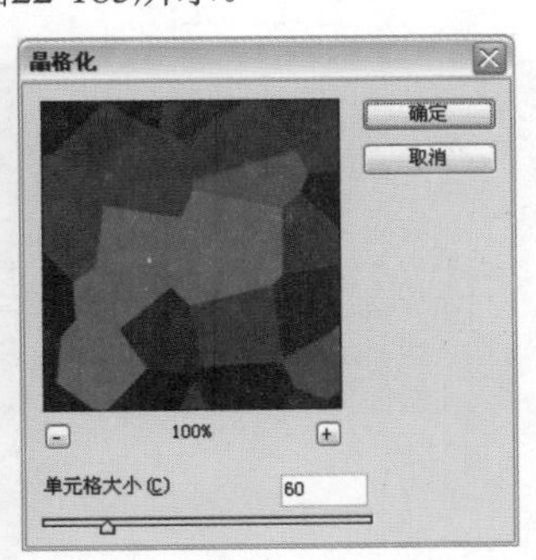

图22-184

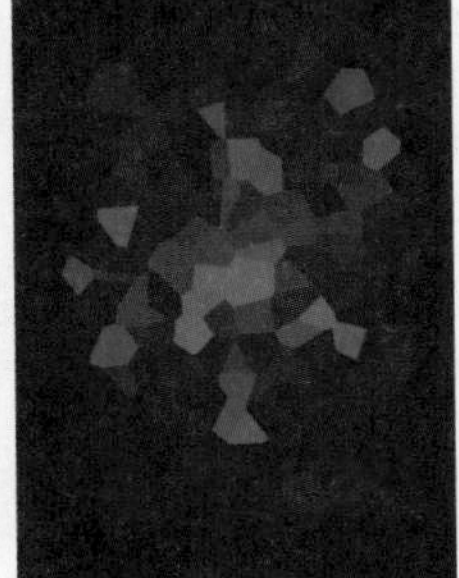
图22-185

2 执行“滤镜>风格化>照亮边缘”命令，设置参数如图22-186所示，效果如图22-187所示。使用横排文字工具T在画面中输入文字，如图22-188所示。设置文字图层的混合模式为“颜色减淡”，效果如图22-189所示。

图22-186

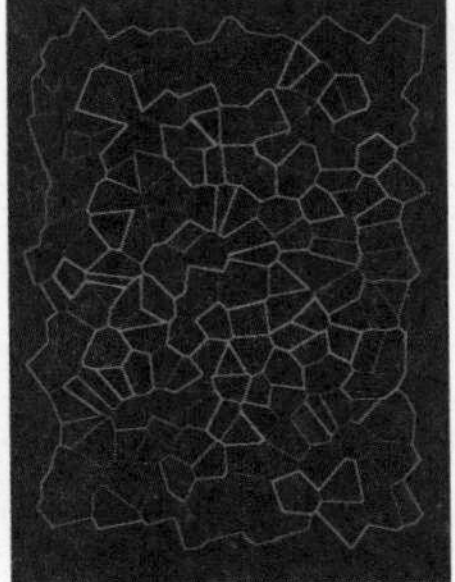
图22-187

图22-188

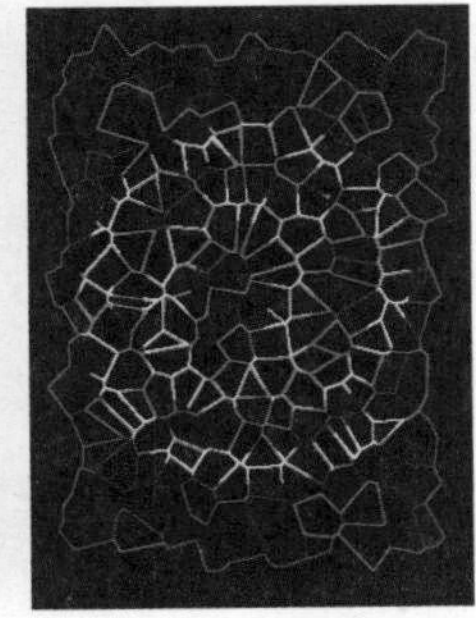
图22-189

设置混合模式后文字的外观不明显了，这是因为文字的区域内有很多纹路是红色的，将它们改变为黄色会使文字更加醒目。

3 按住Ctrl键单击文字图层的缩览图，载入文字选区，如图22-190所示。选择“背景副本”图层，如图22-191所示。

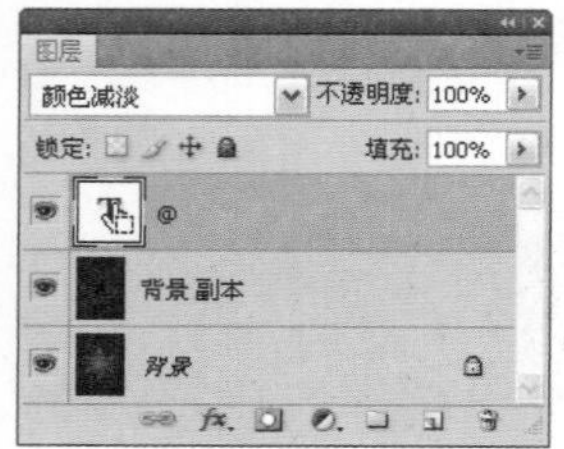

图22-190

图22-191

4 选择画笔工具，在工具选项栏中设置模式为“颜色”，将前景色为黄色，在选区内涂抹，使文字的颜色更加清晰，如图22-192所示。按下Ctrl+D快捷键取消选择。

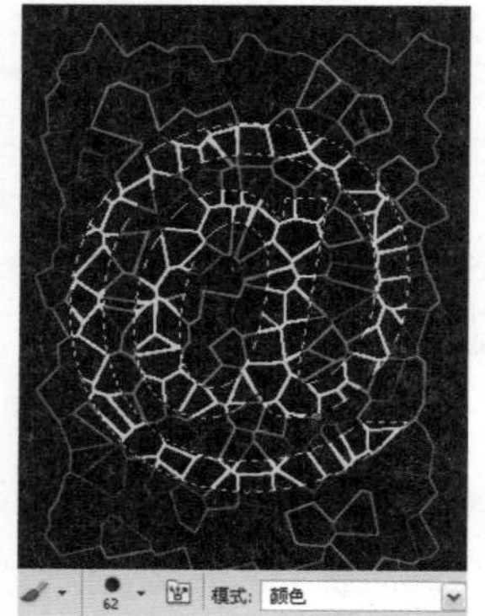

图22-192

5 选择文字图层与“背景副本”图层，按下Ctrl+E快捷键将它们合并，如图22-193所示。按下Ctrl+T快捷键显示定界框，将光标放在定界框的一角，按住Shift+Alt+Ctrl键拖动，使图像的外观呈现梯状，如图22-194所示。按下回车键确认。

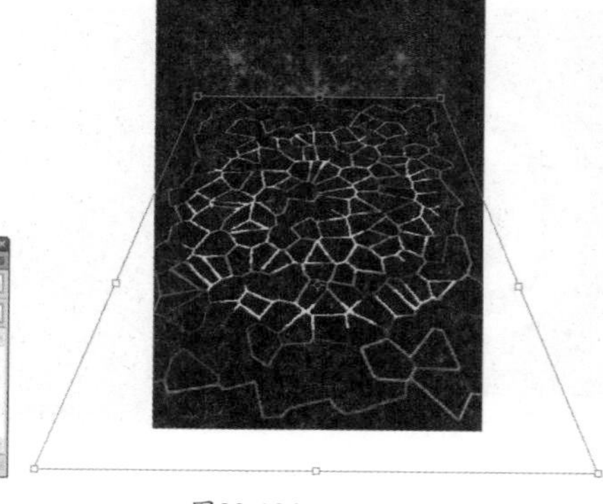

图22-193　图22-194

6 执行“图像>图像旋转>90度（逆时针）”命令，如图22-195所示。

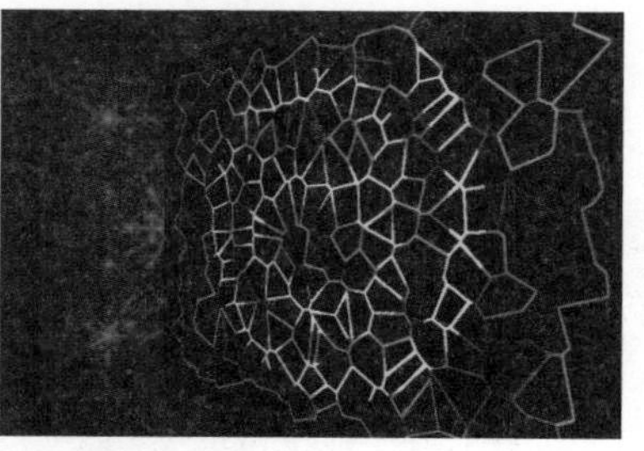

图22-195

7 执行“滤镜>风格化>风”命令，设置参数如图22-196所示，单击“确定”按钮关闭对话框。连续按3次Ctrl+F键，重复应用3次“风”滤镜，图像效果如图22-197所示。

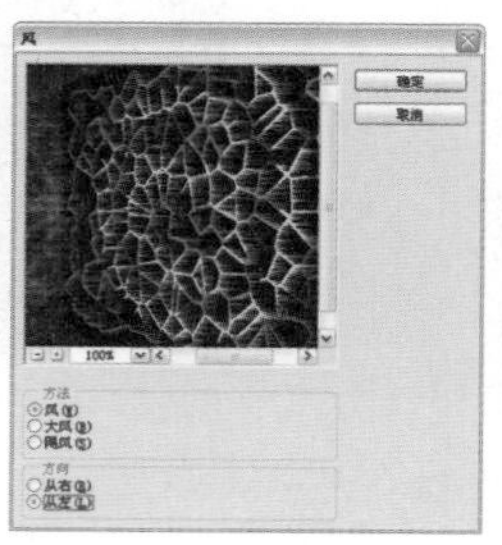

图22-196

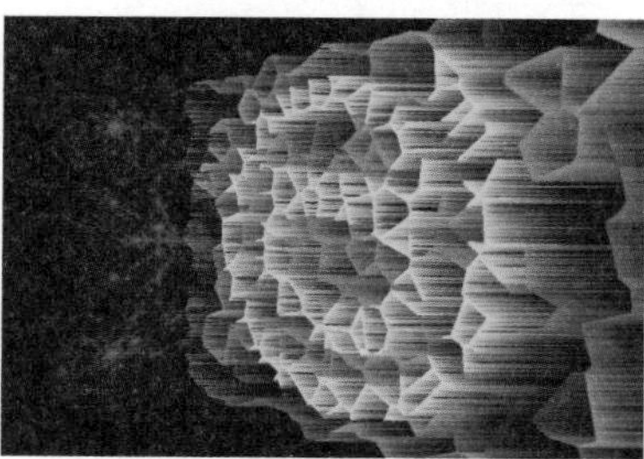

图22-197

8 执行“图像>图像旋转>90度（顺时针）”命令，将图像旋转回来，如图22-198所示。

图22-198

22.11 精通特效字：制作金属字

实例门类：质感类

难易程度：★★★

主要功能：图层样式中的等高线、图案叠加、描边和投影等

制作要点：灵活应用图层样式表现真实质感

素材位置：光盘>素材>22.11

视频位置：光盘>实例视频>22.11

1 按下Ctrl+O快捷键，打开一个文件，如图22-199所示。新建一个图层（“图层1”），选择椭圆工具，在工具选项栏按下填充像素按钮，按住Shift键绘制一个黑色的圆形，如图22-200所示。

图22-199

图22-200

2 按住Ctrl键单击“图层1”的缩览图，载入圆形的选区，如图22-201所示。执行“选择>变换选区”命令，在选区四周显示定界框，将光标放在定界框的一角，按住Alt+Shift向圆心拖动，将选区缩小，如图22-202所示，按下回车键确认。

图22-201

图22-202

3 按下Delete键删除选区内图像，然后按Ctrl+D快捷键取消选择，如图22-203所示。

图22-203

4 为图层添加“斜面和浮雕”效果，如图22-204所示。单击光泽等高线按钮，打开“等高线编辑器”，调整等高线，如图22-205所示。

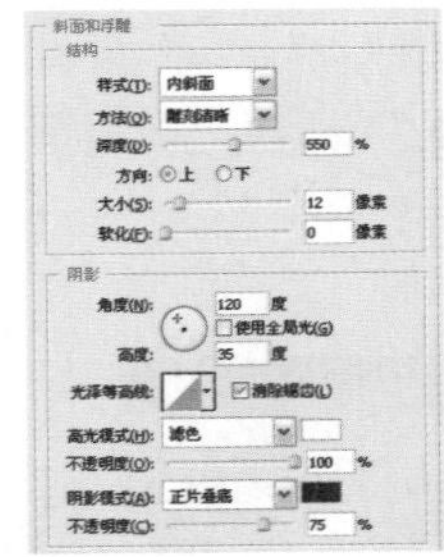
图22-204

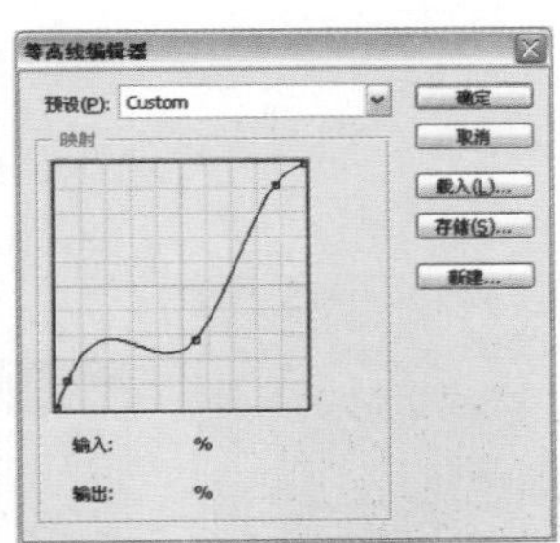

图22-205

5 单击对话框左侧列表中的“等高线”选项，切换到“等高线”设置面板，设置参数如图22-206所示，图像效果如图22-207所示。

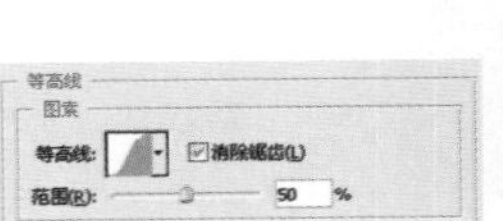
图22-206

图22-207

6 单击对话框左侧列表中的“图案叠加”选项，切换到“图案叠加”设置面板，设置混合模式为“正常”，不透明度为100%，单击按钮打开“图案”下拉面板，再单击右上角的按钮打开面板菜单，选择“彩色纸”命令，加载该图案库，选择如图22-208所示的图案。单击对话框左侧列表中的“描边”选项，设置描边颜色为灰色，其他参数如图22-209所示。

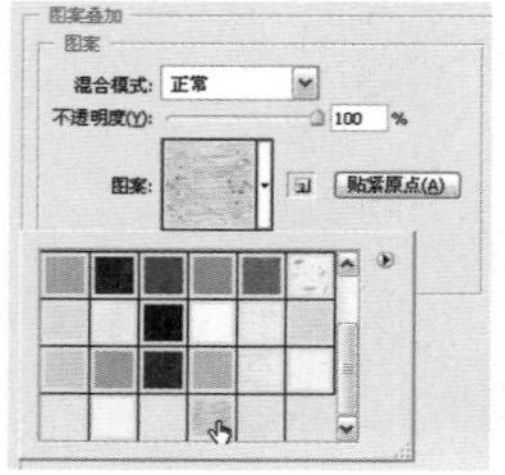

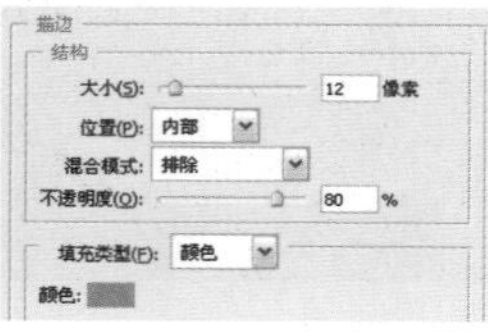

图22-208　图22-209

7 切换到“投影”设置面板，设置参数如图22-210所示，图像效果如图22-211所示。

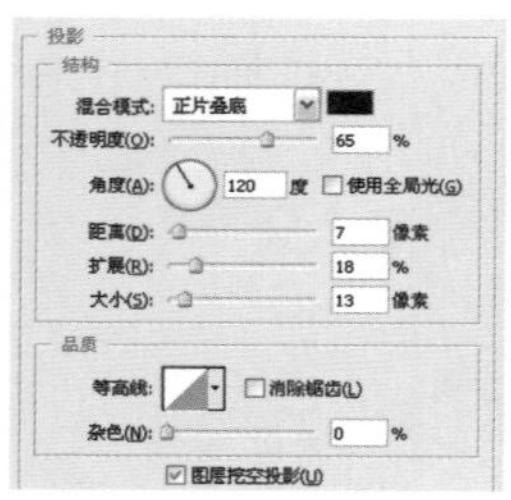

图22-210　图22-211

8 新建一个图层，使用矩形工具创建一个黑色的矩形，如图22-212所示。按住Alt键将“图层1”的图标拖至“图层2”，将图层样式复制到“图层2”，如图22-213、图22-214所示。

图22-212　图22-213

图22-214

9 用横排文字工具输入文字，如图22-215所示。再将“图层2”的图层样式复制到文字图层，使文字也呈现金属立体质感，如图22-216所示。

图22-215　图22-216

10 为“图层2”添加“渐变叠加”效果，设置渐变颜色为灰到白，设置混合模式为“溶解”，不透明度为60%。设置为“溶解”模式并降低不透明度后，可以在效果中生成粗糙的颗粒，从而可以淡化过于规律的图案，如图22-217、图22-218所示。

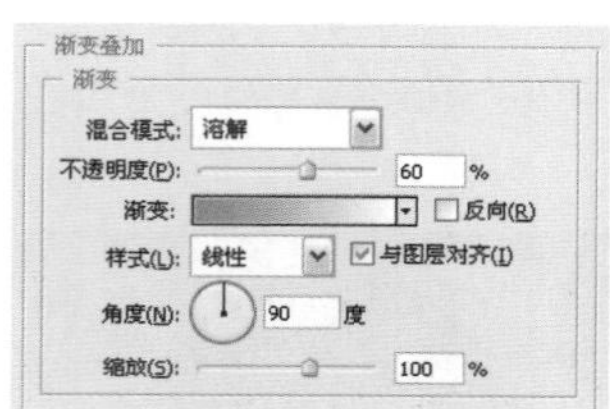

图22-217　图22-218

11 新建一个图层并填充黑色，设置它的混合模式为“柔光”。执行“滤镜>渲染>镜头光晕”命令，设置参数如图22-219所示，图像效果如图22-220所示。

图22-219　图22-220

12 调整该图层的不透明度为60%，最终的图像效果如图22-221所示。

图22-221

22.12 精通特效字：制作岩石刻字

1 按下Ctrl+O快捷键，打开一个文件，如图22-222所示。在“图层”面板中将文字的填充不透明度设置为5%，如图22-223所示。

图22-222

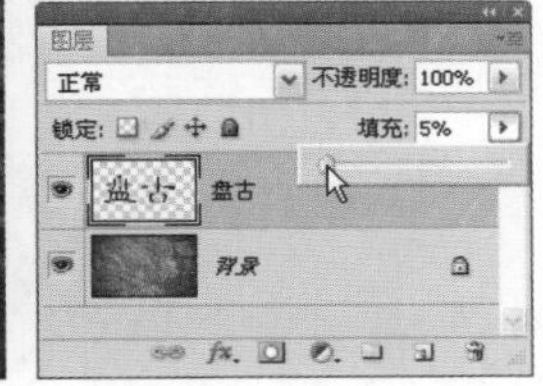

图22-223

2 双击“盘古”文字图层，打开“图层样式”对话框，在左侧列表选择“内阴影”选项，设置参数如图22-224所示，使文字产生向下凹陷的效果。

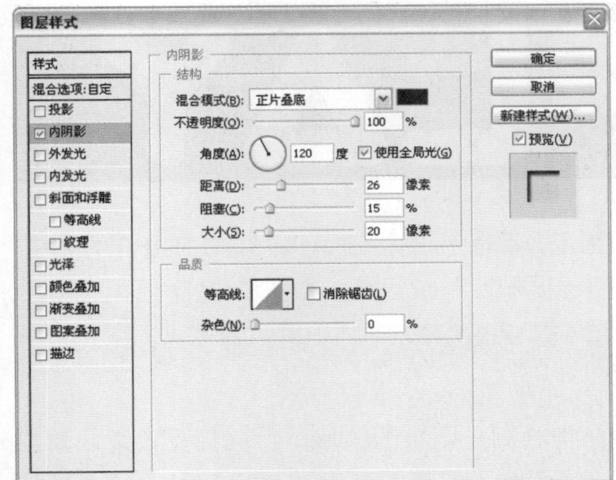

图22-224

3 选择“斜面和浮雕”选项，设置“样式”为“外斜面”，“方法”为“雕刻清晰”，其他参数如图22-225所示，效果如图22-226所示。

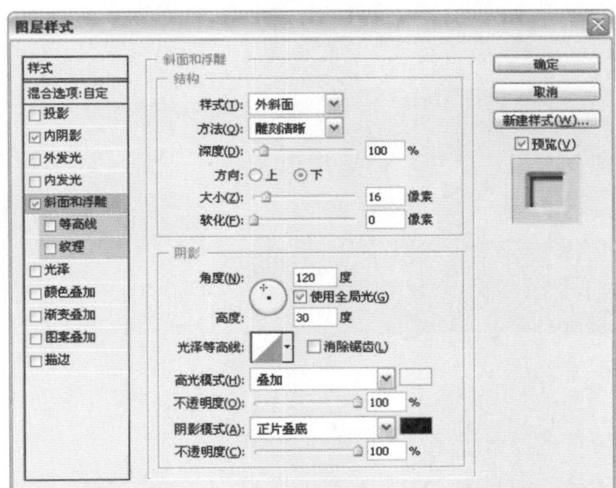

图22-225

图22-226

22.13 精通特效字：制作塑料打孔字

实例门类：
特效+质感类

难易程度：
★★★☆☆

主要功能：
形状图层、路径运算、图层样式

制作要点：
用形状图层组成字母，添加图层样式，表现重叠与镂空

素材位置：
光盘>素材>22.13a、22.13b

视频位置：
光盘>实例视频>22.13

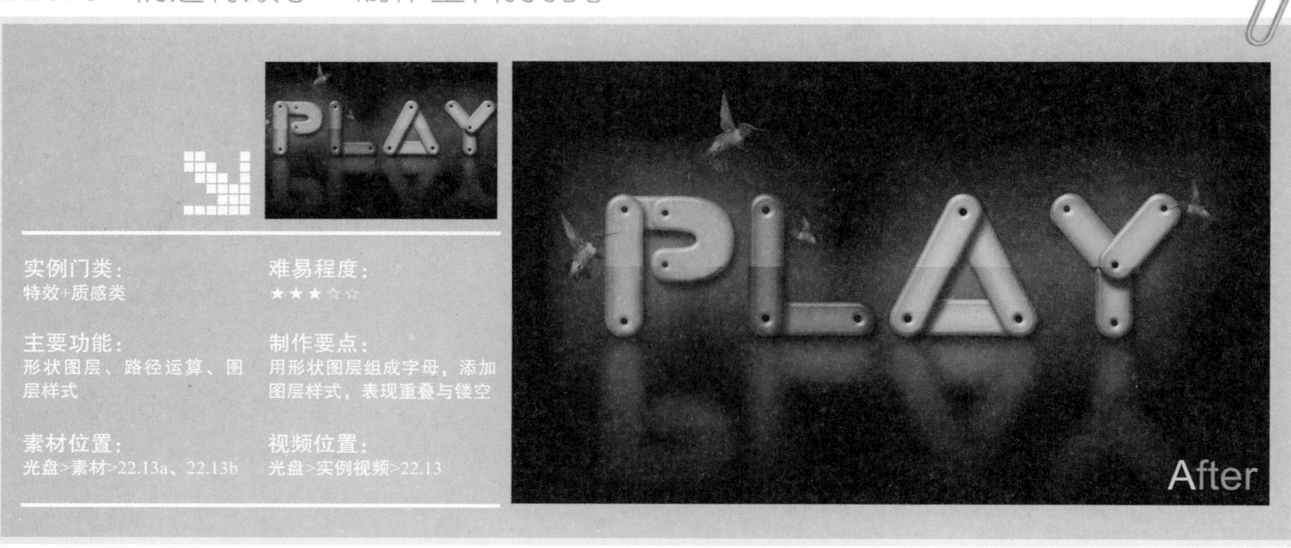

1 打开一个文件，如图22-227、图22-228所示。我们要根据文字的结构重新绘制路径，然后再为每个笔画添加图层样式，使文字有层次感。

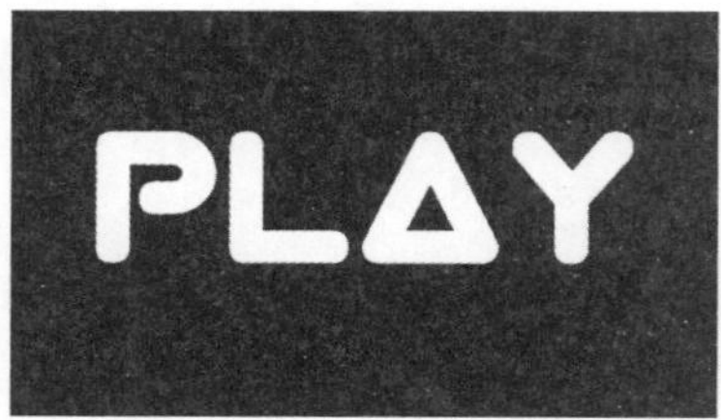

图22-227

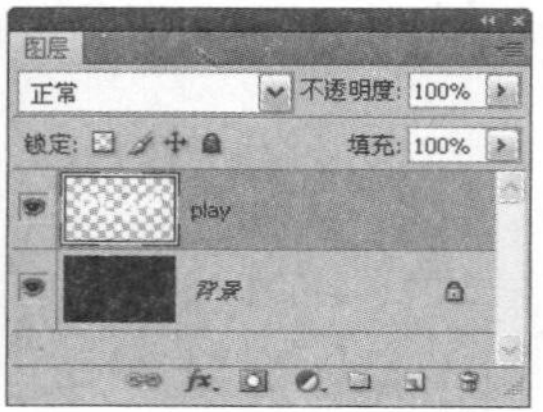

图22-228

2 选择圆角矩形工具，按下工具选项栏中的形状图层按钮，设置半径为5厘米，如图22-229所示。

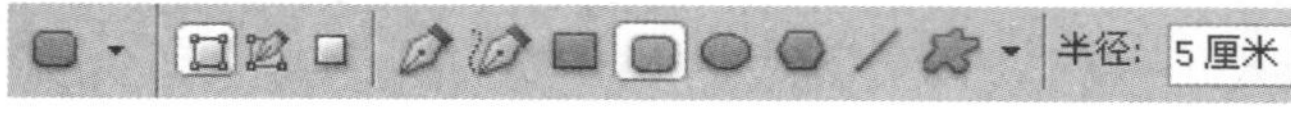

图22-229

3 将前景色设置为蓝色（R0、G183、B238），根据字母“P”的笔画绘制一个圆角矩形，同时在“图层”面板中自动生成一个形状图层，如图22-230、图22-231所示。

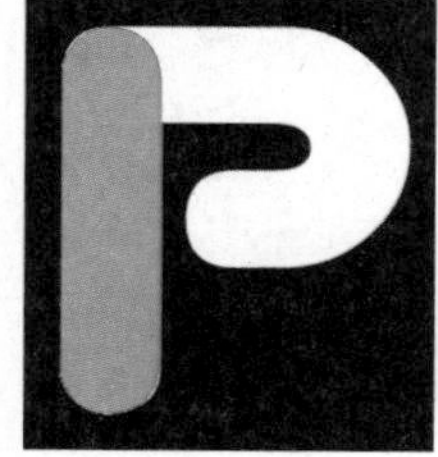

图22-230

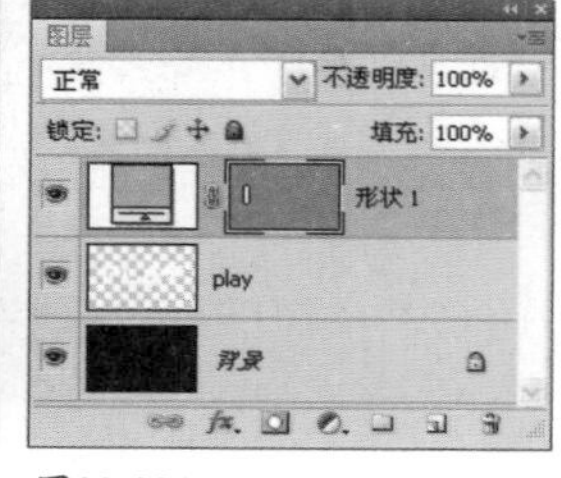

图22-231

4 打开“路径”面板，单击“路径1”，如图22-232所示。在画面中显示该路径，按下Ctrl+C快捷键复制，单击“图层”面板中“形状1”图层蒙版缩览图，如图22-233所示，按下Ctrl+V快捷键将复制的路径粘贴到形状图层中，效果如图22-234所示。

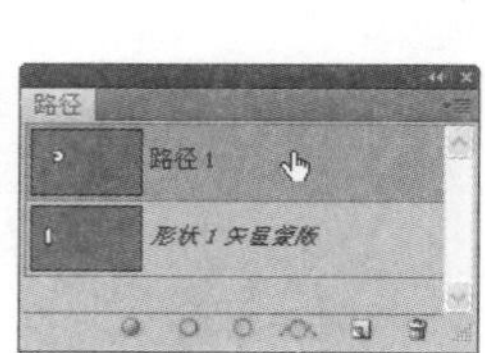

图22-232

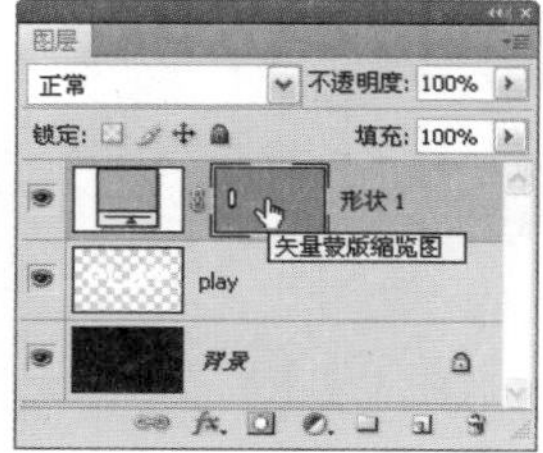

图22-233

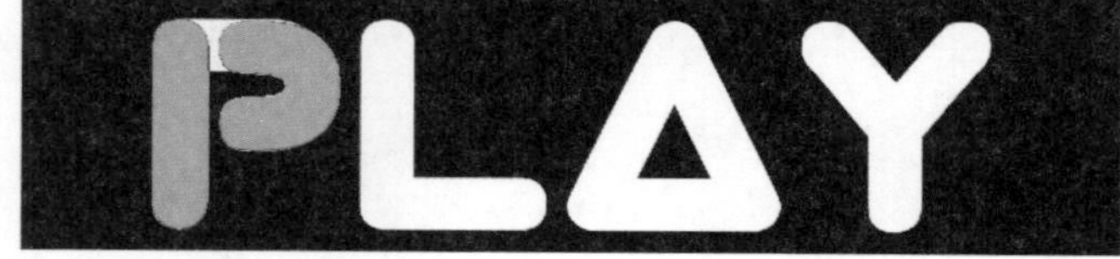

图22-234

5 选择椭圆工具，分别按钮下工具选项栏中的路径按钮和重叠路径区域除外按钮，如图22-235所示。

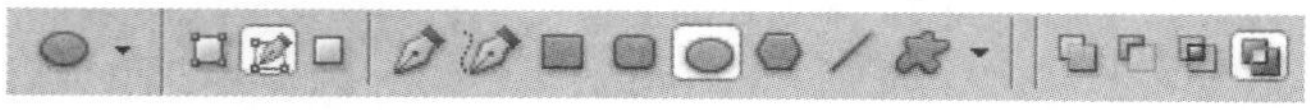

图22-235

6 按住Shift键绘制一个小的圆形，形成打孔效果，如图22-236所示。使用路径选择工具在圆形路径上单击，如图22-237所示，按下Ctrl+C快捷键复制，按下Ctrl+V快捷键粘贴，然后将其移动到相应位置，形成如图22-238所示的效果。

图22-236

图22-237

图22-238

7 双击“形状1”图层，打开“图层样式”对话框，在左侧列表选择分别选择“投影”和“内发光”效果，设置参数如图22-239、图22-240所示。

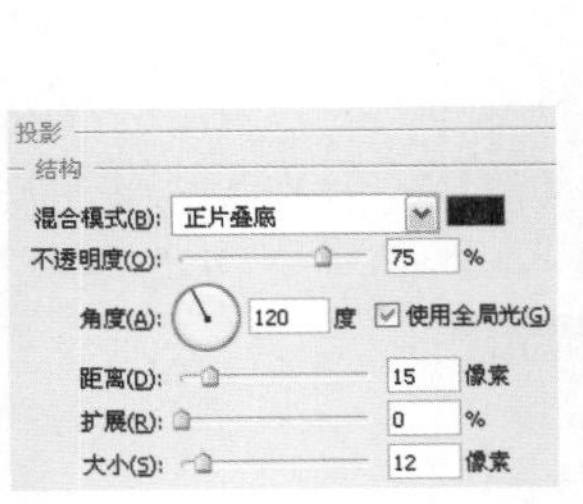

图22-239

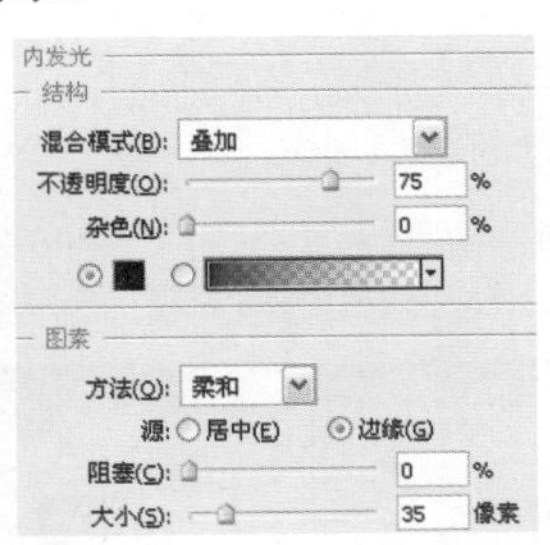

图22-240

8 再选择“斜面和浮雕”效果，设置参数如图22-241所示，使字母产生一定厚度；选择“光泽”效果，设置参数如图22-242所示，在字母表面形成光泽感，效果如图22-243所示。

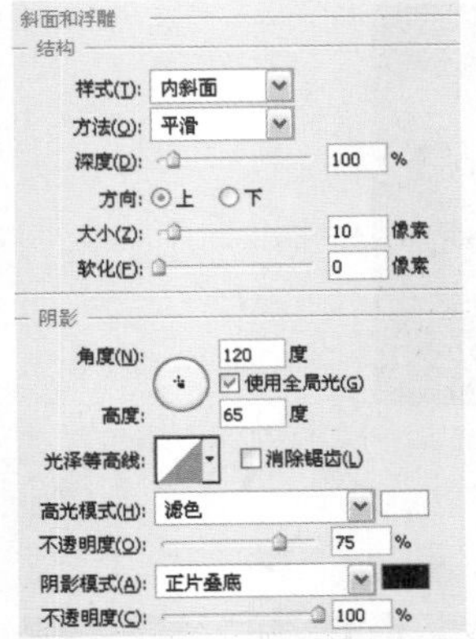

图22-241

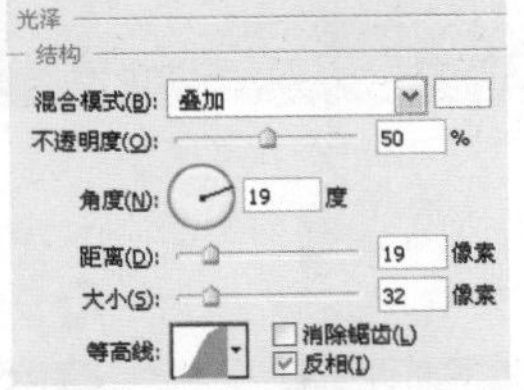

图22-242

图22-243

在为形状图层添加效果后，工具选项栏中的按钮会处于锁定状态，在继续绘制时，新产生的形状图层也会拥有相同的效果。

9 继续绘制路径形状，形成完整的字母，可按下Ctrl+[或Ctrl+] 键调整形状的前后位置。在制作字母“Y”时，将前景色设置为紫色，然后再绘制，其他字母也是如此，隐藏最底层的“PLAY”图层，效果如图22-244所示。

图22-244

要改变路径形状的颜色，可先调整前景色（背景色），然后像填充图形一样操作，按下Alt+Delete键填充前色（Ctrl+Delete键填充背景色）。

10 为了便于区分字母，可以将组成每个字母的图层选取，按下Ctrl+G快捷键编组。按住Shift键选取这些图层组，如图22-245所示，按下Alt+Shift+Ctrl+E快捷键盖印图层，将字母效果合并到一个新的图层中，如图22-246所示。

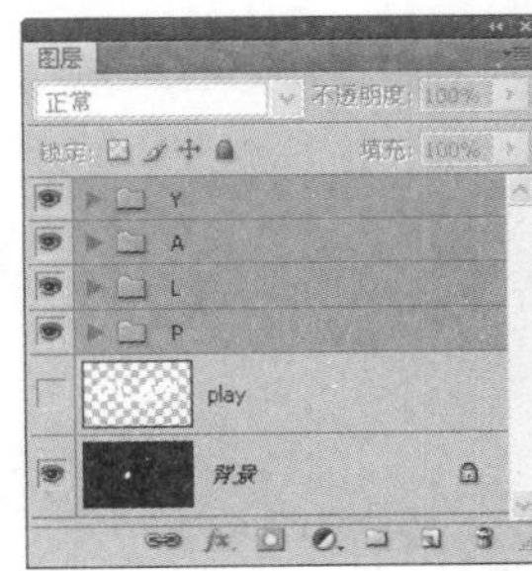

图22-245

图22-246

11 按下Ctrl+J快捷键复制图层，单击图层前面的眼睛图标，隐藏图层。选择第一个盖印的图层，如图22-247所示。执行“编辑>变换>垂直翻转”命令，翻转图像，形成倒影效果，如图22-248所示。

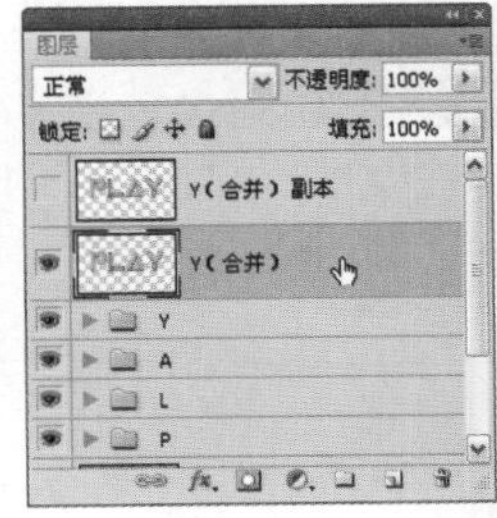

图22-247

图22-248

12 执行“滤镜>模糊>动感模糊”命令，设置参数如图22-249所示，效果如图22-250所示。

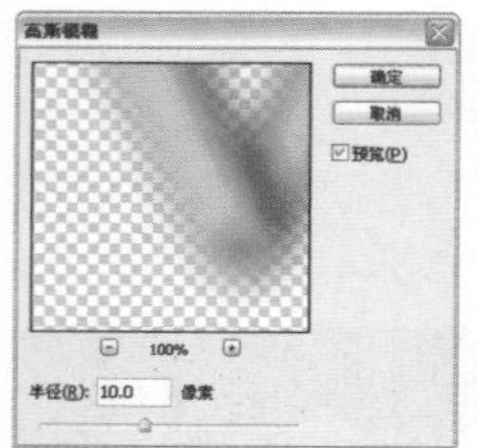
图22-249

图22-250

13 单击“图层”面板底部的按钮，添加图层蒙版。使用渐变工具填充线性渐变，将字母的下半部分隐藏，如图22-251、图22-252所示。

图22-251

图22-252

14 选择并显示另一个盖印的图层，按下Shift+Ctrl+[快捷键将其移至底层，如图22-253所示。执行“滤镜>模糊>动感模糊”命令，设置参数如图22-254所示。按下Alt+Ctrl+F快捷键再次打开该滤镜对话框，调整参数，沿垂直方向进行模糊，如图22-255所示，效果如图22-256所示。

图22-253

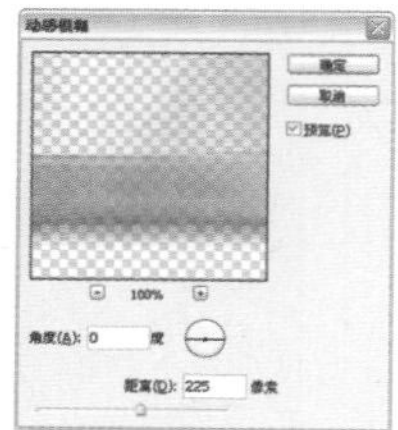
图22-254

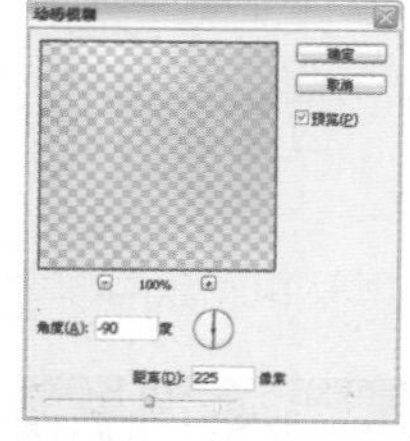
图22-255

图22-256

15 使用矩形选框工具创建一个选区，如图22-257所示。

图22-257

16 在“图层”面板最上方新建一个图层。将前景色设置为黑色。使用渐变工具填充“前景色到透明渐变”，按下Ctrl+D快捷键取消选择，效果如图22-258所示。

图22-258

17 设置混合模式为“叠加”，不透明度为60%，按住Ctrl键单击Play图层缩览图，载入字母的选区，如图22-259所示。单击按钮基于选区生成图层蒙版，将选区外的图像隐藏，如图22-260所示，效果如图22-261所示。

图22-259

图22-260

图22-261

18 打开一个飞鸟素材文件，将飞鸟拖入文档中，效果如图22-262所示。

图22-262

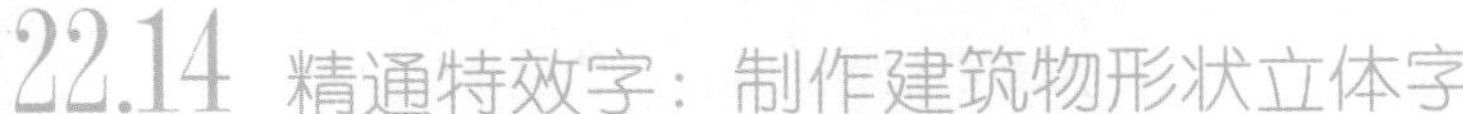

22.14 精通特效字：制作建筑物形状立体字

1 按下Ctrl+O快捷键，打开一个文件，如图22-263所示。每个单词都位于一个单独的图层中，选择“On”图层，隐藏另外两个图层，如图22-264所示。

图22-263

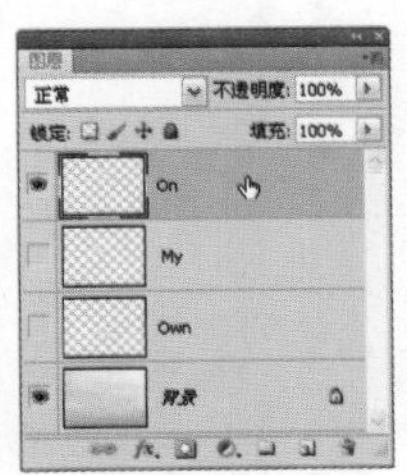
图22-264

2 按下Ctrl+T快捷键显示定界框，如图22-265所示；将光标放在定界框的右下角，按Alt+Shift+Ctrl键同时向右侧拖动鼠标，使字形呈透视变化，如图22-266所示；调整定界框的右上角，如图22-267所示；放开键盘按键，拖动定界框边缘，缩小字形的高度，如图22-268所示。按下回车键确认操作。

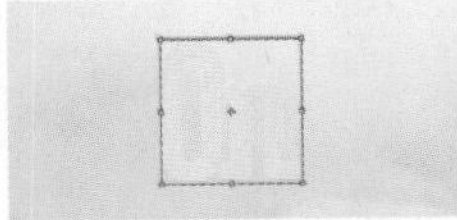
图22-265

图22-266

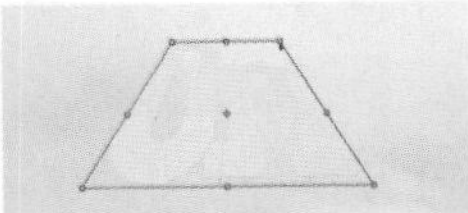
图22-267

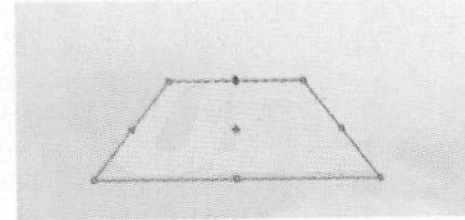
图22-268

3 选择移动工具，将文字拖动到画面下方。按住Ctrl键单击该图层的缩览图，如图22-269所示，载入选区，如图22-270所示。

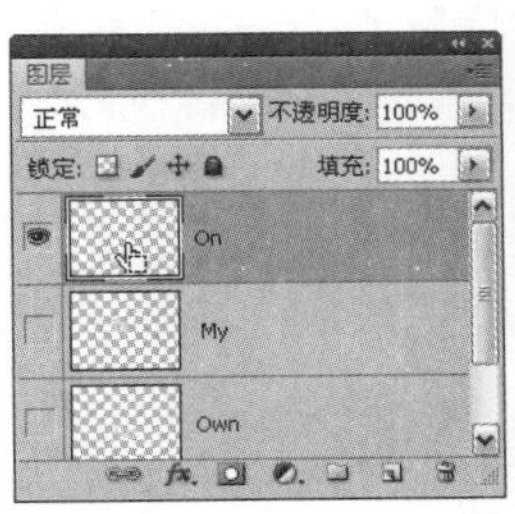
图22-269

图22-270

4 按住Alt键同时连续按下“↑”键，使文字不断复制并向上产生移动，形成立体效果，如图22-271所示。按下Ctrl+J快捷键将选区内的图像复制到新的图层中，并为图层重新命名，如图22-272所示。

图22-271

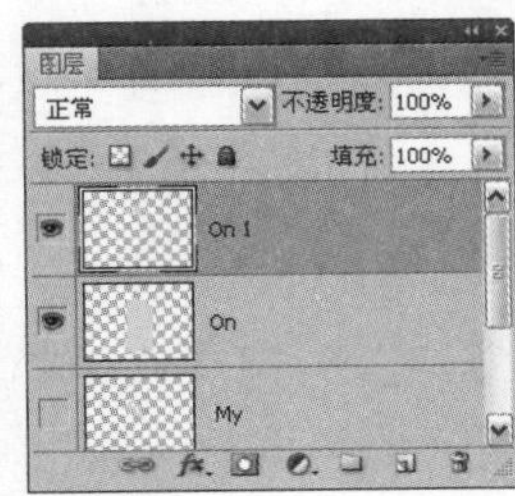
图22-272

5 双击该图层，打开“图层样式”对话框，在左侧列表选择“内发光”效果，如图22-273、图22-274所示。

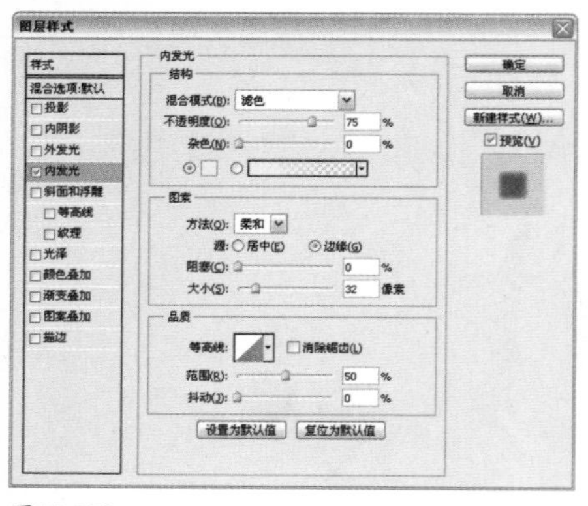
图22-273

图22-274

6 单击按钮锁定该图层的透明像素，如图22-275所示。将前景色设置为白色。选择画笔工具，在文字靠上方的位置涂抹白色，效果如图22-276所示。

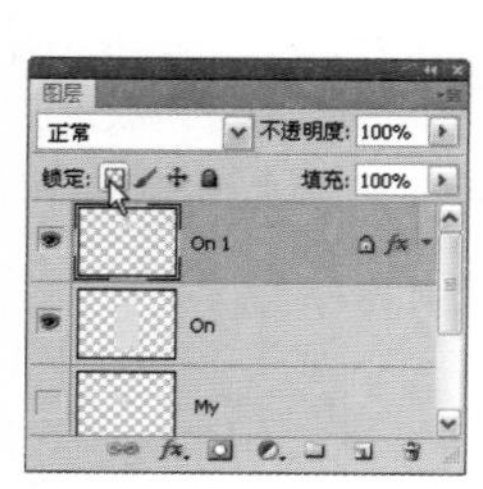
图22-275

图22-276

7 选择“On”图层，单击按钮锁定透明像素，如图22-277所示。将前景色设置为灰色（R182、G197、B198）。按下Alt+Delete键填充前景色，如图22-278所示。选择多边形套索工具，在工具选项栏中设置羽化参数为1px，创建如图22-279所示的选区。设置画笔工具的不透明度为35%，将前景色设置为黑色，在选区内涂抹，表现出立体字的结构，如图22-280所示。

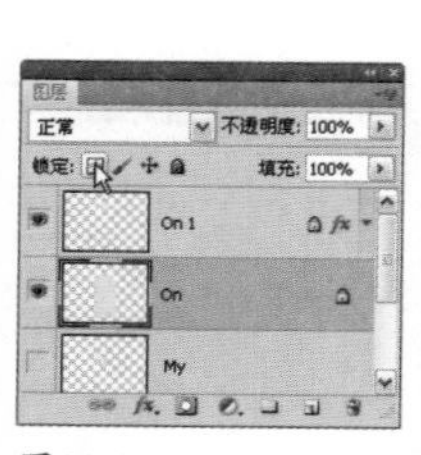
图22-277

图22-278

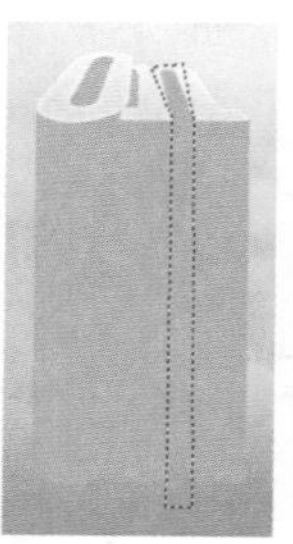
图22-279

图22-280

提示 在为立体面着色的过程中，为了更好地观察效果，可以按下Ctrl+H快捷键隐藏选区。再次按下该快捷键可显示选区。

8 使用多边形套索工具创建一个如图22-281所示的选区，使用画笔工具着色，表现出立体面的层次，如图22-282所示；按下Ctrl+D快捷键取消选择，效果如图22-283所示。

图22-281

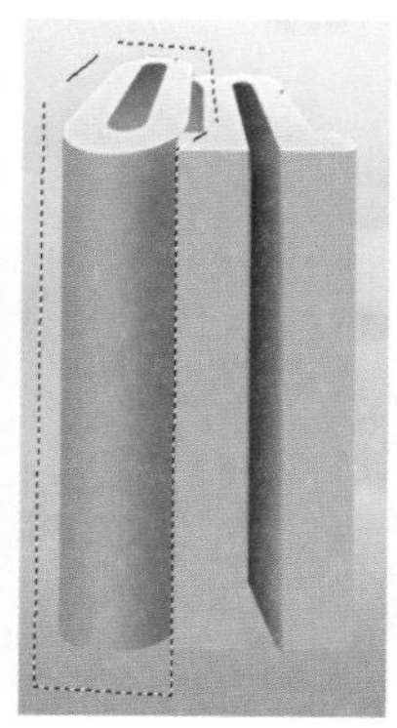
图22-282

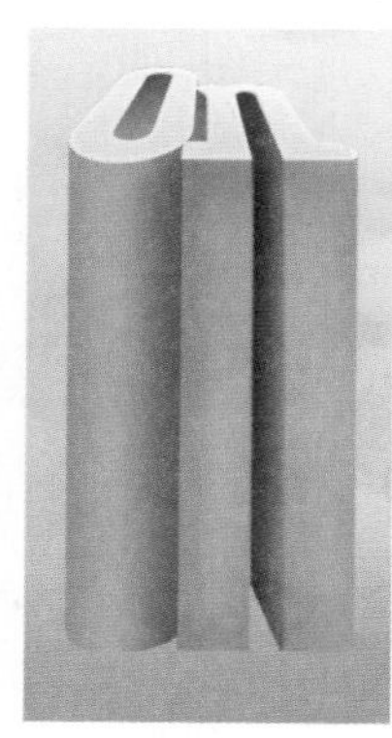
图22-283

9 执行“编辑>变换>变形”命令，显示变形网格，如图22-284所示。将光标放在网格左下角的锚点上，向左侧拖动鼠标将图像变形，如图22-285所示；用同样方法调整右侧，如图22-286所示，使立体字上窄下宽，生成独特的外形。按下回车键确认操作，效果如图22-287所示。

图22-284

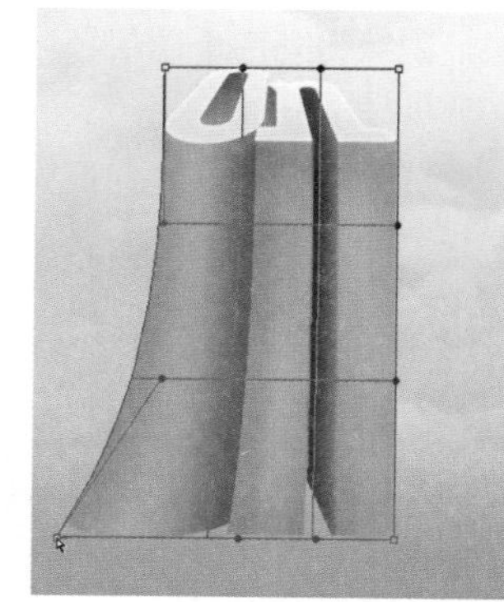
图22-285

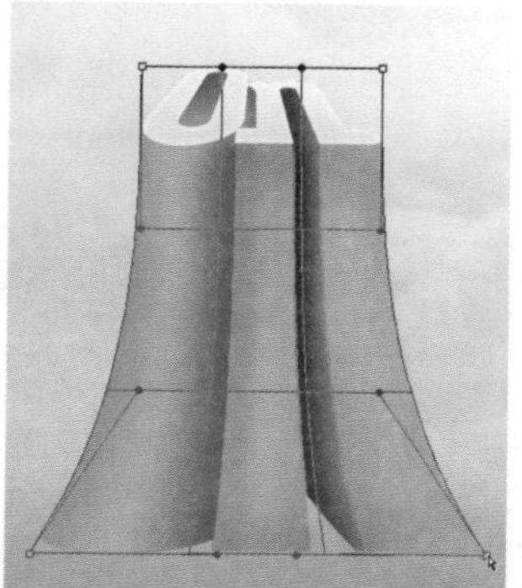

图22-286

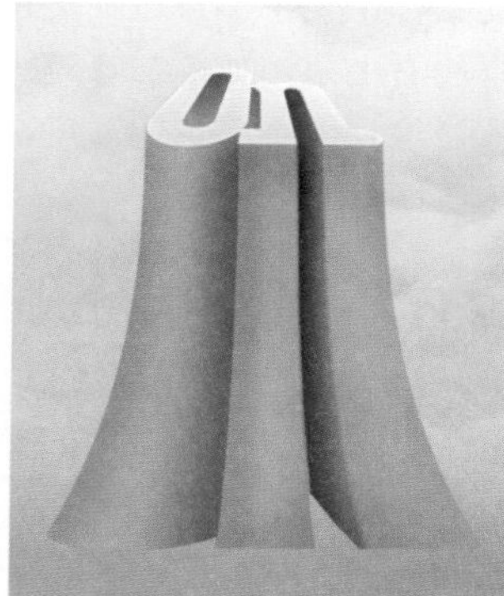
图22-287

10 用同样方法制作出“My”和“Own”的立体效果，如图22-288～图22-291所示。

图22-288

图22-289

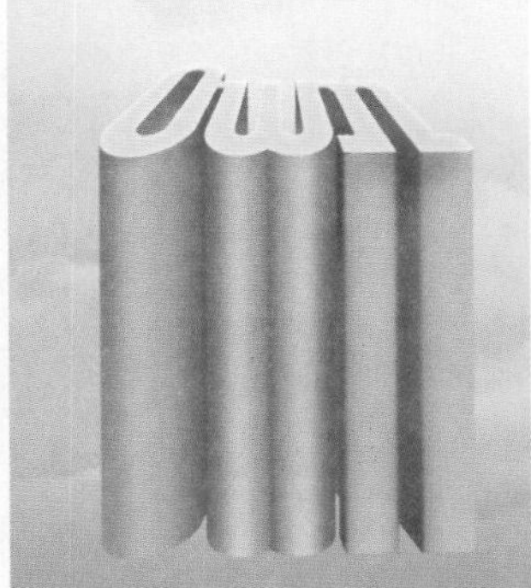
图22-290

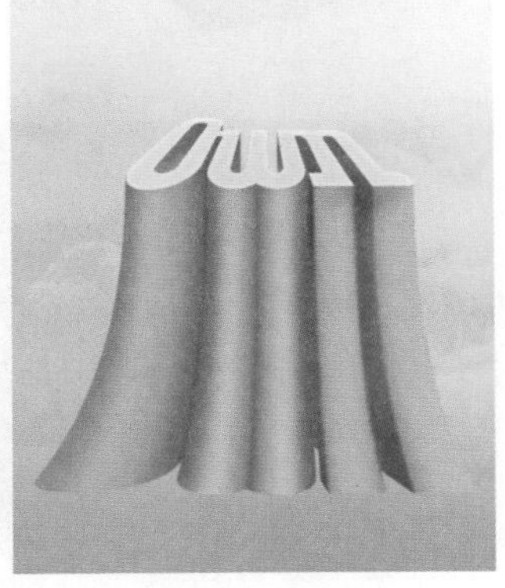
图22-291

11 立体效果制作完后，需要调整一下文字在画面中的位置。每个立体字都是由两个图层组成的，先选取这两个图层，然后单击面板下方的按钮，将图层链接，如图22-292所示，然后再做移动，可避免文字与其立体效果分开。将文字排列成如图22-293所示的形状。

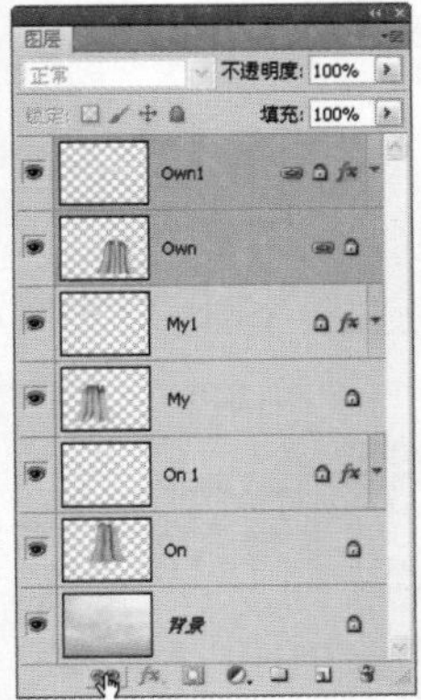

图22-292

图22-293

12 将画笔工具的不透明度设置为80%，在字的底部绘制深绿色阴影，如图22-294所示，然后在靠近字底边的位置涂抹黑色，表现出阴影的层次，如图22-295所示。

图22-294

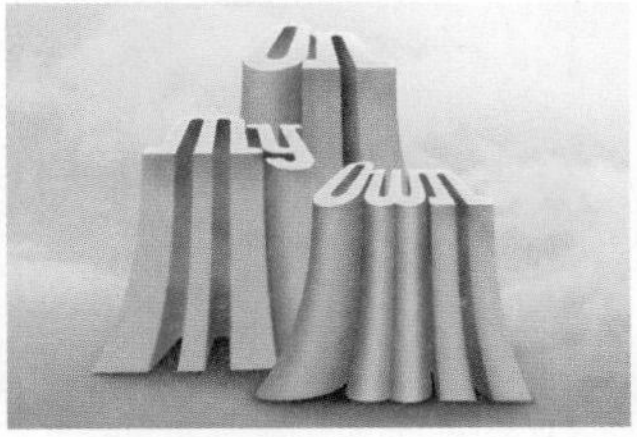

图22-295

13 按下Ctrl+O快捷键，打开一个文件，如图22-296、图22-297所示。

图22-296

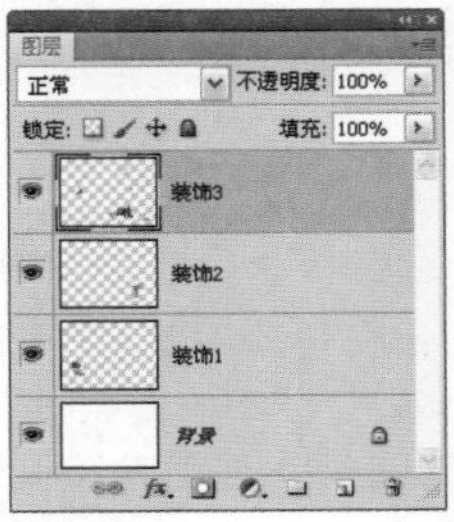

图22-297

14 使用移动工具将素材拖到立体字文档中，通过按下Ctrl+[或Ctrl+] 键调整图层的前后位置，对画面进行装饰，使画面丰富、有趣，最终效果如图22-298所示。

图22-298

22.15 精通质感和特效：制作心形云朵

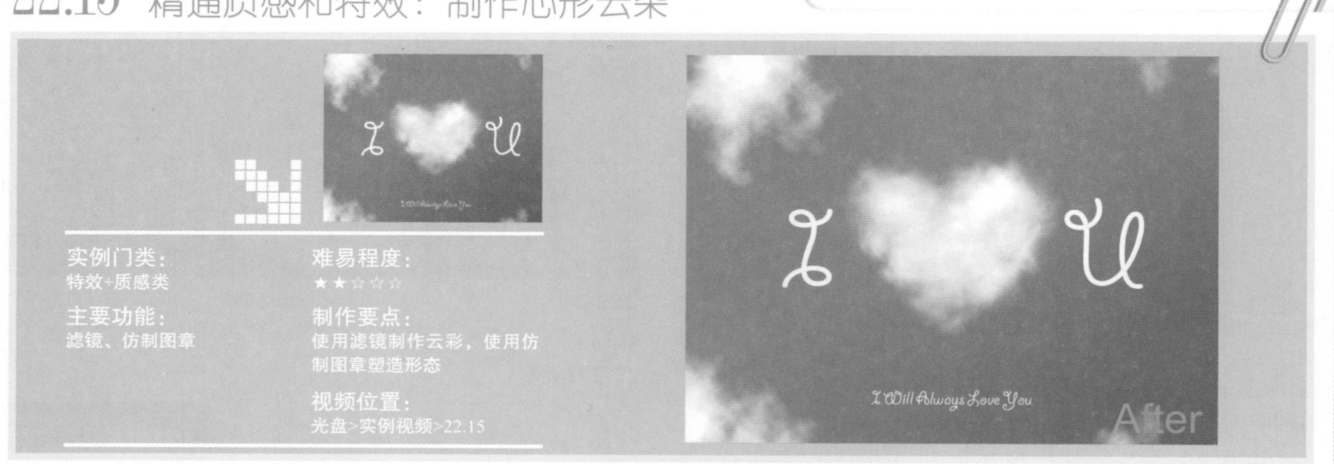

1 按下Ctrl+N快捷键打开“新建”对话框，在“预设”下拉列表中选择Web，在“大小”下拉列表中选择800×600，单击“确定”按钮新建一个文档。

2 执行“滤镜>渲染>云彩”命令，制作云彩效果，如图22-299所示。

图22-299

3 按下Ctrl+J快捷键复制“背景”图层，设置混合模式为“颜色加深”，如图22-300、图22-301所示。

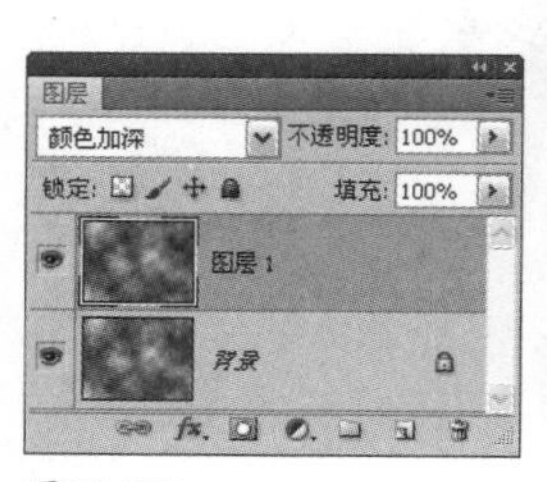

图22-300

图22-301

4 执行“选择>色彩范围”命令，打开“色彩范围”对话框，将光标放在图像中的白色云彩区域，如图22-302所示，单击进行取样，将颜色容差设置为200，如图22-303所示，单击“确定”按钮创建选区，如图22-304所示。

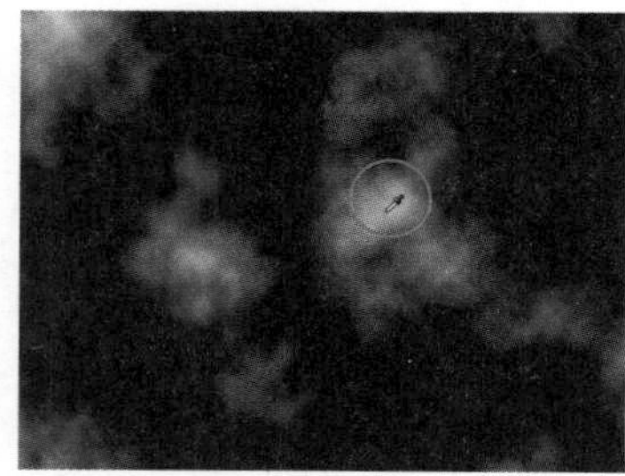

图22-302

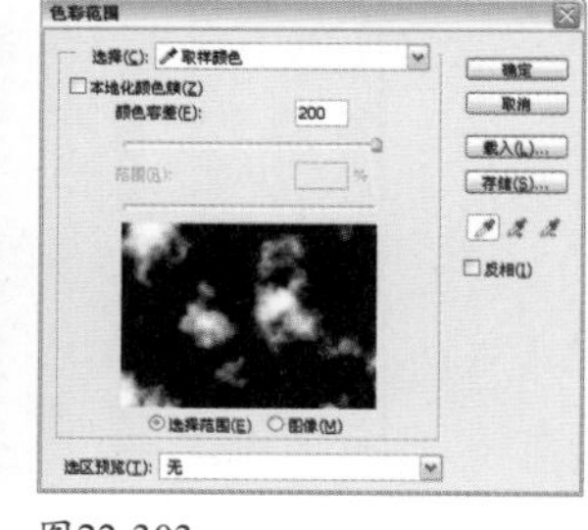

图22-303

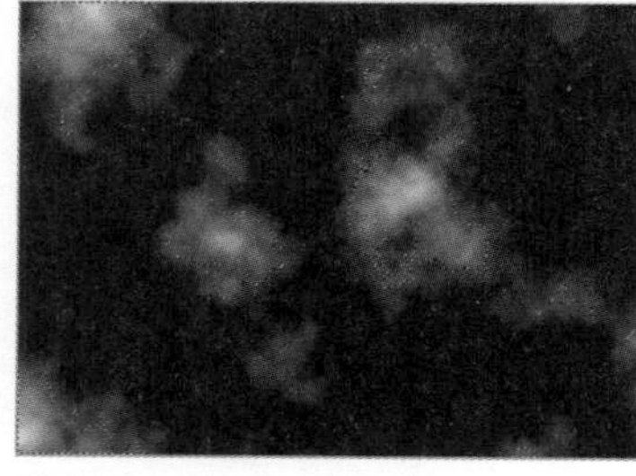

图22-304

5 新建一个图层，在选区内填充白色，如图22-305所示，按下Ctrl+D快捷键取消选择。按住Ctrl键单击“图层”面板底部的按钮，在当前图层下方新建一个图层，如图22-306所示。

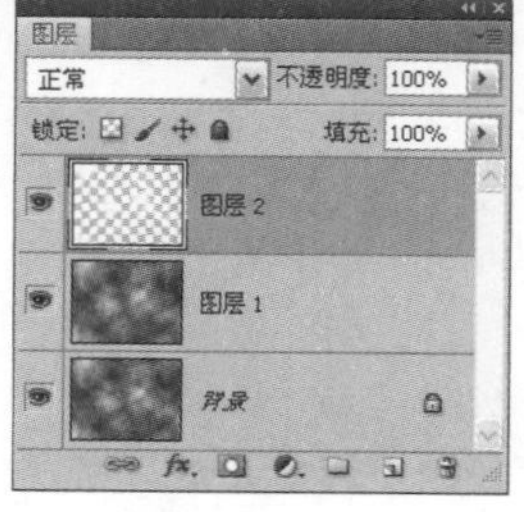

图22-305

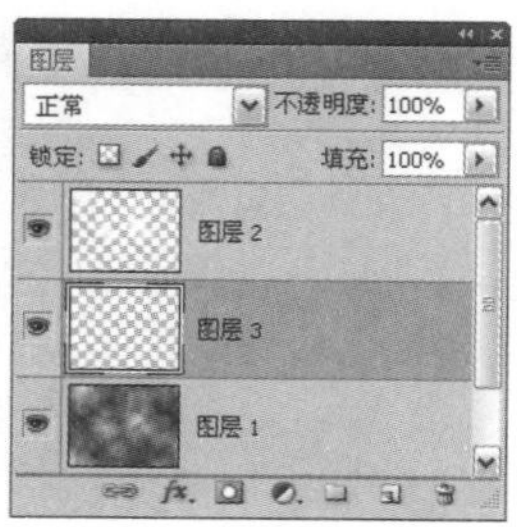

图22-306

6 设置前景色为浅蓝色（R109、G141、B198），背景色为深蓝色（R53、G84、B158）。选择渐变工具，由画面左上方向右下方拖动鼠标，填充渐变，形成天空的效果，如图22-307所示。

图22-307

7 云彩与天空制作完了，我们再来将画面中心位置的云彩制作成心形。在“图层”面板中选择云彩图像所在的“图层2”。使用套索工具选取如图22-308所示的云彩。按住Ctrl键将选区内的云彩向画面中间移动，如图22-309所示。

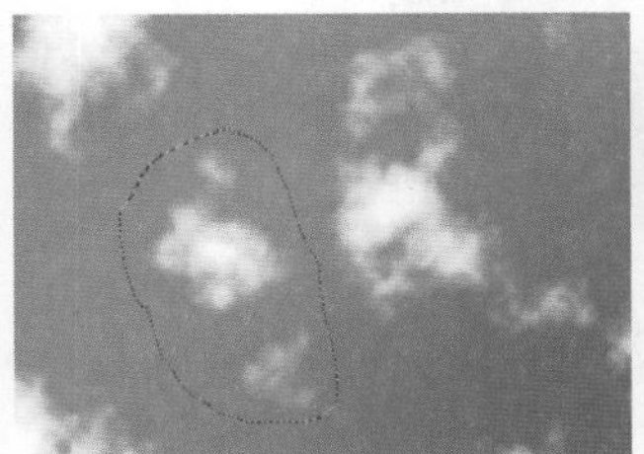

图22-308

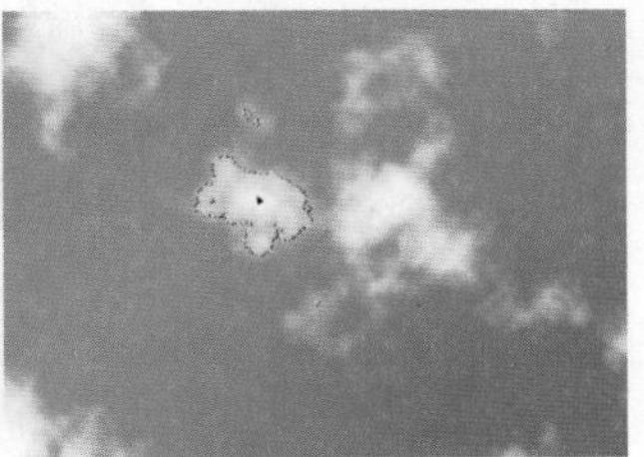

图22-309

8 使用橡皮擦工具（柔角）将多余的云彩擦除，使画面更干净，中心的云彩已经有了一个大致的形状，如图22-310所示。

图22-310

9 选择仿制图章工具，设置笔尖大小为柔角50px，取消“对齐”选项的勾选，如图22-311所示。按住Alt键在画面左上角的云彩上单击进行复制，放开Alt键在心形上拖动鼠标，将云彩复制到心形上，如图22-312、图22-313所示。

图22-311

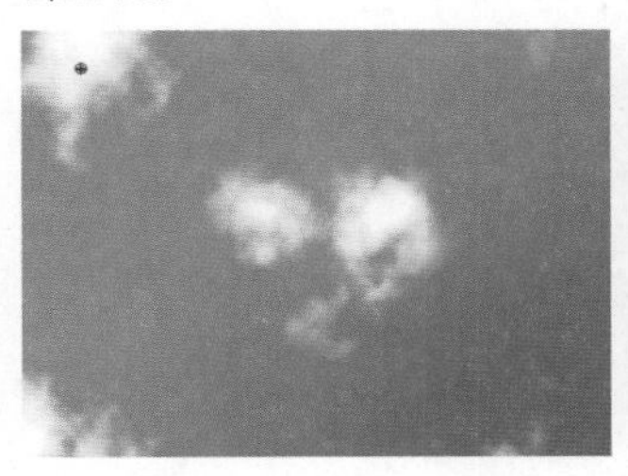

图22-312

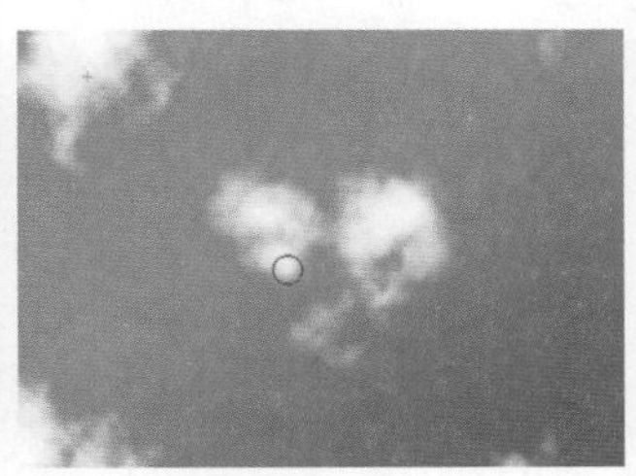

图22-313

10 在复制云彩时，鼠标的运行轨迹像在绘制心形一样，多余的部分可以使用橡皮擦除工具擦除，如图22-314所示。

图22-314

11 选择横排文字工具，在工具选项栏中设置字体及大小，如图22-315所示。在画面中单击输入字母“I”和“U”，在字母之间按下空格键，增加字母间的距离，使字母中间可以容纳心形云彩。在画面下方输入一行32px的小字，最终效果如图22-316所示。

图22-315

图22-316

22.16 精通质感和特效：制作水晶花

实例门类：
质感类

难易程度：
★★☆☆

主要功能：
滤镜、变换

制作要点：
使用滤镜制作闪光图形，通过变换形成花朵形状

视频位置：
光盘>实例视频>22.16

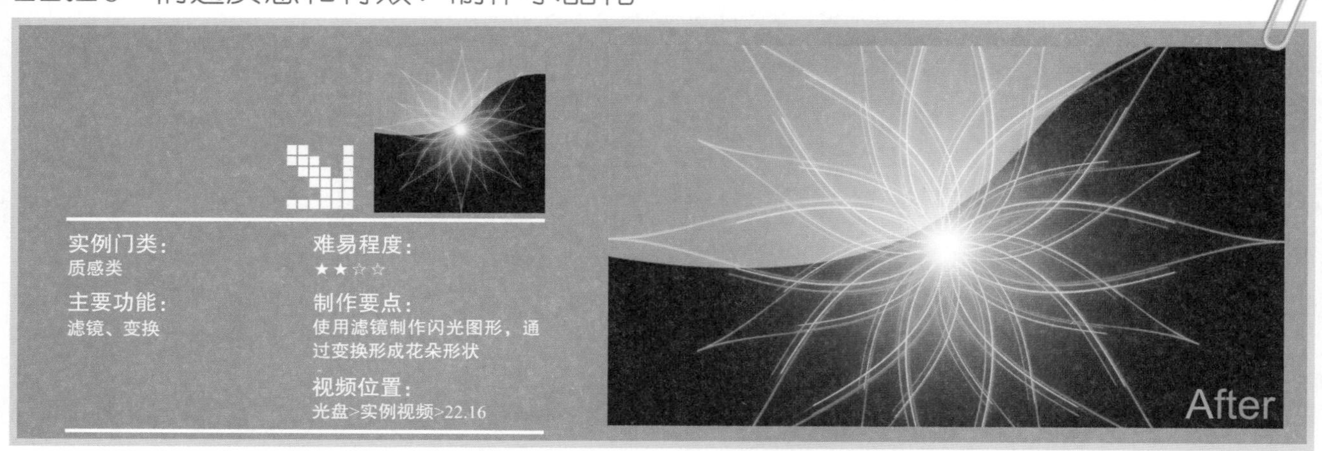

1 新建一个800×800像素、分辨率为72像素/英寸、RGB模式的文件。将“背景”图层填充为黑色。

2 按下Ctrl+J快捷键将复制“背景”图层。执行“滤镜>渲染>镜头光晕”命令，打开“镜头光晕”对话框，选择“电影镜头”选项并调整亮度，然后在预览框的中心位置单击，将光晕设置在画面的中心，如图22-317所示，单击“确定”按钮，效果如图22-318所示。

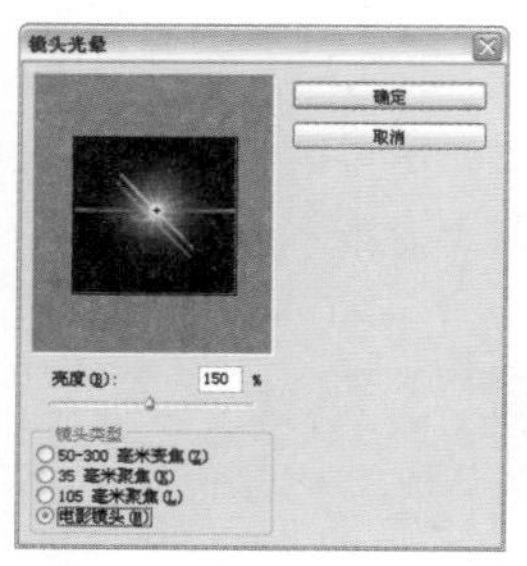

图22-317

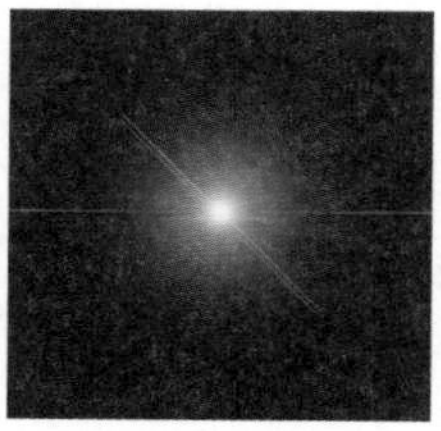

图22-318

3 执行“滤镜>扭曲>旋转扭曲”命令，设置参数如图22-319所示，使光晕图形产生旋转效果，如图22-320所示。

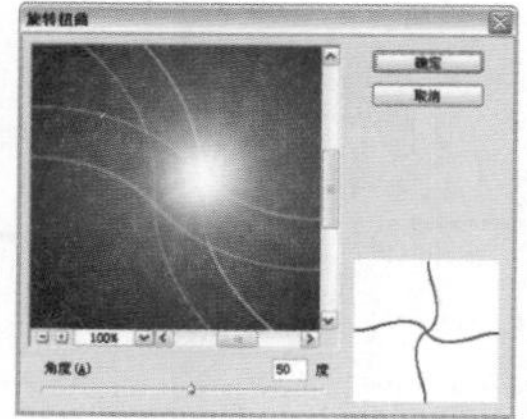

图22-319

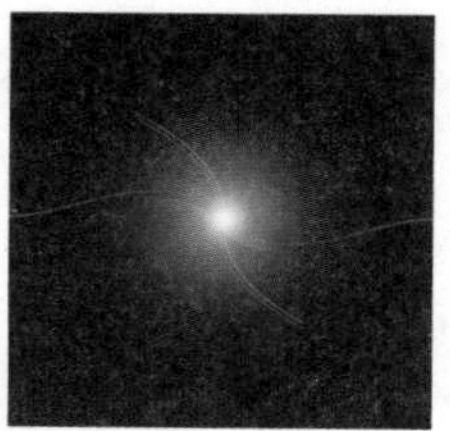

图22-320

4 复制“背景 副本”图层，并修改混合模式，如图22-321所示。按下Ctrl+T快捷键显示定界框，单击右键，选择“水平翻转”命令翻转图像，效果如图22-322所示，按下回车键确认。

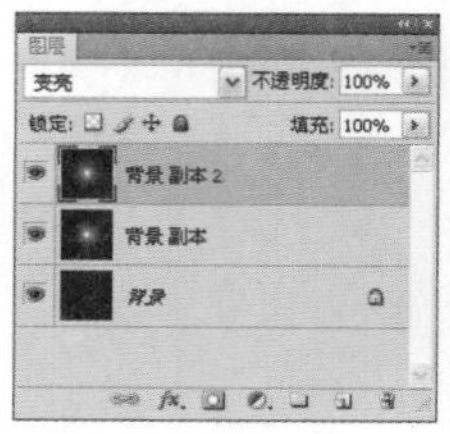

图22-321

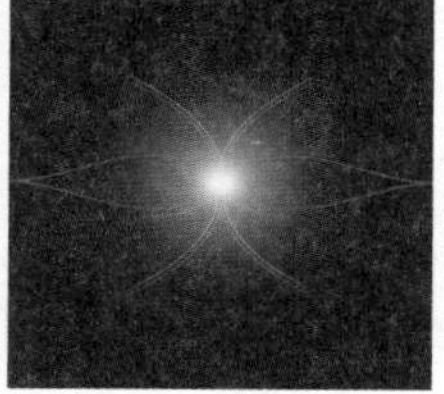

图22-322

5 按下Ctrl+E快捷键向下合并图层，如图22-323所示。按下Ctrl+J快捷键复制并调整混合模式，如图22-324所示。按下Ctrl+T快捷键显示定界框，单击右键，选择“旋转90度（顺时针）”命令，效果如图22-325所示。

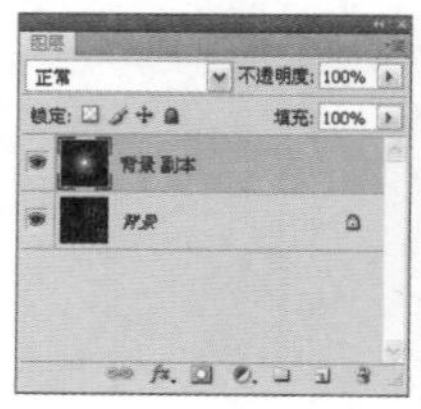

图22-323

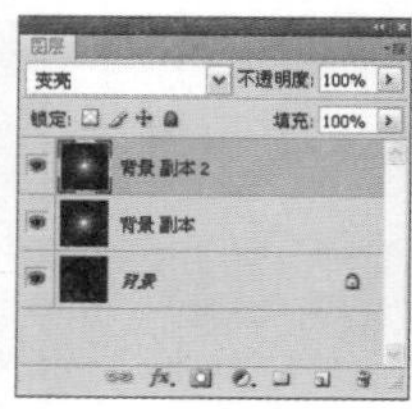

图22-324

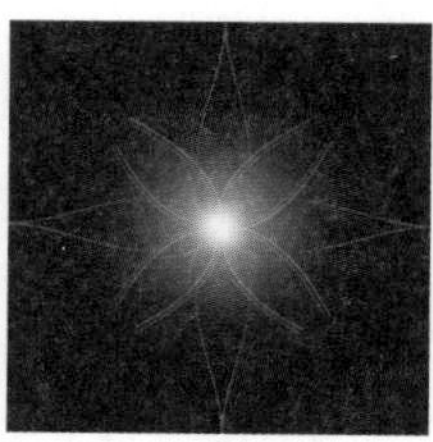

图22-325

6 按下Ctrl+E快捷键再次向下合并图层，复制新图层，并修改混合模式为“亮度”。按下Ctrl+T快捷键显示定界框，在工具选项栏中设置旋转角度为45度，如图22-326所示，按下回车键确认变换，如图22-327所示。

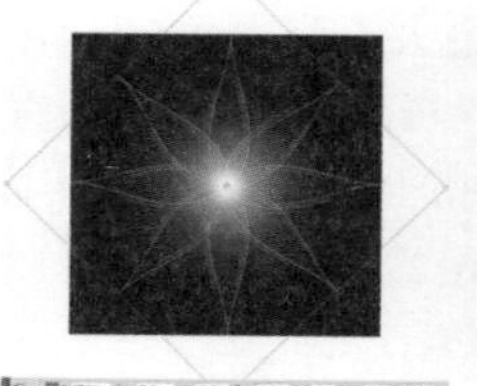

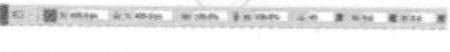

图22-326

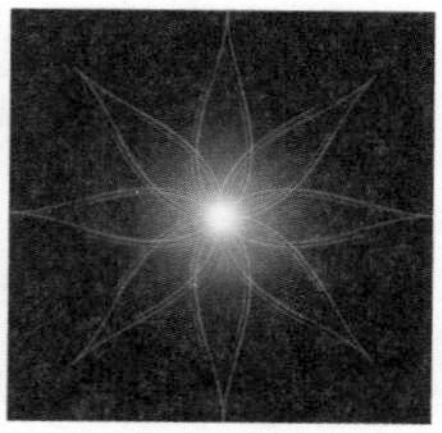

图22-327

7 继续向下合并图层，复制新图层，然后修改混合模式为“变亮”。按下Ctrl+T快捷键显示定界框，在工具选项栏中设置缩放值和旋转角度，如图22-328所示，按下回车键确认，如图22-329所示。再向下合并图层。

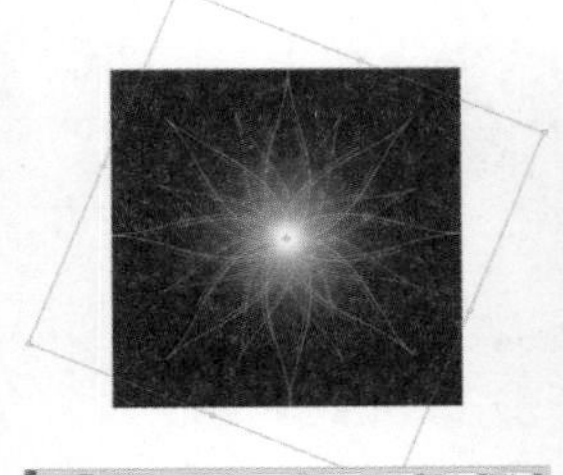
图22-328

图22-329

8 分别按下Ctrl+3、按下Ctrl+4和Ctrl+5快捷键，在窗口中显示红、绿、蓝3个颜色通道中的灰度图像，如图22-330、图22-331、图22-332所示。

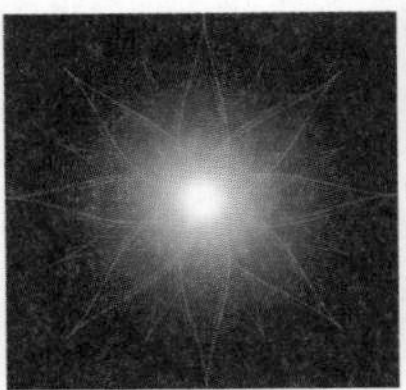
图22-330

图22-331

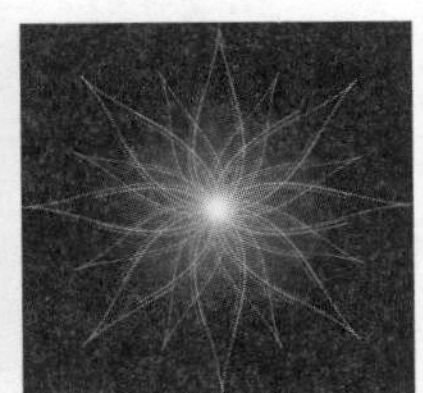
图22-332

9 通过比较可以发现，蓝色通道的明暗对比最明显，花朵形状最清晰，在“通道”面板中按住Ctrl键单击蓝色通道，载入它的选区，如图22-333所示。按下Ctrl+2快捷键返回到RGB模式，如图22-334所示。

图22-333

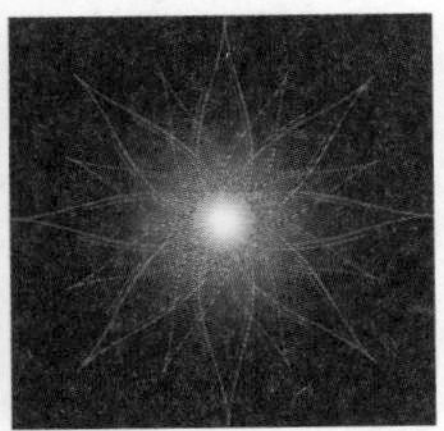
图22-334

10 按下Ctrl+J快捷键，将选区内的图像复制到一个新的图层中，单击按钮锁定透明像素，然后隐藏“背景 副本”图层，如图22-335所示。在“图层1”中填充白色，如图22-336所示。

图22-335

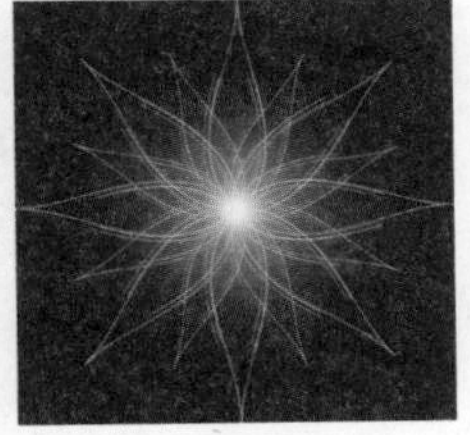
图22-336

11 单击“图层”面板底部的fx按钮，选择“外发光”命令，打开“图层样式”对话框，设置参数如图22-337所示，效果如图22-338所示。

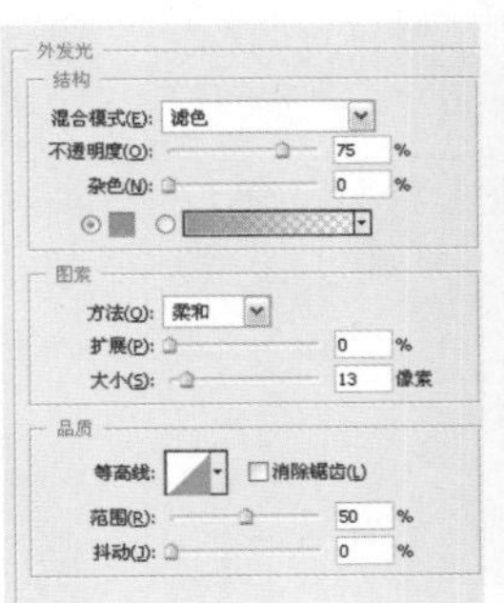

图22-337

图22-338

12 将前景色调整为灰色。选择钢笔工具，在工具选项栏中按下形状图层按钮，绘制出如图22-339所示图形。按下Ctrl+Shift+［快捷键将形状图层移至最底层，完成制作，如图22-340、图22-341所示。

图22-339

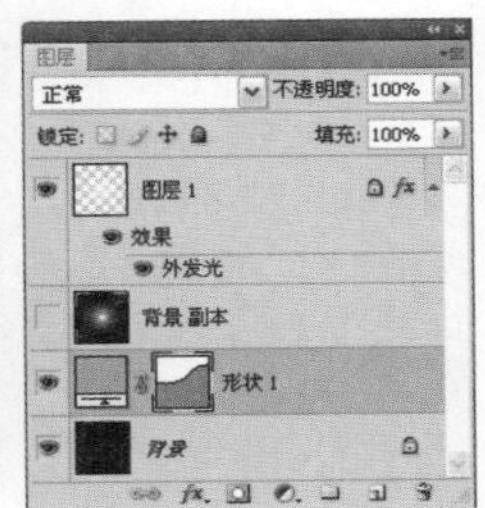

图22-340

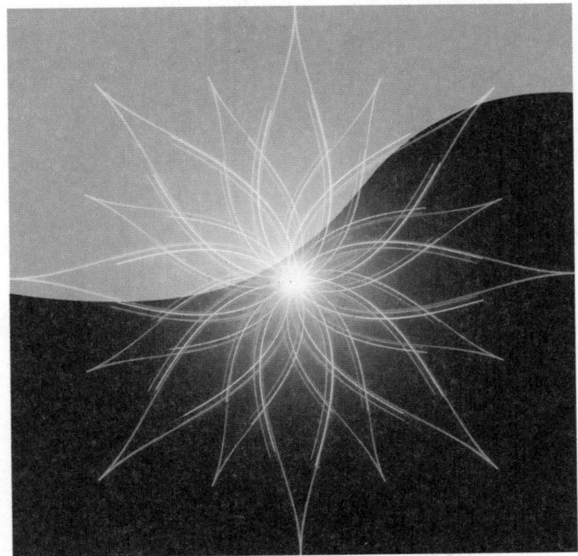
图22-341

22.17 精通质感和特效：制作绚彩玻璃球

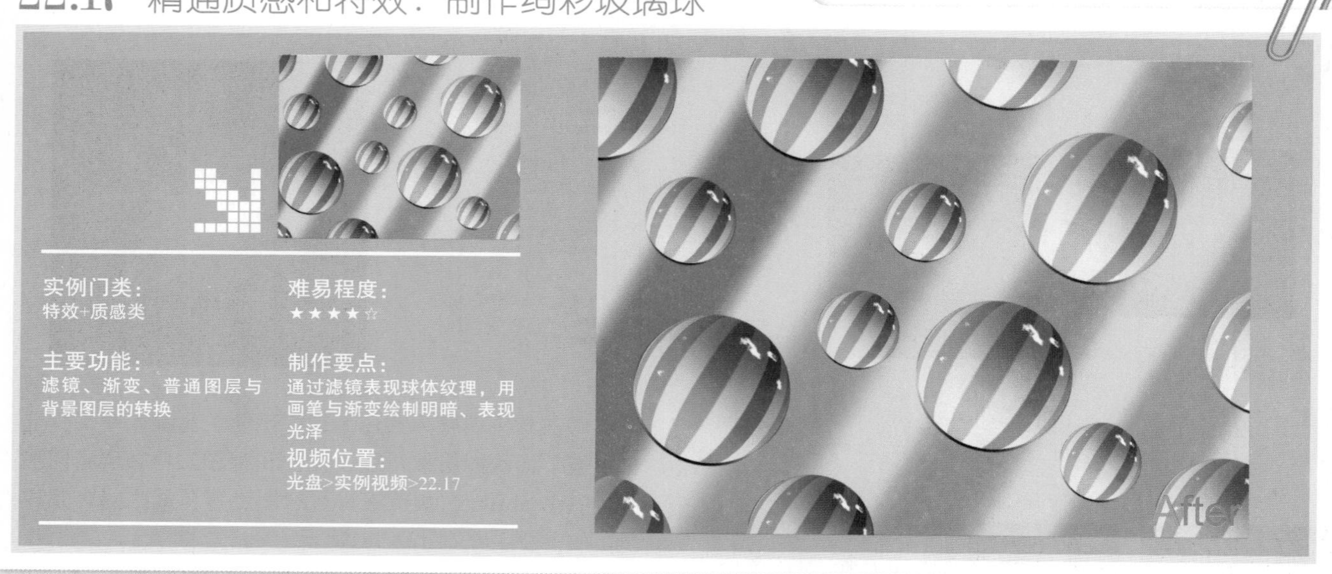

1 按下Ctrl+N快捷键打开“新建”对话框，在“预设”下拉列表中选择Web，在“大小”下拉列表中选择1024×768，单击“确定”按钮新建一个文档。将前景色设置为浅绿色（R232、G250、B208），按下Alt+Delete键填充前景色，如图22-342所示。新建一个图层，如图22-343所示。

图22-342

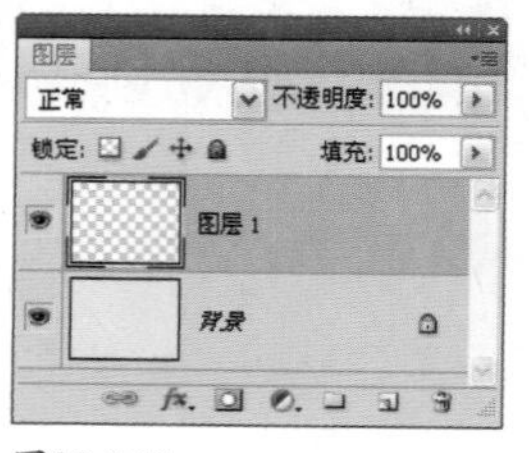

图22-343

2 选择渐变工具，在渐变下拉列表中选择“透明条纹渐变”，如图22-344所示。按住Shift键在画面中由左至右拖动鼠标填充渐变，如图22-345所示。

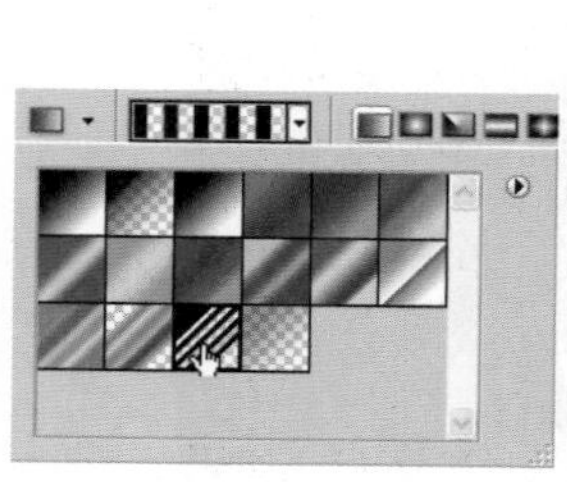
图22-344

图22-345

3 单击按钮锁定图层的透明像素，如图22-346所示。分别将前景色调整为橘红色、红色、绿色、蓝色和橙色，使用画笔工具将条纹逐一重新着色，如图22-347所示。

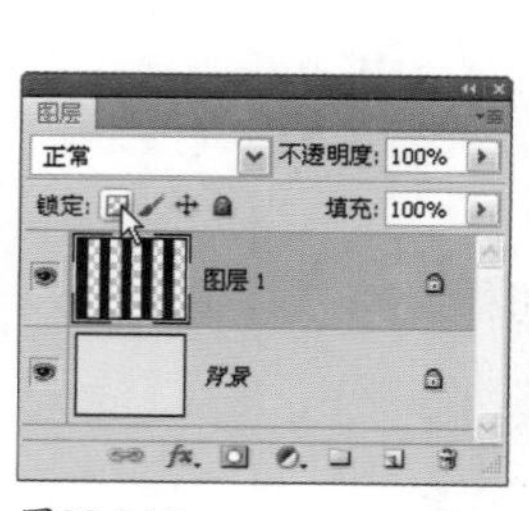

图22-346

图22-347

4 按下Alt+Shift+Ctrl+E快捷键盖印图层，如图22-348所示。按下Ctrl+T快捷键显示定界框，拖动定界框的右边，调整图像的宽度，使条纹变细，如图22-349所示。按下回车键确认操作。

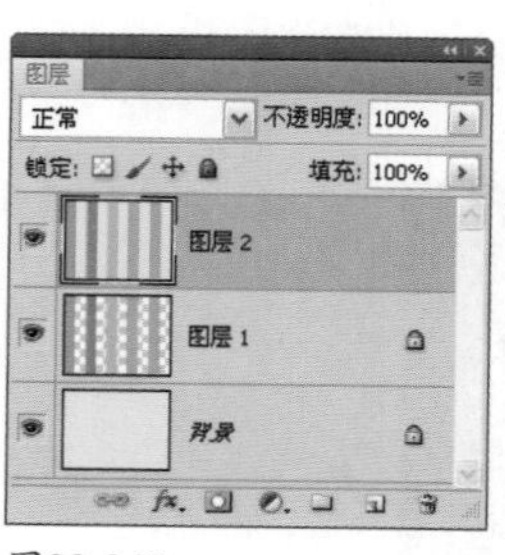

图22-348

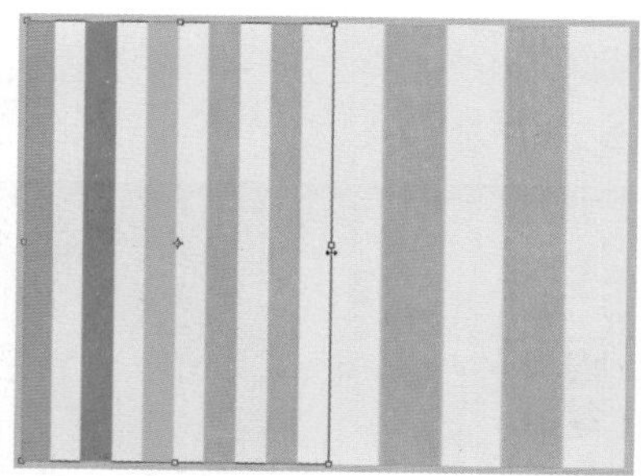
图22-349

5 选择移动工具，按住Alt+Shift键向右侧拖动图像进行复制，同时，在“图层”面板中新增一个图层，如图22-350所示。仔细观察图像的中间区域，其他条纹边缘都很柔和，橘红色条纹边缘过于锐利，如图22-351所示。

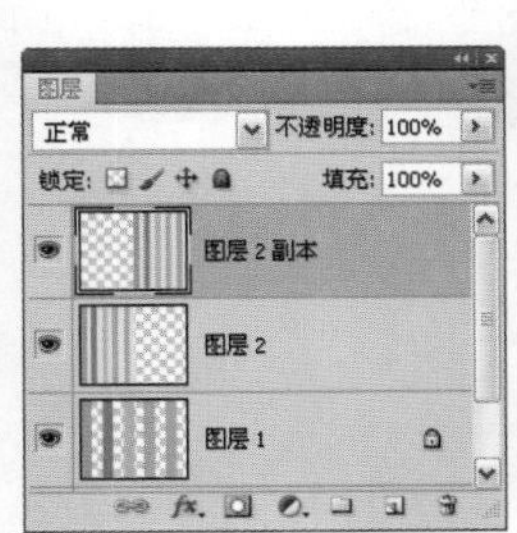

图22-350

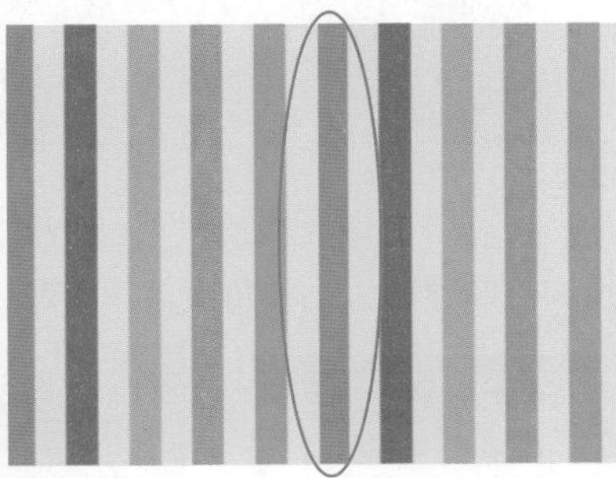

图22-351

6 按下Ctrl+[键将“图层2副本”下移一层，如图22-352所示。然后再使用移动工具调整其在画面中的位置，向左移动将橘红色条纹隐藏在后面，如图22-353所示。

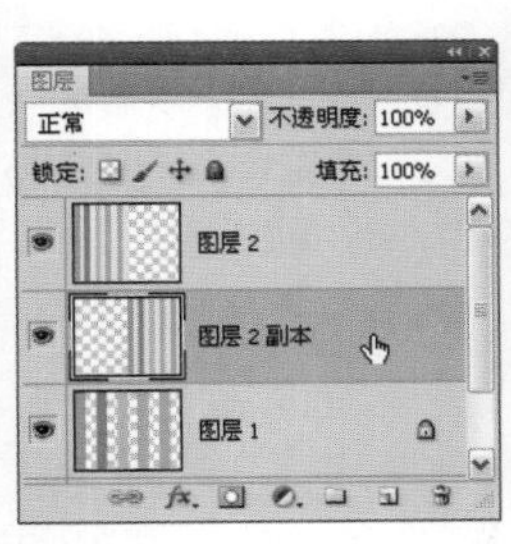

图22-352

图22-353

7 按住Ctrl键单击“图层2”，选取这两个图层，如图22-354所示，按下Ctrl+E快捷键合并图层，如图22-355所示。

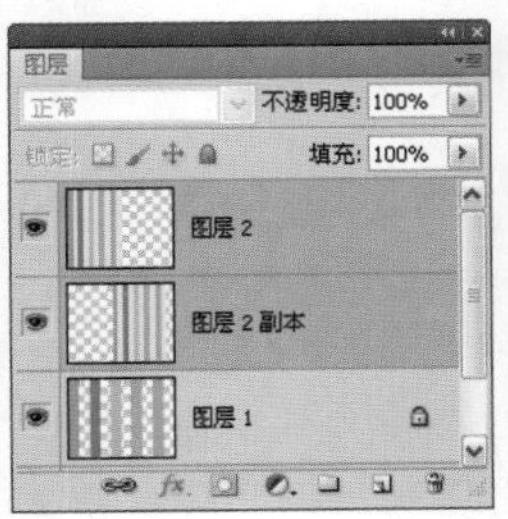

图22-354

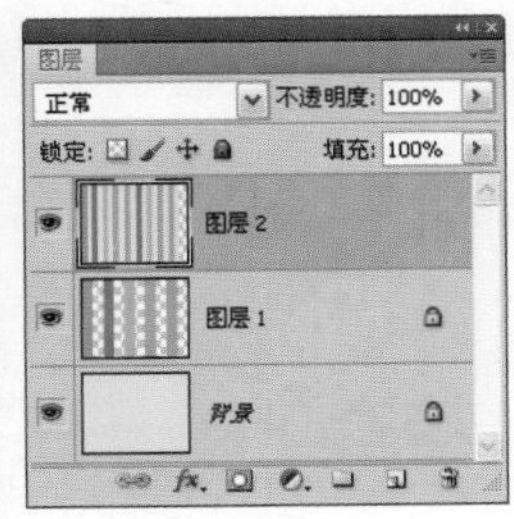

图22-355

8 选择椭圆选框工具，按住Shift键创建一个圆形选区，如图22-356所示。执行“滤镜>扭曲>球面化”命令，设置数量为100%，如图22-357所示，效果如图22-358所示。按下Ctrl+F快捷键再次执行该滤镜，加大膨胀效果，使条纹的扭曲效果更明显，如图22-359所示。

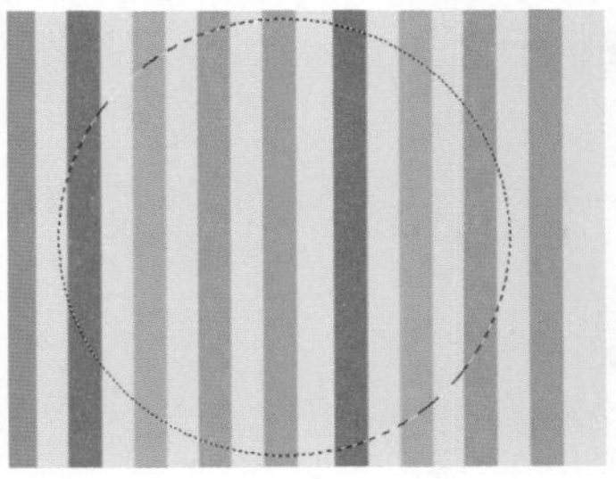

图22-356

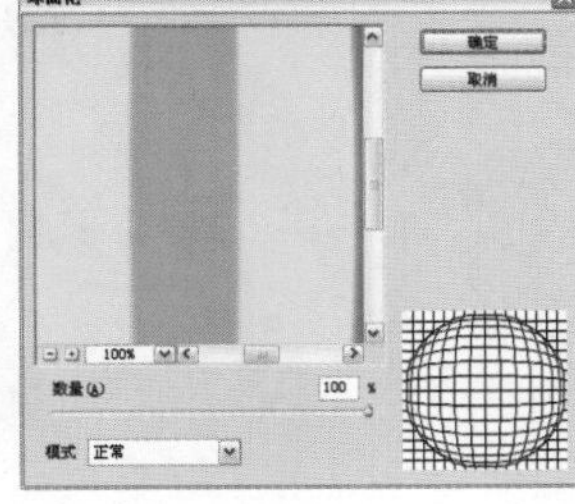

图22-357

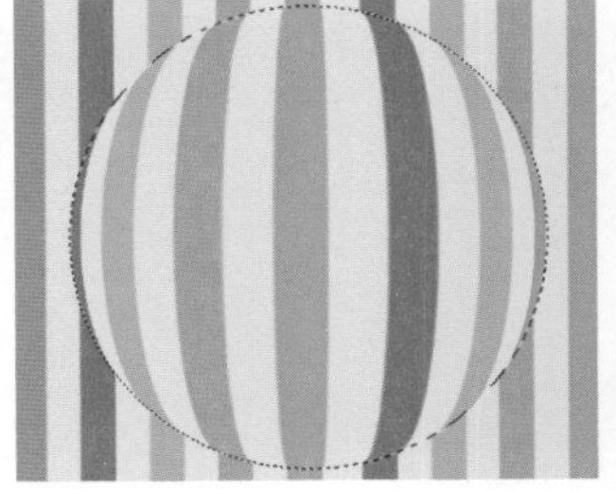

图22-358

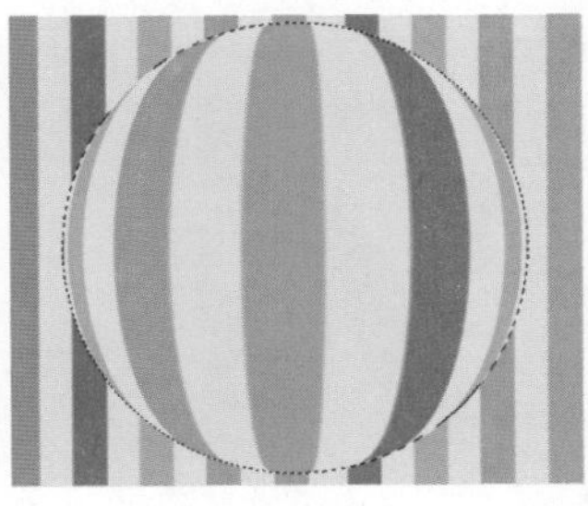

图22-359

9 按下Shift+Ctrl+I快捷键反选，按下Delete键删除选区内的图像，按下Ctrl+D快捷键取消选择，如图22-360所示。

图22-360

10 单击“图层2”前面的眼睛图标，隐藏该图层，选择“图层1”，如图22-361所示。按下Ctrl+E快捷键向下合并图层，如图22-362所示。按住Alt键双击“背景”图层，将其转换为普通图层，如图22-363所示。

图22-361

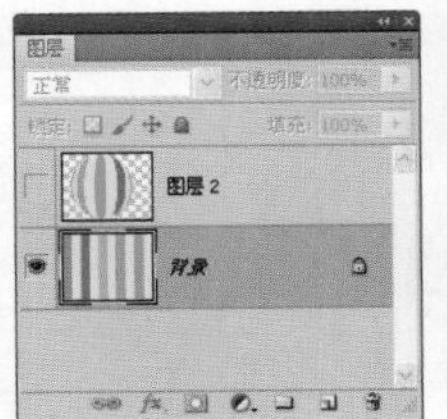

图22-362

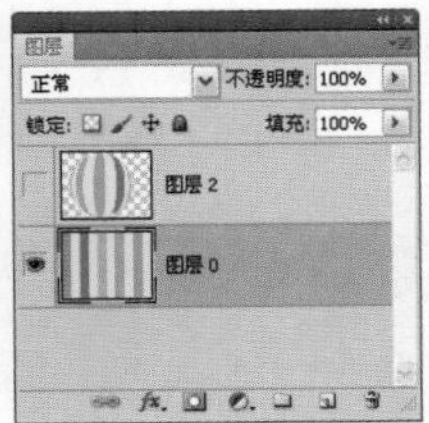

图22-363

11 按下Ctrl+T快捷键显示定界框，将光标放在定界框的一角，按住Shift键拖动鼠标将图像旋转30°，如图22-364所示。再按住Alt键拖动定界框边缘，将图像放大，布满画面，如图22-365所示。

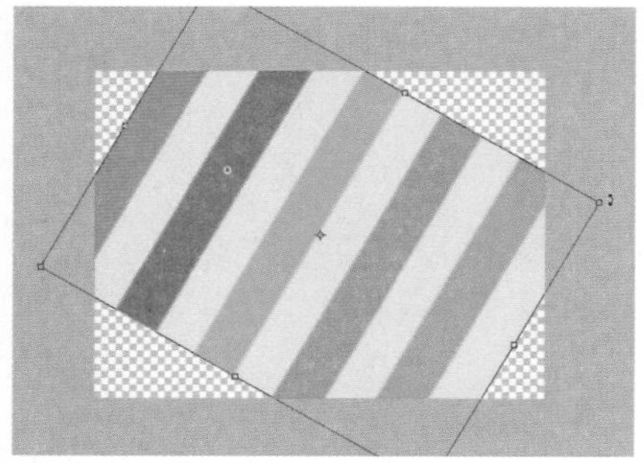
图22-364

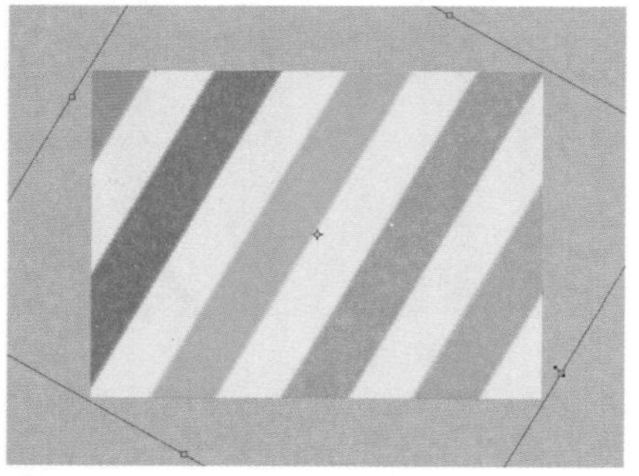
图22-365

12 执行“滤镜>模糊>高斯模糊”命令，设置半径为15像素，如图22-366所示，效果如图22-367所示。

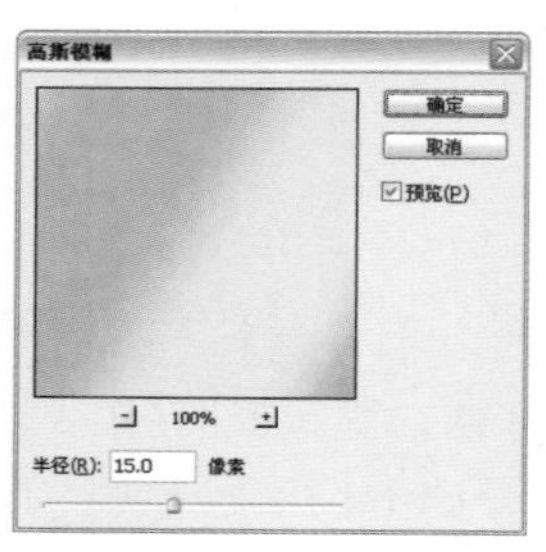
图22-366

图22-367

13 按下Ctrl+J快捷键复制“背景”图层，设置混合模式为“正片叠底”，不透明度为60%，如图22-368、图22-369所示。

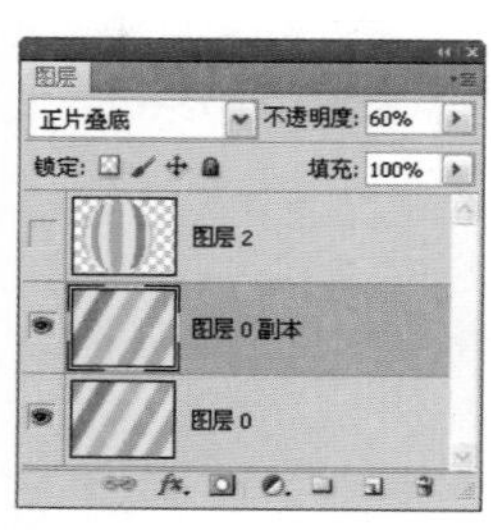
图22-368

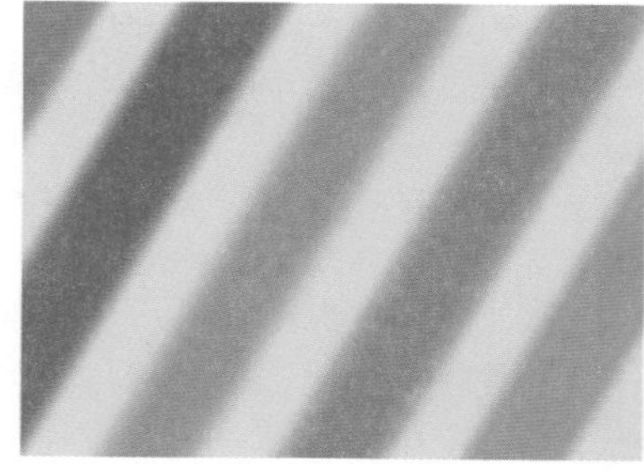
图22-369

14 按下Ctrl+E快捷键向下合并图层，如图22-370所示。执行“图层>新建>背景图层”命令，将普通图层转换为背景图层，如图22-371所示。

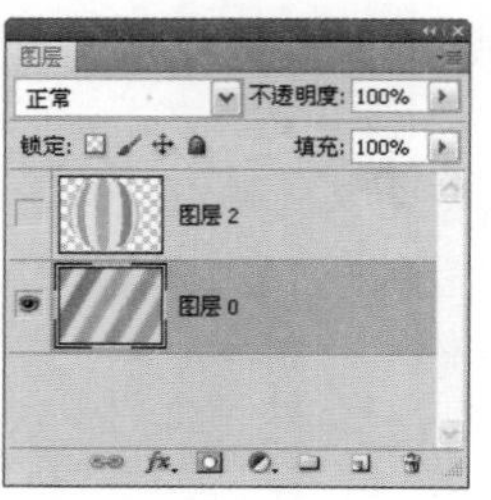
图22-370

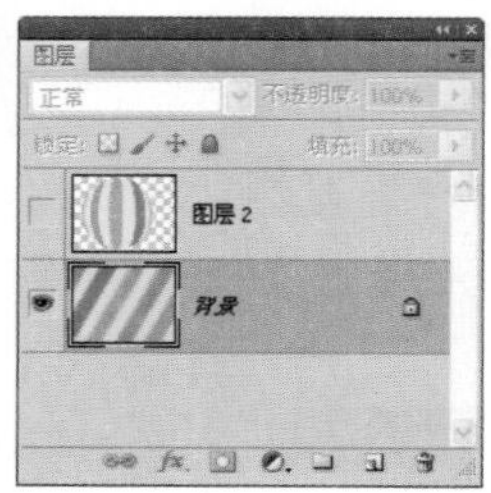
图22-371

15 选择并显示“图层2”，如图22-372所示。通过自由变换调整圆球的大小和角度，如图22-373所示。

图22-372

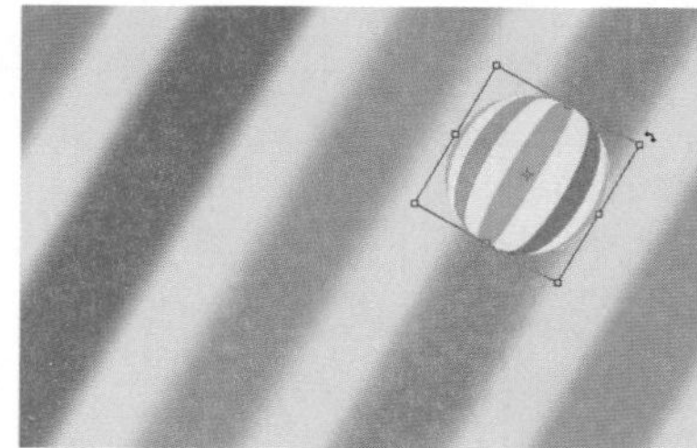
图22-373

16 选择画笔工具，设置不透明度为20%，如图22-374所示。新建一个图层，按下Alt+Ctrl+G快捷键创建创建剪贴蒙版，如图22-375所示。在圆球的底部涂抹白色，如图22-376所示，顶部涂抹黑色，表现出明暗过渡效果，如图22-377所示。

图22-374

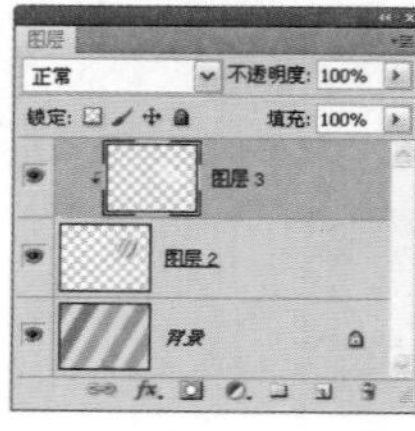
图22-375

图22-376

图22-377

17 新建一个图层，创建剪贴蒙版。使用椭圆工具按住Shift键绘制一个黑色的圆形，如图22-378所示。使用椭圆选框工具创建一个选区，将大部分圆形选取，仅保留一个细小的边缘，如图22-379所示。按下Delete键删除图像，按下Ctrl+D快捷键取消选择，如图22-380所示。

图22-378

图22-379

图22-380

18 单击按钮锁定该图层的透明像素，如图22-381所示。使用画笔工具涂抹白色，由于画笔工具设置了不透明度，因此，在黑色图形上涂抹白色时，会表现为灰色，这就使原来的黑边有了明暗变化，如图22-382所示。

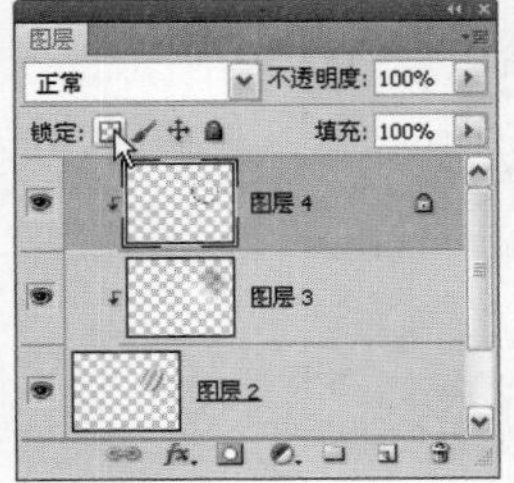
图22-381

图22-382

19 新建一个图层。在画笔下拉面板中选择“半湿描边油彩笔”，如图22-383所示。将不透明度设置为100%，可按下“]”和“[”键放大或缩小笔尖，为圆球绘制高光，效果如图22-384所示。

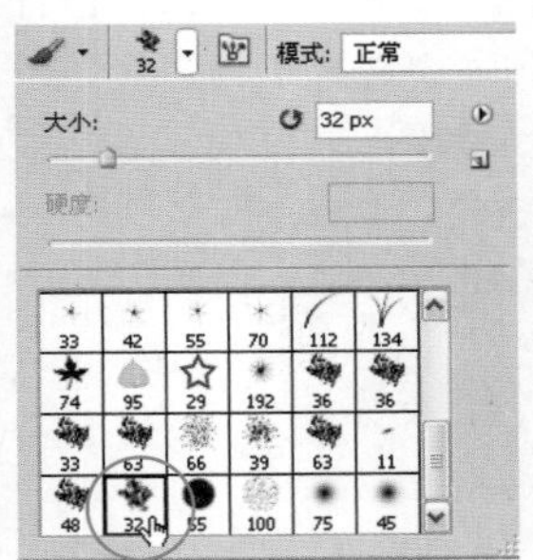
图22-383

图22-384

20 按住Shift键单击“图层2”，选取所有组成圆球的图层，如图22-385所示，按下Ctrl+E快捷键合并图层，如图22-386所示。

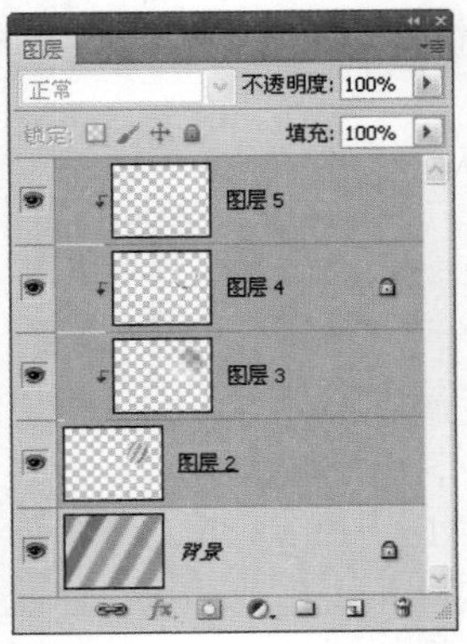
图22-385

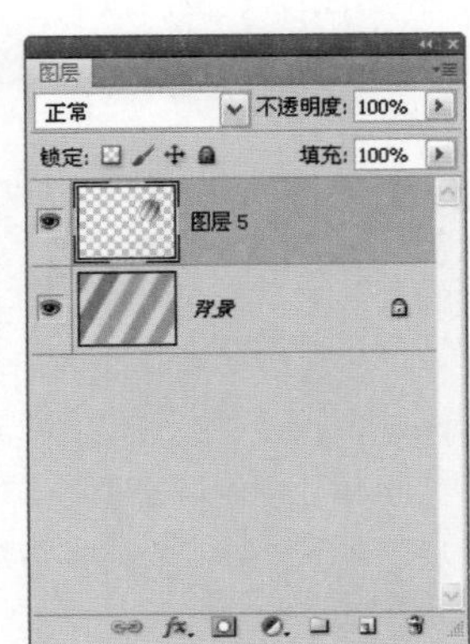
图22-386

21 使用移动工具按住Alt拖动圆球进行复制，如图22-387所示。

图22-387

22 按下Ctrl+L快捷键打开“色阶”对话框，将阴影滑块和中间调滑块向右侧调整，使圆球色调变暗，如图22-388、图22-389所示。

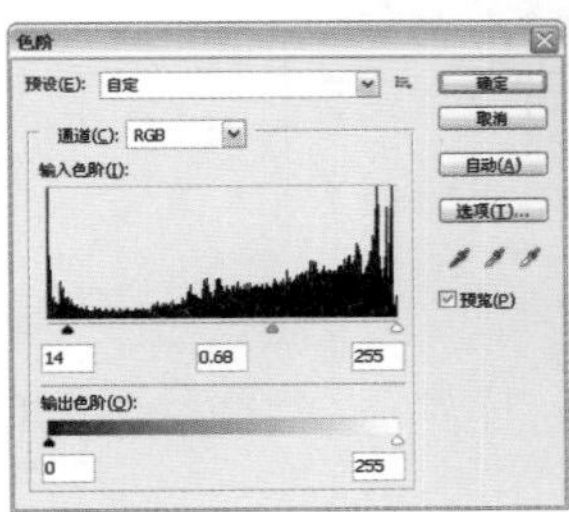
图22-388

图22-389

23 用同样方法复制圆球，调整大小和明暗，最终效果如图22-390所示。

图22-390

22.18 精通质感和特效：制作特色邮票

1 按下Ctrl+O快捷键，打开一个文件，如图22-391、图22-392所示。

图22-391

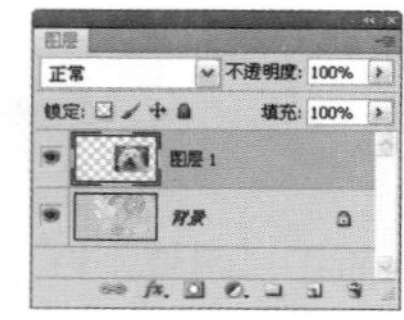
图22-392

2 双击“图层1”，打开“图层样式”对话框，选择“描边”选项，设置描边颜色为白色，位置为“内部”，大小为13像素，如图22-393、图22-394所示。

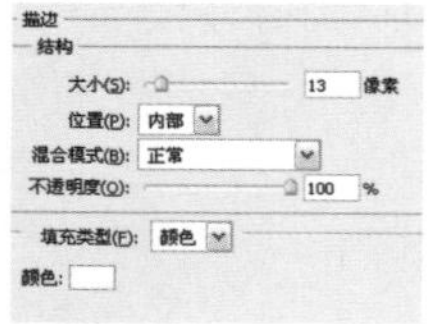
图22-393

图22-394

3 新建一个图层，按住Ctrl键单击“图层1”的缩览图，如图22-395所示，载入选区。打开“路径”面板，单击按钮，将选区保存为路径，如图22-218所示。选择画笔工具，按下F5键打开“画笔”面板，选择一个笔尖，然后修改它的直径为12px，间距为150%，如图22-219所示。

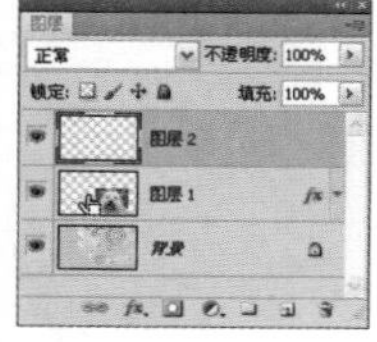
图22-395

图22-396

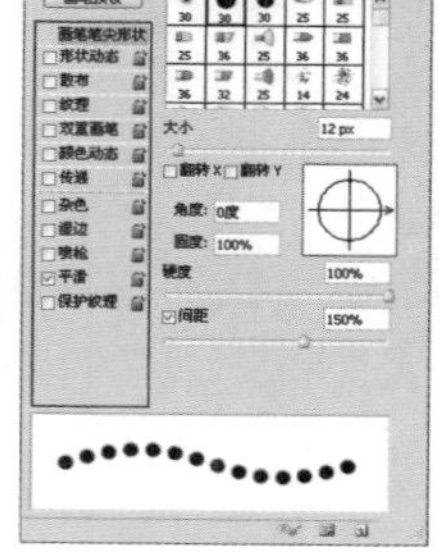
图22-397

4 将前景色设置为白色，单击“路径”面板中的按钮，用画笔工具描边路径，生成邮票齿孔，在面板的空白处单击隐藏路径，效果如图22-398所示。双击“图层2”，打开“图层样式”对话框，在左侧列表中选择“内阴影”选项，设置参数如图22-399所示，效果如图22-400所示。

图22-398

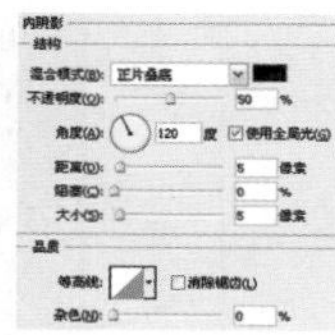
图22-399

图22-400

5 按下Ctrl+E快捷键向下合并图层，如图22-401所示。按下Ctrl+T快捷键显示定界框，按住Shift键拖动定界框的一角，将图像成比例缩小，如图22-402所示。按下回车键确认。选择移动工具，按住Alt+Shift键分别向水平和垂直方向拖动邮票进行复制，生成一个邮票四方联的效果，如图22-243所示。

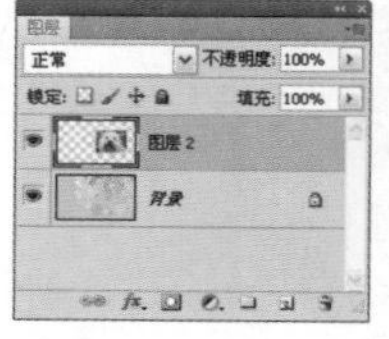
图22-401

图22-402

图22-403

6 打开一个素材文件，拖入到画面中作为装饰，效果如图22-404所示。

图22-404

22.19 精通质感和特效：制作纪念币

1 按下Ctrl+O快捷键，打开一个文件，如图22-405所示。这是一个分层的PSD文件，小女孩在一个单独图层中。选择椭圆工具，按下工具选项栏中的路径按钮，按住Shift键绘制一个圆形路径，如图22-406所示。

图22-405

图22-406

2 选择横排文字工具，打开“字符”面板选择字体并设置大小，文字颜色设置为灰色（R191、G191、B191），如图22-407所示，在路径上单击并输入文字，文字会沿路径排列，如图22-408所示。

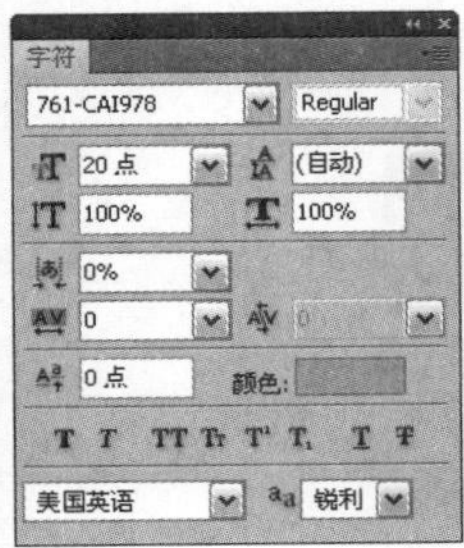

图22-407

图22-408

3 在画面下方远离路径的位置单击输入“2010”，如图22-409所示。单击工具选项栏中的按钮，打开“变形文字”对话框，在“样式”下拉列表中选择“拱形”，设置弯曲参数为-18，如图22-410所示，使文字向下弯曲，如图22-411所示。

图22-409

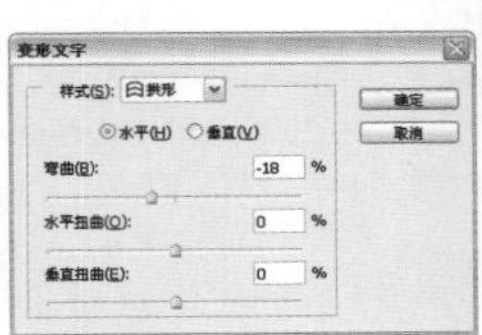

图22-410

图22-411

4 按住Shift键单击“图层1”，选取这3个图层，如图22-412所示，按下Ctrl+E快捷键合并，如图22-413所示。

图22-412

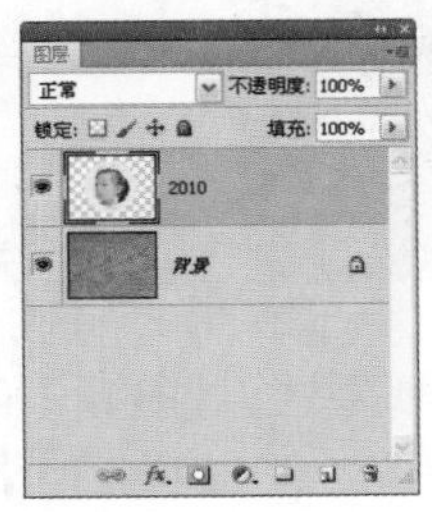

图22-413

5 执行“滤镜>风格化>浮雕效果”命令，设置参数如图22-414所示，创建浮雕效果，如图22-415所示。

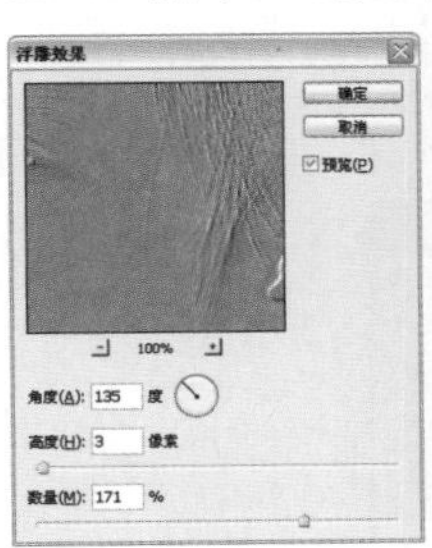

图22-414

图22-415

6 按下Shift+Ctrl+U快捷键去除颜色，如图22-416所示，再按下Ctrl+I快捷键将图像反相，从而反转纹理的凹凸方向，如图22-417所示。

图22-416

图22-417

7 双击“图层1”，打开“图层样式”对话框，在左侧列表中选择“投影”和“渐变叠加”选项，设置参数如图22-418、图22-419所示，为图层添加这两种效果，如图22-420所示。

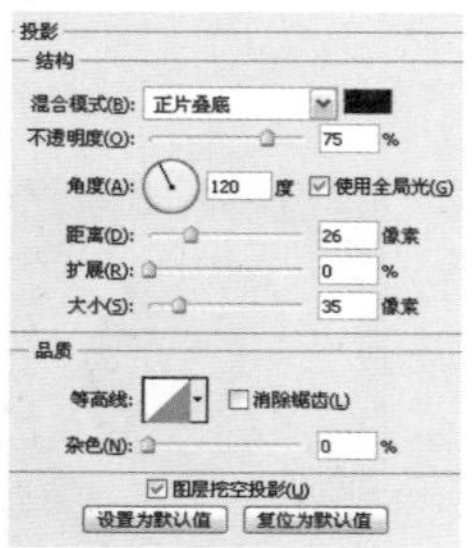

图22-418

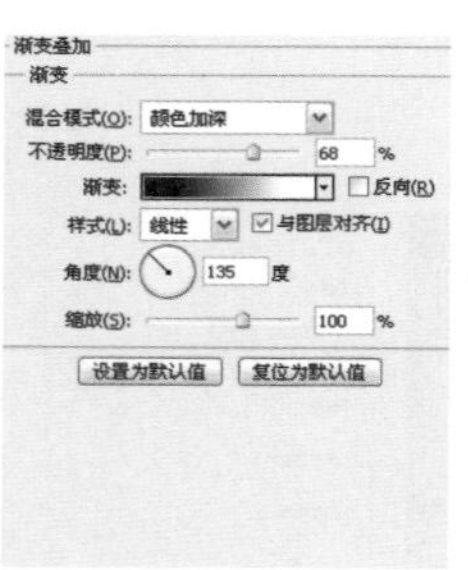

图22-419

图22-420

8 单击“调整”面板中的按钮，创建“曲线”调整图层，在曲线上单击，添加3个控制点，拖动这些控制点调整曲线，如图22-421所示。单击面板底部的按钮，创建剪贴蒙版，使“曲线”只调整硬币，不会影响背景桌面，如图22-422、图22-423所示。

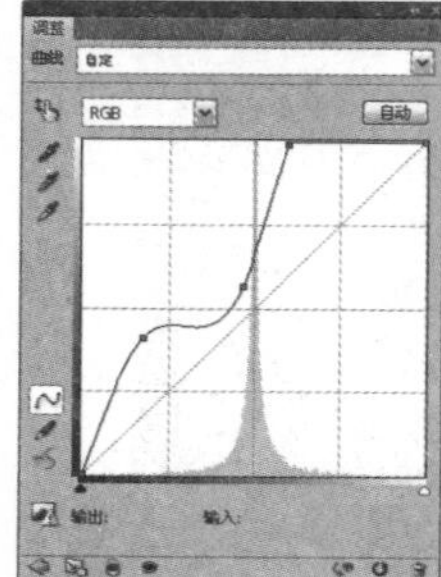

图22-421

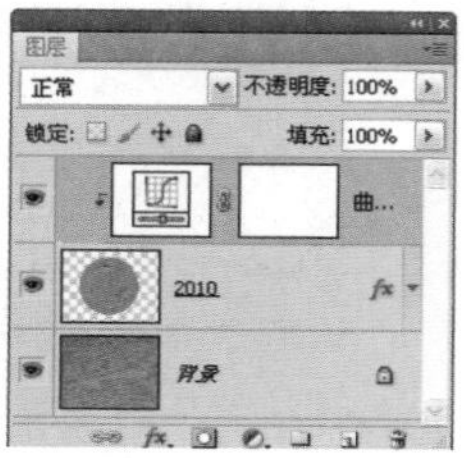

图22-422

图22-423

9 新建一个图层，填充白色。执行“滤镜>素描>半调图案”命令，设置参数如图22-424所示。

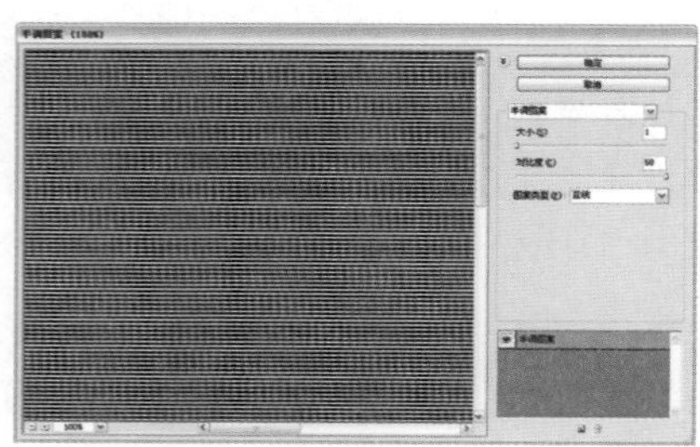

图22-424

10 执行“编辑>变换>旋转90度（顺时针）”命令，如图22-425所示。使用移动工具将条纹图像移动到画面左侧，再按住Shift+Alt键拖动进行复制，使条纹布满画面，如图22-426所示。

图22-425

图22-426

11 复制条纹图像后，在“图层”面板中会新增一个图层，如图22-427所示，按下Ctrl+E快捷键向下合并图层，如图22-428所示。

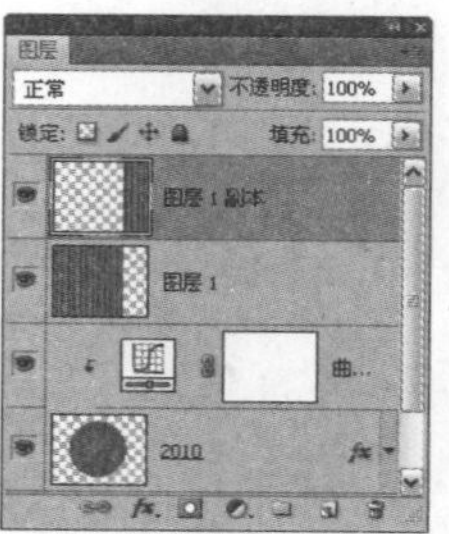

图22-427

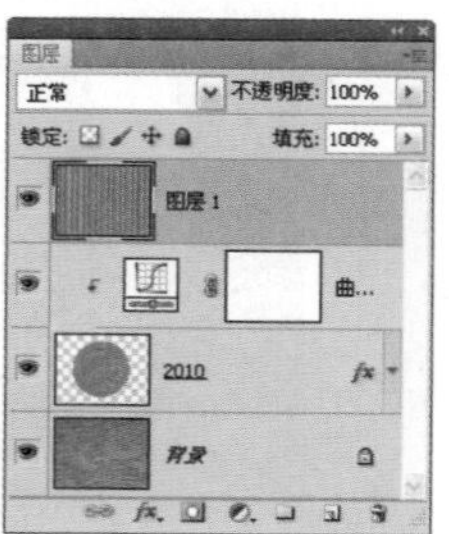

图22-428

12 执行“滤镜>扭曲>极坐标”命令，在打开的对话框中选择“平面坐标到极坐标”选项，如图22-429、图22-430所示。

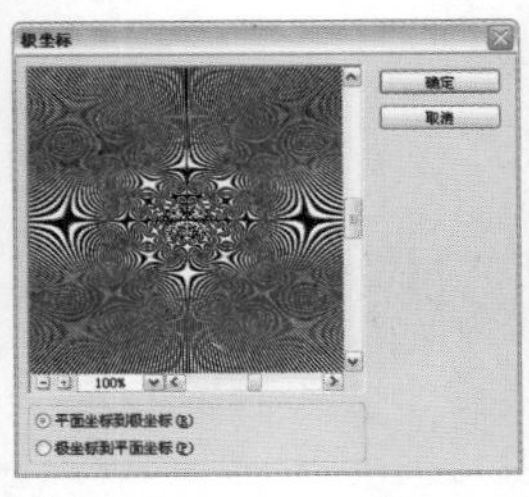
图22-429

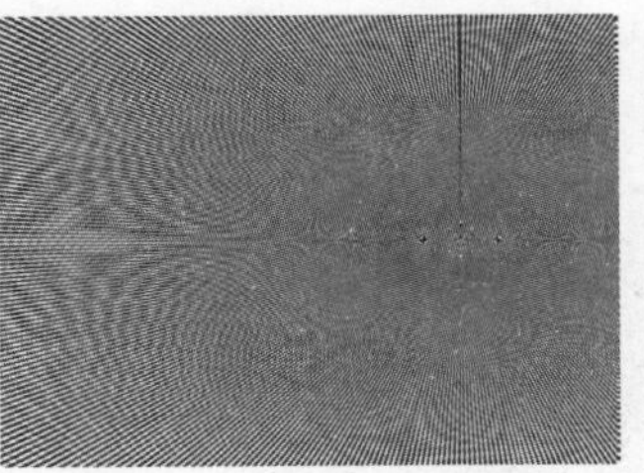
图22-430

13 按下Ctrl+T快捷键显示定界框，调整图像的宽度，再将图像向左侧拖动，使中心点与画面中心对齐，如图22-431所示。按下回车键确认操作。

图22-431

14 按住Ctrl键单击“2010”图层缩览图，如图22-432所示，载入选区；单击按钮在选区基础上创建图层蒙版，将选区外的图像隐藏，如图22-433、图22-434所示。

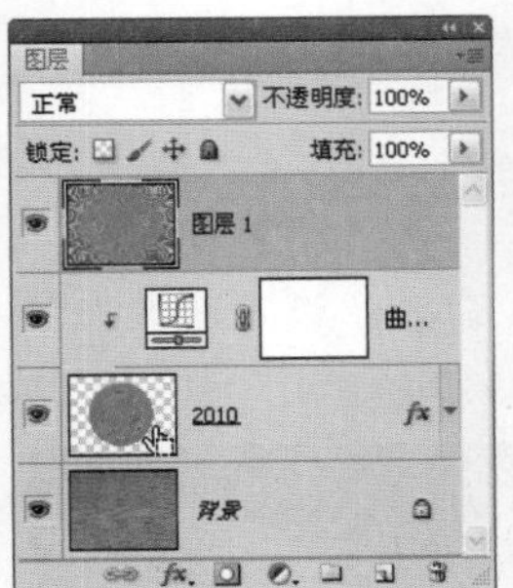
图22-432

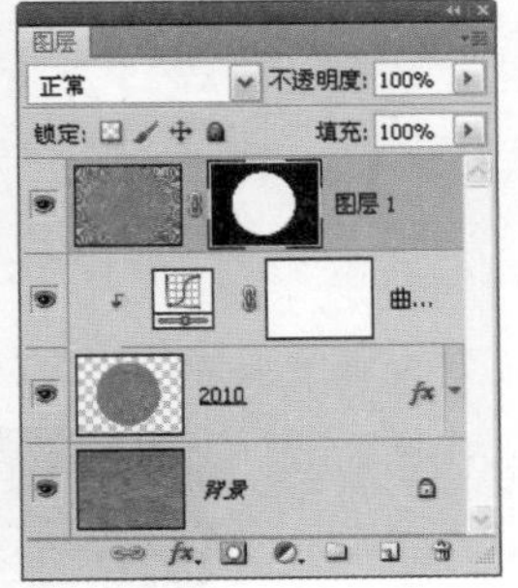
图22-433

图22-434

15 再次按住Ctrl键单击“2010”图层缩览图，载入选区，执行“选择>变换选区”命令，在选区上显示定界框，如图22-435所示；按住Alt+Shift键拖动定界框的一角，保持中心点位置不变将选区成比例缩小，如图22-436所示。按下回车键确认操作。

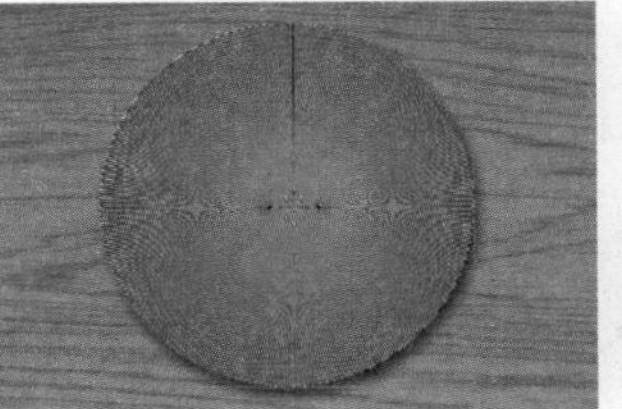
图22-435

图22-436

16 单击“图层1”的蒙版缩览图，并填充黑色，如图22-437所示，然后取消选择，如图22-438所示。

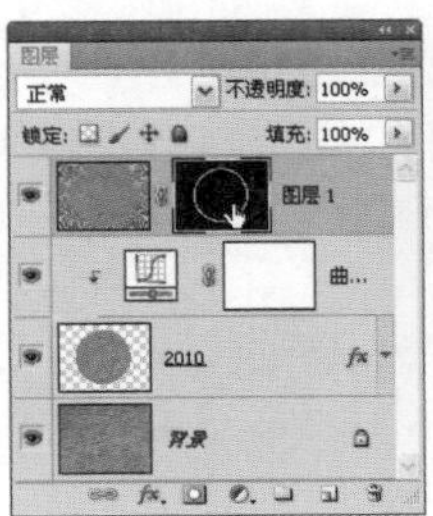
图22-437

图22-438

17 双击该图层，打开“图层样式”对话框，在左侧列表中选择“斜面和浮雕”效果，设置参数如图22-439所示，使纪念币边缘产生立体感，如图22-440所示。

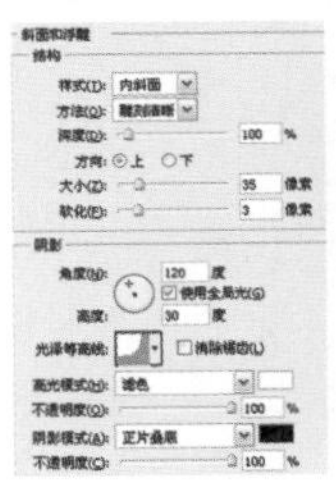
图22-439

图22-440

18 按下Alt+Shift+Ctrl+E快捷键盖印图层，我们来用这个图层制作金币。执行“滤镜>渲染>光照效果”命令，打开“光照效果”对话框，在“光照类型”下拉列表中选择“点光”，在右侧的颜色块上单击，打开“拾色器”设置灯光颜色。设置亮部颜色为土黄色（R180、G140、B65）、暗部颜色为深黄色（R103、G85、B1），如图22-441所示，完成后的效果如图22-442所示。

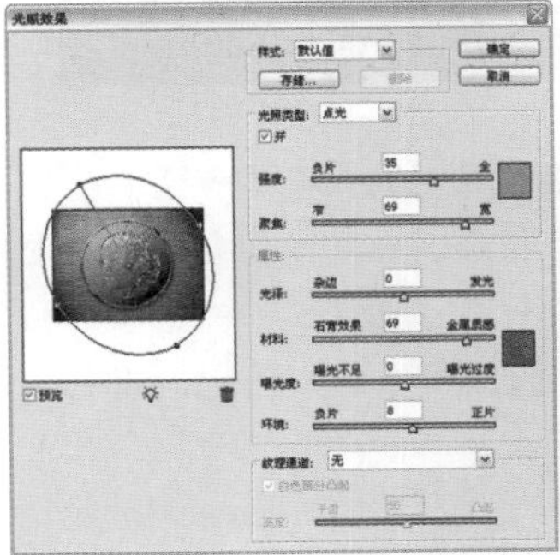
图22-441

图22-442

22.20 精通质感和特效：制作冰手

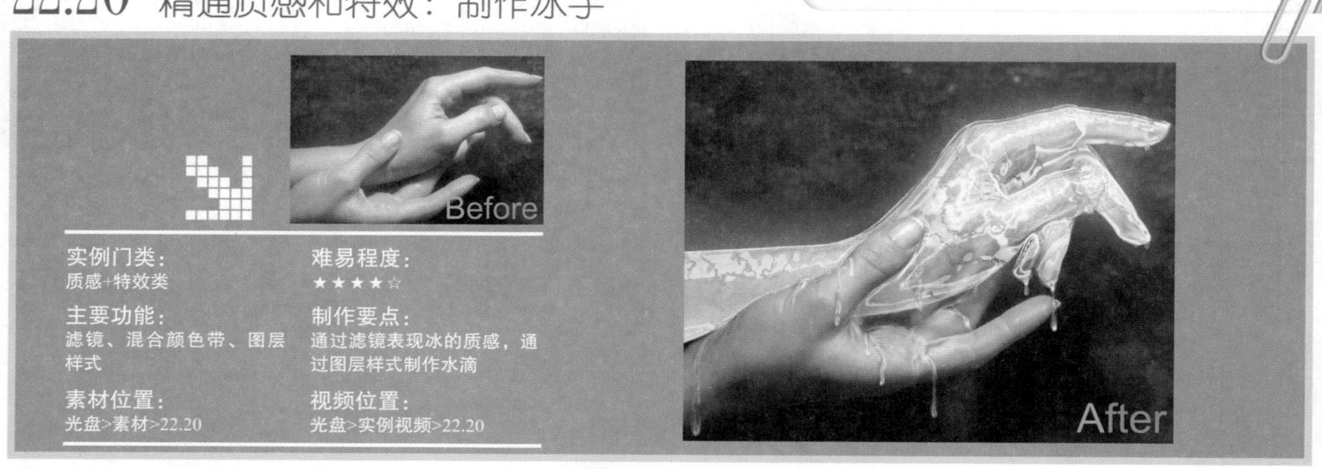

1 按下Ctrl+O快捷键，打开一个文件，如图22-443所示。

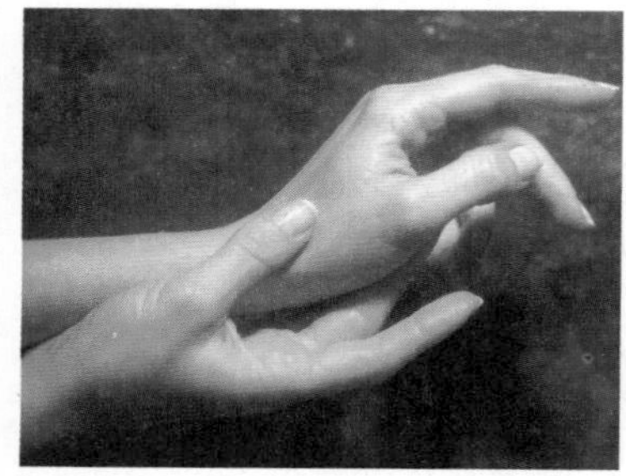
图22-443

2 打开“路径”面板，单击“路径1”，在画面中显示路径，如图22-444、图22-445所示。

图22-444

图22-445

3 单击“路径”面板底部的按钮，载入路径中的选区。连续按四次Ctrl+J快捷键，将选区内的图像复制到新的图层中，依次修改名称为“手”、“质感”、“轮廓”和“高光”，如图22-446所示。选择“质感”图层，将其他两个图层隐藏，如图22-447所示。

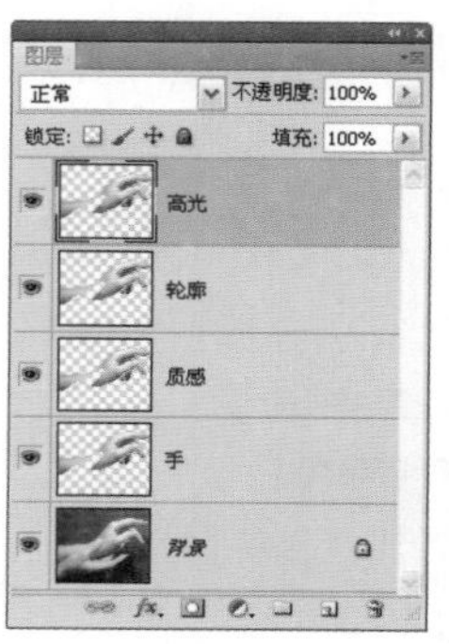

图22-446

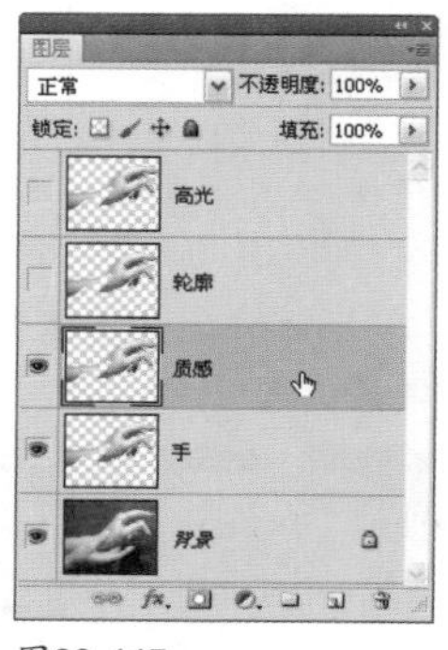

图22-447

4 执行“滤镜>艺术效果>水彩”命令，设置参数如图22-448所示，制作斑驳效果，如图22-449所示。

图22-448

图22-449

5 双击该图层，打开“图层样式”对话框，按住Alt键拖动“本图层”的黑色滑块，将滑块分开并向右侧拖动，如图22-450所示，隐藏图像中较暗的像素，如图22-451所示。

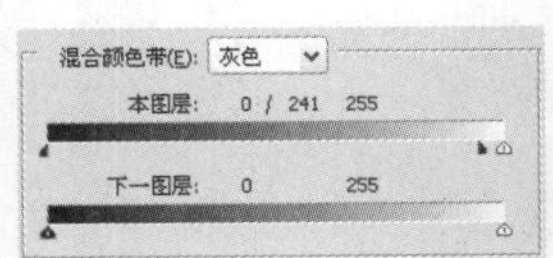

图22-450

图22-451

6 选择并显示“轮廓”图层，如图22-452所示。执行“滤镜>风格化>照亮边缘”命令，设置参数如图22-453、图22-454所示。按下Shift+Ctrl+U快捷键去色，设置该图层的混合模式为“滤色”，如图22-455所示。

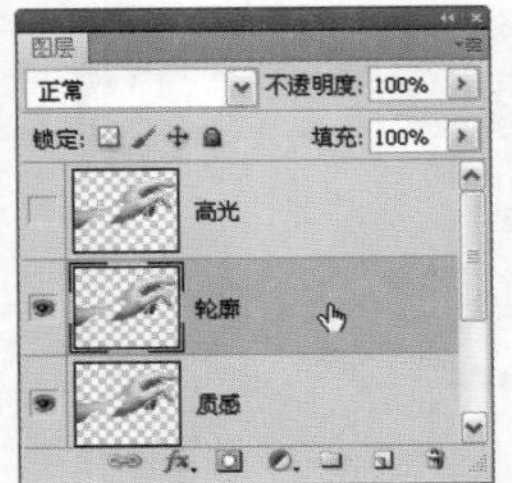

图22-452

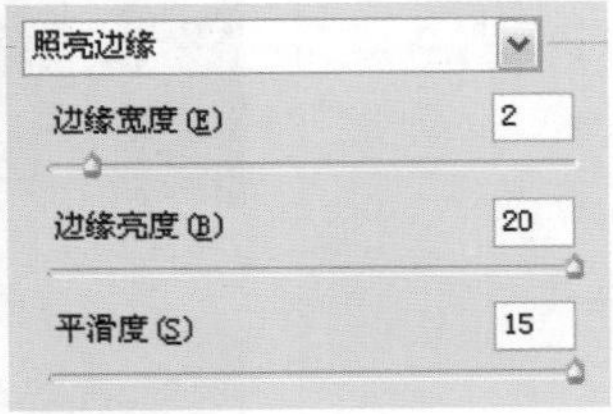

照亮边缘
边缘宽度(E) 2
边缘亮度(B) 20
平滑度(S) 15

图22-453

图22-454

图22-455

7 选择并显示“高光”图层，如图22-456所示。执行“滤镜>素描>铬黄”命令，设置参数如图22-457所示，效果如图22-458所示。设置该图层的混合模式为“滤色”，如图22-459所示。

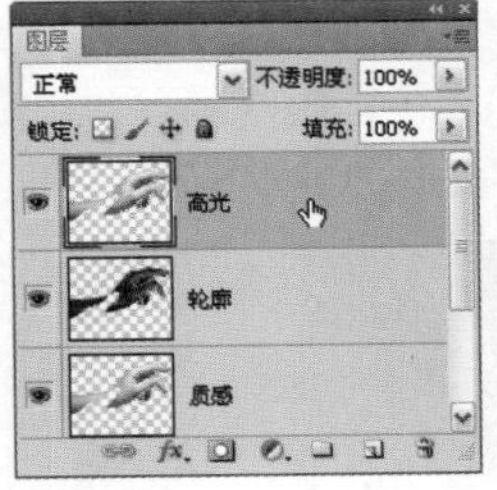

图22-456

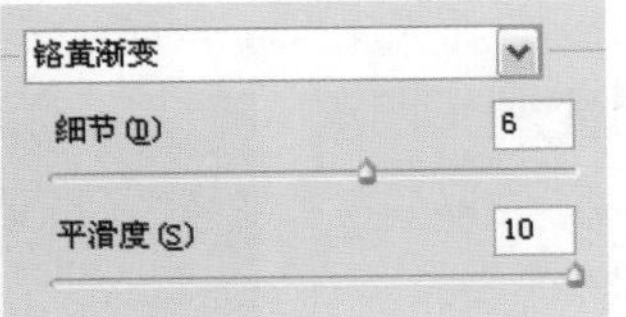

图22-457

图22-458

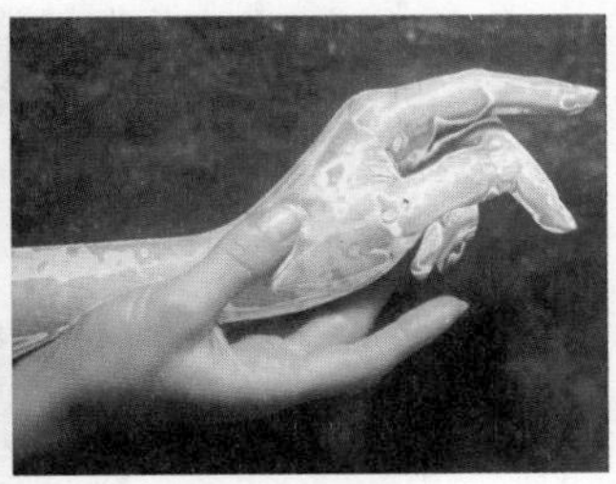

图22-459

8 按下Ctrl+L快捷键打开“色阶”对话框，向右侧拖动阴影滑块，将图像调暗，如图22-460、图22-461所示。

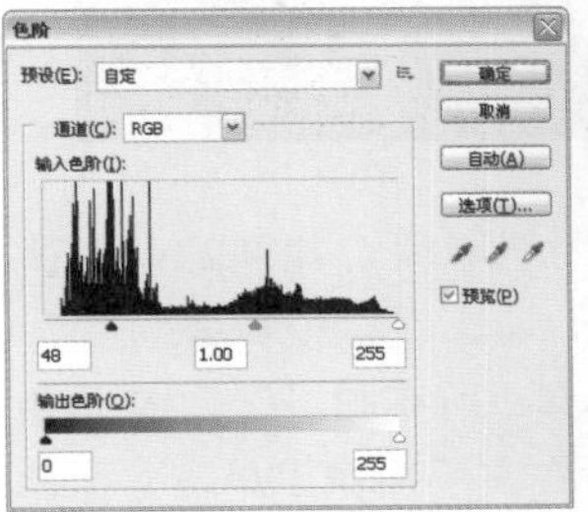

图22-460

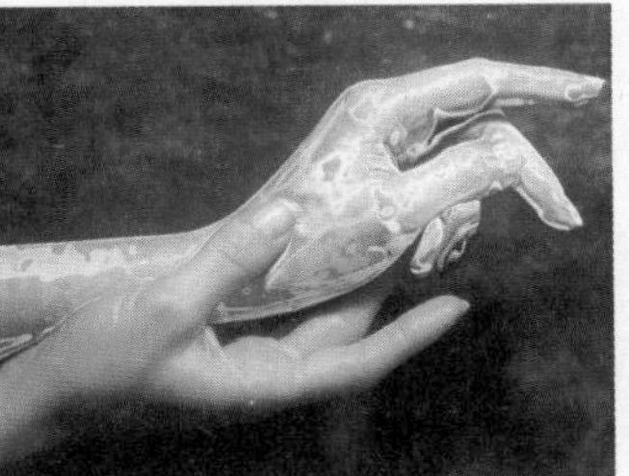

图22-461

9 选择“轮廓”图层。按下Ctrl+T快捷键显示定界框，分别拖动定界框的左边和上边控制点，增加图像的长度和宽度，使冰雕轮廓大于手的轮廓，如图22-462所示。

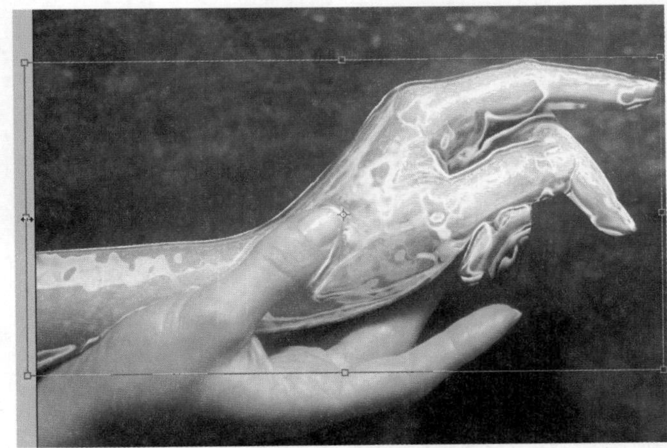

图22-462

10 单击“调整”面板中的按钮，创建“色相/饱和度”调整图层，设置参数如图22-463所示，效果如图22-464所示。

图22-463

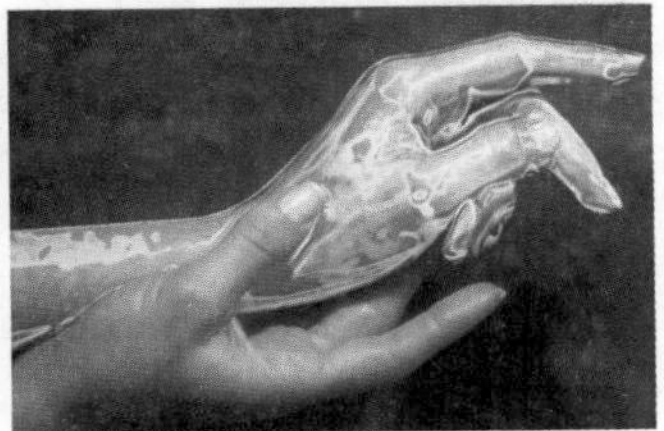

图22-464

11 使用柔角画笔工具涂抹冰雕以外的图像，将其隐藏。可以降低画笔工具的不透明度，在食指和中指上涂抹灰色（蒙版中的灰色区域为半透明区域），这样的话，就会显示出淡淡的蓝色，如图22-465、图22-466所示。

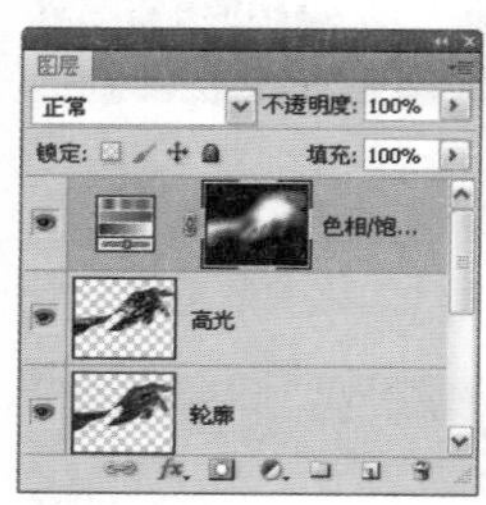

图22-465

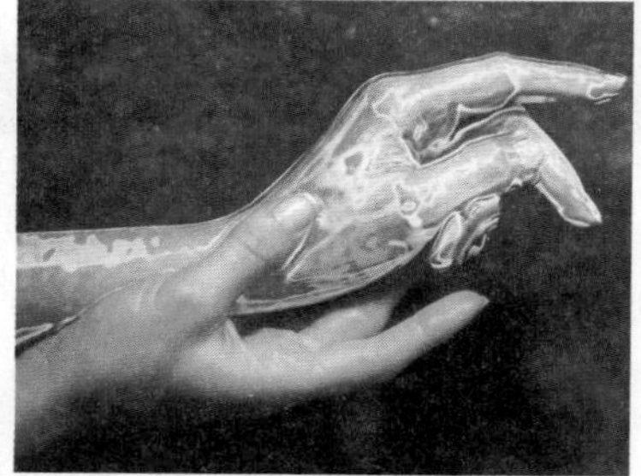

图22-466

12 选择“手”图层，将其他图层隐藏，如图22-467所示。选择仿制图章工具，在工具选项栏中设置直径为90px，在“样本”下拉列表中选择“所有图层”。按住Alt键在背景上单击进行取样，然后在左手图像上单击并拖动鼠标，将复制的图像覆盖在左手上，如图22-468所示。继续复制图像，直到整个手臂填满为止，如图22-469所示。

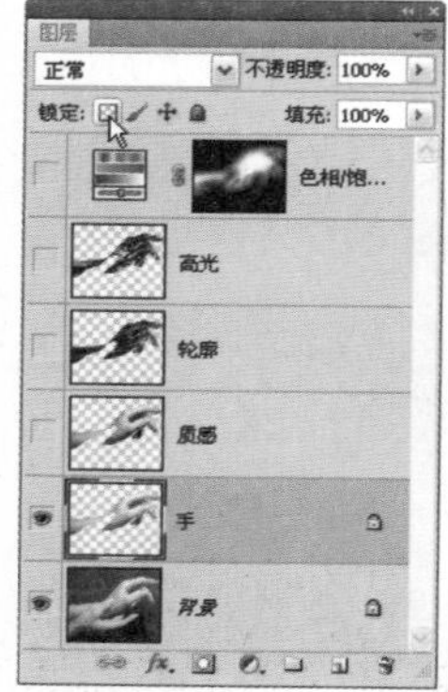

图22-467

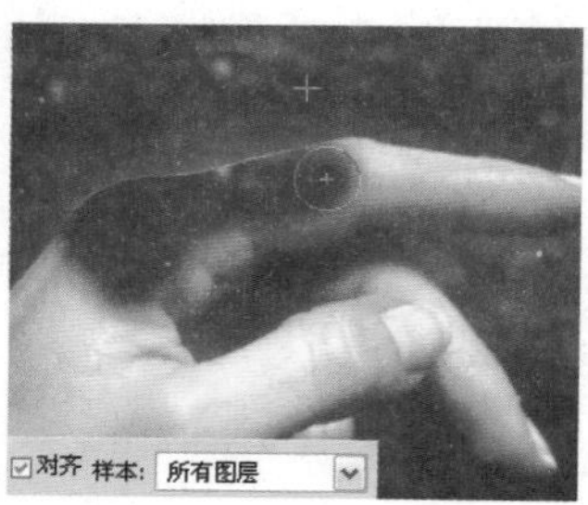

图22-468

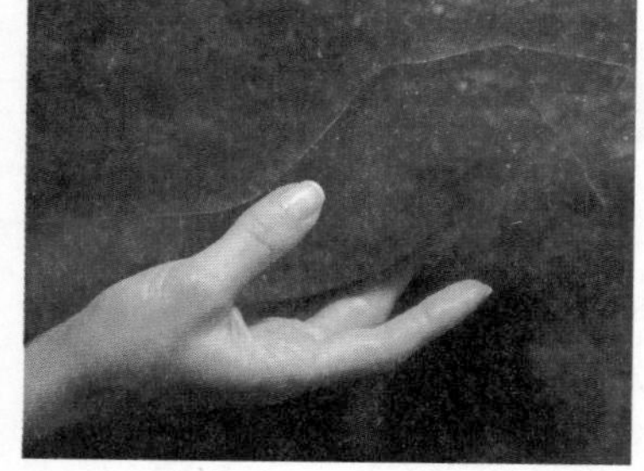

图22-469

13 将前面操作中隐藏的图层全部显示出来。选择“质感”图层，设置混合模式为“明度”，如图22-470、图22-471所示。

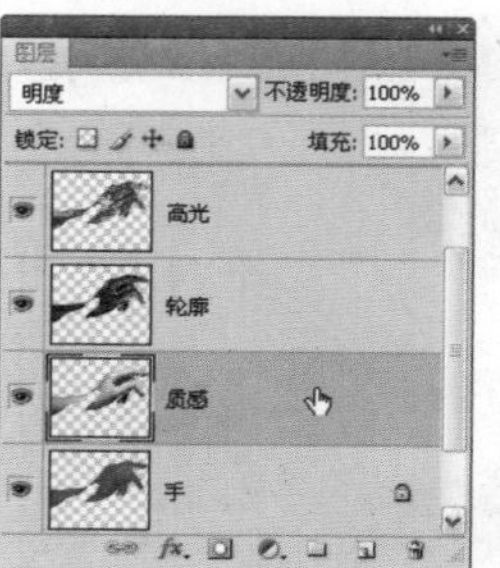

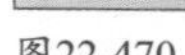

图22-470

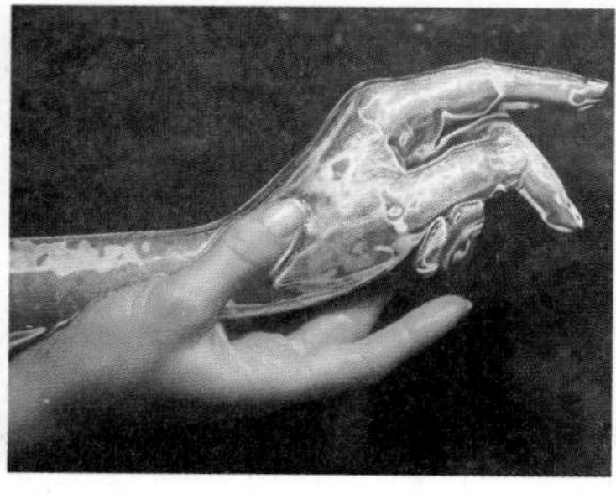

图22-471

14 按住Ctrl键单击按钮在当前图层下方新建一个图层，名称为“白色”。按住Ctrl键单击“手”图层缩览图，载入选区，填充白色，如图22-472、图22-473所示。按下Ctrl+D快捷键取消选择。

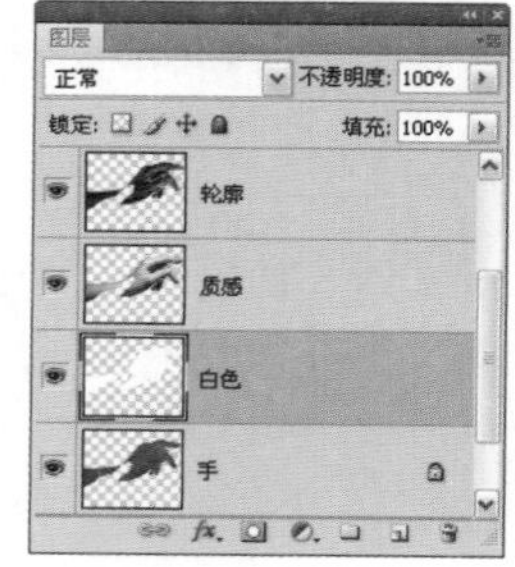

图22-472

图22-473

15 如果左手是透明的，那么被其遮挡的右手手指也应依稀可见。使用柔角画笔工具绘制手指的效果，如图22-474所示为单独显示该图层的效果，图22-475所示为整体效果。

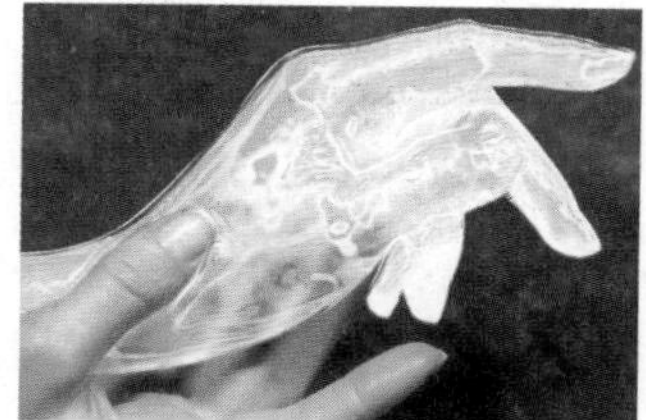

图22-474

图22-475

16 设置该图层的不透明度为80%。单击“图层”面板底部的按钮，添加蒙版，使用灰色和黑色涂抹手指区域，使这部分区域不至于太亮，如图22-476、图22-477所示。

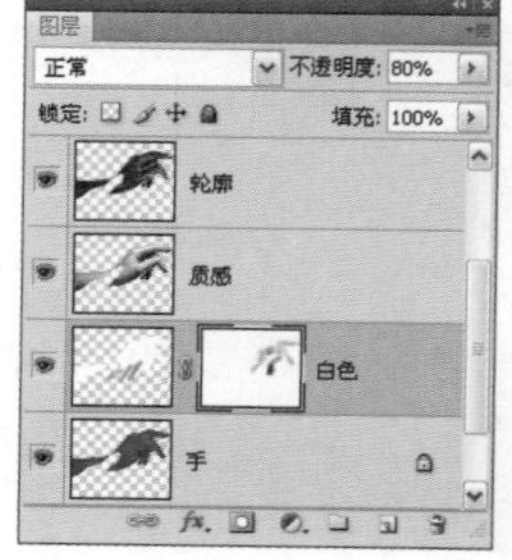

图22-476

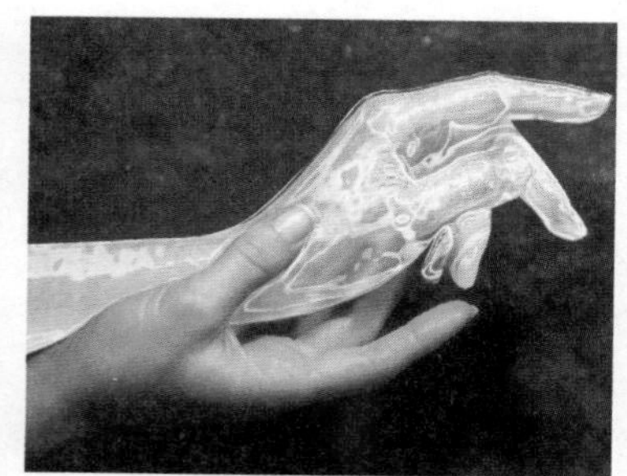

图22-477

17 新建一个图层，设置不透明度为40%。按住Ctrl键单击“手”图层缩览图，载入选区，按下Shift+Ctrl+I快捷键反选，使用画笔工具（柔角200px、不透明度30%）在冰雕周围绘制发光区域，如图22-478所示。按下Ctrl+D快捷键取消选择。

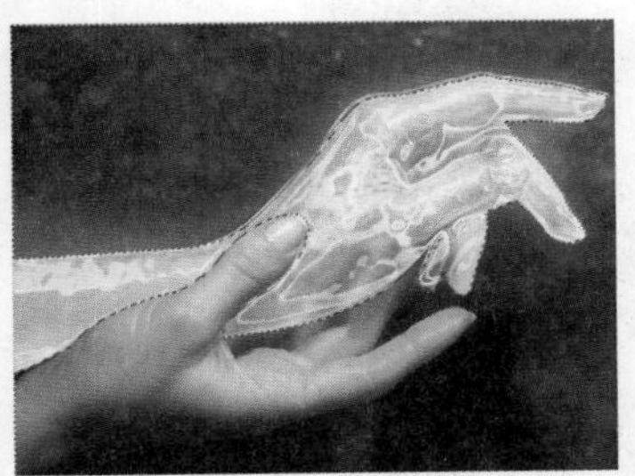

图22-478

18 在“高光”图层上方新建一个图层，命名为“裂纹”。执行“滤镜>渲染>云彩”命令，生成云彩效果。再执行“分层云彩”命令，产生更加丰富的变化，如图22-479所示。按下Ctrl+L快捷键打开“色阶”对话框，将高光滑块拖到直方图最左侧，如图22-480所示，效果如图22-481所示。

图22-479

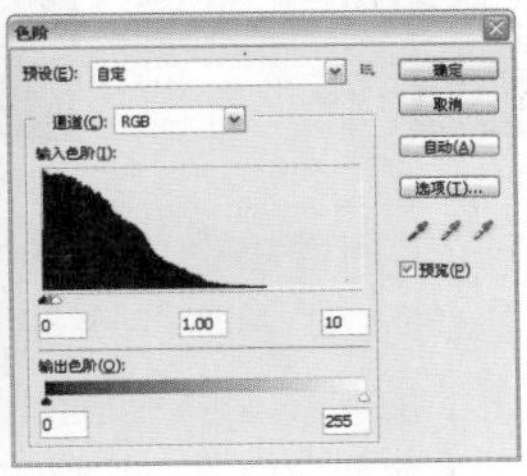

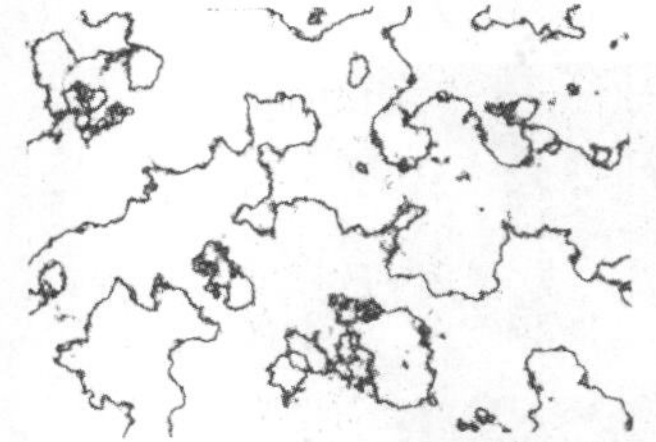

图22-480

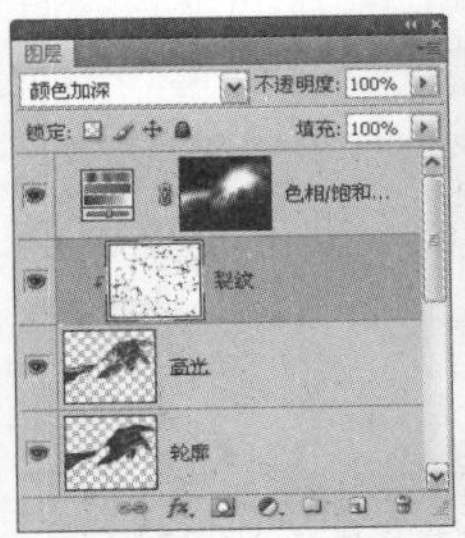

图22-481

19 设置该图层的混合模式为“颜色加深”，按下Alt+Ctrl+G快捷键创建剪贴蒙版，如图22-482、图22-483所示。

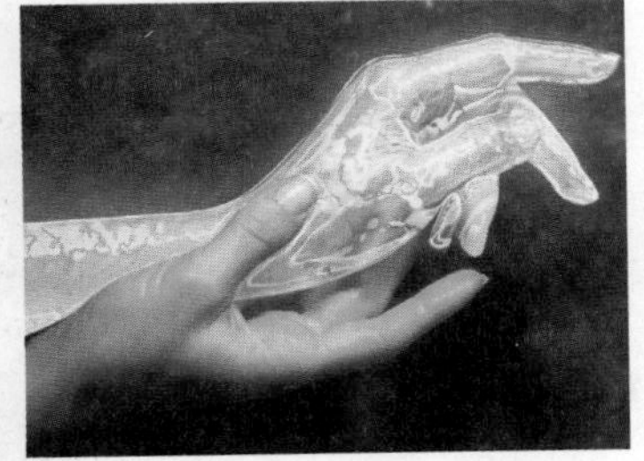

图22-482

图22-483

20 在“质感”图层下方新建一个图层。使用画笔工具在冰雕上绘制白色的线条，使用涂抹工具修改线的形状，表现冰雕融化形成的水滴效果，如图22-484所示。设置该图层的填充不透明度为50%，如图22-485所示。

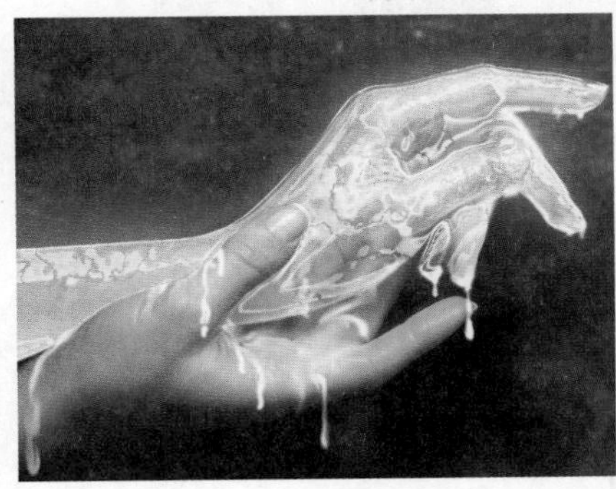

图22-484

图22-485

21 双击该图层，打开“图层样式”对话框，在左侧列表分别选择“投影”、“斜面和浮雕”、“等高线”效果，设置参数如图22-486～图22-488所示，效果如图22-489所示。

图22-486

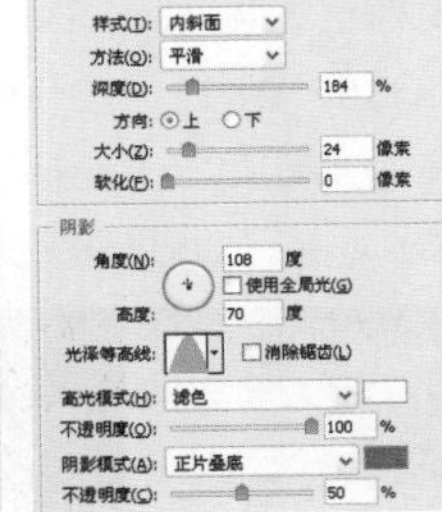

图22-487

图22-488

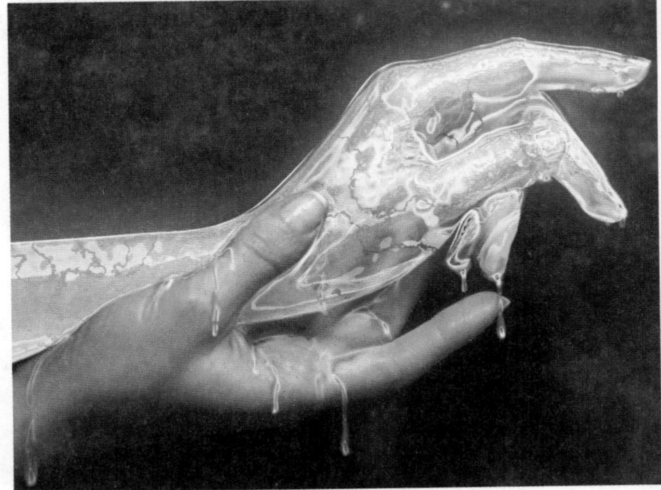

图22-489

22.21 精通质感和特效：制作铜手

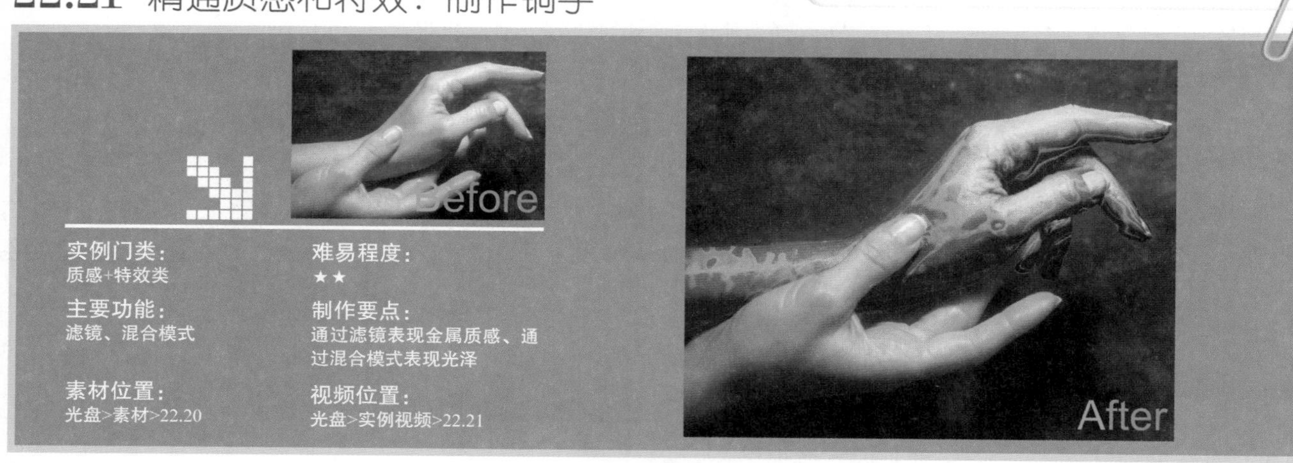

1 继续使用上一实例的素材进行操作。载入左手路径的选区，连续按3次Ctrl+J快捷键，将选区内的图像复制到新的图层中，修改名称，如图22-490所示。选择“颜色”图层，将其他两个图层隐藏，如图22-491所示。

2 将前景色设置为棕色（R148、G91、B31），背景色设置为深棕色（R41、G26、B8）。按住Ctrl键单击“颜色”图层缩览图，载入左手的选区。使用渐变工具填充线性渐变，如图22-492所示。按下Ctrl+D快捷键取消选择。

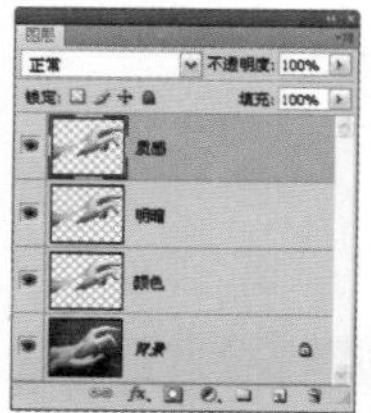
图22-490

图22-491

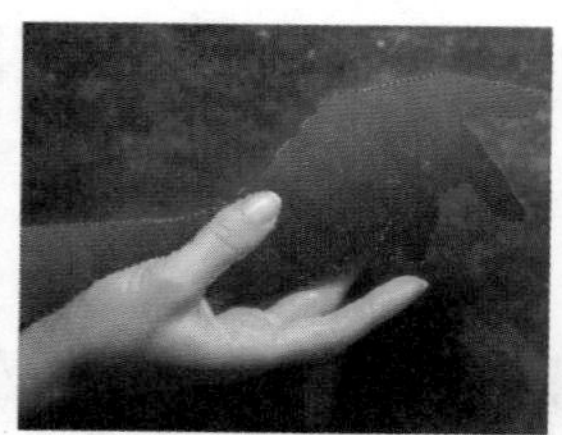
图22-492

3 选择并显示“明暗”图层，按下Shift+Ctrl+U快捷键去色，设置混合模式为“亮光”，不透明度为80%，如图22-493、图22-494所示。

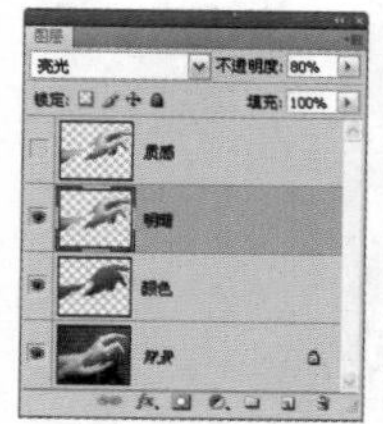
图22-493

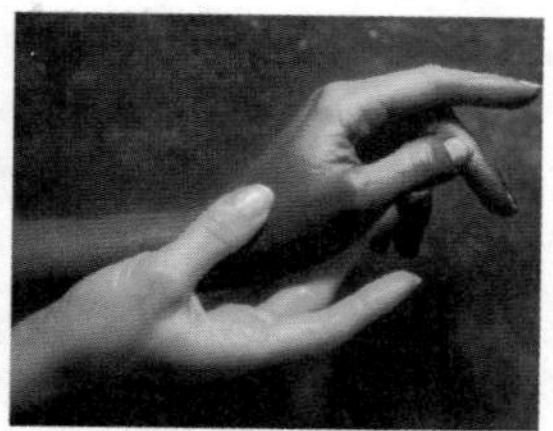
图22-494

4 选择并显示“质感”图层。执行“滤镜>素材>铬黄”命令，制作肌理效果，如图22-495所示。设置该图层的混合模式为“颜色减淡”，不透明度为45%，如图22-496所示。

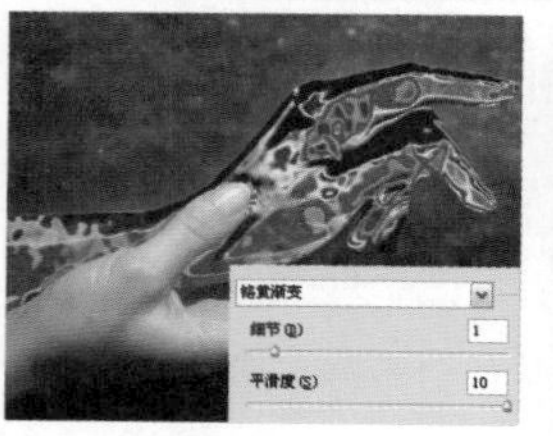

图22-495

图22-496

5 按住Ctrl键单击“质感”图层缩览图，载入左手的选区。在“质感”图层下方新建一个图层，使用柔角画笔工具在手的暗部涂抹白色，如图22-497所示。按下Ctrl+D快捷键取消选择。设置该图层的混合模式为“柔光”，不透明度为80%，表现出暗部细节，如图22-498所示。

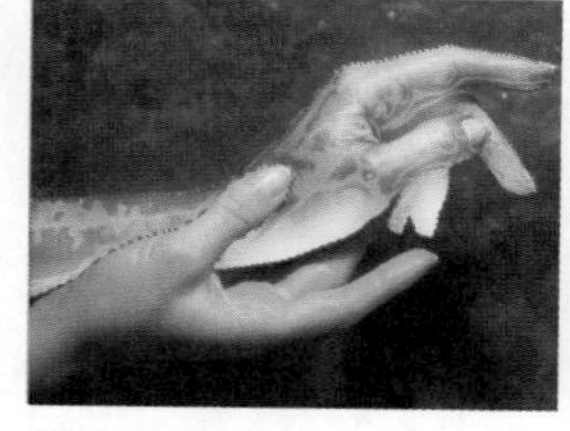
图22-497

图22-498

6 再次载入左手的选区。单击“调整”面板中的按钮，创建“色相/饱和度”调整图层，增加饱和度参数，如图22-499所示，同时，选区将转换为调整图层的蒙版，如图22-500所示，效果如图22-501所示。

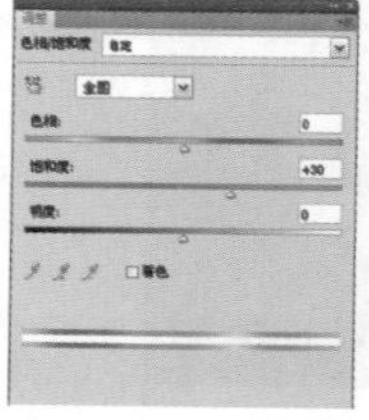
图22-499

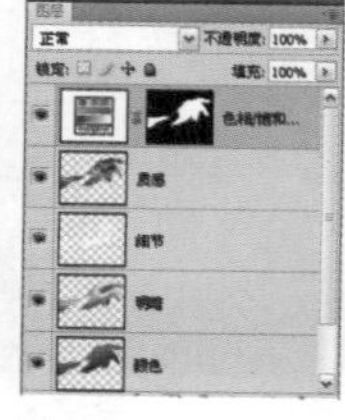
图22-500

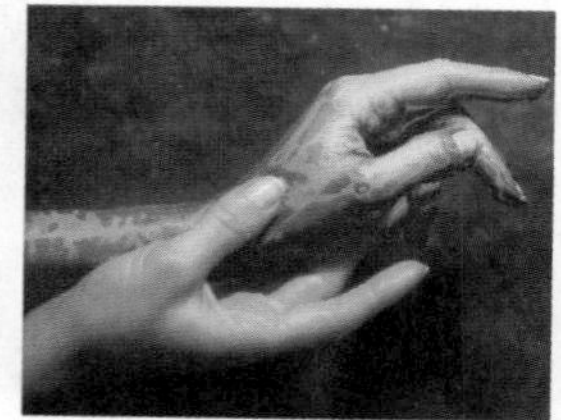
图22-501

22.22 精通照片处理：眼睛换色

1 按下Ctrl+O快捷键，打开一个文件，如图22-502所示。

图22-502

2 选择快速选择工具，按下工具选项栏中的按钮，在眼球上拖动鼠标将其选取，如图22-503所示。

图22-503

3 单击“调整”面板中的按钮，添加一个“色相/饱和度”调整图层，在“调整”面板中勾选“着色”选项，设置参数如图22-504所示，为人物的眼睛添加蓝色，如图22-505所示。

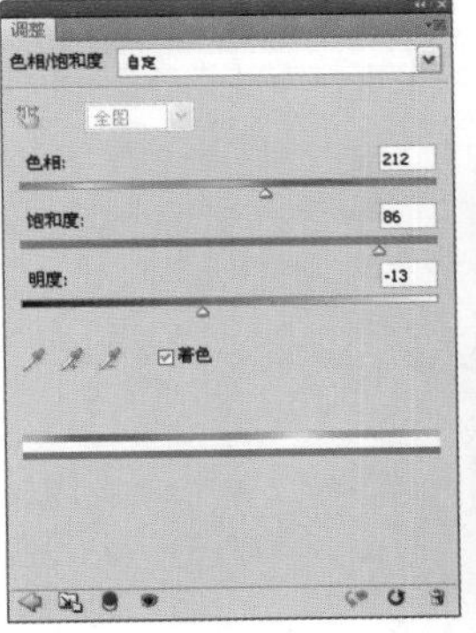

图22-504

图22-505

4 设置调整图层的混合模式为“滤色”，如图22-506所示，使颜色融合在眼球上，自然明亮，如图22-507所示。

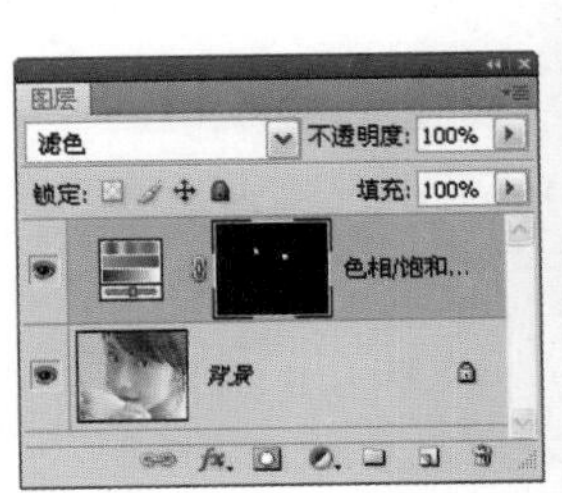

图22-506

图22-507

> 提示：要修改眼球颜色也很方便，只需双击“色相/饱和度”调整图层，在“调整”面板中拖动色相、饱和度滑块，同时，在窗口中就可以观察到颜色的变化效果了。

22.23 精通照片处理：让眼睛更有神

1 按下Ctrl+O快捷键，打开一个文件，如图22-508所示。

图22-508

2 使用快速选择工具在眼珠上单击，将眼珠选取，如图22-509所示。

图22-509

3 单击“调整”面板中的按钮，基于选区创建“色阶”调整图层。向左拖动白色滑块，扩展亮部色调，使眼睛变得更加明亮，如图22-510、图22-511所示。调整后眼珠周围产生一圈浅黑色边线，如果我们将调整图层蒙版中的白色范围缩小，就可以去掉这个边缘了。

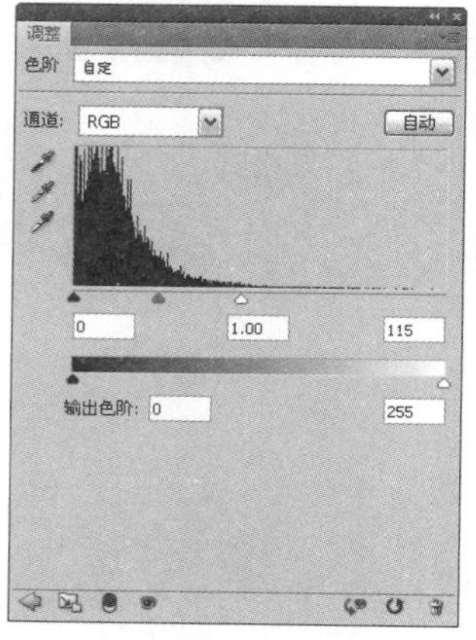

图22-510

图22-511

4 执行“滤镜>其它>最小值”命令，设置半径为1像素，扩展蒙版中的黑色像素，如图22-512、图22-513所示。

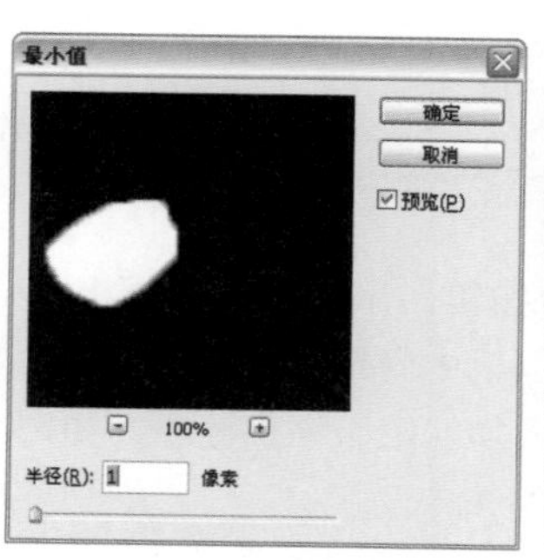

图22-512

图22-513

22.24 精通照片处理：挽救闭眼照

实例门类：
数码照片处理类

难易程度：
★★☆

主要功能：
蒙版

制作要点：
使用蒙版合成图像

素材位置：
光盘>素材>22.24a、22.24b

视频位置：
光盘>实例视频>22.24

1 照相时经常会因为眨眼睛而出现闭眼照的情况，如果照片的光线、构图、人物的姿态都不错，只有眼睛闭着，删除就太可惜了。下面我们就来看一下怎样修复闭眼照。按下Ctrl+O快捷键，打开两个文件，如图22-514、图22-515所示。

图22-514

图22-515

2 选择矩形选框工具，创建一个矩形选区将眼睛选取，如图22-516所示。按住Ctrl键拖动选区内的图像到闭眼照片中，生成一个新的图层，设置不透明度为60%，如图22-517所示。

图22-516

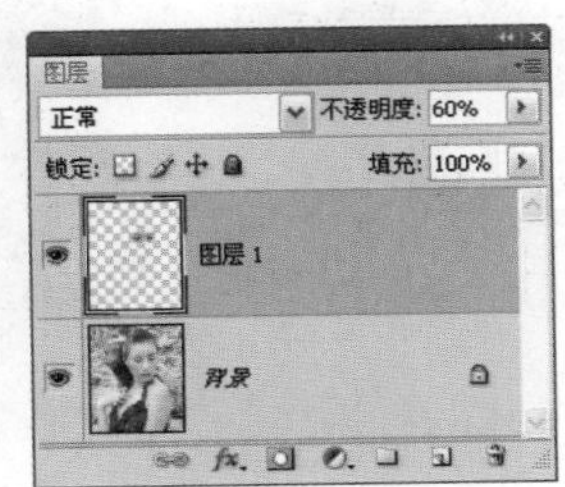

图22-517

3 按下Ctrl+T快捷键显示定界框，按住Shift键拖动定界框的一角成比例调整图像大小，使眼睛符合面部比例，在定界框外拖动鼠标适当旋转图像，与背景人物的角度相适应，如图22-518所示。

图22-518

4 按下回车键确认。将该图层的不透明度设置为100%。单击“图层”面板底部的按钮，添加图层蒙版。使用柔角画笔在眼睛周围的皮肤上涂抹黑色，将其隐藏，使图像能够更好地融合，如图22-519、图22-520所示。

图22-519

图22-520

22.25 精通照片处理：头发换色

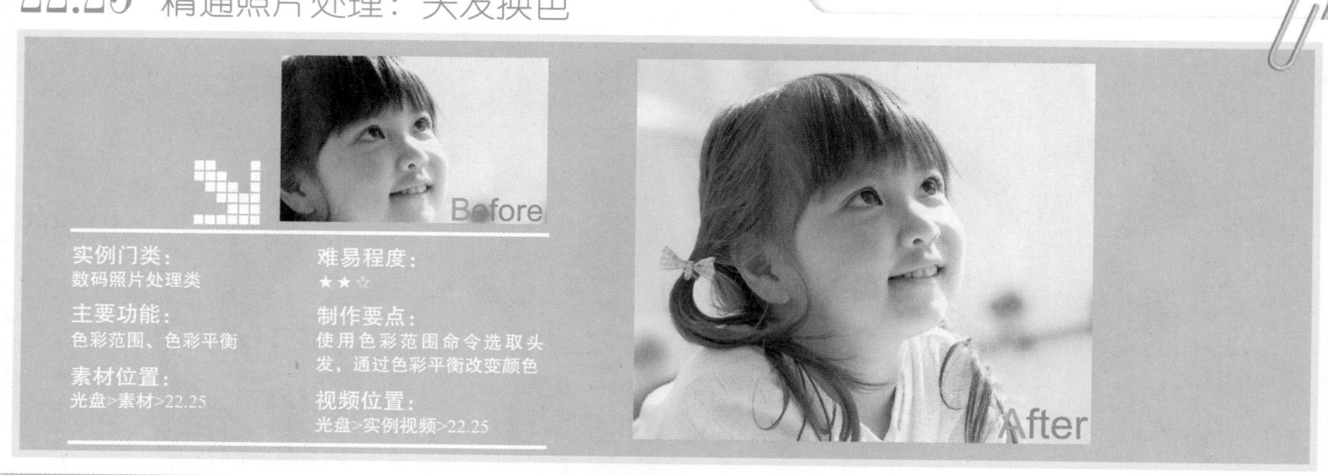

1 按下Ctrl+O快捷键，打开一个文件，如图22-521所示。

图22-521

2 执行“选择>色彩范围”命令，打开“色彩范围”对话框，将光标放在女孩的头发上单击，如图22-522所示，拾取头发的黑色作为取样颜色，调整颜色容差为140，如图22-523所示。

图22-522

色彩范围
选择(C): 取样颜色
本地化颜色簇(Z)
颜色容差(F): 140
确定
取消
载入(L)...
存储(S)...
反相(I)
选择范围(E) 图像(M)
选区预览(T): 无

图22-523

3 单击“确定”按钮关闭对话框，由于要尽量将头发选取，增加了容差参数，会将面部的黑色像素包含在选区内，如图22-524所示。选择椭圆选框工具，按住Alt键在多余的区域上拖动鼠标，将它们选取，放开鼠标后，这部分选区会消失，如图22-525所示。

图22-524

图22-525

4 单击“调整”面板中的按钮，添加“色彩平衡”调整图层，分别对“中间调”、“阴影”和“高光”的参数进行调整，如图22-526～图22-529所示，效果如图22-530所示。

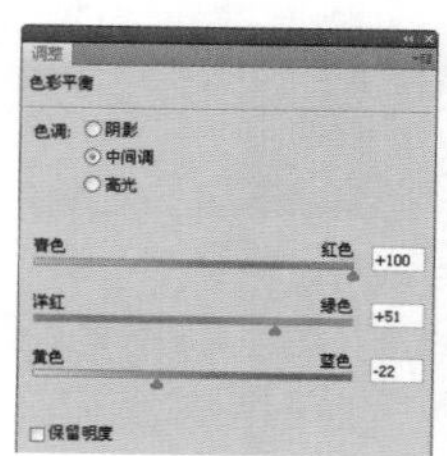

图22-526

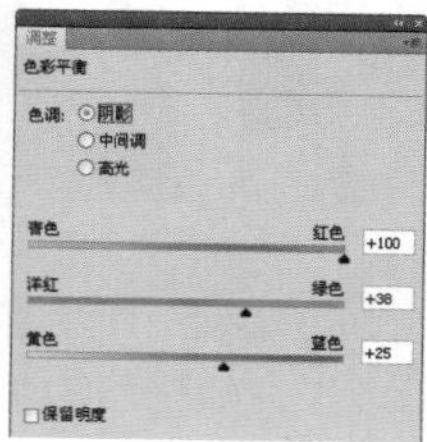

图22-527

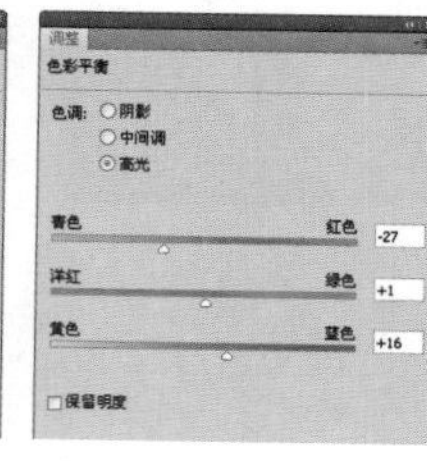

图22-528

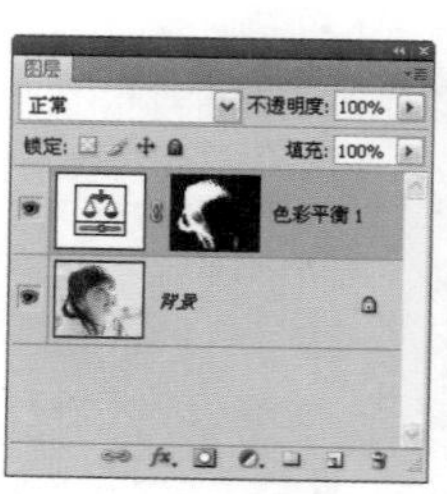

图22-529

图22-530

22.26 精通照片处理：增加身高

1 按下Ctrl+O快捷键，打开一个文件，如图22-531所示。按下Ctrl+J快捷键复制“背景”图层，如图22-532所示。

图22-531

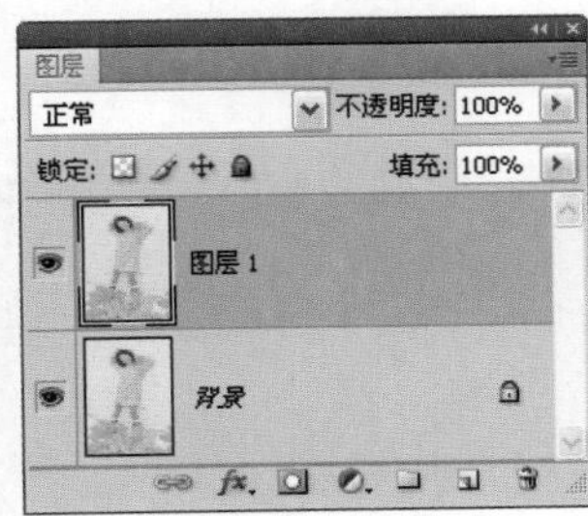

图22-532

2 选择移动工具，按住Shift键将图像向上移动，如图22-533所示。选择矩形选框工具创建一个如图22-534所示的选区。

3 按下Ctrl+T快捷键显示定界框，拖动定界框的边界，调整选区内图像的高度，如图22-535所示。按下回车键确认操作，按下Ctrl+D快捷键取消选择，效果如图22-536所示。

图22-533

图22-534

图22-535

图22-536

22.27 精通照片处理：快速美白

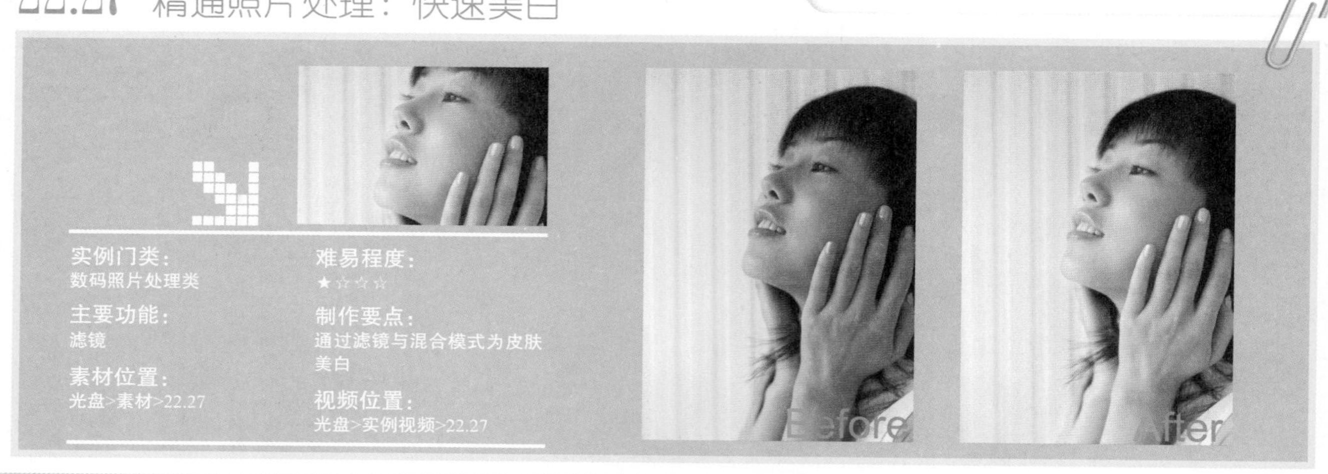

1 按下Ctrl+O快捷键，打开一个文件，如图22-537所示。选择吸管工具，按住Alt键在面部最亮处单击，拾取颜色作为背景色，如图22-538所示。

图22-537

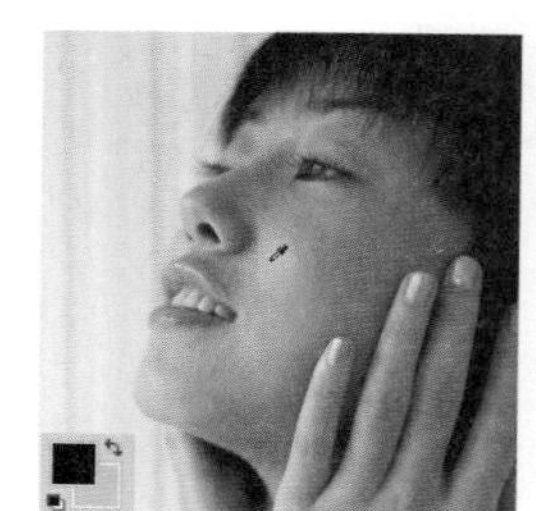

图22-538

2 按下Ctrl+J快捷键复制“背景”图层。执行“滤镜>扭曲>扩散光亮”命令，设置参数如图22-539所示。

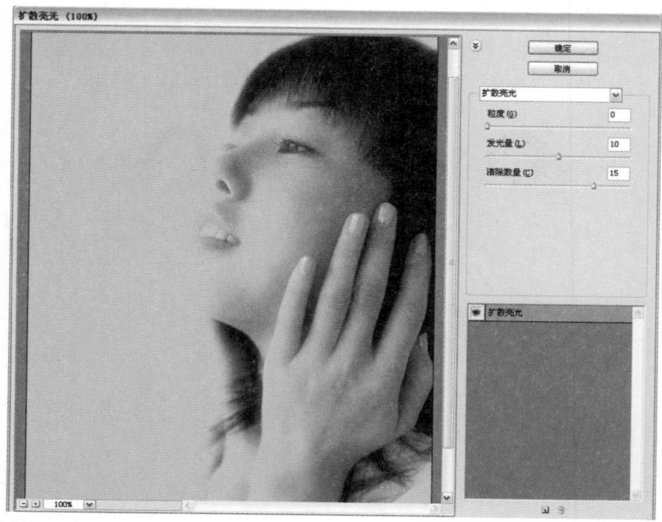

图22-539

3 设置该图层的混合模式为“滤色”，不透明度为60%，如图22-540、图22-541所示。

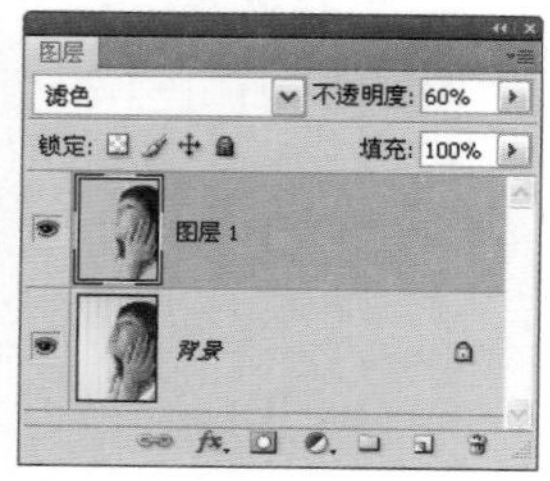

图22-540

图22-541

4 使用橡皮擦工具将皮肤以外的区域擦除，完成后的效果如图22-542所示。

图22-542

22.28 精通照片处理：柯达插件磨皮

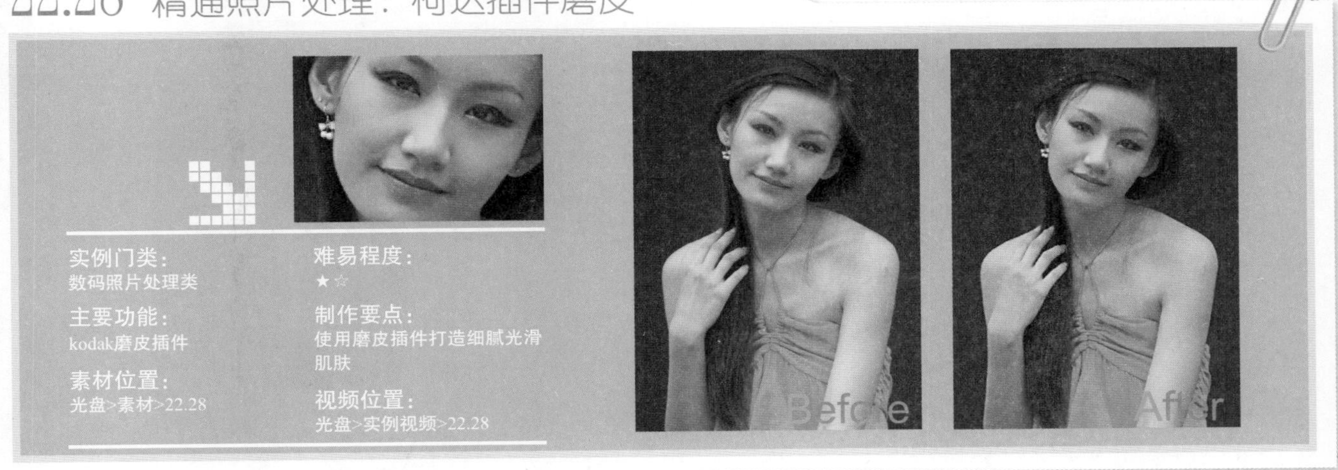

Kodak磨皮软件是一款简单、实用的磨皮插件。它可以减少数码照片中的杂色并避免过分的模糊和减淡，保持头发、眉眉、眼睫毛的细节，达到良好的磨皮效果。下载Kodak磨皮程序以后，将它粘贴到“Photoshop CS5>Plug-ins”文件夹中就可以使用了。

1 按下Ctrl+O快捷键，打开一个文件，如图22-543所示。

图22-543

2 在“滤镜”菜单中选择将Kodak插件，打开对话框，如图22-544所示。“导航器”窗口中显示的是完整的图像，移动红色框就可以在“预览”窗口中观察不同图像区域的磨皮效果。拖动“混合”滑块可调整磨皮强度，“精细”滑块可以调整细节的保留程度，“中等”滑块可调整锐化程度，“粗糙”滑块可调整图像的模糊程度。如图22-545所示为磨皮后的图像效果。磨皮之后，可在Photoshop继续进行后期处理。

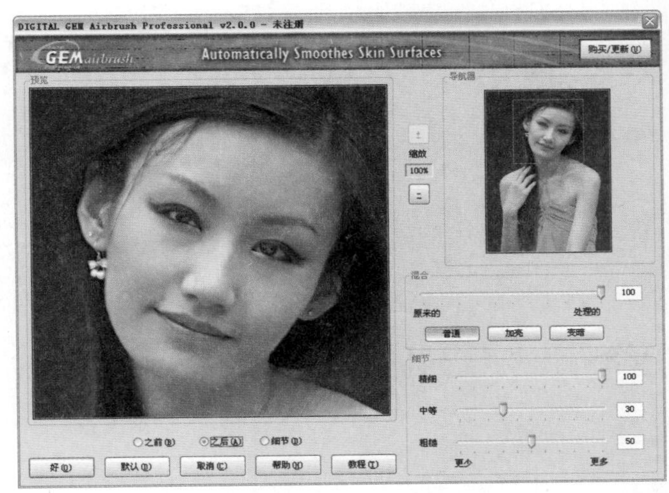

图22-544

图22-545

22.29 精通照片处理：用照片制作明信片

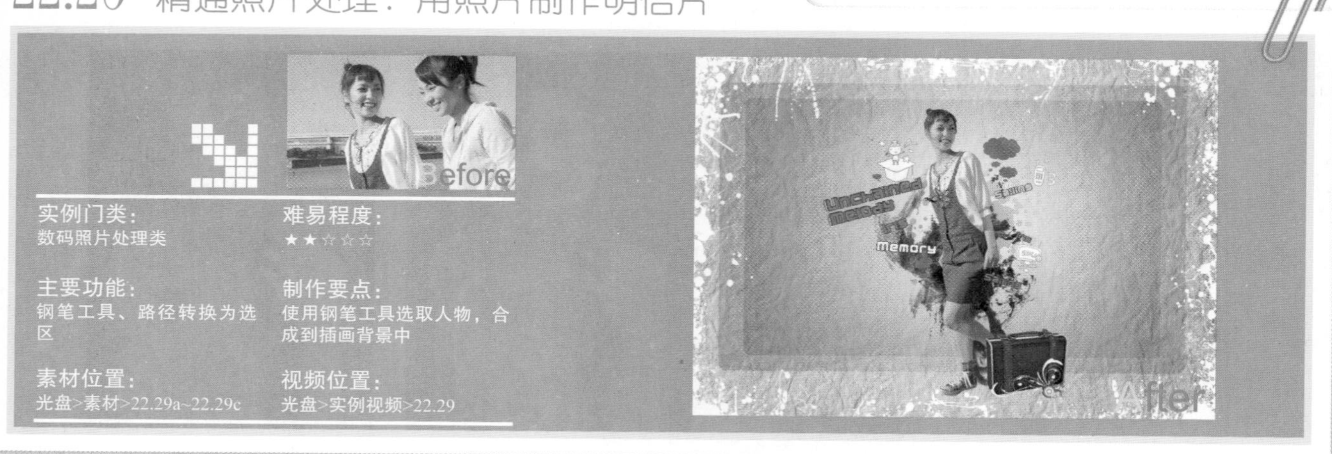

1 按下Ctrl+O快捷键，打开一个文件，如图22-546所示。用钢笔工具选取左侧的女孩，如图22-547所示。

图22-546

图22-547

2 按下Ctrl+回车键将路径转换为选区，打开如图22-548所示的文件，使用移动工具将选区内的人物拖到素材文件中，如图22-549所示。

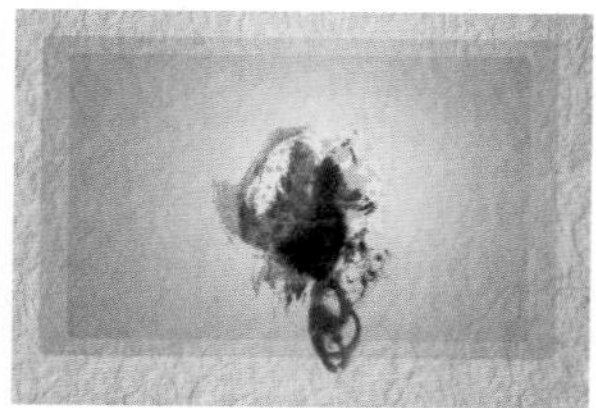
图22-548

图22-549

3 执行"图像>调整>可选颜色"命令，在"颜色"下拉列表中选择"白色"，设置参数如图22-550所示，将人物的高光区域适当调暗，效果如图22-551所示。

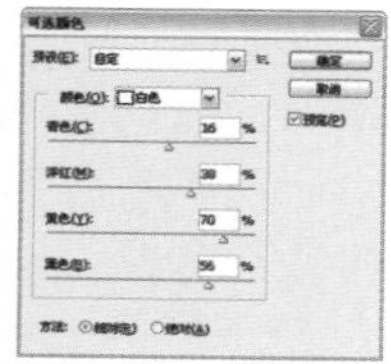
图22-550

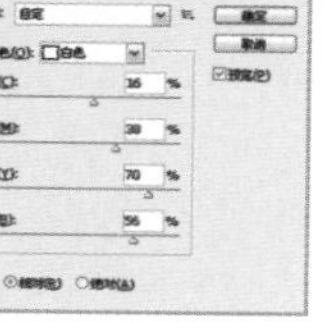
图22-551

4 选择自定形状工具，按下工具选项栏中的路径按钮，在形状下拉面板中选择如图22-552所示的形状。按住Shift键在画面中绘制形状，如图22-553所示。按下Ctrl+回车键将路径转换为选区。新建一个图层。使用渐变工具在选区内填充渐变，如图22-554所示。取消选择。

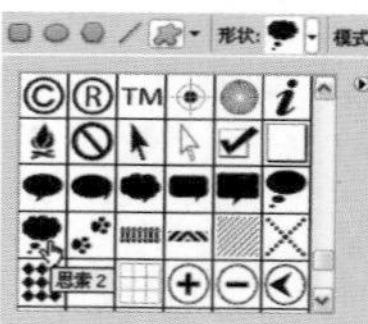
图22-552

图22-553

图22-554

5 使用横排文字工具在画面中输入文字，如图22-555所示。双击文字图层，打开"图层样式"对话框，在左侧列表中选择"描边"效果，设置参数如图22-556所示，效果如图22-557所示。

图22-555

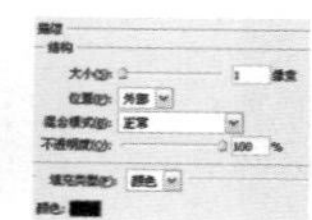
图22-556

图22-557

6 按下Ctrl+T快捷键显示定界框，按住Shift键拖动定界框将文字旋转，如图22-558所示。按下回车键确认操作。在画面中输入其他文字，设置不同的颜色，再将素材文件拖入画面中，最终效果如图22-559所示。

图22-558

图22-559

22.30 精通照片处理：用照片制作贺年卡

1 按下Ctrl+O快捷键，打开两个文件，如图22-560、图22-561所示。

图22-560　图22-561

2 使用快速选择工具选取人物，按住Ctrl键拖到木板文档中，如图22-562所示。单击“调整”面板中的按钮，创建“色调分离”调整图层，设置“色阶”参数为4，如图22-563所示，制作出剪贴画的效果，如图22-564所示。

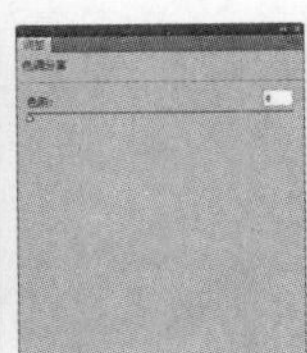

图22-562　图22-563　图22-564

3 单击“调整”面板底部的按钮，创建剪贴蒙版，设置混合模式为“颜色加深”，如图22-565、图22-566所示。

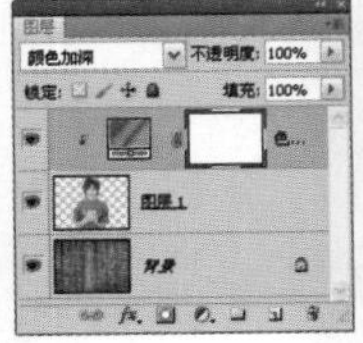

图22-565　图22-566

4 单击“调整”面板中的按钮，显示调整工具，单击按钮创建“色相/饱和度”调整图层，分别对“全图”和画面中的“绿色”进行调整，如图22-567～图22-569所示。

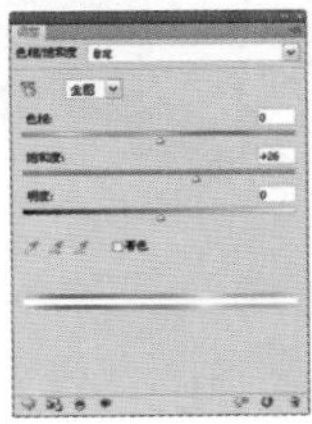
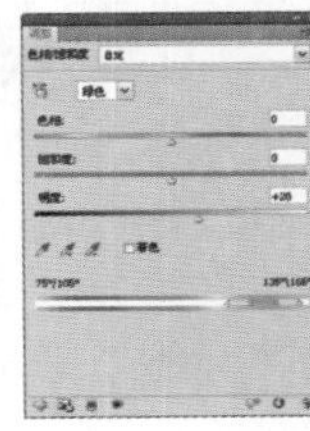

图22-567　图22-568　图22-569

5 在人物图层下方新建一个图层，设置混合模式为“正片叠底”，不透明度为80%。使用柔角画笔工具绘制人物的投影，使人物与背景产生一定距离，如图22-570所示。在“图层”面板上方新建一个图层。使用椭圆工具在画面边缘绘制圆形，使用自定形状工具在画面中绘制小图形作为点缀，如图22-571所示。再将前景色调暗一些，继续绘制图形，产生层次感，如图22-572所示。最后，将一幅彩色条纹素材拖入画面中作为装饰，效果如图22-573所示。

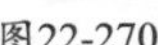

图22-270　图22-571

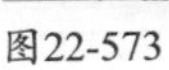

图22-572　图22-573

22.31 精通照片处理：用Lab调出唯美蓝调

1 按下Ctrl+O快捷键，打开一个文件，如图22-574所示。执行“图像>模式>Lab颜色”命令，将图像转换为Lab模式。

图22-574

2 单击a通道，将它选择，如图22-575所示，按下Ctrl+A快捷键全选，如图22-576所示，按下Ctrl+C快捷键复制。

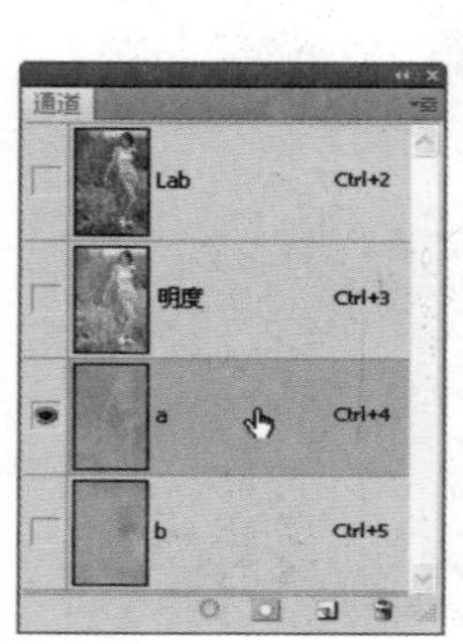

图22-575

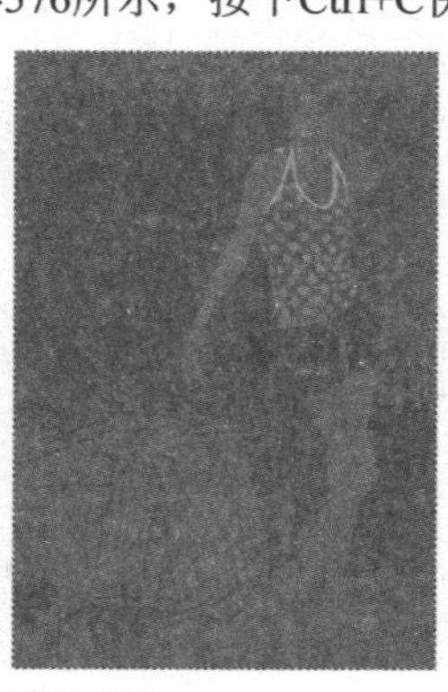
图22-576

3 单击b通道，如图22-577所示，在窗口中显示b通道，如图22-578所示，按下Ctrl+V快捷键将复制的图像粘贴到通道中，按下Ctrl+D快捷键取消选择，效果如图22-579所示。根据画面的构图添加文字，形成一幅完整的平面作品，如图22-580所示。

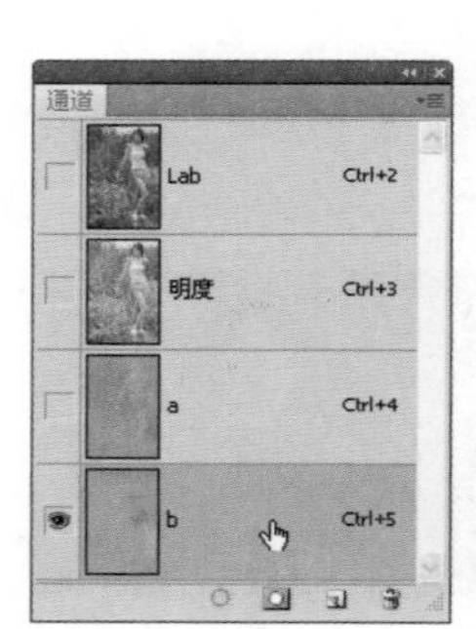

图22-577

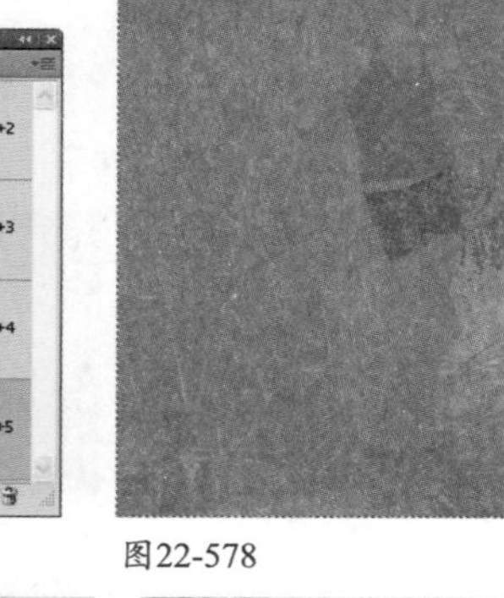
图22-578

图22-579

图22-580

22.32 精通照片处理：制作柔光艺术照

实例门类：数码照片处理类

难易程度：★☆

主要功能：滤镜、混合模式

制作要点：使用滤镜制作朦胧效果

素材位置：光盘>素材>22.32

视频位置：光盘>实例视频>22.32

1 按下Ctrl+O快捷键，打开一个文件，如图22-581所示。

图22-581

2 单击“调整”面板中的按钮，创建“可选颜色”调整图层，分别对“白色”和“中性色”进行调整，如图22-582、图22-583所示，使照片色调偏蓝，效果如图22-584所示。

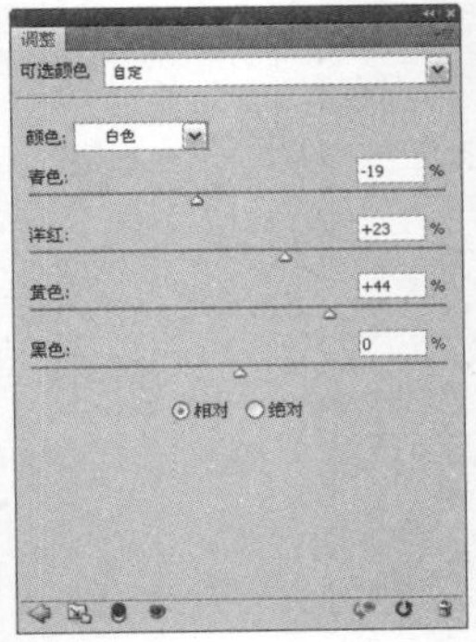

图22-582

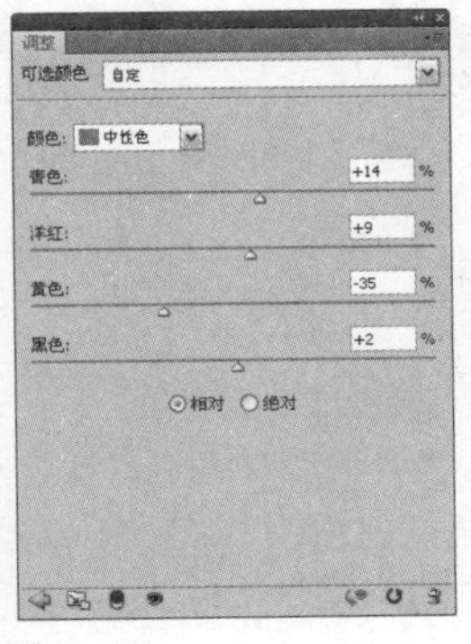

图22-583

图22-584

3 将“背景”图层拖动到按钮上复制，将复制后的图层拖到顶层，如图22-585所示。执行“滤镜>模糊>高斯模糊”命令，设置半径为8像素，如图22-586、图22-587所示。设置该图层的混合模式为“叠加”，如图22-588所示。

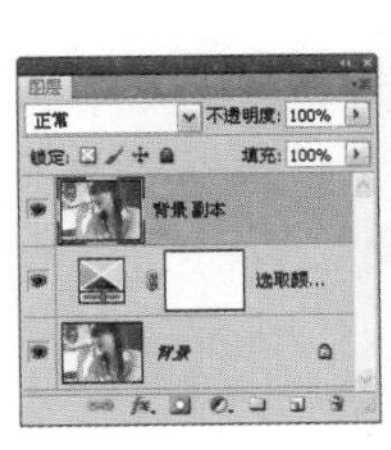

图22-585

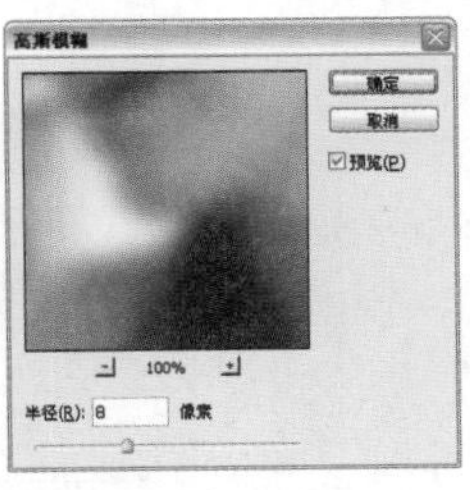

图22-586

图22-587

图22-588

22.33 精通照片处理：制作商业外景片效果

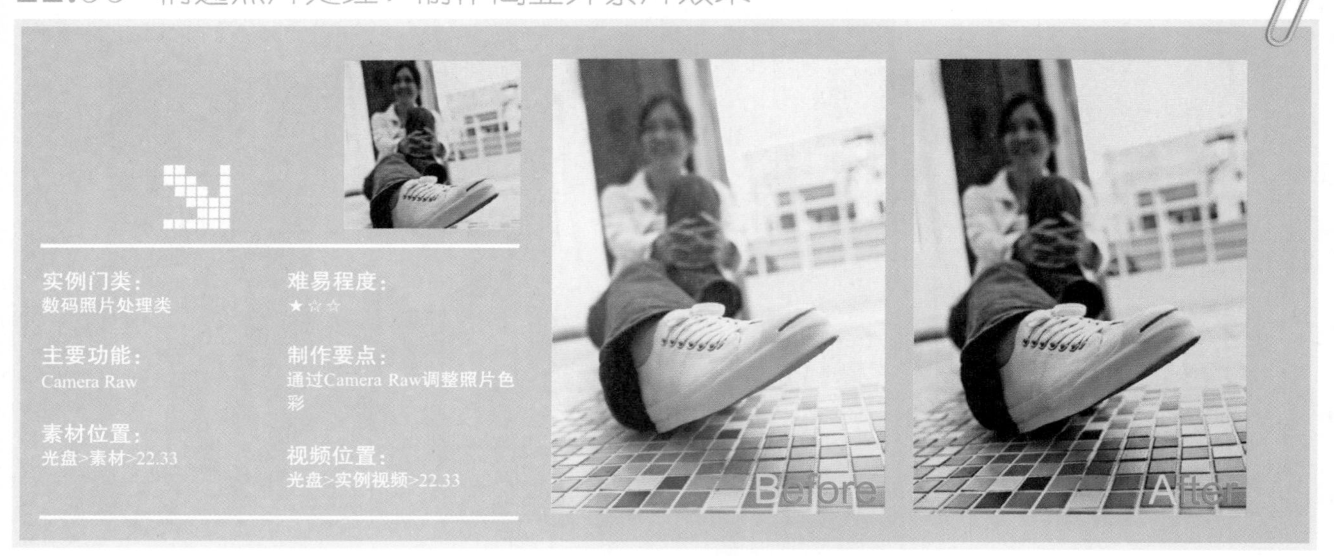

1 按下Alt+Shift+Ctrl+O快捷键，在“打开为”对话框中选择一个文件，在“打开为”下拉列表中选择“Camera Raw”，如图22-589所示。单击“打开”按钮在Camera Raw中打开照片，如图22-590所示。

图22-589

图22-590

2 在对话框右侧调整“曝光”、“对比度”、“清晰度”、“自然饱和度”等参数，将照片色调调重，色彩趋于饱和，如图22-591所示。

图22-591

3 再调整“色温”和“色调”参数，使照片色调偏暖，如图22-592所示。单击“存储图像”按钮，将制作的照片效果保存。

图22-592

22.34 精通照片处理：制作反转负冲效果

1 按下Ctrl+O快捷键，打开一个文件，如图22-593所示。

图22-593

2 单击“通道”面板中的“蓝”通道，选择该通道，如图22-594所示，然后在RGB复合通道前单击，显示该通道，如图22-595所示。现在窗口中显示的还是彩色的图像，而我们当前选择的仍然是蓝色通道。

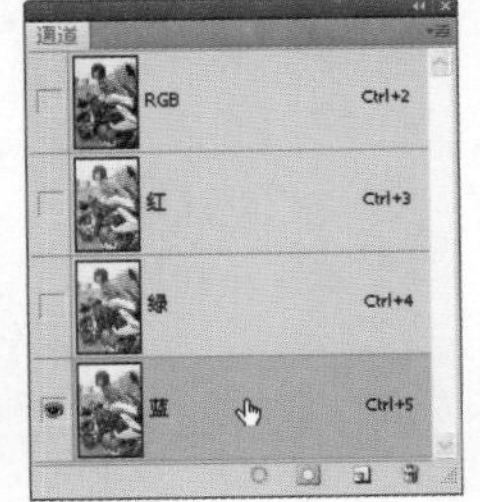

图22-594

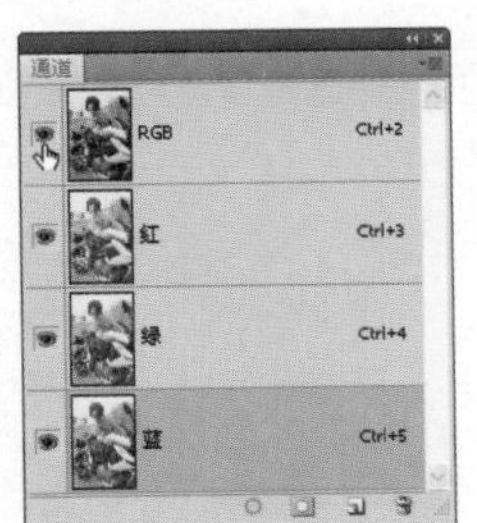

图22-595

3 执行“图像>应用图像”命令，打开“应用图像”对话框。设置混合模式为“正片叠底”，加大蓝色通道的反差，使蓝色通道变暗。蓝色通道变暗，就意味着图像中的蓝色在减少，而在通道中减少一种颜色后，便会增强它的补色，蓝色的补色是黄色，图像中的黄色便得到了增强。将不透明度为50%，减弱混合的强度，再勾选“反相”，使高光区域完全呈现为黄色，如图22-596所示、图22-597所示。单击“确定”按钮关闭对话框。

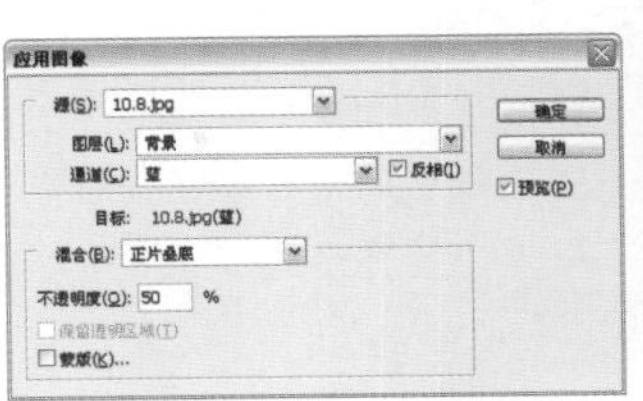

图22-596

图22-597

4 选择“绿”通道，执行“图像>应用图像”命令，设置混合模式为“正片叠底”，不透明度为50%，勾选“反相”选项。将绿色通道调暗后，图像中的绿色会减少，而绿色的补色洋红色则得到增强，如图22-598、图22-599所示。

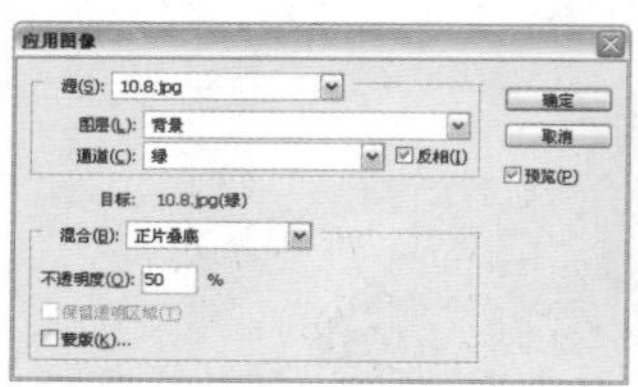

图22-598　图22-599

5 选择"红"通道，用"应用图像"命令处理该通道，设置不透明度为100%，混合模式为"颜色加深"。增加红色通道中暗调区域的对比度，这样就会减少图像暗调区域中的红色，进而在暗调区域增强红色的补色青色，如图22-600、图22-601所示。单击"确定"按钮关闭对话框，按下Ctrl+2快捷键返回到RGB复合通道。

图22-600　图22-601

提示

"应用图像"命令解决了通道之间无法混合的难题，它可以让一个通道通过设定的混合模式与其自身或者其他通道混合，从而修改通道中的图像的色调。如果修改的是颜色通道，就会改变图像的颜色。

6 按下Ctrl+L快捷键，打开"色阶"对话框。在"通道"下拉列表中分别选择"蓝"、"绿"、"红"通道，拖动滑块调整颜色，如图22-602～图22-604所示，最终效果如图22-605所示。

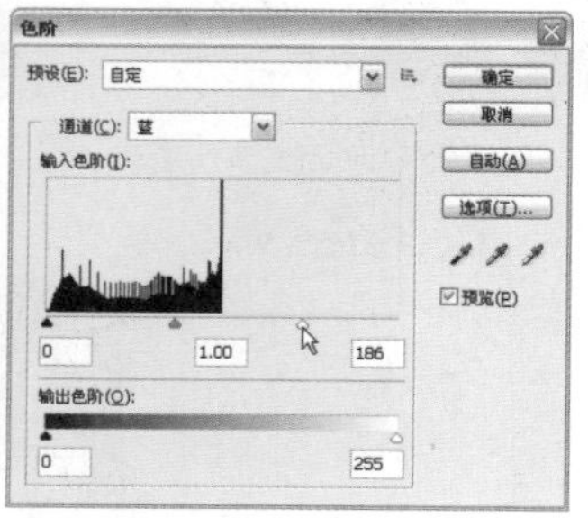

图22-602　图22-603

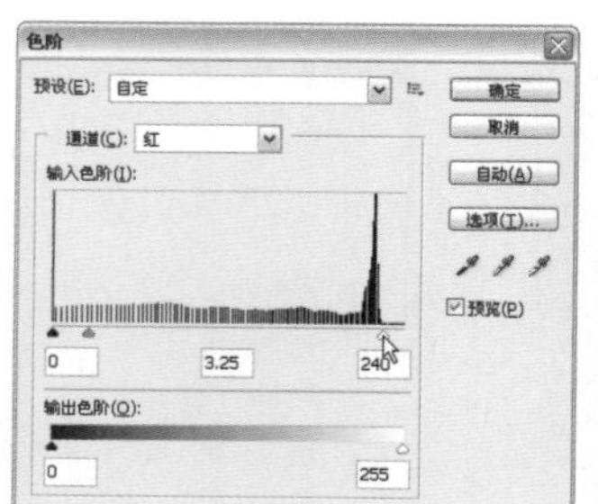

图22-604　图22-605

提示

"反转负冲"是传统胶片拍摄中比较特殊的一种手法，它是用负片的冲洗工艺来冲洗反转片，照片中的红、黄、蓝三色特别夸张。反转负冲主要适用于人像摄影和部分风光照片，这两种题材的作品在反转片负冲的表现下，反差强烈、主体突出、色彩艳丽，可以使照片产生独特的魅力。

22.35 精通照片处理：制作梦幻效果

实例门类：
数码照片处理类

难易程度：
★☆☆

主要功能：
滤镜、混合模式

制作要点：
通过滤镜制作模糊效果，通过设置混合模式使色彩艳丽

素材位置：
光盘>素材>22.35

视频位置：
光盘>实例视频>22.35

1 按下Ctrl+O快捷键，打开一个文件，如图22-606所示。

图22-606

2 按下Ctrl+J快捷键复制“背景”图层。执行“滤镜>模糊>方框模糊”命令，设置参数如图22-607所示，效果如图22-608所示。

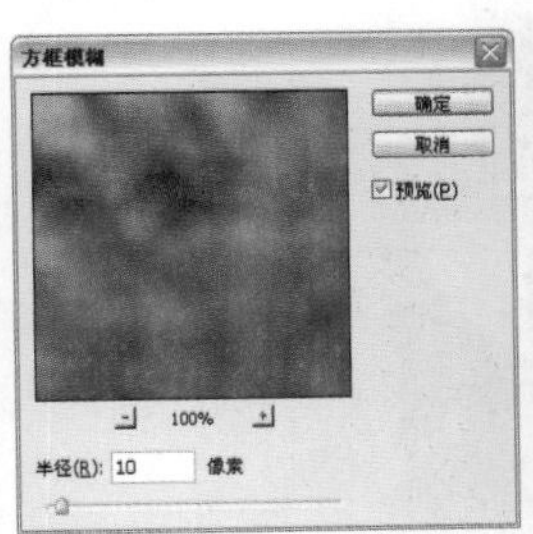

图22-607

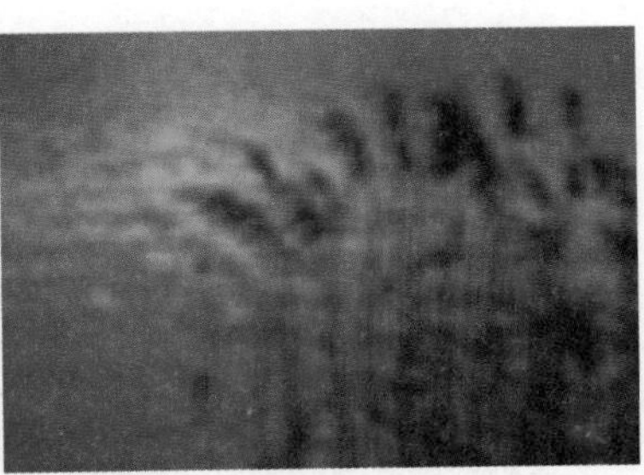

图22-608

3 设置该图层的混合模式为“叠加”，使色彩浓度提高，如图22-609、图22-610所示。

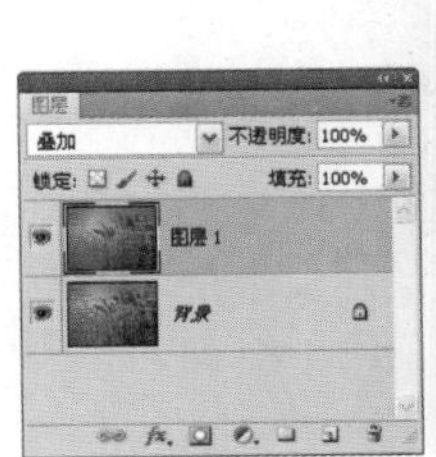

图22-609

图22-610

4 按下Alt+Shift+Ctrl+E快捷键盖印图层，设置混合模式为“滤色”，使色调明亮起来，如图22-611、图22-612所示。

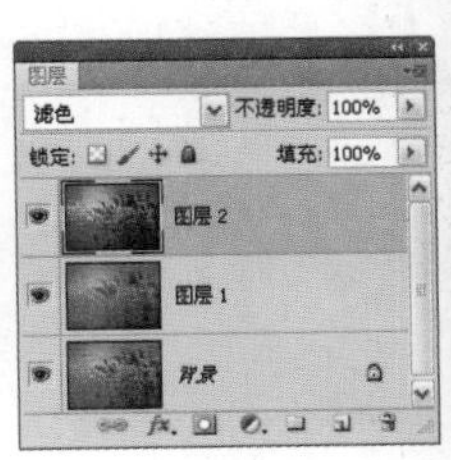

图22-611

图22-612

22.36 精通照片处理：制作淡雅写真

1 按下Ctrl+O快捷键，打开一个文件，如图22-613所示。按下Ctrl+J快捷键，复制“背景”图层。

图22-613

2 使用快速选择工具在人物范围拖动鼠标，将人物选取，如图22-614所示。

图22-614

3 再选择藤椅。虽然藤椅外形概括，但内部结构有些复杂，不适合使用快速选择工具，我们可以用椭圆选框工具选取（按下按钮），如图22-615所示。对于漏选的角落，可以使用多边形套索工具将其添加到选区内。大的空隙用快速选择工具按住Alt键选取，将其从选区中减去，如图22-616所示。

图22-615

图22-616

4 按下工具选项栏中的“调整边缘”按钮，打开“调整边缘”对话框，设置参数如图22-617所示。

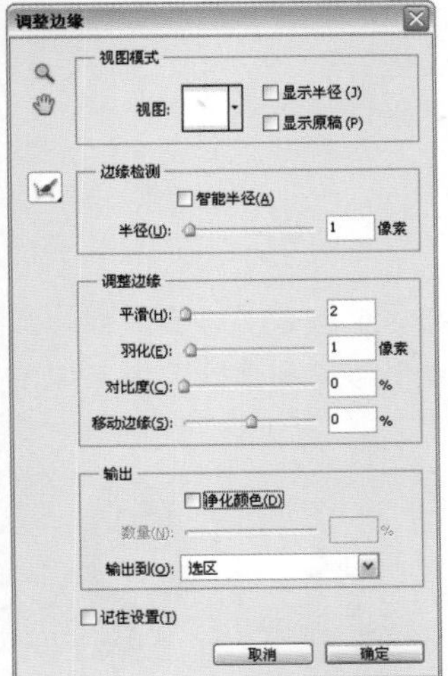

图22-617

5 单击“图层”面板底部的按钮，添加图层蒙版。选择“背景”图层，如图22-618所示。设置前景色为浅蓝色（R219、G243、B241），按下Alt+Delete键填充前景色，如图22-619所示。

图22-618 图22-619

6 按下Ctrl+J快捷键复制当前图层，设置混合模式为“滤色”，如图22-620、图22-621所示。

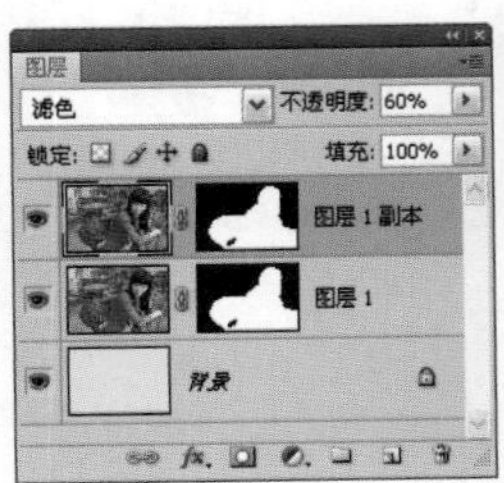

图22-620 图22-621

7 单击“调整”面板中的按钮，创建“色相/饱和度”调整图层，分别对画面中的红色和蓝色进行调整，如图22-622、图22-623所示，效果如图22-624所示。

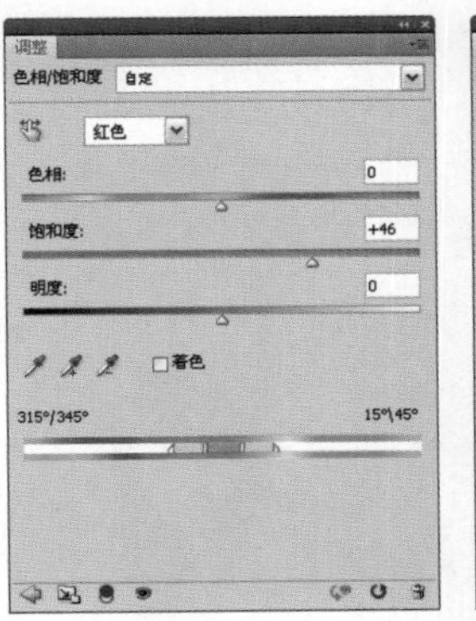

图22-622 图22-623

图22-624

8 按住Shift键单击“图层1”，将除“背景”以外的图层选取，如图22-625所示，按下Ctrl+E快捷键合并为一个图层，双击图层名称为其重新命名，如图22-626所示。

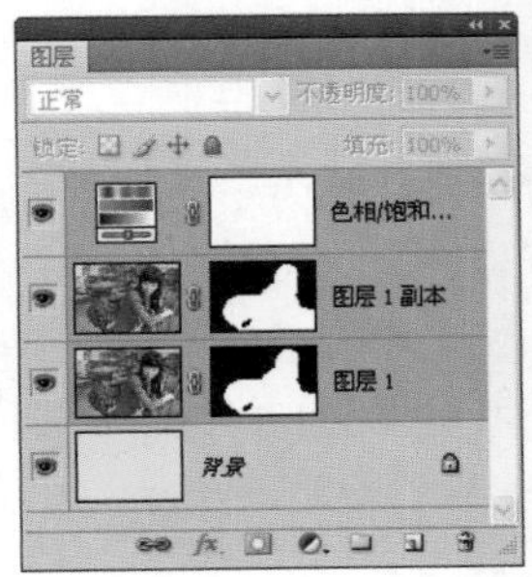

图22-625 图22-626

9 按住Ctrl键单击“图层”面板底部的按钮，在当前图层下方新建一个图层。再按住Ctrl键单击“女孩”图层缩览图，载入选区，如图22-627所示，执行“选择>修改>羽化”命令，在打开的对话框中设置羽化半径为15像素，如图22-628所示。

图22-627

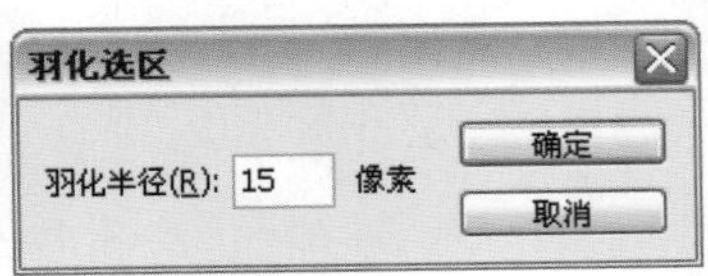

图22-628

10 将前景色设置为浅蓝色（R195、G229、B228），背景色设置为青蓝色（R113、G193、B192）。选择渐变工具，在渐变下拉面板中选择"前景-背景"渐变，如图22-629所示，在选区内由上至下拖动鼠标填充渐变，如图22-630所示。按下Ctrl+D快捷键取消选择。

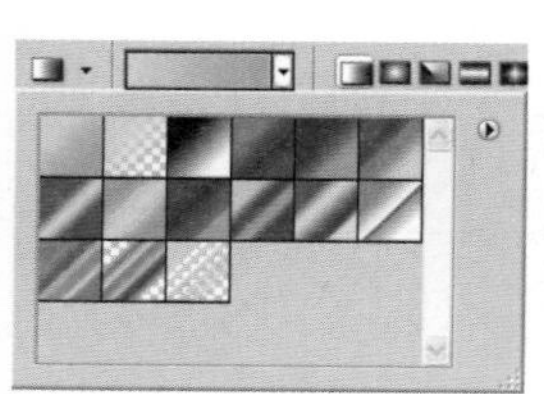
图22-629

图22-630

11 按住Ctrl键选取如图22-631所示的图层，按下Ctrl+E快捷键合并，如图22-632所示。

图22-631

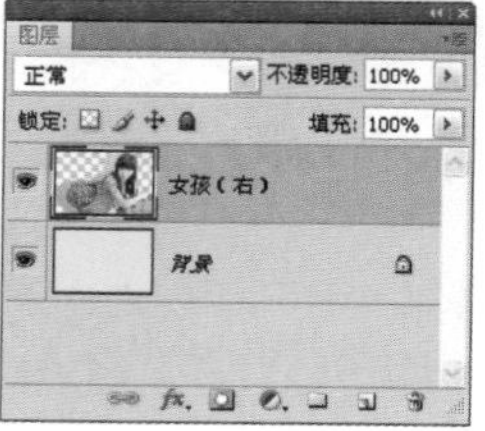
图22-632

12 设置前景色为浅蓝色（R219、G243、B241）。执行"图像>画布大小"命令，打开"画布大小"对话框，如图22-633所示，前面我们设置了前景色，就是为了将其指定为新增的画布的颜色。将画布宽度设置为60厘米，在原来画布基础上增加了一倍，单击如图22-634所示的方块，使画布沿左侧加宽，单击"确定"按钮，如图22-635所示。

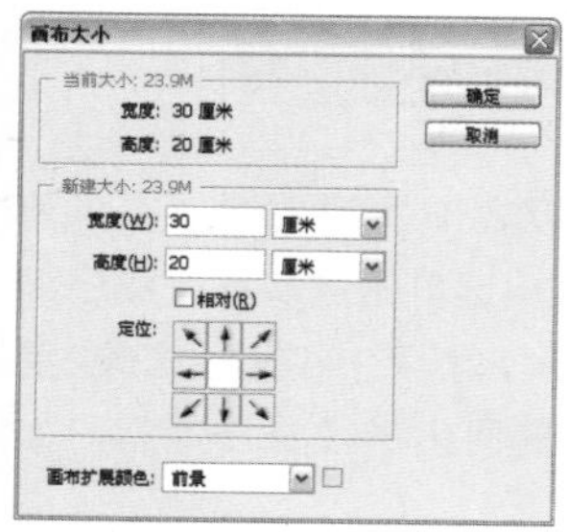
图22-633

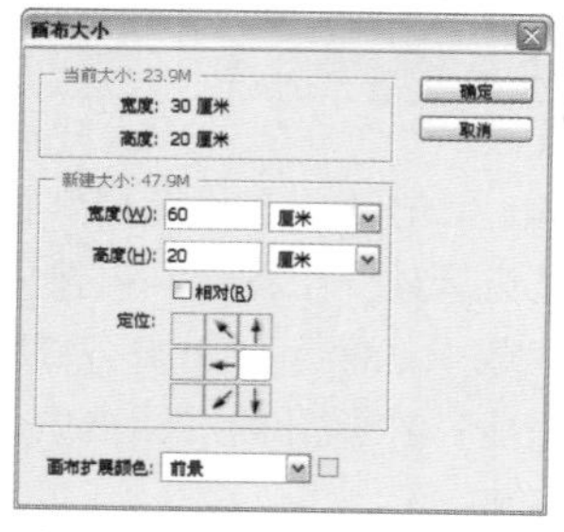
图22-634

图22-635

13 按下Ctrl+J快捷键复制当前图层，如图22-636所示。

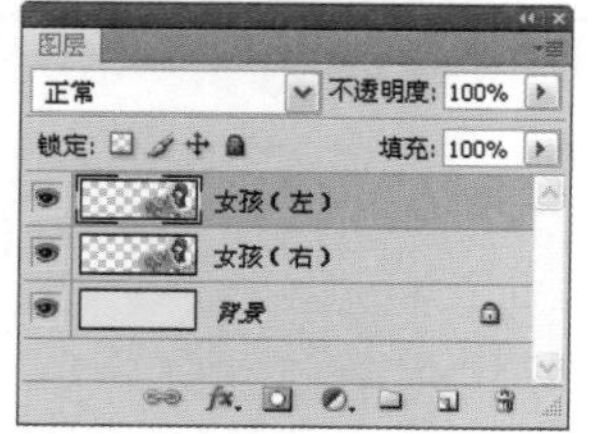
图22-636

14 执行"编辑>变换>水平翻转"命令，将图像翻转。使用移动工具按住Shift键水平移动到画面左侧，如图22-637所示。

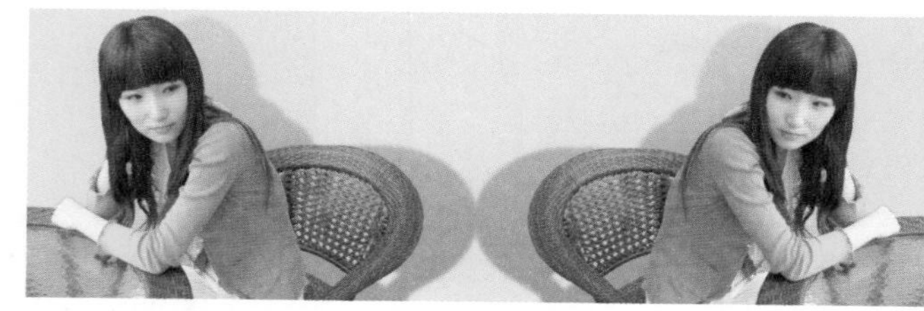
图22-637

15 选择横排文字工具T，在工具选项栏中设置字体及大小，如图22-638所示。在画面中单击输入文字，如图22-639所示。

图22-638

光影流连的夏天

图22-639

16 再调整字体及大小，输入其他文字，完成后的效果如图22-640所示。

图22-640

22.37 精通照片处理：制作极地效果

1. 按下Ctrl+O快捷键，打开一个文件，如图22-641所示。

图22-641

2. 执行“图像>图像大小”命令，取消“约束比例”选项的勾选，在“像素大小”中设置宽度和高度均为800像素，如图22-642、图22-643所示。

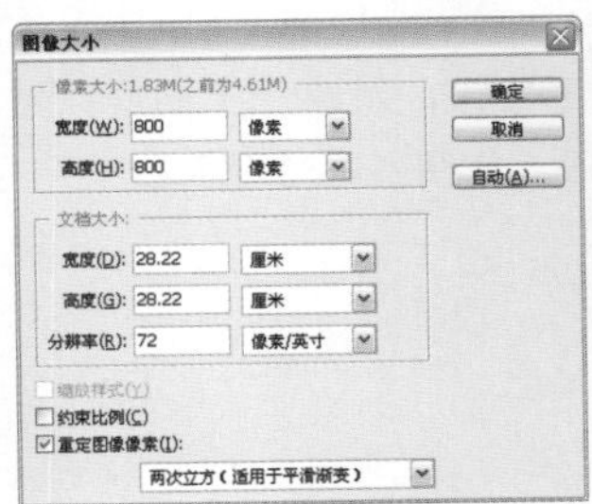

图22-642

图22-643

3. 执行“图像>图像旋转>180度”命令，将图像旋转180度，如图22-644所示。

4. 执行“滤镜>扭曲>极坐标”命令，在打开的对话框中选择“平面坐标到极坐标”选项，如图22-645所示，效果如图22-646所示。

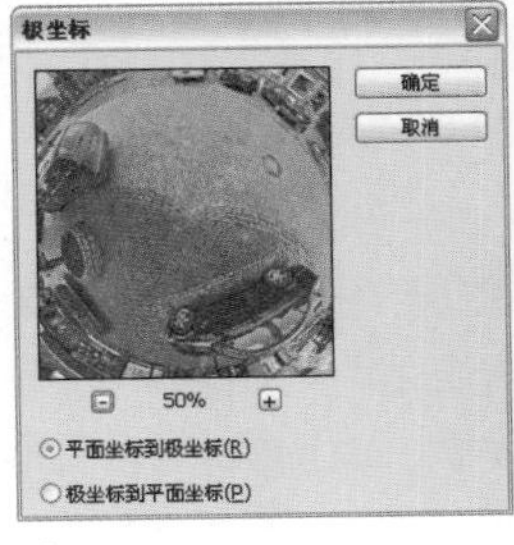

图22-645

图22-646

5. 再次执行“图像>图像旋转>180度”命令，旋转图像，使汽车位于极地上方，如图22-647所示。

图22-647

22.38 精通照片处理：制作素描

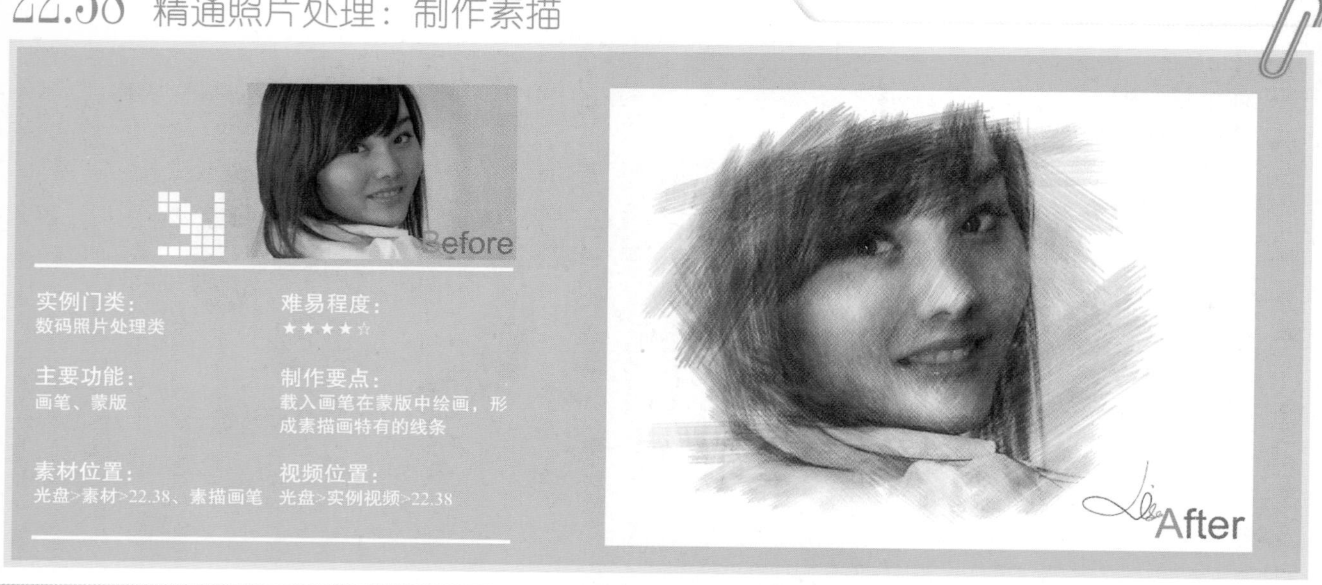

1 按下Ctrl+O快捷键，打开一个文件，如图22-648所示。

图22-648

2 按下Ctrl+J快捷键复制“背景”图层。执行“图像>调整>通道混合器”命令，打开“通道混合器”对话框，勾选“单色”选项，将照片转换为黑白效果，如图22-649、图22-650所示。

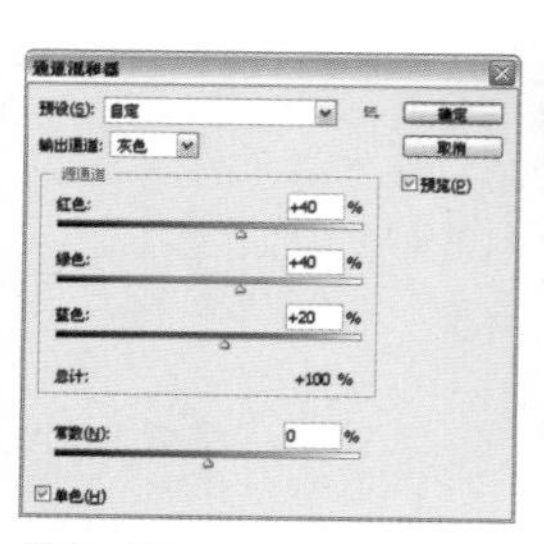

图22-649

图22-650

3 执行“图像>调整>亮度/对比度”命令，打开“亮度/对比度”对话框，增加对比度参数，强化高光与阴影的对比，如图22-651、图22-652所示。

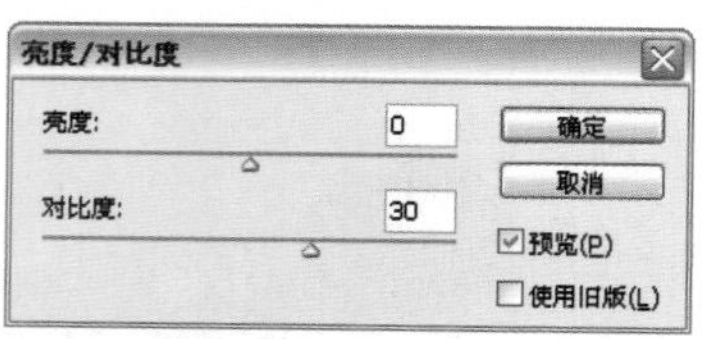

图22-651

图22-652

4 单击“图层”面板底部的按钮，新建一个图层；然后再单击按钮，添加图层蒙版，如图22-653所示。

图22-653

5 选择画笔工具，打开工具选项栏中的画笔下拉面板菜单，选择“载入画笔”命令，如图22-654所示，打开“载入”对话框，选择“光盘>素材”文件夹中的“素描画笔.abr”文件，如图22-655所示。

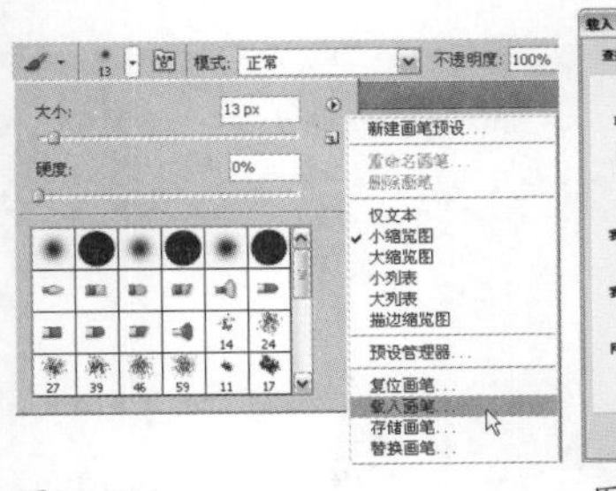
图22-654

图22-655

6 按下F5快捷键打开“画笔”面板，选择“素描画笔6”，如图22-656所示。设置角度为110度，间距为3%，如图22-657所示。

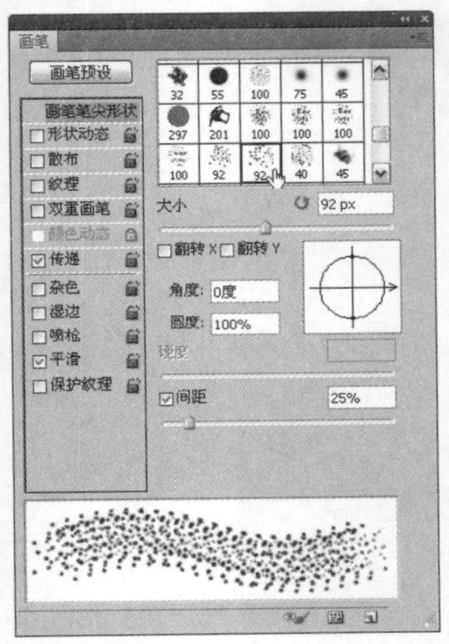
图22-656

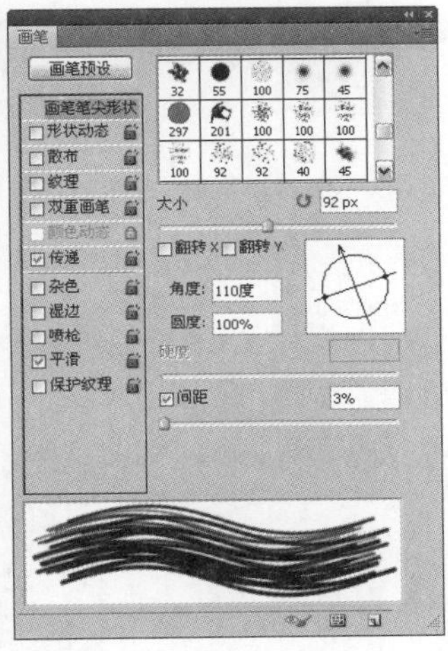
图22-657

7 在工具选项栏中设置画笔的不透明度为15%，流量为70%，如图22-658所示。

图22-658

8 使用画笔工具绘制倾斜的线条，如图22-659所示。像绘制素描画一样，铺上调子表现明暗，直到人像越来越清晰，如图22-660所示。用鼠标直接绘制直线是比较难的，但有一种技巧，就是先在一点单击，然后按住Shift键在另一点单击即可形成直线。

图22-659

图22-660

9 头发、眼睛、鼻子投影和嘴角处应多画线，表现出明暗效果，使人物生动起来，如图22-661、图22-662所示。

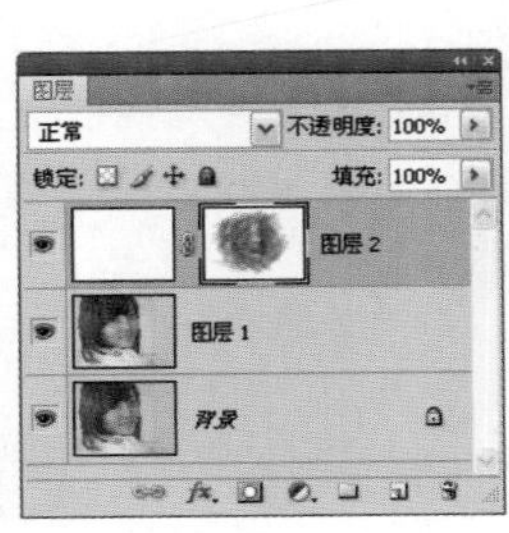
图22-661

图22-662

10 选择减淡工具，在工具选项栏中设置画笔大小为200px，曝光度为30%，如图22-663所示。

图22-663

11 在面部涂抹，提亮亮部；再选择加深工具，增加暗部的调子，使画面层次丰富。最后，在右下角加入签名，完成后的效果如图22-664所示。

图22-664

提示 素描是单色的绘画，是一种用于学习美术技巧、探索造型规律、培养专业习惯的绘画训练过程。

22.39 精通照片处理：制作水彩

1 按下Ctrl+O快捷键，打开一个文件，如图22-665所示。

图22-665

2 将前景色设置为白色。选择渐变工具，在工具选项栏中按下线性渐变按钮，选择前景-透明渐变，如图22-666所示；按住Shift键锁定垂直方向，分别在画面顶部和底部填充渐变，如图22-667所示。

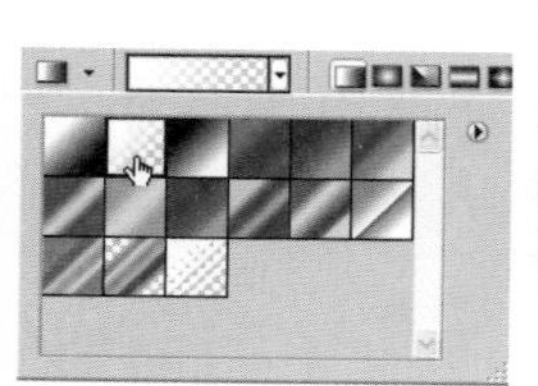

图22-666

图22-667

3 连按3次Ctrl+J快捷键复制“背景”图层，如图22-668所示。选择“图层1”，单击另外两个图层前面的眼睛图标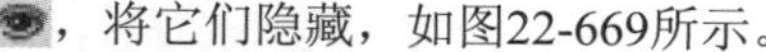，将它们隐藏，如图22-669所示。

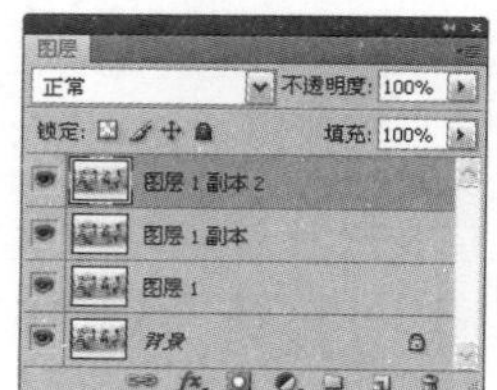

图22-668

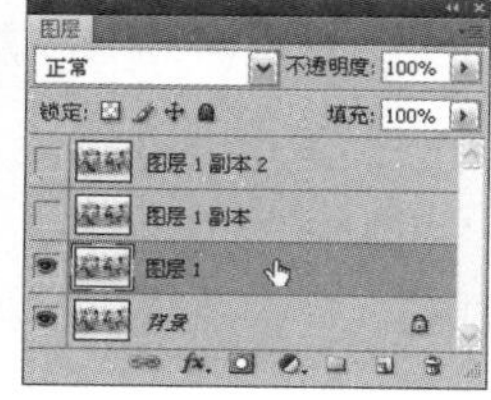

图22-669

4 执行“滤镜>素描>水彩画纸”命令，打开“滤镜库”设置参数，使画面呈现出水彩的晕染和画纸的纤维效果，如图22-670所示。这是水彩画的第一个表现要素。设置该图层的不透明度为80%。

图22-670

5 选择并显示“图层1副本”，设置混合模式为“柔光”，如图22-671所示。执行“滤镜>艺术效果>调色刀”命令，设置参数如图22-672所示。通过“调色刀”滤镜可以创建大色块，由于该图层设置了“柔光”模式，添加的色块不会影响对象的结构，如图22-673所示。

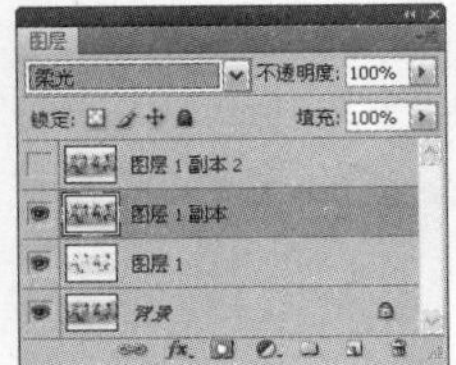
图22-671

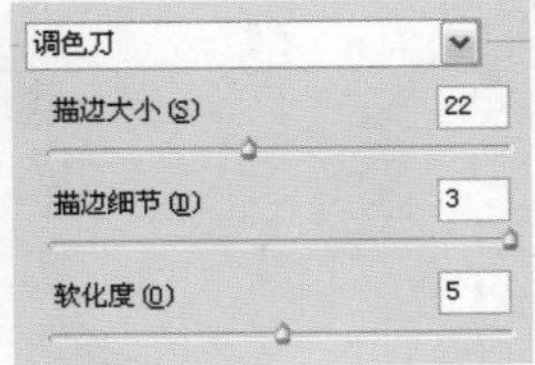

图22-672

图22-673

6 选择并显示“图层1副本2”，如图22-674所示。执行“滤镜>风格化>查找边缘”命令，提取出对象的轮廓，如图22-675所示。

图22-674

图22-675

7 设置该图层的混合模式为“正片叠底”，不透明度为30%，将轮廓线稿叠加到水彩效果上，如图22-676、图22-677所示。线条轮廓是水彩画的第二个表现要素。有了晕染和线条效果，水彩画才能逼真。

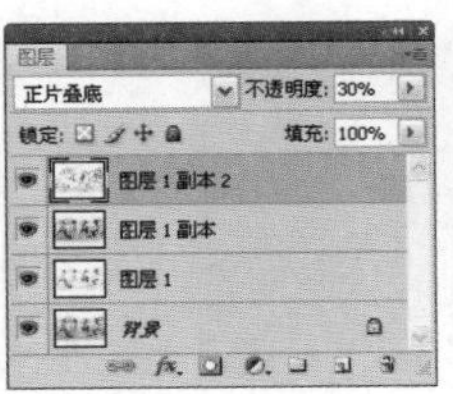
图22-676

图22-677

8 单击“图层”面板底部的按钮添加蒙版。选择画笔工具，将工具的不透明度调低，在窗外的图像上涂抹灰色，将其适当隐藏，使窗外的景物变虚，如图22-678、图22-679所示。最后，还可以添加一个“色阶”调整图层，将画面适当调暗，并增加对比度。

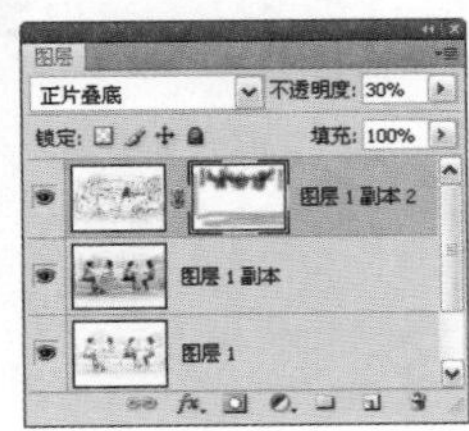
图22- 678

图22-679

提示 水彩画是以水为媒介调和颜料完成的绘画作品。用Photoshop表现水彩画的难点是体现颜料的透明性，画面要给人以清澈、通透和流畅的视觉感受。

22.40 精通照片处理：制作职场阿凡达

1 按下Ctrl+O快捷键，打开一个文件，如图22-680、图22-681所示。

图22-680

图22-681

2 执行“滤镜>液化”命令，打开“液化”对话框，如图22-682所示。选择膨胀工具，在眼睛上连续单击，使眼睛变大，如图22-683、图22-684所示。

图22-682

图22-683

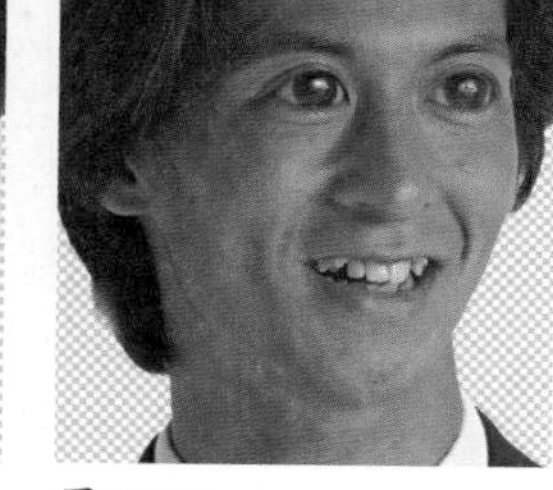
图22-684

3 选择冻结蒙版工具，在眼睛上涂抹，图像呈现红色，表示这部分区域已被保护起来，如图22-685所示；使用向前变形工具放在眉心区域，按住鼠标向上、向外拖动，使眉心变宽，如图22-686所示。

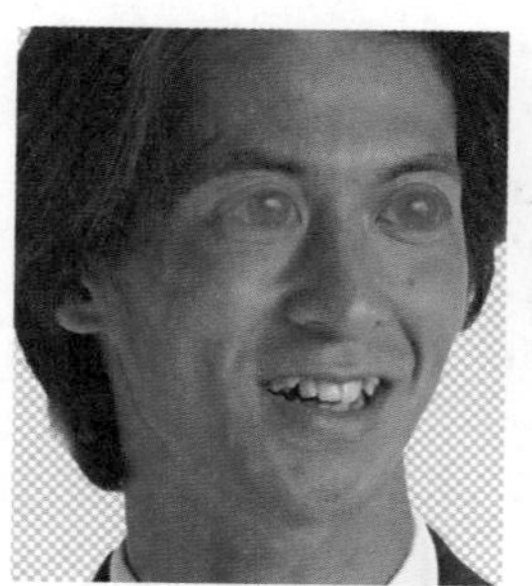
图22-685

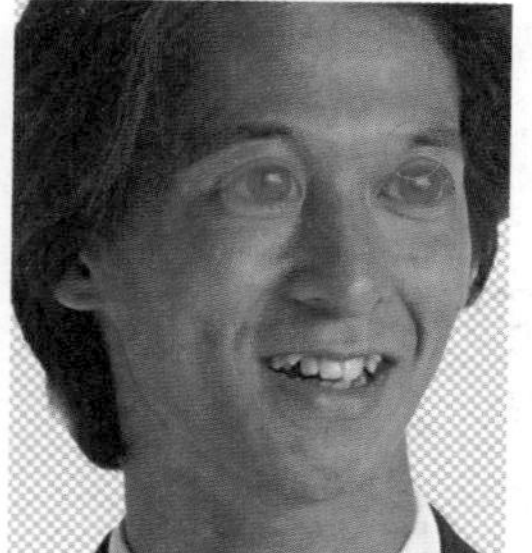
图22-686

4 由鼻梁中心向外拖动，使鼻梁变宽，再将嘴巴调小，如图22-687所示；调整脸型，将耳朵向上提拉，如图22-688所示。

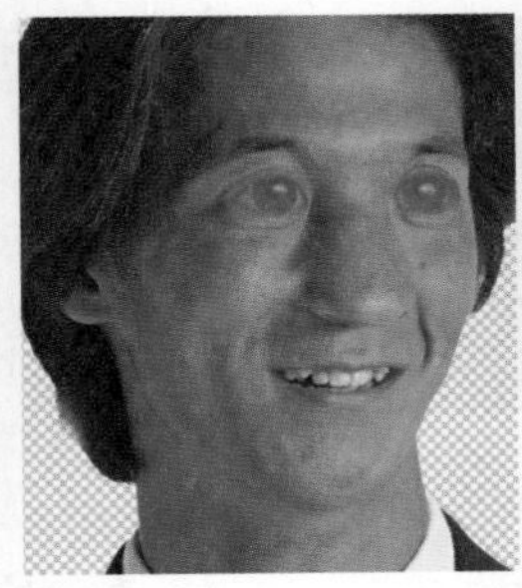
图22-687

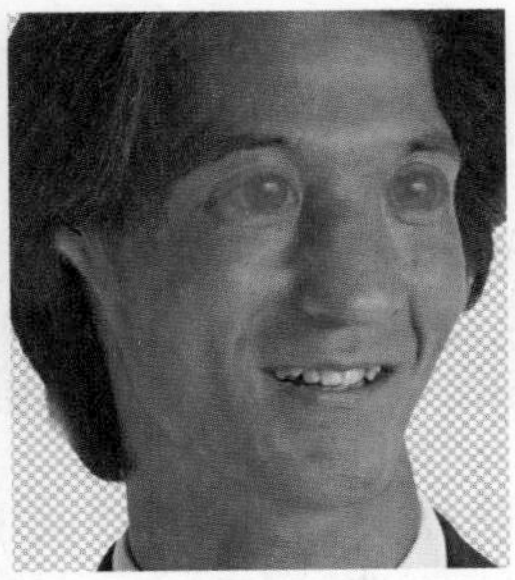

图22-688

5 单击“确定”按钮，效果如图22-689所示。使用橡皮擦工具将头发边缘擦除，如图22-690所示。

图22-689

图22-690

6 单击“调整”面板中的按钮，创建“照片滤镜”调整图层，在“滤镜”下拉列表中选择“冷却滤镜82”，设置“浓度”为100%，如图22-691所示。设置该图层的混合模式为强光，不透明度为91%。使用柔角画笔工具（不透明度50%）在嘴唇区域涂抹黑色，适当恢复嘴唇的色调，如图22-692、图22-693所示。

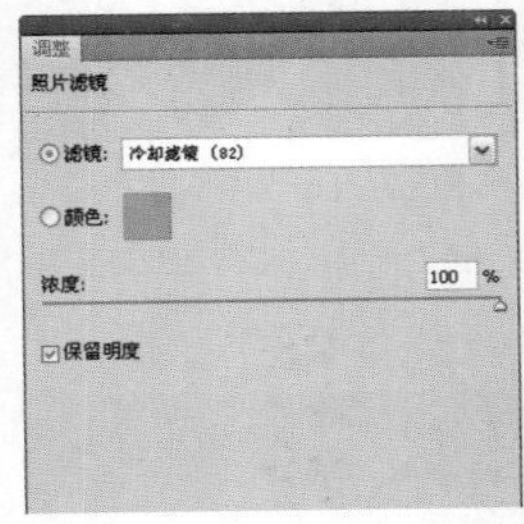

图22-691

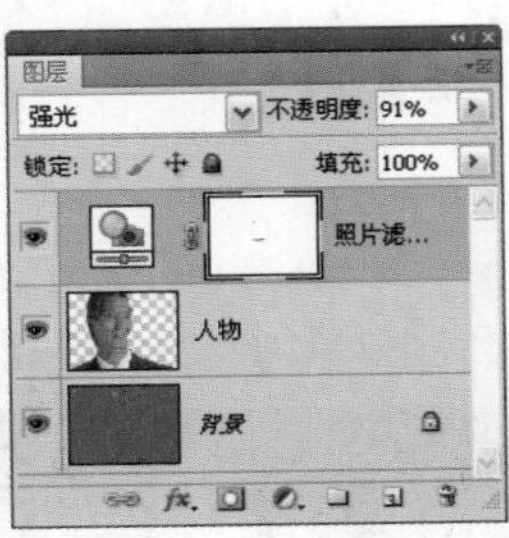

图22-692

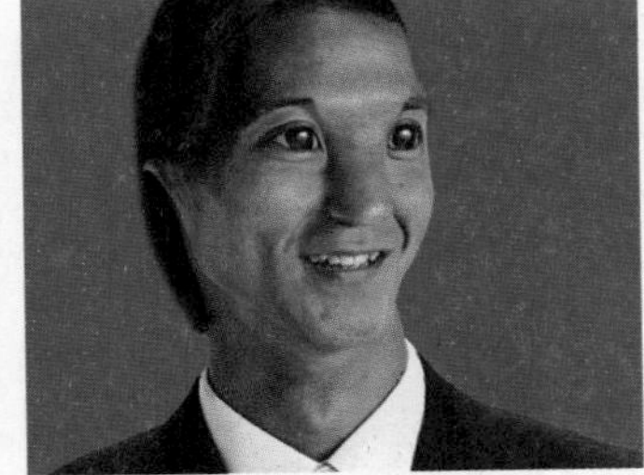
图22-693

7 单击“调整”面板中的按钮，显示调整工具，单击按钮，创建“色相/饱和度”调整图层，设置参数如图22-694所示，效果如图22-695所示。

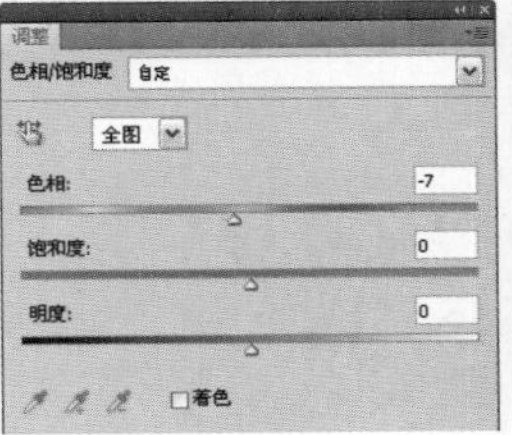

图22-694

图22-695

8 新建一个图层，使用画笔工具绘制眼球，如图22-696所示；使用橡皮擦工具将眼眶外的部分擦除，单击“图层”面板中的按钮，锁定透明像素，将眼球边缘涂抹成黑色，如图22-697所示。

图22-696

图22-697

9 新建一个图层，按下Alt+Ctrl+G快捷键创建剪贴蒙版，设置混合模式为“线性加深”，不透明度为55%，如图22-698所示。使用椭圆选框工具创建一个大于眼球的选区，填充白色，如图22-699所示。

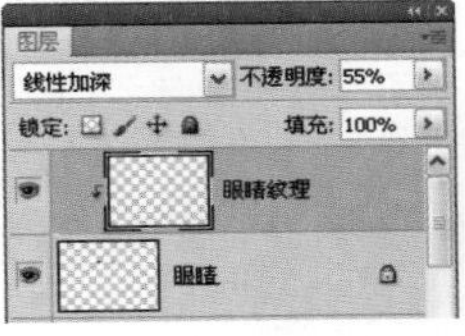

图22-698

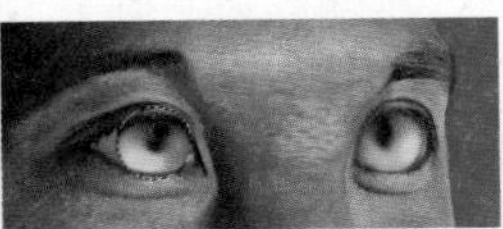
图22-699

10 执行“滤镜>杂色>添加杂色”命令，设置参数如图22-700所示；执行“滤镜>模糊>径向模糊”命令，如图22-701所示，效果如图22-702所示。选择移动工具，按住Alt键向右侧拖动选区内的图像，将其复制到另一只眼睛上，按下Ctrl+D快捷键取消选择，如图22-703所示。

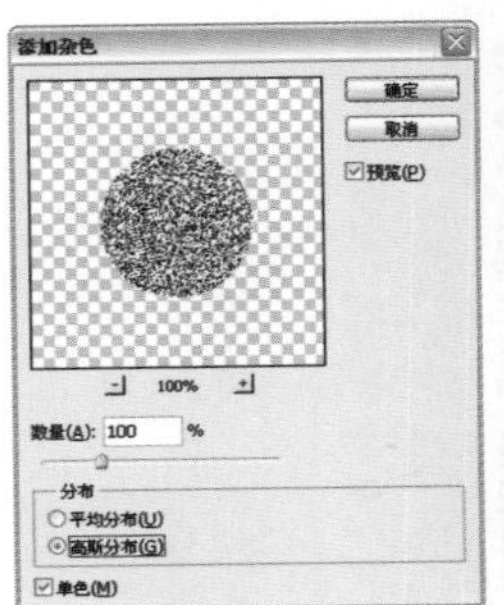

图22-700

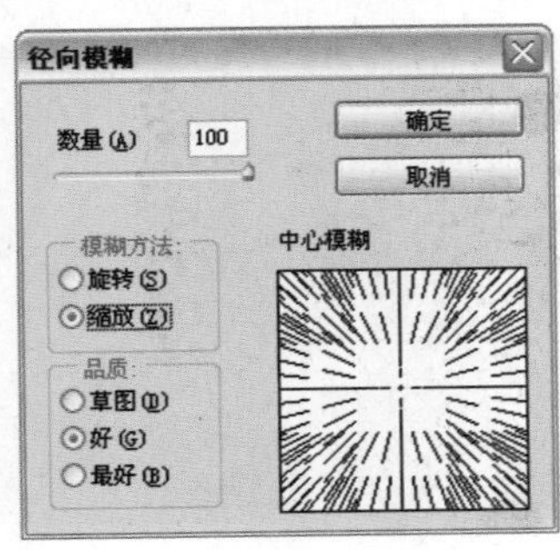

图22-701

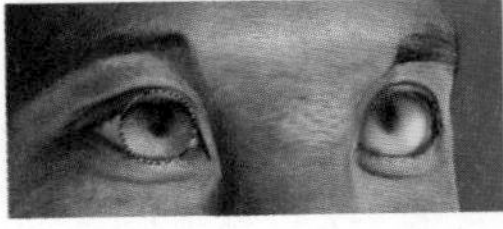
图22-702

图22-703

11 新建一个图层，使用尖角画笔工具绘制眼球高光，使眼睛明亮有神，如图22-704所示。

图22-704

12 新建一个图层，设置混合模式为“柔光”，在面部绘制黑色的条纹，如图22-705所示。再新建一个图层，用来表现面部的结构，增强暗部色调。使用大一点的柔角画笔进行绘制，设置该图层的混合模式为“正片叠底”，如图22-706所示。

图22-705

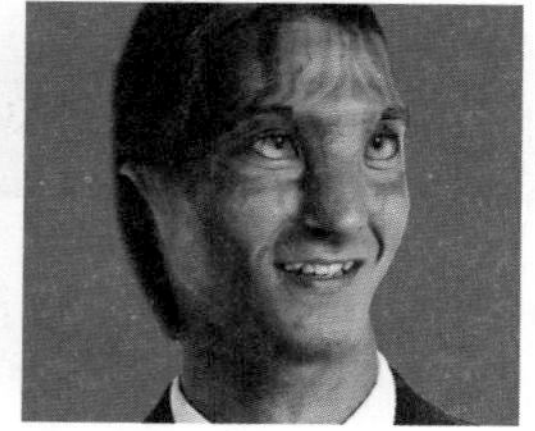
图22-706

13 新建一个图层，用来表现面部的高光。设置混合模式为“柔光”。在鼻梁、印堂和下巴上涂抹白色，如图22-707所示；按下“[”键将画笔调小，在鼻梁上画一些白点，如图22-708所示。

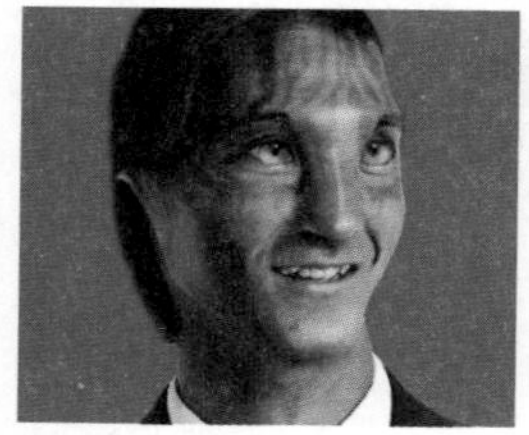
图22-707

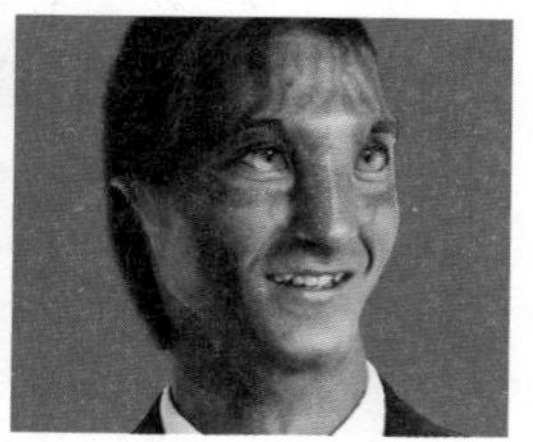
图22-708

14 新建一个图层，绘制头发，如图22-709所示。

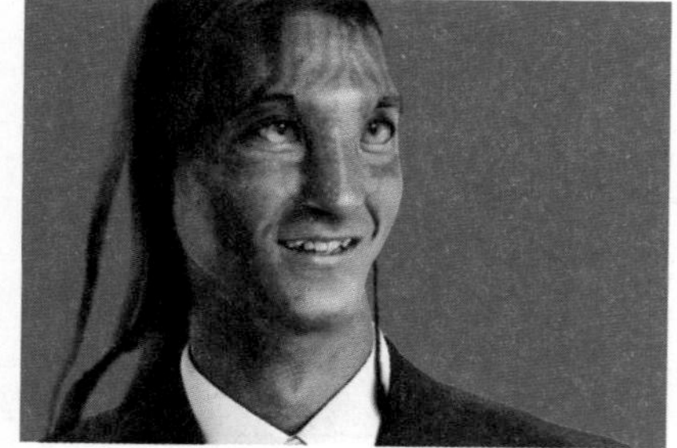
图22-709

15 按下Ctrl+O快捷键，打开一个文件，如图22-710所示。使用快速选择工具选取耳朵图像，按下Ctrl键将选区内的图像拖到阿凡达文档中，如图22-711所示。

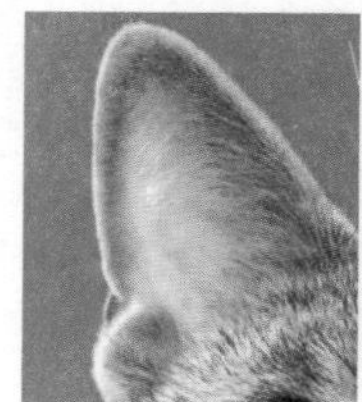
图22-710

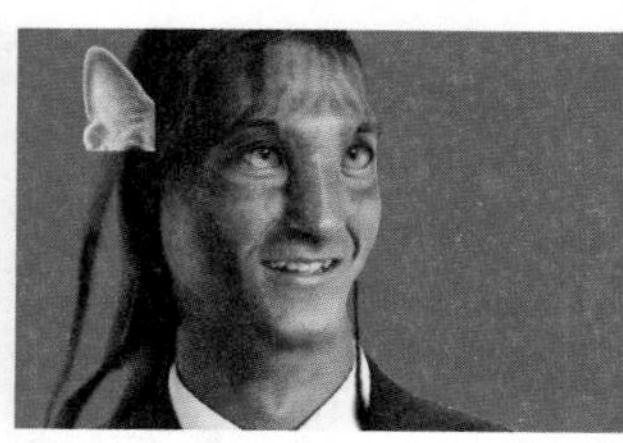
图22-711

16 按下Ctrl+M快捷键打开“曲线”对话框，将曲线向下调整，使图像变暗，如图22-712所示，与画面色调一致，如图22-713所示。

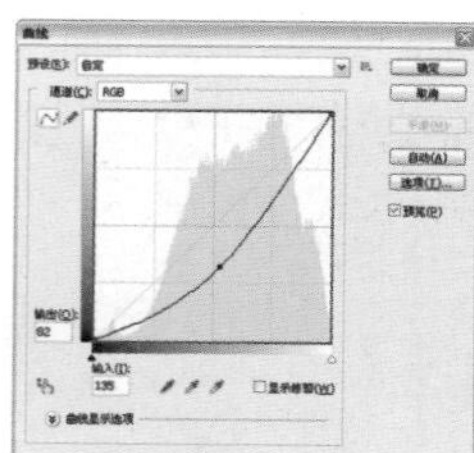
图22-712

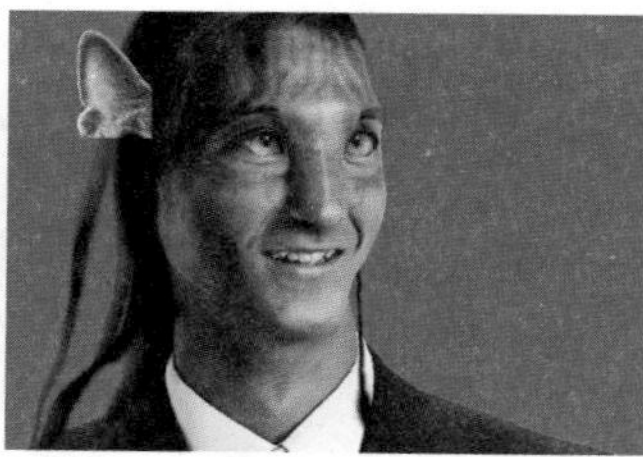
图22-713

17 通过“液化”命令改变耳朵的外形，如图22-714所示。新建一个图层，设置混合模式为“正片叠底”，按下Alt+Ctrl+G快捷键创建剪贴蒙版。使用柔角画笔工具绘制黑色形成耳朵的暗部区域，如图22-715、图22-716所示。

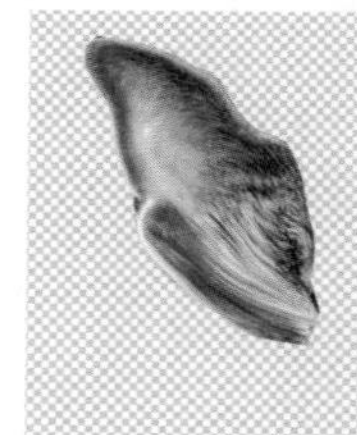
图22-714

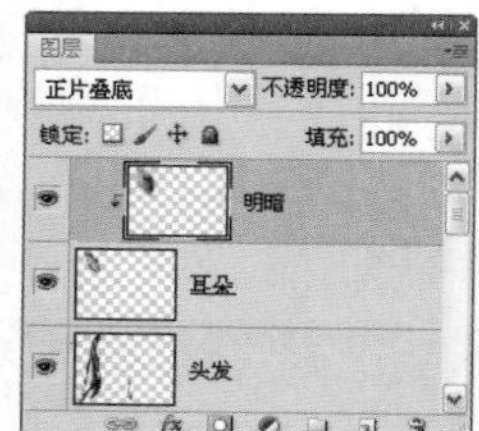

图22-715

图22-716

18 按下Ctrl+O快捷键，打开一个文件，拖入到阿凡达文档中作为背景，效果如图22-717所示。

图22-717

22.41 精通平面设计：制作唯美插画

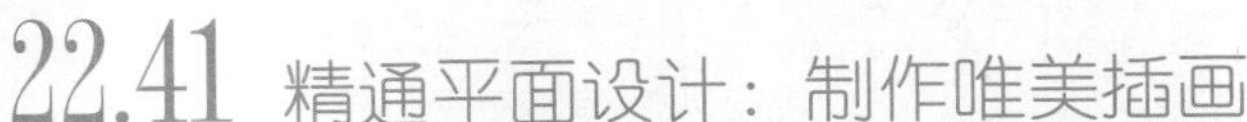

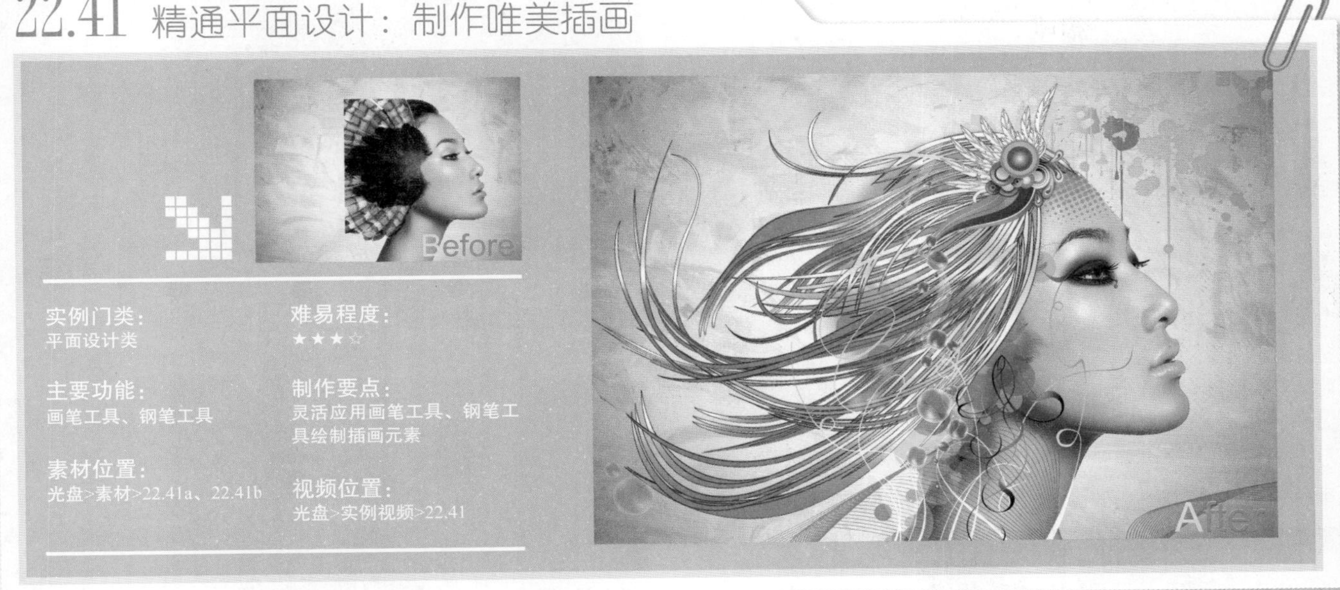

1 按下Ctrl+O快捷键，打开一个文件，如图22-718所示，这是一个分层文件，人物位于单独的图层中，如图22-719所示。

图22-718

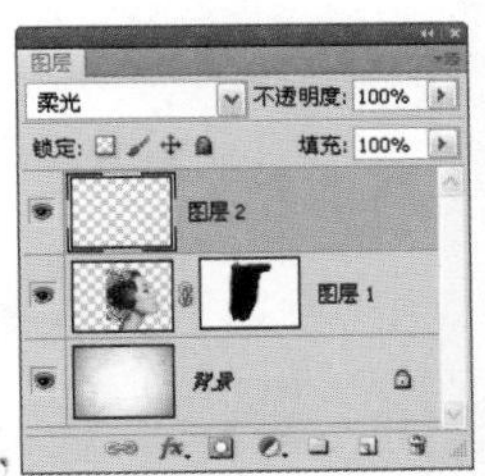
图22-719

2 单击“图层”面板底部的按钮，添加图层蒙版。使用柔角画笔工具在人物头发部分涂抹黑色，将其隐藏，只显示面部区域，如图22-720、图22-721所示。

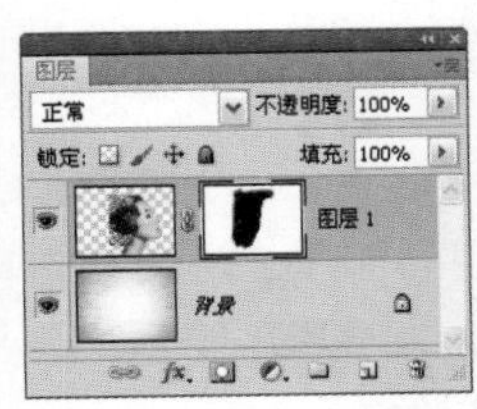
图22-720

图22-721

3 单击“图层”面板底部的按钮，新建一个图层，设置混合模式为“柔光”，如图22-722所示。将前景色设置为皮肤色（R250、G212、B185）。使用柔角画笔工具在嘴唇上涂抹，使嘴唇颜色变浅，如图22-723所示。

图22-722

图22-723

4 将前景色设置为红色。选择钢笔工具，按下工具选项栏中的形状图层按钮，在眼睛上面绘制波浪形状的路径，如图22-724所示，同时，在“图层”面板中生成一个形状图层，设置混合模式为“正片叠底”，如图22-725所示，效果如图22-726所示。

图22-724

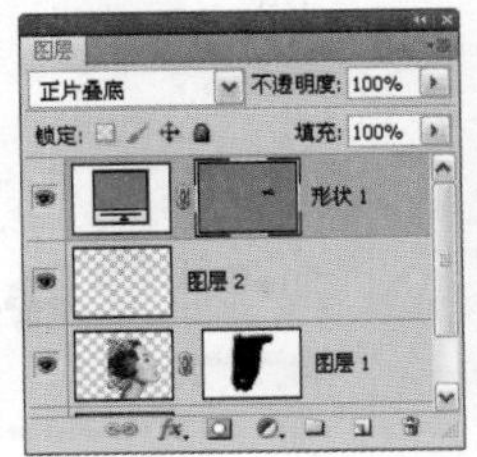
图22-725

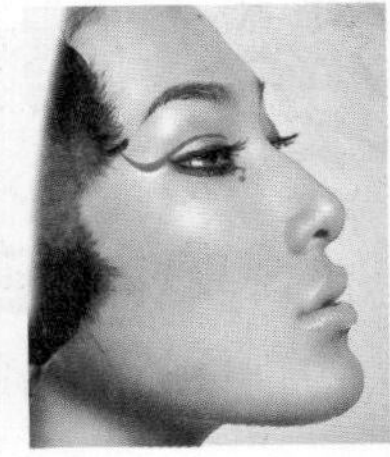
图22-726

提示 使用钢笔工具绘制一个路径图形后，按下工具选项栏中的添加到路径区域按钮，然后继续绘制，可使两个路径位于同一个形状图层中。

5 新建一个图层。使用柔角画笔工具在眼睛周围涂抹黑色，形成很酷的眼影效果，如图22-727所示。再按下“]”键将画笔工具调大，在头上绘制橙色，使头部形状完整，如图22-728所示。

图22-727

图22-728

6 按住Shift键单击“图层1”，选取如图22-729所示的图层，按下Ctrl+E快捷键合并图层，在图层名称上双击，重新命名为“人物”，如图22-730所示。

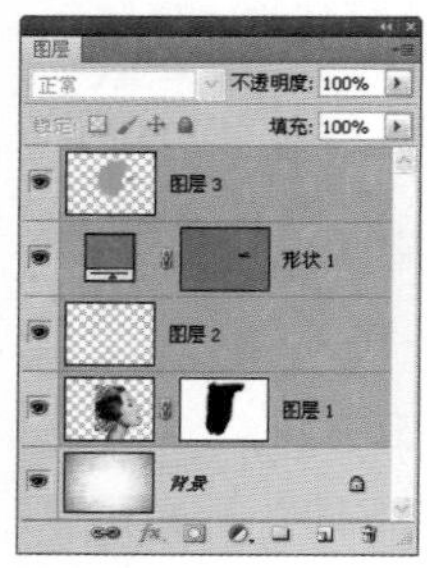
图22-729

图22-730

7 选择画笔工具，按下F5快捷键打开“画笔”面板，选择硬边圆形30px画笔，调整笔尖大小为80px，间距为137%，如图22-731所示；选择“形状动态”选项，设置“大小抖动”为70%，如图22-732所示。

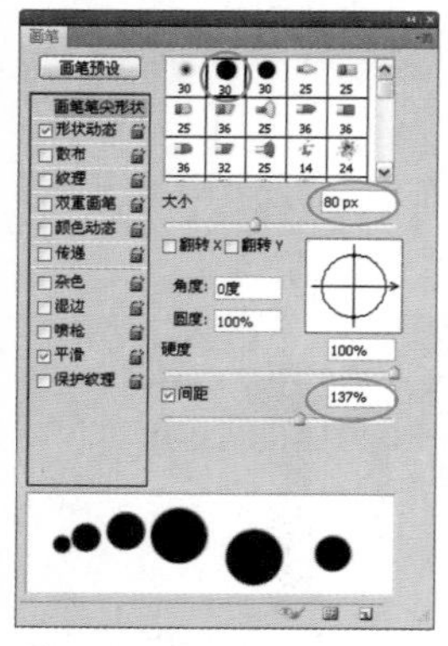
图22-731

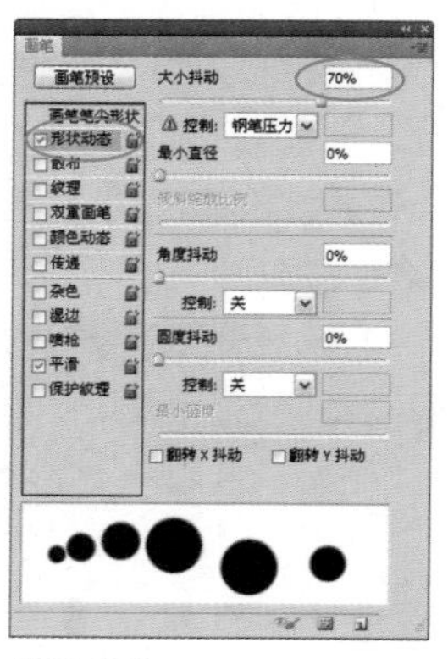
图22-732

8 选择“散布”选项，设置参数为412%，如图22-733所示；选择“颜色动态”选项，设置“色相抖动”为40%，如图22-734所示。新建一个图层，将前景色设置为红色，背景色为白色，绘制圆点对头发进行装饰，如图22-735所示。

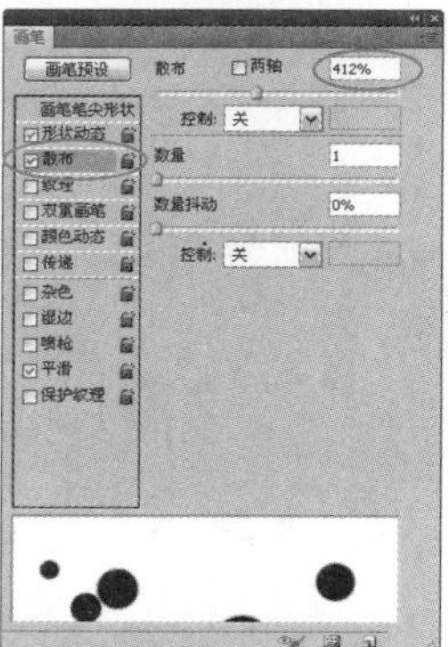
图22-733

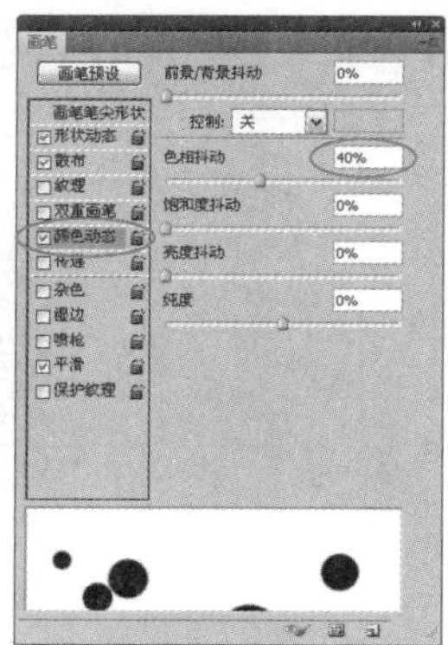
图22-734

图22-735

9 打开“路径”面板，单击面板底部的按钮，新建一个路径层，如图22-736所示。选择钢笔工具，按下工具选项栏中的路径按钮，在画面中绘制发丝路径，如图22-737所示。

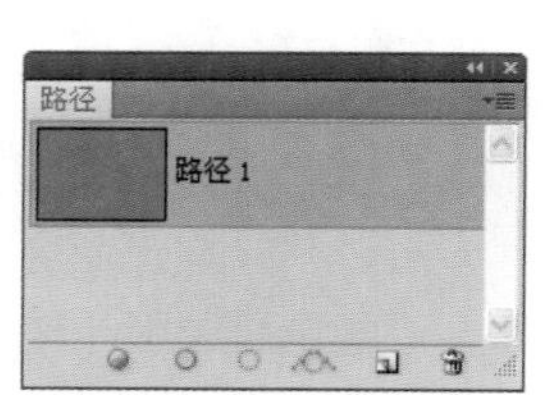
图22-736

图22-737

10 按下Ctrl+回车键将路径转换为选区，新建一个图层。选择渐变工具，单击工具选项栏中的按钮，打开“渐变编辑器”调整渐变颜色，如图22-738所示。在选区内拖动鼠标填充渐变，如图22-739所示。

图22-738

图22-739

11 执行“编辑>描边”命令，打开“描边”对话框设置参数，如图22-740所示，按下Ctrl+D快捷键取消选择，效果如图22-741所示。

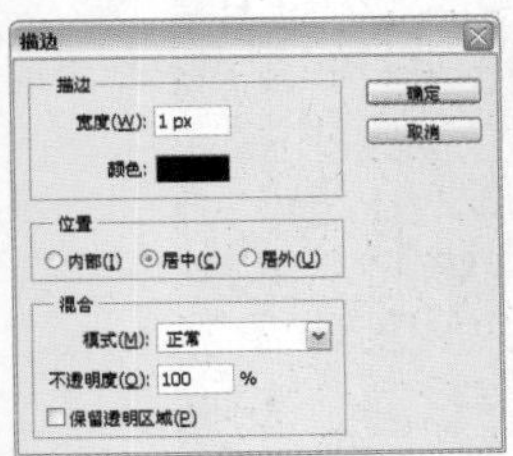
图22-740

图22-741

12 选择移动工具，按住Alt键拖动发丝进行复制，按下Ctrl+T快捷键显示定界框，调整角度和大小，使发丝浓密并且有所变化，如图22-742所示。

图22-742

13 再使用钢笔工具继续绘制发丝，注意形态的变化，体现韵律同时又有动感，如图22-743～图22-745所示。

图22-743

图22-744

图22-745

14 按下Ctrl+O快捷键，打开一个文件，如图22-746、图22-747所示。

图22-746

图22-747

15 使用移动工具将素材拖动到人物文档中，将“喷溅”图层放置在“背景”图层上方，最终效果如图22-748所示。

图22-748

22.42 精通平面设计：制作运动主题海报

1 按下Ctrl+O快捷键，打开一个文件，如图22-749、图22-750所示。

图22-749

图22-750

2 按住Ctrl键单击“人物”图层缩览图，载入人物的选区，新建一个图层，将前景色设置为蓝色（R15、G46、B173），按下Alt+Delete键填充前景色，如图22-751、图22-752所示。

图22-751

图22-752

3 按两次Ctrl+J快捷键复制图层，如图22-753所示，按下Shift+Ctrl+[快捷键将当前图层移至底层，如图22-754所示。

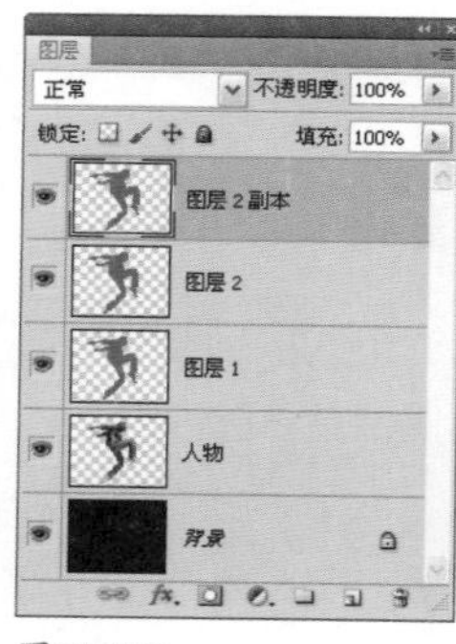

图22-753

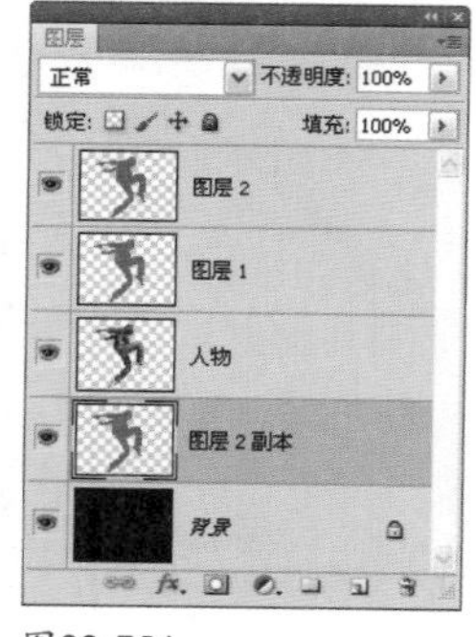

图22-754

4 隐藏“图层2”，选择“图层1”，如图22-755所示。执行“滤镜>扭曲>波浪”命令，设置参数如图22-756所示，效果如图22-757所示。设置“图层1”的混合模式为“颜色减淡”，效果如图22-758所示。

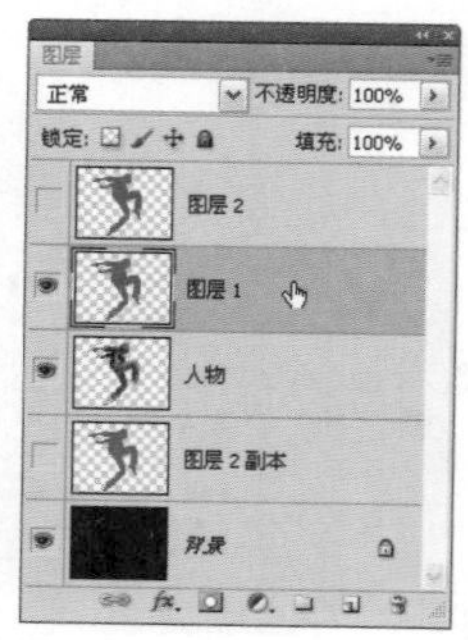
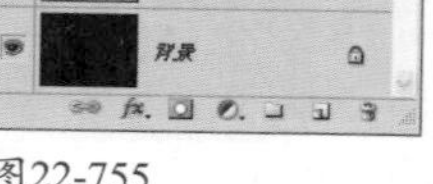

图22-755

图22-756

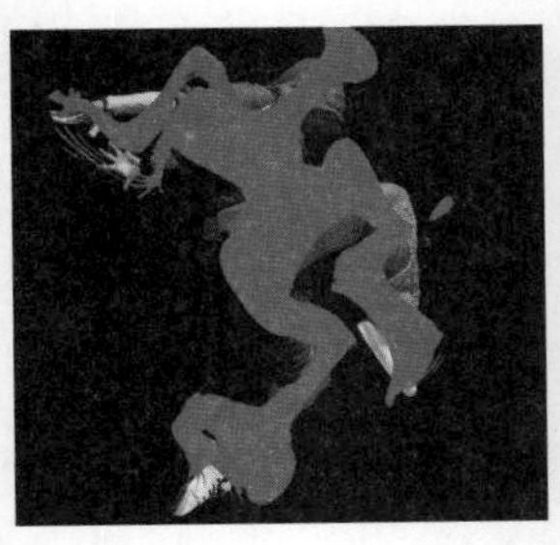

图22-757 图22-758

5 选择并显示“图层2”，设置混合模式为“颜色减淡”，如图22-759所示。将前景色设置为白色，背景色设置为黑色。执行“滤镜>像素化>点状化”命令，设置参数如图22-760所示。

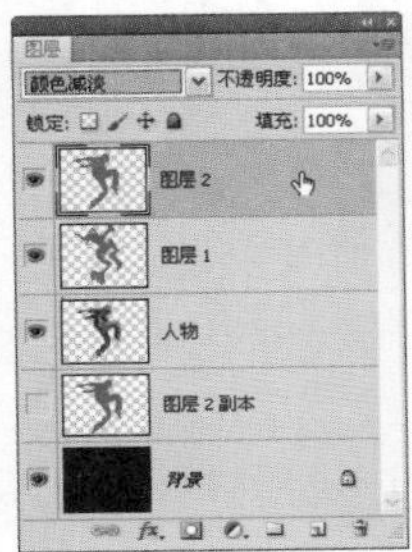

图22-759

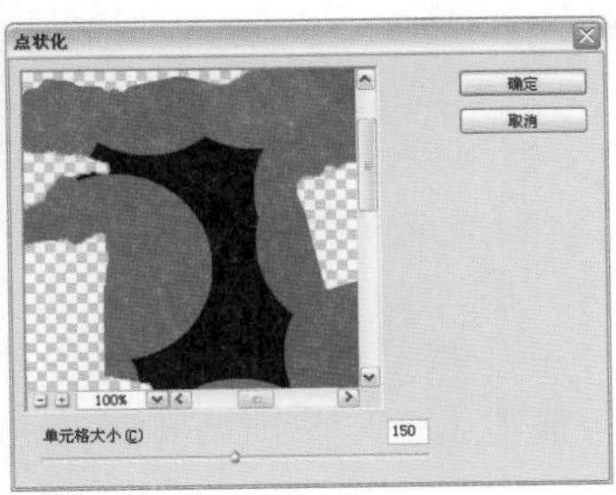

图22-760

6 按下Ctrl+U快捷键打开“色相/饱和度”对话框，调整色相参数，修改当前图层颜色为粉红色，如图22-761、图22-762所示。

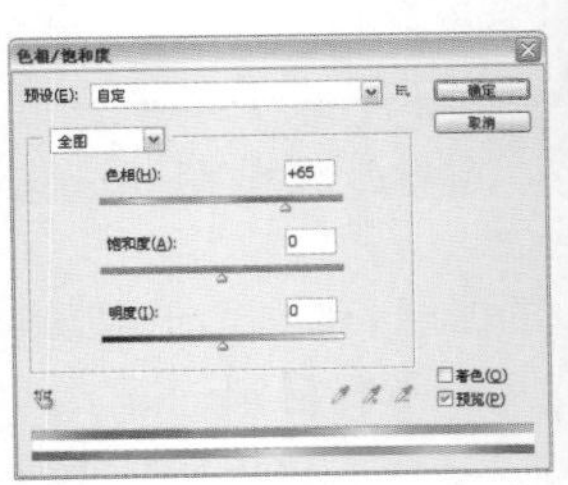

图22-761

图22-762

7 单击“图层”面板底部的按钮，添加图层蒙版。选择柔角画笔工具，在工具选项栏中设置不透明度为30%，在人物腿部涂抹黑色，减弱这部分颜色，如图22-763、图22-764所示。

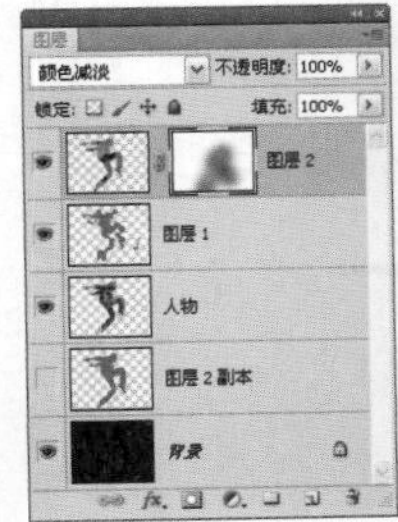

图22-763

图22-764

8 选择“图层2副本”，如图22-765所示。执行“滤镜>扭曲 >波浪”命令，使用上一次设置的参数即可，按下“随机化”按钮，可使纹理随机产生变化，效果如图22-766所示。

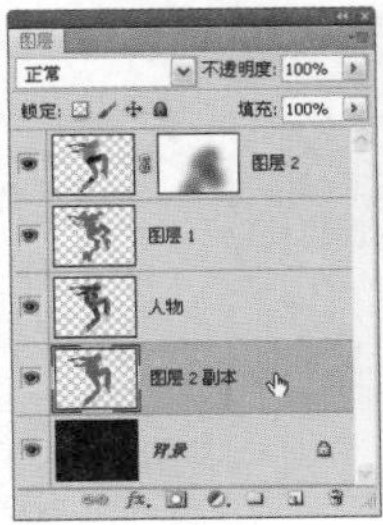

图22-765

图22-766

9 执行“滤镜>模糊>高斯模糊”命令，设置参数如图22-767所示，效果如图22-768所示。

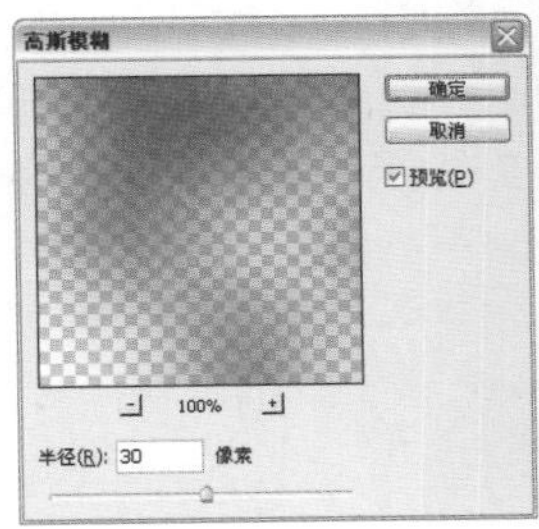

图22-767

图22-768

10 按下Ctrl+O快捷键，打开一个文件，如图22-769、图22-770所示。

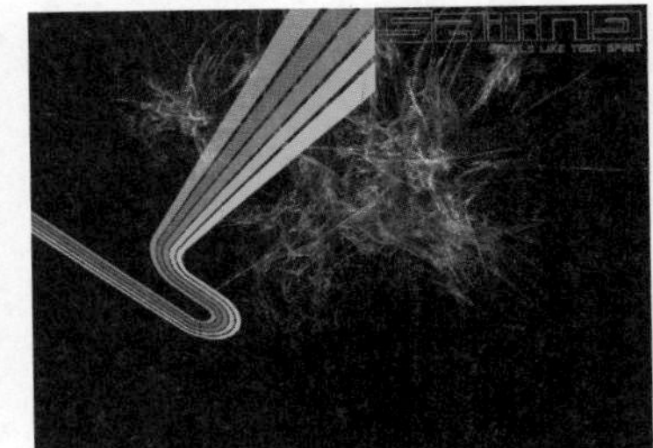

图22-769

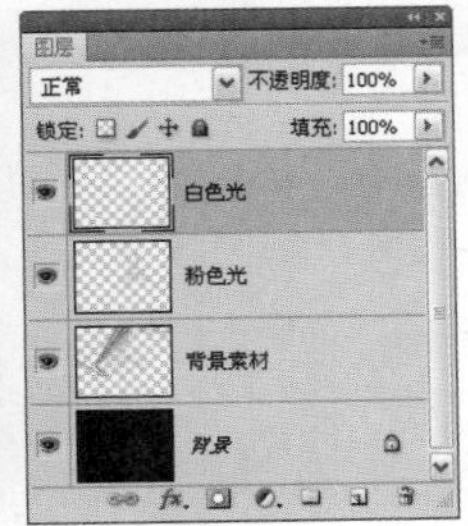

图22-770

11 使用移动工具将素材拖到画面中，效果如图22-771所示。

图22-771

22.43 精通平面设计：制作心形卡通按钮

1 打开一个文件，如图22-772所示。新建一个图层，将前景色设置为白色，选择圆角矩形工具，按下填充像素按钮，设置圆角半径为25px，绘制一个白色的图形，如图22-773所示。

图22-772

图22-773

2 为该图层添加“斜面和浮雕”、“渐变叠加”和“投影”效果，如图22-774～图22-777所示。

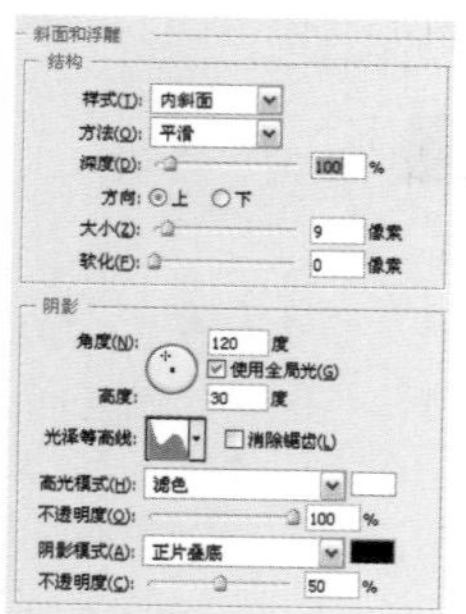
图22-774

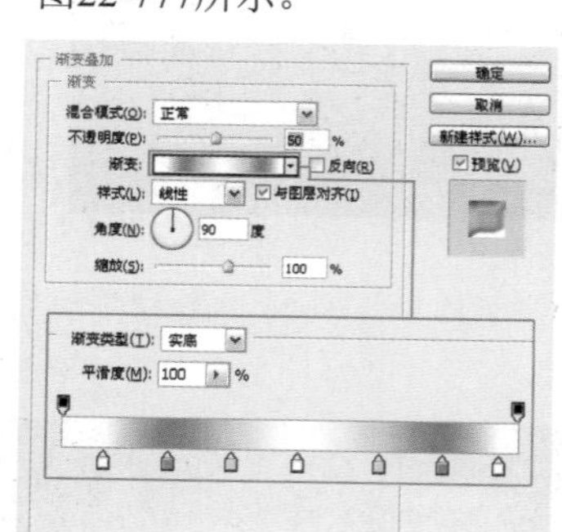
图22-775

图22-776

图22-777

3 创建一个名称为“洋红”的图层。将前景色设置为洋红，按住Ctrl键单击“白色矩形”图层的缩览图载入选区。选择渐变工具，按住Shift键填充渐变，如图22-778所示，然后取消选择。按下Ctrl+T快捷键显示定界框，按住Alt键向中心拖动定界框顶角的控制点，基于中心缩小洋红矩形，如图22-779所示，按下回车键确认。

图22-778

图22-779

4 创建一个名称为“矩形高光”的图层，按住Ctrl键单击“洋红矩形”图层的缩览图载入选区。选择椭圆选框工具，按下选取交叉按钮，绘制椭圆选区并与矩形选区相交，如图22-780所示，得到一个交叉选区，填充白色，如图22-781所示，然后取消选择。

图22-780

图22-781

5 调整图层的不透明度为70%，使白色图形变得透明，形成高光效果，如图22-782所示。选择移动工具，按下键盘中的“↓”和“→”键轻移移图形，使洋红矩形产生一定的厚度感，如图22-783所示。

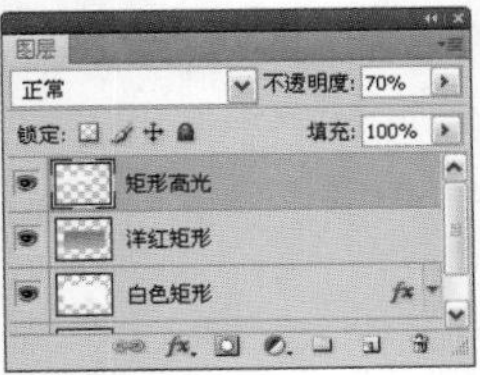

图22-782　　图22-783

6 为该图层添加蒙版。选择渐变工具，按住Shift键自下而上填充渐变，遮罩住白色高光的下边缘，使它的过渡效果更加自然，如图22-784、图22-785所示。

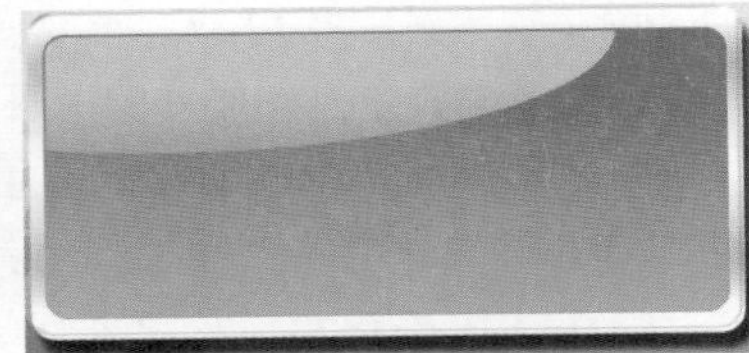

图22-784　　图22-785

7 创建一个名称为“文字背景”的图层，将前景色设置为深灰色，使用圆角矩形工具绘制一个条状图形，如图22-786、图22-787所示。

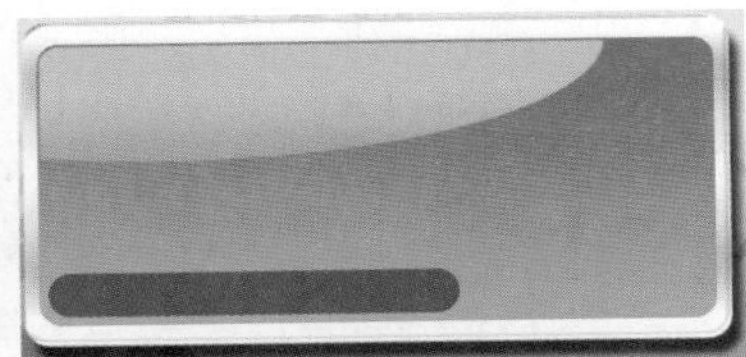

图22-786　　图22-787

8 创建一个名称为“白色心形”的图层，使用自定形状工具按住Shift键锁定图形比例，绘制一个白色的心形，如图22-788、图22-789所示。

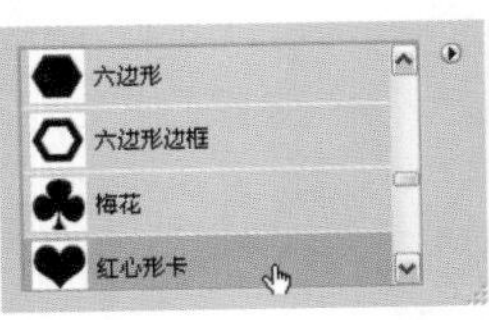

图22-788　　图22-789

9 按住Atl键，将“白色矩形”图层的效果图标拖动到“白色心形”图层，复制效果，如图22-790所示。

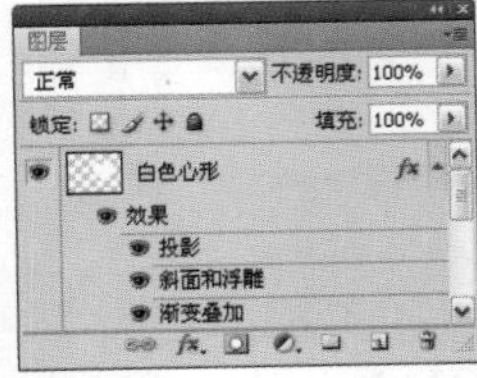

图22-790

10 双击该图层效果下拉列表中的投影选项，打开“图层样式”对话框，调整投影的距离参数为3像素，其他参数保持不变，如图22-791所示，拉近白色心形的投影，如图22-792所示。

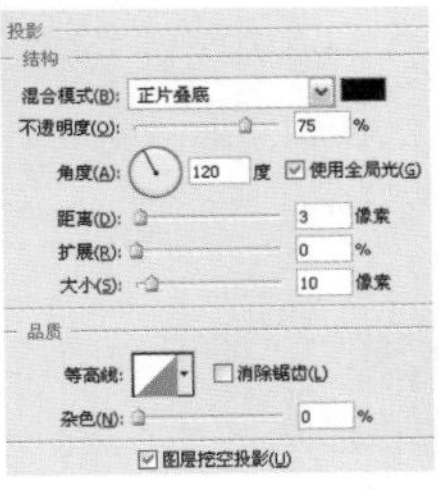

图22-791　　图22-792

11 选择“洋红矩形”图层，按住Ctrl键单击“白色心形”图层的缩览图载入选区，执行“选择>变换选区”命令显示定界框，按住Alt+Shift键锁定选区的中心和比例，拖动定界框的顶角控制点缩小选区，如图22-793所示。

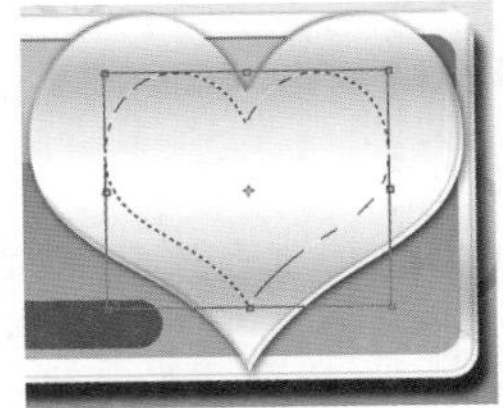

图22-793

12 按下Ctrl+J快捷键，将选中的图形复制到一个新的图层，按下Shift+Ctrl+]快捷键将该图层移动到面板的顶层，修改名称为“洋红心形”，如图22-794所示。

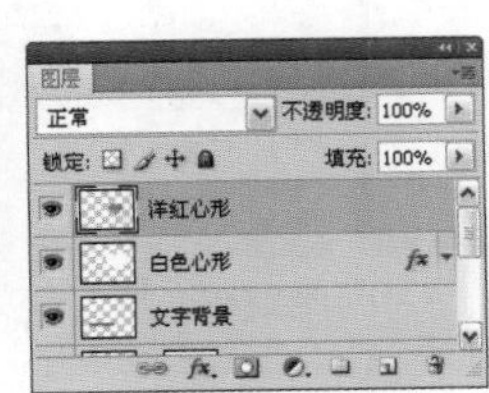

图22-794

为该图层添加“描边”和“外发光”效果，如图22-795、图22-796所示，效果如图22-797所示。

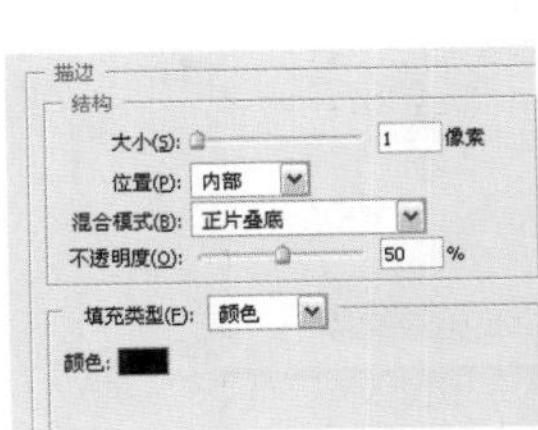

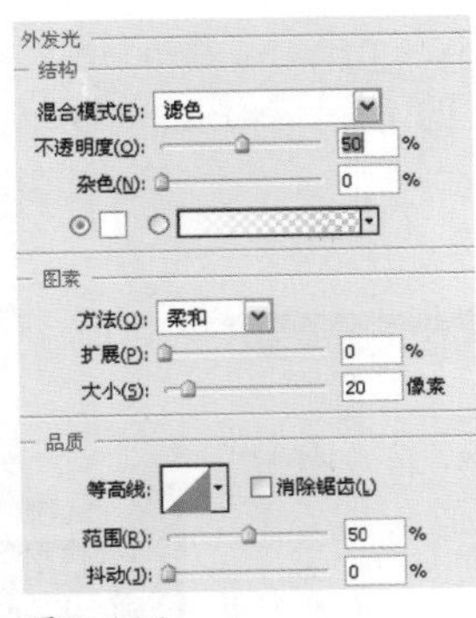

图22-795　　图22-796

图22-797

13 按住Ctrl键单击该图层的缩览图载入选区，使用椭圆选框工具按住Alt+Shift键绘制选区，与心形选区相交成一个新的选区，如图22-798所示。创建一个名称为"高光1"的图层，按下Alt+Delete键填充白色前景色，如图22-799所示，然后取消选择。

图22-798

图22-799

14 采用制作"矩形高光"的方法，先调整图层的不透明度为70%，制作蒙版，再移动高光，制作出小心形的高光，如图22-800所示。同样创建一个"高光2"图层，制作出大心形的高光，如图22-801、图22-802所示。

图22-800

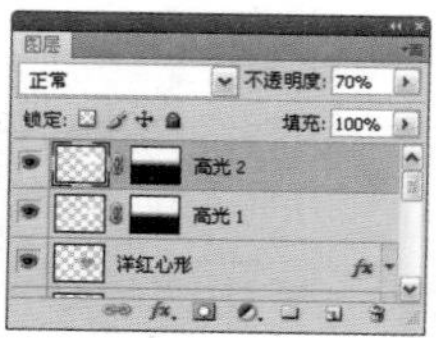

图22-801

图22-802

提示 制作大心形高光时，可以先按下Ctrl+T快捷键显示定界框，按住Alt键拖动控制点将它缩小再移动位置。

15 打开一个文件，将它拖入当前文档，放到"白色心形"图层的下面，如图22-803所示。

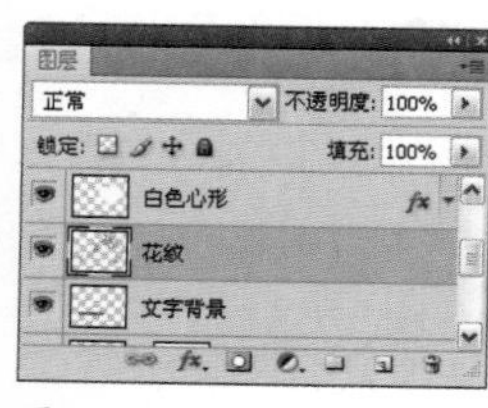

图22-803

16 选择"高光2"图层，使用横排文字工具T输入文字，使文本图层位于该图层的上方，如图22-804所示。

图22-804

17 选择除"背景"图层外的所有图层，按下Alt+Ctrl+E快捷键盖印，得到一个新的图层，重命名为"倒影"。按下Shift+Ctrl+[快捷键将该图层移动到"背景"图层的上面，按下Ctrl+T快捷键显示定界框，单击右键选择"垂直翻转"命令，将倒影图像翻转，然后按住Shift键垂直向下移动，如图22-805所示。

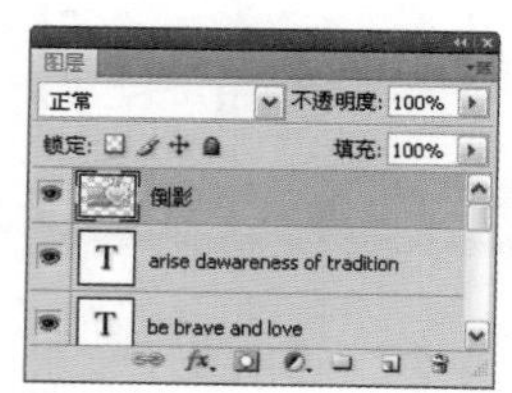

图22-805

18 为图层添加蒙版，使用渐变工具填充渐变，将倒影图像部分遮罩，使倒影更加自然，如图22-806所示。

图22-806

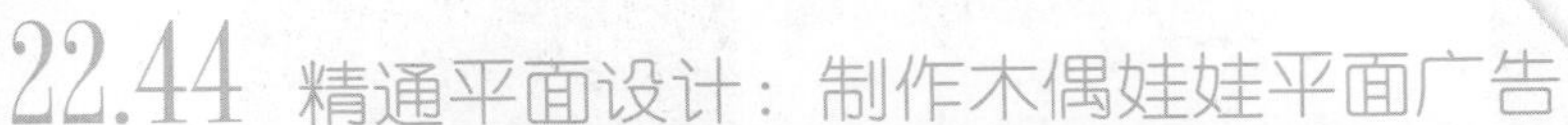

22.44 精通平面设计：制作木偶娃娃平面广告

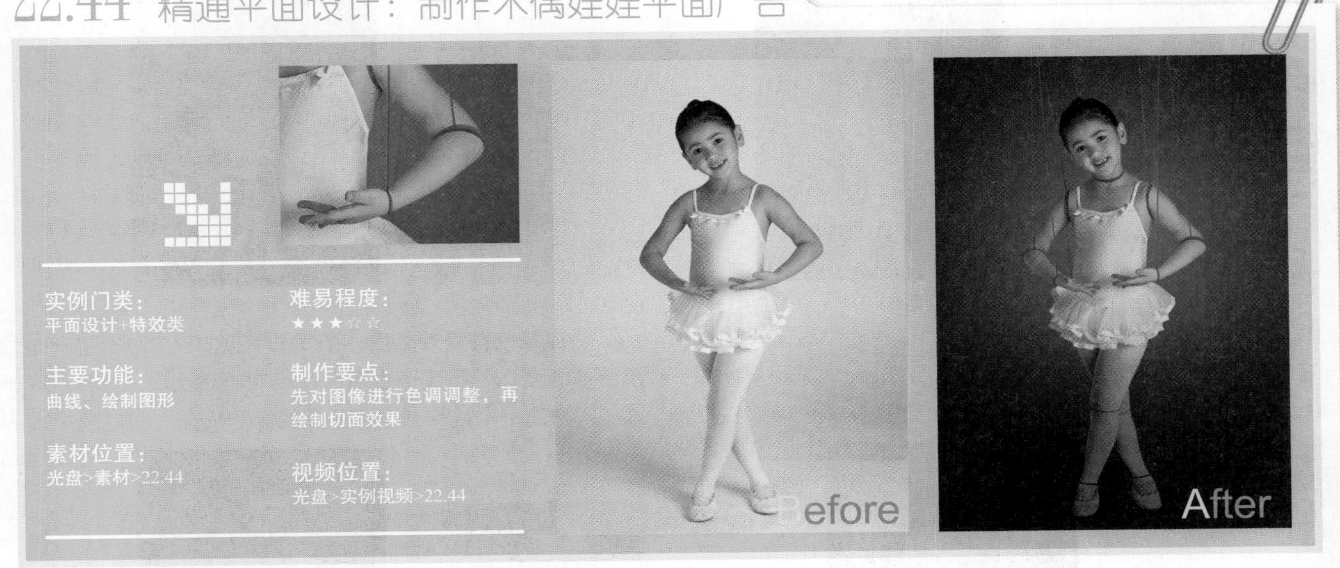

1 按下Ctrl+O快捷键，打开一个文件，如图22-807所示。按下Ctrl+J快捷键复制“背景”图层，如图22-808所示。

图22-807

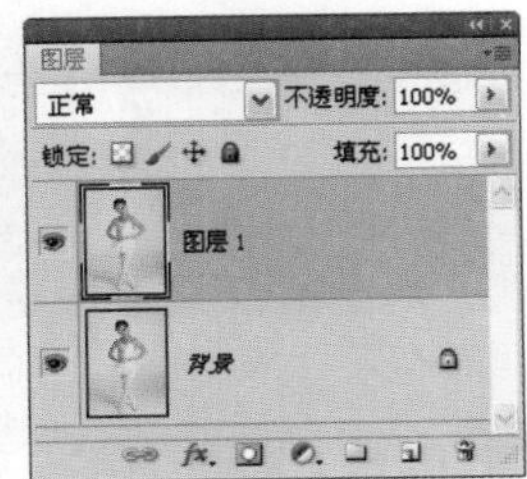

图22-808

2 使用快速选择工具选取女孩，如图22-809所示。单击工具选项栏中的“调整边缘”按钮，在打开的对话框中设置参数，如图22-810所示。

图22-809

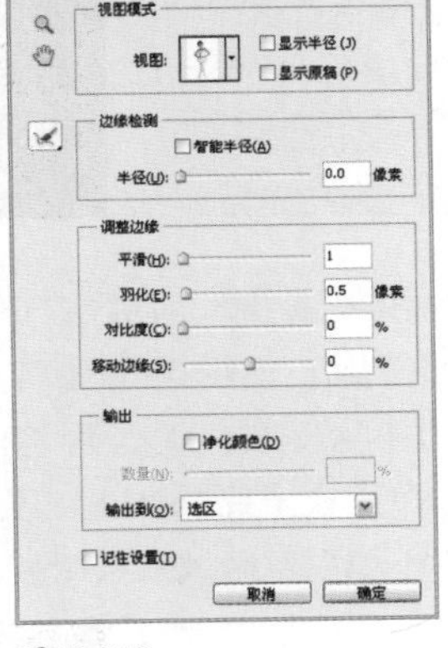

图22-810

3 单击“图层”面板底部的按钮，基于选区生成图层蒙版，将选区外的图像隐藏，如图22-811所示，选择“背景”图层，如图22-812所示。

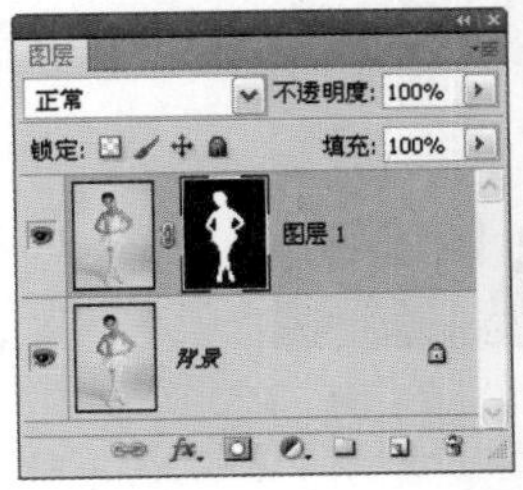

图22-811

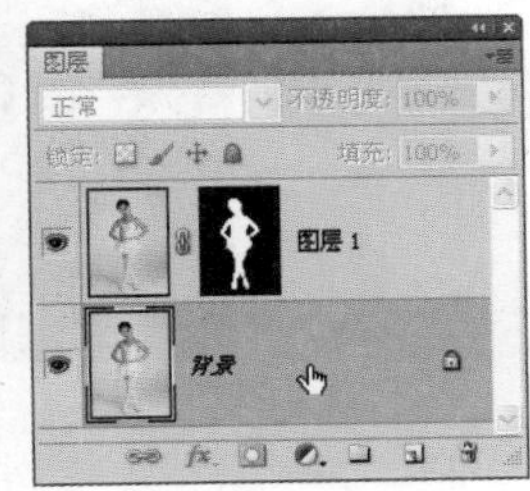

图22-812

4 选择渐变工具，在“渐变编辑器”中调整渐变颜色，如图22-813所示。按下工具选项栏中的径向渐变按钮，在画面中填充径向渐变，如图22-814所示。

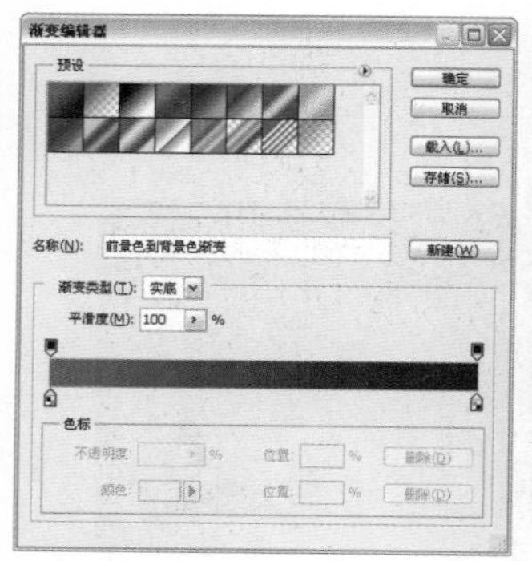

图22-813

图22-814

5 背景重新填色后，选择“图层1”。单击“调整”面板中的按钮，在“图层1”上方创建“曲线”调整图层，将曲线向下调整，使图像变暗，如图22-815所示。

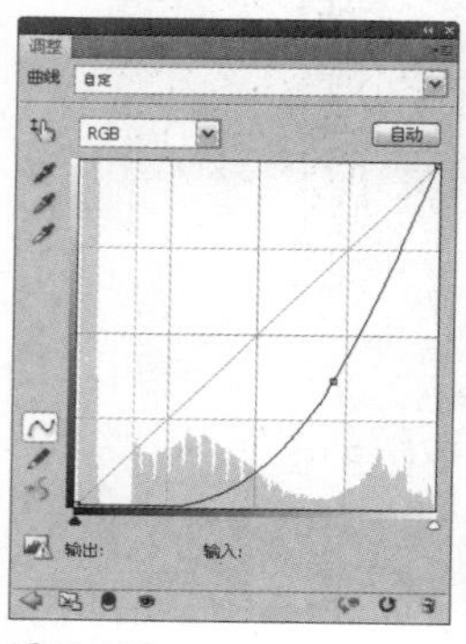

图22-815

6 单击“调整”面板底部的按钮，将调整图层创建为剪贴蒙版。使用柔角画笔工具在女孩的皮肤上涂抹黑色，恢复皮肤色调，再将画笔工具的不透明度设置为20%，在上衣上涂抹灰色。灰色区域表示受调整图层的影响小，不如白色区域那么明显，如图22-816所示。

图22-816

7 单击“调整”面板底部的按钮，显示调整工具，单击按钮创建“色相/饱和度”调整图层，调整色相参数，使颜色偏红，如图22-817所示。再按下按钮，使调整图层不对背景产生影响。

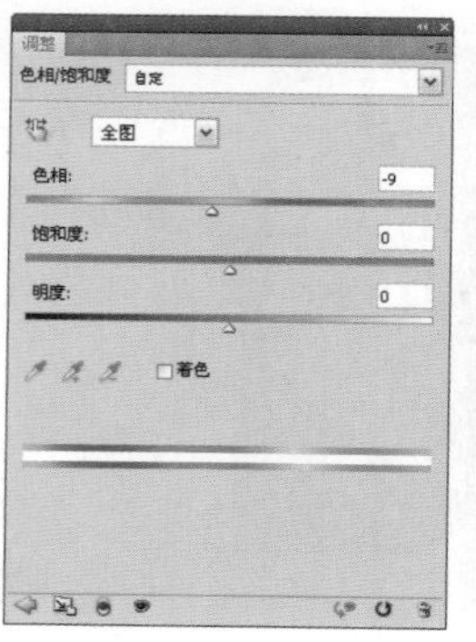

图22-817

8 将前景色设置为黑色。在渐变下拉面板中选择“前景色到透明渐变”。新建一个图层，设置不透明度为60%，在画面底部填充一个线性渐变，如图22-818所示。

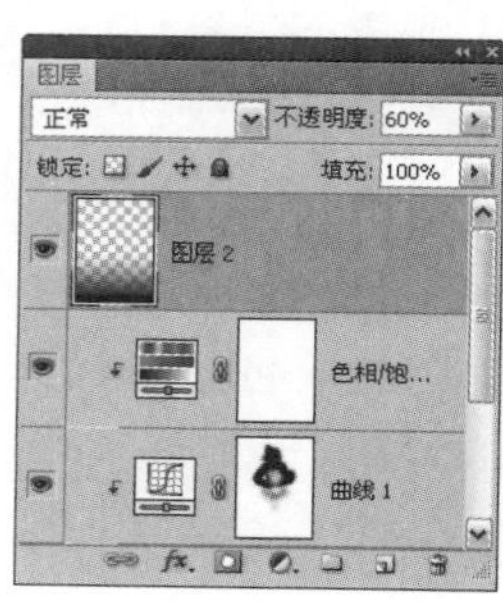

图22-818

9 使用椭圆选框工具绘制一个选区，如图22-819所示。新建一个图层。将前景色设置为深红色（R129、G46、B35）。按下Alt+Delete键填充前景色，如图22-820所示。将光标放在选区内，向下拖动将选区下移，如图22-821所示。

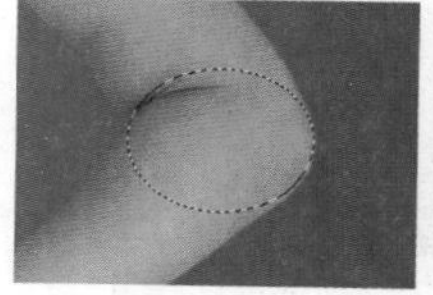

图22-819

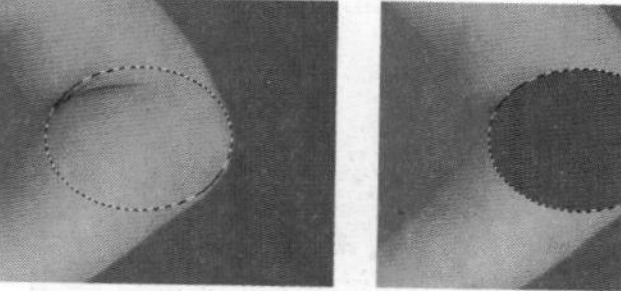

图22-820

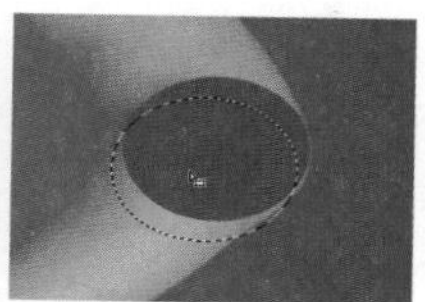

图22-821

10 执行“选择>变换选区”命令，在选区上显示定界框，如图22-822所示；按住Ctrl键拖动定界框的右上角，对选区进行调整，如图22-823所示；按下回车键确认操作，按下Delete键删除选区内的图像，按下Ctrl+D快捷键取消选择，如图22-824所示。

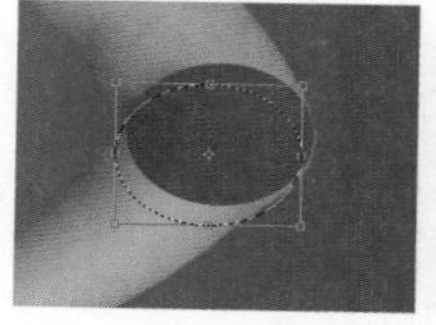

图22-822

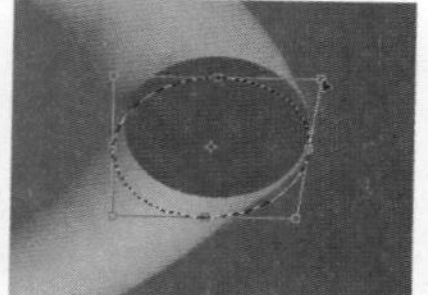

图22-823

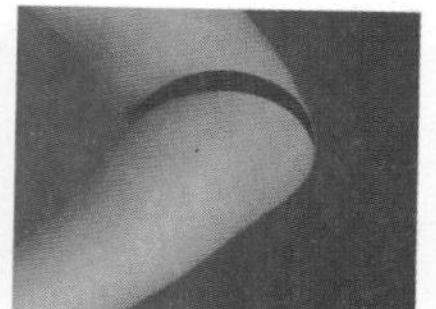

图22-824

11 用同样方法绘制关节位置的切面图形，如图22-825所示。

图22-825

12 单击按钮锁定图层的透明像素，如图22-826所示。将前景色设置为黑色。选择一个柔角画笔工具，将不透明度设置为20%，绘制出切面的明暗变化，如图22-827、图22-828所示。

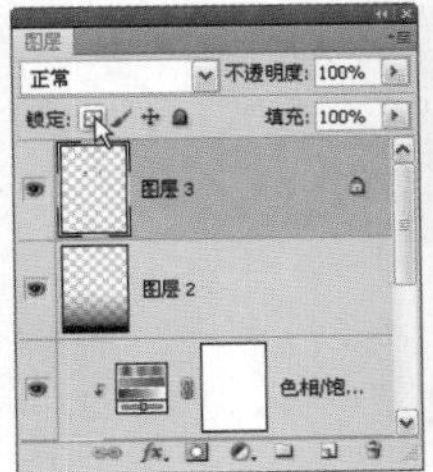

图22-826

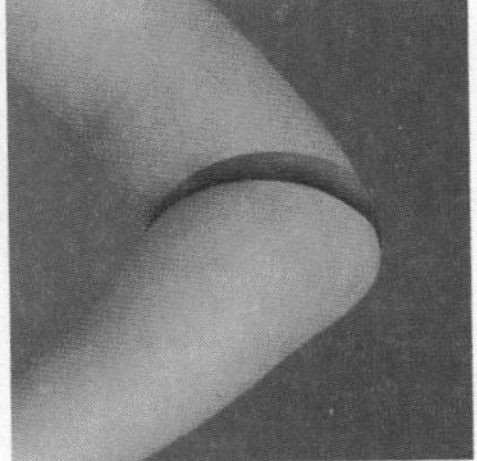

图22-827

图22-828

13 新建一个图层。使用画笔工具（尖角9px，不透明度100%）绘制直线，连接在女孩的关节位置上。绘制时可先在关节上单击，然后按住Shift键在画面上方边缘位置再次单击，使两点之间自动连成直线，效果如图22-829所示。锁定该图层的透明像素，选择一个柔角画笔（不透明度为40%），将前景色设置为红色，在直线上着一些红色，与环境光线相协调，如图22-830所示。

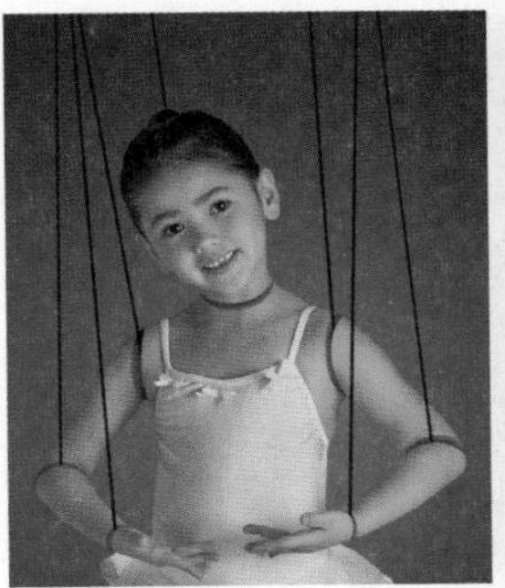

图22-829

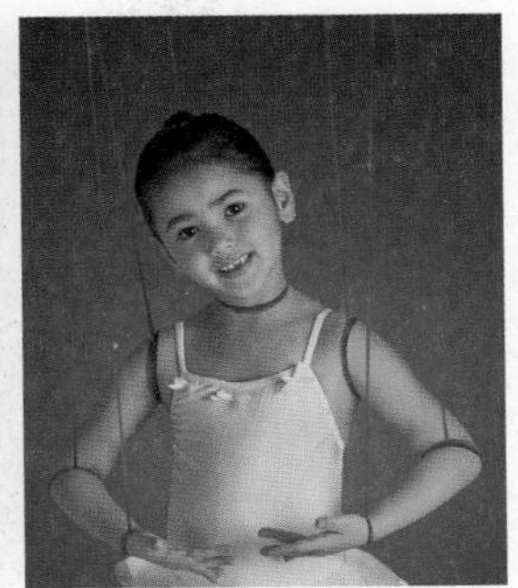

图22-830

14 双击该图层，打开“图层样式”对话框，在左侧列表选择“斜面和浮雕”效果，如图22-831所示。

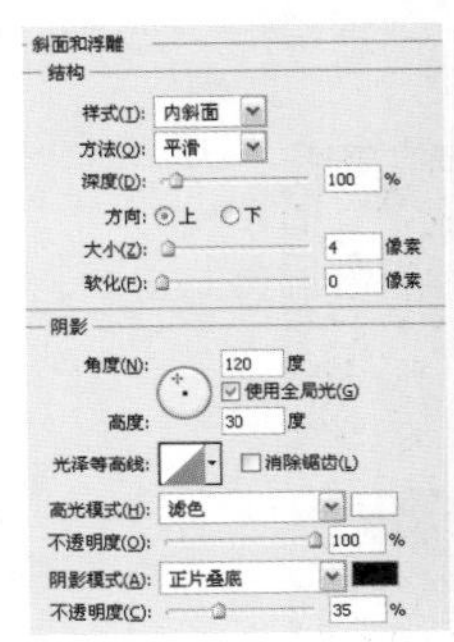

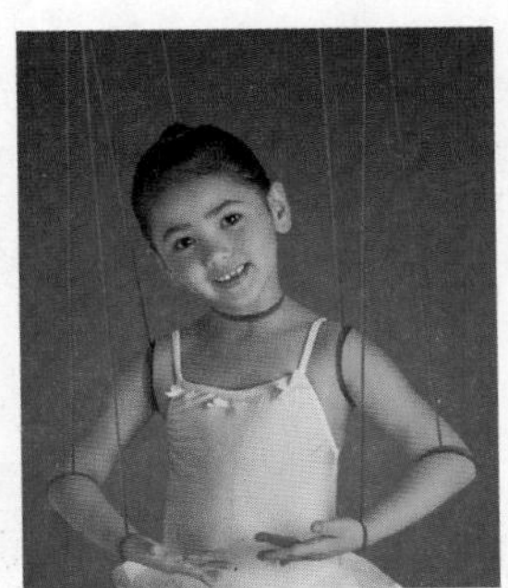

图22-831

15 在“背景”图层上方新建一个图层，使用与背景色接近的颜色绘制两条连接腿部的直线，最终效果如图22-832所示。

图22-832

22.45 精通创意设计：草莓牛仔

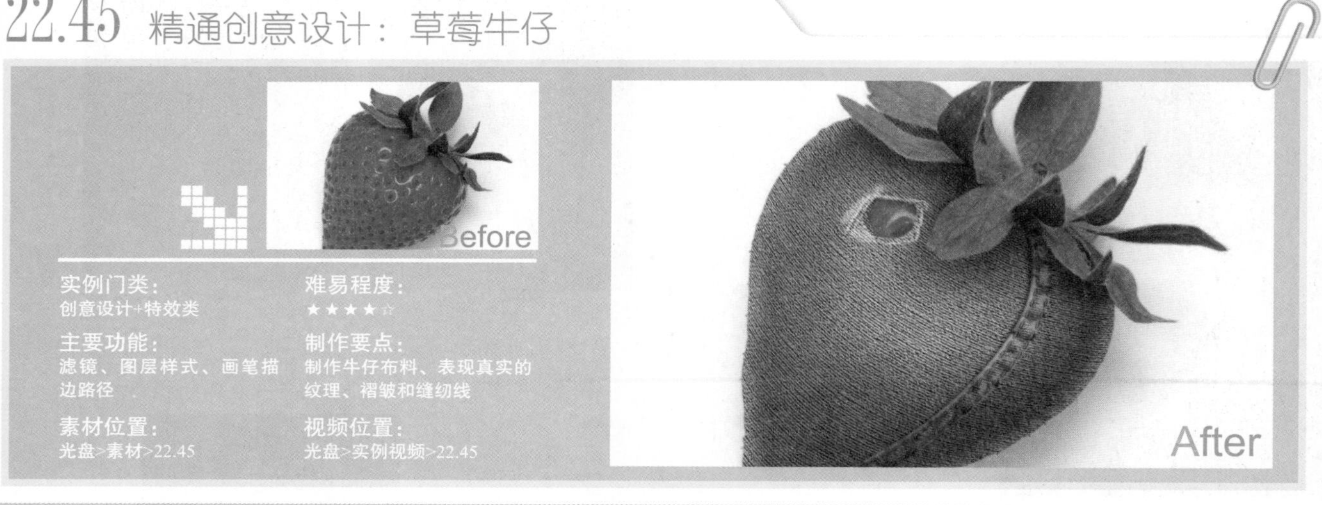

1 打开一个文件，这是一个包含草莓路径的JPEG格式文件，如图22-833所示。

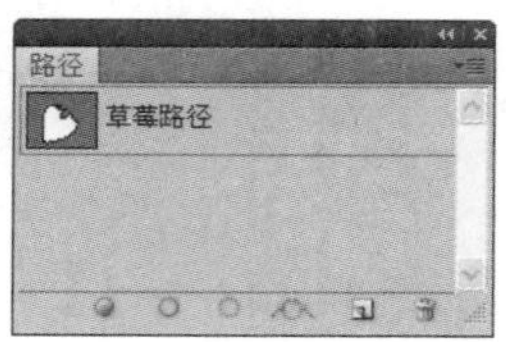

图22-833

2 按住Ctrl键单击“路径”面板中的“草莓路径”，载入选区，按下Ctrl+J快捷键将草莓复制到一个新的图层中，如图22-834所示。

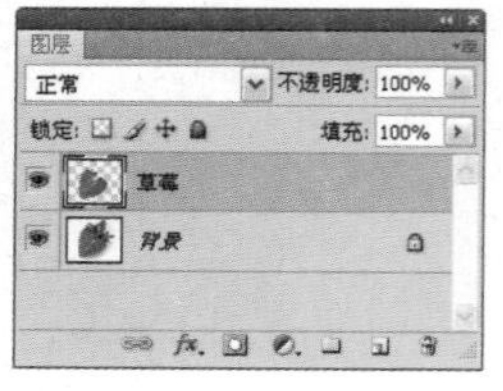

图22-834

3 创建一个“布纹”的图层。将前景色设置为蓝色，选择矩形工具，按下填充像素按钮，绘制一个蓝色矩形，如图22-835所示。

图22-835

4 执行“滤镜>纹理>纹理化”命令，通过添加纹理制作出牛仔布纹，如图22-836所示。

图22-836

5 将图层的不透明度设置为60%，使布纹下的草莓轮廓显现出来，以便于下一步操作。按下Ctrl+T快捷键显示定界框，在工具选项栏中按下按钮锁定图像的长宽比，设置放大倍数为130%、旋转角度为32.6度，如图22-837所示。

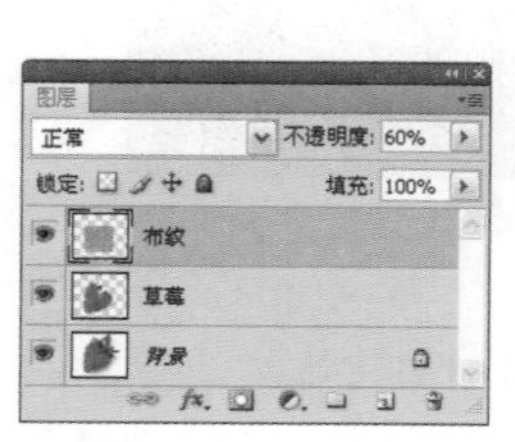

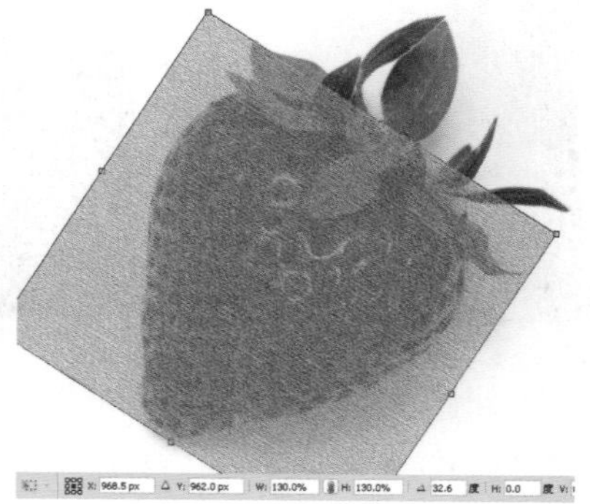

图22-837

6 单击右键选择“变形”命令，拖动顶角控制点调整图像形状，拖动网格和控制手柄调整图像的纹理，使布的纹理符合草莓的结构，如图22-838所示，按下回车键确认。

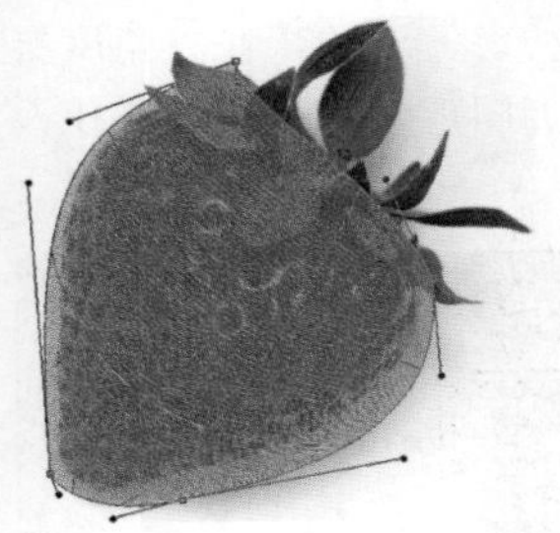

图22-838

7 将“布纹”图层的不透明度恢复为100%，按下Alt+Ctrl+G快捷键创建剪贴蒙版，使布纹只在“草莓”区域内显示，如图22-839所示。

图22-839

8 在“路径”面板中创建一个名称为“折边”的路径层。使用钢笔工具绘制路径，如图22-840所示。按下Ctrl+回车键转换为选区，按下Ctrl+J快捷键复制到新的图层中，修改图层的名称为“折边”。

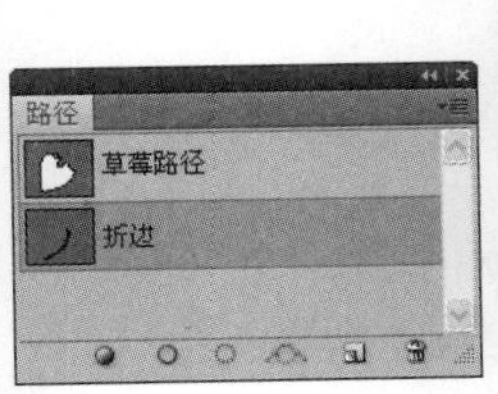

图22-840

9 为“折边”图层添加“斜面和浮雕”、“内发光”和“投影”效果，如图22-841、图22-842所示。

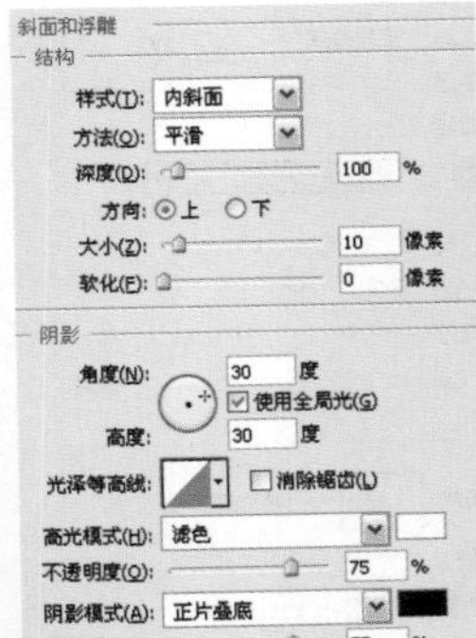

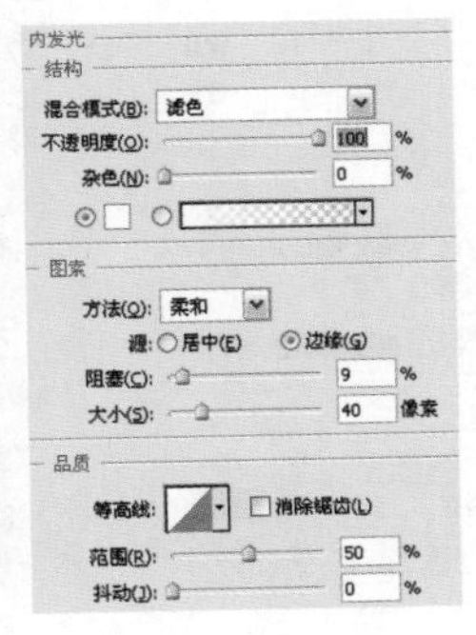

图22-841

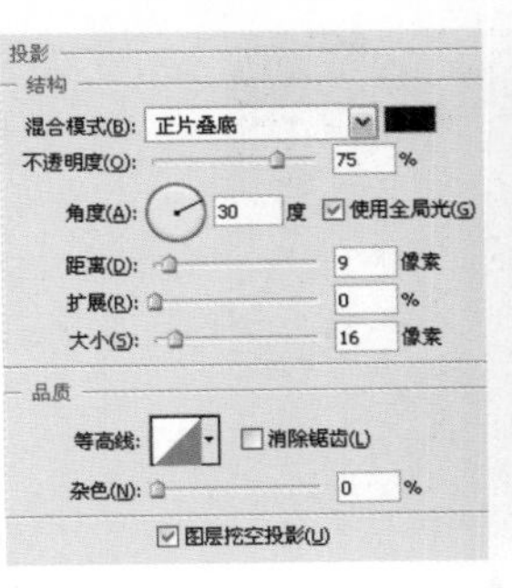

图22-842

10 按住Ctrl键单击按钮，在“折边”图层下面创建新的图层，如图22-843所示，按住Ctrl键选择“图层1”和“折边”图层，按下Ctrl+E快捷键合并，如图22-844所示，将效果应用到图像中。

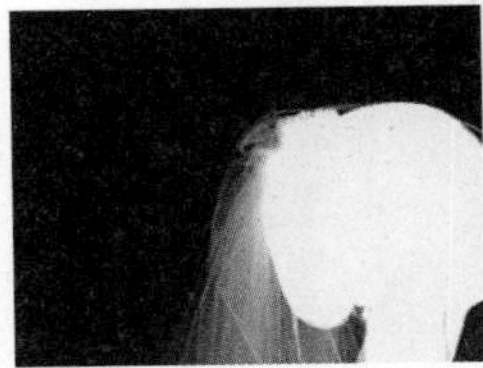

图22-843

图22-844

11 按下Alt+Ctrl+G快捷键创建剪贴蒙版，然后再添加一个图层蒙版。使用画笔工具（柔角，125px，不透明度80%）在图像的右边缘涂抹，利用蒙版将折边的右边隐藏，使它与布纹的结合更加自然，如图22-845所示。

图22-845

12 创建一个名称为“折边明暗”的图层，按住Ctrl键单击“路径”面板中的“折边”路径，载入选区。选择画笔工具，适当调整前景色和画笔的大小绘制折边上的皱褶，如图22-846所示，然后取消选择。

图22-846

13 将图层的混合模式设置为“强光”，按下Alt+Ctrl+G快捷键创建剪贴蒙版，如图22-847所示。

图22-847

14 分别在“图层”和“路径”面板中创建“缝纫线”图层和路径，如图22-848所示。使用钢笔工具绘制路径段，如图22-849所示。

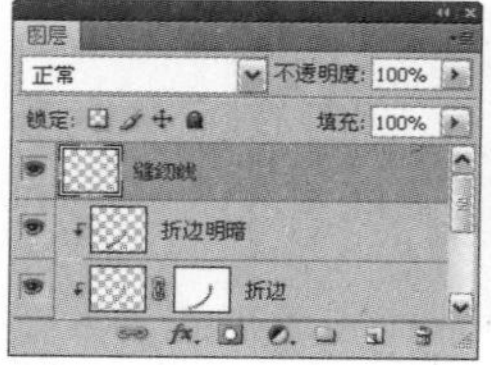

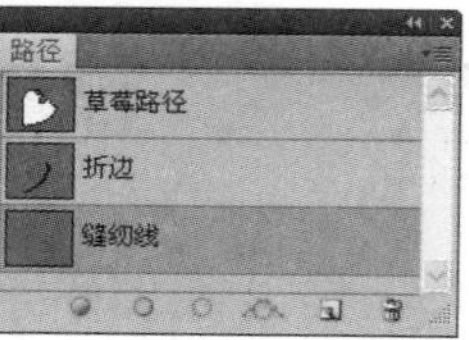

图22-848

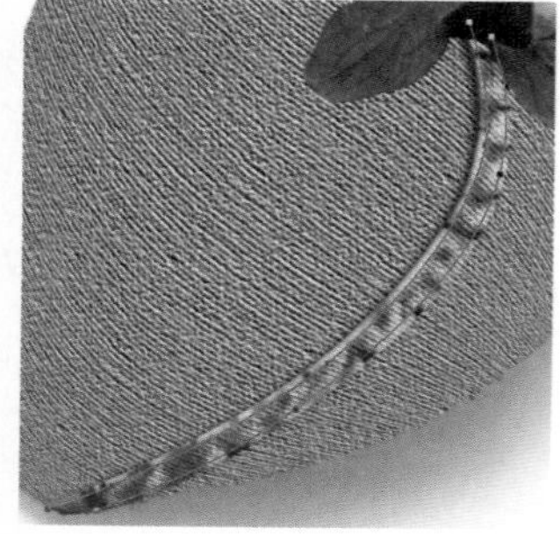

图22-849

15 使用路径选择工具选择这两段路径。将前景色设置为浅黄色，选择画笔工具，打开“画笔”面板，选择尖角25px画笔，设置圆度为25%，间距为600%，如图22-850所示。选择左侧列表中的“形状动态”选项，在“角度抖动”控制中选择“方向”，使笔尖图形随路径方向变化，如图22-851所示。

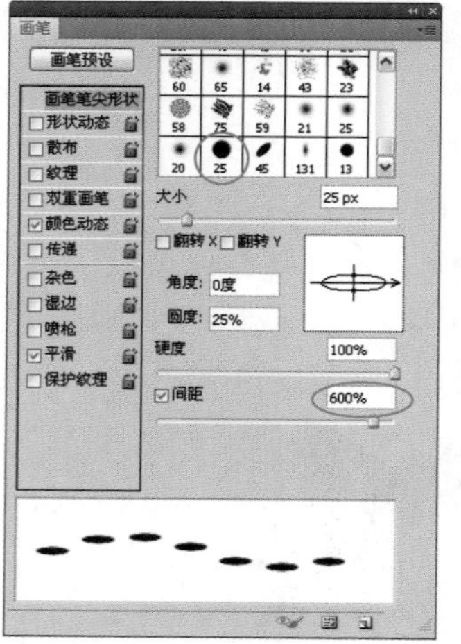

图22-850

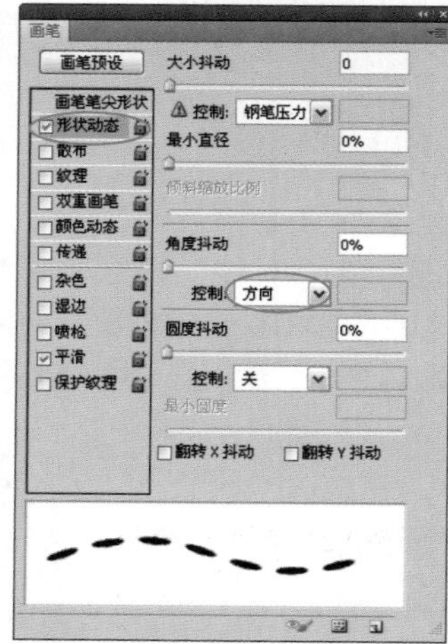

图22-851

16 单击“路径”面板中的按钮，对路径进行描边，制作出缝纫线，如图22-852所示。

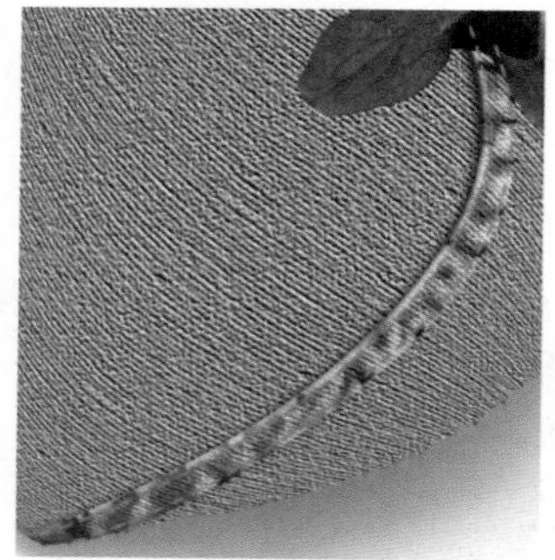

图22-852

17 为该图层添加“斜面和浮雕”和“外发光”效果，使缝纫线更加真实，如图22-853、图22-854所示。

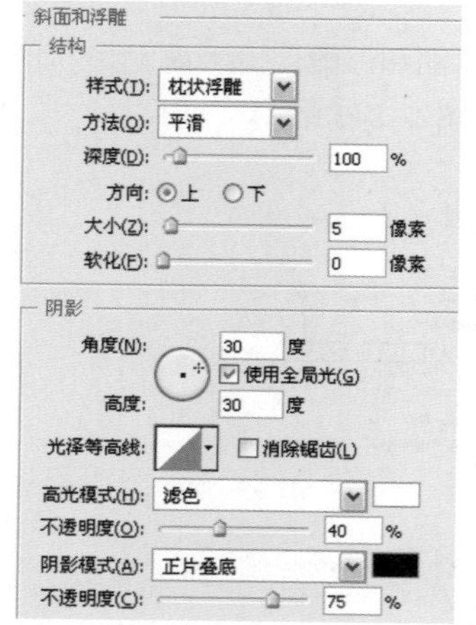

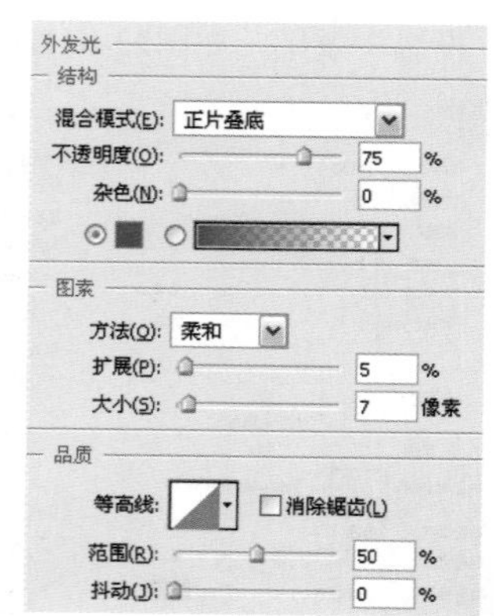

图22-853

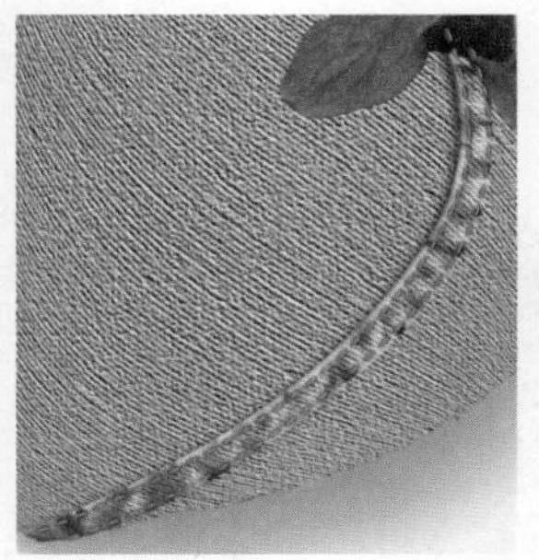
图22-854

18 按下Alt+Ctrl+G快捷键创建剪贴蒙版，隐藏缝纫线的多余部分。创建一个名称为“明暗”的图层。按住Ctrl键单击“草莓”图层的缩览图载入选区，选择一个柔角画笔工具，适当调整前景色和画笔的不透明度，绘制草莓的明暗关系，然后取消选择，如图22-855所示。设置图层的混合模式为“正片叠底”，使明暗关系更加自然，如图22-856所示。

图22-855

图22-856

19 创建一个名称为“毛边”的图层，使用画笔工具（柔角）绘制一个类似于破洞的毛边，如图22-857所示。设置图层的混合模式为“线性光”，使它融入布料中，如图22-858所示。

图22-857

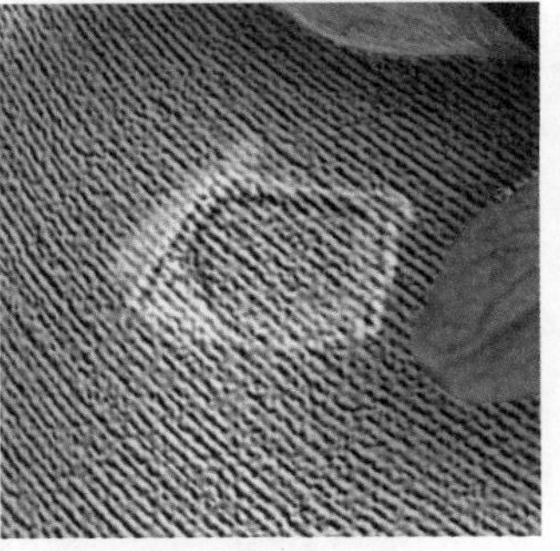
图22-858

20 使用多边形套索工具（羽化1px）根据破洞的形状创建选区，如图22-859所示。选择“背景”图层，按下Ctrl+J快捷键将选区内的草莓图像复制到一个新的图层中，按下Shift+Ctrl+］快捷键移动到面板的最顶层，如图22-860所示。

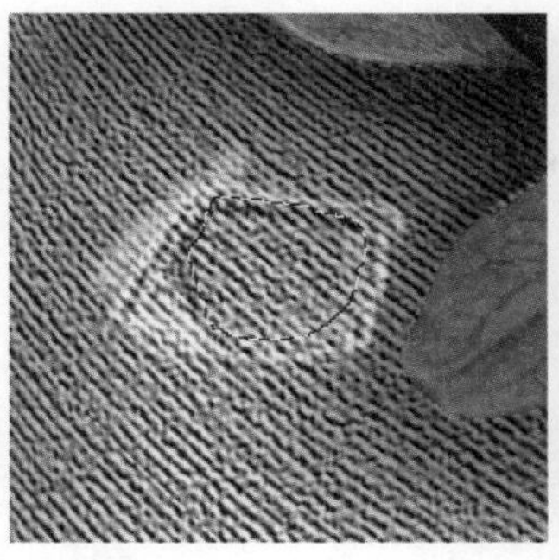
图22-859

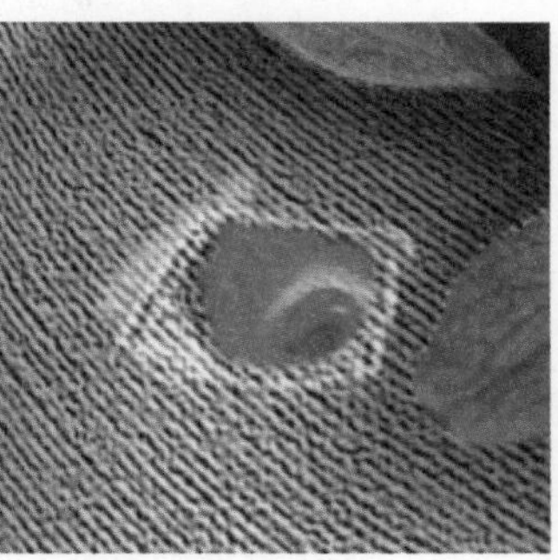
图22-860

21 添加“内投影”效果，使复制图像呈现从破洞里露出的效果，如图22-861所示。

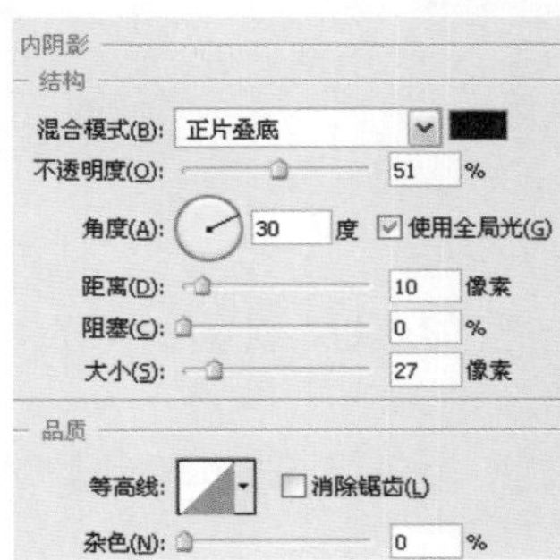

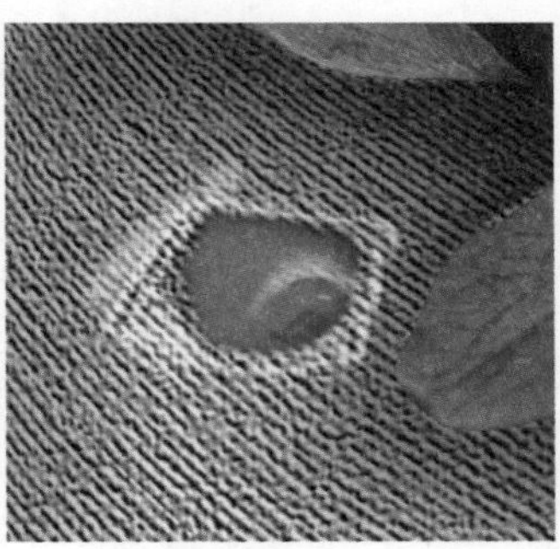
图22-861

22 选择“背景”图层，单击“调整”面板中的按钮，显示“色相/饱和度”设置选项，对草莓的绿叶进行调整，如图22-862所示。

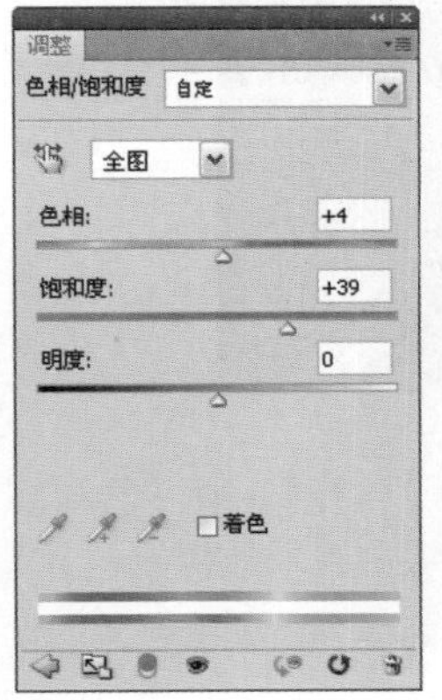

图22-862

22.46 精通创意设计：水珠人物

1 按下Ctrl+N快捷键打开“新建”对话框，创建一个21×29.7厘米、300像素/英寸的文档。

2 将“背景”填充为黑色。新建一个图层，选择一个柔角画笔，绘制如图22-863所示的舞台空间。

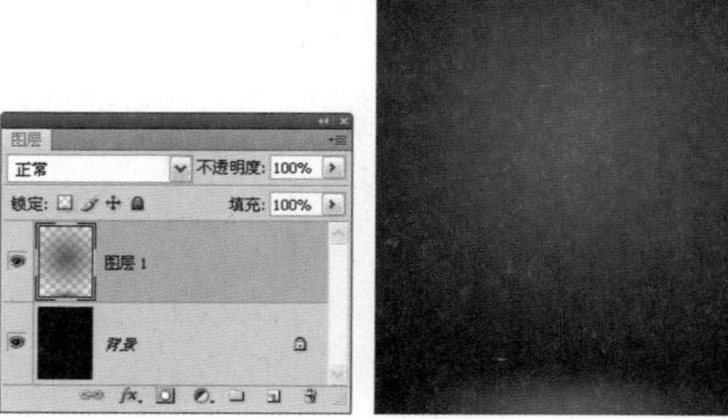

图22-863

3 打开一个文件，如图22-864所示。执行“选择>色彩范围”命令，打开“色彩范围”对话框，取消“本地化颜色簇”的勾选，将光标放在背景上单击，然后调整“颜色容差”滑块，如图22-865所示。

4 单击“确定”按钮关闭对话框，选择水珠，如图22-866所示。按下Shift+Ctrl+I快捷键反选，使用移动工具将水珠拖动到另一个文档中，如图22-867所示。

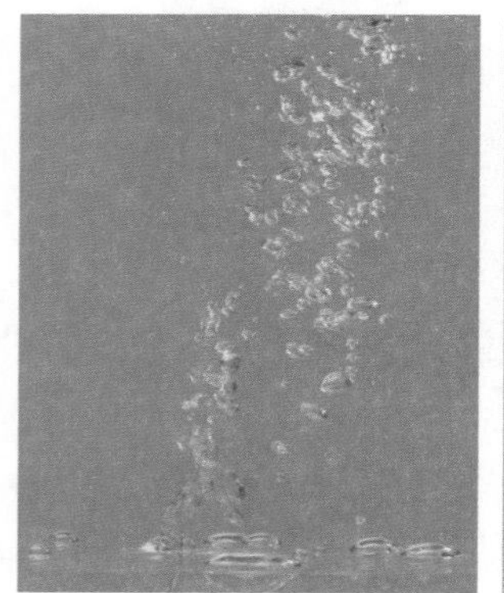

图22-864

图22-865

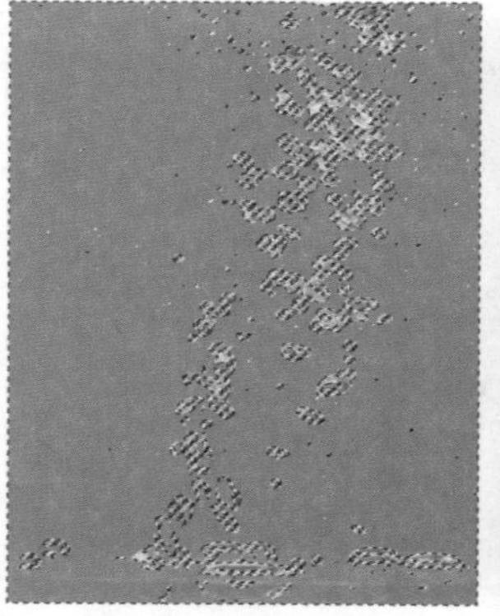

图22-866

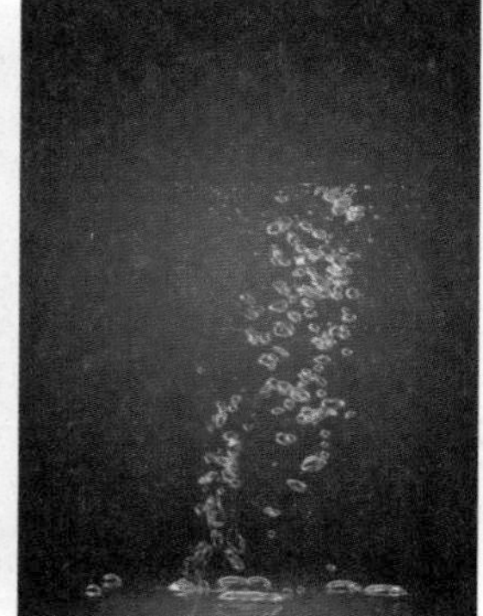

图22-867

5 单击添加蒙版按钮，为水珠图层添加蒙版。使用柔角画笔在画面中涂抹黑色，减少水珠的数量，如图22-868所示。

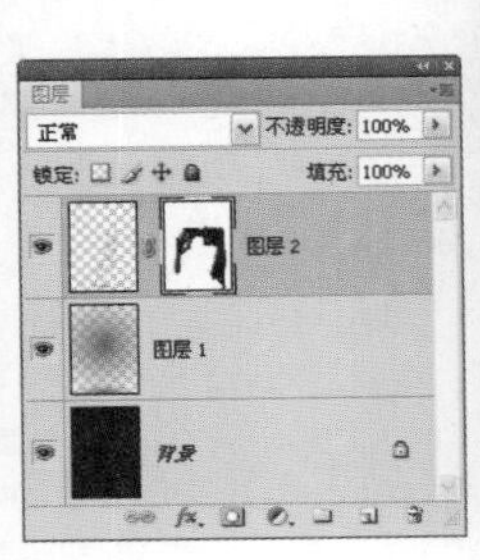

图22-868

6 按下Ctrl+J快捷键复制水珠图层，单击“图层2副本”的蒙版，将它填充为白色。按下Ctrl+T快捷键显示定界框，在图像上单击右键，选择“水平翻转”命令翻转图像，然后再进行旋转，如图22-869所示，按下回车键确认。

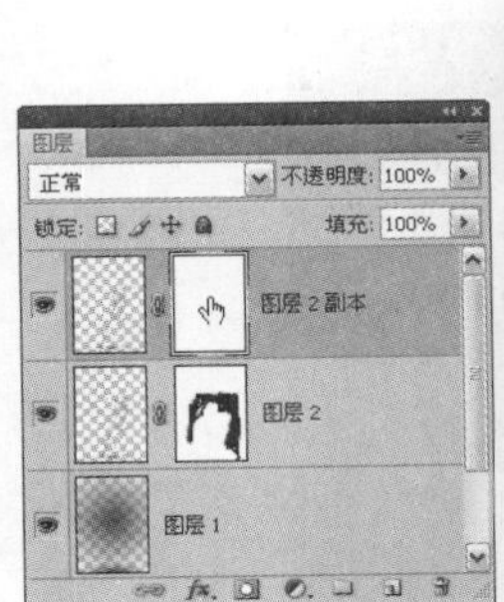
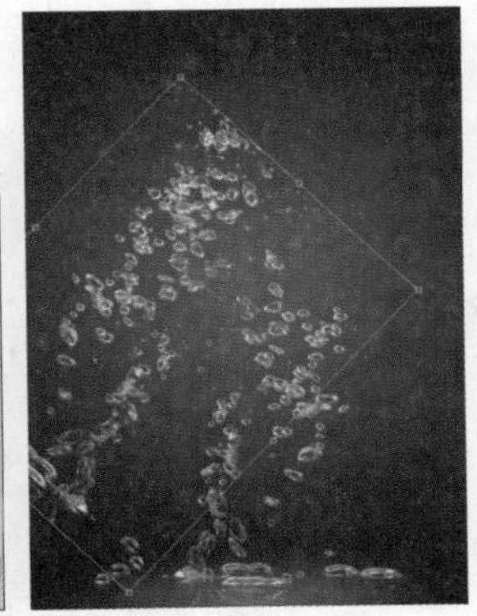

图22-869

7 用柔角画笔在画面中涂抹黑色，减少水珠的数量，如图22-870所示。

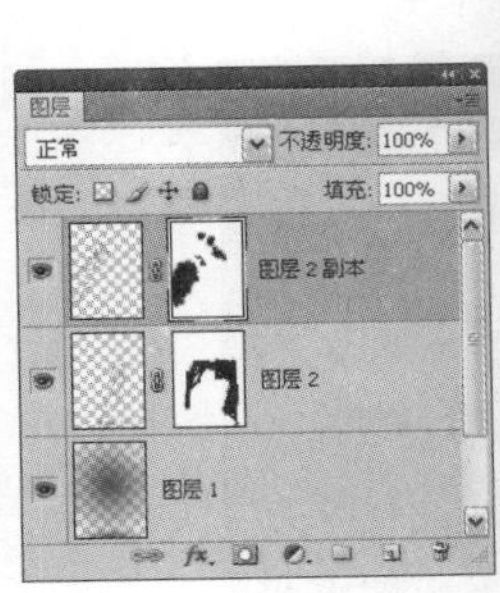
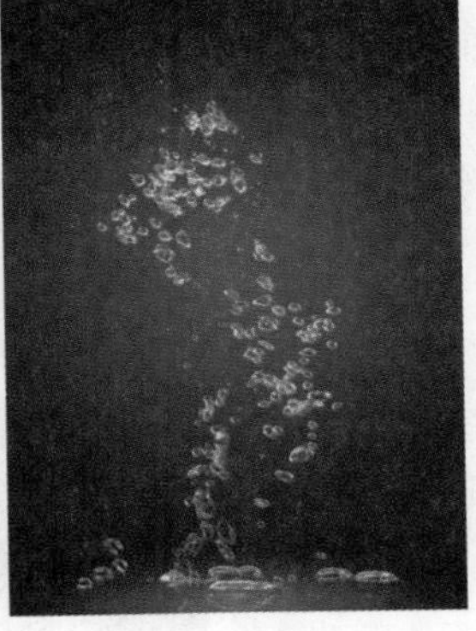

图22-870

8 选择“图层2”，如图22-871所示。按下Ctrl+J快捷键再复制一个水珠图层，再按下Ctrl+]快捷键，将该图层调整到面板的最顶层，如图22-872所示。

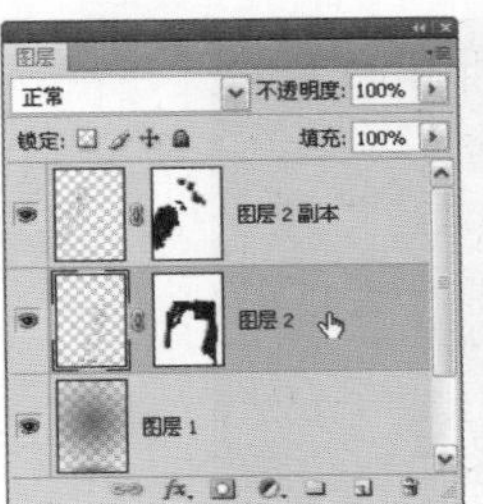

图22-871

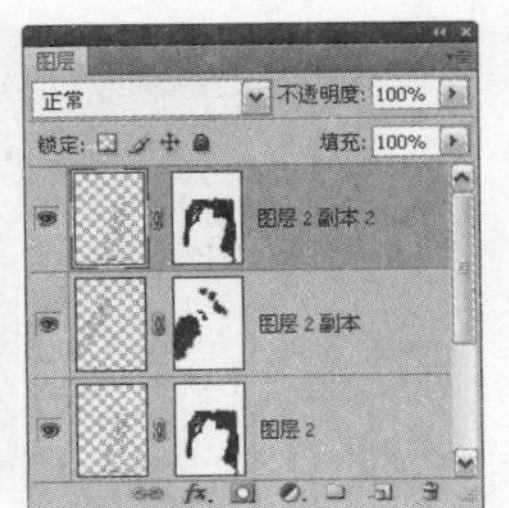

图22-872

9 将该图层的蒙版填充为白色，按下Ctrl+T快捷键显示定界框，将图像朝逆时针方向旋转，如图22-873所示，按下回车键确认。

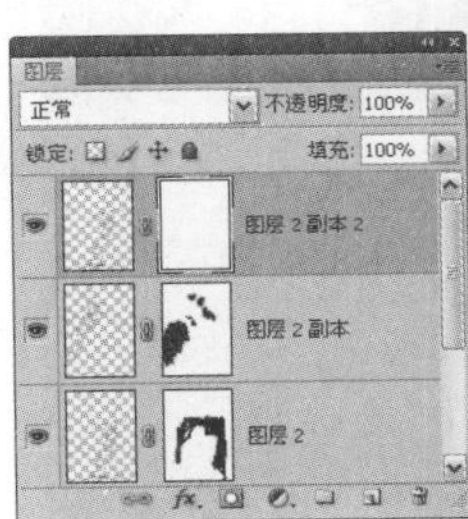
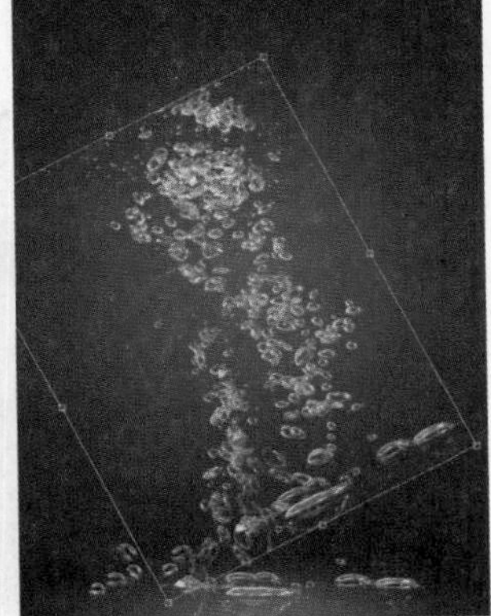

图22-873

10 选择该图层的蒙版，用柔角画笔处理水珠，如图22-874所示为隐藏其他水珠图层的效果，图22-875所示为显示所有水珠的效果。

图22-874

图22-875

11 单击“调整”面板中的按钮，添加一个“色相/饱和度”调整图层调整图像颜色，如图22-876所示。

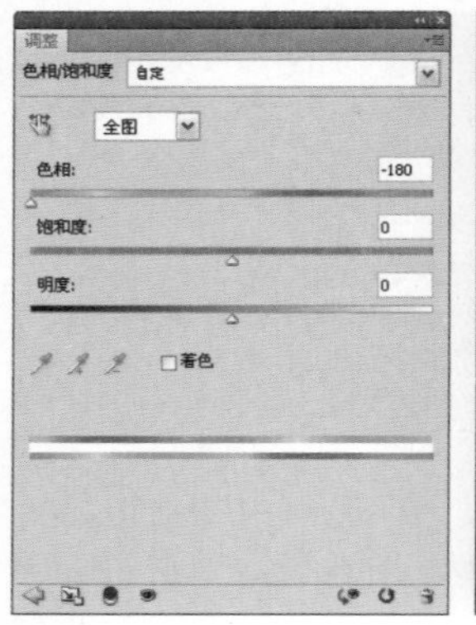
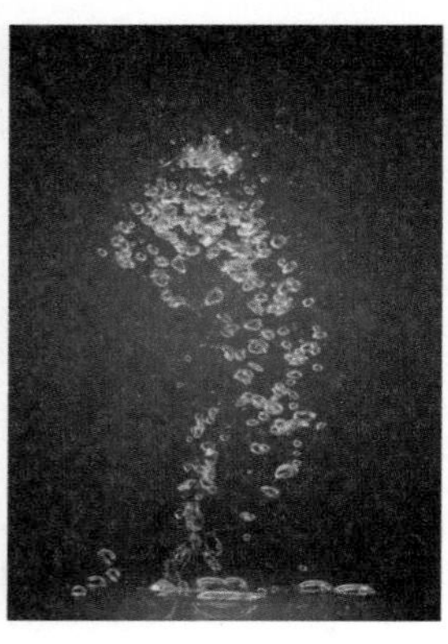

图22-876

12 打开一个文件，如图22-877所示，将它拖动到水珠文档中，如图22-878所示。

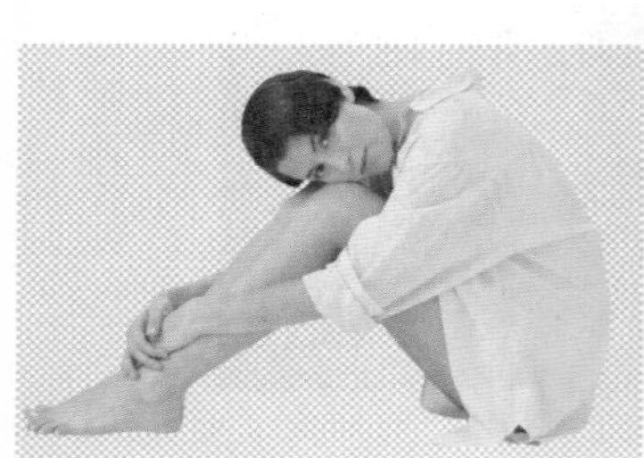

图22-877　图22-878

13 单击添加蒙版按钮，为人物图层添加蒙版，使用画笔在人物的腿部涂抹黑色，将其遮盖，如图22-879所示。

图22-879

14 单击“调整”面板中的按钮，添加一个“通道混合器”调整图层，在“输出通道”中分别选择红、绿、蓝通道进行调整，如图22-880所示。

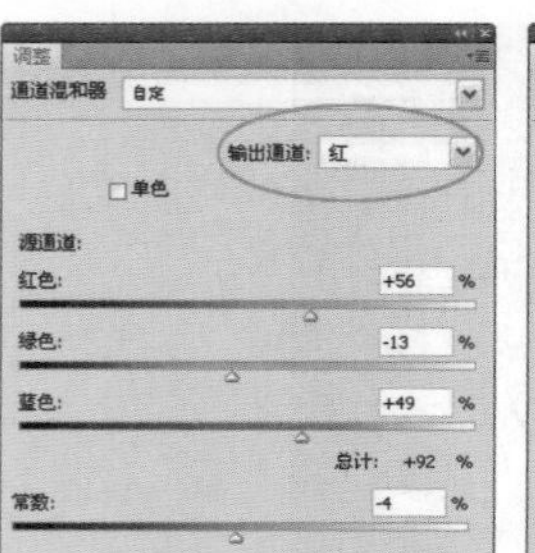
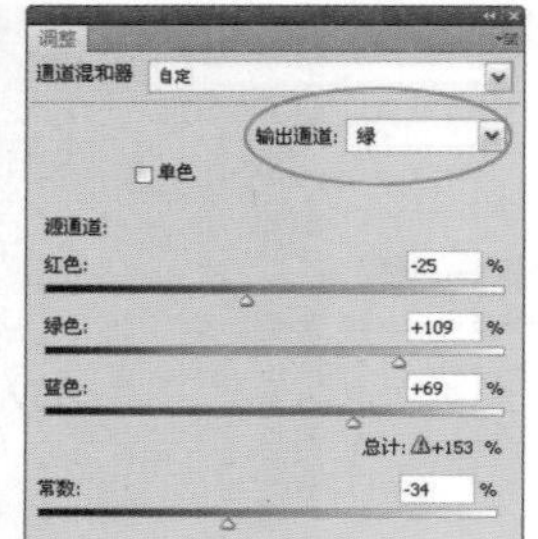
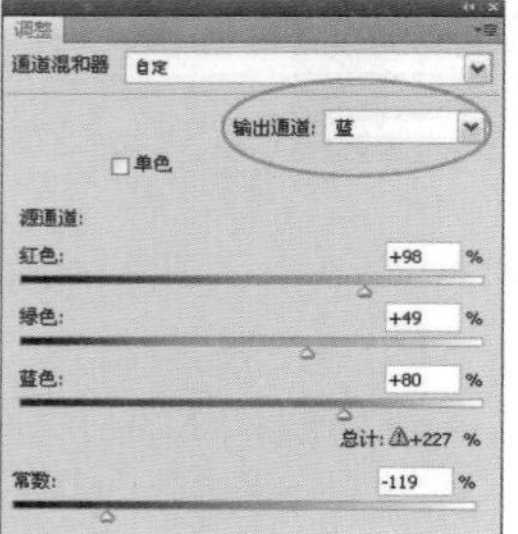

图22-880

15 按下“调整”面板中的按钮，创建剪贴蒙版，使调整图层只影响人物图层，如图22-881所示。

图22-881

16 单击“调整”面板中的按钮，添加一个“色相/饱和度”调整图层，按下“调整”面板中的按钮，创建剪贴蒙版，如图22-882所示。

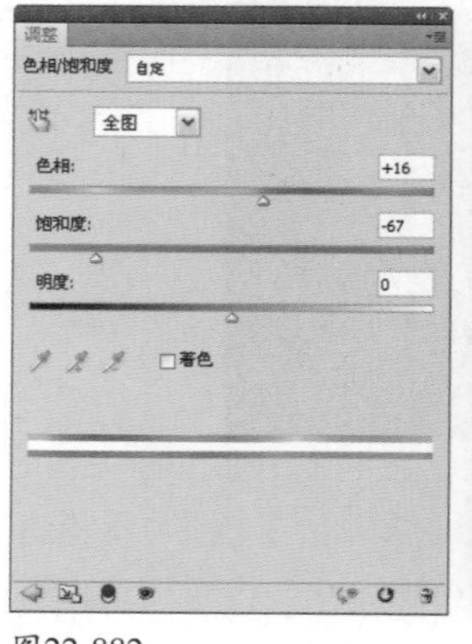

图22-882

22.47 精通图像合成：突破

实例门类：图像合成+创意设计类

难易程度：★★★★☆

主要功能：调整图层、图层样式

制作要点：使用图层样式表现裂口，再对画面进行统一调整

素材位置：光盘>素材>22.47a~22.47c

视频位置：光盘>实例视频>22.47

1 打开一个文件，如图22-883所示。

图22-883

2 按下"调整"面板中的按钮，显示"色相/饱和度"选项，降低图像的饱和度，如图22-884所示。

图22-884

3 新建一个图层，使用画笔工具（尖角）在人物的脸颊处绘制出一个裂口，如图22-885所示。

4 选择多边形套索工具（羽化1px），在裂口图形的右侧创建选区。在"裂口"图层的下面创建一个名称为"卷边"的图层，将前景色设置为接近肤色的浅黄色，按下Alt+Delete快捷键填充前景色，如图22-886所示，然后取消选择。

图22-885

图22-886

提示 裂口的下边的颜色应当偏黄。裂口的右边缘可适当使用橡皮工具（柔角）进行处理，使它更加自然、柔和。

5 为图层添加"投影"、"内发光"和"渐变叠加"效果，制作出纸裂开后的卷边效果，如图22-887、图22-888所示。

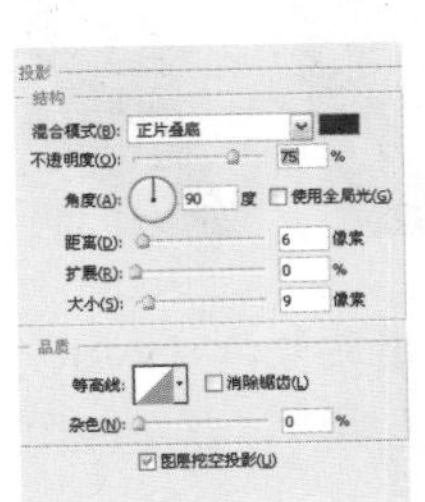
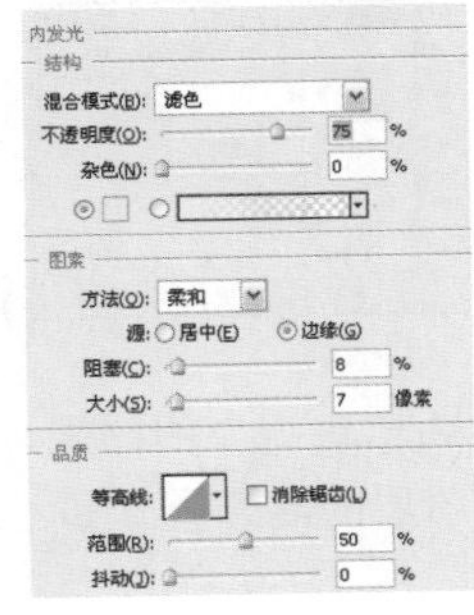

图22-887

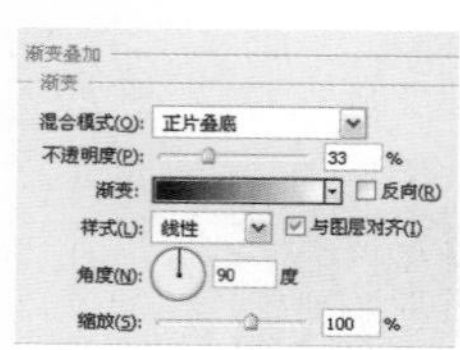

图22-888

6 打开一个文件，如图22-889所示。将它拖入当前文档中，放在“裂口”图层的上面，将马适当缩小并放到裂口处，如图22-890所示。

图22-889　　图22-890

7 单击按钮添加蒙版，使用画笔工具（柔角，100px）在马的后半身涂抹，靠近裂口处时应将画笔调小（可按下“[”键）细致涂抹，使图像边缘与裂口的衔接准确，制作出马从裂口跳出的效果，如图22-891所示。

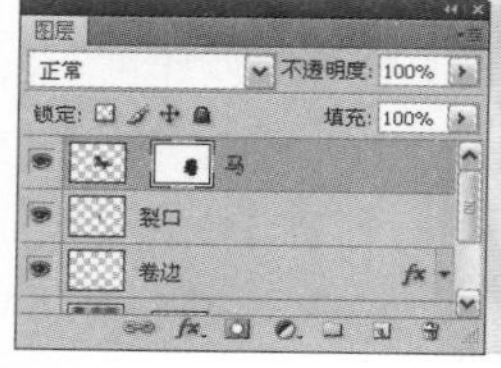

图22-891

8 按下“调整”面板中的按钮，显示“色阶”设置选项，调整色阶使图像变亮。按下Alt+Ctrl+G快捷键创建剪贴蒙版，使色阶调整图层只作用于“马”图层，如图22-892所示。

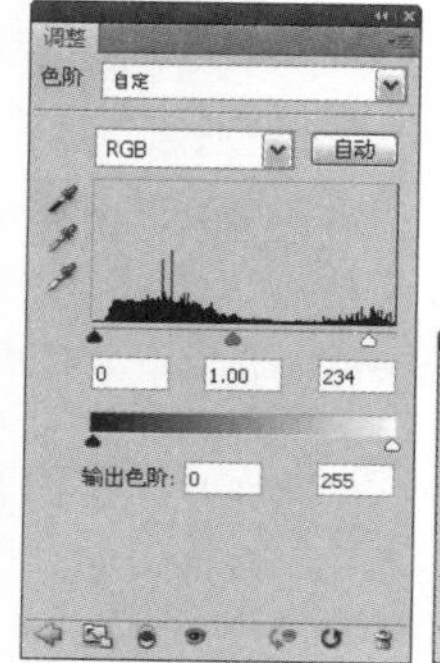

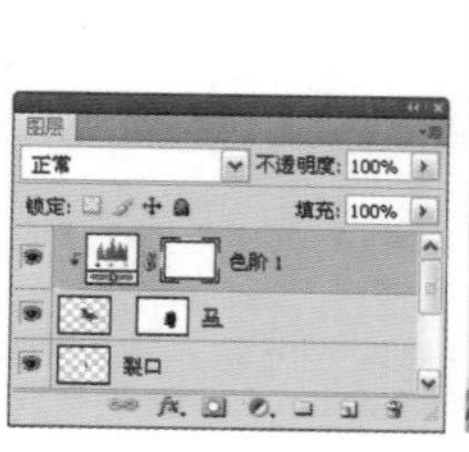

图22-892

9 创建一个名称为“色调”的图层，填充棕色（R70、G38、B4）。修改图层的混合模式和不透明度，以加深图像，如图22-893所示。

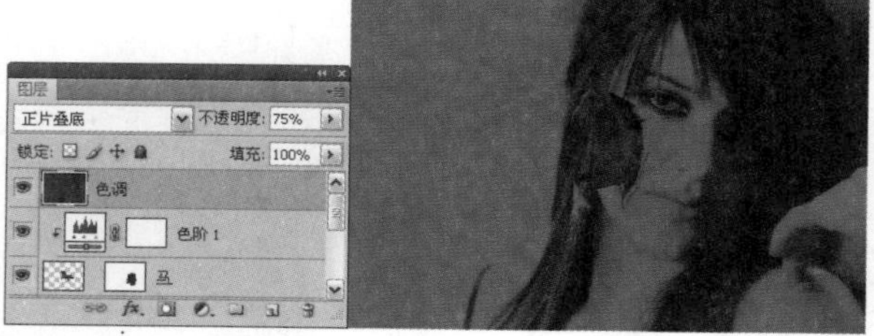

图22-893

10 为该图层添加蒙版。使用画笔工具（柔角，500px，不透明度80%）在画面中央涂抹，生成一处类似光照的效果，使视点集中在马上面，如图22-894所示。

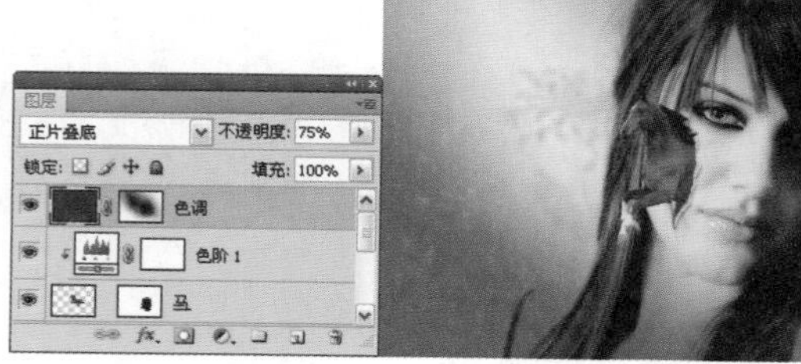

图22-894

11 按住Alt键单击按钮，创建一个名称为“加深”，模式为“正片叠底”的图层。将前景色设置为深灰色，使用画笔工具在画面下面的两个角涂抹，加深这两个区域，使画面色调的变化更加丰富，调整该图层的不透明度为50%，使画面色调的变化更加微妙，如图22-895所示。

图22-895

12 打开一个文件，将它拖入当前文档中，放在画面左侧，如图22-896所示。

图22-896

22.48 精通图像合成：菠萝城堡

1 按下Ctrl+O快捷键，打开一个文件，如图22-897所示。

图22-897

2 选择渐变工具，单击工具选项栏中的按钮，打开“渐变编辑器”调整渐变颜色。新建一个图层，按住Shift键由上至下拖动鼠标，填充线性渐变，如图22-898所示。

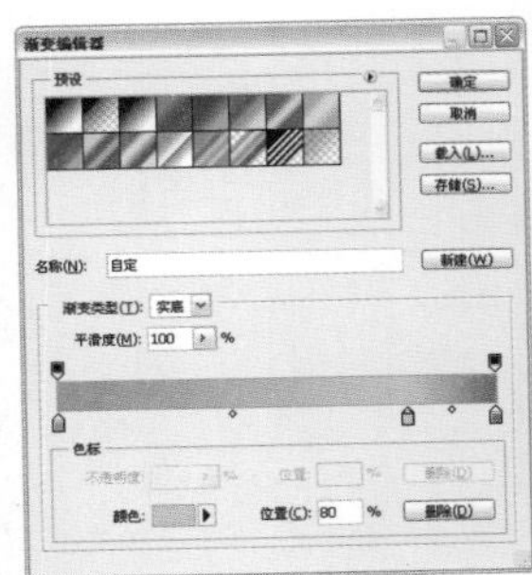

图22-898

3 设置混合模式为“强光”，使画面颜色变得明亮纯净，如图22-899所示。

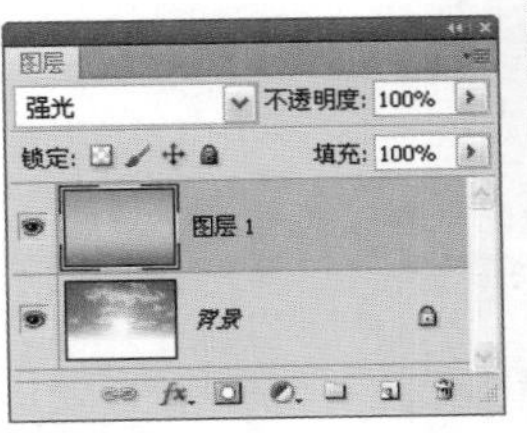

图22-899

4 按下Ctrl+O快捷键，打开一个文件，如图22-900所示。使用移动工具将沙粒图像拖到菠萝城堡文档中。按下Ctrl+T快捷键显示定界框，调整图像的高度，按下回车键确认操作，如图22-901所示。

图22-900

图22-901

5 单击“图层”面板底部的按钮，创建图层蒙版。使用渐变工具填充线性渐变，操作时起点应在沙粒图像内，才能将沙粒图像的边缘隐藏，如图22-902、图22-903所示，将两幅图像合成在一起。

图22-902

图22-903

6 新建一个图层，设置混合模式为“叠加”，不透明度为35%。将前景色设置为黑色，在渐变下拉面板中选择“前景色到透明渐变”，由画面下方向上拖动鼠标填充渐变，使沙粒色调变浓，如图22-904所示。按下Shift+Ctrl+E快捷键合并图层。

图22-904

7 按下Ctrl+O快捷键，打开一个文件，如图22-905所示。使用移动工具将菠萝拖到菠萝城堡文档中，执行“编辑>变换>旋转90度（顺时针）”命令，如图22-906所示。

图22-905

图22-906

8 单击“图层”面板底部的按钮，添加图层蒙版。选择画笔工具，在画笔下拉面板中选择“半湿描边油彩笔”，如图22-907所示。在菠萝底部涂抹黑色，使其隐藏到沙粒中。再使用柔角画笔在菠萝叶的边缘上涂抹灰色，如图22-908、图22-909所示。

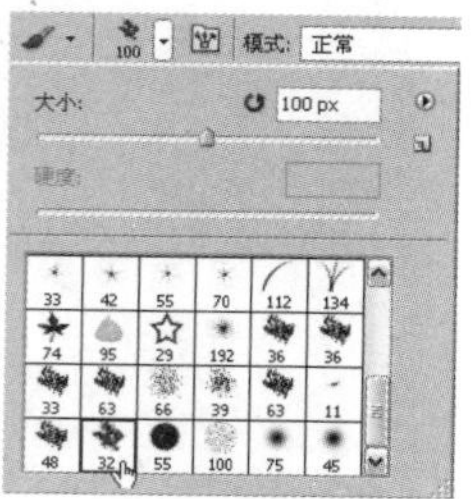
图22-907

图22-908

图22-909

9 按下Ctrl+J快捷键复制该图层，如图22-910所示。执行“滤镜>模糊>高斯模糊”命令，设置模糊半径为10像素，如图22-911、图22-912所示。

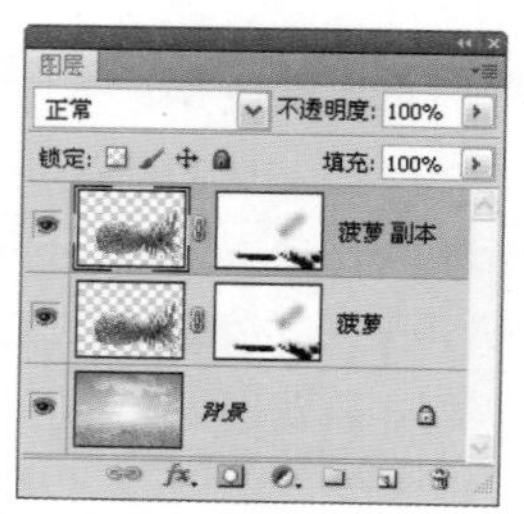
图22-910

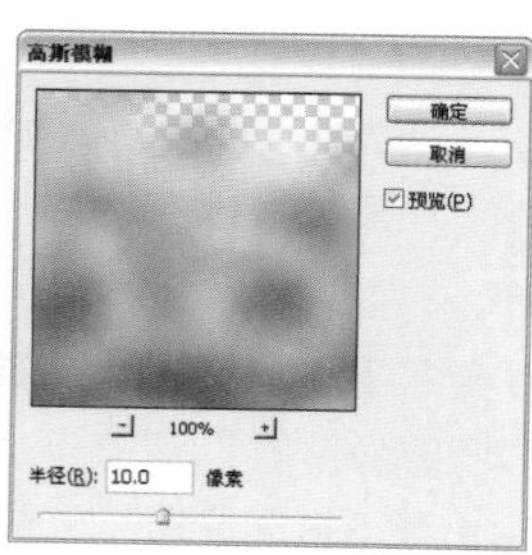
图22-911

图22-912

10 单击该图层的蒙版缩览图，使用柔角画笔工具在菠萝的中心位置涂抹黑色，隐藏中心的模糊图像，只让菠萝的边缘则呈现模糊效果，如图22-913所示。

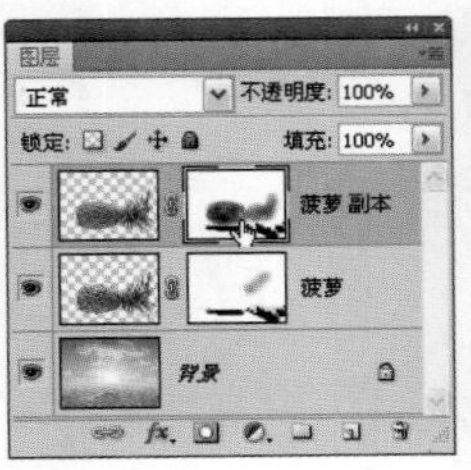

图22-913

11 单击“菠萝”图层的蒙版缩览图，在图像中菠萝的左侧涂抹深灰色，使图像呈现虚实变化，如图22-914所示。

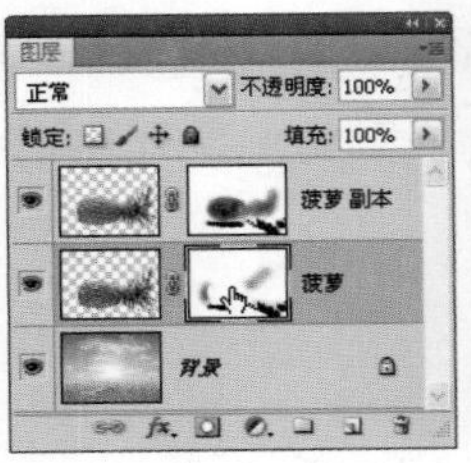

图22-914

12 按住Ctrl键单击“菠萝副本”图层，选取这两个图层，按下Ctrl+E快捷键合并图层，如图22-915所示。

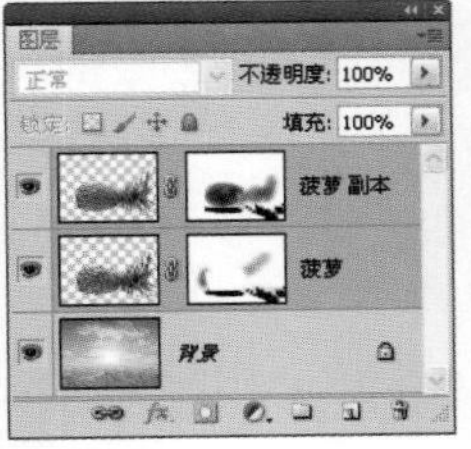

图22-915

13 按下Ctrl+B快捷键打开“色彩平衡”对话框，分别对“中间调”、“阴影”和“高光”进行调整，使菠萝颜色变黄，画面色调更加温暖，如图22-916所示。

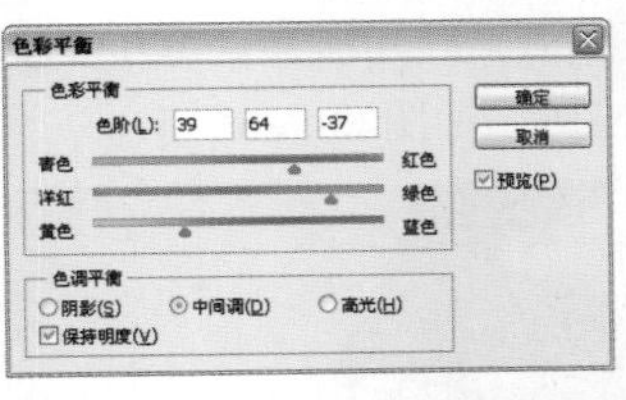
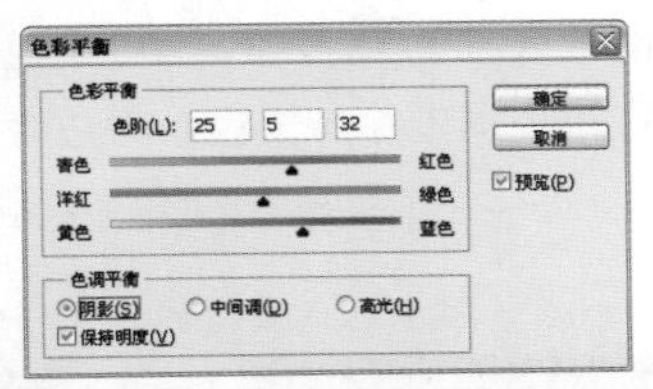
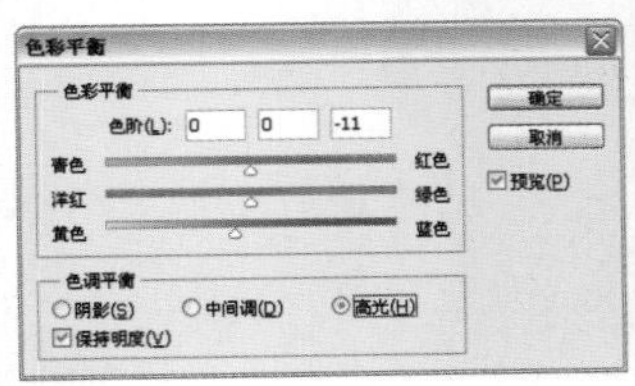

图22-916

14 在“菠萝”图层下方新建一个图层，设置不透明度为50%，使用柔角画笔工具绘制投影，如图22-917所示。

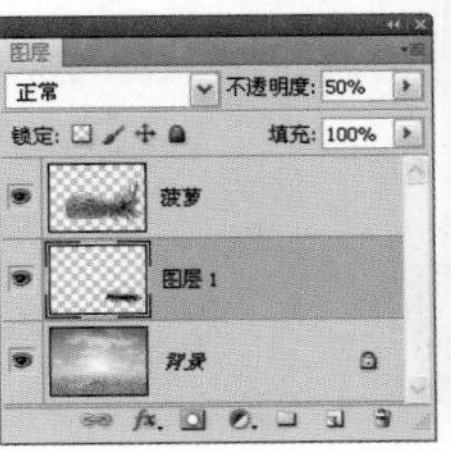

图22-917

15 按下Ctrl+O快捷键，打开一个文件，如图22-918所示。

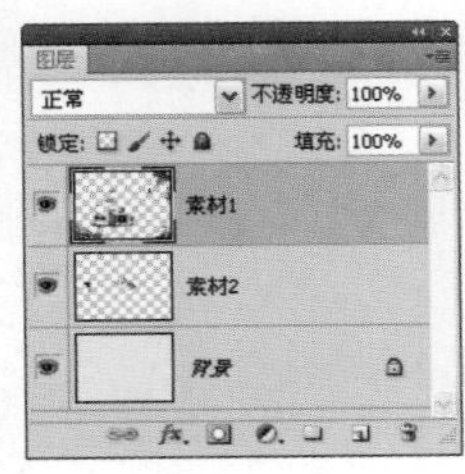

图22-918

16 使用移动工具将素材拖到菠萝城堡文档中，装饰在菠萝上面，如图22-919所示。

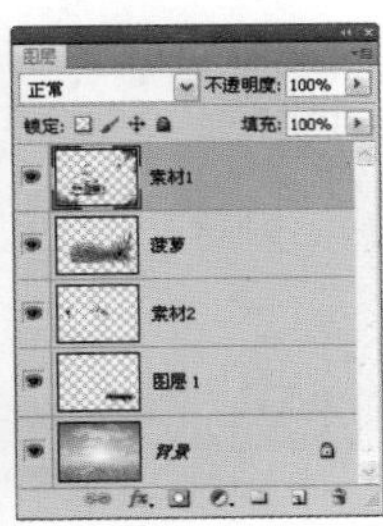

图22-919

17 在“菠萝”图层上方新建一个图层，设置混合模式为“正片叠底”。使用柔角画笔工具（不透明度20%）绘制门、窗、草丛和路灯的投影，使画面中各种元素的合成更加自然、生动。在菠萝叶子上涂抹一些黑色，使色调变化丰富，在画面左上角加入文字，如图22-920所示。

图22-920

22.49 精通图像合成：CG插画

1 按下Ctrl+O快捷键，打开一个文件，如图22-921所示。

图22-921

2 按下Ctrl+L快捷键打开“色阶”对话框，向左拖动高光滑块，增加图像的亮度，如图22-922所示。

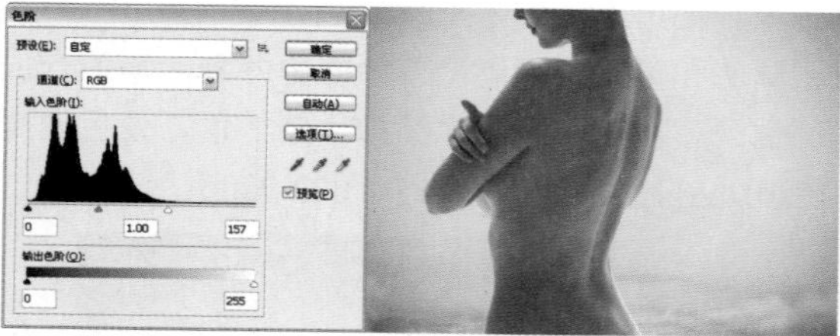

图22-922

3 按下Ctrl+O快捷键，打开两个文件，如图22-923、图22-924所示。

图22-923

图22-924

4 使用移动工具将树皮图像拖到人物文档中，放在手臂以下的位置，如图22-925所示。

图22-925

5 设置该图层的混合模式为“浅色”，不透明度为60%，按下Alt+Ctrl+G快捷键创建剪贴蒙版。单击“图层”面板底部的按钮，添加图层蒙版。使用柔角画笔工具在树皮周围涂抹黑色，将边缘隐藏，如图22-926所示。

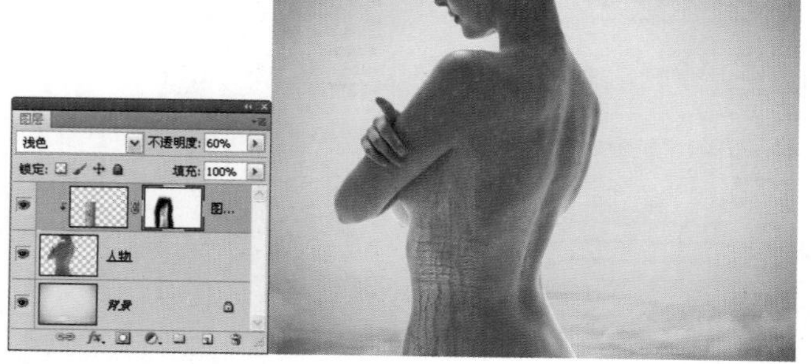

图22-926

6 将山峦图像拖到人物文档中，执行“编辑>变换>旋转90度（顺时针）”命令，将图像旋转，设置混合模式为“强光”，使山峦融合到人物皮肤中，如图22-927所示。

图22-927

7 按下Alt+Ctrl+G快捷键创建剪贴蒙版，将超出人物区域的图像隐藏，如图22-928所示。单击按钮创建蒙版，使用柔角画笔工具在手臂、面部涂抹黑色，将这部分区域的山峦图像隐藏，如图22-929所示。

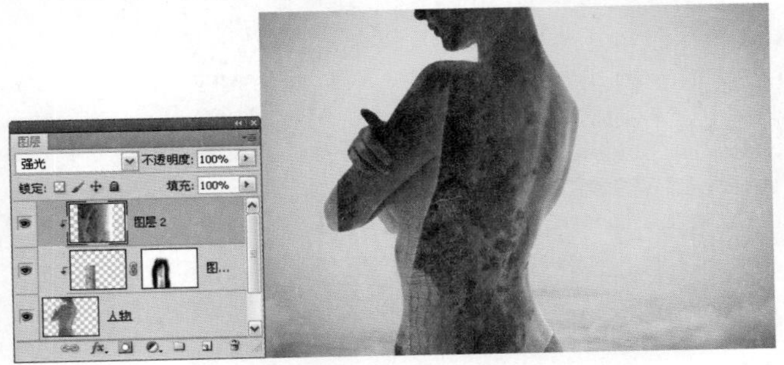

图22-928

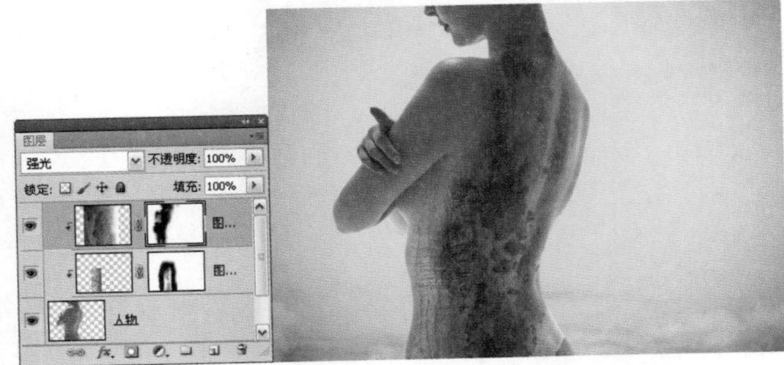

图22-929

> 提示
> 在表现山峦与人物皮肤衔接的位置时，可将画笔工具的不透明度设置为20%，进行仔细刻画。需要显示山峦时可用白色进行描绘，要更多地显示皮肤时，则用黑色描绘，尽量使山峦图像有融入皮肤的感觉。

8 将画笔工具调小，不透明度设置为100%，用白色在手指上涂抹，使手指皮肤也呈现山峦的颜色，人物的纹身效果就制作完了，如图22-930所示。

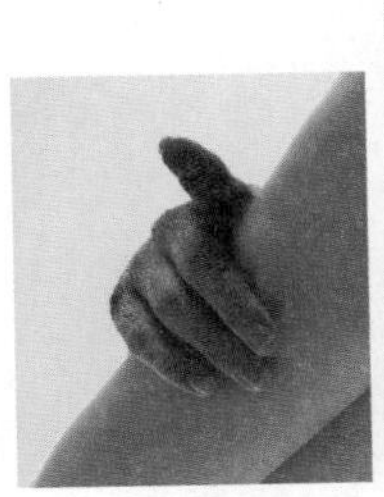

图22-930

9 下面要为图像添加云彩、飞鸟和各种花朵元素，使画面丰富、意境唯美。按下Ctrl+O快捷键，打开一个文件，如图22-931所示。按下Shift+Ctrl+U快捷键去色，将图像转换为黑白色，如图22-932所示。

图22-931

图22-932

10 按下Ctrl+L快捷键打开“色阶”对话框，单击设置黑场工具，在如图22-933所示的位置单击，将灰色区域转换为黑色，如图22-934所示。

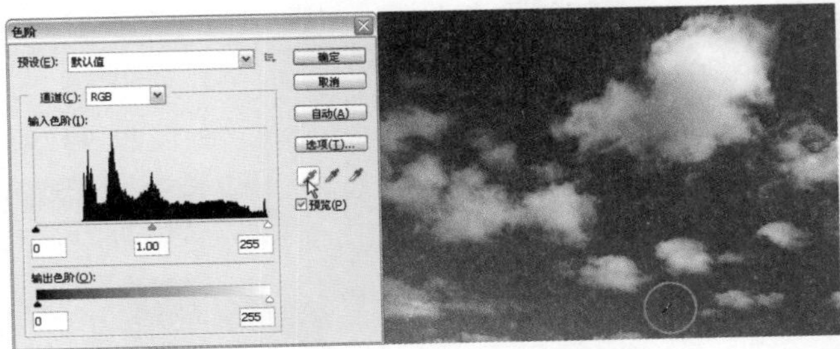

图22-933

图22-934

11 使用移动工具将云彩图像拖到人物文档中，按下Ctrl+T快捷键显示定界框，适当缩小图像的高度，按下回车键确认操作。设置该图层的混合模式为“滤色”，隐藏黑色像素，在画面中只显示白色的云彩，如图22-935所示。

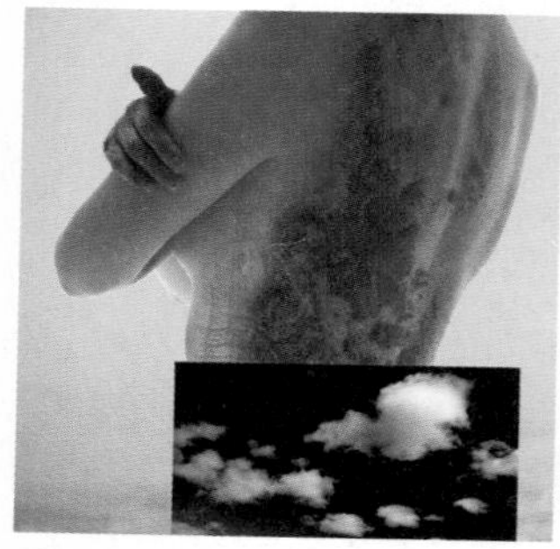

图22-935

12 使用橡皮擦工具（柔角）将云彩整齐的边缘擦除，如图22-936所示。

图22-936

13 按下Ctrl+O快捷键，打开一个文件，如图22-937所示。使用移动工具将枝叶图像拖到人物文档中，放置在手臂上面，如图22-938所示。

图22-937

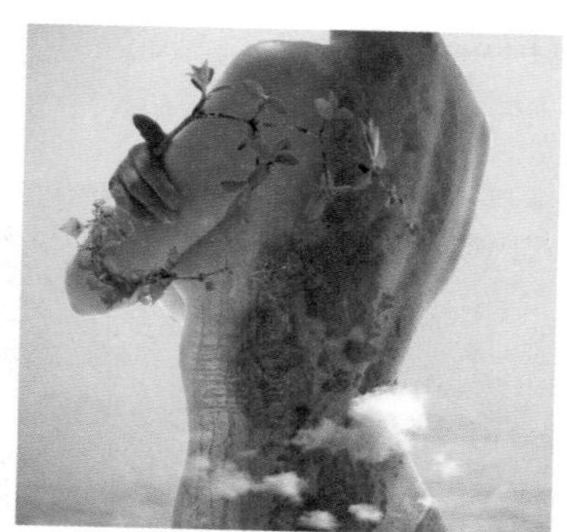

图22-938

14 按住Ctrl键单击“图层”面板底部的按钮，在当前图层下方新建一个图层，如图22-939所示。按住Ctrl键单击“枝叶”图层缩览图，载入选区，如图22-940、图22-941所示。将选区填充黑色，按下Ctrl+D快捷键取消选择。按下Ctrl+T快捷键显示定界框，按住Ctrl键拖动定界框的一角，对图像进行变换，如图22-942所示。按下回车键确认操作。

图22-939

图22-940

图22-941

图22-942

15 执行“滤镜>模糊>高斯模糊”命令，设置半径为10像素，如图22-943所示。

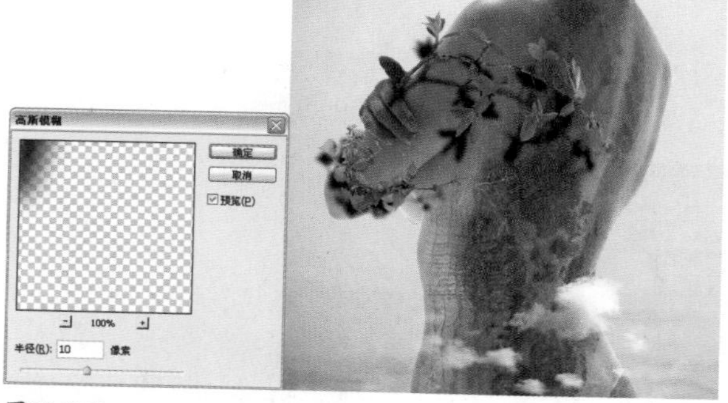

图22-943

16 设置该图层的混合模式为“正片叠底”，不透明度为30%，如图22-944所示。

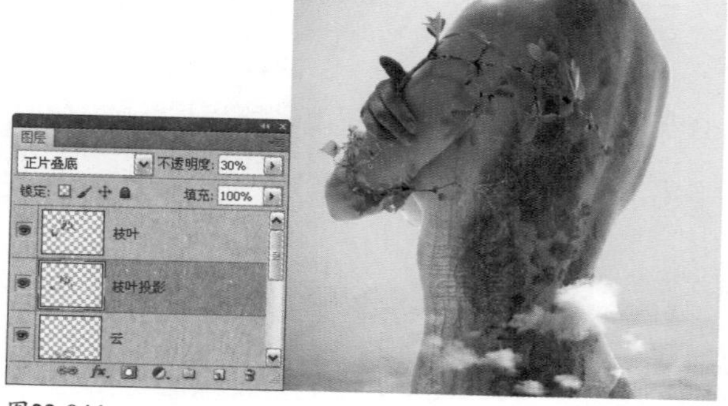

图22-944

17 按下Ctrl+O快捷键，打开一个文件，如图22-945所示。

图22-945

18 先来调整一下花环的颜色，使其与我们制作的插画色调协调。按下Ctrl+U快捷键打开“色相/饱和度”对话框设置参数，如图22-946所示。

图22-946

19 按下Ctrl+L快捷键打开“色阶”对话框，将阴影滑块和高光滑块向中间拖动，增加图像的对比度，如图22-947所示。

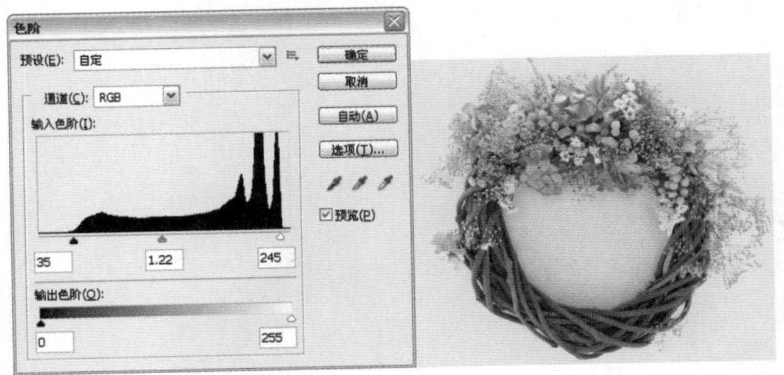
图22-947

20 执行“选择>色彩范围”命令，打开“色彩范围”对话框，将光标放在画面的背景区域单击取样，设置“颜色容差”为75，如图22-948所示。在预览框内可以看到花环外面的背景已被选取，花环里面的背景呈现灰色，说明未被全部选取。单击添加到取样工具，在花环里面的背景上单击，将这部分图像添加到选区内，在预览框内可以看到，原来的灰色区域已变为白色，如图22-949所示。

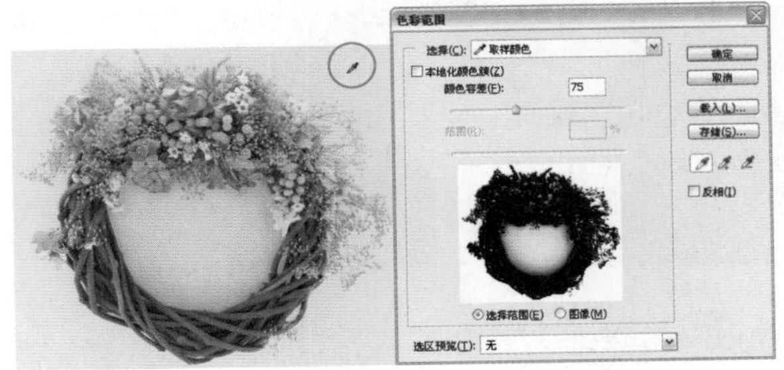
图22-948

图22-949

21 单击“确定”按钮，选区效果如图22-950所示。按下Shift+Ctrl+I快捷键反选，将花环选取，如图22-951所示。

图22-950

图22-951

22 按住Ctrl键将选区内的花环拖到人物文档中。按下Ctrl+T快捷键显示定界框，将图像进行水平翻转，再调整角度和位置，如图22-952所示。按下回车键确认操作。

图22-952

23 使用移动工具按住Alt键拖动图像进行复制，使用橡皮擦工具（柔角）将花环上的花朵擦除，再调整花环的大小和角度，组成发髻的形状。通过“色相/饱和度”命令调整花环的颜色，使其与人物的色调相统一，效果如图22-953所示。

图22-953

24 在发髻下方新建一个图层，使用柔角画笔工具绘制发髻的投影，如图22-954所示。

图22-954

25 按下Ctrl+O快捷键，打开一个文件，如图22-955所示。将素材拖到人物文档中，最终效果如图22-956所示。

图22-955

图22-956

22.50 精通鼠绘：绘制人物画

1 打开一个文件，该图像是一个PSD分层文件，它包含了人物的“线稿”图层，如图22-957所示。

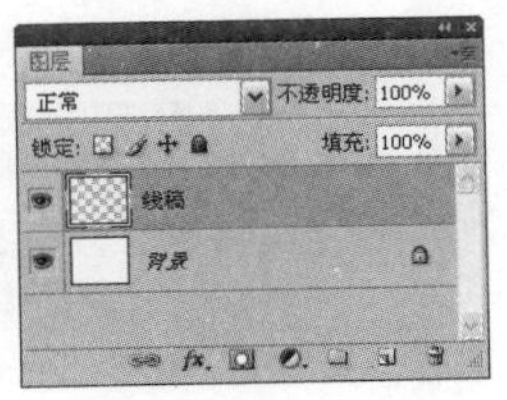

图22-957

2 按住Alt键单击按钮，打开“新建图层”对话框，在“线稿”图层的下面创建一个名称为“皮肤”的图层，如图22-958、图22-959所示。

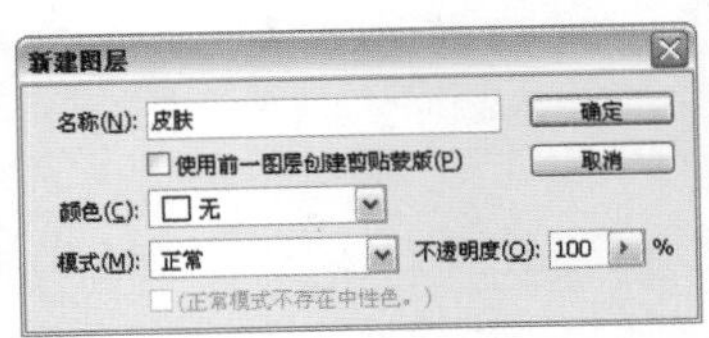

图22-958

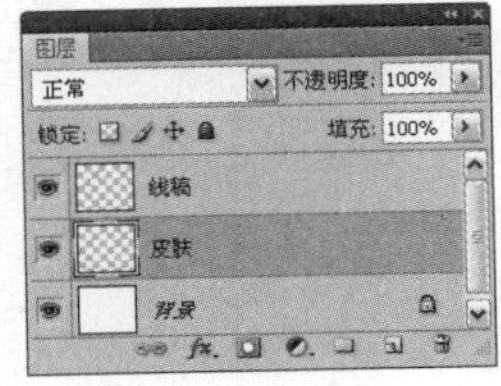

图22-959

3 将前景色设置为浅黄色（R240、G218、B205）。选择“线稿”图层，设置它的不透明度为20%，单击按钮，将该图层锁定。选择魔棒工具，按住Shift键选择人物的皮肤部分，如图22-960所示。

图22-960

提示 降低“线稿”图层的不透明度，线稿的颜色会变淡，这样能够避免线稿对颜色图层的干扰；而锁定图层则能避免用“线稿”图层载入选区后，将颜色直接填在该图层上。

4 执行“选择>修改>扩展”命令扩展选区，以免出现线稿区域漏填颜色的现象，设置参数如图22-961所示。选择“皮肤”图层，按下Alt+Delete快捷键填充前景色。按下Ctrl+D快捷键取消选择。选择画笔工具（尖角，不透明度100%），适当调整画笔的大小，在耳朵和额头区域涂抹颜色，以免处理头发时出现空白，如图22-962所示。

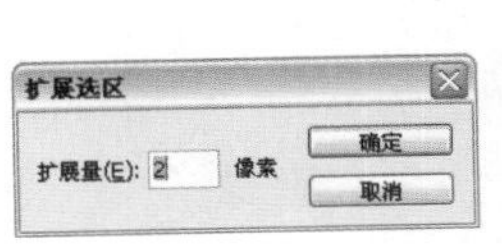
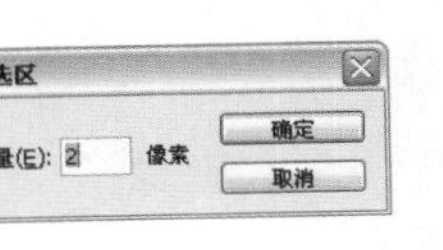

图22-961

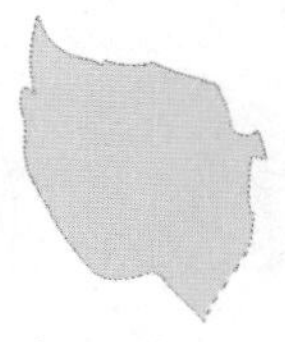

图22-962

5 创建两个图层，采用同样的方法，填充相应的颜色，如图22-963所示。

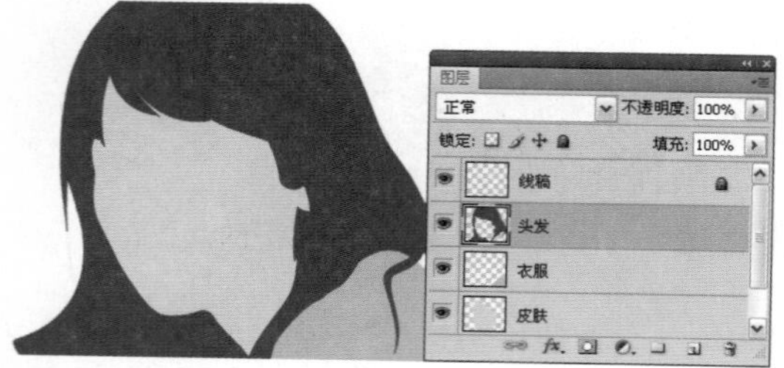

图22-963

6 分别对这3个颜色图层应用“高斯模糊”滤镜处理，使颜色轮廓变得更加柔和，如图22-964所示。

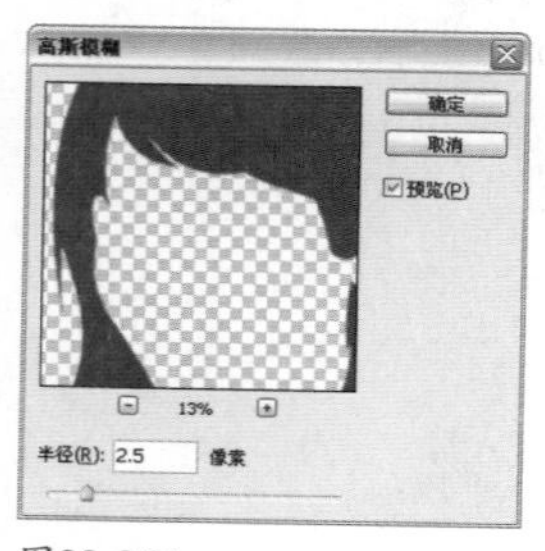

图22-964

7 选择“皮肤”图层，按下按钮，锁定该图层的透明区域。选择柔角画笔工具，适当调整前景色和画笔大小，在线稿的参照下从头部开始绘制明暗效果，如图22-965所示。

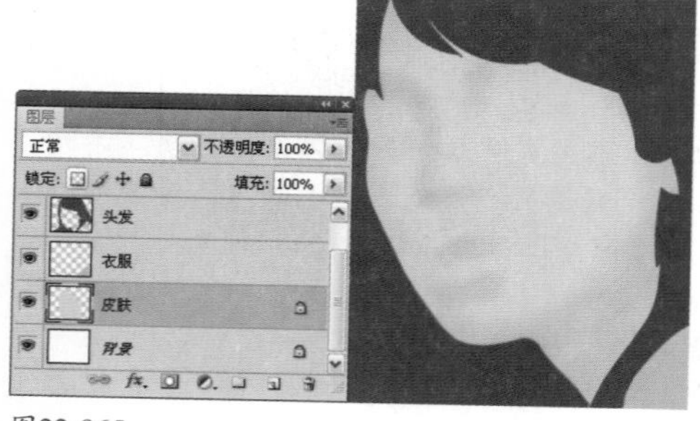

图22-965

提示 设置前景色时可以先使用吸管工具拾取皮肤色，再打开“拾色器”将颜色调暗。按下“[”（缩小）或“]”（放大）调整画笔大小。

8 不断调整画笔大小和前景色，从概括到具体，逐步深入地绘制出皮肤的大体明暗关系，绘制时可以先不考虑颜色，先把素描关系找准。将画笔调小，从五官的暗部着手，加强对五官的刻画，如图22-966所示。适当降低画笔工具的不透明度可以使绘制的颜色过渡柔和。

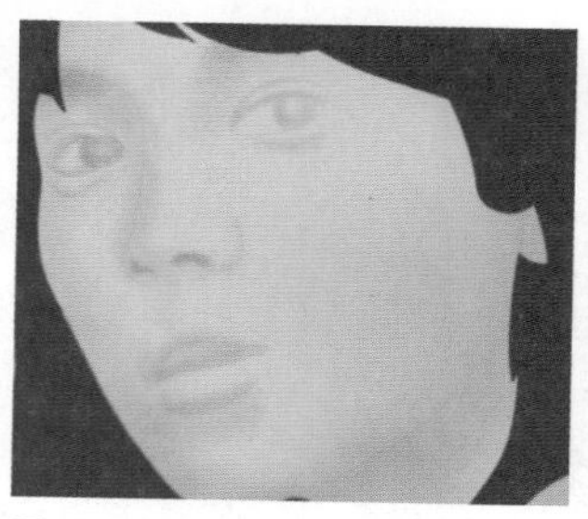

图22-966

绘制时要考虑到“头发”图层处理后的轮廓，不要漏掉头发下面的耳朵和额头部位。

9 创建一个名称为“五官”的图层，适当调整前景色和画笔的大小，绘制五官的基本颜色，如图22-967所示。

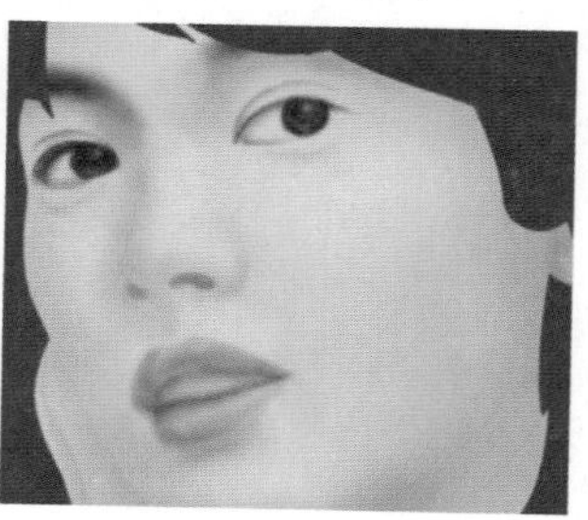

图22-967

10 将前景色加深，画笔调小，深入刻画眼睛。使用涂抹工具（尖角，模式为正常，强度60%）在眼睑处涂抹出一些睫毛，如图22-968所示。

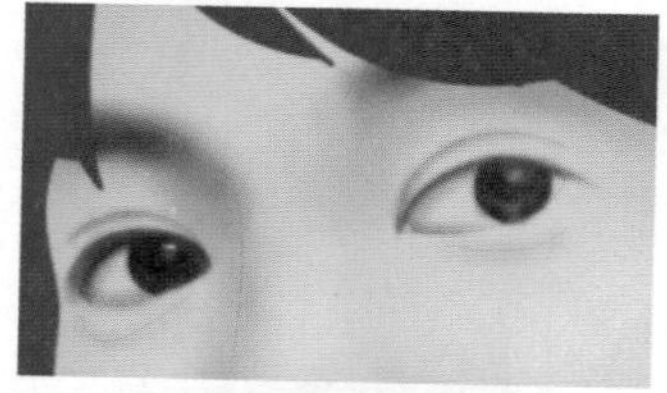

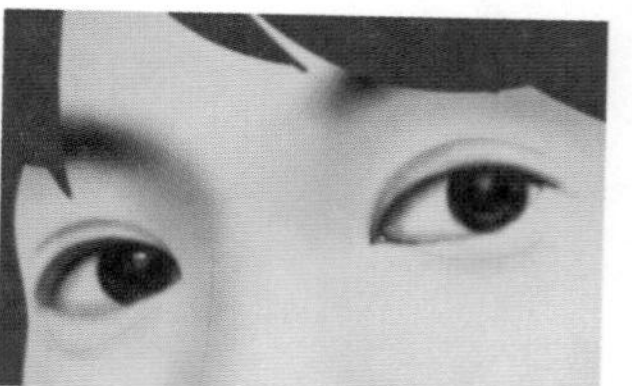

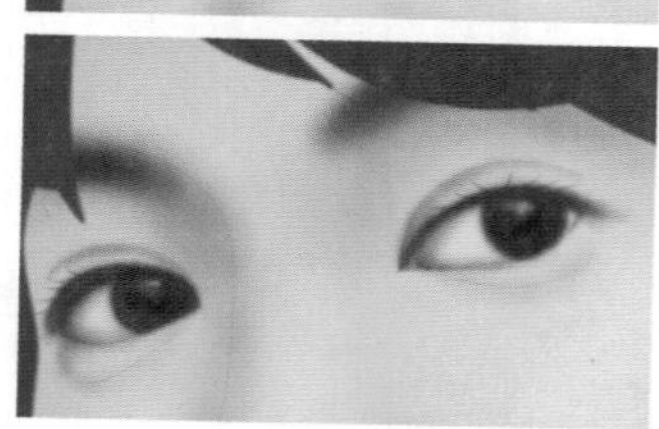

图22-968

11 使用吸管工具拾取嘴唇颜色，然后打开“拾色器”将颜色调亮，绘制嘴唇的亮部色；同时绘制出牙齿和嘴唇的高光，如图22-969所示。

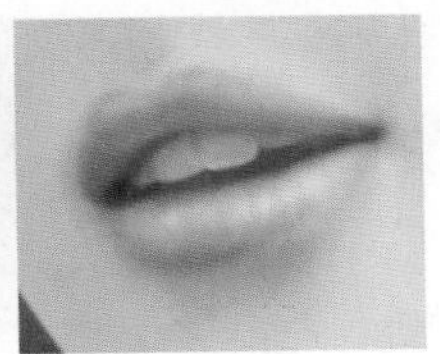

图22-969

在绘制嘴唇时，使用同一个前景色，只要在工具选项栏修改画笔的模式，也能改变绘制出来的颜色效果，同时还能最大限度地保持原有体积效果。如上图中的左嘴角是用“正片叠底”来加深颜色的，而高光则是使用画笔的“滤色”模式绘制的。

12 选择“皮肤”图层，适当调整前景色绘制脸部色彩，使整个面部更加协调（主要是提亮面部高光区域），如图22-970所示。

图22-970

绘制面部亮部区域可先创建一个图层，绘制白色使用橡皮擦工具（柔角，不透明度20%）擦除白色区域的轮廓，使它自然地与脸部融合，然后合并图层。

13 选择“头发”图层，使用加深工具（柔角，范围中间调，曝光度20%）和减淡工具处理头发，绘制出头发的体积关系，如图22-971所示。

图22-971

14 使用橡皮擦工具（柔角，不透明度10%）处理头发的轮廓，使它的层次感更强；使用加深工具（柔角，范围中间调，曝光度20%）和减淡工具顺着头发的走势进一步处理，加强层次感，如图22-972所示。

图22-972

15 在“图层”和“路径”面板中分别创建名称为“头发丝”的图层和路径，如图22-973所示，使用钢笔工具参照绘制好的头发的走势绘制路径，如图22-974所示。

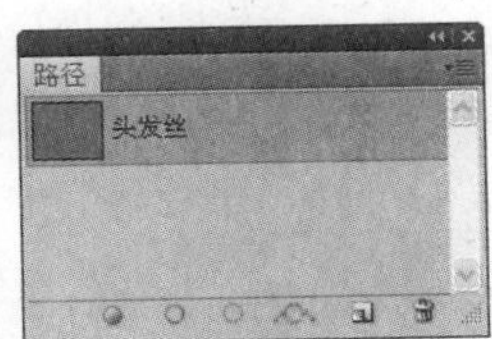

图22-973

图22-974

> **提示** 使用直接选择工具可以拖动锚点对路径进行修改。按下Ctrl键可以在钢笔工具和直接选择工具之间切换。绘制路径时可以先将头发分组，再一组组绘制，这样绘制的头发就不容易乱。

16 按下D键将前景色设置为默认的黑色。选择画笔工具（尖角1像素），单击“路径”面板中的按钮，描边发丝路径，在面板的空白处单击隐藏路径，如图22-975所示。按下Ctrl+F快捷键重复执行“高斯模糊”命令，对头发丝进行模糊处理，使用橡皮擦工具（柔角，不透明度10%）将头发发梢的颜色擦淡，使头发更加自然，如图22-976、图22-977所示。

图22-975

图22-976

图22-977

17 复制“头发丝”图层。使用移动工具移动并复制头发丝，增加头发的数量，如图22-978所示。使用橡皮擦工具（柔角，不透明度10%）处理两个“头发丝”图层，使两个相同的图层有所区别，如图22-979所示。采用同样的方法新建图层，绘制一些散乱的头发丝，使头发显得更加自然，如图22-980所示。选择3个头发丝图层，按下Ctrl+E快捷键将它们合并。

图22-978

图22-979

图22-980

18 选择“头发”图层，按下Ctrl+J快捷键复制，按下Ctrl+［快捷键向下移动，如图22-981所示。执行“滤镜>模糊>高斯模糊”命令，使头发呈现出一种晕染的效果，如图22-982、图22-983所示。选择“头发”图层，按下按钮锁定透明区域。适当调整前景色，使用画笔工具（柔角，不透明度10%）在头发上涂抹，使头发的颜色变暖，如图22-984所示，再按下按钮解除锁定。

图22-981

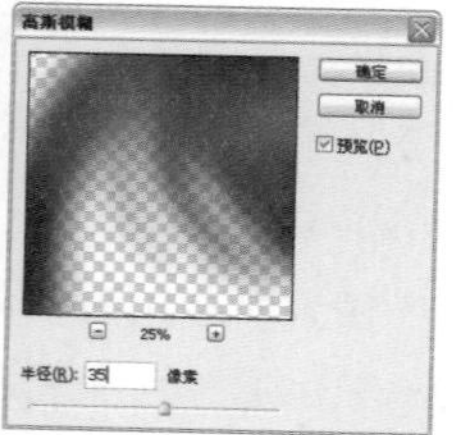

图22-982

图22-983

图22-984

19 使用橡皮擦工具（柔角，不透明度10%）处理两个“头发”图层，使头发更加自然，如图22-985所示。

图22-985

20 选择“线稿”图层，单击按钮，解除该图层的锁定，如图22-986所示。按住Ctrl键单击该图层的缩览图，载入选区，执行“选择>修改>扩展”命令扩展选区，如图22-987所示。

图22-986

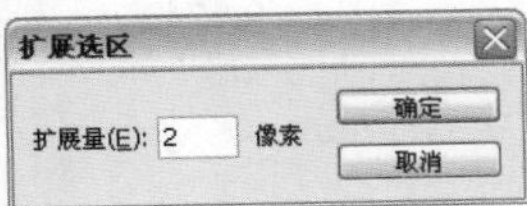

图22-987

21 按下D键将前景色设置为黑色，按下Alt+Delete快捷键填充前景色，加粗线稿，如图22-988所示，然后取消选择。使用橡皮擦工具（柔角，不透明度30%）处理线稿，使它与颜色更好地融合在一起，如图22-989所示。

图22-988

图22-989

22 在“头发”图层上面创建一个“耳环”图层。将前景色调整为白色，使用画笔工具（柔角，不透明度50%）绘制耳环，如图22-990所示。

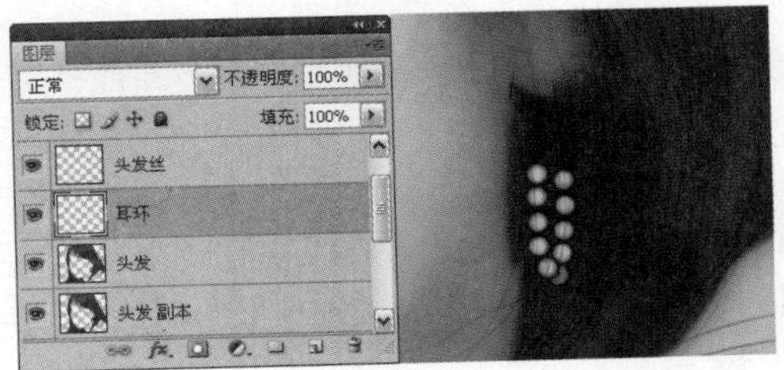

图22-990

23 选择“衣服”图层，按住Alt键单击按钮，新建一个名称为“纹理”，模式为“叠加”的中性色图层，如图22-991、图22-992所示。

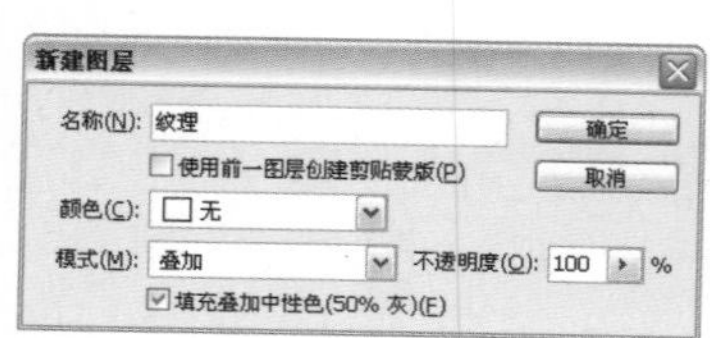
图22-991

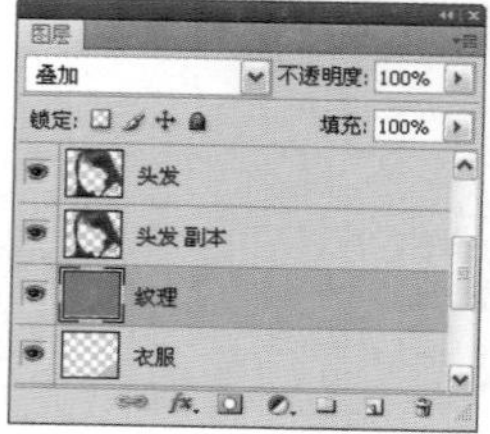
图22-992

24 执行“滤镜>纹理>纹理化”命令，如图22-993、图22-994所示。按下Ctrl+T快捷键显示定界框，将纹理图形旋转，使纹理顺着袖子的走势，如图22-995所示。

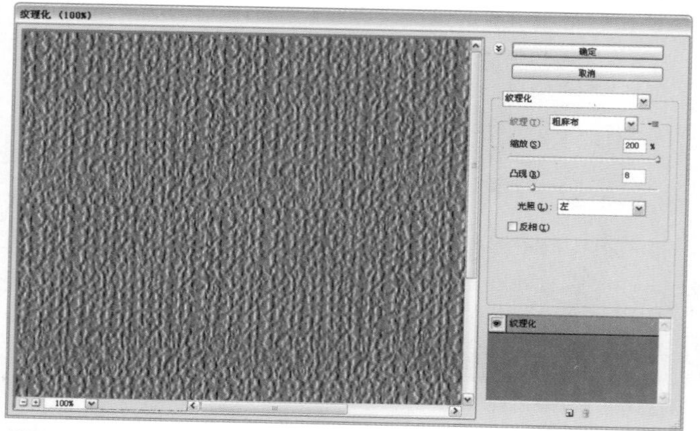
图22-993

图22-994

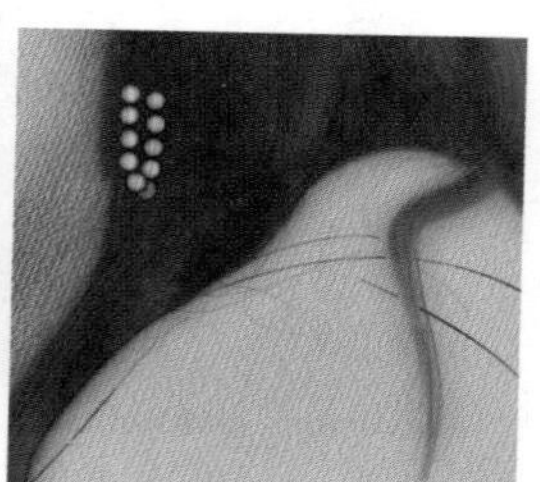
图22-995

25 按住Ctrl键单击“衣服”图层，载入选区，按下Ctrl+J快捷键将选区内的纹理复制到一个新的图层中，如图22-996所示。然后删除“纹理”图层。按下Ctrl+T快捷键显示定界框，单击右键选择“变形”命令，拖动控制点将图像变形，如图22-997所示。

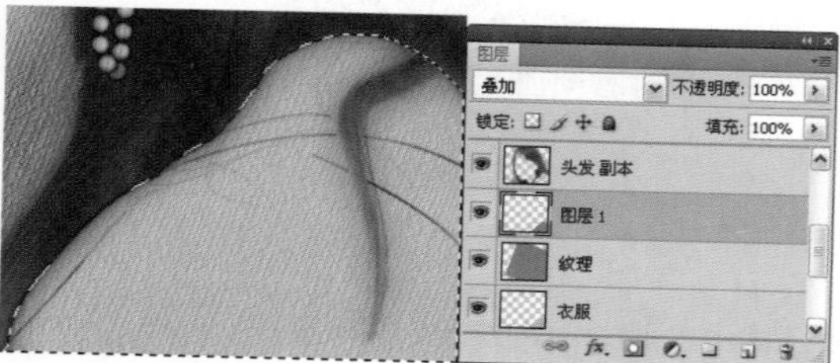
图22-996

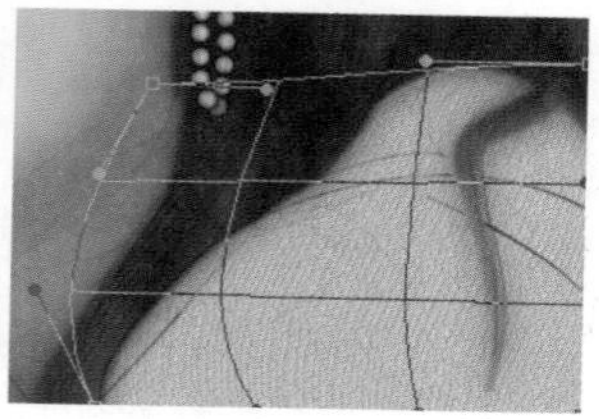
图22-997

26 按下回车键确认。按下Ctrl+E快捷键将纹理合并到“衣服”图层中，使用加深工具（柔角，范围中间调，曝光度20%）和减淡工具（柔角，范围中间调，曝光度20%），结合模糊工具，将衣服的体积关系绘制出来，如图22-998所示。最后加强面部高光，效果如图22-999所示。

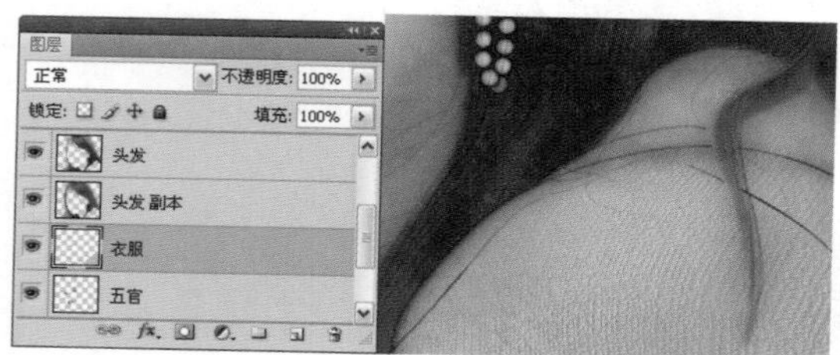
图22-998

图22-999

索引：Photoshop CS5软件功能速查表

命令及快捷键	所在页
首选项>单位与标尺	446
首选项>参考线、网格和切片	446
首选项>增效工具	446
首选项>文字	446
首选项>3D	447

“图像”菜单命令

命令及快捷键	所在页
模式>位图	214
模式>灰度	215
模式>双色调	215
模式>索引颜色	216
模式>RGB 颜色	216
模式>CMYK 颜色	216
模式>Lab 颜色	217
模式>多通道	217
模式>8 位/通道	217
模式>16 位/通道	217
模式>32 位/通道	217
模式>颜色表	218
调整>亮度/对比度	219
调整>色阶（Ctrl+L）	260
调整>曲线（Ctrl+M）	266
调整>曝光度	220
调整>自然饱和度	221
调整>色相/饱和度（Ctrl+U）	222
调整>色彩平衡（Ctrl+B）	226
调整>黑白（Alt+Shift+Ctrl+B）	228
调整>照片滤镜	231
调整>通道混合器	233
调整>反相（Ctrl+I）	234
调整>色调分离	235
调整>阈值	250
调整>渐变映射	236
调整>可选颜色	238
调整>阴影/高光	240
调整>HDR色调	147
调整>变化	243
调整>去色（Shift+Ctrl+U）	251
调整>匹配颜色	246
调整>替换颜色	248
调整>色调均化	235
自动色调（Shift+Ctrl+L）	218
自动对比度（Alt+Shift+Ctrl+L）	219
自动颜色（Shift+Ctrl+B）	219
图像大小（Alt+Ctrl+I）	49
画布大小（Alt+Ctrl+C）	51
图像旋转	51
裁剪	55
裁切	55
显示全部	52
复制	58
应用图像	312
计算	314
变量>定义	438
变量>数据组	438
应用数据组	439
陷印	449

“图层”菜单命令

命令及快捷键	所在页
新建>图层（Shift+Ctrl+N）	151
新建>背景	152
新建>组	161
新建>从图层建立组	161
新建>通过拷贝的图层（Ctrl+J）	151
新建>通过剪切的图层（Shift+Ctrl+J）	151
复制图层	153
删除	156
图层属性	154
图层样式>混合选项	308
图层样式>投影	164
图层样式>内阴影	165
图层样式>外发光	165
图层样式>内发光	167
图层样式>斜面和浮雕	168
图层样式>光泽	172
图层样式>颜色叠加	172
图层样式>渐变叠加	172
图层样式>图案叠加	173
图层样式>描边	173
图层样式>拷贝图层样式	175
图层样式>粘贴图层样式	175
图层样式>清除图层样式	175
图层样式>全局光	175
图层样式>创建图层	178
图层样式>隐藏所有效果	174
图层样式>缩放效果	177
智能滤镜>停用智能滤镜	351
智能滤镜>删除滤镜蒙版	350
智能滤镜>停用滤镜蒙版	350
智能滤镜>清除智能滤镜	351
新建填充图层>纯色	193
新建填充图层>渐变	194
新建填充图层>图案	196
新建调整图层	199
图层内容选项	202
图层蒙版>显示全部	301
图层蒙版>隐藏全部	301
图层蒙版>显示选区	302
图层蒙版>隐藏选区	302
图层蒙版>删除	301
图层蒙版>应用	301
图层蒙版>启用/停用图层蒙版	295
图层蒙版>链接/取消链接	303
矢量蒙版>显示全部	296
矢量蒙版>隐藏全部	296
矢量蒙版>当前路径	296
矢量蒙版>删除	297
矢量蒙版>启用/停用	295
矢量蒙版>链接/取消链接	297
创建剪贴蒙版（Alt+Ctrl+G）	298
智能对象>转换为智能对象	207
智能对象>通过拷贝新建智能对象	209
智能对象>编辑内容	210
智能对象>导出内容	211
智能对象>替换内容	210
智能对象>堆栈模式	429
智能对象>栅格化	211
视频图层>从文件新建视频图层	402
视频图层>新建空白视频图层	401
视频图层>插入空白帧	404
视频图层>复制帧	404
视频图层>删除帧	404
视频图层>替换素材	405
视频图层>解释素材	404
视频图层>恢复帧	405
视频图层>恢复所有帧	405
视频图层>重新载入帧	405
视频图层>栅格化	405
文字>创建工作路径	341
文字>转换为形状	341
文字>水平	334
文字>垂直	334
文字>消除锯齿方式	331
文字>转换文本形状类型	334
文字>文字变形	335
文字>更改所有文字图层	341
文字>替换所有欠缺字体	341
栅格化>文字	156
栅格化>形状	156
栅格化>填充内容	156
栅格化>矢量蒙版	156
栅格化>智能对象	156
栅格化>视频	156
栅格化>3D	156
栅格化>图层	156
栅格化>所有图层	156
新建基于图层的切片	392
图层编组（Ctrl+G）	161
取消图层编组（Shift+Ctrl+G）	162
隐藏图层	155
排列	157
对齐	157
分布	158
锁定组内的所有图层	155
链接图层	154
选择链接图层	153
合并图层（Ctrl+E）	160
合并可见图层（Shift+Ctrl+E）	160
拼合图像	160
修边	156

“选择”菜单命令

命令及快捷键	所在页
全部（Ctrl+A）	78
取消选择（Ctrl+D）	79
重新选择（Shift+Ctrl+D）	79
反向（Shift+Ctrl+I）	78
所有图层（Alt+Ctrl+A）	153
取消选择图层	153
相似图层	153
色彩范围	87
调整边缘（Alt+Ctrl+R）	91
修改>边界	95
修改>平滑	95
修改>扩展	95
修改>收缩	95
修改>羽化（Shift+F6）	96
扩大选取	96
选取相似	96
变换选区	96
在快速蒙版模式下编辑	89
载入选区	97
存储选区	97

“滤镜”菜单命令

命令及快捷键	所在页
上次滤镜操作（Ctrl+F）	343
转换为智能滤镜	348
滤镜库	345
镜头校正（Shift+Ctrl+R）	137
液化（Shift+Ctrl+X）	142
消失点（Alt+Ctrl+V）	140
风格化>查找边缘	352
风格化>等高线	352
风格化>风	352
风格化>浮雕效果	352
风格化>扩散	353
风格化>拼贴	353
风格化>曝光过度	353
风格化>凸出	353
风格化>照亮边缘	354
画笔描边>成角的线条	354
画笔描边>墨水轮廓	354
画笔描边>喷溅	355
画笔描边>喷色描边	355
画笔描边>强化的边缘	355

命令及快捷键	所在页
画笔描边>深色线条	356
画笔描边>烟灰墨	356
画笔描边>阴影线	356
模糊>表面模糊	356
模糊>动感模糊	357
模糊>方框模糊	357
模糊>高斯模糊	357
模糊>进一步模糊	358
模糊>径向模糊	358
模糊>镜头模糊	359
模糊>模糊	358
模糊>平均	360
模糊>特殊模糊	360
模糊>形状模糊	360
扭曲>波浪	361
扭曲>波纹	361
扭曲>玻璃	361
扭曲>海洋波纹	362
扭曲>极坐标	362
扭曲>挤压	362
扭曲>扩散亮光	363
扭曲>切变	363
扭曲>球面化	363
扭曲>水波	364
扭曲>旋转扭曲	364
扭曲>置换	365
锐化>USM 锐化	365
锐化>进一步锐化	365
锐化>锐化	365
锐化>锐化边缘	365
锐化>智能锐化	366
视频>NTSC 颜色	368
视频>逐行	368
素描>半调图案	368
素描>便条纸	369
素描>粉笔和炭笔	369
素描>铬黄	369
素描>绘图笔	369
素描>基底凸现	369
素描>石膏效果	370
素描>水彩画纸	370
素描>撕边	370
素描>炭笔	370
素描>炭精笔	370
素描>图章	371
素描>网状	371
素描>影印	371
纹理>龟裂缝	372
纹理>颗粒	372
纹理>马赛克拼贴	372
纹理>拼缀图	373
纹理>染色玻璃	373
纹理>纹理化	373
像素化>彩块化	374
像素化>彩色半调	374
像素化>点状化	374
像素化>晶格化	374
像素化>马赛克	374
像素化>碎片	375
像素化>铜版雕刻	375
渲染>分层云彩	375
渲染>光照效果	376
渲染>镜头光晕	377
渲染>纤维	378
渲染>云彩	375

命令及快捷键	所在页
艺术效果>壁画	378
艺术效果>彩色铅笔	378
艺术效果>粗糙蜡笔	379
艺术效果>底纹效果	379
艺术效果>调色刀	379
艺术效果>干画笔	379
艺术效果>海报边缘	380
艺术效果>海绵	380
艺术效果>绘画涂抹	380
艺术效果>胶片颗粒	380
艺术效果>木刻	380
艺术效果>霓虹灯光	381
艺术效果>水彩	381
艺术效果>塑料包装	381
艺术效果>涂抹棒	381
杂色>减少杂色	382
杂色>蒙尘与划痕	383
杂色>去斑	383
杂色>添加杂色	383
杂色>中间值	383
其它>高反差保留	384
其它>位移	384
其它>自定	384
其它>最大值	385
其它>最小值	385
Digimarc>读取水印	385
Digimarc>嵌入水印	385
浏览联机滤镜	344

“分析”菜单命令

命令及快捷键	所在页
设置测量比例	425
选择数据点	426
记录测量	427
标尺工具	426
计数工具	427
置入比例标记	425

“3D”菜单命令

命令及快捷键	所在页
从 3D 文件新建图层	422
从图层新建 3D 明信片	419
从图层新建形状	420
从灰度新建网格	420
从图层新建体积	422
凸纹	421
渲染设置	423
地面阴影捕捉器	424
将对象贴紧地面	424
自动隐藏图层以改善性能	422
隐藏最近的表面（Alt+Ctrl+X）	417
仅隐藏封闭的多边形	417
反转可见表面	417
显示所有表面（Alt+Shift+Ctrl+X）	417
3D 绘画模式	418
选择可绘画区域	418
创建 UV 叠加	416
新建拼贴绘画	417
绘画衰减	418
重新参数化	416
合并 3D 图层	422
导出 3D 图层	422
恢复连续渲染	424
连续渲染选区	424
栅格化	422
联机浏览 3D 内容	422

“视图”菜单命令

命令及快捷键	所在页
校样设置	256
校样颜色（Ctrl+Y）	256
色域警告（Shift+Ctrl+Y）	255
像素长宽比	404
像素长宽比校正	404
32 位预览选项	147
放大（Ctrl++）	24
缩小（Ctrl+-）	24
按屏幕大小缩放（Ctrl+0）	24
实际像素（Ctrl+1）	24
打印尺寸	24
屏幕模式	18
显示额外内容（Ctrl+H）	28
显示	28
标尺（Ctrl+R）	26
对齐（Shift+Ctrl+;）	28
对齐到	28
锁定参考线（Alt+Ctrl+;）	27
清除参考线	27
新建参考线	27
锁定切片	393
清除切片	394

“窗口”菜单命令

命令及快捷键	所在页
排列	19
工作区	24
扩展功能>CS News and Resources	11
扩展功能>CS Review	11
扩展功能>Kuler	11
扩展功能>Mini Bridge	43
扩展功能>访问CS Live	11

“帮助”菜单命令

命令及快捷键	所在页
Photoshop 帮助	10
Photoshop 支持中心	10
关于 Photoshop	10
法律声明	10
系统信息	10
产品注册	10
取消激活	10
更新	10
GPU	10
Photoshop 联机	10
Adobe 产品改进计划	11

本书实战及实例速查表

软件功能学习类实战与实例

抠图类实战与实例

质感与特效类实战与实例

平面设计类实战与实例

绘画类实战与实例